# 三国演义

中国古典文学名著丛书

【明】罗贯中 著

華夏出版社
HUAXIA PUBLISHING HOUSE

# 目　　录

词曰：

滚滚长江东逝水，浪花淘尽英雄。

是非成败转头空：青山依旧在，几度夕阳红。

白发渔樵江渚上①，惯看秋月春风。

一壶浊酒喜相逢：古今多少事，都付笑谈中。

# 第一回

## 宴桃园豪杰三结义　斩黄巾英雄首立功

话说天下大势，分久必合，合久必分：周末七国分争，并入于秦；及秦灭之后，楚、汉分争，又并入于汉；汉朝自高祖斩白蛇而起义，一统天下，后来光武中兴，传至献帝，遂分为三国。推其致乱之由，殆②始于桓、灵二帝。桓帝禁锢善类③，崇信宦官。及桓帝崩④，灵帝即位，大将军窦武、太傅陈蕃，共相辅佐；时有宦官曹节等弄权，窦武、陈蕃谋诛之，机事不密，反为所害，中涓⑤自此愈横。

建宁二年四月望日⑥，帝御⑦温德殿。方升座，殿角狂风骤起，只见一条大青蛇，从梁上飞将下来，蟠⑧于椅上。帝惊倒，左右急救入宫，百官俱奔避。须臾，蛇不见了。忽然大雷大雨，加以冰雹，落到半夜方止，坏却房屋无数。建宁四年二月，洛阳地震；又海水泛溢，沿海居民，尽被大浪卷入

---

① 白发渔樵江渚(zhǔ)上——渔：打鱼人；樵：砍柴人；渚：水中间的小块陆地。

② 殆——大概，恐怕。

③ 禁锢(gù)善类——禁锢：禁止人做官或参加政治活动；善类：好人，指当时反对宦官专权的士大夫。

④ 崩——死。古代帝王或王后死叫“崩”。

⑤ 中涓——宦官，即太监。

⑥ 望日——农历每月十五日。

⑦ 御——皇帝衣食住行的行动叫“御”。

⑧ 蟠(pán)——盘曲地伏着。

海中。光和元年，雌鸡化雄。六月朔①，黑气十余丈，飞入温德殿中。秋七月，有虹现于玉堂，五原山岸，尽皆崩裂。种种不祥，非止一端。帝下诏问群臣以灾异之由，议郎蔡邕上疏，以为霓②堕鸡化，乃妇寺干政③之所致，言颇切直。帝览奏叹息，因起更衣。曹节在后窃视，悉宣告左右；遂以他事陷邕于罪，放归田里。后张让、赵忠、封谞、段珪、曹节、侯览、蹇硕、程旷、夏恽、郭胜十人朋比为奸，号为“十常侍”。帝尊信张让，呼为“阿父”。朝政日非，以致天下人心思乱，盗贼蜂起。

时巨鹿郡有兄弟三人：一名张角，一名张宝，一名张梁。那张角本是个不第秀才，因入山采药，遇一老人，碧眼童颜，手执藜杖，唤角至一洞中，以天书三卷授之，曰：“此名《太平要术》。汝得之，当代天宣化，普救世人。若萌异心，必获恶报。”角拜问姓名。老人曰：“吾乃南华老仙也。”言讫④，化阵清风而去。角得此书，晓夜攻习，能呼风唤雨，号为“太平道人”。中平元年正月内，疫气流行，张角散施符水，为人治病，自称“大贤良师”。角有徒弟五百余人，云游四方，皆能书符念咒。次后徒众日多，角乃立三十六方，大方万余人，小方六七千，各立渠帅⑤，称为将军；讹⑥言：“苍天已死，黄天当立；岁在甲子，天下大吉。”令人各以白土，书“甲子”二字于家中大门上。青、幽、徐、冀、荆、扬、兖、豫八州之人，家家侍奉大贤良师张角名字。角遣其党马元义，暗赍⑦金帛，结交中涓封谞，以为内应。角与二弟商议曰：“至难得者，民心也。今民心已顺，若不乘势取天下，诚为可惜。”遂一面私造黄旗，约期举事；一面使弟子唐周，驰书报封谞⑧。唐周乃径赴省

---

① 朔——阴历的每月初一。
② 霓——副虹。古人认为色彩鲜明的内环叫虹，雄性；色彩暗淡的外环叫霓，雌性。
③ 妇寺干政——妇：皇太后、皇后、皇帝乳母一类人；寺：寺人（侍人），即宦官；干政：干预政事。
④ 讫（qì）——终了，完毕。
⑤ 渠帅——首领。
⑥ 讹（é）——谣言。
⑦ 赍（jī）——持，携带。
⑧ 驰书报封谞（xū）——驰：车马疾行；书：信；报：报告、告知。快马加鞭送信给封谞。

中①告变。帝召大将军何进调兵擒马元义，斩之；次收封谞等一干人下狱。张角闻知事露，星夜举兵，自称“天公将军”，张宝称“地公将军”，张梁称“人公将军”；申言于众曰：“今汉运将终，大圣人出。汝等皆宜顺天从正，以乐太平。”四方百姓，裹黄巾从张角反者四五十万。贼势浩大，官军望风而靡②。何进奏帝火速降诏，令各处备御，讨贼立功；一面遣中郎将卢植、皇甫嵩、朱儁③，各引精兵，分三路讨之。

且说张角一军，前犯幽州界分。幽州太守刘焉，乃江夏竟陵人氏，汉鲁恭王之后也；当时闻得贼兵将至，召校尉邹靖计议。靖曰：“贼兵众，我兵寡，明公宜作速招军应敌。”刘焉然其说④，随即出榜招募义兵。榜文行到涿县，引出涿县中一个英雄。那人不甚好读书；性宽和，寡言语，喜怒不形于色；素有大志，专好结交天下豪杰；生得身长七尺五寸⑤，两耳垂肩，双手过膝，目能自顾其耳，面如冠玉，唇若涂脂；中山靖王刘胜之后，汉景帝阁下玄孙：姓刘，名备，字玄德。昔刘胜之子刘贞，汉武时封涿鹿亭侯，后坐酎金失侯⑥，因此遗这一枝在涿县。玄德祖刘雄，父刘弘。弘曾举孝廉⑦，亦尝作吏，早丧。玄德幼孤，事母至孝；家贫，贩屦⑧织席为业。家住本县楼桑村。其家之东南，有一大桑树，高五丈余，遥望之，童童如车盖⑨。相者云：“此家必出贵人。”玄德幼时，与乡中小儿戏于树下，曰：“我为天子，当乘此车盖。”叔父刘元起奇其言，曰：“此儿非常人也！”因见玄德家贫，常资给之。年十五岁，母使游学，尝师事郑玄、卢植，与公孙瓒等为友。及刘焉发榜招军时，玄德年已二十八岁矣。

---

① 省中——古时皇帝居处称禁中，政府长官办公的地方叫省中。

② 靡(mǐ)——溃散。

③ 朱儁(jùn)——人名。

④ 然其说——然：以为然。赞同他的意见。

⑤ 身长七尺五寸——古人的尺度比现在的小，汉尺约相当于今尺的七八寸。

⑥ 坐酎(zhòu)金失侯——坐：犯法；酎金：汉代法制，皇帝祭祀宗庙时诸侯要献金助祭。这句意思是：犯了没有按照规定缴纳酎金的法制，被削去侯爵。

⑦ 举孝廉——汉代选拔士人做官的一种制度：地方官向朝廷推荐孝敬父母而又清廉的人。被推荐的人得到这种做官的资格，也叫举孝廉。

⑧ 屦(jù)——麻鞋。

⑨ 童童如车盖——车盖：古代做官人的车上设有遮幔，形略如伞，叫做车盖。这里形容大树枝叶的形状。

当日见了榜文，慨然长叹。随后一人厉声言曰："大丈夫不与国家出力，何故长叹？"玄德回视其人：身长八尺，豹头环眼，燕颔虎须，声若巨雷，势如奔马。玄德见他形貌异常，问其姓名。其人曰："某姓张，名飞，字翼德。世居涿郡，颇有庄田，卖酒屠猪，专好结交天下豪杰。恰才见公看榜而叹，故此相问。"玄德曰："我本汉室宗亲，姓刘，名备。今闻黄巾倡乱，有志欲破贼安民，恨力不能，故长叹耳。"飞曰："吾颇有资财，当招募乡勇，与公同举大事，如何？"玄德甚喜，遂与同入村店中饮酒。正饮间，见一大汉，推着一辆车子，到店门首歇了，入店坐下，便唤酒保："快斟酒来吃，我待赶入城去投军。"玄德看其人：身长九尺，髯长二尺；面如重枣，唇若涂脂；丹凤眼，卧蚕眉：相貌堂堂，威风凛凛。玄德就邀他同坐，叩其姓名。其人曰："吾姓关，名羽，字长生，后改云长，河东解良人也。因本处势豪，倚势凌人，被吾杀了；逃难江湖，五六年矣。今闻此处招军破贼，特来应募。"玄德遂以己志告之。云长大喜。同到张飞庄上，共议大事。

飞曰："吾庄后有一桃园，花开正盛；明日当于园中祭告天地，我三人结为兄弟，协力同心，然后可图大事。"玄德、云长齐声应曰："如此甚好。"次日，于桃园中，备下乌牛白马祭礼等项，三人焚香再拜而说誓曰："念刘备、关羽、张飞，虽然异姓，既结为兄弟，则同心协力，救困扶危；上报国家，下安黎庶①；不求同年同月同日生，只愿同年同月同日死。皇天后土，实鉴此心。背义忘恩，天人共戮！"誓毕，拜玄德为兄，关羽次之，张飞为弟。祭罢天地，复宰牛设酒，聚乡中勇士，得三百余人，就桃园中痛饮一醉。来日收拾军器，但恨无马匹可乘。正思虑间，人报有两个客人，引一伙伴侣，赶一群马，投庄上来。玄德曰："此天佑我也！"三人出庄迎接。原来二客乃中山大商：一名张世平，一名苏双，每年往北贩马，近因寇发而回。玄德请二人到庄，置酒管待，诉说欲讨贼安民之意。二客大喜，愿将良马五十匹相送；又赠金银五百两、镔铁②一千斤，以资器用。玄德谢别二客，便命良匠打造双股剑。云长造青龙偃月刀，又名"冷艳锯"，重八十二斤。张飞造丈八点钢矛。各置全身铠甲。共聚乡勇五百余人，来见邹靖。邹靖引见太守刘焉。三人参见毕，各通姓名。玄德说起宗派，刘焉大喜，遂认玄德

① 黎庶——百姓。

② 镔(bīn)铁——精炼的铁。

为侄。

不数日，人报黄巾贼将程远志统兵五万来犯涿郡。刘焉令邹靖引玄德等三人，统兵五百，前去破敌。玄德等欣然领军前进，直至大兴山下，与贼相见。贼众皆披发，以黄巾抹额①。当下两军相对，玄德出马，左有云长，右有翼德，扬鞭大骂："反国逆贼，何不早降！"程远志大怒，遣副将邓茂出战。张飞挺丈八蛇矛直出，手起处，刺中邓茂心窝，翻身落马。程远志见折了邓茂，拍马舞刀，直取张飞。云长舞动大刀，纵马飞迎。程远志见了，早吃一惊，措手不及，被云长刀起处，挥为两段。后人有诗赞二人曰：

英雄露颖在今朝，一试矛兮一试刀。

初出便将威力展，三分好把姓名标。

众贼见程远志被斩，皆倒戈而走。玄德挥军追赶，投降者不计其数，大胜而回。刘焉亲自迎接，赏劳军士。次日，接得青州太守龚景牒文②，言黄巾贼围城将陷，乞赐救援。刘焉与玄德商议。玄德曰："备愿往救之。"刘焉令邹靖将兵五千，同玄德、关、张，投青州来。贼众见救军至，分兵混战。玄德兵寡不胜，退三十里下寨。玄德谓关、张曰："贼众我寡；必出奇兵，方可取胜。"乃分关公引一千军伏山左，张飞引一千军伏山右，鸣金③为号，齐出接应。次日，玄德与邹靖引军鼓噪而进。贼众迎战，玄德引军便退。贼众乘势追赶，方过山岭，玄德军中一齐鸣金，左右两军齐出，玄德麾④军回身复杀。三路夹攻，贼众大溃。直赶至青州城下，太守龚景亦率民兵出城助战。贼势大败，剿戮极多，遂解青州之围。后人有诗赞玄德曰：

运筹决算有神功，二虎还须逊一龙。

初出便能垂伟绩，自应分鼎在孤穷。

龚景犒军毕，邹靖欲回。玄德曰："近闻中郎将卢植与贼首张角战于广宗，备昔曾师事卢植，欲往助之。"于是邹靖引军自回，玄德与关、张引本部五百人投广宗来。至卢植军中，入帐施礼，具道来意。卢植大喜，留在帐前

---

① 以黄巾抹额——用黄色巾帕裹扎额部。

② 牒文——文书。

③ 鸣金——敲击钲、铙（后来多指锣）等金属乐器。鸣金一般是收兵的号令，这里反用作进军信号。

④ 麾（huī）——指挥。

听调。

时张角贼众十五万，植兵五万，相拒于广宗，未见胜负。植谓玄德曰："我今围贼在此，贼弟张梁、张宝在颍川，与皇甫嵩、朱儁对垒。汝可引本部人马，我更助汝一千官军，前去颍川打探消息，约期剿捕。"玄德领命，引军星夜投颍川来。时皇甫嵩、朱儁领军拒贼，贼战不利，退入长社，依草结营。嵩与儁计曰："贼依草结营，当用火攻之。"遂令军士，每人束草一把，暗地埋伏。其夜大风忽起。二更以后，一齐纵火，嵩与儁各引兵攻击贼寨，火焰张天，贼众惊慌，马不及鞍，人不及甲，四散奔走。

杀到天明，张梁、张宝引败残军士，夺路而走。忽见一彪①军马，尽打红旗，当头来到，截住去路。为首闪出一将：身长七尺，细眼长髯；官拜骑都尉；沛国谯郡人也，姓曹，名操，字孟德。操父曹嵩，本姓夏侯氏；因为中常侍曹腾之养子，故冒姓曹。曹嵩生操，小字②阿瞒，一名吉利。操幼时，好游猎，喜歌舞；有权谋，多机变。操有叔父，见操游荡无度，尝怒之，言于曹嵩。嵩责操。操忽心生一计：见叔父来，诈倒于地，作中风之状。叔父惊告嵩，嵩急视之，操故无恙。嵩曰："叔言汝中风，今已愈乎？"操曰："儿自来无此病；因失爱于叔父，故见罔③耳。"嵩信其言。后叔父但言操过，嵩并不听。因此，操得恣意放荡。时人有桥玄者，谓操曰："天下将乱，非命世④之才不能济。能安之者，其在君乎？"南阳何颙⑤见操，言："汉室将亡，安天下者，必此人也。"汝南许劭，有知人之名。操往见之，问曰："我何如人？"劭不答。又问，劭曰："子治世之能臣，乱世之奸雄也。"操闻言大喜。年二十，举孝廉，为郎⑥，除洛阳北部尉⑦。初到任，即设五色棒十余条于县之四门，有犯禁者，不避豪贵，皆责之。中常侍蹇硕之叔，提刀夜行，操

---

① 一彪——一支的意思。渲染人马来得突然、迅猛。

② 小字——小名，乳名。

③ 见罔（wǎng）——加以诬枉。

④ 命世——名世，名声显赫于当世。

⑤ 何颙（yóng）——人名。

⑥ 郎——官名，汉代有中郎、侍郎、郎中等官，统称为郎，是殿廷侍从之职。

⑦ 除洛阳北部尉——除：任命，授职。尉：古代的武官，是县级的次官，主管地方治安。洛阳是大县，设两名尉，分管南部、北部。"北部尉"，原书误作"北都尉"，据《三国志·魏书·武帝纪》改正。

巡夜拿住，就棒责之。由是，内外莫敢犯者，威名颇震。后为顿丘令。因黄巾起，拜为骑都尉，引马步军五千，前来颍川助战。正值张梁、张宝败走，曹操拦住，大杀一阵，斩首万余级，夺得旗幡、金鼓、马匹极多。张梁、张宝死战得脱。操见过皇甫嵩、朱儁，随即引兵追袭张梁、张宝去了。

却说玄德引关、张来颍川，听得喊杀之声，又望见火光烛天，急引兵来时，贼已败散。玄德见皇甫嵩、朱儁，具道卢植之意。嵩曰："张梁、张宝势穷力乏，必投广宗去依张角。玄德可即①星夜往助。"玄德领命，遂引兵复回。到得半路，只见一簇军马，护送一辆槛车②：车中之囚，乃卢植也。玄德大惊，滚鞍下马，问其缘故。植曰："我围张角，将次③可破；因角用妖术，未能即④胜。朝廷差黄门⑤左丰前来体探，问我索取贿赂。我答曰：'军粮尚缺，安有余钱奉承天使⑥？'左丰挟恨，回奏朝廷，说我高垒⑦不战，惰慢军心；因此朝廷震怒，遣中郎将董卓来代将我兵，取我回京问罪。"张飞听罢，大怒，要斩护送军人，以救卢植。玄德急止之曰："朝廷自有公论，汝岂可造次⑧？"军士簇拥卢植去了。

关公曰："卢中郎已被逮，别人领兵，我等去无所依，不如且回涿郡。"玄德从其言，遂引军北行。行无二日，忽闻山后喊声大震。玄德引关、张纵马上高冈望之，见汉军大败，后面漫山塞野，黄巾盖地而来，旗上大书"天公将军"。玄德曰："此张角也！可速战！"三人飞马引军而出。张角正杀败董卓，乘势赶来，忽遇三人冲杀，角军大乱，败走五十余里。三人救了董卓回寨。卓问三人现居何职。玄德曰："白身⑨。"卓甚轻之，不为礼。玄德出，张飞大怒曰："我等亲赴血战，救了这厮⑩，他却如此无礼！若不杀

---

① 即——立即、马上。
② 槛(jiàn)车——囚禁押解犯人的车。
③ 将次——将要、快要达到某种地步。
④ 即——立即、马上。
⑤ 黄门——原是宫廷的禁门，一般作宦官、太监的代称。
⑥ 天使——皇帝派来的使者。
⑦ 高垒——古代军事用语，用土筑成很高的防御工事，是守而不战的措施。
⑧ 造次——急促、匆忙，这里是冒失的意思。
⑨ 白身——平民。
⑩ 厮——古代剥削阶级对服杂役人的蔑称，这里是骂人的话。

之，难消我气！”便要提刀入帐来杀董卓。正是：人情势利古犹今，谁识英雄是白身？安得快人如翼德，尽诛世上负心人！毕竟董卓性命如何，且听下文分解。

# 第 二 回

## 张翼德怒鞭督邮　何国舅谋诛宦竖

且说董卓字仲颖，陇西临洮人也，官拜河东太守，自来骄傲。当日怠慢了玄德，张飞性发，便欲杀之。玄德与关公急止之曰：“他是朝廷命官，岂可擅杀？”飞曰：“若不杀这厮，反要在他部下听令，其实不甘！二兄要便住在此，我自投别处去也！”玄德曰：“我三人义同生死，岂可相离？不若都投别处去便了。”飞曰：“若如此，稍解吾恨。”

于是三人连夜引军来投朱儁。儁待之甚厚，合兵一处，进讨张宝。是时曹操自跟皇甫嵩讨张梁，大战于曲阳。这里朱儁进攻张宝。张宝引贼众八九万，屯①于山后。儁令玄德为其先锋，与贼对敌。张宝遣副将高升出马搦战②，玄德使张飞击之。飞纵马挺矛，与升交战，不数合，刺升落马。玄德麾军直冲过去。张宝就马上披发仗剑，作起妖法。只见风雷大作，一股黑气，从天而降，黑气中似有无限人马杀来。玄德连忙回军，军中大乱，败阵而归，与朱儁计议。儁曰：“彼用妖术，我来日可宰猪羊狗血，令军士伏于山头；候贼赶来，从高坡上泼之，其法可解。”玄德听令，拨关公、张飞各引军一千，伏于山后高冈之上，盛猪羊狗血并秽物准备。次日，张宝摇旗擂鼓，引军搦战，玄德出迎。交锋之际，张宝作法，风雷大作，飞砂走石，黑气漫天，滚滚人马，自天而下。玄德拨马便走，张宝驱兵赶来。将过山头，关、张伏军放起号炮，秽物齐泼。但见空中纸人草马，纷纷坠地；风雷顿息，砂石不飞。张宝见解了法，急欲退军。左关公，右张飞，两军都出，背后玄德、朱儁一齐赶上，贼兵大败。玄德望见“地公将军”旗号，飞马赶来，

---

① 屯——驻扎。

② 搦（nuò）战——挑战。

张宝落荒而走①。玄德发箭，中其左臂。张宝带箭逃脱，走入阳城，坚守不出。朱儁引兵围住阳城攻打，一面差人打探皇甫嵩消息。探子回报，具②说："皇甫嵩大获胜捷，朝廷以董卓屡败，命嵩代之。嵩到时，张角已死；张梁统其众，与我军相拒，被皇甫嵩连胜七阵，斩张梁于曲阳。发张角之棺，戮尸枭首③，送往京师。余众俱降。朝廷加皇甫嵩为车骑将军，领冀州牧④。皇甫嵩又表奏卢植有功无罪，朝廷复卢植原官。曹操亦以有功，除济南相，即日将班师赴任。"朱儁听说，催促军马，悉力攻打阳城。贼势危急，贼将严政刺杀张宝，献首投降。朱儁遂平数郡，上表献捷。

时又黄巾余党三人——赵弘、韩忠、孙仲，聚众数万，望风烧劫，称与张角报仇。朝廷命朱儁即以得胜之师讨之。儁奉诏，率军前进。时贼据宛城，儁引兵攻之，赵弘遣韩忠出战。儁遣玄德、关、张攻城西南角。韩忠尽率精锐之众，来西南角抵敌。朱儁自纵铁骑二千，径取东北角。贼恐失城，急弃西南而回。玄德从背后掩杀，贼众大败，奔入宛城。朱儁分兵四面围定，城中断粮，韩忠使人出城投降。儁不许，玄德曰："昔高祖之得天下，盖为能招降纳顺⑤，公何拒韩忠耶？"儁曰："彼一时，此一时也。昔秦、项之际，天下大乱，民无定主，故招降赏附⑥，以劝来耳。今海内一统，惟黄巾造反；若容其降，无以劝善。使贼得利恣意劫掠，失利便投降：此长寇之志，非良策也。"玄德曰："不容寇降是矣。——今四面围如铁桶，贼乞降不得，必然死战。万人一心，尚不可当，况城中有数万死命之人乎？不若撤去东南，独攻西北。贼必弃城而走，无心恋战，可即擒也。"儁然之，随撤东南二面军马，一齐攻打西北。韩忠果引军弃城而奔。儁与玄德、关、张率三军掩杀，射死韩忠，余皆四散奔走。正追赶间，赵弘、孙仲引贼众到，与儁交战。儁见弘势大，引军暂退。弘乘势复夺宛城。儁离十里下寨，方欲攻打，忽见正东一彪人马到来。为首一将，生得广额阔面，虎体熊腰；吴郡富春人也，

---

① 落荒而走——离开大路，向荒野逃跑。

② 具——详细地陈述。

③ 戮尸枭(xiāo)首——戮：斩、杀；枭首：悬头示众。

④ 领冀州牧——领：兼任；牧：官名，州长。

⑤ 纳顺——接纳投降的人。

⑥ 赏附——奖赏归附的人。

姓孙，名坚，字文台，乃孙武子之后。年十七岁时，与父至钱塘，见海贼十余人，劫取商人财物，于岸上分赃。坚谓父曰："此贼可擒也。"遂奋力提刀上岸，扬声大叫，东西指挥，如唤人状。贼以为官兵至，尽弃财物奔走。坚赶上，杀一贼。由是郡县知名，荐为校尉。后会稽妖贼许昌造反，自称"阳明皇帝"，聚众数万；坚与郡司马招募勇士千余人，会合州郡破之，斩许昌并其子许韶。刺史臧旻上表奏其功，除坚为盐渎丞，又除盱眙丞、下邳丞。今见黄巾寇起，聚集乡中少年及诸商旅，并淮泗精兵一千五百余人，前来接应。朱儁大喜，便令坚攻打南门，玄德打北门，朱儁打西门，留东门与贼走。孙坚首先登城，斩贼二十余人，贼众奔溃。赵弘飞马突槊①，直取孙坚。坚从城上飞身夺弘槊，刺弘下马；却骑弘马，飞身往来杀贼。孙仲引贼突出北门，正迎玄德，无心恋战，只待奔逃。玄德张弓一箭，正中孙仲，翻身落马。朱儁大军随后掩杀，斩首数万级，降者不可胜计。南阳一路，十数郡皆平。儁班师②回京，诏封为车骑将军、河南尹。儁表奏孙坚、刘备等功。坚有人情，除别郡司马上任去了；惟玄德听候日久，不得除授。

三人郁郁不乐，上街闲行，正值郎中张钧车到。玄德见之，自陈功绩。钧大惊，随入朝见帝曰："昔黄巾造反，其原皆由十常侍卖官鬻爵，非亲不用，非仇不诛，以致天下大乱。今宜斩十常侍，悬首南郊，遣使者布告天下，有功者重加赏赐，则四海自清平也。"十常侍奏帝曰："张钧欺主。"帝令武士逐出张钧。十常侍共议："此必破黄巾有功者，不得除授，故生怨言。权且教省家铨注③微名，待后却再理会未晚。"因此玄德除授定州中山府安喜县尉，克日④赴任。玄德将兵散回乡里，止带亲随二十余人，与关、张来安喜县中到任。署⑤县事一月，与民秋毫无犯，民皆感化。到任之后，与关、张食则同桌，寝则同床。如玄德在稠人广坐，关、张侍立，终日不倦。

---

① 突槊(shuò)——槊：长矛。挺着长矛向前冲刺。

② 班师——回军，调兵而归。

③ 铨注——铨：量功授官；注：注册。

④ 克日——约定或限定日期。

⑤ 署——布置，安排。

到县未及四月，朝廷降诏，凡有军功为长吏者当沙汰①。玄德疑在遣中。适督邮行部②至县，玄德出郭迎接，见督邮施礼。督邮坐于马上，惟微以鞭指回答。关、张二公俱怒。及到馆驿，督邮南面高坐，玄德侍立阶下。良久，督邮问曰："刘县尉是何出身？"玄德曰："备乃中山靖王之后；自涿郡剿戮黄巾，大小三十余战，颇有微功，因得除今职。"督邮大喝曰："汝诈称皇亲，虚报功绩！目今朝廷降诏，正要沙汰这等滥官污吏！"玄德喏喏连声而退。归到县中，与县吏商议。吏曰："督邮作威，无非要贿赂耳。"玄德曰："我与民秋毫无犯，那得财物与他？"次日，督邮先提县吏去，勒令指称县尉害民。玄德几番自往求免，俱被门役阻住，不肯放参③。

却说张飞饮了数杯闷酒，乘马从馆驿前过，见五六十个老人，皆在门前痛哭。飞问其故。众老人答曰："督邮逼勒县吏，欲害刘公；我等皆来苦告，不得放入，反遭把门人赶打！"张飞大怒，睁圆环眼，咬碎钢牙，滚鞍下马，径入馆驿，把门人那里阻挡得住，直奔后堂，见督邮正坐厅上，将县吏绑倒在地。飞大喝："害民贼！认得我么？"督邮未及开言，早被张飞揪住头发，扯出馆驿，直到县前马桩上缚住；攀下柳条，去督邮两腿上着力鞭打，一连打折柳条十数枝。玄德正纳闷间，听得县前喧闹，问左右，答曰："张将军绑一人在县前痛打。"玄德忙去观之，见绑缚者乃督邮也。玄德惊问其故。飞曰："此等害民贼，不打死等甚！"督邮告曰："玄德公救我性命！"玄德终是仁慈的人，急喝张飞住手。傍边转过关公来，曰："兄长建许多大功，仅得县尉，今反被督邮侮辱。吾思枳棘丛中，非栖鸾凤之所④；不如杀督邮，弃官归乡，别图远大之计。"玄德乃取印绶，挂于督邮之颈，责之曰："据汝害民，本当杀却；今姑饶汝命。吾缴还印绶，从此去矣。"督邮归告定州太守，太守申文省府，差人捕捉。玄德、关、张三人往代州投刘恢。恢见玄德乃汉室宗亲，留匿在家不题。

却说十常侍既握重权，互相商议：但有不从己者，诛之。赵忠、张让差

---

① 沙汰——淘汰。

② 行部——巡行所属各县，考察政绩。

③ 放参——放入参见。

④ 枳(zhǐ)棘丛中，非栖鸾凤之所——枳、棘：两种多刺的灌木，喻坏人和恶劣的环境；栖：停息；鸾凤：益鸟，喻英雄好汉。

人问破黄巾将士索金帛，不从者奏罢职。皇甫嵩、朱儁皆不肯与，赵忠等俱奏罢其官。帝又封赵忠等为车骑将军，张让等十三人皆封列侯。朝政愈坏，人民嗟怨。于是长沙贼区星作乱；渔阳张举、张纯反：举称天子，纯称大将军。表章雪片告急，十常侍皆藏匿不奏。

一日，帝在后园与十常侍饮宴，谏议大夫刘陶，径到帝前大恸①。帝问其故。陶曰："天下危在旦夕，陛下尚自与阉宦共饮耶！"帝曰："国家承平，有何危急？"陶曰："四方盗贼并起，侵掠州郡。其祸皆由十常侍卖官害民，欺君罔上。朝廷正人皆去，祸在目前矣！"十常侍皆免冠跪伏于帝前曰："大臣不相容，臣等不能活矣！愿乞性命归田里，尽将家产以助军资。"言罢痛哭。帝怒谓陶曰："汝家亦有近侍之人，何独不容朕耶？"呼武士推出斩之。刘陶大呼："臣死不惜！可怜汉室天下，四百余年，到此一旦休矣！"武士拥陶出，方欲行刑，一大臣喝住曰："勿得下手，待我谏去。"众视之，乃司徒陈耽，径入宫中来谏帝曰："刘谏议得何罪而受诛？"帝曰："毁谤近臣，冒渎朕躬。"耽曰："天下人民，欲食十常侍之肉，陛下敬之如父母，身无寸功，皆封列侯；况封谞等结连黄巾，欲为内乱：陛下今不自省，社稷②立见崩摧矣！"帝曰："封谞作乱，其事不明。十常侍中，岂无一二忠臣？"陈耽以头撞阶而谏。帝怒，命牵出，与刘陶皆下狱。是夜，十常侍即于狱中谋杀之；假帝诏以孙坚为长沙太守，讨区星。

不五十日，报捷，江夏平，诏封坚为乌程侯。封刘虞为幽州牧，领兵往渔阳征张举、张纯。代州刘恢以书荐玄德见虞。虞大喜。令玄德为都尉，引兵直抵贼巢，与贼大战数日，挫动锐气。张纯专一凶暴，士卒心变，帐下头目刺杀张纯，将头纳献，率众来降。张举见势败，亦自缢死。渔阳尽平。刘虞表奏刘备大功，朝廷赦免鞭督邮之罪，除下密丞，迁高堂尉。公孙瓒又表陈玄德前功，荐为别部司马，守平原县令。玄德在平原，颇有钱粮军马，重整旧日气象。刘虞平寇有功，封太尉。

中平六年夏四月，灵帝病笃③，召大将军何进入宫，商议后事。那何进起身屠家；因妹入宫为贵人，生皇子辩，遂立为皇后，进由是得权重任。帝

---

① 恸（tòng）——极度悲哀。

② 社稷（jì）——帝王祭土地神和谷神的地方，常代表国家政权。

③ 病笃（dǔ）——病重。

又宠幸王美人，生皇子协。何后嫉妒，鸩杀①王美人。皇子协养于董太后宫中。董太后乃灵帝之母，解渎亭侯刘苌之妻也。初，因桓帝无子，迎立解渎亭侯之子，是为灵帝。灵帝入继大统，遂迎养母氏于宫中，尊为太后。

董太后尝劝帝立皇子协为太子。帝亦偏爱协，欲立之。当时病笃，中常侍蹇硕②奏曰："若欲立协，必先诛何进，以绝后患。"帝然其说，因宣进入宫。进至宫门，司马潘隐谓进曰："不可入宫。蹇硕欲谋杀公。"进大惊，急归私宅，召诸大臣，欲尽诛宦官。座上一人挺身出曰："宦官之势，起自冲、质之时；朝廷滋蔓极广，安能尽诛？倘机不密，必有灭族之祸：请细详之。"进视之，乃典军校尉曹操也。进叱曰："汝小辈安知朝廷大事！"正踌躇间，潘隐至，言："帝已崩。今蹇硕与十常侍商议，秘不发丧，矫诏宣何国舅入宫，欲绝后患，册立皇子协为帝。"说未了，使命至，宣进速入，以定后事。操曰："今日之计，先宜正君位，然后图贼。"进曰："谁敢与吾正君讨贼？"一人挺身出曰："愿借精兵五千，斩关入内，册立新君，尽诛阉竖，扫清朝廷，以安天下！"进视之，乃司徒袁逢之子，袁隗③之侄：名绍，字本初，现为司隶校尉。何进大喜，遂点御林军五千。绍全身披挂。何进引何颙④、荀攸⑤、郑泰等大臣三十余员，相继而入，就灵帝柩前，扶立太子辩即皇帝位。

百官呼拜已毕，袁绍入宫收蹇硕。硕慌走入御园，花阴下为中常侍郭胜所杀。硕所领禁军，尽皆投顺。绍谓何进曰："中官⑥结党，今日可乘势尽诛之。"张让等知事急，慌入告何后曰："始初设谋陷害大将军者，止蹇硕一人，并不干臣等事。今大将军听袁绍之言，欲尽诛臣等，乞娘娘怜悯！"何太后曰："汝等勿忧，我当保汝。"传旨宣何进入。太后密谓曰："我与汝

---

① 鸩(zhèn)杀——用药酒毒杀。鸩是传说中的一种鸟，其羽毛含剧毒，用以浸制的毒酒叫鸩，所以下文又有"鸩死"。

② 蹇(jiǎn)硕——人名。

③ 袁隗(wěi)——人名。

④ 何颙(yóng)——人名。

⑤ 荀攸(yōu)——人名。

⑥ 中官——宦官，又称"中贵"。文中的"阉宦"、"内竖"、"阉竖"等都是对宦官的贱称。

出身寒微，非张让等，焉能享此富贵？今蹇硕不仁，既已伏诛，汝何听信人言，欲尽诛宦官耶？”何进听罢，出谓众官曰：“蹇硕设谋害我，可族灭其家。其余不必妄加残害。”袁绍曰：“若不斩草除根，必为丧身之本。”进曰：“吾意已决，汝勿多言。”众官皆退。

次日，太后命何进参录尚书事，其余皆封官职。董太后宣张让等入宫商议曰：“何进之妹，始初我抬举他。今日他孩儿即皇帝位，内外臣僚，皆其心腹：威权太重，我将如何？”让奏曰：“娘娘可临朝，垂帘听政①，封皇子协为王；加国舅董重大官，掌握军权；重用臣等：大事可图矣。”董太后大喜。次日设朝，董太后降旨，封皇子协为陈留王，董重为骠骑将军，张让等共预②朝政。何太后见董太后专权，于宫中设一宴，请董太后赴席。酒至半酣，何太后起身捧杯再拜曰：“我等皆妇人也，参预朝政，非其所宜。昔吕后因握重权，宗族千口皆被戮。今我等宜深居九重；朝廷大事，任大臣元老自行商议，此国家之幸也。愿垂听焉。”董后大怒曰：“汝鸩死王美人，设心嫉妒。今倚汝子为君，与汝兄何进之势，辄敢乱言！吾敕③骠骑断汝兄首，如反掌耳！”何后亦怒曰：“吾以好言相劝，何反怒耶？”董后曰：“汝家屠沽小辈④，有何见识！”两宫互相争竞，张让等各劝归宫。何后连夜召何进入宫，告以前事。何进出，召三公共议。来早设朝，使廷臣奏董太后原系藩妃⑤，不宜久居宫中，合⑥仍迁于河间安置，限日下即出国门⑦。一面遣人起送董后；一面点禁军围骠骑将军董重府宅，追索印绶。董重知事急，自刎于后堂。家人举哀，军士方散。张让、段珪见董后一枝已废，遂皆以金珠玩好结构⑧何进弟何苗并其母舞阳君，令早晚入何太后处，善言遮

---

① 垂帘听政——因皇帝幼弱，太后临朝执政的情形。古人男女有别，妇人不能面对臣僚，要用帘子遮隔。

② 预——参与。

③ 敕(chì)——嘱咐，也特指皇帝的命令或诏书。

④ 屠沽小辈——屠：屠户；沽：卖酒的；小辈：下等人。

⑤ 藩(fān)妃——藩：封建王朝分给诸侯王的封国。这里是说董太后原是解渎亭侯刘苌之妻。

⑥ 合——应当。

⑦ 国门——京都城门。

⑧ 结构——结交。

蔽：因此十常侍又得近幸。

六月，何进暗使人鸩杀董后于河间驿庭，举柩回京，葬于文陵。进托病不出。司隶校尉袁绍入见进曰："张让、段珪等流言于外，言公鸩杀董后，欲谋大事。乘此时不诛阉宦，后必为大祸。昔窦武欲诛内竖，机谋不密，反受其殃。今公兄弟部曲①将吏，皆英俊之士；若使尽力，事在掌握。此天赞之时，不可失也。"进曰："且容商议。"左右密报张让，让等转告何苗，又多送贿赂。苗入奏何后云："大将军辅佐新君，不行仁慈，专务杀伐。今无端又欲杀十常侍，此取乱之道也。"后纳其言。少顷，何进入白后②，欲诛中涓。何后曰："中官统领禁省，汉家故事。先帝新弃天下，尔欲诛杀旧臣，非重宗庙③也。"进本是没决断之人，听太后言，唯唯而出。袁绍迎问曰："大事若何？"进曰："太后不允，如之奈何？"绍曰："可召四方英雄之士，勒④兵来京，尽诛阉竖。此时事急，不容太后不从。"进曰："此计大妙！"便发檄至各镇，召赴京师。主簿陈琳曰："不可！俗云：掩目而捕燕雀，是自欺也。微物尚不可欺以得志，况国家大事乎？今将军仗皇威，掌兵要，龙骧虎步，高下在心，若欲诛宦官，如鼓洪炉燎毛发耳。但当速发雷霆，行权立断，则天人顺之。却反外檄大臣，临犯京阙，英雄聚会，各怀一心：所谓倒持干戈，授人以柄，功必不成，反生乱矣。"何进笑曰："此懦夫之见也！"旁边一人鼓掌大笑曰："此事易如反掌，何必多议！"视之，乃曹操也。正是：欲除君侧宵人⑤乱，须听朝中智士谋。不知曹操说出甚话来，且听下文分解。

---

① 部曲——部、曲：汉代军队编制名称，这里指何进兄弟统率的军队。

② 入白后——进宫向何太后表白。

③ 非重宗庙——宗庙，此指皇帝祭祀祖宗的家庙。封建社会国家是皇帝"一姓的天下"，不重宗庙就是不以国家大事为重。

④ 勒——带领、统率。

⑤ 宵人——坏人、小人。

# 第　三　回

## 议温明董卓叱丁原　馈金珠李肃说吕布

且说曹操当日对何进曰："宦官之祸，古今皆有；但世主不当假之权宠，使至于此。若欲治罪，当除元恶，但付一狱吏足矣，何必纷纷召外兵乎？欲尽诛之，事必宣露。吾料其必败也。"何进怒曰："孟德亦怀私意耶？"操退曰："乱天下者，必进也。"进乃暗差使命，赍密诏星夜往各镇去。

却说前将军、鳌乡侯、西凉刺史董卓，先为破黄巾无功，朝议将治其罪，因贿赂十常侍幸免；后又结托朝贵，遂任显官，统西州大军二十万，常有不臣①之心。是时得诏大喜，点起军马，陆续便行；使其婿中郎将牛辅守住陕西，自己却带李傕②、郭汜、张济、樊稠等提兵望洛阳进发。卓婿谋士李儒曰："今虽奉诏，中间多有暗昧。何不差人上表，名正言顺，大事可图。"卓大喜，遂上表。其略曰：

窃闻天下所以乱逆不止者，皆由黄门常侍张让等侮慢天常③之故。臣闻扬汤止沸，不如去薪；溃痈虽痛，胜于养毒。臣敢鸣钟鼓入洛阳，请除让等。社稷幸甚！天下幸甚！

何进得表，出示大臣。侍御史郑泰谏曰："董卓乃豺狼也，引入京城，必食人矣。"进曰："汝多疑，不足谋大事。"卢植亦谏曰："植素知董卓为人，面善心狠；一入禁庭，必生祸患。不如止之勿来，免致生乱。"进不听，郑泰、卢植皆弃官而去。朝廷大臣，去者大半。进使人迎董卓于渑池，卓按兵不动。

张让等知外兵到，共议曰："此何进之谋也；我等不先下手，皆灭族矣。"乃先伏刀斧手五十人于长乐宫嘉德门内，入告何太后曰："今大将军

---

① 不臣——不守本分，不忠于君。

② 李傕(jué)——人名。

③ 天常——天之常道。古人迷信，以为君臣上下尊卑秩序都是与天道相合的。

矫诏①召外兵至京师，欲灭臣等，望娘娘垂怜赐救。"太后曰："汝等可诣②大将军府谢罪。"让曰："若到相府，骨肉齑粉③矣。望娘娘宣大将军入宫谕止之。如其不从，臣等只就娘娘前请死。"太后乃降诏宣进。进得诏便行。主簿陈琳谏曰："太后此诏，必是十常侍之谋，切不可去。去必有祸。"进曰："太后诏我，有何祸事？"袁绍曰："今谋已泄，事已露，将军尚欲入宫耶？"曹操曰："先召十常侍出，然后可入。"进笑曰："此小儿之见也。吾掌天下之权，十常侍敢待如何？"绍曰："公必欲去，我等引甲士护从，以防不测。"于是袁绍、曹操各选精兵五百，命袁绍之弟袁术领之。袁术全身披挂，引兵布列青琐门外。绍与操带剑护送何进至长乐宫前。黄门传懿旨云："太后特宣大将军，余人不许辄入。"将袁绍、曹操等都阻住宫门外。何进昂然直入。至嘉德殿门，张让、段珪④迎出，左右围住，进大惊。让厉声责进曰："董后何罪，妄⑤以鸩死？国母丧葬，托疾不出！汝本屠沽小辈，我等荐之天子，以致荣贵；不思报效，欲相谋害！——汝言我等甚浊，其清者是谁？"进慌急，欲寻出路，宫门尽闭，伏甲齐出，将何进砍为两段。后人有诗叹之曰：

汉室倾危天数终，无谋何进作三公。
几番不听忠臣谏，难免宫中受剑锋。

让等既杀何进，袁绍久不见进出，乃于宫门外大叫曰："请将军上车！"让等将何进首级从墙上掷出，宣谕曰："何进谋反，已伏诛矣！其余胁从，尽皆赦宥。"袁绍厉声大叫："阉官谋杀大臣！诛恶党者前来助战！"何进部将吴匡，便于青琐门外放起火来。袁术引兵突入宫庭，但见阉官，不论大小，尽皆杀之。袁绍、曹操斩关入内。赵忠、程旷、夏恽、郭胜四个被赶至翠花楼前，剁为肉泥。宫中火焰冲天。张让、段珪、曹节、侯览将太后及太子并陈留王劫去内省，从后道走北宫。时卢植弃官未去，见宫中事

---

① 矫诏——假借皇帝名义发诏书。
② 诣——到……去。
③ 齑(jī)粉——粉末。这句意思是将要遭到残杀。
④ 段珪(guī)——人名。
⑤ 妄——胡乱。

变，擐①甲持戈，立于阁下。遥见段珪拥逼何后过来，植大呼曰："段珪逆贼，安敢劫太后！"段珪回身便走。太后从窗中跳出，植急救得免。吴匡杀入内庭，见何苗亦提剑出。匡大呼曰："何苗同谋害兄，当共杀之！"众人俱曰："愿斩谋兄之贼！"苗欲走，四面围定，砍为齑粉。绍复令军士分头来杀十常侍家属，不分大小，尽皆诛绝，多有无须者误被杀死。曹操一面救灭宫中之火，请何太后权摄大事，遣兵追袭张让等，寻觅少帝。

且说张让、段珪劫拥少帝及陈留王，冒烟突火，连夜奔走至北邙山。约二更时分，后面喊声大举，人马赶至；当前河南中部掾吏闵贡，大呼："逆贼休走！"张让见事急，遂投河而死。帝与陈留王未知虚实，不敢高声，伏于河边乱草之内。军马四散去赶，不知帝之所在。帝与王伏至四更，露水又下，腹中饥馁，相抱而哭；又怕人知觉，吞声草莽之中。陈留王曰："此间不可久恋，须别寻活路。"于是二人以衣相结，爬上岸边。满地荆棘，黑暗之中，不见行路。正无奈何，忽有流萤千百成群，光芒照耀，只在帝前飞转。陈留王曰："此天助我兄弟也！"遂随萤火而行，渐渐见路。行至五更，足痛不能行，山冈边见一草堆，帝与王卧于草堆之畔。草堆前面是一所庄院。庄主是夜梦两红日坠于庄后，惊觉，披衣出户，四下观望，见庄后草堆上红光冲天，慌忙往视，却是二人卧于草畔。庄主问曰："二少年谁家之子？"帝不敢应。陈留王指帝曰："此是当今皇帝，遭十常侍之乱，逃难到此。吾乃皇弟陈留王也。"庄主大惊，再拜曰："臣先朝司徒崔烈之弟崔毅也。因见十常侍卖官嫉贤，故隐于此。"遂扶帝入庄，跪进酒食。

却说闵贡赶上段珪，拿住问："天子何在？"珪言："已在半路相失，不知何往。"贡遂杀段珪，悬头于马项下，分兵四散寻觅；自己却独乘一马，随路追寻。偶至崔毅庄，毅见首级，问之，贡说详细。崔毅引贡见帝，君臣痛哭。贡曰："国不可一日无君，请陛下还都。"崔毅庄上止有瘦马一匹，备与帝乘。贡与陈留王共乘一马。离庄而行，不到三里，司徒王允、太尉杨彪、左军校尉淳于琼、右军校尉赵萌、后军校尉鲍信、中军校尉袁绍，一行人众，数百人马，接着车驾，君臣皆哭。先使人将段珪首级往京师号令，另换好马与帝及陈留王骑坐，簇帝还京。先是洛阳小儿谣曰："帝非帝，王非

---

① 擐(huàn)——穿。

王，千乘万骑走北邙①。”至此果应其谶②。

车驾行不到数里，忽见旌旗蔽日，尘土遮天，一枝人马到来。百官失色，帝亦大惊。袁绍骤③马出问：“何人？”绣旗影里，一将飞出，厉声问：“天子何在？”帝战栗不能言。陈留王勒马向前，叱曰：“来者何人？”卓曰：“西凉刺史董卓也。”陈留王曰：“汝来保驾耶？汝来劫驾耶？”卓应曰：“特来保驾。”陈留王曰：“既来保驾，天子在此，何不下马？”卓大惊，慌忙下马，拜于道左。陈留王以言抚慰董卓，自初至终，并无失语。卓暗奇之，已怀废立④之意。是日还宫，见何太后，俱各痛哭。检点宫中，不见了传国玉玺。董卓屯兵城外，每日带铁甲马军入城，横行街市，百姓惶惶不安。卓出入宫庭，略无忌惮。后军校尉鲍信，来见袁绍，言董卓必有异心，可速除之。绍曰：“朝廷新定，未可轻动。”鲍信见王允，亦言其事。允曰：“且容商议。”信自引本部军兵，投泰山去了。

董卓招诱何进兄弟部下之兵，尽归掌握。私谓李儒曰：“吾欲废帝立陈留王，何如？”李儒曰：“今朝廷无主，不就此时行事，迟则有变矣。来日于温明园中，召集百官，谕以废立；有不从者斩之，则威权之行，正在今日。”卓喜。次日大排筵会，遍请公卿。公卿皆惧董卓，谁敢不到。卓待百官到了，然后徐徐到园门下马，带剑入席。酒行数巡，卓教停酒止乐，乃厉声曰：“吾有一言，众官静听。”众皆侧耳。卓曰：“天子为万民之主，无威仪不可以奉宗庙社稷。今上懦弱，不若陈留王聪明好学，可承大位。吾欲废帝，立陈留王，诸大臣以为何如？”诸官听罢，不敢出声。座上一人推案直出，立于筵前，大呼：“不可！不可！汝是何人，敢发大语？天子乃先帝嫡子，初无过失，何得妄议废立！汝欲为篡逆耶？”卓视之，乃荆州刺史丁原也。卓怒叱曰：“顺我者生，逆我者死！”遂掣⑤佩剑欲斩丁原。时李儒见丁原背后一人，生得器宇轩昂，威风凛凛，手执方天画戟，怒目而视。李儒急

---

① 北邙(máng)——地名。

② 谶(chèn)——迷信的人所宣扬的将来能应验的预言、预兆。

③ 骤——马奔驰。

④ 废立——废除旧君，另立新君。

⑤ 掣(chè)——抽。

进曰:“今日饮宴之处,不可谈国政;来日向都堂①公论未迟。”众人皆劝丁原上马而去。

卓问百官曰:“吾所言,合公道否?”卢植曰:“明公差矣。昔太甲不明,伊尹放之于桐宫;昌邑王登位方二十七日,造恶三千余条,故霍光告太庙而废之。今上虽幼,聪明仁智,并无分毫过失。公乃外郡刺史,素未参与国政,又无伊、霍之大才,何可强主废立之事?圣人云:‘有伊尹之志则可,无伊尹之志则篡也。’”卓大怒,拔剑向前欲杀植。侍中蔡邕、议郎彭伯谏曰:“卢尚书海内人望,今先害之,恐天下震怖。”卓乃止。司徒王允曰:“废立之事,不可酒后相商,另日再议。”于是百官皆散。

卓按剑立于园门,忽见一人跃马持戟,于园门外往来驰骤。卓问李儒:“此何人也?”儒曰:“此丁原义儿:姓吕,名布,字奉先者也。主公且须避之。”卓乃入园潜避。次日,人报丁原引军城外搦战。卓怒,引军同李儒出迎。两阵对圆,只见吕布顶束发金冠,披百花战袍,擐唐猊铠甲,系狮蛮宝带,纵马挺戟,随丁建阳出到阵前。建阳指卓骂曰:“国家不幸,阉官弄权,以致万民涂炭。尔无尺寸之功,焉敢妄言废立,欲乱朝廷!”董卓未及回言,吕布飞马直杀过来。董卓慌走,建阳率军掩杀。卓兵大败,退三十余里下寨,聚众商议。卓曰:“吾观吕布非常人也。吾若得此人,何虑天下哉!”帐前一人出曰:“主公勿忧。某与吕布同乡,知其勇而无谋,见利忘义。某凭三寸不烂之舌,说吕布拱手来降,可乎?”卓大喜。观其人,乃虎贲中郎将李肃也。卓曰:“汝将何以说之?”肃曰:“某闻主公有名马一匹,号曰‘赤兔’,日行千里。须得此马,再用金珠,以利结其心。某更进说词,吕布必反丁原,来投主公矣。”卓问李儒曰:“此言可乎?”儒曰:“主公欲取天下,何惜一马!”卓欣然与之,更与黄金一千两、明珠数十颗、玉带一条。

李肃赍了礼物,投吕布寨来。伏路军人围住。肃曰:“可速报吕将军,有故人来见。”军人报知,布命入见。肃见布曰:“贤弟别来无恙!”布揖曰:“久不相见,今居何处?”肃曰:“现任虎贲中郎将之职。闻贤弟匡扶社稷,不胜之喜。有良马一匹,日行千里,渡水登山,如履平地,名曰‘赤兔’;特献与贤弟,以助虎威。”布便令牵过来看。果然那马浑身上下,火炭般赤,无半根杂毛;从头至尾,长一丈;从蹄至项,高八尺;嘶喊咆哮,有腾空入海

① 都堂——议论政事的殿堂。

之状。后人有诗单道赤兔马曰：

奔腾千里荡尘埃，渡水登山紫雾开。

掣断丝缰摇玉辔，火龙飞下九天来。

布见了此马，大喜，谢肃曰："兄赐此龙驹，将何以为报？"肃曰："某为义气而来，岂望报乎！"布置酒相待。酒酣，肃曰："肃与贤弟少得相见；令尊却常会来。"布曰："兄醉矣！先父弃世多年，安得与兄相会？"肃大笑曰："非也！某说今日丁刺史耳。"布惶恐曰："某在丁建阳处，亦出于无奈。"肃曰："贤弟有擎天驾海之才，四海孰不钦敬？功名富贵，如探囊取物，何言无奈而在人之下乎？"布曰："恨不逢其主耳。"肃笑曰："'良禽择木而栖，贤臣择主而事。'见机不早，悔之晚矣。"布曰："兄在朝廷，观何人为世之英雄？"肃曰："某遍观群臣，皆不如董卓。董卓为人敬贤礼士，赏罚分明，终成大业。"布曰："某欲从之，恨无门路。"肃取金珠、玉带列于布前。布惊曰："何为有此？"肃令叱退左右，告布曰："此是董公久慕大名，特令某将此奉献。赤兔马亦董公所赠也。"布曰："董公如此见爱，某将何以报之？"肃曰："如某之不才，尚为虎贲中郎将；公若到彼，贵不可言。"布曰："恨无涓埃①之功，以为进见之礼。"肃曰："功在翻手之间，公不肯为耳。"布沉吟良久曰："吾欲杀丁原，引军归董卓，何如？"肃曰："贤弟若能如此，真莫大之功也！但事不宜迟，在于速决。"布与肃约于明日来降，肃别去。

是夜二更时分，布提刀径入丁原帐中。原正秉烛观书，见布至，曰："吾儿来有何事故？"布曰："吾堂堂丈夫，安肯为汝子乎！"原曰："奉先何故心变？"布向前，一刀砍下丁原首级，大呼左右："丁原不仁，吾已杀之。肯从吾者在此，不从者自去！"军士散其大半。次日，布持丁原首级，往见李肃。肃遂引布见卓。卓大喜，置酒相待。卓先下拜曰："卓今得将军，如旱苗之得甘雨也。"布纳卓坐而拜之曰："公若不弃，布请拜为义父。"卓以金甲锦袍赐布，畅饮而散。卓自是威势越大，自领前将军事，封弟董旻②为左将军、鄠侯③，封吕布为骑都尉、中郎将、都亭侯。

李儒劝卓早定废立之计。卓乃于省中设宴，会集公卿，令吕布将甲士

① 涓埃——涓：细流；埃：尘埃。这里比喻微小的意思。

② 董旻(mín)——人名。

③ 鄠(hù)侯——官名。

千余，侍卫左右。是日，太傅袁隗与百官皆到。酒行数巡，卓按剑曰："今上暗弱，不可以奉宗庙；吾将依伊尹、霍光故事，废帝为弘农王，立陈留王为帝。有不从者斩！"群臣惶怖莫敢对。中军校尉袁绍挺身出曰："今上即位未几，并无失德；汝欲废嫡立庶，非反而何？"卓怒曰："天下事在我！我今为之，谁敢不从！汝视我之剑不利否？"袁绍亦拔剑曰："汝剑利，吾剑未尝不利！"两个在筵上对敌。正是：丁原仗义身先丧，袁绍争锋势又危。毕竟袁绍性命如何，且听下文分解。

# 第 四 回

## 废汉帝陈留践位　谋董贼孟德献刀

且说董卓欲杀袁绍，李儒止之曰："事未可定，不可妄杀。"袁绍手提宝剑，辞别百官而出，悬节东门①，奔冀州去了。卓谓太傅袁隗曰："汝侄无礼，吾看汝面，姑恕之。废立之事若何？"隗曰："太尉所见是也。"卓曰："敢有阻大议者，以军法从事！"群臣震恐，皆云："一听尊命。"宴罢，卓问侍中周毖②、校尉伍琼曰："袁绍此去若何？"周毖曰："袁绍忿忿而去，若购③之急，势必为变。且袁氏树恩四世，门生故吏遍于天下；倘收豪杰以聚徒众，英雄因之而起，山东④非公有也。不如赦之，拜为一郡守，则绍喜于免罪，必无患矣。"伍琼曰："袁绍好谋无断，不足为虑；诚不若加之一郡守，以收民心。"卓从之，即日差人拜绍为渤海太守。

九月朔，请帝升嘉德殿，大会文武。卓拔剑在手，对众曰："天子暗弱，不足以君天下。今有策文一道，宜为宣读。"乃命李儒读策曰：

孝灵皇帝，早弃臣民；皇帝承嗣，海内侧望。而帝天资轻佻，威仪

---

① 悬节东门——节：高级官员行使职权的凭证。把节挂在东门上，表示弃官不做。

② 周毖(bì)——人名。

③ 购——本义是重赏征求、重金收买，这里是追捕、通缉的意思。

④ 山东——华山以东，与今山东省意义不同。

不恪①，居丧慢惰，否德既彰，有忝大位②。皇太后教无母仪，统政荒乱。永乐太后暴崩，众论惑焉。三纲之道，天地之纪，毋乃有阙③。陈留王协，圣德伟懋④，规矩肃然；居丧哀戚，言不以邪；休声⑤美誉，天下所闻，宜承洪业，为万世统。兹废皇帝为弘农王，皇太后还政。请奉陈留王为皇帝，应天顺人，以慰生灵之望。

李儒读策毕，卓叱左右扶帝下殿，解其玺绶，北面长跪，称臣听命。又呼太后去服候敕。帝后皆号哭，群臣无不悲惨。阶下一大臣，愤怒高叫曰："贼臣董卓，敢为欺天之谋，吾当以颈血溅之！"挥手中象简⑥，直击董卓。卓大怒，喝武士拿下：乃尚书丁管也。卓命牵出斩之。管骂不绝口，至死神色不变。后人有诗叹之曰：

董贼潜怀废立图，汉家宗社委丘墟。

满朝臣宰皆囊括，惟有丁公是丈夫。

卓请陈留王登殿。群臣朝贺毕，卓命扶何太后并弘农王及帝妃唐氏于永安宫闲住，封锁宫门，禁群臣无得擅入。可怜少帝四月登基，至九月即被废。卓所立陈留王协，表字伯和，灵帝中子，即献帝也；时年九岁。改元初平。董卓为相国，赞拜不名，入朝不趋，剑履上殿⑦，威福莫比。李儒劝卓擢用名流，以收人望⑧，因荐蔡邕之才。卓命征之，邕不赴。卓怒，使人谓邕曰："如不来，当灭汝族。"邕惧，只得应命而至。卓见邕大喜，一月三迁其官，拜为侍中，甚见亲厚。

却说少帝与何太后、唐妃困于永安宫中，衣服饮食，渐渐少缺；少帝泪

---

① 恪(kè)——谨慎、恭敬。

② 否德既彰，有忝大位——否：恶，邪恶；忝：辱；大位：指皇位。

③ 毋乃有阙——毋：别，不要；阙：缺乏，损害。

④ 伟懋(mào)——盛大。

⑤ 休声——美好的名声。

⑥ 象简——象牙手版，大臣们上朝时拿着，有事就写在上面。

⑦ 赞拜不名，入朝不趋，剑履上殿——名：称名；趋：小步快走，表示恭敬。古代臣僚朝见皇上，跪拜赞礼时要称名，入朝要小步快走，佩剑和鞋子都要解下来放在殿外。不名、不趋和准带剑履，是对职位最尊的大臣的特殊优待。操纵皇帝给自己这种优待，是不本分、有野心的表现。

⑧ 以收人望——以此来收买人心。

不曾干。一日，偶见双燕飞于庭中，遂吟诗一首。诗曰：

嫩草绿凝烟，袅袅双飞燕。洛水一条青，陌上人称羡。

远望碧云深，是吾旧宫殿。何人仗忠义，泄我心中怨！

董卓时常使人探听。是日获得此诗，来呈董卓。卓曰："怨望作诗，杀之有名矣。"遂命李儒带武士十人，入宫弑①帝。帝与后、妃正在楼上，宫女报李儒至，帝大惊。儒以鸩酒奉帝，帝问何故。儒曰："春日融和，董相国特上寿酒。"太后曰："既云寿酒，汝可先饮。"儒怒曰："汝不饮耶？"呼左右持短刀白练于前曰："寿酒不饮，可领此二物！"唐妃跪告曰："妾身代帝饮酒，愿公存母子性命。"儒叱曰："汝何人，可代王死？"乃举酒与何太后曰："汝可先饮！"后大骂何进无谋，引贼入京，致有今日之祸。儒催逼帝，帝曰："容我与太后作别。"乃大恸而作歌。其歌曰：

天地易兮日月翻，弃万乘兮退守藩。

为臣逼兮命不久，大势去兮空泪潸②！

唐妃亦作歌曰：

皇天将崩兮后土颓，身为帝姬兮命不随。

生死异路兮从此毕，奈何茕③速兮心中悲！

歌罢，相抱而哭。李儒叱曰："相国立等回报，汝等俄延，望谁救耶？"太后大骂："董贼逼我母子，皇天不佑！汝等助恶，必当灭族！"儒大怒，双手扯住太后，直撺④下楼；叱武士绞死唐妃；以鸩酒灌杀少帝，还报董卓。卓命葬于城外。自此每夜入宫，奸淫宫女，夜宿龙床。尝引军出城，行到阳城地方，时当二月，村民社赛⑤，男女皆集。卓命军士围住，尽皆杀之，掠妇女财物，装载车上，悬头千余颗于车下，连轸⑥还都，扬言杀贼大胜而回；于城门外焚烧人头，以妇女财物分散众军。

越骑校尉伍孚，字德瑜，见卓残暴，愤恨不平，尝于朝服内披小铠，藏

---

① 弑（shì）——古代称子杀父、臣杀君为弑。

② 潸（shān）——流泪的样子。

③ 茕（qióng）——原指没有弟兄的人，引申为孤独无依。

④ 撺（cuān）——抛掷。

⑤ 社赛——"春社"迎神赛会。神是古代农民祭祀"土神"的风俗。春社在春分节前后举行。

⑥ 连轸（zhěn）——轸：车尾。指车马头尾相接，连成队。

短刀，欲伺便杀卓。一日，卓入朝，孚迎至阁下，拔刀直刺卓。卓气力大，两手抠住；吕布便入，揪倒伍孚。卓问曰："谁教汝反？"孚瞪目大喝曰："汝非吾君，吾非汝臣，何反之有？汝罪恶盈天，人人愿得而诛之！吾恨不车裂①汝以谢天下！"卓大怒，命牵出剖剐②之。孚至死骂不绝口。后人有诗赞之曰：

汉末忠臣说伍孚，冲天豪气世间无。

朝堂杀贼名犹在，万古堪称大丈夫！

董卓自此出入常带甲士护卫。

时袁绍在渤海，闻知董卓弄权，乃差人赍密书来见王允。书略曰：

卓贼欺天废主，人不忍言；而公恣其跋扈，如不听闻，岂报国效忠之臣哉？绍今集兵练卒，欲扫清王室，未敢轻动。公若有心，当乘间③图之。如有驱使，即当奉命。

王允得书，寻思无计。一日，于侍班阁子内见旧臣俱在，允曰："今日老夫贱降④，晚间敢屈众位到舍小酌。"众官皆曰："必来祝寿。"当晚王允设宴后堂，公卿皆至。酒行数巡，王允忽然掩面大哭。众官惊问曰："司徒贵诞，何故发悲？"允曰："今日并非贱降，因欲与众位一叙，恐董卓见疑，故托言耳。董卓欺主弄权，社稷旦夕难保。想高皇诛秦灭楚，奄有天下；谁想传至今日，乃丧于董卓之手：此吾所以哭也。"于是众官皆哭。坐中一人抚掌大笑曰："满朝公卿，夜哭到明，明哭到夜，还能哭死董卓否？"允视之，乃骁骑校尉曹操也。允怒曰："汝祖宗亦食禄汉朝，今不思报国而反笑耶？"操曰："吾非笑别事，笑众位无一计杀董卓耳。操虽不才，愿即断董卓头，悬之都门，以谢天下。"允避席⑤问曰："孟德有何高见？"操曰："近日操屈身以事卓者，实欲乘间图之耳。今卓颇信操，操因得时近卓。闻司徒有七宝刀

---

① 车裂——古代酷刑，将人的头和四肢分缚于五匹马上，鞭马四出，分裂人的肢体。

② 剖剐(guǎ)——古代一种残酷的死刑，是把犯人的皮肉一块块地割下来。

③ 乘间(jiàn)——趁机会。

④ 贱降——对自己生日的谦称。

⑤ 避席——古人室内起居，就在地上设席而坐，和尊长谈话时要离席而立，表示恭敬。这里是因为曹操说了关系重大的话，王允对他表示郑重、敬谨的意思。

一口，愿借与操入相府刺杀之，虽死不恨！”允曰：“孟德果有是心，天下幸甚！”遂亲自酌酒奉操。操沥酒设誓，允随取宝刀与之。操藏刀，饮酒毕，即起身辞别众官而去。众官又坐了一回，亦俱散讫。

次日，曹操佩着宝刀来至相府，问：“丞相何在？”从人云：“在小阁中。”操径入。见董卓坐于床上，吕布侍立于侧。卓曰：“孟德来何迟？”操曰：“马羸行迟耳。”卓顾谓布曰：“吾有西凉进来好马，奉先可亲去拣一骑赐与孟德。”布领令而出。操暗忖曰：“此贼合死！”即欲拔刀刺之，惧卓力大，未敢轻动。卓胖大不耐久坐，遂倒身而卧，转面向内。操又思曰：“此贼当休矣！”急掣宝刀在手，恰待要刺，不想董卓仰面看衣镜中，照见曹操在背后拔刀，急回身问曰：“孟德何为？”时吕布已牵马至阁外。操惶遽①，乃持刀跪下曰：“操有宝刀一口，献上恩相。”卓接视之，见其刀长尺余，七宝嵌饰，极其锋利，果宝刀也；遂递与吕布收了。操解鞘付布。卓引操出阁看马，操谢曰：“愿借试一骑。”卓就教与鞍辔。操牵马出相府，加鞭望东南而去。布对卓曰：“适来曹操似有行刺之状，及被喝破，故推献刀。”卓曰：“吾亦疑之。”正说话间，适李儒至，卓以其事告之。儒曰：“操无妻小在京，只独居寓所。今差人往召，如彼无疑而便来，则是献刀；如推托不来，则必是行刺，便可擒而问也。”卓然其说，即差狱卒四人往唤操。去了良久，回报曰：“操不曾回寓，乘马飞出东门。门吏问之，操曰‘丞相差我有紧急公事’，纵马而去矣。”儒曰：“操贼心虚逃窜，行刺无疑矣。”卓大怒曰：“我如此重用，反欲害我！”儒曰：“此必有同谋者，待拿住曹操便可知矣。”卓遂令遍行文书，画影图形，捉拿曹操：擒献者，赏千金，封万户侯；窝藏者同罪。

且说曹操逃出城外，飞奔谯郡。路经中牟县，为守关军士所获，擒见县令。操言：“我是客商，覆姓皇甫。”县令熟视曹操，沉吟半晌，乃曰：“吾前在洛阳求官时，曾认得汝是曹操，如何隐讳！且把来监下，明日解去京师请赏。”把关军士赐以酒食而去。至夜分，县令唤亲随人暗地取出曹操，直至后院中审究，问曰：“我闻丞相待汝不薄，何故自取其祸？”操曰：“‘燕雀安知鸿鹄志哉！’汝既拿住我，便当解去请赏。何必多问！”县令屏退左右②，谓操曰：“汝休小觑我。我非俗吏，奈未遇其主耳。”操曰：“吾祖宗世

---

① 惶遽(jù)——恐惧。

② 屏(bǐng)退左右——让左右的人退出去。

食汉禄，若不思报国，与禽兽何异？吾屈身事卓者，欲乘间图之，为国除害耳。今事不成，乃天意也！"县令曰："孟德此行，将欲何往？"操曰："吾将归乡里，发矫诏，召天下诸侯兴兵共诛董卓：吾之愿也。"县令闻言，乃亲释其缚，扶之上坐，再拜曰："公真天下忠义之士也！"曹操亦拜，问县令姓名。县令曰："吾姓陈，名宫，字公台。老母妻子，皆在东郡。今感公忠义，愿弃一官，从公而逃。"操甚喜。是夜陈宫收拾盘费，与曹操更衣易服，各背剑一口，乘马投故乡来。

行了三日，至成皋地方，天色向晚。操以鞭指林深处谓宫曰："此间有一人姓吕，名伯奢，是吾父结义弟兄；就往问家中消息，觅一宿，如何？"宫曰："最好。"二人至庄前下马，入见伯奢。奢曰："我闻朝廷遍行文书，捉汝甚急，汝父已避陈留去了。汝如何得至此？"操告以前事，曰："若非陈县令，已粉骨碎身矣。"伯奢拜陈宫曰："小侄若非使君，曹氏灭门矣。使君宽怀安坐，今晚便可下榻草舍。"说罢，即起身入内。良久乃出，谓陈宫曰："老夫家无好酒，容往西村沽一樽来相待。"言讫，匆匆上驴而去。

操与宫坐久，忽闻庄后有磨刀之声。操曰："吕伯奢非吾至亲，此去可疑，当窃听之。"二人潜步入草堂后，但闻人语曰："缚而杀之，何如？"操曰："是矣！今若不先下手，必遭擒获。"遂与宫拔剑直入，不问男女，皆杀之，一连杀死八口。搜至厨下，却见缚一猪欲杀。宫曰："孟德心多，误杀好人矣！"急出庄上马而行。行不到二里，只见伯奢驴鞍前鞒①悬酒二瓶，手携果菜而来，叫曰："贤侄与使君何故便去？"操曰："被罪之人，不敢久住。"伯奢曰："吾已分付家人宰一猪相款，贤侄、使君何憎一宿？速请转骑。"操不顾，策马便行。行不数步，忽拔剑复回，叫伯奢曰："此来者何人？"伯奢回头看时，操挥剑砍伯奢于驴下。宫大惊曰："适才误耳，今何为也？"操曰："伯奢到家，见杀死多人，安肯干休？若率众来追，必遭其祸矣。"宫曰："知而故杀，大不义也！"操曰："宁教我负天下人，休教天下人负我。"陈宫默然。

当夜，行数里，月明中敲开客店门投宿。喂饱了马，曹操先睡。陈宫寻思："我将谓曹操是好人，弃官跟他；原来是个狼心之徒！今日留之，必为后患。"便欲拔剑来杀曹操。正是：设心狠毒非良士，操卓原来一路人。

---

① 前鞒(qiáo)——驴鞍前端拱起的地方。

毕竟曹操性命如何,且听下文分解。

# 第 五 回

## 发矫诏诸镇应曹公 破关兵三英战吕布

却说陈宫临欲下手杀曹操,忽转念曰:“我为国家跟他到此,杀之不义。不若弃而他往。”插剑上马,不等天明,自投东郡去了。操觉,不见陈宫,寻思:“此人见我说了这两句,疑我不仁,弃我而去;吾当急行,不可久留。”遂连夜到陈留,寻见父亲,备说前事;欲散家资,招募义兵。父言:“资少恐不成事。此间有孝廉卫弘,疏财仗义,其家巨富;若得相助,事可图矣。”

操置酒张筵,拜请卫弘到家,告曰:“今汉室无主,董卓专权,欺君害民,天下切齿。操欲力扶社稷,恨力不足。公乃忠义之士,敢求相助!”卫弘曰:“吾有是心久矣,恨未遇英雄耳。既孟德有大志,愿将家资相助。”操大喜;于是先发矫诏,驰报各道,然后招集义兵,竖起招兵白旗一面,上书“忠义”二字。不数日间,应募之士,如雨骈集①。

一日,有一个阳平卫国人,姓乐,名进,字文谦,来投曹操。又有一个山阳巨鹿人,姓李,名典,字曼成,也来投曹操。操皆留为帐前吏。又有沛国谯人夏侯惇,字元让,乃夏侯婴之后;自小习枪棒;年十四从师学武,有人辱骂其师,惇杀之,逃于外方;闻知曹操起兵,与其族弟夏侯渊两个,各引壮士千人来会。此二人本操之弟兄:操父曹嵩原是夏侯氏之子,过房与曹家,因此是同族。不数日,曹氏兄弟曹仁、曹洪各引兵千余来助。曹仁字子孝,曹洪字子廉;二人弓马熟娴,武艺精通。操大喜,于村中调练军马。卫弘尽出家财,置办衣甲旗幡。四方送粮食者,不计其数。

时袁绍得操矫诏,乃聚麾下文武,引兵三万,离渤海来与曹操会盟。操作檄文以达诸郡。檄文曰:

操等谨以大义布告天下:董卓欺天罔地,灭国弑君;秽乱宫禁,残害

---

① 如雨骈集——像雨点落地一样汇集到一处,喻众多和快速。

生灵；狼戾①不仁，罪恶充积！今奉天子密诏，大集义兵，誓欲扫清华夏，剿戮群凶。望兴义师，共泄公愤；扶持王室，拯救黎民。檄文到日，可速奉行！

操发檄文去后，各镇诸侯皆起兵相应：第一镇，后将军南阳太守袁术。第二镇，冀州刺史韩馥。第三镇，豫州刺史孔伷。第四镇，兖州刺史刘岱。第五镇，河内郡太守王匡。第六镇，陈留太守张邈。第七镇，东郡太守乔瑁。第八镇，山阳太守袁遗。第九镇，济北相鲍信。第十镇，北海太守孔融。第十一镇，广陵太守张超。第十二镇，徐州刺史陶谦。第十三镇，西凉太守马腾。第十四镇，北平太守公孙瓒。第十五镇，上党太守张杨。第十六镇，乌程侯长沙太守孙坚。第十七镇，祁乡侯渤海太守袁绍。诸路军马，多少不等，有三万者，有一二万者，各领文官武将，投洛阳来。

且说北平太守公孙瓒，统领精兵一万五千，路经德州平原县。正行之间，遥见桑树丛中，一面黄旗，数骑来迎。瓒视之，乃刘玄德也。瓒问曰："贤弟何故在此？"玄德曰："旧日蒙兄保备为平原县令，今闻大军过此，特来奉候，就请兄长入城歇马。"瓒指关、张而问曰："此何人也？"玄德曰："此关羽、张飞，备结义兄弟也。"瓒曰："乃同破黄巾者乎？"玄德曰："皆此二人之力。"瓒曰："今居何职？"玄德答曰："关羽为马弓手，张飞为步弓手。"瓒叹曰："如此可谓埋没英雄！今董卓作乱，天下诸侯共往诛之。贤弟可弃此卑官，一同讨贼，力扶汉室，若何？"玄德曰："愿往。"张飞曰："当时若容我杀了此贼，免有今日之事。"云长曰："事已至此，即当收拾前去。"

玄德、关、张引数骑跟公孙瓒来，曹操接着。众诸侯亦陆续皆至，各自安营下寨，连接二百余里。操乃宰牛杀马，大会诸侯，商议进兵之策。太守王匡曰："今奉大义，必立盟主；众听约束，然后进兵。"操曰："袁本初四世三公，门多故吏，汉朝名相之裔，可为盟主。"绍再三推辞。众皆曰："非本初不可。"绍方应允。次日筑台三层，遍列五方旗帜，上建白旄黄钺②，兵符将印，请绍登坛。绍整衣佩剑，慨然而上，焚香再拜。其盟曰：

---

① 狼戾（lì）——凶狠。

② 白旄（máo）黄钺（yuè）——白旄：竿头饰有牦牛尾或羽毛的旗帜；黄钺：涂金的斧子。

汉室不幸，皇纲①失统。贼臣董卓，乘衅②纵害，祸加至尊，虐流百姓。绍等惧社稷沦丧，纠合义兵，并赴国难。凡我同盟，齐心戮力，以致臣节，必无二志。有渝③此盟，俾④坠其命，无克遗育⑤。皇天后土，祖宗明灵，实皆鉴之！

读毕，歃血⑥。众因其辞气慷慨，皆涕泗横流。歃血已罢，下坛。众扶绍升帐而坐，两行依爵位年齿分列坐定。操行酒数巡，言曰："今日既立盟主，各听调遣，同扶国家，勿以强弱计较。"袁绍曰："绍虽不才，既承公等推为盟主，有功必赏，有罪必罚。国有常刑，军有纪律；各宜遵守，勿得违犯。"众皆曰："惟命是听。"绍曰："吾弟袁术总督粮草，应付诸营，无使有缺。更须一人为先锋，直抵汜水关挑战。余各据险要，以为接应。"

长沙太守孙坚出曰："坚愿为前部。"绍曰："文台勇烈，可当此任。"坚遂引本部人马杀奔汜水关来。守关将士，差流星马往洛阳丞相府告急。董卓自专大权之后，每日饮宴。李儒接得告急文书，径来禀卓。卓大惊，急聚众将商议。温侯吕布挺身出曰："父亲勿虑。关外诸侯，布视之如草芥⑦；愿提虎狼之师，尽斩其首，悬于都门。"卓大喜曰："吾有奉先，高枕无忧矣！"言未绝，吕布背后一人高声出曰："'割鸡焉用牛刀？'不劳温侯亲往。吾斩众诸侯首级，如探囊取物耳！"卓视之，其人身长九尺，虎体狼腰，豹头猿臂；关西人也，姓华，名雄。卓闻言大喜，加为骁骑校尉，拨马步军五万，同李肃、胡轸、赵岑星夜赴关迎敌。

众诸侯内有济北相鲍信，寻思孙坚既为前部，怕他夺了头功，暗拨其弟鲍忠，先将马步军三千，径抄小路，直到关下搦战。华雄引铁骑五百，飞下关来，大喝："贼将休走！"鲍忠急待退，被华雄手起刀落，斩于马下，生擒将校极多。华雄遣人赍鲍忠首级来相府报捷，卓加雄为都督。

---

① 皇纲——皇朝的法纪。

② 衅(xìn)——机会、空子。

③ 渝(yú)——改变。

④ 俾(bǐ)——使。

⑤ 无克遗育——不能留下子孙后代。

⑥ 歃(shà)血——古人盟誓时涂血于口旁(一说口中含血)，表示遵守盟约的决心。

⑦ 草芥——芥：小草。指轻贱、微不足道的东西。

却说孙坚引四将直至关前。那四将？——第一个，右北平土垠人，姓程，名普，字德谋，使一条铁脊蛇矛；第二个，姓黄，名盖，字公覆，零陵人也，使铁鞭；第三个，姓韩，名当，字义公，辽西令支人也，使一口大刀；第四个，姓祖，名茂，字大荣，吴郡富春人也，使双刀。孙坚披烂银铠，裹赤帻，横古锭刀，骑花鬃马，指关上而骂曰："助恶匹夫，何不早降！"华雄副将胡轸引兵五千出关迎战。程普飞马挺矛，直取胡轸。斗不数合，程普刺中胡轸咽喉，死于马下。坚挥军直杀至关前，关上矢石如雨。孙坚引兵回至梁东屯住，使人于袁绍处报捷，就于袁术处催粮。

或①说术曰："孙坚乃江东猛虎；若打破洛阳，杀了董卓，正是除狼而得虎也。今不与粮，彼军必散。"术听之，不发粮草。孙坚军缺食，军中自乱，细作②报上关来。李肃为华雄谋曰："今夜我引一军从小路下关，袭孙坚寨后，将军击其前寨，坚可擒矣。"雄从之，传令军士饱餐，乘夜下关。是夜月白风清。到坚寨时，已是半夜，鼓噪直进。坚慌忙披挂上马，正遇华雄。两马相交，斗不数合，后面李肃军到，竟天价放起火来。坚军乱窜。众将各自混战，止有祖茂跟定孙坚，突围而走。背后华雄追来。坚取箭，连放两箭，皆被华雄躲过。再放第三箭时，因用力太猛，拽折了鹊画弓，只得弃弓纵马而奔。祖茂曰："主公头上赤帻射目，为贼所识认。可脱帻与某戴之。"坚就脱帻换茂盔，分两路而走。雄军只望赤帻者追赶，坚乃从小路得脱。祖茂被华雄追急，将赤帻挂于人家烧不尽的庭柱上，却入树林潜躲。华雄军于月下遥见赤帻，四面围定，不敢近前。用箭射之，方知是计，遂向前取了赤帻。祖茂于林后杀出，挥双刀欲劈华雄；雄大喝一声，将祖茂一刀砍于马下。杀至天明，雄方引兵上关。

程普、黄盖、韩当都来寻见孙坚，再收拾军马屯扎。坚为折了祖茂，伤感不已，星夜遣人报知袁绍。绍大惊曰："不想孙文台败于华雄之手！"便聚众诸侯商议。众人都到，只有公孙瓒后至，绍请入帐列坐。绍曰："前日鲍将军之弟不遵调遣，擅自进兵，杀身丧命，折了许多军士；今者孙文台又败于华雄；挫动锐气，为之奈何？"诸侯并皆不语。绍举目遍视，见公孙瓒背后立着三人，容貌异常，都在那里冷笑。绍问曰："公孙太守背后何人？"

---

① 或——有人。

② 细作——间谍、密探。

瓒呼玄德出曰："此吾自幼同舍兄弟，平原令刘备是也。"曹操曰："莫非破黄巾刘玄德乎？"瓒曰："然。"即令刘玄德拜见。瓒将玄德功劳，并其出身，细说一遍。绍曰："既是汉室宗派，取坐来。"命坐。备逊谢。绍曰："吾非敬汝名爵，吾敬汝是帝室之胄耳。"玄德乃坐于末位，关、张叉手①侍立于后。

忽探子来报："华雄引铁骑下关，用长竿挑着孙太守赤帻，来寨前大骂搦战。"绍曰："谁敢去战？"袁术背后转出骁将俞涉曰："小将愿往。"绍喜，便著俞涉出马。即时报来："俞涉与华雄战不三合，被华雄斩了。"众大惊。太守韩馥曰："吾有上将潘凤，可斩华雄。"绍急令出战。潘凤手提大斧上马。去不多时，飞马来报："潘凤又被华雄斩了。"众皆失色。绍曰："可惜吾上将颜良、文丑未至！得一人在此，何惧华雄！"言未毕，阶下一人大呼出曰："小将愿往斩华雄头，献于帐下！"众视之，见其人身长九尺，髯长二尺，丹凤眼，卧蚕眉，面如重枣，声如巨钟，立于帐前。绍问何人。公孙瓒曰："此刘玄德之弟关羽也。"绍问现居何职。瓒曰："跟随刘玄德充马弓手。"帐上袁术大喝曰："汝欺吾众诸侯无大将耶？量一弓手，安敢乱言！与我打出！"曹操急止之曰："公路息怒。此人既出大言，必有勇略；试教出马，如其不胜，责之未迟。"袁绍曰："使一弓手出战，必被华雄所笑。"操曰："此人仪表不俗，华雄安知他是弓手？"关公曰："如不胜，请斩某头。"操教酾②热酒一杯，与关公饮了上马。关公曰："酒且斟下，某去便来。"出帐提刀，飞身上马。众诸侯听得关外鼓声大震，喊声大举，如天摧地塌，岳撼山崩，众皆失惊。正欲探听，鸾铃响处，马到中军，云长提华雄之头，掷于地上。其酒尚温。后人有诗赞之曰：

威镇乾坤第一功，辕门画鼓响冬冬。
云长停盏施英勇，酒尚温时斩华雄。

曹操大喜。只见玄德背后转出张飞，高声大叫："俺哥哥斩了华雄，不就这里杀入关去，活拿董卓，更待何时！"袁术大怒，喝曰："俺大臣尚自谦让，量一县令手下小卒，安敢在此耀武扬威！都与赶出帐去！"曹操曰："得功者

---

① 叉手——古代一种礼数，子弟晚辈或随从等人侍立时，两手交拱在胸前，表示恭顺。

② 酾(shāi)——斟酒。

赏，何计贵贱乎？"袁术曰："既然公等只重一县令，我当告退。"操曰："岂可因一言而误大事耶？"命公孙瓒且带玄德、关、张回寨。众官皆散。曹操暗使人赍牛酒抚慰三人。

却说华雄手下败军，报上关来。李肃慌忙写告急文书，申闻董卓。卓急聚李儒、吕布等商议。儒曰："今失了上将华雄，贼势浩大。袁绍为盟主，绍叔袁隗，现为太傅；倘或里应外合，深为不便，可先除之。请丞相亲领大军，分拨剿捕。"卓然其说，唤李傕、郭汜领兵五百，围住太傅袁隗家，不分老幼，尽皆诛绝，先将袁隗首级去关前号令。卓遂起兵二十万，分为两路而来：一路先令李傕、郭汜引兵五万，把住汜水关，不要厮杀；卓自将十五万，同李儒、吕布、樊稠、张济等守虎牢关。这关离洛阳五十里。军马到关，卓令吕布领三万军，去关前扎住大寨。卓自在关上屯住。

流星马探听得，报入袁绍大寨里来。绍聚众商议。操曰："董卓屯兵虎牢，截俺诸侯中路，今可勒兵一半迎敌。"绍乃分王匡、乔瑁、鲍信、袁遗、孔融、张杨、陶谦、公孙瓒八路诸侯，往虎牢关迎敌。操引军往来救应。八路诸侯，各自起兵。河内太守王匡，引兵先到。吕布带铁骑三千，飞奔来迎。王匡将军马列成阵势，勒马门旗下看时，见吕布出阵：头戴三叉束发紫金冠，体挂西川红锦百花袍，身披兽面吞头连环铠，腰系勒甲玲珑狮蛮带；弓箭随身，手持画戟，坐下嘶风赤兔马：果然是"人中吕布，马中赤兔"！王匡回头问曰："谁敢出战？"后面一将，纵马挺枪而出。匡视之，乃河内名将方悦。两马相交，无五合，被吕布一戟刺于马下，挺戟直冲过来。匡军大败，四散奔走。布东西冲杀，如入无人之境。幸得乔瑁、袁遗两军皆至，来救王匡，吕布方退。三路诸侯，各折了些人马，退三十里下寨。随后五路军马都至，一处商议，言吕布英雄，无人可敌。

正虑间，小校报来："吕布搦战。"八路诸侯，一齐上马。军分八队，布在高冈。遥望吕布一簇军马，绣旗招飐，先来冲阵。上党太守张杨部将穆顺，出马挺枪迎战，被吕布手起一戟，刺于马下。众大惊。北海太守孔融部将武安国，使铁锤飞马而出。吕布挥戟拍马来迎。战到十余合，一戟砍断安国手腕，弃锤于地而走。八路军兵齐出，救了武安国。吕布退回去了。众诸侯回寨商议。曹操曰："吕布英勇无敌，可会十八路诸侯，共议良策。若擒了吕布，董卓易诛耳。"

正议间，吕布复引兵搦战。八路诸侯齐出。公孙瓒挥槊亲战吕布。

战不数合，瓒败走。吕布纵赤兔马赶来。那马日行千里，飞走如风。看看赶上，布举画戟望瓒后心便刺。傍边一将，圆睁环眼，倒竖虎须，挺丈八蛇矛，飞马大叫："三姓家奴休走！燕人张飞在此！"吕布见了，弃了公孙瓒，便战张飞。飞抖擞精神，酣战吕布。连斗五十余合，不分胜负。云长见了，把马一拍，舞八十二斤青龙偃月刀，来夹攻吕布。三匹马丁字儿厮杀。战到三十合，战不倒吕布。刘玄德掣双股剑，骤黄鬃马，刺斜里也来助战。这三个围住吕布，转灯儿般厮杀。八路人马，都看得呆了。吕布架隔遮拦不定，看着玄德面上，虚刺一戟，玄德急闪。吕布荡开阵角，倒拖画戟，飞马便回。三个那里肯舍，拍马赶来。八路军兵，喊声大震，一齐掩杀。吕布军马望关上奔走；玄德、关、张随后赶来。古人曾有篇言语，单道着玄德、关、张三战吕布：

汉朝天数当桓灵，炎炎红日将西倾。
奸臣董卓废少帝，刘协懦弱魂梦惊。
曹操传檄告天下，诸侯奋怒皆兴兵。
议立袁绍作盟主，誓扶王室定太平。
温侯吕布世无比，雄才四海夸英伟。
护躯银铠砌龙鳞，束发金冠簪雉尾。
参差宝带兽平吞，错落锦袍飞凤起。
龙驹跳踏起天风，画戟荧煌射秋水。
出关搦战谁敢当？诸侯胆裂心惶惶。
踊出燕人张翼德，手持蛇矛丈八枪。
虎须倒竖翻金线，环眼圆睁起电光。
酣战未能分胜败，阵前恼起关云长。
青龙宝刀灿霜雪，鹦鹉战袍飞蛱蝶。
马蹄到处鬼神嚎，目前一怒应流血。
枭雄玄德掣双锋，抖擞天威施勇烈。
三人围绕战多时，遮拦架隔无休歇。
喊声震动天地翻，杀气迷漫牛斗寒。
吕布力穷寻走路，遥望家山拍马还。
倒拖画杆方天戟，乱散销金五彩幡。
顿断绒绦走赤兔，翻身飞上虎牢关。

三人直赶吕布到关下，看见关上西风飘动青罗伞盖。张飞大叫："此必董卓！追吕布有甚强处？不如先拿董贼，便是斩草除根！"拍马上关，来擒董卓。正是：擒贼定须擒贼首，奇功端的①待奇人。未知胜负如何，且听下文分解。

# 第　六　回

## 焚金阙董卓行凶　匿玉玺孙坚背约

却说张飞拍马赶到关下，关上矢石如雨，不得进而回。八路诸侯，同请玄德、关、张贺功，使人去袁绍寨中报捷。绍遂移檄孙坚，令其进兵。坚引程普、黄盖至袁术寨中相见。坚以杖画地曰："董卓与我，本无仇隙。今我奋不顾身，亲冒矢石，来决死战者，上为国家讨贼，下为将军家门之私；而将军却听谗言，不发粮草，致坚败绩，将军何安？"术惶恐无言，命斩进谗之人，以谢孙坚。

忽人报坚曰："关上有一将，乘马来寨中，要见将军。"坚辞袁术，归到本寨，唤来问时，乃董卓爱将李傕。坚曰："汝来何为？"傕曰："丞相所敬者，惟将军耳。今特使傕来结亲：丞相有女，欲配将军之子。"坚大怒，叱曰："董卓逆天无道，荡覆王室，吾欲夷其九族，以谢天下，安肯与逆贼结亲耶！吾不斩汝，汝当速去，早早献关，饶你性命！倘若迟误，粉骨碎身！"

李傕抱头鼠窜，回见董卓，说孙坚如此无礼。卓怒，问李儒。儒曰："温侯新败，兵无战心。不若引兵回洛阳，迁帝于长安，以应童谣。近日街市童谣曰：'西头一个汉，东头一个汉。鹿走入长安，方可无斯难。'臣思此言，'西头一个汉'，乃应高祖旺于西都长安，传一十二帝；'东头一个汉'，乃应光武旺于东都洛阳，今亦传一十二帝。天运合回。丞相迁回长安，方可无虞②。"卓大喜曰："非汝言，吾实不悟。"遂引吕布星夜回洛阳，商议迁都。聚文武于朝堂，卓曰："汉东都洛阳，二百余年，气数已衰。吾观旺气

---

① 端的——果然、真的。

② 虞——忧患。

实在长安，吾欲奉驾西幸①。汝等各宜促装。”司徒杨彪曰：“关中残破零落。今无故捐宗庙，弃皇陵，恐百姓惊动。天下动之至易，安之至难。望丞相鉴察。”卓怒曰：“汝阻国家大计耶？”太尉黄琬曰：“杨司徒之言是也。往者王莽篡逆，更始赤眉之时，焚烧长安，尽为瓦砾之地；更兼人民流移，百无一二。今弃宫室而就荒地，非所宜也。”卓曰：“关东贼起，天下播乱。长安有崤函之险②，更近陇右，木石砖瓦，克日可办，宫室营造，不须月余。汝等再休乱言。”司徒荀爽谏曰：“丞相若欲迁都，百姓骚动不宁矣。”卓大怒曰：“吾为天下计，岂惜小民哉！”即日罢杨彪、黄琬、荀爽为庶民。卓出上车，只见二人望车而揖，视之，乃尚书周毖、城门校尉伍琼也。卓问有何事，毖曰：“今闻丞相欲迁都长安，故来谏耳。”卓大怒曰：“我始初听你两个，保用袁绍；今绍已反，是汝等一党！”叱武士推出都门斩首。遂下令迁都，限来日便行。李儒曰：“今钱粮缺少，洛阳富户极多，可籍没入官。但是③袁绍等门下，杀其宗党而抄其家资，必得巨万。”

卓即差铁骑五千，遍行捉拿洛阳富户，共数千家，插旗头上，大书“反臣逆党”，尽斩于城外，取其金资。李傕、郭汜尽驱洛阳之民数百万口，前赴长安。每百姓一队，间军一队，互相拖押；死于沟壑者，不可胜数。又纵军士淫人妻女，夺人粮食；啼哭之声，震动天地。如有行得迟者，背后三千军催督，军手执白刃，于路杀人。卓临行，教诸门放火，焚烧居民房屋，并放火烧宗庙宫府。南北两宫，火焰相接；长乐宫庭，尽为焦土。又差吕布发掘先皇及后妃陵寝，取其金宝。军士乘势掘官民坟冢殆尽。董卓装载金珠缎匹好物数千余车，劫了天子并后妃等，竟望长安去了。

却说卓将赵岑，见卓已弃洛阳而去，便献了汜水关。孙坚驱兵先入。玄德、关、张杀入虎牢关，诸侯各引军入。

且说孙坚飞奔洛阳，遥望火焰冲天，黑烟铺地，二三百里，并无鸡犬人烟；坚先发兵救灭了火，令众诸侯各于荒地上屯住军马。曹操来见袁绍曰：“今董贼西去，正可乘势追袭；本初按兵不动，何也？”绍曰：“诸兵疲困，进恐无益。”操曰：“董贼焚烧宫室，劫迁天子，海内震动，不知所归：此天亡

---

① 幸——皇帝到某处去叫幸。

② 崤函之险——即函谷关，因关的东端有崤山，故称崤函。

③ 但是——凡是。

之时也，一战而天下定矣。诸公何疑而不进？”众诸侯皆言不可轻动。操大怒曰：“竖子不足与谋！”遂自引兵万余，领夏侯惇、夏侯渊、曹仁、曹洪、李典、乐进，星夜来赶董卓。

且说董卓行至荥阳地方，太守徐荣出接。李儒曰：“丞相新弃洛阳，防有追兵。可教徐荣伏军荥阳城外山坞之旁，若有兵追来，可竟放过；待我这里杀败，然后截住掩杀。令后来者不敢复追。”卓从其计，又令吕布引精兵遏后。布正行间，曹操一军赶上。吕布大笑曰：“不出李儒所料也！”将军马摆开。曹操出马，大叫：“逆贼！劫迁天子，流徙百姓，将欲何往？”吕布骂曰：“背主懦夫，何得妄言！”夏侯惇挺枪跃马，直取吕布。战不数合，李傕引一军，从左边杀来，操急令夏侯渊迎敌。右边喊声又起，郭汜引军杀到，操急令曹仁迎敌。三路军马，势不可当。夏侯惇抵敌吕布不住，飞马回阵。布引铁骑掩杀，操军大败，回望荥阳而走。走至一荒山脚下，时约二更，月明如昼。方才聚集残兵，正欲埋锅造饭，只听得四围喊声，徐荣伏兵尽出。曹操慌忙策马，夺路奔逃，正遇徐荣，转身便走。荣搭上箭，射中操肩膊。操带箭逃命，踅过山坡。两个军士伏于草中，见操马来，二枪齐发，操马中枪而倒。操翻身落马，被二卒擒住。只见一将飞马而来，挥刀砍死两个步军，下马救起曹操。操视之，乃曹洪也。操曰：“吾死于此矣，贤弟可速去！”洪曰：“公急上马！洪愿步行。”操曰：“贼兵赶上，汝将奈何？”洪曰：“天下可无洪，不可无公。”操曰：“吾若再生，汝之力也。”操上马，洪脱去衣甲，拖刀跟马而走。约走至四更余，只见前面一条大河，阻住去路，后面喊声渐近。操曰：“命已至此，不得复活矣！”洪急扶操下马，脱去袍铠，负操渡水。才过彼岸，追兵已到，隔水放箭。操带水而走。比及天明，又走三十余里，土冈下少歇。忽然喊声起处，一彪人马赶来：却是徐荣从上流渡河来追。操正慌急间，只见夏侯惇、夏侯渊引数十骑飞至，大喝：“徐荣无伤吾主！”徐荣便奔夏侯惇，惇挺枪来迎。交马数合，惇刺徐荣于马下，杀散余兵。随后曹仁、李典、乐进各引兵寻到，见了曹操，忧喜交集；聚集残兵五百余人，同回河内。卓兵自往长安。

却说众诸侯分屯洛阳。孙坚救灭宫中余火，屯兵城内，设帐于建章殿基上。坚令军士扫除宫殿瓦砾。凡董卓所掘陵寝，尽皆掩闭。于太庙基上，草创殿屋三间，请众诸侯立列圣神位，宰太牢①祀之。祭毕，皆散。坚归寨中，是夜星月交辉，乃按剑露坐，仰观天文。见紫微垣中白气漫漫，坚叹曰："帝星不明，贼臣乱国，万民涂炭，京城一空！"言讫，不觉泪下。

傍有军士指曰："殿南有五色毫光起于井中。"坚唤军士点起火把，下井打捞。捞起一妇人尸首，虽然日久，其尸不烂，宫样装束，项下带一锦囊。取开看时，内有朱红小匣，用金锁锁着。启视之，乃一玉玺：方圆四寸，上镌五龙交纽；傍缺一角，以黄金镶之；上有篆文八字云："受命于天，既寿永昌。"坚得玺，乃问程普。普曰："此传国玺也。此玉是昔日卞和于荆山之下，见凤凰栖于石上，载而进之楚文王。解之，果得玉。秦二十六年，令良工琢为玺，李斯篆此八字于其上。二十八年，始皇巡狩至洞庭湖，风浪大作，舟将覆，急投玉玺于湖而止。至三十六年，始皇巡狩至华阴，有人持玺遮道，与从者曰：'持此还祖龙②。'言讫不见，此玺复归于秦。明年，始皇崩。后来子婴将玉玺献与汉高祖。后至王莽篡逆，孝元皇太后将玺打王寻、苏献，崩其一角，以金镶之。光武得此宝于宜阳，传位至今。近闻十常侍作乱，劫少帝出北邙，回宫失此宝。今天授主公，必有登九五③之分。此处不可久留，宜速回江东，别图大事。"坚曰："汝言正合吾意。明日便当托疾辞归。"商议已定，密谕军士勿得泄漏。

谁想数中一军，是袁绍乡人，欲假此为进身之计，连夜偷出营寨，来报袁绍。绍与之赏赐，暗留军中。次日，孙坚来辞袁绍曰："坚抱小疾，欲归长沙，特来别公。"绍笑曰："吾知公疾乃害传国玺耳。"坚失色曰："此言何来？"绍曰："今兴兵讨贼，为国除害。玉玺乃朝廷之宝，公既获得，当对众留于盟主处，候诛了董卓，复归朝廷。今匿之而去，意欲何为？"坚曰："玉玺何由在吾处？"绍曰："建章殿井中之物何在？"坚曰："吾本无之，何强相逼？"绍曰："作速取出，免自生祸。"坚指天为誓曰："吾若果得此宝，私自藏匿，异日不得善终，死于刀箭之下！"众诸侯曰："文台如此说誓，想必无之。"绍唤军士出曰："打捞之时，有此人否？"坚大怒，拔所佩之剑，要斩那军士。绍亦拔剑曰："汝斩军人，乃欺我也。"绍背后颜良、文丑皆拔剑出

---

① 太牢——古代最高等级的祭品，牛羊猪三者俱全，称太牢。

② 祖龙——秦始皇的代称。

③ 九五——《易经·乾卦》用第五爻（九五）表示君位，这里指皇位。

鞘。坚背后程普、黄盖、韩当亦掣刀在手。众诸侯一齐劝住。坚随即上马，拔寨离洛阳而去。绍大怒，遂写书一封，差心腹人连夜往荆州，送与刺史刘表，教就路上截住夺之。

次日，人报曹操追董卓，战于荥阳，大败而回。绍令人接至寨中，会众置酒，与操解闷。饮宴间，操叹曰："吾始兴大义，为国除贼。诸公既仗义而来，操之初意，欲烦本初引河内之众，临孟津、酸枣；诸将固守成皋，据敖仓，塞轘辕、太谷，制其险要；公路率南阳之军，驻丹、析，入武关，以震三辅①。皆深沟高垒，勿与战，益②为疑兵，示天下形势，以顺诛逆，可立定也。今迟疑不进，大失天下之望。操窃耻之！"绍等无言可对。既而席散，操见绍等各怀异心，料不能成事，自引军投扬州去了。公孙瓒谓玄德、关、张曰："袁绍无能为也，久必有变。吾等且归。"遂拔寨北行。至平原，令玄德为平原相，自去守地养军。兖州太守刘岱，问东郡太守乔瑁借粮。瑁推辞不与，岱引军突入瑁营，杀死乔瑁③，尽降其众。袁绍见众人各自分散，就领兵拔寨，离洛阳，投关东去了。

却说荆州刺史刘表，字景升，山阳高平人也，乃汉室宗亲；幼好结纳，与名士七人为友，时号"江夏八俊"。那七人：汝南陈翔，字仲麟；同郡范滂，字孟博；鲁国孔昱④，字世元；渤海范康，字仲真；山阳檀敷，字文友；同郡张俭，字元节；南阳岑晊⑤，字公孝。刘表与此七人为友；有延平人蒯良、蒯越，襄阳人蔡瑁为辅。当时看了袁绍书，随令蒯越、蔡瑁引兵一万来截孙坚。坚军方到，蒯越将阵摆开，当先出马。孙坚问曰："蒯异度何故引兵截吾去路？"越曰："汝既为汉臣，如何私匿传国之宝？可速留下，放汝归去！"坚大怒，命黄盖出战。蔡瑁舞刀来迎。斗到数合，盖挥鞭打瑁，正中护心镜。瑁拨回马走，孙坚乘势杀过界口。山背后金鼓齐鸣，乃刘表亲自引军来到。孙坚就马上施礼曰："景升何故信袁绍之书，相逼邻郡？"表曰：

---

① 三辅——京兆、冯翊、扶风三郡，在西京长安及附近一带地方，汉代称为三辅。

② 益——增加、多。

③ 乔瑁(mào)——人名。

④ 孔昱(yù)——人名。

⑤ 岑晊(xī)——人名。

"汝匿传国玺,将欲反耶?"坚曰:"吾若有此物,死于刀箭之下!"表曰:"汝若要我听信,将随军行李,任我搜看。"坚怒曰:"汝有何力,敢小觑我!"方欲交兵,刘表便退。坚纵马赶去,两山后伏兵齐起,背后蔡瑁、蒯越赶来,将孙坚困在垓心。正是:玉玺得来无用处,反因此宝动刀兵。毕竟孙坚怎地脱身,且听下文分解。

# 第 七 回

## 袁绍磐河战公孙 孙坚跨江击刘表

却说孙坚被刘表围住,亏得程普、黄盖、韩当三将死救得脱,折兵大半,夺路引兵回江东。自此孙坚与刘表结怨。

且说袁绍屯兵河内,缺少粮草。冀州牧韩馥,遣人送粮以资军用。谋士逢纪说绍曰:"大丈夫纵横天下,何待人送粮为食! 冀州乃钱粮广盛之地,将军何不取之?"绍曰:"未有良策。"纪曰:"可暗使人驰书与公孙瓒,令进兵取冀州,约以夹攻,瓒必兴兵。韩馥无谋之辈,必请将军领州事;就中取事,唾手可得。"绍大喜,即发书到瓒处。瓒得书,见说共攻冀州,平分其地,大喜,即日兴兵。绍却使人密报韩馥。馥慌聚荀谌、辛评二谋士商议。谌曰:"公孙瓒将燕、代之众,长驱而来,其锋不可当。兼有刘备、关、张助之,难以抵敌。今袁本初智勇过人,手下名将极广,将军可请彼同治州事,彼必厚待将军,无患公孙瓒矣。"韩馥即差别驾关纯去请袁绍。长史耿武谏曰:"袁绍孤客穷军,仰我鼻息,譬如婴儿在股掌之上,绝其乳哺,立可饿死。奈何欲以州事委之? 此引虎入羊群也。"馥曰:"吾乃袁氏之故吏,才能又不如本初。古者择贤者而让之,诸君何嫉妒耶?"耿武叹曰:"冀州休矣!"于是弃职而去者三十余人。独耿武与关纯伏于城外,以待袁绍。数日后,绍引兵至。耿武、关纯拔刀而出,欲刺杀绍。绍将颜良立斩耿武,文丑砍死关纯。绍入冀州,以馥为奋威将军,以田丰、沮授、许攸、逢纪分掌州事,尽夺韩馥之权。馥懊悔无及,遂弃下家小,匹马往投陈留太守张邈去了。

却说公孙瓒知袁绍已据冀州,遣弟公孙越来见绍,欲分其地。绍曰:

“可请汝兄自来，吾有商议。”越辞归。行不到五十里，道旁闪出一彪军马，口称：“我乃董丞相家将也！”乱箭射死公孙越。从人逃回见公孙瓒，报越已死。瓒大怒曰：“袁绍诱我起兵攻韩馥，他却就里取事；今又诈董卓兵射死吾弟，此冤如何不报！”尽起本部兵，杀奔冀州来。

绍知瓒兵至，亦领军出。二军会于磐河之上：绍军于磐河桥东，瓒军于桥西。瓒立马桥上，大呼曰：“背义之徒，何敢卖我！”绍亦策马至桥边，指瓒曰：“韩馥无才，愿让冀州于吾，与尔何干？”瓒曰：“昔日以汝为忠义，推为盟主；今之所为，真狼心狗行之徒，有何面目立于世间！”袁绍大怒曰：“谁可擒之？”言未毕，文丑策马挺枪，直杀上桥。公孙瓒就桥边与文丑交锋。战不到十余合，瓒抵挡不住，败阵而走。文丑乘势追赶。瓒走入阵中，文丑飞马径入中军，往来冲突。瓒手下健将四员，一齐迎战；被文丑一枪，刺一将下马，三将俱走。文丑直赶公孙瓒出阵后，瓒望山谷而逃。文丑骤马厉声大叫：“快下马受降！”瓒弓箭尽落，头盔堕地；披发纵马，奔转山坡；其马前失①，瓒翻身落于坡下。文丑急捻枪来刺。忽见草坡左侧转出一个少年将军，飞马挺枪，直取文丑。公孙瓒扒上坡去，看那少年：生得身长八尺，浓眉大眼，阔面重颐，威风凛凛，与文丑大战五六十合，胜负未分。瓒部下救军到，文丑拨回马去了。那少年也不追赶。瓒忙下土坡，问那少年姓名。那少年欠身答曰：“某乃常山真定人也，姓赵，名云，字子龙。本袁绍辖下之人。因见绍无忠君救民之心，故特弃彼而投麾下，不期于此处相见。”瓒大喜，遂同归寨，整顿甲兵。

次日，瓒将军马分作左右两队，势如羽翼。马五千余匹，大半皆是白马。因公孙瓒曾与羌人战，尽选白马为先锋，号为“白马将军”；羌人但见白马便走，因此白马极多。袁绍令颜良、文丑为先锋，各引弓弩手一千，亦分作左右两队；令在左者射公孙瓒右军，在右者射公孙瓒左军。再令麴义引八百弓手、步兵一万五千，列于阵中。袁绍自引马步军数万，于后接应。公孙瓒初得赵云，不知心腹，令其另领一军在后。遣大将严纲为先锋。瓒自领中军，立马桥上，傍竖大红圈金线“帅”字旗于马前。从辰时擂鼓，直到巳时，绍军不进。麴义令弓手皆伏于遮箭牌下，只听炮响发箭。严纲鼓噪呐喊，直取麴义。义军见严纲兵来，都伏而不动；直到来得至近，一声炮

① 前失——马的前蹄失陷，仆倒。

响，八百弓弩手一齐俱发。纲急待回，被麴义拍马舞刀，斩于马下，瓒军大败。左右两军，欲来救应，都被颜良、文丑引弓弩手射住。绍军并进，直杀到界桥边。麴义马到，先斩执旗将，把绣旗砍倒。公孙瓒见砍倒绣旗，回马下桥而走。麴义引军直冲到后军，正撞着赵云，挺枪跃马，直取麴义。战不数合，一枪刺麴义于马下。赵云一骑马飞入绍军，左冲右突，如入无人之境。公孙瓒引军杀回，绍军大败。

却说袁绍先使探马看时，回报麴义斩将搴①旗，追赶败兵；因此不作准备，与田丰引着帐下持戟军士数百人、弓箭手数十骑，乘马出观，呵呵大笑曰："公孙瓒无能之辈！"正说之间，忽见赵云冲到面前。弓箭手急待射时，云连刺数人，众军皆走。后面瓒军团团围裹上来。田丰慌对绍曰："主公且于空墙中躲避！"绍以兜鍪②扑地，大呼曰："大丈夫愿临阵斗死，岂可入墙而望活乎！"众军士齐心死战，赵云冲突不入，绍兵大队掩至，颜良亦引军来到，两路并杀。赵云保公孙瓒杀透重围，回到界桥。绍驱兵大进，复赶过桥，落水死者，不计其数。袁绍当先赶来，不到五里，只听得山背后喊声大起，闪出一彪人马，为首三员大将，乃是刘玄德、关云长、张翼德。因在平原探知公孙瓒与袁绍相争，特来助战。当下三匹马，三般兵器，飞奔前来，直取袁绍。绍惊得魂飞天外，手中宝刀坠于马下，忙拨马而逃，众人死救过桥。公孙瓒亦收军归寨。玄德、关、张动问毕，瓒曰："若非玄德远来救我，几乎狼狈。"教与赵云相见。玄德甚相敬爱，便有不舍之心。

却说袁绍输了一阵，坚守不出。两军相拒月余，有人来长安报知董卓。李儒对卓曰："袁绍与公孙瓒，亦当今豪杰。现在磐河厮杀，宜假天子之诏，差人往和解之。二人感德，必顺太师矣。"卓曰："善。"次日便使太傅马日磾③、太仆赵岐，赍诏前去。二人来至河北，绍出迎于百里之外，再拜奉诏。次日，二人至瓒营宣谕，瓒乃遣使致书于绍，互相讲和。二人自回京复命。瓒即日班师，又表荐刘玄德为平原相。玄德与赵云分别，执手垂泪，不忍相离。云叹曰："某曩日误认公孙瓒为英雄；今观所为，亦袁绍等

---

① 搴(qiān)——拔取、取。

② 兜鍪(móu)——头盔。

③ 马日磾(dī)——人名。

辈耳！”玄德曰：“公且屈身事之，相见有日。”洒泪而别。

却说袁术在南阳，闻袁绍新得冀州，遣使来求马千匹。绍不与，术怒。自此，兄弟不睦。又遣使往荆州，问刘表借粮二十万，表亦不与。术恨之，密遣人遗书于孙坚，使伐刘表。其书略曰：

前者刘表截路，乃吾兄本初之谋也。今本初又与表私议欲袭江东。公可速兴兵伐刘表，吾为公取本初，二仇可报。公取荆州，吾取冀州，切勿误也！

坚得书曰：“叵耐①刘表！昔日断吾归路，今不乘时报恨，更待何年！”聚帐下程普、黄盖、韩当等商议。程普曰：“袁术多诈，未可准信。”坚曰：“吾自欲报仇，岂望袁术之助乎？”便差黄盖先来江边安排战船，多装军器粮草，大船装载战马，克日兴师。江中细作探知，来报刘表。表大惊，急聚文武将士商议。蒯良曰：“不必忧虑。可令黄祖部领江夏之兵为前驱，主公率荆襄之众为援。孙坚跨江涉湖而来，安能用武乎？”表然之，令黄祖设备，随后便起大军。

却说孙坚有四子，皆吴夫人所生：长子名策，字伯符；次子名权，字仲谋；三子名翊②，字叔弼；四子名匡，字季佐。吴夫人之妹，即为孙坚次妻，亦生一子一女：子名朗，字早安；女名仁。坚又过房俞氏一子，名韶，字公礼。坚有一弟，名静，字幼台。坚临行，静引诸子列拜于马前而谏曰：“今董卓专权，天子懦弱，海内大乱，各霸一方；江东方稍宁，以一小恨而起重兵，非所宜也。愿兄详之。”坚曰：“弟勿多言。吾将纵横天下，有仇岂可不报！”长子孙策曰：“如父亲必欲往，儿愿随行。”坚许之，遂与策登舟，杀奔樊城。黄祖伏弓弩手于江边，见船傍岸，乱箭俱发。坚令诸军不可轻动，只伏于船中来往诱之；一连三日，船数十次傍岸。黄祖军只顾放箭，箭已放尽。坚却拔船上所得之箭，约十数万。当日正值顺风，坚令军士一齐放箭。岸上支吾不住，只得退走。坚军登岸，程普、黄盖分兵两路，直取黄祖营寨。背后韩当驱兵大进。三面夹攻，黄祖大败，弃却樊城，走入邓城。坚令黄盖守住船只，亲自统兵追袭。黄祖引军出迎，布阵于野。坚列成阵势，出马于门旗之下。孙策也全副披挂，挺枪立马于父侧。黄祖引二将出

---

① 叵耐——叵："不可"合音。不可忍受的意思，骂人用语，相当于“可恨”。

② 孙翊（yì）——人名。

马：一个是江夏张虎，一个是襄阳陈生。黄祖扬鞭大骂："江东鼠贼，安敢侵犯汉室宗亲境界！"便令张虎搦战。坚阵内韩当出迎。两骑相交，战三十余合，陈生见张虎力怯，飞马来助。孙策望见，按住手中枪，扯弓搭箭，正射中陈生面门，应弦落马。张虎见陈生坠地，吃了一惊，措手不及，被韩当一刀，削去半个脑袋。程普纵马直来阵前捉黄祖。黄祖弃却头盔、战马，杂于步军内逃命。孙坚掩杀败军，直到汉水，命黄盖将船只进泊汉江。

黄祖聚败军，来见刘表，备言坚势不可当。表慌请蒯良商议。良曰："目今新败，兵无战心；只可深沟高垒，以避其锋；却潜①令人求救于袁绍，此围自可解也。"蔡瑁曰："子柔之言，直拙计也。兵临城下，将至壕边，岂可束手待毙！某虽不才，愿请军出城，以决一战。"刘表许之。蔡瑁引军万余，出襄阳城外，于岘山布阵。孙坚将得胜之兵，长驱大进。蔡瑁出马。坚曰："此人是刘表后妻之兄也，谁与吾擒之？"程普挺铁脊矛出马，与蔡瑁交战。不到数合，蔡瑁败走。坚驱大军，杀得尸横遍野。蔡瑁逃入襄阳。蒯良言瑁不听良策，以致大败，按军法当斩。刘表以新娶其妹，不肯加刑。

却说孙坚分兵四面，围住襄阳攻打。忽一日，狂风骤起，将中军"帅"字旗竿吹折。韩当曰："此非吉兆，可暂班师。"坚曰："吾屡战屡胜，取襄阳只在旦夕；岂可因风折旗竿，遽尔罢兵！"遂不听韩当之言，攻城愈急。蒯良谓刘表曰："某夜观天象，见一将星欲坠。以分野②度之，当应在孙坚。主公可速致书袁绍，求其相助。"刘表写书，问谁敢突围而出。健将吕公，应声愿往。蒯良曰："汝既敢去，可听吾计：与汝军马五百，多带能射者冲出阵去，即奔岘山。他必引军来赶，汝分一百人上山，寻石子准备；一百人执弓弩伏于林中。但有追兵到时，不可径走；可盘旋曲折，引到埋伏之处，矢石俱发。若能取胜，放起连珠号炮，城中便出接应。如无追兵，不可放炮，趱程而去。今夜月不甚明，黄昏便可出城。"吕公领了计策，拴束军马。黄昏时分，密开东门，引兵出城。孙坚在帐中，忽闻喊声，急上马引三十余骑，出营来看。军士报说："有一彪人马杀将出来，望岘山而去。"坚不会诸

---

① 潜——偷偷地、秘密地。

② 分野——古人迷信观念，把大行政区（汉代的十三个州、郡）牵附二十八宿，相应划分某州（郡）为某某宿的"分野"，认为有关星空的变化与该地区的人事有关联。

将，只引三十余骑赶来。吕公已于山林丛杂去处，上下埋伏。坚马快，单骑独来，前军不远。坚大叫："休走！"吕公勒回马来战孙坚。交马只一合，吕公便走，闪入山路去。坚随后赶入，却不见了吕公。坚方欲上山，忽然一声锣响，山上石子乱下，林中乱箭齐发。坚体中石、箭，脑浆迸流，人马皆死于岘山之内；寿止三十七岁。

吕公截住三十骑，并皆杀尽，放起连珠号炮。城中黄祖、蒯越、蔡瑁分头引兵杀出，江东诸军大乱。黄盖听得喊声震天，引水军杀来，正迎着黄祖。战不两合，生擒黄祖。程普保着孙策，急待寻路，正遇吕公。程普纵马向前，战不到数合，一矛刺吕公于马下。两军大战，杀到天明，各自收军。刘表军自入城。孙策回到汉水，方知父亲被乱箭射死，尸首已被刘表军士扛抬入城去了，放声大哭。众军俱号泣。策曰："父尸在彼，安得回乡！"黄盖曰："今活捉黄祖在此，得一人入城讲和，将黄祖去换主公尸首。"言未毕，军吏桓阶出曰："某与刘表有旧，愿入城为使。"策许之。桓阶入城见刘表，具说其事。表曰："文台尸首，吾已用棺木盛贮在此。可速放回黄祖，两家各罢兵，再休侵犯。"桓阶拜谢欲行，阶下蒯良出曰："不可！不可！吾有一言，令江东诸军片甲不回。请先斩桓阶，然后用计。"正是：追敌孙坚方殒①命，求和桓阶又遭殃。未知桓阶性命如何，且听下文分解。

# 第　八　回

## 王司徒巧使连环计　董太师大闹凤仪亭

却说蒯良曰："今孙坚已丧，其子皆幼。乘此虚弱之时，火速进军，江东一鼓可得。若还尸罢兵，容其养成气力，荆州之患也。"表曰："吾有黄祖在彼营中，安忍弃之？"良曰："舍一无谋黄祖而取江东，有何不可？"表曰："吾与黄祖心腹之交，舍之不义。"遂送桓阶回营，相约以孙坚尸换黄祖。

孙策换回黄祖，迎接灵柩，罢战回江东，葬父于曲阿之原。丧事已毕，引军居江都，招贤纳士，屈己待人，四方豪杰，渐渐投之。不在话下。

---

① 殒(yǔn)——死亡。

却说董卓在长安,闻孙坚已死,乃曰:“吾除却一心腹之患也!”问:“其子年几岁矣?”或答曰:“十七岁。”卓遂不以为意。自此愈加骄横,自号为“尚父”①,出入僭②天子仪仗;封弟董旻为左将军、鄠侯,侄董璜为侍中,总领禁军。董氏宗族,不问长幼,皆封列侯。离长安城二百五十里,别筑郿坞,役民夫二十五万人筑之;其城郭高下厚薄一如长安,内盖宫室,仓库屯积二十年粮食;选民间少年美女八百人实其中,金玉、彩帛、珍珠堆积不知其数;家属都住在内。卓往来长安,或半月一回,或一月一回,公卿皆候送于横门③外;卓常设帐于路,与公卿聚饮。一日,卓出横门,百官皆送,卓留宴,适北地招安降卒数百人到。卓即命于座前,或断其手足,或凿其眼睛,或割其舌,或以大锅煮之。哀号之声震天,百官战栗失箸,卓饮食谈笑自若。又一日,卓于省台大会百官,列坐两行。酒至数巡,吕布径入,向卓耳边言不数句,卓笑曰:“原来如此。”命吕布于筵上揪司空张温下堂。百官失色。不多时,侍从将一红盘,托张温头入献。百官魂不附体。卓笑曰:“诸公勿惊。张温结连袁术,欲图害我,因使人寄书来,错下在吾儿奉先处。故斩之。公等无故,不必惊畏。”众官唯唯而散。

司徒王允归到府中,寻思今日席间之事,坐不安席。至夜深月明,策杖步入后园,立于荼蘼架侧,仰天垂泪。忽闻有人在牡丹亭畔,长吁短叹。允潜步窥之,乃府中歌伎貂蝉也。其女自幼选入府中,教以歌舞,年方二八,色伎俱佳,允以亲女待之。是夜允听良久,喝曰:“贱人将有私情耶?”貂蝉惊跪答曰:“贱妾安敢有私!”允曰:“汝无所私,何夜深于此长叹?”蝉曰:“容妾伸肺腑之言。”允曰:“汝勿隐匿,当实告我。”蝉曰:“妾蒙大人恩养,训习歌舞,优礼相待,妾虽粉身碎骨,莫报万一。近见大人两眉愁锁,必有国家大事,又不敢问。今晚又见行坐不安,因此长叹。不想为大人窥见。倘有用妾之处,万死不辞!”允以杖击地曰:“谁想汉天下却在汝手中耶!随我到画阁中来。”貂蝉跟允到阁中,允尽叱出妇妾,纳貂蝉于坐,叩头便拜。貂蝉惊伏于地曰:“大人何故如此?”允曰:“汝可怜汉天下生灵!”

---

① 尚父——是周武王对吕尚的尊称,吕尚:姜姓,吕氏,名望,又称姜子牙,曾助武王灭商。这里董卓自比吕望。

② 僭(jiàn)——假冒。

③ 横(hèng)门——汉朝长安北面靠西的一个城门名。

言讫，泪如泉涌。貂蝉曰："适间贱妾曾言：但有使令，万死不辞。"允跪而言曰："百姓有倒悬之危，君臣有累卵之急，非汝不能救也。贼臣董卓，将欲篡位；朝中文武，无计可施。董卓有一义儿，姓吕，名布，骁勇异常。我观二人皆好色之徒，今欲用'连环计'：先将汝许嫁吕布，后献与董卓；汝于中取便，谍间①他父子反颜，令布杀卓，以绝大恶。重扶社稷，再立江山，皆汝之力也。不知汝意若何？"貂蝉曰："妾许大人万死不辞，望即献妾与彼。妾自有道理。"允曰："事若泄漏，我灭门矣。"貂蝉曰："大人勿忧。妾若不报大义，死于万刃之下！"允拜谢。

次日，便将家藏明珠数颗，令良匠嵌造金冠一顶，使人密送吕布。布大喜，亲到王允宅致谢。允预备嘉肴美馔；候吕布至，允出门迎迓，接入后堂，延之上坐。布曰："吕布乃相府一将，司徒是朝廷大臣，何故错敬？"允曰："方今天下别无英雄，惟有将军耳。允非敬将军之职，敬将军之才也。"布大喜。允殷勤敬酒，口称董太师并布之德不绝。布大笑畅饮。允叱退左右，只留侍妾数人劝酒。酒至半酣，允曰："唤孩儿来。"少顷，二青衣引貂蝉艳妆而出。布惊问何人。允曰："小女貂蝉也。允蒙将军错爱，不异至亲，故令其与将军相见。"便命貂蝉与吕布把盏。貂蝉送酒与布，两下眉来眼去。允佯醉曰："孩儿央及将军痛饮几杯。吾一家全靠着将军哩。"布请貂蝉坐，貂蝉假意欲入。允曰："将军吾之至友，孩儿便坐何妨。"貂蝉便坐于允侧。吕布目不转睛地看。又饮数杯，允指蝉谓布曰："吾欲将此女送与将军为妾，还肯纳否？"布出席谢曰："若得如此，布当效犬马之报！"允曰："早晚选一良辰，送至府中。"布欣喜无限，频以目视貂蝉。貂蝉亦以秋波送情。少顷席散，允曰："本欲留将军止宿，恐太师见疑。"布再三拜谢而去。

过了数日，允在朝堂，见了董卓，趁吕布不在侧，伏地拜请曰："允欲屈太师车骑，到草舍赴宴，未审钧意若何？"卓曰："司徒见招，即当趋赴。"允拜谢归家，水陆毕陈②，于前厅正中设座，锦绣铺地，内外各设帏幔。次日晌午，董卓来到。允具朝服出迎，再拜起居。卓下车，左右持戟甲士百余，簇拥入堂，分列两傍。允于堂下再拜，卓命扶上，赐坐于侧。允曰："太师

---

① 谍间(jiàn)——谍：伺机、钻空子；间：反间、离间。

② 水陆毕陈——水里、陆上生产的各种珍贵菜肴罗列齐备。

盛德巍巍，伊、周①不能及也。”卓大喜。进酒作乐，允极其致敬。天晚酒酣，允请卓入后堂。卓叱退甲士。允捧觞称贺曰：“允自幼颇习天文，夜观乾象②，汉家气数已尽。太师功德振于天下，若舜之受尧，禹之继舜，正合天心人意。”卓曰：“安敢望此！”允曰：“自古‘有道伐无道，无德让有德’，岂过分乎！”卓笑曰：“若果天命归我，司徒当为元勋。”允拜谢。堂中点上画烛，止留女使进酒供食。允曰：“教坊③之乐，不足供奉；偶有家伎，敢使承应。”卓曰：“甚妙。”允教放下帘栊，笙簧缭绕，簇捧貂蝉舞于帘外。有词赞之曰：

原是昭阳宫里人，惊鸿宛转掌中身，

只疑飞过洞庭春。按彻《梁州》莲步稳，

花好风袅一枝新，画堂香暖不胜春。

又诗曰：

红牙催拍燕飞忙，一片行云到画堂。

眉黛促成游子恨，脸容初断故人肠。

榆钱不买千金笑，柳带何须百宝妆。

舞罢隔帘偷目送，不知谁是楚襄王。

舞罢，卓命近前。貂蝉转入帘内，深深再拜。卓见貂蝉颜色美丽，便问：“此女何人？”允曰：“歌伎貂蝉也。”卓曰：“能唱否？”允命貂蝉执檀板低讴一曲。正是：

一点樱桃启绛唇，两行碎玉喷《阳春》。

丁香舌吐衠钢剑，要斩奸邪乱国臣。

卓称赏不已。允命貂蝉把盏。卓擎杯问曰：“青春几何？”貂蝉曰：“贱妾年方二八。”卓笑曰：“真神仙中人也！”允起曰：“允欲将此女献上太师，未审肯容纳否？”卓曰：“如此见惠，何以报德？”允曰：“此女得侍太师，其福不浅。”卓再三称谢。允即命备毡车，先将貂蝉送到相府。卓亦起身告辞。允亲送董卓直到相府，然后辞回。

---

① 伊、周——伊：伊尹，商朝的政治家；周：周公，姬姓，名旦，周朝的政治家。

② 乾象——天空的星象。

③ 教坊——唐代官立的音乐、歌舞机关，汉时没有这个名称，这里是作者借用的。

乘马而行，不到半路，只见两行红灯照道，吕布骑马执戟而来，正与王允撞见，便勒住马，一把揪住衣襟，厉声问曰："司徒既以貂蝉许我，今又送与太师，何相戏耶？"允急止之曰："此非说话处，且请到草舍去。"布同允到家，下马入后堂。叙礼毕，允曰："将军何故怪老夫？"布曰："有人报我，说你把毡车送貂蝉入相府，是何意故？"允曰："将军原来不知！昨日太师在朝堂中，对老夫说：'我有一事，明日要到你家。'允因此准备小宴等候。太师饮酒中间，说：'我闻你有一女，名唤貂蝉，已许吾儿奉先。我恐你言未准，特来相求，并请一见。'老夫不敢有违，随引貂蝉出拜公公。太师曰：'今日良辰，吾即当取此女回去，配与奉先。'将军试思：太师亲临，老夫焉敢推阻？"布曰："司徒少罪。布一时错见，来日自当负荆①。"允曰："小女颇有妆奁，待过将军府下，便当送至。"布谢去。

次日，吕布在府中打听，绝不闻音耗。径入堂中，寻问诸侍妾。侍妾对曰："夜来太师与新人共寝，至今未起。"布大怒，潜入卓卧房后窥探。时貂蝉起于窗下梳头，忽见窗外池中照一人影，极长大，头戴束发冠；偷眼视之，正是吕布。貂蝉故蹙双眉，做忧愁不乐之态，复以香罗频拭眼泪。吕布窥视良久，乃出；少顷，又入。卓已坐于中堂，见布来，问曰："外面无事乎？"布曰："无事。"侍立卓侧。卓方食，布偷目窃望，见绣帘内一女子往来观觑，微露半面，以目送情。布知是貂蝉，神魂飘荡。卓见布如此光景，心中疑忌，曰："奉先无事且退。"布怏怏而出。

董卓自纳貂蝉后，为色所迷，月余不出理事。卓偶染小疾，貂蝉衣不解带，曲意逢迎，卓心愈喜。吕布入内问安，正值卓睡。貂蝉于床后探半身望布，以手指心，又以手指董卓，挥泪不止。布心如碎。卓蒙眬双目，见布注视床后，目不转睛；回身一看，见貂蝉立于床后。卓大怒，叱布曰："汝敢戏吾爱姬耶！"唤左右逐出："今后不许入堂！"吕布怒恨而归，路遇李儒，告知其故。儒急入见卓曰："太师欲取天下，何故以小过见责温侯？倘彼心变，大事去矣。"卓曰："奈何？"儒曰："来朝唤入，赐以金帛，好言慰之，自然无事。"卓依言。次日，使人唤布入堂，慰之曰："吾前日病中，心神恍惚，误言伤汝，汝勿记心。"随赐金十斤、锦二十匹。布谢归，然身虽在卓左右，

---

① 负荆——荆：灌木名，可作鞭杖；意思是背着荆杖，请求责罚。后来成了道歉、赔罪的代名词。

心实系念貂蝉。

卓疾既愈，入朝议事。布执戟相随，见卓与献帝共谈，便乘间提戟出内门，上马径投相府来；系马府前，提戟入后堂，寻见貂蝉。蝉曰："汝可去后园中凤仪亭边等我。"布提戟径往，立于亭下曲栏之傍。良久，见貂蝉分花拂柳而来，果然如月宫仙子，泣谓布曰："我虽非王司徒亲女，然待之如己出。自见将军，许侍箕帚①，妾已生平愿足。谁想太师起不良之心，将妾淫污。妾恨不即死；止因未与将军一诀，故且忍辱偷生。今幸得见，妾愿毕矣！此身已污，不得复事英雄；愿死于君前，以明妾志！"言讫，手攀曲栏，望荷花池便跳。吕布慌忙抱住，泣曰："我知汝心久矣！只恨不能共语！"貂蝉手扯布曰："妾今生不能与君为妻，愿相期于来世。"布曰："我今生不能以汝为妻，非英雄也！"蝉曰："妾度日如年，愿君怜而救之。"布曰："我今偷空而来，恐老贼见疑，必当速去。"蝉牵其衣曰："君如此惧怕老贼，妾身无见天日之期矣！"布立住曰："容我徐图良策。"语罢，提戟欲去。貂蝉曰："妾在深闺，闻将军之名，如雷灌耳，以为当世一人而已；谁想反受他人之制乎！"言讫，泪下如雨。布羞惭满面，重复倚戟，回身搂抱貂蝉，用好言安慰。两个偎偎倚倚，不忍相离。

却说董卓在殿上，回头不见吕布，心中怀疑，连忙辞了献帝，登车回府；见布马系于府前；问门吏，吏答曰："温侯入后堂去了。"卓叱退左右，径入后堂中，寻觅不见；唤貂蝉，蝉亦不见。急问侍妾，侍妾曰："貂蝉在后园看花。"卓寻入后园，正见吕布和貂蝉在凤仪亭下共语，画戟倚在一边。卓怒，大喝一声。布见卓至，大惊，回身便走。卓抢了画戟，挺着赶来。吕布走得快，卓肥胖赶不上，掷戟刺布。布打戟落地。卓拾戟再赶，布已走远。卓赶出园门，一人飞奔前来，与卓胸膛相撞，卓倒于地。正是：冲天怒气高千丈，仆地肥躯做一堆。未知此人是谁，且听下文分解。

---

① 侍箕帚——服侍洒扫，做婢妾的意思。

# 第　九　回

## 除暴凶吕布助司徒　犯长安李傕听贾诩

却说那撞倒董卓的人，正是李儒。当下李儒扶起董卓，至书院中坐定。卓曰："汝为何来此？"儒曰："儒适至府门，知太师怒入后园，寻问吕布。因急走来，正遇吕布奔走，云：'太师杀我！'儒慌赶入园中劝解，不意误撞恩相。死罪！死罪！"卓曰："叵耐逆贼！戏吾爱姬，誓必杀之！"儒曰："恩相差矣。昔楚庄王'绝缨'之会①，不究戏爱姬之蒋雄，后为秦兵所困，得其死力相救。今貂蝉不过一女子，而吕布乃太师心腹猛将也。太师若就此机会，以蝉赐布，布感大恩，必以死报太师。太师请自三思。"卓沉吟良久曰："汝言亦是，我当思之。"儒谢而出。

卓入后堂，唤貂蝉问曰："汝何与吕布私通耶？"蝉泣曰："妾在后园看花，吕布突至。妾方惊避，布曰：'我乃太师之子，何必相避？'提戟赶妾至凤仪亭。妾见其心不良，恐为所逼，欲投荷池自尽，却被这厮抱住。正在生死之间，得太师来，救了性命。"董卓曰："我今将汝赐与吕布，何如？"貂蝉大惊，哭曰："妾身已事贵人，今忽欲下赐家奴，妾宁死不辱！"遂掣壁间宝剑欲自刎。卓慌夺剑拥抱曰："吾戏汝！"貂蝉倒于卓怀，掩面大哭曰："此必李儒之计也！儒与布交厚，故设此计；却不顾惜太师体面与贱妾性命。妾当生噬其肉！"卓曰："吾安忍舍汝耶？"蝉曰："虽蒙太师怜爱，但恐此处不宜久居，必被吕布所害。"卓曰："吾明日和你归郿坞去，同受快乐，慎②勿忧疑。"蝉方收泪拜谢。

次日，李儒入见曰："今日良辰，可将貂蝉送与吕布。"卓曰："布与我有

---

① 楚庄王"绝缨"之会——春秋时，楚庄王夜宴群臣，灯灭后，一人乘机调戏王后，王后把他的帽缨揪了下来，请求庄王追查，楚庄王不但不查，还让所有的大臣都把帽缨取下来，以免亮灯后此人难堪。后来，为了报恩，此人立了战功。

② 慎——慎重，这里相当于"千万"的意思。

父子之分，不便赐与。我只不究其罪。汝传我意，以好言慰之可也。”儒曰：“太师不可为妇人所惑。”卓变色曰：“汝之妻肯与吕布否？貂蝉之事，再勿多言；言则必斩！”李儒出，仰天叹曰：“吾等皆死于妇人之手矣！”后人读书至此，有诗叹之曰：

司徒妙算托红裙，不用干戈不用兵。
三战虎牢徒费力，凯歌却奏凤仪亭。

董卓即日下令还郿坞，百官俱拜送。貂蝉在车上，遥见吕布于稠人之内，眼望车中。貂蝉虚掩其面，如痛哭之状。车已去远，布缓辔于土冈之上，眼望车尘，叹惜痛恨。忽闻背后一人问曰：“温侯何不从太师去，乃在此遥望而发叹？”布视之，乃司徒王允也。

相见毕，允曰：“老夫日来因染微恙，闭门不出，故久未得与将军一见。今日太师驾归郿坞，只得扶病出送，却喜得晤将军。请问将军，为何在此长叹？”布曰：“正为公女耳。”允佯惊曰：“许多时尚未与将军耶？”布曰：“老贼自宠幸久矣！”允佯大惊曰：“不信有此事！”布将前事一一告允。允仰面跌足，半晌不语；良久，乃言曰：“不意太师做此禽兽之行！”因挽布手曰：“且到寒舍商议。”布随允归。允延入密室，置酒款待。布又将凤仪亭相遇之事，细述一遍。允曰：“太师淫吾之女，夺将军之妻，诚为天下耻笑。非笑太师，笑允与将军耳！然允老迈无能之辈，不足为道；可惜将军盖世英雄，亦受此污辱也！”布怒气冲天，拍案大叫。允急曰：“老夫失语，将军息怒。”布曰：“誓当杀此老贼，以雪吾耻！”允急掩其口曰：“将军勿言，恐累及老夫。”布曰：“大丈夫生居天地间，岂能郁郁久居人下！”允曰：“以将军之才，诚非董太师所可限制。”布曰：“吾欲杀此老贼，奈是父子之情，恐惹后人议论。”允微笑曰：“将军自姓吕，太师自姓董。掷戟之时，岂有父子情耶？”布奋然曰：“非司徒言，布几自误！”允见其意已决，便说之曰：“将军若扶汉室，乃忠臣也，青史①传名，流芳百世；将军若助董卓，乃反臣也，载之史笔，遗臭万年。”布避席下拜曰：“布意已决，司徒勿疑。”允曰：“但恐事或不成，反招大祸。”布拔带刀，刺臂出血为誓。允跪谢曰：“汉祀不斩②，皆出将军之赐也。切勿泄漏！临期有计，自当相报。”

---

① 青史——古代用竹简记事，因竹简是青色，故人们称史书为青史。

② 斩——绝、断。

布慨诺而去。

允即请仆射士孙瑞、司隶校尉黄琬商议。瑞曰："方今主上有疾新愈，可遣一能言之人，往郿坞请卓议事；一面以天子密诏付吕布，使伏甲兵于朝门之内，引卓入诛之：此上策也。"琬曰："何人敢去？"瑞曰："吕布同郡骑都尉李肃，以董卓不迁其官，甚是怀怨。若令此人去，卓必不疑。"允曰："善。"请吕布共议。布曰："昔日劝吾杀丁建阳，亦此人也。今若不去，吾先斩之。"使人密请肃至。布曰："昔日公说布使杀丁建阳而投董卓；今卓上欺天子，下虐生灵，罪恶贯盈，人神共愤。公可传天子诏往郿坞，宣卓入朝，伏兵诛之，力扶汉室，共作忠臣。尊意若何？"肃曰："我亦欲除此贼久矣，恨无同心者耳。今将军若此，是天赐也，肃岂敢有二心！"遂折箭为誓。允曰："公若能干此事，何患不得显官。"

次日，李肃引十数骑，前到郿坞。人报天子有诏，卓教唤入。李肃入拜。卓曰："天子有何诏？"肃曰："天子病体新痊，欲会文武于未央殿，议将禅位于太师，故有此诏。"卓曰："王允之意若何？"肃曰："王司徒已命人筑受禅台，只等主公到来。"卓大喜曰："吾夜梦一龙罩身，今日果得此喜信。时哉不可失！"便命心腹将李傕、郭汜、张济、樊稠四人领飞熊军三千守郿坞，自己即日排驾回京；顾谓李肃曰："吾为帝，汝当为执金吾。"肃拜谢称臣。卓入辞其母。母时年九十余矣，问曰："吾儿何往？"卓曰："儿将往受汉禅，母亲早晚为太后也！"母曰："吾近日肉颤心惊，恐非吉兆。"卓曰："将为国母，岂不预有惊报！"遂辞母而行。临行，谓貂蝉曰："吾为天子，当立汝为贵妃。"貂蝉已明知就里，假作欢喜拜谢。

卓出坞上车，前遮后拥，望长安来。行不到三十里，所乘之车，忽折一轮，卓下车乘马。又行不到十里，那马咆哮嘶喊，掣断辔头。卓问肃曰："车折轮，马断辔，其兆若何？"肃曰："乃太师应绍汉禅，弃旧换新，将乘玉辇金鞍之兆也。"卓喜而信其言。次日，正行间，忽然狂风骤起，昏雾蔽天。卓问肃曰："此何祥①也？"肃曰："主公登龙位，必有红光紫雾，以壮天威耳。"卓又喜而不疑。既至城外，百官俱出迎接。只有李儒抱病在家，不能出迎。卓进至相府，吕布入贺。卓曰："吾登九五，汝当总督天下兵马。"布拜谢，就帐前歇宿。是夜有十数小儿于郊外作歌，风吹歌声入帐。歌曰：

① 祥——凶吉的预兆。

"千里草,何青青! 十日卜,不得生!"歌声悲切。卓问李肃曰:"童谣主何吉凶?"肃曰:"亦只是言刘氏灭、董氏兴之意。"

次日侵晨,董卓摆列仪从入朝,忽见一道人,青袍白巾,手执长竿,上缚布一丈,两头各书一"口"字。卓问肃曰:"此道人何意?"肃曰:"乃心恙①之人也。"呼将士驱去。卓进朝,群臣各具朝服,迎谒于道。李肃手执宝剑扶车而行。到北掖门,军兵尽挡在门外,独有御车二十余人同入。董卓遥见王允等各执宝剑立于殿门,惊问肃曰:"持剑是何意?"肃不应,推车直入。王允大呼曰:"反贼至此,武士何在?"两旁转出百余人,持戟挺槊刺之。卓衷甲②不入,伤臂坠车,大呼曰:"吾儿奉先何在?"吕布从车后厉声出曰:"有诏讨贼!"一戟直刺咽喉,李肃早割头在手。吕布左手持戟,右手怀中取诏,大呼曰:"奉诏讨贼臣董卓,其余不问!"将吏皆呼万岁。后人有诗叹董卓曰:

霸业成时为帝王,不成且作富家郎。
谁知天意无私曲,郿坞方成已灭亡。

却说当下吕布大呼曰:"助卓为虐者,皆李儒也! 谁可擒之?"李肃应声愿往。忽听朝门外发喊,人报李儒家奴已将李儒绑缚来献。王允命缚赴市曹③斩之;又将董卓尸首,号令通衢。卓尸肥胖,看尸军士以火置其脐中为灯,膏流满地。百姓过者,莫不手掷其头,足践其尸。王允又命吕布同皇甫嵩、李肃领兵五万,至郿坞抄籍④董卓家产、人口。

却说李傕、郭汜、张济、樊稠闻董卓已死,吕布将至,便引了飞熊军连夜奔凉州去了。吕布至郿坞,先取了貂蝉。皇甫嵩命将坞中所藏良家子女,尽行释放。但系董卓亲属,不分老幼,悉皆诛戮。卓母亦被杀。卓弟董旻、侄董璜皆斩首号令。收籍坞中所蓄,黄金数十万、白金⑤数百万,绮罗、珠宝、器皿、粮食,不计其数。回报王允。允乃大犒军士,设宴于都堂,召集众官,酌酒称庆。

---

① 心恙——精神病,疯子。
② 衷甲——暗穿在里面的软甲。
③ 市曹——大街上商店多的地方。
④ 抄籍——抄家,并登记财产,没收归官。
⑤ 白金——白银。汉代银、锡杂铸的货币也称白金。

正饮宴间，忽人报曰："董卓暴尸于市，忽有一人伏其尸而大哭。"允怒曰："董卓伏诛，士民莫不称贺；此何人，独敢哭耶！"遂唤武士："与吾擒来！"须臾擒至。众官见之，无不惊骇：原来那人不是别人，乃侍中蔡邕也。允叱曰："董卓逆贼，今日伏诛，国之大幸。汝为汉臣，乃不为国庆，反为贼哭，何也？"邕伏罪曰："邕虽不才，亦知大义，岂肯背国而向卓？只因一时知遇之感，不觉为之一哭，自知罪大。愿公见原：倘得黥首刖足①，使续成汉史，以赎其辜②，邕之幸也。"众官惜邕之才，皆力救之。太傅马日磾亦密谓允曰："伯喈旷世逸才，若使续成汉史，诚为盛事。且其孝行素著，若遽杀之，恐失人望。"允曰："昔孝武不杀司马迁，后使作史，遂致谤书流于后世。方今国运衰微，朝政错乱，不可令佞臣执笔于幼主左右，使吾等蒙其讪③议也。"日磾无言而退，私谓众官曰："王允其无后乎！善人，国之纪也；制作，国之典也。灭纪废典，岂能久乎？"当下王允不听马日磾之言，命将蔡邕下狱中缢死。一时士大夫闻者，尽为流涕。后人论蔡邕之哭董卓，固自不是；允之杀之，亦为已甚。有诗叹曰：

董卓专权肆不仁，侍中何自竟亡身？
当时诸葛隆中卧，安肯轻身事乱臣。

且说李傕、郭汜、张济、樊稠逃居陕西，使人至长安上表求赦。王允曰："卓之跋扈，皆此四人助之；今虽大赦天下，独不赦此四人。"使者回报李傕。傕曰："求赦不得，各自逃生可也。"谋士贾诩曰："诸君若弃军单行，则一亭长能缚君矣。不若诱集陕人，并本部军马，杀入长安，与董卓报仇。事济，奉朝廷以正天下；若其不胜，走亦未迟。"傕等然其说，遂流言于西凉州曰："王允将欲洗荡此方之人矣！"众皆惊惶。乃复扬言曰："徒死无益，能从我反乎？"众皆愿从。于是聚众十余万，分作四路，杀奔长安来。路逢董卓女婿中郎将牛辅，引军五千人，欲去与丈人报仇，李傕便与合兵，使为前驱。四人陆续进发。

王允听知西凉兵来，与吕布商议。布曰："司徒放心。量此鼠辈，何足数也！"遂引李肃将兵出敌。肃当先迎战，正与牛辅相遇，大杀一阵。牛辅

---

① 黥(qíng)首刖(yuè)足——古代两种刑法：在犯人脸上刺字和砍掉脚。

② 辜——罪。

③ 讪——诽谤、诋毁。

抵敌不过，败阵而去。不想是夜二更，牛辅乘肃不备，竟来劫寨。肃军乱窜，败走三十余里，折军大半，来见吕布。布大怒曰："汝何挫吾锐气！"遂斩李肃，悬头军门。次日，吕布进兵与牛辅对敌。量牛辅如何敌得吕布，仍复大败而走。是夜牛辅唤心腹人胡赤儿商议曰："吕布骁勇，万不能敌；不如瞒了李傕等四人，暗藏金珠，与亲随三五人弃军而去。"胡赤儿应允。是夜收拾金珠，弃营而走，随行者三四人。将渡一河，赤儿欲谋取金珠，竟杀死牛辅，将头来献吕布。布问起情由，从人出首："胡赤儿谋杀牛辅，夺其金宝。"布怒，即将赤儿诛杀。领军前进，正迎着李傕军马。吕布不等他列阵，便挺戟跃马，麾军直冲过来。傕军不能抵当，退走五十余里，依山下寨，请郭汜、张济、樊稠共议，曰："吕布虽勇，然而无谋，不足为虑。我引军守住谷口，每日诱他厮杀。郭将军可领军抄击其后，效彭越挠楚之法①，鸣金进兵，擂鼓收兵。张、樊二公，却分兵两路，径取长安。彼首尾不能救应，必然大败。"众用其计。

却说吕布勒兵到山下，李傕引军搦战。布忿怒冲杀过去，傕退走上山。山上矢石如雨，布军不能进。忽报郭汜在阵后杀来。布急回战。只闻鼓声大震，汜军已退。布方欲收军，锣声响处，傕军又来。未及对敌，背后郭汜又领军杀到。及至吕布来时，却又擂鼓收军去了。激得吕布怒气填胸。一连如此几日，欲战不得，欲止不得。正在恼怒，忽然飞马报来，说张济、樊稠两路军马，竟犯长安，京城危急。布急领军回，背后李傕、郭汜杀来。布无心恋战，只顾奔走，折了好些人马。比及到长安城下，贼兵云屯雨集，围定城池，布军与战不利。军士畏吕布暴厉，多有降贼者，布心甚忧。

数日之后，董卓余党李蒙、王方在城中为贼内应，偷开城门，四路贼军一齐拥入。吕布左冲右突，拦挡不住，引数百骑往青琐门外，呼王允曰："势急矣！请司徒上马，同出关去，别图良策。"允曰："若蒙社稷之灵，得安国家，吾之愿也；若不获已，则允奉身以死。临难苟免，吾不为也。为我谢关东诸公，努力以国家为念！"吕布再三相劝，王允只是不肯去。不一时，各门火焰竟天，吕布只得弃却家小，引百余骑飞奔出关，投袁术去了。

---

① 彭越挠楚之法——汉初故事。楚汉对峙时，汉将彭越常扰击楚的后方，以助刘邦。

李傕、郭汜纵兵大掠。太常卿种拂、太仆鲁馗、大鸿胪周奂、城门校尉崔烈、越骑校尉王颀皆死于国难。贼兵围绕内庭至急，侍臣请天子上宣平门止乱。李傕等望见黄盖①，约住军士，口呼“万军”。献帝倚楼问曰：“卿不候奏请，辄入长安，意欲何为？”李傕、郭汜仰面奏曰：“董太师乃陛下社稷之臣，无端被王允谋杀；臣等特来报仇，非敢造反。但见王允，臣便退兵。”王允时在帝侧，闻知此言，奏曰：“臣本为社稷计。事已至此，陛下不可惜臣，以误国家。臣请下见二贼。”帝徘徊不忍。允自宣平门楼上跳下楼去，大呼曰：“王允在此！”李傕、郭汜拔剑叱曰：“董太师何罪而见杀？”允曰：“董贼之罪，弥天亘地②，不可胜言！受诛之日，长安士民，皆相庆贺，汝独不闻乎？”傕、汜曰：“太师有罪；我等何罪，不肯相赦？”王允大骂：“逆贼何必多言！我王允今日有死而已！”二贼手起，把王允杀于楼下。史官有诗赞曰：

王允运机筹，奸臣董卓休。心怀家国恨，眉锁庙堂忧。
英气连霄汉，忠诚贯斗牛。至今魂与魄，犹绕凤凰楼。

众贼杀了王允，一面又差人将王允宗族老幼，尽行杀害。士民无不下泪。当下李傕、郭汜寻思曰：“既到这里，不杀天子谋大事，更待何时？”便持剑大呼，杀入内来。正是：巨魁伏罪灾方息，从贼纵横祸又来。未知献帝性命如何，且听下文分解。

# 第十回

## 勤王室马腾举义　报父仇曹操兴师

却说李、郭二贼欲弑献帝。张济、樊稠谏曰：“不可。今日若便杀之，恐众人不服；不如仍旧奉之为主，赚诸侯入关，先去其羽翼，然后杀之，天下可图也。”李、郭二人从其言，按住兵器。帝在楼上宣谕曰：“王允既诛，军马何故不退？”李傕、郭汜曰：“臣等有功王室，未蒙赐爵，故不敢退军。”

① 黄盖——黄色车盖，只有皇帝车上才用。
② 弥天亘地——弥：满，遍；亘：贯穿、横贯。铺天盖地。

帝曰:“卿欲封何爵?”李、郭、张、樊四人各自写职衔献上,勒要如此官品。帝只得从之:封李傕为车骑将军、池阳侯,领司隶校尉,假节钺;郭汜为后将军、美阳侯,假节钺,同秉朝政;樊稠为右将军、万年侯,张济为骠骑将军、平阳侯,领兵屯弘农。其余李蒙、王方等,各为校尉。然后谢恩,领兵出城。又下令追寻董卓尸首,获得些零碎皮骨,以香木雕成形体,安凑停当,大设祭祀,用王者衣冠棺椁,选择吉日,迁葬郿坞。临葬之期,天降大雷雨,平地水深数尺,霹雳震开其棺,尸首提出棺外。李傕候晴再葬,是夜又复如是。三次改葬,皆不能葬,零皮碎骨,悉为雷火消灭。天之怒卓,可谓甚矣!

且说李傕、郭汜既掌大权,残虐百姓;密遣心腹侍帝左右,观其动静。献帝此时举动荆棘①。朝廷官员,并由二贼升降。因采人望,特宣朱儁入朝,封为太仆,同领朝政。一日,人报西凉太守马腾、并州刺史韩遂二将引军十余万,杀奔长安来,声言讨贼。原来二将先曾使人入长安,结连侍中马宇、谏议大夫种邵、左中郎将刘范三人为内应,共谋贼党。三人密奏献帝,封马腾为征西将军、韩遂为镇西将军,各受密诏,并力讨贼。当下李傕、郭汜、张济、樊稠闻二军将至,一同商议御敌之策。谋士贾诩曰:“二军远来,只宜深沟高垒,坚守以拒之。不过百日,彼兵粮尽,必将自退,然后引兵追之,二将可擒矣。”李蒙、王方出曰:“此非好计。愿借精兵万人,立斩马腾、韩遂之头,献于麾下②。”贾诩曰:“今若即战,必当败绩。”李蒙、王方齐声曰:“若吾二人败,情愿斩首;吾若战胜,公亦当输首级与我。”诩谓李傕、郭汜曰:“长安西二百里盩厔山,其路险峻,可使张、樊两将军屯兵于此,坚壁守之;待李蒙、王方自引兵迎敌,可也。”李傕、郭汜从其言,点一万五千人马与李蒙、王方。二人忻喜而去,离长安二百八十里下寨。

西凉兵到,两个引军迎去。西凉军马拦路摆开阵势。马腾、韩遂联辔而出,指李蒙、王方骂曰:“反国之贼!谁去擒之?”言未绝,只见一位少年将军,面如冠玉,眼若流星,虎体猿臂,彪腹狼腰;手执长枪,坐骑骏马,从阵中飞出。原来那将即马腾之子马超,字孟起,年方十七岁,英勇

---

① 举动荆棘——一举一动都像在荆棘丛里一样,比喻行动不自由。

② 麾(huī)下——麾:指挥作战用的旗子。麾下本义是部下,这里是对将帅的敬称。

无敌。王方欺他年幼，跃马迎战。战不到数合，早被马超一枪刺于马下。马超勒马便回。李蒙见王方刺死，一骑马从马超背后赶来。超只做不知。马腾在阵门下大叫："背后有人追赶！"声犹未绝，只见马超已将李蒙擒在马上。原来马超明知李蒙追赶，却故意俄延；等他马近举枪刺来，超将身一闪，李蒙搠个空，两马相并，被马超轻舒猿臂，生擒过去。军士无主，望风奔逃。马腾、韩遂乘势追杀，大获胜捷，直逼隘口下寨，把李蒙斩首号令。

李傕、郭汜听知李蒙、王方皆被马超杀了，方信贾诩有先见之明，重用其计，只理会紧守关防，由他搦战，并不出迎。果然西凉军未及两月，粮草俱乏，商议回军。恰好长安城中马宇家僮出首家主与刘范、种邵，外连马腾、韩遂，欲为内应等情。李傕、郭汜大怒，尽收三家老少良贱斩于市，把三颗首级，直来门前号令。马腾、韩遂见军粮已尽，内应又泄，只得拔寨退军。李傕、郭汜令张济引军赶马腾，樊稠引军赶韩遂，西凉军大败。马超在后死战，杀退张济。樊稠去赶韩遂，看看赶上，相近陈仓，韩遂勒马向樊稠曰："吾与公乃同乡之人，今日何太无情？"樊稠也勒住马答道："上命不可违！"韩遂曰："吾此来亦为国家耳，公何相逼之甚也？"樊稠听罢，拨转马头，收兵回寨，让韩遂去了。

不提防李傕之侄李别，见樊稠放走韩遂，回报其叔。李傕大怒，便欲兴兵讨樊稠。贾诩曰："目今人心未宁，频动干戈，深为不便；不若设一宴，请张济、樊稠庆功，就席间擒稠斩之，毫不费力。"李傕大喜，便设宴请张济、樊稠。二将欣然赴宴。酒半阑，李傕忽然变色曰："樊稠何故交通韩遂，欲谋造反？"稠大惊，未及回言；只见刀斧手拥出，早把樊稠斩首于案下。吓得张济俯伏于地。李傕扶起曰："樊稠谋反，故尔诛之；公乃吾之心腹，何须惊惧？"将樊稠军拨与张济管领。张济自回弘农去了。

李傕、郭汜自战败西凉兵，诸侯莫敢谁何①。贾诩屡劝抚安百姓，结纳贤豪。自是朝廷微有生意。不想青州黄巾又起，聚众数十万，头目不等，劫掠良民。太仆朱儁保举一人，可破群贼。李傕、郭汜问是何人。朱儁曰："要破山东群贼，非曹孟德不可。"李傕曰："孟德今在何处？"儁曰："现为东郡太守，广有军兵。若命此人讨贼，贼可克日而破也。"李傕大喜，星

① 莫敢谁何——没有人敢对他们怎么样了。

夜草诏，差人赍往东郡，命曹操与济北相鲍信一同破贼。操领了圣旨，会同鲍信，一同兴兵，击贼于寿阳。鲍信杀入重地，为贼所害。操追赶贼兵，直到济北，降者数万。操即用贼为前驱，兵马到处，无不降顺。不过百余日，招安到降兵三十余万、男女百余万口。操择精锐者，号为“青州兵”，其余尽令归农。操自此威名日重。捷书报到长安，朝廷加曹操为镇东将军。

操在兖州，招贤纳士。有叔侄二人来投操：乃颍川颍阴人，姓荀，名彧，字文若，荀绲之子也；旧事袁绍，今弃绍投操；操与语大悦，曰：“此吾之子房①也！”遂以为行军司马。其侄荀攸，字公达，海内名士，曾拜黄门侍郎，后弃官归乡，今与其叔同投曹操，操以为行军教授。荀彧②曰：“某闻兖州有一贤士，今此人不知何在。”操问是谁，彧曰：“乃东郡东阿人，姓程，名昱，字仲德。”操曰：“吾亦闻名久矣。”遂遣人于乡中寻问。访得他在山中读书，操拜请之。程昱来见，曹操大喜。昱谓荀彧曰：“某孤陋寡闻，不足当公之荐。公之乡人姓郭，名嘉，字奉孝，乃当今贤士，何不罗而致之？”彧猛省曰：“吾几忘却！”遂启操征聘郭嘉到兖州，共论天下之事。郭嘉荐光武嫡派子孙，淮南成德人，姓刘，名晔，字子阳。操即聘晔至。晔又荐二人：一个是山阳昌邑人，姓满，名庞，字伯宁；一个是武城人，姓吕，名虔，字子恪。曹操亦素知这两个名誉，就聘为军中从事。满宠、吕虔共荐一人，乃陈留平邱人，姓毛，名玠，字孝先。曹操亦聘为从事。

又有一将引军数百人，来投曹操：乃泰山巨平人，姓于，名禁，字文则。操见其人弓马熟娴，武艺出众，命为点军司马。一日，夏侯惇引一大汉来见，操问何人，惇曰：“此乃陈留人，姓典，名韦，勇力过人。旧跟张邈，与帐下人不和，手杀数十人，逃窜山中。惇出射猎，见韦逐虎过涧，因收于军中。今特荐之于公。”操曰：“吾观此人容貌魁梧，必有勇力。”惇曰：“他曾为友报仇杀人，提头直出闹市，数百人不敢近。只今所使两枝铁戟，重八十斤，挟之上马，运使如飞。”操即令韦试之。韦挟戟骤马，往来驰骋。忽见帐下大旗为风所吹，岌岌欲倒，众军士挟持不定；韦下马，喝退众军，一

① 子房——张良，字子房，汉初大臣，是刘邦手下重要谋士。

② 荀彧（yù）——人名。

手执定旗杆，立于风中，巍然不动。操曰："此古之恶来也①！"遂命为帐前都尉，解身上锦袄，及骏马雕鞍赐之。

自是曹操部下文有谋臣，武有猛将，威镇山东。乃遣泰山太守应劭，往瑯琊郡取父曹嵩。嵩自陈留避难，隐居瑯琊；当日接了书信，便与弟曹德及一家老小四十余人，带从者百余人，车百余辆，径望兖州而来。道经徐州，太守陶谦，字恭祖，为人温厚纯笃，向欲结纳曹操，正无其由；知操父经过，遂出境迎接，再拜致敬，大设筵宴，款待两日。曹嵩要行，陶谦亲送出郭，特差都尉张闿，将部兵五百护送。曹嵩率家小行到华、费间，时夏末秋初，大雨骤至，只得投一古寺歇宿。寺僧接入。嵩安顿家小，命张闿②将军马屯于两廊。众军衣装，都被雨打湿，同声嗟怨。张闿唤手下头目于静处商议曰："我们本是黄巾余党，勉强降顺陶谦，未有好处。如今曹家辎重车辆无数，你们欲得富贵不难，只就今夜三更，大家砍将入去，把曹嵩一家杀了，取了财物，同往山中落草③。此计何如？"众皆应允。是夜风雨未息，曹嵩正坐，忽闻四壁喊声大举。曹德提剑出看，就被搠死。曹嵩忙引一妾奔入方丈后，欲越墙而走；妾肥胖不能出，嵩慌急，与妾躲于厕中，被乱军所杀。应劭死命逃脱，投袁绍去了。张闿杀尽曹嵩全家，取了财物，放火烧寺，与五百人逃奔淮南去了。后人有诗曰：

曹操奸雄世所夸，曾将吕氏杀全家。
如今阖户逢人杀，天理循环报不差。

当下应劭部下有逃命的军士，报与曹操。操闻之，哭倒于地。众人救起。操切齿曰："陶谦纵兵杀吾父，此仇不共戴天！吾今悉起大军，洗荡徐州，方雪吾恨！"遂留荀彧、程昱领军三万守鄄城、范县、东阿三县，其余尽杀奔徐州来。夏侯惇、于禁、典韦为先锋。操令但得城池，将城中百姓，尽行屠戮，以雪父仇。当有九江太守边让，与陶谦交厚，闻知徐州有难，自引兵五千来救。操闻之大怒，使夏侯惇于路截杀之。时陈宫为东郡从事，亦与陶谦交厚；闻曹操起兵报仇，欲尽杀百姓，星夜前来见操。操知是为陶

① 恶来——商纣王的臣子，以勇力闻名。

② 张闿(kǎi)——人名。

③ 落草——潜伏在草莽山林里的意思。

谦做说客①,欲待不见,又灭不过旧恩,只得请入帐中相见。宫曰:"今闻明公以大兵临徐州,报尊父之仇,所到欲尽杀百姓,某因此特来进言。陶谦乃仁人君子,非好利忘义之辈;尊父遇害,乃张闿之恶,非谦罪也。且州县之民,与明公何仇?杀之不祥。望三思而行。"操怒曰:"公昔弃我而去,今有何面目复来相见?陶谦杀吾一家,誓当摘胆剜心,以雪吾恨!公虽为陶谦游说,其如吾不听何!"陈宫辞出,叹曰:"吾亦无面目见陶谦也!"遂驰马投陈留太守张邈去了。

且说操大军所到之处,杀戮人民,发掘坟墓。陶谦在徐州,闻曹操起军报仇,杀戮百姓,仰天恸哭曰:"我获罪于天,致使徐州之民,受此大难!"急聚众官商议。曹豹曰:"曹兵既至,岂可束手待死!某愿助使君破之。"陶谦只得引兵出迎,远望操军如铺霜涌雪,中军竖起白旗二面,大书"报仇雪恨"四字。军马列成阵势,曹操纵马出阵,身穿缟素,扬鞭大骂。陶谦亦出马于门旗下,欠身施礼曰:"谦本欲结好明公,故托张闿护送。不想贼心不改,致有此事。实不干陶谦之故。望明公察之。"操大骂曰:"老匹夫!杀吾父,尚敢乱言!谁可生擒老贼?"夏侯惇应声而出。陶谦慌走入阵。夏侯惇赶来,曹豹挺枪跃马,前来迎敌。两马相交,忽然狂风大作,飞沙走石,两军皆乱,各自收兵。

陶谦入城,与众计议曰:"曹兵势大难敌,吾当自缚往操营,任其剖割,以救徐州一郡百姓之命。"言未绝,一人进前言曰:"府君久镇徐州,人民感恩。今曹兵虽众,未能即破我城。府君与百姓坚守勿出;某虽不才,愿施小策,教曹操死无葬身之地!"众人大惊,便问计将安出。正是:本为纳交反成怨,那知绝处又逢生?毕竟此人是谁,且听下文分解。

---

① 说(shuì)客——古代的一种政客,用巧妙的言词,甚至诡辩,来打动、劝诱不同的统治者,达到利己的目的。

# 第十一回

## 刘皇叔北海救孔融　吕温侯濮阳破曹操

却说献计之人，乃东海朐县人，姓糜，名竺，字子仲。此人家世富豪，尝往洛阳买卖，乘车而回，路遇一美妇人，来求同载，竺乃下车步行，让车与妇人坐。妇人请竺同载。竺上车端坐，目不邪视。行及数里，妇人辞去；临别对竺曰："我乃南方火德星君也，奉上帝敕，往烧汝家。感君相待以礼，故明告君。君可速归，搬出财物。吾当夜来。"言讫不见。竺大惊，飞奔到家，将家中所有，疾忙搬出。是晚果然厨中火起，尽烧其屋。竺因此广舍家财，济贫拔苦。后陶谦聘为别驾从事。当日献计曰："某愿亲往北海郡，求孔融起兵救援；更得一人往青州田楷处求救：若二处军马齐来，操必退兵矣。"谦从之，遂写书二封，问帐下谁人敢去青州求救。一人应声愿往。众视之，乃广陵人，姓陈，名登，字元龙。陶谦先打发陈元龙往青州去讫，然后命糜竺赍书赴北海，自己率众守城，以备攻击。

却说北海孔融，字文举，鲁国曲阜人也，孔子二十世孙，泰山都尉孔宙之子。自小聪明，年十岁时，往谒河南尹李膺，阍人①难之，融曰："我系李相通家②。"及入见，膺问曰："汝祖与吾祖何亲？"融曰："昔孔子曾问礼于老子，融与君岂非累世通家？"膺大奇之。少顷，太中大夫陈炜至。膺指融曰："此奇童也。"炜曰："小时聪明，大时未必聪明。"融即应声曰："如君所言，幼时必聪明者。"炜等皆笑曰："此子长成，必当代之伟器也。"自此得名。后为中郎将，累迁北海太守。极好宾客，常曰："座上客常满，樽中酒不空：吾之愿也。"在北海六年，甚得民心。

当日正与客坐，人报徐州糜竺至。融请入见，问其来意，竺出陶谦书，言："曹操攻围甚急，望明公垂救。"融曰："吾与陶恭祖交厚，子仲又亲到此，如何不去？只是曹孟德与我无仇，当先遣人送书解和。如其不从，然

---

① 阍(hūn)人——看门人。

② 通家——世代有交情的两家彼此称通家。

后起兵。”竺曰：“曹操倚仗兵威，决不肯和。”融教一面点兵，一面差人送书。正商议间，忽报黄巾贼党管亥部领群寇数万杀奔前来。孔融大惊，急点本部人马，出城与贼迎战。管亥出马曰：“吾知北海粮广，可借一万石，即便退兵；不然，打破城池，老幼不留！”孔融叱曰：“吾乃大汉之臣，守大汉之地，岂有粮米与贼耶！”管亥大怒，拍马舞刀，直取孔融。融将宗宝挺枪出马；战不数合，被管亥一刀，砍宗宝于马下。孔融兵大乱，奔入城中。管亥分兵四面围城，孔融心中郁闷。糜竺怀愁，更不可言。

次日，孔融登城遥望，贼势浩大，倍添忧恼。忽见城外一人挺枪跃马杀入贼阵，左冲右突，如入无人之境，直到城下，大叫“开门”。孔融不识其人，不敢开门。贼众赶到壕边，那人回身连搠十数人下马，贼众倒退，融急命开门引入。其人下马弃枪，径到城上，拜见孔融。融问其姓名，对曰：“某东莱黄县人也，覆姓太史，名慈，字子义。老母重蒙恩顾。某昨自辽东回家省亲，知贼寇城①。老母说：‘屡受府君深恩，汝当往救。’某故单马而来。”孔融大喜。原来孔融与太史慈虽未识面，却晓得他是个英雄。因他远出，有老母住在离城二十里之外，融常使人遗以粟帛；母感融德，故特使慈来救。当下孔融重待太史慈，赠与衣甲鞍马。慈曰：“某愿借精兵一千，出城杀贼。”融曰：“君虽英勇，然贼势甚盛，不可轻出。”慈曰：“老母感君厚德，特遣慈来；如不能解围，慈亦无颜见母矣。愿决一死战！”融曰：“吾闻刘玄德乃当世英雄，若请得他来相救，此围自解。只无人可使耳。”慈曰：“府君修书，某当急往。”融喜，修书付慈。慈擐甲上马，腰带弓矢，手持铁枪，饱食严装，城门开处，一骑飞出。近壕，贼将率众来战。慈连搠死数人，透围而出。管亥知有人出城，料必是请救兵的，便自引数百骑赶来，八面围定。慈倚住枪，拈弓搭箭，八面射之，无不应弦落马。贼众不敢来追。

太史慈得脱，星夜投平原来见刘玄德。施礼罢，具言孔北海被围求救之事，呈上书札。玄德看毕，问慈曰：“足下何人？”慈曰：“某太史慈，东海之鄙人②也。与孔融亲非骨肉，比③非乡党，特以气谊相投，有分忧共患之意。今管亥暴乱，北海被围，孤穷无告，危在旦夕。闻君仁义素著，能救人

---

① 寇——骚扰、侵犯。

② 鄙人——自谦的话，偏僻地方的人。

③ 比——近的意思，犹如说“关系”。

危急，故特令某冒锋突围，前来求救。”玄德敛容①答曰：“孔北海知世间有刘备耶？”乃同云长、翼德点精兵三千，往北海郡进发。管亥望见救军来到，亲自引兵迎敌；因见玄德兵少，不以为意。玄德与关、张、太史慈立马阵前，管亥忿怒直出。太史慈却待向前，云长早出，直取管亥。两马相交，众军大喊。量管亥怎敌得云长，数十合之间，青龙刀起，劈管亥于马下。太史慈、张飞两骑齐出，双枪并举，杀入贼阵。玄德驱兵掩杀。城上孔融望见太史慈与关、张赶杀贼众，如虎入羊群，纵横莫当，便驱兵出城。两下夹攻，大败群贼，降者无数，余党溃散。

孔融迎接玄德入城，叙礼毕，大设筵宴庆贺。又引糜竺②来见玄德，具言张闿杀曹嵩之事：“今曹操纵兵大掠，围住徐州，特来求救。”玄德曰：“陶恭祖乃仁人君子，不意受此无辜之冤。”孔融曰：“公乃汉室宗亲。今曹操残害百姓，倚强欺弱，何不与融同往救之？”玄德曰：“备非敢推辞，奈兵微将寡，恐难轻动。”孔融曰：“融之欲救陶恭祖，虽因旧谊，亦为大义。公岂独无仗义之心耶？”玄德曰：“既如此，请文举先行，容备去公孙瓒处，借三五千人马，随后便来。”融曰：“公切勿失信。”玄德曰：“公以备为何如人也？圣人云：‘自古皆有死，人无信不立。’刘备借得军或借不得军，必然亲至。”孔融应允，教糜竺先回徐州去报，融便收拾起程。太史慈拜谢曰：“慈奉母命前来相助，今幸无虞。有扬州刺史刘繇，与慈同郡，有书来唤，不敢不去。容图再见。”融以金帛相酬，慈不肯受而归。其母见之，喜曰：“我喜汝有以报北海也！”遂遣慈往扬州去了。

不说孔融起兵。且说玄德离北海来见公孙瓒，具说欲救徐州之事。瓒曰：“曹操与君无仇，何苦替人出力？”玄德曰：“备已许人，不敢失信。”瓒曰：“我借与君马步军二千。”玄德曰：“更望借赵子龙一行。”瓒许之。玄德遂与关、张引本部三千人为前部，子龙引二千人随后，往徐州来。

却说糜竺回报陶谦，言北海又请得刘玄德来助；陈元龙也回报青州田楷欣然领兵来救；陶谦心安。原来孔融、田楷两路军马，惧怕曹兵势猛，远远依山下寨，未敢轻进。曹操见两路军到，亦分了军势，不敢向前攻城。

却说刘玄德军到，见孔融。融曰：“曹兵势大，操又善于用兵，未可轻

---

① 敛容——庄重、严肃的样子。

② 糜竺(zhú)——人名。

战。且观其动静，然后进兵。”玄德曰：“但恐城中无粮，难以久持。备令云长、子龙领军四千，在公部下相助；备与张飞杀奔曹营，径投徐州去见陶使君商议。”融大喜，会合田楷，为掎角之势①；云长、子龙领兵两边接应。是日玄德、张飞引一千人马杀入曹兵寨边。正行之间，寨内一声鼓响，马军步军，如潮似浪，拥将出来。当头一员大将，乃是于禁，勒马大叫：“何处狂徒！往那里去！”张飞见了，更不打话，直取于禁。两马相交，战到数合，玄德掣双股剑麾兵大进，于禁败走。张飞当前追杀，直到徐州城下。城上望见红旗白字，大书“平原刘玄德”，陶谦急令开门。玄德入城，陶谦接着，共到府衙。礼毕，设宴相待，一壁劳军。陶谦见玄德仪表轩昂，语言豁达，心中大喜，便命糜竺取徐州牌印，让与玄德。玄德愕然曰：“公何意也？”谦曰：“今天下扰乱，王纲不振；公乃汉室宗亲，正宜力扶社稷。老夫年迈无能，情愿将徐州相让。公勿推辞。谦当自写表文，申奏朝廷。”玄德离席再拜曰：“刘备虽汉朝苗裔，功微德薄，为平原相犹恐不称职。今为大义，故来相助。公出此言，莫非疑刘备有吞并之心耶？若举此念，皇天不佑！”谦曰：“此老夫之实情也。”再三相让，玄德那里肯受。糜竺进曰：“今兵临城下，且当商议退敌之策。待事平之日，再当相让可也。”玄德曰：“备当遗书于曹操，劝令解和。操若不从，厮杀未迟。”于是传檄三寨，且按兵不动；遣人赍书以达曹操。

却说曹操正在军中，与诸将议事，人报徐州有战书到。操拆而观之，乃刘备书也。书略曰：

备自关外得拜君颜，嗣后天各一方，不及趋侍。向者，尊父曹侯，实因张闿不仁，以致被害，非陶恭祖之罪也。目今黄巾遗孽，扰乱于外；董卓余党，盘踞于内。愿明公先朝廷之急，而后私仇；撤徐州之兵，以救国难：则徐州幸甚，天下幸甚！

曹操看书，大骂：“刘备何人，敢以书来劝我！且中间有讥讽之意！”命斩来使，一面竭力攻城。郭嘉谏曰：“刘备远来救援，先礼后兵，主公当用好言答之，以慢备心；然后进兵攻城，城可破也。”操从其言，款留来使，候发回书。正商议间，忽流星马飞报祸事。操问其故，报说吕布已袭破兖州，进

---

① 掎(jǐ)角之势——掎：捉足；角：捉角。掎角是捕鹿时两方面同时下手的方式，把军队分开以使互相呼应、牵制敌方，方法与此相似，因此称掎角之势。

据濮阳。原来吕布自遭李、郭之乱，逃出武关，去投袁术；术怪吕布反覆不定，拒而不纳。投袁绍，绍纳之，与布共破张燕于常山。布自以为得志，傲慢袁绍手下将士。绍欲杀之。布乃去投张杨，杨纳之。时庞舒在长安城中，私藏吕布妻小，送还吕布。李傕、郭汜知之，遂斩庞舒，写书与张杨，教杀吕布。布因弃张杨去投张邈。恰好张邈弟张超引陈宫来见张邈。宫说邈曰："今天下分崩，英雄并起；君以千里之众，而反受制于人，不亦鄙乎！今曹操征东，兖州空虚；而吕布乃当世勇士，若与之共取兖州，霸业可图也。"张邈大喜，便令吕布袭破兖州，随据濮阳。止有鄄城、东阿、范县三处，被荀彧、程昱设计死守得全，其余俱破。曹仁屡战，皆不能胜，特此告急。操闻报大惊曰："兖州有失，使吾无家可归矣，不可不亟图之！"郭嘉曰："主公正好卖个人情与刘备，退军去复兖州。"操然之，即时答书与刘备，拔寨退兵。

且说来使回徐州，入城见陶谦，呈上书札，言曹兵已退。谦大喜，差人请孔融、田楷、云长、子龙等赴城大会。饮宴既毕，谦延玄德于上座，拱手对众曰："老夫年迈，二子不才，不堪国家重任。刘公乃帝室之胄①，德广才高，可领徐州。老夫情愿乞闲养病。"玄德曰："孔文举令备来救徐州，为义也。今无端据而有之，天下将以备为无义人矣。"糜竺曰："今汉室陵迟②，海宇颠覆，树功立业，正在此时。徐州殷富，户口百万，刘使君领此，不可辞也。"玄德曰："此事决不敢应命。"陈登曰："陶府君多病，不能视事，明公勿辞。"玄德曰："袁公路四世三公，海内所归，近在寿春，何不以州让之？"孔融曰："袁公路冢中枯骨，何足挂齿！今日之事，天与不取，悔不可追。"玄德坚执不肯。陶谦泣下曰："君若舍我而去，我死不瞑目矣！"云长曰："既承陶公相让，兄且权领州事。"张飞曰："又不是我强要他的州郡；他好意相让，何必苦苦推辞！"玄德曰："汝等欲陷我于不义耶？"陶谦推让再三，玄德只是不受。陶谦曰："如玄德必不肯从，此间近邑，名曰小沛，足可屯军，请玄德暂驻军此邑，以保徐州。何如？"众皆劝玄德留小沛，玄德从之。陶谦劳军已毕，赵云辞去，玄德执手挥泪而别。孔融、田楷亦各相别，引军自回。玄德与关、张引本部军来至小沛，修葺城垣，抚谕居民。

---

① 胄（zhòu）——后代。

② 陵迟——衰微。

却说曹操回军，曹仁接着，言吕布势大，更有陈宫为辅，兖州、濮阳已失，其鄄城、东阿、范县三处，赖荀彧、程昱二人设计相连，死守城郭。操曰："吾料吕布有勇无谋，不足虑也。"教且安营下寨，再作商议。吕布知曹操回兵，已过滕县，召副将薛兰、李封曰："吾欲用汝二人久矣。汝可引军一万，坚守兖州。吾亲自率兵，前去破曹。"二人应诺。陈宫急入见曰："将军弃兖州，欲何往乎？"布曰："吾欲屯兵濮阳，以成鼎足之势。"宫曰："差矣。薛兰必守兖州不住。——此去正南一百八十里，泰山路险，可伏精兵万人在彼。曹兵闻失兖州，必然倍道而进，待其过半，一击可擒也。"布曰："吾屯濮阳，别有良谋，汝岂知之！"遂不用陈宫之言，而用薛兰守兖州而行。曹操兵行至泰山险路，郭嘉曰："且不可进，恐此处有伏兵。"曹操笑曰："吕布无谋之辈，故教薛兰守兖州，自往濮阳，安得此处有埋伏耶？"教曹仁领一军围兖州，"吾进兵濮阳，速攻吕布。"陈宫闻曹兵至近，乃献计曰："今曹兵远来疲困，利在速战，不可养成气力。"布曰："吾匹马纵横天下，何愁曹操！待其下寨，吾自擒之。"

却说曹操兵近濮阳，下住寨脚。次日，引众将出，陈兵于野。操立马于门旗下，遥望吕布兵到。阵圆处，吕布当先出马，两边排开八员健将：第一个雁门马邑人，姓张，名辽，字文远；第二个泰山华阴人，姓臧，名霸，字宣高。两将又各引三员健将：郝萌、曹性、成廉，魏续，宋宪、侯成。布军五万，鼓声大震。操指吕布而言曰："吾与汝自来无仇，何得夺吾州郡？"布曰："汉家城池，诸人有分，偏尔合得？"便叫臧霸出马搦战。曹军内乐进出迎。两马相交，双枪齐举。战到三十余合，胜负不分。夏侯惇拍马便出助战，吕布阵上张辽截住厮杀。恼得吕布性起，挺戟骤马，冲出阵来。夏侯惇、乐进皆走，吕布掩杀，曹军大败，退三四十里。布自收军。曹操输了一阵，回寨与诸将商议。于禁曰："某今日上山观望，濮阳之西，吕布有一寨，约无多军。今夜彼将谓我军败走，必不准备，可引兵击之；若得寨，布军必惧：此为上策。"操从其言，带曹洪、李典、毛玠、吕虔、于禁、典韦六将，选马步二万人，连夜从小路进发。

却说吕布于寨中劳军。陈宫曰："西寨是个要紧去处，倘或曹操袭之，奈何？"布曰："他今日输了一阵，如何敢来！"宫曰："曹操是极能用兵之人，须防他攻我不备。"布乃拨高顺并魏续、侯成引兵往守西寨。

却说曹操于黄昏时分，引军至西寨，四面突入。寨兵不能抵挡，四散奔走，曹操夺了寨。将及四更，高顺方引军到，杀将入来。曹操自引军马来迎，正逢高顺，三军混战。将及天明，正西鼓声大震，人报吕布自引救军来了。操弃寨而走。背后高顺、魏续、侯成赶来；当头吕布亲自引军来到。于禁、乐进双战吕布不住。操望北而行。山后一彪军出：左有张辽，右有臧霸。操使吕虔、曹洪战之，不利。操望西而走。忽又喊声大震，一彪军至：郝萌、曹性、成廉、宋宪四将拦住去路。众将死战，操当先冲阵。梆子响处，箭如骤雨射将来。操不能前进，无计可脱，大叫："谁人救我！"马军队里，一将踊出，乃典韦也，手挺双铁戟，大叫："主公勿忧！"飞身下马，插住双戟，取短戟十数枝，挟在手中，顾从人曰："贼来十步乃呼我！"遂放开脚步，冒箭前行。布军数十骑追至。从人大叫曰："十步矣！"韦曰："五步乃呼我！"从人又曰："五步矣！"韦乃飞戟刺之，一戟一人坠马，并无虚发，立杀十数人。众皆奔走。韦复飞身上马，挺一双大铁戟，冲杀入去。郝、曹、成、宋四将不能抵挡，各自逃去。典韦杀散敌军，救出曹操。众将随后也到，寻路归寨。看看天色傍晚，背后喊声起处，吕布骤马提戟赶来，大叫："操贼休走！"此时人困马乏，大家面面相觑，各欲逃生。正是：虽能暂把重围脱，只怕难当劲敌追。不知曹操性命如何，且听下文分解。

# 第十二回

## 陶恭祖三让徐州　曹孟德大战吕布

曹操正慌走间，正南上一彪军到，乃夏侯惇引军来救援，截住吕布大战。斗到黄昏时分，大雨如注，各自引军分散。操回寨，重赏典韦，加为领军都尉。

却说吕布到寨，与陈宫商议。宫曰："濮阳城中有富户田氏，家僮千百，为一郡之巨室；可令彼密使人往操寨中下书，言'吕温侯残暴不仁，民心大怨。今欲移兵黎阳，止有高顺在城内。可连夜进兵，我为内应'。操若来，诱之人城，四门放火，外设伏兵。曹操虽有经天纬地之才①，到此安

① 经天纬地之才——夸张形容才能极大的人，好像能够安排天地一样。

能得脱也?”吕布从其计,密谕田氏使人径到操寨。操因新败,正在踌躇,忽报田氏人到,呈上密书云:“吕布已往黎阳,城中空虚。万望速来,当为内应。城上插白旗,大书‘义’字,便是暗号。”操大喜曰:“天使吾得濮阳也!”重赏来人,一面收拾起兵。刘晔曰:“布虽无谋,陈宫多计。只恐其中有诈,不可不防。明公欲去,当分三军为三队:两队伏城外接应,一队入城,方可。”

操从其言,分军三队,来至濮阳城下。操先往观之,见城上遍竖旗幡,西门角上,有一“义”字白旗,心中暗喜。是日午牌,城门开处,两员将引军出战:前军侯成,后军高顺。操即使典韦出马,直取侯成。侯成抵敌不过,回马望城中走。韦赶到吊桥边,高顺亦拦挡不住,都退入城中去了。数内有军人乘势混过阵来见操,说是田氏之使,呈上密书。约云:“今夜初更时分,城上鸣锣为号,便可进兵。某当献门。”操拨夏侯惇引军在左、曹洪引军在右,自己引夏侯渊、李典、乐进、典韦四将,率兵入城。李典曰:“主公且在城外,容某等先入城去。”操喝曰:“我不自往,谁肯向前!”遂当先领兵直入。时约初更,月光未上。只听得西门上吹蠃壳①声,喊声忽起,门上火把燎乱,城门大开,吊桥放落。曹操争先拍马而入。直到州衙,路上不见一人。操知是计,忙拨回马,大叫:“退兵!”州衙中一声炮响,四门烈火,轰天而起;金鼓齐鸣,喊声如江翻海沸。东巷内转出张辽,西巷内转出臧霸,夹攻掩杀。操走北门,道傍转出郝萌、曹性,又杀一阵。操急走南门,高顺、侯成拦住。典韦怒目咬牙,冲杀出去。高顺、侯成倒走出城。典韦杀到吊桥,回头不见了曹操,翻身复杀入城来,门下撞着李典。典韦问:“主公何在?”典曰:“吾亦寻不见。”韦曰:“汝在城外催救军,我入去寻主公。”李典去了。典韦杀入城中,寻觅不见;再杀出城壕边,撞着乐进。进曰:“主公何在?”韦曰:“我往复两遭,寻觅不见。”进曰:“同杀入去救主!”两人到门边,城上火炮滚下,乐进马不能入。典韦冒烟突火,又杀入去,到处寻觅。

却说曹操见典韦杀出去了,四下里人马截来,不得出南门;再转北门,火光里正撞见吕布挺戟跃马而来。操以手掩面,加鞭纵马竟过。吕布从后拍马赶来,将戟于操盔上一击,问曰:“曹操何在?”操反指曰:“前面骑黄

---

① 蠃(luǒ)壳——螺壳,作号角吹的海螺壳。

马者是他。”吕布听说，弃了曹操，纵马向前追赶。曹操拨转马头，望东门而走，正逢典韦。韦拥护曹操，杀条血路，到城门边，火焰甚盛，城上推下柴草，遍地都是火，韦用戟拨开，飞马冒烟突火先出。曹操随后亦出。方到门道边，城门上崩下一条火梁来，正打着曹操战马后胯，那马扑地倒了。操用手托梁推放地上，手臂须发，尽被烧伤。典韦回马来救，恰好夏侯渊亦到。两个同救起曹操，突火而出。操乘渊马，典韦杀条大路而走。直混战到天明，操方回寨。

众将拜伏问安，操仰面笑曰："误中匹夫之计，吾必当报之！”郭嘉曰："计可速发。”操曰："今只将计就计：诈言我被火伤，已经身死。布必引兵来攻。我伏兵于马陵山中，候其兵半渡而击之，布可擒矣。”嘉曰："真良策也！”于是令军士挂孝发丧，诈言操死。早有人来濮阳报吕布，说曹操被火烧伤肢体，到寨身死。布随点起军马，杀奔马陵山来。将到操寨，一声鼓响，伏兵四起。吕布死战得脱，折了好些人马；败回濮阳，坚守不出。是年蝗虫忽起，食尽禾稻。关东一境，每谷一斛，直钱五十贯，人民相食。曹操因军中粮尽，引兵回鄄城暂住。吕布亦引兵出屯山阳就食。因此二处权且罢兵。

却说陶谦在徐州，时年已六十三岁，忽然染病，看看沉重，请糜竺、陈登议事。竺曰："曹兵之去，止为吕布袭兖州故也。今因岁荒罢兵，来春又必至矣。府君两番欲让位于刘玄德，时府君尚强健，故玄德不肯受；今病已沉重，正可就此而与之，玄德不肯辞矣。”谦大喜，使人来小沛，请刘玄德商议军务。玄德引关、张带数十骑到徐州，陶谦教请入卧内。玄德问安毕，谦曰："请玄德公来，不为别事：止因老夫病已危笃，朝夕难保；万望明公可怜汉家城池为重，受取徐州牌印，老夫死亦瞑目矣！”玄德曰："君有二子，何不传之？”谦曰："长子商，次子应，其才皆不堪任。老夫死后，犹望明公教诲，切勿令掌州事。”玄德曰："备一身安能当此大任？”谦曰："某举一人，可为公辅：系北海人，姓孙，名乾，字公祐。此人可使为从事。”又谓糜竺曰："刘公当世人杰，汝当善事之。”玄德终是推托，陶谦以手指心而死。众军举哀毕，即捧牌印交送玄德。玄德固辞。次日，徐州百姓，拥挤府前哭拜曰："刘使君若不领此郡，我等皆不能安生矣！”关、张二公亦再三相劝。玄德乃许权领徐州事；使孙乾、糜竺为辅，陈登为幕官；尽取小沛军马入城，出榜安民；一面安排丧事。玄德与大小军士，尽皆挂孝，大设祭奠。

祭毕，葬于黄河之原。将陶谦遗表，申奏朝廷。

操在鄄城，知陶谦已死，刘玄德领徐州牧，大怒曰："我仇未报，汝不费半箭之功，坐得徐州！吾必先杀刘备，后戮谦尸，以雪先君之怨！"即传号令，克日起兵去打徐州。荀彧入谏曰："昔高祖保关中，光武据河内，皆深根固本以制天下，进足以胜敌，退足以坚守，故虽有困，终济大业。明公本首事兖州，且河、济乃天下之要地，是亦昔之关中、河内也。今若取徐州，多留兵则不足用，少留兵则吕布乘虚寇之，是无兖州也。若徐州不得，明公安所归乎？今陶谦虽死，已有刘备守之。徐州之民，既已服备，必助备死战。明公弃兖州而取徐州，是弃大而就小，去本而求末，以安而易危也。愿熟思之。"操曰："今岁荒乏粮，军士坐守于此，终非良策。"彧曰："不如东略陈地，使军就食汝南、颍川。黄巾余党何仪、黄劭等，劫掠州郡，多有金帛、粮食，此等贼徒，又容易破；破而取其粮，以养三军，朝廷喜，百姓悦，乃顺天之事也。"

操喜，从之，乃留夏侯惇、曹仁守鄄城等处，自引兵先略①陈地，次及汝、颍。黄巾何仪、黄劭知曹兵到，引众来迎，会于羊山。时贼兵虽众，都是狐群狗党，并无队伍行列。操令强弓硬弩射住，令典韦出马。何仪令副元帅出战，不三合，被典韦一戟刺于马下。操引众乘势赶过羊山下寨。次日，黄劭②自引军来。阵圆处，一将步行出战，头裹黄巾，身披绿袄，手提铁棒，大叫："我乃截天夜叉何曼也！谁敢与我厮斗？"曹洪见了，大喝一声，飞身下马，提刀步出。两下向阵前厮杀，四五十合，胜负不分。曹洪诈败而走，何曼赶来。洪用拖刀背砍计，转身一踅，砍中何曼，再复一刀，杀死。李典乘势飞马直入贼阵。黄劭不及提备，被李典生擒活捉过来。曹兵掩杀贼众，夺其金帛、粮食无数。何仪势孤，引数百骑奔走葛陂。正行之间，山背后撞出一军。为头一个壮士，身长八尺，腰大十围，手提大刀，截住去路。何仪挺枪出迎，只一合，被那壮士活挟过去。余众着忙，皆下马受缚，被壮士尽驱入葛陂坞中。

却说典韦追袭何仪到葛陂，壮士引军迎住。典韦曰："汝亦黄巾贼耶？"壮士曰："黄巾数百骑，尽被我擒在坞内！"韦曰："何不献出？"壮士曰：

---

① 略——掠夺、夺取。

② 黄劭（shào）——人名。

“你若赢得手中宝刀,我便献出!”韦大怒,挺双戟向前来战。两个从辰至午,不分胜负,各自少歇。不一时,那壮士又出搦战,典韦亦出。直战到黄昏,各因马乏暂止。典韦手下军士,飞报曹操。操大惊,忙引众将来看。次日,壮士又出搦战。操见其人威风凛凛,心中暗喜,分付典韦,今日且诈败。韦领命出战;战到三十合,败走回阵。壮士赶到阵门中,弓弩射回。操急引军退五里,密使人掘下陷坑,暗伏钩手。次日,再令典韦引百余骑出。壮士笑曰:“败将何敢复来!”便纵马接战。典韦略战数合,便回马走。壮士只顾望前赶来,不提防连人带马,都落于陷坑之内,被钩手缚来见曹操。操下帐叱退军士,亲解其缚,急取衣衣之,命坐,问其乡贯姓名。壮士曰:“我乃谯国谯县人也,姓许,名褚,字仲康。向遭寇乱,聚宗族数百人,筑坚壁于坞中以御之。一日寇至,吾令众人多取石子准备,吾亲自飞石击之,无不中者,寇乃退去。又一日寇至,坞中无粮,遂与贼和,约以耕牛换米。米已送到,贼驱牛至坞外,牛皆奔走回还,被我双手掣二牛尾,倒行百余步。贼大惊,不敢取牛而走。因此保守此处无事。”操曰:“吾闻大名久矣,还肯降否?”褚曰:“固所愿也。”遂招引宗族数百人俱降。操拜许褚①为都尉,赏劳甚厚。随将何仪、黄劭斩讫。汝、颍悉平。

曹操班师,曹仁、夏侯惇接见,言近日细作报说:兖州薛兰、李封军士皆出掳掠,城邑空虚,可引得胜之兵攻之,一鼓可下。操遂引军径奔兖州。薛兰、李封出其不意,只得引兵出城迎战。许褚曰:“吾愿取此二人,以为贽见之礼。”操大喜,遂令出战。李封使画戟,向前来迎。交马两合,许褚斩李封于马下。薛兰急走回阵,吊桥边李典拦住。薛兰不敢回城,引军投巨野而去;却被吕虔飞马赶来,一箭射于马下,军皆溃散。

曹操复得兖州,程昱便请进兵取濮阳。操令许褚、典韦为先锋,夏侯惇、夏侯渊为左军,李典、乐进为右军,操自领中军,于禁、吕虔为合后。兵至濮阳,吕布欲自将出迎,陈宫谏:“不可出战。待众将聚会后方可。”吕布曰:“吾怕谁来?”遂不听宫言,引兵出阵,横戟大骂。许褚便出。斗二十合,不分胜负。操曰:“吕布非一人可胜。”便差典韦助战,两将夹攻;左边夏侯惇、夏侯渊,右边李典、乐进齐到,六员将共攻吕布。布遮拦不住,拨马回城。城上田氏,见布败回,急令人拽起吊桥。布大叫:“开门!”田氏

---

① 许褚(zhǔ)——人名。

曰："吾已降曹将军矣。"布大骂，引军奔定陶而去。陈宫急开东门，保护吕布老小出城。操遂得濮阳，恕田氏旧日之罪。刘晔曰："吕布乃猛虎也，今日困乏，不可少容。"操令刘晔等守濮阳，自己引军赶至定陶。时吕布与张邈、张超尽在城中，高顺、张辽、臧霸、侯成巡海打粮未回。操军至定陶，连日不战，引军退四十里下寨。正值济郡麦熟，操即令军割麦为食。细作报知吕布，布引军赶来。将近操寨，见左边一望林木茂盛，恐有伏兵而回。操知布军回去，乃谓诸将曰："布疑林中有伏兵耳，可多插旌旗于林中以疑之。寨西一带长堤，无水，可尽伏精兵。明日吕布必来烧林，堤中军断其后，布可擒矣。"于是止留鼓手五十人于寨中擂鼓；将村中掳来男女在寨内呐喊。精兵多伏堤中。

却说吕布回报陈宫。宫曰："操多诡计，不可轻敌。"布曰："吾用火攻，可破伏兵。"乃留陈宫、高顺守城。布次日引大军来，遥见林中有旗，驱兵大进，四面放火，竟无一人。欲投寨中，却闻鼓声大震。正自疑惑不定，忽然寨后一彪军出。吕布纵马赶来。炮响处，堤内伏兵尽出：夏侯惇、夏侯渊、许褚、典韦、李典、乐进骤马杀来。吕布料敌不过，落荒而走。从将成廉，被乐进一箭射死。布军三停①去了二停，败卒回报陈宫。宫曰："空城难守，不若急去。"遂与高顺保着吕布老小，弃定陶而走。曹操将得胜之兵，杀入城中，势如劈竹。张超自刎，张邈投袁术去了。山东一境，尽被曹操所得。安民修城，不在话下。

却说吕布正走，逢诸将皆回。陈宫亦已寻着。布曰："吾军虽少，尚可破曹。"遂再引军来。正是：兵家胜败真常事，卷甲重来未可知。不知吕布胜负如何，且听下文分解。

# 第十三回

## 李傕郭汜大交兵　杨奉董承双救驾

却说曹操大破吕布于定陶，布乃收集败残军马于海滨，众将皆来会

---

① 三停——三分。

集，欲再与曹操决战。陈宫曰："今曹兵势大，未可与争。先寻取安身之地，那时再来未迟。"布曰："吾欲再投袁绍，何如？"宫曰："先使人往冀州探听消息，然后可去。"布从之。

且说袁绍在冀州，闻知曹操与吕布相持，谋士审配进曰："吕布，豺虎也：若得兖州，必图冀州。不若助操攻之，方可无患。"绍遂遣颜良将兵五万，往助曹操。细作探知这个消息，飞报吕布。布大惊，与陈宫商议。宫曰："闻刘玄德新领徐州，可往投之。"布从其言，竟投徐州来。有人报知玄德。玄德曰："布乃当今英勇之士，可出迎之。"糜竺曰："吕布乃虎狼之徒，不可收留；收则伤人矣。"玄德曰："前者非布袭兖州，怎解此郡之祸。今彼穷而投我，岂有他心！"张飞曰："哥哥心肠忒好。虽然如此，也要准备。"

玄德领众出城三十里，接着吕布，并马入城。都到州衙厅上，讲礼毕，坐下。布曰："某自与王司徒计杀董卓之后，又遭傕、汜之变，飘零关东，诸侯多不能相容。近因曹贼不仁，侵犯徐州，蒙使君力救陶谦，布因袭兖州以分其势；不料反堕奸计，败兵折将。今投使君，共图大事，未审尊意如何？"玄德曰："陶使君新逝，无人管领徐州，因令备权摄州事。今幸将军至此，合当相让。"遂将牌印送与吕布。吕布却待要接，只见玄德背后关、张二公各有怒色。布乃佯笑曰："量吕布一勇夫，何能作州牧乎？"玄德又让。陈宫曰："'强宾不压主'，请使君勿疑。"玄德方止。遂设宴相待，收拾宅院安下。次日，吕布回席请玄德，玄德乃与关、张同往。饮酒至半酣，布请玄德入后堂。关、张随入。布令妻女出拜玄德。玄德再三谦让。布曰："贤弟不必推让。"张飞听了，瞋目大叱曰："我哥哥是金枝玉叶，你是何等人，敢称我哥哥为贤弟！你来！我和你斗三百合！"玄德连忙喝住，关公劝飞出。玄德与吕布赔话曰："劣弟酒后狂言，兄勿见责。"布默然无语。须臾席散。布送玄德出门，张飞跃马横枪而来，大叫："吕布！我和你并三百合！"玄德急令关公劝止。次日，吕布来辞玄德曰："蒙使君不弃，但恐令弟辈不能相容。布当别投他处。"玄德曰："将军若去，某罪大矣。劣弟冒犯，另日当令赔话。近邑小沛，乃备昔日屯兵之处。将军不嫌浅狭，权且歇马，如何？粮食军需，谨当应付。"吕布谢了玄德，自引军投小沛安身去了。玄德自去埋怨张飞不题。

却说曹操平了山东，表奏朝廷，加操为建德将军、费亭侯。其时李傕自为大司马，郭汜自为大将军，横行无忌，朝廷无人敢言。太尉杨彪、大司农朱儁暗奏献帝曰："今曹操拥兵二十余万、谋臣武将数十员，若得此人扶持社稷，剿除奸党，天下幸甚。"献帝泣曰："朕被二贼欺凌久矣！若得诛之，诚为大幸！"彪奏曰："臣有一计：先令二贼自相残害，然后诏曹操引兵杀之，扫清贼党，以安朝廷。"献帝曰："计将安出？"彪曰："闻郭汜之妻最妒，可令人于汜妻处用反间计，则二贼自相害矣。"

帝乃书密诏付杨彪。彪即暗使夫人以他事入郭汜府，乘间告汜妻曰："闻郭将军与李司马夫人有染，其情甚密。倘司马知之，必遭其害。夫人宜绝其往来为妙。"汜妻讶曰："怪见他经宿不归！却干出如此无耻之事！非夫人言，妾不知也。当慎防之。"彪妻告归，汜妻再三称谢而别。过了数日，郭汜又将往李傕府中饮宴。妻曰："傕性不测，况今两雄不并立，倘彼酒后置毒，妾将奈何？"汜不肯听，妻再三劝住。至晚间，傕使人送酒筵至。汜妻乃暗置毒于中，方始献入，汜便欲食。妻曰："食自外来，岂可便食？"乃先与犬试之，犬立死。自此汜心怀疑。一日朝罢，李傕力邀郭汜赴家饮宴。至夜席散，汜醉而归，偶然腹痛。妻曰："必中其毒矣！"急令将粪汁灌之，一吐方定。

汜大怒曰："吾与李傕共图大事，今无端欲谋害我，我不先发，必遭毒手。"遂密整本部甲兵，欲攻李傕。早有人报知傕。傕亦大怒曰："郭阿多安敢如此！"遂点本部甲兵，来杀郭汜。两处合兵数万，就在长安城下混战，乘势掳掠居民。傕侄李暹引兵围住宫院，用车二乘，一乘载天子，一乘载伏皇后，使贾诩、左灵监押车驾；其余宫人内侍，并皆步走。拥出后宰门，正遇郭汜兵到，乱箭齐发，射死宫人不知其数。李傕随后掩杀，郭汜兵退，车驾冒险出城，不由分说，竟拥到李傕营中。郭汜领兵入宫，尽抢掳宫嫔采女入营，放火烧宫殿。次日，郭汜知李傕劫了天子，领军来营前厮杀。帝、后都受惊恐。后人有诗叹之曰：

光武中兴兴汉世，上下相承十二帝。
桓灵无道宗社堕，阉臣擅权为叔季。
无谋何进作三公，欲除社鼠招奸雄。
豺獭虽驱虎狼入，西州逆竖①生淫凶。
王允赤心托红粉，致令董吕成矛盾。

① 西州逆竖——指董卓。

渠魁殄灭①天下宁，谁知李郭心怀愤。
神州荆棘争奈何，六宫饥馑愁干戈。
人心既离天命去，英雄割据分山河。
后王规此存兢业，莫把金瓯②等闲缺。
生灵糜烂肝脑涂，剩水残山多怨血。
我观遗史不胜悲，今古茫茫叹《黍离》③。
人君当守"苞桑"④戒，太阿⑤谁执全纲维。

却说郭汜兵到，李傕出营接战。汜军不利，暂且退去。傕乃移帝后车驾于郿坞，使侄李暹⑥监之，断绝内使，饮食不继，侍臣皆有饥色。帝令人问傕取米五斛、牛骨五具，以赐左右。傕怒曰："朝夕上饭，何又他求？"乃以腐肉朽粮与之，皆臭不可食。帝骂曰："逆贼直如此相欺！"侍中杨琦急奏曰："傕性残暴。事势至此，陛下且忍之，不可撄⑦其锋也。"帝乃低头无语，泪盈袍袖。

忽左右报曰："有一路军马，枪刀映日，金鼓震天，前来救驾。"帝教打听是谁，乃郭汜也。帝心转忧。只闻坞外喊声大起。原来李傕引兵出迎郭汜，鞭指郭汜而骂曰："我待你不薄，你如何谋害我！"汜曰："尔乃反贼，如何不杀你！"傕曰："我保驾在此，何为反贼？"汜曰："此乃劫驾，何为保驾？"傕曰："不须多言！我两个各不许用军士，只自并输赢。赢的便把皇帝取去罢了。"二人便就阵前厮杀。战到十合，不分胜负。只见杨彪拍马而来，大叫："二位将军少歇，老夫特邀众官，来与二位讲和。"傕、汜乃各自

① 渠魁殄(tiǎn)灭——渠魁：古代统治阶级称敌对方面的首领；殄：消灭、灭绝。那些罪魁祸首都已消灭之后。

② 金瓯(ōu)——盛酒器。常比喻国土完整，也指国土。

③ 《黍(shǔ)离》——《诗·王风》篇名。诗序称周人东迁后，有大夫见故都宗室宫庙为田种黍，伤感而作。近人以为乃奴隶主贵族悲叹没落之作，或称流浪者之诗。

④ "苞桑"——亦作"包桑"，根深柢固的桑树。这里喻君王应牢牢掌握权力，不应寄倚他人。

⑤ 太阿——亦作"泰阿"，古宝剑名。含有权力的意思。

⑥ 李暹(xiān)——人名。

⑦ 撄(yīng)——碰、触犯。

还营。杨彪与朱儁会合朝廷官僚六十余人，先诣郭汜营中劝和。郭汜竟将众官尽行监下。众官曰："我等为好而来，何乃如此相待？"汜曰："李傕劫天子，偏我劫不得公卿！"杨彪曰："一劫天子，一劫公卿，意欲何为？"汜大怒，便拔剑欲杀彪。中郎将杨密力劝，汜乃放了杨彪、朱儁，其余都监在营中。彪谓儁曰："为社稷之臣，不能匡君救主，空生天地间耳！"言讫，相抱而哭，昏绝于地。儁归家成病而死。自此之后，傕、汜每日厮杀，一连五十余日，死者不知其数。

却说李傕平日最喜左道妖邪之术，常使女巫击鼓降神于军中。贾诩屡谏不听。侍中杨琦密奏帝曰："臣观贾诩虽为李傕腹心，然实未尝忘君，陛下当与谋之。"正说之间，贾诩来到。帝乃屏退左右，泣谕诩曰："卿能怜汉朝，救朕命乎？"诩拜伏于地曰："固臣所愿也。陛下且勿言，臣自图之。"帝收泪而谢。少顷，李傕来见，带剑而入。帝面如土色。傕谓帝曰："郭汜不臣，监禁公卿，欲劫陛下。非臣则驾被掳矣。"帝拱手称谢，傕乃出。时皇甫郦入见帝。帝知郦能言，又与李傕同乡，诏使往两边解和。郦奉诏，走至汜营说汜。汜曰："如李傕送出天子，我便放出公卿。"郦即来见李傕曰："今天子以某是西凉人，与公同乡，特令某来劝和二公。汜已奉诏，公意若何？"傕曰："吾有败吕布之大功，辅政四年，多著勋绩，天下共知。郭阿多盗马贼耳，乃敢擅劫公卿，与我相抗，誓必诛之！君试观我方略士众①，足胜郭阿多否？"郦答曰："不然。昔有穷后羿②，恃其善射，不思患难，以致灭亡。近董太师之强，君所目见也，吕布受恩而反图之，斯须③之间，头悬国门。则强固不足恃矣。将军身为上将，持钺仗节④，子孙宗族，皆居显位，国恩不可谓不厚。今郭阿多劫公卿，而将军劫至尊，果谁轻谁重耶？"李傕大怒，拔剑叱曰："天子使汝来辱我乎？我先斩汝头！"骑都尉杨奉谏曰："今郭汜未除，而杀天使，则汜兴兵有名，诸侯皆助之矣。"贾诩

---

① 方略士众——谋略与军队。

② 有穷后羿（yì）——传说中的人物，夏朝时有穷国的国王名后羿，此人善于射箭，专恃勇力，政治昏乱，后来被他的臣子杀死。

③ 斯须——不多久。

④ 持钺仗节——持、仗都是"拿着"的意思。钺：兵器，指军队；节：符节，权力的标志。

亦力劝，傕怒少息。诩遂推皇甫郦出。郦大叫曰："李傕不奉诏，欲弑君自立！"侍中胡邈急止之曰："无出此言，恐于身不利。"郦叱之曰："胡敬才！汝亦为朝廷之臣，如何附贼？'君辱臣死'，吾被李傕所杀，乃分也！"大骂不止。帝知之，急令皇甫郦回西凉。

却说李傕之军，大半是西凉人氏，更赖羌兵为助。却被皇甫郦扬言于西凉人曰："李傕谋反，从之者即为贼党，后患不浅。"西凉人多有听郦之言，军心渐涣。傕闻郦言，大怒，差虎贲王昌追之。昌知郦乃忠义之士，竟不往追，只回报曰："郦已不知何往矣。"贾诩又密谕羌人曰："天子知汝等忠义，久战劳苦，密诏使汝还郡，后当有重赏。"羌人正怨李傕不与爵赏，遂听诩言，都引兵去。诩又密奏帝曰："李傕贪而无谋，今兵散心怯，可以重爵饵之。"帝乃降诏，封傕为大司马。傕喜曰："此女巫降神祈祷之力也！"遂重赏女巫，却不赏军将。骑都尉杨奉大怒，谓宋果曰："吾等出生入死，身冒矢石，功反不及女巫耶？"宋果曰："何不杀此贼，以救天子？"奉曰："你于中军放火为号，吾当引兵外应。"二人约定是夜二更时分举事。不料其事不密，有人报知李傕。傕大怒，令人擒宋果先杀之。杨奉引兵在外，不见号火。李傕自将兵出，恰遇杨奉，就寨中混战到四更。奉不胜，引军投西安去了。李傕自此军势渐衰。更兼郭汜常来攻击，杀死者甚多。忽人来报："张济统领大军，自陕西来到，欲与二公解和；声言如不从者，引兵击之。"傕便卖个人情，先遣人赴张济军中许和。郭汜亦只得许诺。张济上表，请天子驾幸弘农。帝喜曰："朕思东都久矣。今乘此得还，乃万幸也！"诏封张济为骠骑将军。济进粮食酒肉，供给百官。汜放公卿出营。傕收拾车驾东行，遣旧有御林军数百，持戟护送。

銮舆过新丰，至霸陵，时值秋天，金风①骤起。忽闻喊声大作，数百军兵来至桥上拦住车驾，厉声问曰："来者何人？"侍中杨琦拍马上桥曰："圣驾过此，谁敢拦阻？"有二将出曰："吾等奉郭将军命，把守此桥，以防奸细。既云圣驾，须亲见帝，方可准信。"杨琦高揭珠帘。帝谕曰："朕躬在此，卿何不退？"众将皆呼"万岁"，分于两边，驾乃得过。二将回报郭汜曰："驾已去矣。"汜曰："我正欲哄过张济，劫驾再入郿坞，你如何擅自放了过去？"遂

---

① 金风——秋风。古人以金、木、水、火、土五行配四方和四时，西方和秋天属金，故称西风、秋风为金风。

斩二将，起兵赶来。车驾正到华阴县，背后喊声震天，大叫："车驾且休动！"帝泣告大臣曰："方离狼窝，又逢虎口，如之奈何？"众皆失色。贼军渐近。只听得一派鼓声，山背后转出一将，当先一面大旗，上书"大汉杨奉"四字，引军千余杀来。原来杨奉自为李傕所败，便引军屯终南山下；今闻驾至，特来保护。当下列开阵势。汜将崔勇出马，大骂杨奉"反贼"。奉大怒，回顾阵中曰："公明何在？"一将手执大斧，飞骤骅骝①，直取崔勇。两马相交，只一合，斩崔勇于马下。杨奉乘势掩杀，汜军大败，退走二十余里。奉乃收军来见天子。帝慰谕曰："卿救联躬，其功不小！"奉顿首拜谢。帝曰："适斩贼将者何人？"奉乃引此将拜于车下曰："此人河东杨郡人，姓徐，名晃，字公明。"帝慰劳之。杨奉保驾至华阴驻跸②。将军段煨，具衣服饮膳上献。是夜，天子宿于杨奉营中。

郭汜败了一阵，次日又点军杀至营前来。徐晃当先出马。郭汜大军八面围来，将天子、杨奉困在垓心。正在危急之中，忽然东南上喊声大震，一将引军纵马杀来。贼众奔溃。徐晃乘势攻击，大败汜军。那人来见天子，乃国戚董承也。帝哭诉前事。承曰："陛下免忧。臣与杨将军誓斩二贼，以靖天下。"帝命早赴东都。连夜驾起，前幸弘农。

却说郭汜引败军回，撞着李傕，言："杨奉、董承救驾往弘农去了。若到山东，立脚得牢，必然布告天下，令诸侯共伐我等，三族不能保矣。"傕曰："今张济兵据长安，未可轻动。我和你乘间合兵一处，至弘农杀了汉君，平分天下，有何不可！"汜喜诺。二人合兵，于路劫掠，所过一空。杨奉、董承知贼兵远来，遂勒兵回，与贼大战于东涧。傕、汜二人商议："我众彼寡，只可以混战胜之。"于是李傕在左，郭汜在右，漫山遍野拥来。杨奉、董承两边死战，刚保帝后车出；百官宫人，符册典籍，一应御用之物，尽皆抛弃。郭汜引军入弘农劫掠。承、奉保驾走陕北，傕、汜分兵赶来。

承、奉一面差人与傕、汜讲和，一面密传圣旨往河东，急召故白波帅韩暹、李乐、胡才三处军兵前来救应。那李乐亦是啸聚山林之贼，今不得已而召之。三处军闻天子赦罪赐官，如何不来；并拔本营军士，来与董承约

---

① 骅骝——赤色良马的代称。原是传说中周穆王的八大骏马之一。

② 驻跸(bì)——古代皇帝出巡住下称驻跸。跸：有警戒、清道、禁止行人的意思。

会一齐，再取弘农。其时李傕、郭汜但到之处，劫掠百姓，老弱者杀之，强壮者充军；临敌则驱民兵在前，名曰“敢死军”，贼势浩大。李乐军到，会于渭阳。郭汜令军士将衣服物件抛弃于道。乐军见衣服满地，争往取之，队伍尽失。傕、汜二军，四面混战，乐军大败。杨奉、董承遮拦不住，保驾北走，背后贼军赶来。李乐曰：“事急矣！请天子上马先行！”帝曰：“朕不可舍百官而去。”众皆号泣相随。胡才被乱军所杀。承、奉见贼追急，请天子弃车驾，步行到黄河岸边。李乐等寻得一只小舟作渡船。时值天气严寒，帝与后强扶到岸，边岸又高，不得下船，后面追兵将至。杨奉曰：“可解马缰绳接连，拴缚帝腰，放下船去。”人丛中国舅伏德挟白绢十数匹至，曰：“我于乱军中拾得此绢，可接连拽辇。”行军校尉尚弘用绢包帝及后，令众先挂帝往下放之，乃得下船。李乐仗剑立于船头上。后兄伏德，负后下船中。岸上有不得下船者，争扯船缆；李乐尽砍于水中。渡过帝后，再放船渡众人。其争渡者，皆被砍下手指，哭声震天。

既渡彼岸，帝左右止剩得十余人。杨奉寻得牛车一辆，载帝至大阳。绝食，晚宿于瓦屋中，野老进粟饭，上与后共食，粗粝不能下咽。次日，诏封李乐为征北将军，韩暹为征东将军，起驾前行。有二大臣寻至，哭拜车前，乃太尉杨彪、太仆韩融也。帝后俱哭。韩融曰：“傕、汜二贼，颇信臣言；臣舍命去说二贼罢兵。陛下善保龙体。”韩融去了。李乐请帝入杨奉营暂歇。杨彪请帝都安邑县。驾至安邑，苦无高房，帝后都居于茅屋中；又无门关闭，四边插荆棘以为屏蔽。帝与大臣议事于茅屋之下，诸将引兵于篱外镇压。李乐等专权，百官稍有触犯，竟于帝前殴骂；故意送浊酒粗食与帝，帝勉强纳之。李乐、韩暹又连名保奏无徒①、部曲、巫医、走卒二百余名，并为校尉、御史等官。刻印不及，以锥画之，全不成体统。

却说韩融曲说傕、汜二贼，二贼从其言，乃放百官及宫人归。是岁大荒，百姓皆食枣菜，饿莩②遍野。河内太守张杨献米肉，河东太守王邑献绢帛，帝稍得宁。董承、杨奉商议，一面差人修洛阳宫院，欲奉车驾还东都。李乐不从。董承谓李乐曰：“洛阳本天子建都之地。安邑乃小地面，如何容得车驾？今奉驾还洛阳是正理。”李乐曰：“汝等奉驾去，我只在此处

① 无徒——流氓、无赖。

② 饿莩(piǎo)——饿死的人。莩：同“殍”。

住。"承、奉乃奉驾起程。李乐暗令人结连李傕、郭汜，一同劫驾。董承、杨奉、韩暹知其谋，连夜摆布军士，护送车驾前奔箕关。李乐闻知，不等傕、汜军到，自引本部人马前来追赶。四更左侧，赶到箕山下，大叫："车驾休行！李傕、郭汜在此！"吓得献帝心惊胆战。山上火光遍起。正是：前番两贼分为二，今番三贼合为一。不知汉天子怎离此难，且听下文分解。

# 第十四回

## 曹孟德移驾幸许都　吕奉先乘夜袭徐郡

却说李乐引军诈称李傕、郭汜，来追车驾，天子大惊。杨奉曰："此李乐也。"遂令徐晃出迎之。李乐亲自出战。两马相交，只一合，被徐晃一斧砍于马下，杀散余党，保护车驾过箕关。太守张杨具粟帛迎驾于轵道①。帝封张杨为大司马。杨辞帝屯兵野王去了。帝入洛阳，见宫室烧尽，街市荒芜，满目皆是蒿草，宫院中只有颓墙坏壁，命杨奉且盖小宫居住。百官朝贺，皆立于荆棘之中。诏改兴平为建安元年。是岁又大荒。洛阳居民，仅有数百家，无可为食，尽出城去剥树皮、掘草根食之。尚书郎以下，皆自出城樵采，多有死于颓墙坏壁之间者。汉末气运之衰，无甚于此。后人有诗叹之曰：

血流芒砀白蛇亡，赤帜纵横游四方。
秦鹿逐翻兴社稷，楚骓推倒立封疆。
天子懦弱奸邪起，气色凋零盗贼狂。
看到两京遭难处，铁人无泪也凄惶！

太尉杨彪奏帝曰："前蒙降诏，未曾发遣。今曹操在山东，兵强将盛，可宣入朝，以辅王室。"帝曰："朕前既降诏，卿何必再奏，今即差人前去便了。"彪领旨，即差使命赴山东，宣召曹操。

却说曹操在山东，闻知车驾已还洛阳，聚谋士商议。荀彧进曰："昔晋

① 轵(zhǐ)道——古亭名，在今陕西西安市东北。

文公纳周襄王，而诸侯服从；汉高祖为义帝发丧，而天下归心。今天子蒙尘①，将军诚因此时首倡义兵，奉天子以从众望，不世②之略也。若不早图，人将先我而为之矣。”曹操大喜。正要收拾起兵，忽报有天使赍诏宣召。操接诏，克日兴师。

却说帝在洛阳，百事未备，城郭崩倒，欲修未能。人报李傕、郭汜领兵将到。帝大惊，问杨奉曰：“山东之使未回，李、郭之兵又至，为之奈何？”杨奉、韩暹曰：“臣愿与贼决死战，以保陛下！”董承曰：“城郭不坚，兵甲不多，战如不胜，当复如何？不若且奉驾往山东避之。”帝从其言，即日起驾望山东进发。百官无马，皆随驾步行。出了洛阳，行无一箭之地，但见尘头蔽日，金鼓喧天，无限人马来到。帝、后战栗不能言。忽见一骑飞来，乃前差往山东之使命也，至车前拜启曰：“曹将军尽起山东之兵，应诏前来。闻李傕、郭汜犯洛阳，先差夏侯惇为先锋，引上将十员，精兵五万，前来保驾。”帝心方安。少顷，夏侯惇引许褚、典韦等，至驾前面君，俱以军礼见。帝慰谕方毕，忽报正东又有一路军到。帝即命夏侯惇往探之，回奏曰：“乃曹操步军也。”须臾，曹洪、李典、乐进来见驾。通名毕，洪奏曰：“臣兄知贼兵至近，恐夏侯惇孤力难为，故又差臣等倍道而来协助。”帝曰：“曹将军真社稷臣也！”遂命护驾前行。探马来报：“李傕、郭汜领兵长驱而来。”帝令夏侯惇分两路迎之。惇乃与曹洪分为两翼，马军先出，步军后随，尽力攻击。傕、汜贼兵大败，斩首万余。于是请帝还洛阳故宫。夏侯惇屯兵于城外。次日，曹操引大队人马到来。安营毕，入城见帝，拜于殿阶之下。帝赐平身③，宣谕慰劳。操曰：“臣向蒙国恩，刻思图报。今傕、汜二贼，罪恶贯盈；臣有精兵二十余万，以顺讨逆，无不克捷。陛下善保龙体，以社稷为重。”帝乃封操领司隶校尉、假节钺、录尚书事。

却说李傕、郭汜知操远来，议欲速战。贾诩谏曰：“不可。操兵精将勇，不如降之，求免本身之罪。”傕怒曰：“尔敢灭吾锐气！”拔剑欲斩诩。众将劝免。是夜，贾诩单马走回乡里去了。次日，李傕军马来迎操兵。操先令许褚、曹仁、典韦领三百铁骑，于傕阵中冲突三遭，方才布阵。阵圆处，

① 蒙尘——指皇帝被驱逐出宫廷，流亡在外。

② 不世——一世所无，形容极不平凡、非常了不起。

③ 赐平身——准许跪拜的人站起来。跪拜之后起立，叫平身。

李傕侄李暹、李别出马阵前，未及开言，许褚飞马过去，一刀先斩李暹；李别吃了一惊，倒撞下马，褚亦斩之，双挽人头回阵。曹操抚许褚之背曰："子真吾之樊哙①也！"随令夏侯惇领兵左出、曹仁领兵右出，操自领中军冲阵。鼓响一声，三军齐进。贼兵抵敌不住，大败而走。操亲掣宝剑押阵，率众连夜追杀，剿戮极多，降者不计其数。傕、汜望西逃命，忙忙似丧家之狗；自知无处容身，只得往山中落草去了。曹操回兵，仍屯于洛阳城外。杨奉、韩暹两个商议："今曹操成了大功，必掌重权，如何容得我等？"乃入奏天子，只以追杀傕、汜为名，引本部军屯于大梁去了。

帝一日命人至操营，宣操入宫议事。操闻天使至，请入相见。只见那人眉清目秀，精神充足。操暗想曰："今东都大荒，官僚军民皆有饥色，此人何得独肥？"因问之曰："公尊颜充腴②，以何调理而至此？"对曰："某无他法，只食淡三十年矣。"操乃颔之③；又问曰："君居何职？"对曰："某举孝廉。原为袁绍、张杨从事。今闻天子还都，特来朝觐④，官封正议郎。济阴定陶人，姓董，名昭，字公仁。"曹操避席曰："闻名久矣！幸得于此相见。"遂置酒帐中相待，令与荀彧相会。忽人报曰："一队军往东而去，不知何人。"操急令人探之。董昭曰："此乃李傕旧将杨奉，与白波帅韩暹，因明公来此，故引兵欲投大梁去耳。"操曰："莫非疑操乎？"昭曰："此乃无谋之辈，明公何足虑也。"操又曰："李、郭二贼此去若何？"昭曰："虎无爪，鸟无翼，不久当为明公所擒，无足介意。"

操见昭言语投机，便问以朝廷大事。昭曰："明公兴义兵以除暴乱，入朝辅佐天子，此五霸⑤之功也。但诸将人殊意异，未必服从；今若留此，恐有不便。惟移驾幸许都为上策。然朝廷播越⑥，新还京师，远近仰望，以冀一朝之安；今复徙驾，不厌众心。夫行非常之事，乃有非常之功，愿将军决计之。"操执昭手而笑曰："此吾之本志也。但杨奉在大梁，大臣在朝，不有

---

① 樊哙——刘邦手下的勇将，曾几次以勇力使刘邦脱险。

② 充腴（yú）——丰满、肥胖。

③ 颔（hàn）之——点头表示赞同。

④ 朝觐（jǐn）——谒见皇帝。

⑤ 五霸——春秋时五个最有势力的诸侯，他们是齐桓公、晋文公、秦穆公、宋襄公和楚庄王。

⑥ 播越——到处流亡。

他变否?”昭曰:“易也。以书与杨奉,先安其心。明告大臣,以京师无粮,欲车驾幸许都,近鲁阳,转运粮食,庶无欠缺悬隔之忧。大臣闻之,当欣从也。”操大喜。昭谢别,操执其手曰:“凡操有所图,惟公教之。”昭称谢而去。

操由是日与众谋士密议迁都之事。时侍中太史令王立私谓宗正刘艾曰:“吾仰观天文,自去春太白犯镇星于斗牛,过天津,荧惑又逆行,与太白会于天关,金火交会,必有新天子出①。吾观大汉气数将终,晋魏之地,必有兴者。”又密奏献帝曰:“天命有去就,五行不常盛。代火者土也。代汉而有天下者,当在魏。”操闻之,使人告立曰:“知公忠于朝廷,然天道深远,幸勿多言。”操以是告彧。彧曰:“汉以火德王,而明公乃土命也。许都属土,到彼必兴。火能生土,土能旺木:正合董昭、王立之言。他日必有兴者。”操意遂决。次日,入见帝,奏曰:“东都荒废久矣,不可修葺;更兼转运粮食艰辛。许都地近鲁阳,城郭宫室,钱粮民物,足可备用。臣敢请驾幸许都,惟陛下从之。”帝不敢不从;群臣皆惧操势,亦莫敢有异议。遂择日起驾。操引军护行,百官皆从。

行不到数程,前至一高陵。忽然喊声大举,杨奉、韩暹领兵拦路。徐晃当先,大叫:“曹操欲劫驾何往!”操出马视之,见徐晃威风凛凛,暗暗称奇;便令许褚出马与徐晃交锋。刀斧相交,战五十余合,不分胜败。操即鸣金收军,召谋士议曰:“杨奉、韩暹诚不足道;徐晃乃真良将也。吾不忍以力并之,当以计招之。”行军从事满宠曰:“主公勿虑。某向与徐晃有一面之交,今晚扮作小卒,偷入其营,以言说之,管教他倾心来降。”操欣然遣之。

是夜满宠扮作小卒,混入彼军队中,偷至徐晃帐前,只见晃秉烛被甲而坐。宠突至其前,揖曰:“故人别来无恙乎!”徐晃惊起,熟视之曰:“子非山阳满伯宁耶！何以至此?”宠曰:“某现为曹将军从事。今日于阵前得见故人,欲进一言,故特冒死而来。”晃乃延②之坐,问其来意。宠曰:“公之勇

---

① 太白犯镇星于斗牛,过天津,……必有新天子出——太白:即金星;镇星:土星;荧惑:火星;斗、牛:星宿名;天津、天关:星宿名。古人迷信,把星象和五行生克等说法混杂在一起,解释人间现象。

② 延——迎接、邀请。

略，世所罕有，奈何屈身于杨、韩之徒？曹将军当世英雄，其好贤礼士，天下所知也；今日阵前，见公之勇，十分敬爱，故不忍以健将决死战，特遣宠来奉邀。公何不弃暗投明，共成大业？”晃沉吟良久，乃喟然叹曰：“吾固知奉、暹非立业之人，奈从之久矣，不忍相舍。”宠曰：“岂不闻‘良禽择木而栖，贤臣择主而事’。遇可事之主，而交臂失之①，非丈夫也。”晃起谢曰：“愿从公言。”宠曰：“何不就杀奉、暹而去，以为进见之礼？”晃曰：“以臣弑主，大不义也。吾决不为。”宠曰：“公真义士也！”晃遂引帐下数十骑，连夜同满宠来投曹操。早有人报知杨奉。奉大怒，自引千骑来追，大叫：“徐晃反贼休走！”正追赶间，忽然一声炮响，山上山下，火把齐明，伏军四出。曹操亲自引军当先，大喝：“我在此等候多时，休教走脱！”杨奉大惊，急待回军，早被曹兵围住。恰好韩暹引兵来救，两军混战，杨奉走脱。曹操趁彼军乱，乘势攻击，两家军士大半多降。杨奉、韩暹势孤，引败兵投袁术去了。

曹操收军回营，满宠引徐晃入见。操大喜，厚待之。于是迎銮驾②到许都，盖造宫室殿宇，立宗庙社稷、省台司院衙门，修城郭府库；封董承等十三人为列侯。赏功罚罪，并听曹操处置。操自封为大将军、武平侯，以荀彧为侍中、尚书令，荀攸为军师，郭嘉为司马祭酒，刘晔为司空仓曹掾，毛玠、任峻为典农中郎将，催督钱粮，程昱为东平相，范成、董昭为洛阳令，满宠为许都令，夏侯惇、夏侯渊、曹仁、曹洪皆为将军，吕虔、李典、乐进、于禁、徐晃皆为校尉，许褚、典韦皆为都尉；其余将士，各各封官。自此大权皆归于曹操：朝廷大务，先禀曹操，然后方奏天子。

操既定大事，乃设宴后堂，聚众谋士共议曰：“刘备屯兵徐州，自领州事；近吕布以兵败投之，备使居于小沛：若二人同心引兵来犯，乃心腹之患也。公等有何妙计可图之？”许褚曰：“愿借精兵五万，斩刘备、吕布之头，献于丞相。”荀彧曰：“将军勇则勇矣，不知用谋。今许都新定，未可造次用兵。彧有一计，名曰‘二虎竞食’之计。今刘备虽领徐州，未得诏命。明公可奏请诏命实授备为徐州牧，因密与一书，教杀吕布。事成则备无猛士为

---

① 交臂失之——臂膀碰着臂膀地错过去了。喻失掉了好机会。现有成语失之交臂。

② 銮(luán)驾——皇帝的车乘和仪仗队。

辅，亦渐可图；事不成，则吕布必杀备矣：此乃‘二虎竞食’之计也。”操从其言，即时奏请诏命，遣使赍往徐州，封刘备为征东将军、宜城亭侯，领徐州牧；并附密书一封。

却说刘玄德在徐州，闻帝幸许都，正欲上表庆贺。忽报天使至，出郭迎接入郡，拜受恩命毕，设宴款待来使。使曰：“君侯得此恩命，实曹将军于帝前保荐之力也。”玄德称谢。使者乃取出私书递与玄德。玄德看罢，曰：“此事尚容计议。”席散，安歇来使于馆驿。玄德连夜与众商议此事。张飞曰：“吕布本无义之人，杀之何碍！”玄德曰：“他势穷而来投我，我若杀之，亦是不义。”张飞曰：“好人难做！”玄德不从。次日，吕布来贺，玄德教请入见。布曰：“闻公受朝廷恩命，特来相贺。”玄德逊谢。只见张飞扯剑上厅，要杀吕布。玄德慌忙阻住。布大惊曰：“翼德何故只要杀我？”张飞叫曰：“曹操道你是无义之人，教我哥哥杀你！”玄德连声喝退。乃引吕布同入后堂，实告前因；就将曹操所送密书与吕布看。布看毕，泣曰：“此乃曹贼欲令我二人不和耳！”玄德曰：“兄勿忧，刘备誓不为此不义之事。”吕布再三拜谢。备留布饮酒，至晚方回。关、张曰：“兄长何故不杀吕布？”玄德曰：“此曹孟德恐我与吕布同谋伐之，故用此计，使我两人自相吞并，彼却于中取利。奈何为所使乎？”关公点头道是。张飞曰：“我只要杀此贼以绝后患！”玄德曰：“此非大丈夫之所为也。”

次日，玄德送使命回京，就拜表谢恩，并回书与曹操，只言容缓图之。使命回见曹操，言玄德不杀吕布之事。操问荀彧曰：“此计不成，奈何？”彧曰：“又有一计，名曰‘驱虎吞狼’之计。”操曰：“其计如何？”彧曰：“可暗令人往袁术处通问，报说刘备上密表，要略南郡。术闻之，必怒而攻备；公乃明诏刘备讨袁术。两边相并，吕布必生异心：此‘驱虎吞狼’之计也。”操大喜，先发人往袁术处；次假天子诏，发人往徐州。

却说玄德在徐州，闻使命至，出郭迎接；开读诏书，却是要起兵讨袁术。玄德领命，送使者先回。糜竺曰：“此又是曹操之计。”玄德曰：“虽是计，王命不可违也。”遂点军马，克日起程。孙乾曰：“可先定守城之人。”玄德曰：“二弟之中，谁人可守？”关公曰：“弟愿守此城。”玄德曰：“吾早晚欲与尔议事，岂可相离？”张飞曰：“小弟愿守此城。”玄德曰：“你守不得此城：你一者酒后刚强，鞭挞士卒；二者作事轻易，不从人谏。吾不放心。”张飞曰："弟自今以后，不饮酒，不打军士，诸般听人劝谏便了。"糜竺曰："只恐口不应心。"飞怒曰："吾跟哥哥多年，未尝失信，你如何轻料①我！"玄德曰："弟言虽如此，吾终不放心。还请陈元龙辅之，早晚令其少饮酒，勿致失事。"陈登应诺。玄德分付了当，乃统马步军三万，离徐州望南阳进发。

却说袁术闻说刘备上表，欲吞其州县，乃大怒曰："汝乃织席编屦之夫，今辄占据大郡，与诸侯同列；吾正欲伐汝，汝却反欲图我！深为可恨！"乃使上将纪灵起兵十万，杀奔徐州。两军会于盱眙。玄德兵少，依山傍水下寨。那纪灵乃山东人，使一口三尖刀，重五十斤。是日引兵出阵，大骂："刘备村夫，安敢侵吾境界！"玄德曰："吾奉天子诏，以讨不臣。汝今敢来相拒，罪不容诛！"纪灵大怒，拍马舞刀，直取玄德。关公大喝曰："匹夫休得逞强！"出马与纪灵大战。一连三十合，不分胜负。纪灵大叫少歇，关公便拨马回阵，立于阵前候之。纪灵却遣副将荀正出马。关公曰："只教纪灵来，与他决个雌雄！"荀正曰："汝乃无名下将，非纪将军对手！"关公大怒，直取荀正；交马一合，砍荀正于马下。玄德驱兵杀将过去，纪灵大败，退守淮阴河口，不敢交战；只教军士来偷营劫寨，皆被徐州兵杀败。两军相拒，不在话下。

却说张飞自送玄德起身后，一应杂事，俱付陈元龙管理；军机大务，自家参酌。一日，设宴请各官赴席。众人坐定，张飞开言曰："我兄临去时，分付我少饮酒，恐致失事。众官今日尽此一醉，明日都各戒酒，帮我守城。今日却都要满饮。"言罢，起身与众官把盏。酒至曹豹面前，豹曰："我从天戒，不饮酒。"飞曰："厮杀汉如何不饮酒？我要你吃一盏。"豹惧怕，只得饮了一杯。张飞把遍各官，自斟巨觥②，连饮了几十杯，不觉大醉，却又起身与众官把盏。酒至曹豹，豹曰："某实不能饮矣！"飞曰："你恰才吃了，如今为何推却？"豹再三不饮。飞醉后使酒，便发怒曰："你违我将令，该打一百！"便喝军士拿下。陈元龙曰："玄德公临去时，分付你甚来？"飞曰："你文官，只管文官事，休来管我！"曹豹无奈，只得告求曰："翼德公，看我女婿之面，且恕我罢。"飞曰："你女婿是谁？"豹曰："吕布是也。"飞大怒曰："我本不欲打你；你把吕布来唬我，我偏要打你！我打你，便是打吕布！"诸人

---

① 料——估计、料想。

② 觥(gōng)——用野牛角做的大酒杯。

劝不住。将曹豹鞭至五十，众人苦苦告饶，方止。席散，曹豹回去，深恨张飞，连夜差人赍书一封，径投小沛见吕布，备说张飞无礼；且云：玄德已往淮南，今夜可乘飞醉，引兵来袭徐州，不可错此机会。

吕布见书，便请陈宫来议。宫曰："小沛原非久居之地。今徐州既有可乘之隙，失此不取，悔之晚矣。"布从之，随即披挂上马，领五百骑先行；使陈宫引大军继进，高顺亦随后进发。小沛离徐州只四五十里，上马便到。吕布到城下时，恰才四更，月色澄清，城上更不知觉。布到城门边叫曰："刘使君有机密使人至。"城上有曹豹军报知曹豹，豹上城看之，便令军士开门。吕布一声暗号，众军齐入，喊声大举。张飞正醉卧府中，左右急忙摇醒，报说："吕布赚开城门，杀将进来了！"张飞大怒，慌忙披挂，绰了丈八蛇矛；才出府门上得马时，吕布军马已到，正与相迎。张飞此时酒犹未醒，不能力战。吕布素知飞勇，亦不敢相逼。十八骑燕将，保着张飞，杀出东门，玄德家眷在府中，都不及顾了。

却说曹豹见张飞只十数人护从，又欺他醉，遂引百十人赶来。飞见豹，大怒，拍马来迎。战了三合，曹豹败走，飞赶到河边，一枪正刺中曹豹后心，连人带马，死于河中。飞于城外招呼士卒，出城者尽随飞投淮南而去。吕布入城安抚居民，令军士一百人守把玄德宅门，诸人不许擅入。

却说张飞引数十骑，直到盱眙来见玄德，具说曹豹与吕布里应外合，夜袭徐州。众皆失色。玄德叹曰："得何足喜，失何足忧！"关公曰："嫂嫂安在？"飞曰："皆陷于城中矣。"玄德默然无语。关公顿足埋怨曰："你当初要守城时说甚来？兄长分付你甚来？今日城池又失了，嫂嫂又陷了，如何是好！"张飞闻言，惶恐无地，掣剑欲自刎。正是：举杯畅饮情何放，拔剑捐生悔已迟！不知性命如何，且听下文分解。

# 第十五回

## 太史慈酣斗小霸王　孙伯符大战严白虎

却说张飞拔剑要自刎，玄德向前抱住，夺剑掷地曰："古人云：'兄弟如手足，妻子如衣服。衣服破，尚可缝；手足断，安可续？'吾三人桃园结义，不求同生,但愿同死。今虽失了城池家小,安忍教兄弟中道而亡?况城池本非吾有;家眷虽被陷,吕布必不谋害,尚可设计救之。贤弟一时之误,何至遽欲捐生耶!"说罢大哭。关、张俱感泣。

且说袁术知吕布袭了徐州,星夜差人至吕布处,许以粮五万斛、马五百匹、金银一万两、彩缎一千匹,使夹攻刘备。布喜,令高顺领兵五万袭玄德之后。玄德闻得此信,乘阴雨撤兵,弃盱眙而走,思欲东取广陵。比及高顺军来,玄德已去。高顺与纪灵相见,就索所许之物。灵曰:"公且回军,容某见主公计之。"高顺乃别纪灵回军,见吕布具述纪灵语。布正在迟疑,忽有袁术书至。书意云:"高顺虽来,而刘备未除;且待捉了刘备,那时方以所许之物相送。"布怒骂袁术失信,欲起兵伐之。陈宫曰:"不可。术据寿春,兵多粮广,不可轻敌。不如请玄德还屯小沛,使为我羽翼。他日令玄德为先锋,那时先取袁术,后取袁绍,可纵横天下矣。"布听其言,令人赍书迎玄德回。

却说玄德引兵东取广陵,被袁术劫寨,折兵大半。回来正遇吕布之使,呈上书札,玄德大喜。关、张曰:"吕布乃无义之人,不可信也。"玄德曰:"彼既以好情待我,奈何疑之!"遂来到徐州。布恐玄德疑惑,先令人送还家眷。甘、糜二夫人见玄德,具说吕布令兵把定宅门,禁诸人不得入;又常使侍妾送物,未尝有缺。玄德谓关、张曰:"我知吕布必不害我家眷也。"乃入城谢吕布。张飞恨吕布,不肯随往,先奉二嫂往小沛去了。玄德入见吕布拜谢。吕布曰:"我非欲夺城;因令弟张飞在此恃酒杀人,恐有失事,故来守之耳。"玄德曰:"备欲让兄久矣。"布假意仍让玄德。玄德力辞,还屯小沛住扎。关、张心中不忿。玄德曰:"屈身守分,以待天时,不可与命争也。"吕布令人送粮米缎匹。自此两家和好,不在话下。

却说袁术大宴将士于寿春。人报孙策征庐江太守陆康,得胜而回。术唤策至,策拜于堂下。问劳已毕,便令侍坐饮宴。原来孙策自父丧之后,退居江南,礼贤下士;后因陶谦与策母舅丹阳太守吴景不和,策乃移母并家属居于曲阿,自己却投袁术。术甚爱之,常叹曰:"使术有子如孙郎,死复何恨!"因使为怀义校尉,引兵攻泾县大帅祖郎得胜。术见策勇,复使攻陆康,今又得胜而回。

当日筵散,策归营寨。见术席间相待之礼甚傲,心中郁闷,乃步月于中庭。因思父孙坚如此英雄,我今沦落至此,不觉放声大哭。忽见一人自外而入，大笑曰："伯符何故如此？尊父在日，多曾用我。君今有不决之事，何不问我，乃自哭耶！"策视之，乃丹阳故鄣人，姓朱，名治，字君理，孙坚旧从事官也。策收泪而延之坐曰："策所哭者，恨不能继父之志耳。"治曰："君何不告袁公路，借兵往江东，假名救吴景，实图大业，而乃久困于人之下乎？"正商议间，一人忽入曰："公等所谋，吾已知之。吾手下有精壮百人，暂助伯符一马之力。"策视其人，乃袁术谋士，汝南细阳人，姓吕，名范，字子衡。策大喜，延坐共议。吕范曰："只恐袁公路不肯借兵。"策曰："吾有亡父留下传国玉玺，以为质当①。"范曰："公路欲得此久矣！以此相质，必肯发兵。"三人计议已定。次日，策入见袁术，哭拜曰："父仇不能报，今母舅吴景，又为扬州刺史刘繇所逼；策老母家小，皆在曲阿，必将被害。策敢借雄兵数千，渡江救难省亲。恐明公不信，有亡父遗下玉玺，权为质当。"术闻有玉玺，取而视之，大喜曰："吾非要你玉玺，今且权留在此。我借兵三千、马五百匹与你。平定之后，可速回来。你职位卑微，难掌大权。我表你为折冲校尉、殄寇将军，克日领兵便行。"

策拜谢，遂引军马，带领朱治、吕范，旧将程普、黄盖、韩当等，择日起兵。行至历阳，见一军到。当先一人，姿质风流，仪容秀丽，见了孙策，下马便拜。策视其人，乃庐江舒城人，姓周，名瑜，字公瑾。原来孙坚讨董卓之时，移家舒城，瑜与孙策同年，交情甚密，因结为昆仲②。策长瑜两月，瑜以兄事策。瑜叔周尚，为丹阳太守；今往省亲，到此与策相遇。策见瑜大喜，诉以衷情。瑜曰："某愿施犬马之力，共图大事。"策喜曰："吾得公瑾，大事谐矣！"便令与朱治、吕范等相见。瑜谓策曰："吾兄欲济大事，亦知江东有'二张'乎？"策曰："何为'二张'？"瑜曰："一人乃彭城张昭，字子布；一人乃广陵张纮③，字子纲。二人皆有经天纬地之才，因避乱隐居于此。吾兄何不聘之？"策喜，即便令人赍礼往聘，俱辞不至。策乃亲到其家，与语大悦，力聘之，二人许允。策遂拜张昭为长史，兼抚军中郎将；张纮为参谋正议校尉。商议攻击刘繇。

却说刘繇字正礼，东莱牟平人也，亦是汉室宗亲，太尉刘宠之侄，兖州

① 质当（dàng）——抵押品。
② 昆仲——兄弟。
③ 张纮（hóng）——人名。

刺史刘岱之弟；旧为扬州刺史，屯于寿春，被袁术赶过江东，故来曲阿。当下闻孙策兵至，急聚众将商议。部将张英曰："某领一军屯于牛渚，纵有百万之兵，亦不能近。"言未毕，帐下一人高叫曰："某愿为前部先锋！"众视之，乃东莱黄县人太史慈也。慈自解了北海之围后，便来见刘繇，繇留于帐下。当日听得孙策来到，愿为前部先锋。繇曰："你年尚轻，未可为大将，只在吾左右听命。"太史慈不喜而退。张英领兵至牛渚，积粮十万于邸阁①。孙策引兵到，张英出迎，两军会于牛渚滩上。孙策出马，张英大骂，黄盖便出与张英战。不数合，忽然张英军中大乱，报说寨中有人放火。张英急回军。孙策引军前来，乘势掩杀。张英弃了牛渚，望深山而逃。原来那寨后放火的，乃是两员健将：一人乃九江寿春人，姓蒋，名钦，字公奕；一人乃九江下蔡人，姓周，名泰，字幼平。二人皆遭世乱，聚人在洋子江中，劫掠为生；久闻孙策为江东豪杰，能招贤纳士，故特引其党三百余人，前来相投。策大喜，用为军前校尉。收得牛渚邸阁粮食、军器，并降卒四千余人，遂进兵神亭。

却说张英败回见刘繇，繇怒欲斩之。谋士笮融②、薛礼劝免，使屯兵零陵城拒敌。繇自领兵于神亭岭南下营，孙策于岭北下营。策问土人曰："近山有汉光武庙否？"土人曰："有庙在岭上。"策曰："吾夜梦光武召我相见，当往祈之。"长史张昭曰："不可。岭南乃刘繇寨，倘有伏兵，奈何？"策曰："神人佑我，吾何惧焉！"遂披挂绰枪上马，引程普、黄盖、韩当、蒋钦、周泰等共十三骑，出寨上岭，到庙焚香。下马参拜已毕，策向前跪祝曰："若孙策能于江东立业，复兴故父之基，即当重修庙宇，四时祭祀。"祝毕，出庙上马，回顾众将曰："吾欲过岭，探看刘繇寨栅。"诸将皆以为不可。策不从，遂同上岭，南望村林。早有伏路小军飞报刘繇。繇曰："此必是孙策诱敌之计，不可追之。"太史慈踊跃曰："此时不捉孙策，更待何时！"遂不候刘繇将令，竟自披挂上马，绰枪出营，大叫曰："有胆气者，都跟我来！"诸将不动。惟有一小将曰："太史慈真猛将也！吾可助之！"拍马同行。众将皆笑。

却说孙策看了半晌，方始回马。正行过岭，只听得岭上叫："孙策休

---

① 邸（dǐ）阁——粮食仓库。

② 笮（zé）融——人名。

走!”策回头视之,见两匹马飞下岭来。策将十三骑一齐摆开。策横枪立马于岭下待之。太史慈高叫曰:“那个是孙策?”策曰:“你是何人?”答曰:“我便是东莱太史慈也,特来捉孙策!”策笑曰:“只我便是。你两个一齐来并我一个,我不惧你!我若怕你,非孙伯符也!”慈曰:“你便众人都来,我亦不怕!”纵马横枪,直取孙策。策挺枪来迎。两马相交,战五十合,不分胜负。程普等暗暗称奇。慈见孙策枪法无半点儿渗漏,乃佯输诈败,引孙策赶来。慈却不由旧路上岭,竟转过山背后。策赶到,大喝曰:“走的不算好汉!”慈心中自忖①:“这厮有十二从人,我只一个,便活捉了他,也吃众人夺去。再引一程,教这厮没寻处,方好下手。”于是且战且走。策那里肯舍,一直赶到平川之地。慈兜回马再战,又到五十合。策一枪搠②去,慈闪过,挟住枪;慈也一枪搠去,策亦闪过,挟住枪。两个用力只一拖,都滚下马来。马不知走的那里去了。两个弃了枪,揪住厮打,战袍扯得粉碎。策手快,掣了太史慈背上的短戟,慈亦掣了策头上的兜鍪。策把戟来刺慈,慈把兜鍪遮架。忽然喊声后起,乃刘繇接应军到来,约有千余。策正慌急,程普等十二骑亦冲到。策与慈方才放手。慈于军中讨了一匹马,取了枪,上马复来。孙策的马却是程普收得,策亦取枪上马。刘繇一千余军,和程普等十二骑混战,逶迤③杀到神亭岭下。喊声起处,周瑜领军来到。刘繇自引大军杀下岭来。时近黄昏,风雨暴至,两下各自收军。

次日,孙策引军到刘繇营前,刘繇引军出迎。两阵圆处,孙策把枪挑太史慈的小戟于阵前,令军士大叫曰:“太史慈若不是走的快,已被刺死了!”太史慈亦将孙策兜鍪挑于阵前,也令军士大叫曰:“孙策头已在此!”两军呐喊,这边夸胜,那边道强。太史慈出马,要与孙策决个胜负,策遂欲出。程普曰:“不须主公劳力,某自擒之。”程普出到阵前,太史慈曰:“你非我之敌手,只教孙策出马来!”程普大怒,挺枪直取太史慈。两马相交,战到三十合,刘繇急鸣金收军。太史慈曰:“我正要捉拿贼将,何故收军?”刘繇曰:“人报周瑜领军袭取曲阿,有庐江松滋人陈武,字子烈,接应周瑜入去。吾家基业已失,不可久留。速往秣陵,会薛礼、笮融军马,急来接应。”

---

① 忖(cǔn)——思量、揣度。

② 搠(shuò)——刺、扎。

③ 逶迤——形容过程的延续进展。

太史慈跟着刘繇退军，孙策不赶，收住人马。长史张昭曰："彼军被周瑜袭取曲阿，无恋战之心，今夜正好劫营。"孙策然之。当夜分军五路，长驱大进。刘繇军兵大败，众皆四纷五落。太史慈独力难当，引十数骑连夜投泾县去了。

却说孙策又得陈武为辅，其人身长七尺，面黄睛赤，形容①古怪。策甚敬爱之，拜为校尉，使作先锋，攻薛礼。武引十数骑突入阵去，斩首级五十余颗。薛礼闭门不敢出。策正攻城，忽有人报刘繇会合笮融去取牛渚。孙策大怒，自提大军竟奔牛渚。刘繇、笮融二人出马迎敌。孙策曰："吾今到此，你如何不降？"刘繇背后一人挺枪出马，乃部将于糜也。与策战不三合，被策生擒过去，拨马回阵。繇将樊能，见捉了于糜，挺枪来赶。那枪刚搠到策后心，策阵上军士大叫："背后有人暗算！"策回头，忽见樊能马到，乃大喝一声，声如巨雷。樊能惊骇，倒翻身撞下马来，破头而死。策到门旗下，将于糜丢下，已被挟死。一霎时挟死一将，喝死一将：自此，人皆呼孙策为"小霸王"。

当日刘繇兵大败，人马大半降策。策斩首级万余。刘繇与笮融走豫章投刘表去了。孙策还兵复攻秣陵，亲到城壕边，招谕薛礼投降。城上暗放一冷箭，正中孙策左腿，翻身落马。众将急救起，还营拔箭，以金疮药傅之。策令军中诈称主将中箭身死。军中举哀，拔寨齐起。薛礼听知孙策已死，连夜起城内之军，与骁将张英、陈横杀出城来追之。忽然伏兵四起，孙策当先出马，高声大叫曰："孙郎在此！"众军皆惊，尽弃枪刀，拜于地下。策令休杀一人。张英拨马回走，被陈武一枪刺死。陈横被蒋钦一箭射死。薛礼死于乱军中。策入秣陵，安辑②居民；移兵至泾县来捉太史慈。

却说太史慈招得精壮二千余人，并所部兵，正要来与刘繇报仇。孙策与周瑜商议活捉太史慈之计。瑜令三面攻县，只留东门放走；离城二十五里，三路各伏一军，太史慈到那里，人困马乏，必然被擒。原来太史慈所招军大半是山野之民，不谙纪律。泾县城头，苦不甚高。当夜孙策命陈武短衣持刀，首先爬上城放火。太史慈见城上火起，上马投东门走，背后孙策引军赶来。太史慈正走，后军赶至三十里，却不赶了。太史慈走了五十

---

① 形容——形象容貌。

② 安辑——安抚、安定。

里，人困马乏，芦苇之中，喊声忽起。慈急待走，两下里绊马索齐来，将马绊翻了，生擒太史慈，解投大寨。策知解到太史慈，亲自出营喝散士卒，自释其缚，将自己锦袍衣之，请入寨中，谓曰："我知子义真丈夫也。刘繇蠢辈，不能用为大将，以致此败。"慈见策待之甚厚，遂请降。

策执慈手笑曰："神亭相战之时，若公获我，还相害否？"慈笑曰："未可知也。"策大笑，请入帐，邀之上坐，设宴款待。慈曰："刘君新破，士卒离心。某欲自往收拾余众，以助明公。不识能相信否？"策起谢曰："此诚策所愿也。今与公约：明日日中，望公来还。"慈应诺而去。诸将曰："太史慈此去必不来矣。"策曰："子义乃信义之士，必不背我。"众皆未信。次日，立竿于营门以候日影。恰将日中，太史慈引一千余众到寨。孙策大喜。众皆服策之知人。于是孙策聚数万之众，下江东，安民恤众，投者无数。江东之民，皆呼策为"孙郎"。但闻孙郎兵至，皆丧胆而走。及策军到，并不许一人掳掠，鸡犬不惊，人民皆悦，赍牛酒到寨劳军。策以金帛答之，欢声遍野。其刘繇旧军，愿从军者听从，不愿为军者给赏归农。江南之民，无不仰颂。由是兵势大盛。策乃迎母叔诸弟俱归曲阿，使弟孙权与周泰守宣城。策领兵南取吴郡。

时有严白虎，自称"东吴德王"，据吴郡，遣部将守住乌程、嘉兴。当日白虎闻策兵至，令弟严舆出兵，会于枫桥。舆横刀立马于桥上。有人报入中军，策便欲出。张纮谏曰："夫主将乃三军之所系命，不宜轻敌小寇。愿将军自重。"策谢曰："先生之言如金石①；但恐不亲冒矢石，则将士不用命耳。"随遣韩当出马。比及韩当到桥上时，蒋钦、陈武早驾小舟从河岸边杀过桥里，乱箭射倒岸上军，二人飞身上岸砍杀。严舆退走。韩当引军直杀到阊门下，贼退入城里去了。策分兵水陆并进，围住吴城。一困三日，无人出战。策引众军到阊门外招谕。城上一员裨将②，左手托定护梁，右手指着城下大骂。太史慈就马上拈弓取箭，顾军将曰："看我射中这厮左手！"说声未绝，弓弦响处，果然射个正中，把那将的左手射透，反牢钉在护梁上。城上城下人见者，无不喝采。众人救了这人下城。白虎大惊曰："彼军有如此人，安能敌乎！"遂商量求和。次日，使严舆出城，来见孙策。

---

① 金石——指刻在钟鼎和碑石上的文字，喻有分量、有价值。

② 裨(pí)将——副将。

策请舆入帐饮酒。酒酣，问舆曰："令兄意欲如何？"舆曰："欲与将军平分江东。"策大怒曰："鼠辈安敢与吾相等！"命斩严舆。舆拔剑起身，策飞剑砍之，应手而倒，割下首级，令人送入城中。白虎料敌不过，弃城而走。

策进兵追袭，黄盖攻取嘉兴，太史慈攻取乌程，数州皆平。白虎奔余杭，于路劫掠，被土人凌操领乡人杀败，望会稽而走。凌操父子二人来接孙策，策使为从征校尉，遂同引兵渡江。严白虎聚寇，分布于西津渡口。程普与战，复大败之，连夜赶到会稽。

会稽太守王朗，欲引兵救白虎。忽一人出曰："不可。孙策用仁义之师，白虎乃暴虐之众，还宜擒白虎以献孙策。"朗视之，乃会稽余姚人，姓虞，名翻，字仲翔，现为郡吏。朗怒叱之，翻长叹而出。朗遂引兵会合白虎，同陈兵于山阴之野。两阵对圆，孙策出马，谓王朗曰："吾兴仁义之兵，来安浙江，汝何故助贼？"朗骂曰："汝贪心不足！既得吴郡，而又强并吾界！今日特与严氏雪仇！"孙策大怒，正待交战，太史慈早出。王朗拍马舞刀，与慈战不数合，朗将周昕，杀出助战；孙策阵中黄盖，飞马接住周昕交锋。两下鼓声大震，互相鏖战①。忽王朗阵后先乱，一彪军从背后抄来。朗大惊，急回马来迎：原来是周瑜与程普引军刺斜杀来，前后夹攻。王朗寡不敌众，与白虎、周昕杀条血路，走入城中，拽起吊桥，坚闭城门。孙策大军乘势赶到城下，分布众军，四门攻打。王朗在城中见孙策攻城甚急，欲再出兵决一死战。严白虎曰："孙策兵势甚大，足下只宜深沟高垒，坚壁勿出。不消一月，彼军粮尽，自然退走。那时乘虚掩之，可不战而破也。"朗依其议，乃固守会稽城而不出。孙策一连攻了数日，不能成功，乃与众将计议。孙静曰："王朗负固守城，难可卒②拔。会稽钱粮，大半屯于查渎；其地离此数十里，莫若以兵先据其内：所谓'攻其无备，出其不意'也。"策大喜曰："叔父妙用，足破贼人矣！"即下令于各门燃火，虚张旗号，设为疑兵，连夜撤围南去。周瑜进曰："主公大兵一起，王朗必然出城来赶，可用奇兵胜之。"策曰："吾今准备下了，取城只在今夜。"遂令军马起行。

却说王朗闻报孙策军马退去，自引众人来敌楼上观望；见城下烟火并起，旌旗不杂，心下迟疑。周昕曰："孙策走矣，特设此计以疑我耳。可出

---

① 鏖(áo)战——激战、苦战。

② 卒(cù)——同"猝"，急切、仓促之间。

兵袭之。”严白虎曰：“孙策此去，莫非要去查渎？我令部兵与周将军追之。”朗曰：“查渎是我屯粮之所，正须提防。汝引兵先行，吾随后接应。”白虎与周昕领五千兵出城追赶。将近初更，离城二十余里，忽密林里一声鼓响，火把齐明。白虎大惊，便勒马回走。一将当先拦住，火光中视之，乃孙策也。周昕舞刀来迎，被策一枪刺死。余众皆降。白虎杀条血路，望余杭而走。王朗听知前军已败，不敢入城，引部下奔逃海隅去了。孙策复回大军，乘势取了城池，安定人民。不隔一日，只见一人将着严白虎首级来孙策军前投献。策视其人，身长八尺，面方口阔。问其姓名，乃会稽余姚人，姓董，名袭，字元代。策喜，命为别部司马。自是东路皆平，令叔孙静守之，令朱治为吴郡太守，收军回江东。

却说孙权与周泰守宣城，忽山贼窃发，四面杀至。时值更深，不及抵敌，泰抱权上马。数十贼众，用刀来砍。泰赤体步行，提刀杀贼，砍杀十余人。随后一贼跃马挺枪直取周泰，被泰扯住枪，拖下马来，夺了枪马，杀条血路，救出孙权。余贼远遁。周泰身被十二枪，金疮发胀，命在须臾。策闻之大惊。帐下董袭曰：“某曾与海寇相持，身遭数枪，得会稽一个贤郡吏虞翻荐一医者，半月而愈。”策曰：“虞翻莫非虞仲翔乎？”袭曰：“然。”策曰：“此贤士也。我当用之。”乃令张昭与董袭同往聘请虞翻。翻至，策优礼相待，拜为功曹，因言及求医之意。翻曰：“此人乃沛国谯郡人，姓华，名佗，字元化。真当世之神医也。当引之来见。”不一日引至。策见其人，童颜鹤发，飘然有出世之姿。乃待为上宾，请视周泰疮。佗曰：“此易事耳。”投之以药，一月而愈。策大喜，厚谢华佗。遂进兵杀除山贼，江南皆平。孙策分拨将士，守把各处隘口；一面写表申奏朝廷；一面结交曹操；一面使人致书与袁术取玉玺。

却说袁术暗有称帝之心，乃回书推托不还；急聚长史杨大将，都督张勋、纪灵、桥蕤①，上将雷薄、陈兰等三十余人商议，曰：“孙策借我军马起事，今日尽得江东地面；乃不思报本，而反来索玺，殊为无礼。当以何策图之？”长史杨大将曰：“孙策据长江之险，兵精粮广，未可图也。今当先伐刘备，以报前日无故相攻之恨，然后图取孙策未迟。某献一计，使备即日就擒。”正是：不去江东图虎豹，却来徐郡斗蛟龙。不知其计若何，且听下文分解。

---

① 桥蕤(ruí)——人名。

# 第十六回

## 吕奉先射戟辕门 曹孟德败师淯水

却说杨大将献计欲攻刘备。袁术曰："计将安出?"大将曰："刘备军屯小沛，虽然易取，奈吕布虎踞徐州，前次许他金帛粮马，至今未与，恐其助备；今当令人送与粮食，以结其心，使其按兵不动，则刘备可擒。先擒刘备，后图吕布，徐州可得也。"术喜，便具粟二十万斛，令韩胤赍密书往见吕布。吕布甚喜，重待韩胤。胤回告袁术，术遂遣纪灵为大将，雷薄、陈兰为副将，统兵数万，进攻小沛。玄德闻知此信，聚众商议。张飞要出战。孙乾曰："今小沛粮寡兵微，如何抵敌？可修书告急于吕布。"张飞曰："那厮如何肯来！"玄德曰："乾之言善。"遂修书与吕布。书略曰：

伏自将军垂念，令备于小沛容身，实拜云天①之德。今袁术欲报私仇，遣纪灵领兵到县，亡在旦夕，非将军莫能救。望驱一旅之师，以救倒悬之急，不胜幸甚②！

吕布看了书，与陈宫计议曰："前者袁术送粮致书，盖欲使我不救玄德也。今玄德又来求救。吾想玄德屯军小沛，未必遂能为我害③，若袁术并了玄德，则北连泰山诸将以图我，我不能安枕矣：不若救玄德。"遂点兵起程。

却说纪灵起兵长驱大进，已到沛县东南，扎下营寨。昼列旌旗，遮映山川；夜设火鼓，震明天地。玄德县中，止有五千余人，也只得勉强出县，布阵安营。忽报吕布引兵离县一里、西南上扎下营寨。纪灵知吕布领兵来救刘备，急令人致书于吕布，责其无信。布笑曰："我有一计，使袁、刘两家都不怨我。"乃发使往纪灵、刘备寨中，请二人饮宴。玄德闻布相请，即

---

① 云天——形容高远的意思。

② 不胜(shēng)幸甚——胜：尽，感激不尽，非常荣幸。

③ 未必遂能为我害——未必就能成为我的祸害。

便欲往。关、张曰："兄长不可去。吕布必有异心。"玄德曰："我待彼不薄，彼必不害我。"遂上马而行。关、张随往。到吕布寨中，入见。布曰："吾今特解公之危。异日得志，不可相忘！"玄德称谢。布请玄德坐。关、张按剑立于背后。人报纪灵到，玄德大惊，欲避之。布曰："吾特请你二人来会议，勿得生疑。"玄德未知其意，心下不安。纪灵下马入寨，却见玄德在帐上坐，大惊，抽身便回，左右留之不住。吕布向前一把扯回，如提童稚。灵曰："将军欲杀纪灵耶？"布曰："非也。"灵曰："莫非杀'大耳儿'乎？"布曰："亦非也。"灵曰："然则为何？"布曰："玄德与布乃兄弟也，今为将军所困，故来救之。"灵曰："若此则杀灵也？"布曰："无有此理。布平生不好斗，惟好解斗。吾今为两家解之。"灵曰："请问解之之法？"布曰："我有一法，从天所决。"乃拉灵入帐与玄德相见。二人各怀疑忌。布乃居中坐，使灵居左，备居右，且教设宴行酒。

酒行数巡，布曰："你两家看我面上，俱各罢兵。"玄德无语。灵曰："吾奉主公之命，提十万之兵，专捉刘备，如何罢得？"张飞大怒，拔剑在手，叱曰："吾虽兵少，觑汝辈如儿戏耳！你比百万黄巾何如？你敢伤我哥哥！"关公急止之曰："且看吕将军如何主意，那时各回营寨厮杀未迟。"吕布曰："我请你两家解斗，须不教你厮杀！"这边纪灵不忿，那边张飞只要厮杀。布大怒，教左右："取我戟来！"布提画戟在手，纪灵、玄德尽皆失色。布曰："我劝你两家不要厮杀，尽在天命。"令左右接过画戟，去辕门外远远插定。乃回顾纪灵、玄德曰："辕门离中军一百五十步。吾若一箭射中戟小枝，你两家罢兵；如射不中，你各自回营，安排厮杀。有不从吾言者，并力拒之。"纪灵私忖："戟在一百五十步之外，安能便中？且落得应允，待其不中，那时凭我厮杀。"便一口许诺。玄德自无不允。布都教坐，再各饮一杯酒。酒毕，布教取弓箭来。玄德暗祝曰："只愿他射得中便好！"只见吕布挽起袍袖，搭上箭，扯满弓，叫一声："着！"正是：弓开如秋月行天，箭去似流星落地。——一箭正中画戟小枝。帐上帐下将校，齐声喝采。后人有诗赞之曰：

温侯神射世间稀，曾向辕门独解危。
落日果然欺后羿，号猿直欲胜由基。
虎筋弦响弓开处，雕羽翎飞箭到时。
豹子尾摇穿画戟，雄兵十万脱征衣。

当下吕布射中画戟小枝，呵呵大笑，掷弓于地，执纪灵、玄德之手曰："此天令你两家罢兵也！"喝教军士："斟酒来！各饮一大觥。"玄德暗称惭愧①。纪灵默然半晌，告布曰："将军之言，不敢不听；奈纪灵回去，主人如何肯信？"布曰："吾自作书复之便了。"酒又数巡，纪灵求书先回。布谓玄德曰："非我则公危矣。"玄德拜谢，与关、张回。次日，三处军马都散。

不说玄德入小沛，吕布归徐州。却说纪灵回淮南见袁术，说吕布辕门射戟解和之事，呈上书信。袁术大怒曰："吕布受吾许多粮米，反以此儿戏之事，偏护刘备。吾当自提重兵，亲征刘备，兼讨吕布！"纪灵曰："主公不可造次。吕布勇力过人，兼有徐州之地；若布与备首尾相连，不易图也。灵闻布妻严氏有一女，年已及笄②。主公有一子，可令人求亲于布。布若嫁女于主公，必杀刘备：此乃'疏不间亲"之计也。"袁术从之，即日遣韩胤为媒，赍礼物往徐州求亲。胤到徐州见布，称说："主公仰慕将军，欲求令爱③为儿妇，永结'秦晋之好④'。"布入谋于妻严氏。原来吕布有二妻一妾：先娶严氏为正妻，后娶貂蝉为妾；及居小沛时，又娶曹豹之女为次妻。曹氏先亡无出，貂蝉亦无所出，惟严氏生一女，布最钟爱。当下严氏对布曰："吾闻袁公路久镇淮南，兵多粮广，早晚将为天子。若成大事，则吾女有后妃之望。——只不知他有几子？"布曰："止有一子。"妻曰："既如此，即当许之。纵不为皇后，吾徐州亦无忧矣。"布意遂决，厚款韩胤，许了亲事。韩胤回报袁术。术即备聘礼，仍令韩胤送至徐州。吕布受了，设席相待，留于馆驿安歇。

次日，陈宫竟往馆驿内拜望韩胤。讲礼毕，坐定。宫乃叱退左右，对胤曰："谁献此计，教袁公与奉先联姻？意在取刘玄德之头乎？"胤失惊，起谢曰："乞公台勿泄！"宫曰："吾自不泄，只恐其事若迟，必被他人识破，事将中变。"胤曰："然则奈何？愿公教之。"宫曰："吾见奉先，使其即日送女

---

① 惭愧——此指侥幸的意思。

② 及笄(jī)——十五岁光景。笄：簪子，用来插住挽起的头发。古人早婚，及笄表示已经成年，可以结婚了。

③ 令爱——对别人女儿的敬称。

④ 秦晋之好——春秋时秦、晋两国国君，常互相通婚，后来就把双方联姻叫做秦晋之好。

就亲，何如？”胤大喜，称谢曰：“若如此，袁公感佩明德不浅矣！”宫遂辞别韩胤，入见吕布曰：“闻公女许嫁袁公路，甚善。但不知于何日结亲？”布曰：“尚容徐议。”宫曰：“古者自受聘成婚之期，各有定例：天子一年，诸侯半年，大夫一季，庶民一月。”布曰：“袁公路天赐国宝，早晚当为帝，今从天子例，可乎？”宫曰：“不可。”布曰：“然则仍从诸侯例？”宫曰：“亦不可。”布曰：“然则将从卿大夫例矣？”宫曰：“亦不可。”布笑曰：“公岂欲吾依庶民例耶？”宫曰：“非也。”布曰：“然则公意欲如何？”宫曰：“方今天下诸侯，互相争雄；今公与袁公路结亲，诸侯保无有嫉妒者乎？若复远择吉期，或竟乘我良辰，伏兵半路以夺之，如之奈何？为今之计：不许便休；既已许之，当趁诸侯未知之时，即便送女到寿春，另居别馆，然后择吉成亲，万无一失也。”布喜曰：“公台之言甚当。”遂入告严氏。连夜具办妆奁①，收拾宝马香车，令宋宪、魏续一同韩胤送女前去。鼓乐喧天，送出城外。

时陈元龙之父陈珪，养老在家，闻鼓乐之声，遂问左右。左右告以故。珪曰：“此乃‘疏不间亲’之计也。玄德危矣。”遂扶病来见吕布。布曰：“大夫何来？”珪曰：“闻将军死至，特来吊丧。”布惊曰：“何出此言？”珪曰：“前者袁公路以金帛送公，欲杀刘玄德，而公以射戟解之；今忽来求亲，其意盖欲以公女为质，随后就来攻玄德而取小沛。小沛亡，徐州危矣。且彼或来借粮，或来借兵；公若应之，是疲于奔命，而又结怨于人；若其不允，是弃亲而启兵端也。况闻袁术有称帝之意，是造反也。彼若造反，则公乃反贼亲属矣，得无为天下所不容乎？”布大惊曰：“陈宫误我！”急命张辽引兵，追赶至三十里之外，将女抢归；连韩胤都拿回监禁，不放归去。却令人回复袁术，只说女儿妆奁未备，俟②备毕便自送来。陈珪又说吕布，使解韩胤赴许都。布犹豫未决。

忽人报：“玄德在小沛招军买马，不知何意。”布曰：“此为将者本分事，何足为怪。”正说间，宋宪、魏续至，告布曰：“我二人奉明公之命，往山东买马，买得好马三百余匹；回至沛县界首，被强寇劫去一半。打听得是刘备之弟张飞，诈装山贼，抢劫马匹去了。”吕布听了大怒，随即点兵往小沛来斗张飞。玄德闻知大惊，慌忙领兵出迎。两阵圆处，玄德出马曰：“兄长何

① 妆奁(lián)——嫁妆。
② 俟(sì)——等待。

故领兵到此?”布指骂曰:“我辕门射戟,救你大难,你何故夺我马匹?”玄德曰:“备因缺马,令人四下收买,安敢夺兄马匹。”布曰:“你便使张飞夺了我好马一百五十匹,尚自抵赖!”张飞挺枪出马曰:“是我夺了你好马! 你今待怎么?”布骂曰:“环眼贼! 你累次渺视我!”飞曰:“我夺你马你便恼,你夺我哥哥的徐州便不说了!”布挺戟出马来战张飞,飞亦挺枪来迎。两个酣战一百余合,未见胜负。玄德恐有疏失,急鸣金收军入城。吕布分军四面围定。玄德唤张飞责之曰:“都是你夺他马匹,惹起事端! 如今马匹在何处?”飞曰:“都寄在各寺院内。”玄德随令人出城,至吕布营中,说情愿送还马匹,两相罢兵。布欲从之。陈宫曰:“今不杀刘备,久后必为所害。”布听之,不从所请,攻城愈急。玄德与糜竺、孙乾商议。孙乾曰:“曹操所恨者,吕布也。不若弃城走许都,投奔曹操,借军破布,此为上策。”玄德曰:“谁可当先破围而出?”飞曰:“小弟情愿死战!”玄德令飞在前,云长在后;自居于中,保护老小。当夜三更,乘着月明,出北门而走。正遇宋宪、魏续,被翼德一阵杀退,得出重围。后面张辽赶来,关公敌住。吕布见玄德去了,也不来赶,随即入城安民,令高顺守小沛,自己仍回徐州去了。

却说玄德前奔许都,到城外下寨,先使孙乾来见曹操,言被吕布追逼,特来相投。操曰:“玄德与吾,兄弟也。”便请入城相见。次日,玄德留关、张在城外,自带孙乾、糜竺入见操。操待以上宾之礼。玄德备诉吕布之事。操曰:“布乃无义之辈,吾与贤弟并力诛之。”玄德称谢。操设宴相待,至晚送出。荀彧入见曰:“刘备,英雄也。今不早图,后必为患。”操不答。彧出,郭嘉入。操曰:“荀彧劝我杀玄德,当如何?”嘉曰:“不可。主公兴义兵,为百姓除暴,惟仗信义以招俊杰,犹惧其不来也;今玄德素有英雄之名,以困穷而来投,若杀之,是害贤也。天下智谋之士,闻而自疑,将裹足不前,主公谁与定天下乎? 夫除一人之患,以阻四海之望:安危之机,不可不察。”操大喜曰:“君言正合吾心。”次日,即表荐刘备领豫州牧。程昱谏曰:“刘备终不为人之下,不如早图之。”操曰:“方今正用英雄之时,不可杀一人而失天下之心。——此郭奉孝与吾有同见也。”遂不听昱言,以兵三千、粮万斛送与玄德,使往豫州到任,进兵屯小沛,招集原散之兵,攻吕布。玄德至豫州,令人约会曹操。

操正欲起兵,自往征吕布,忽流星马报说张济自关中引兵攻南阳,为流矢所中而死;济侄张绣统其众,用贾诩为谋士,结连刘表,屯兵宛城,欲兴兵犯阙①夺驾。操大怒，欲兴兵讨之，又恐吕布来侵许都，乃问计于荀彧。彧曰："此易事耳。吕布无谋之辈，见利必喜；明公可遣使往徐州，加官赐赏，令与玄德解和。布喜，则不思远图矣。"操曰："善。"遂差奉军都尉王则，赍官诰并和解书，往徐州去讫。一面起兵十五万，亲讨张绣。分军三路而行，以夏侯惇为先锋。军马至淯水下寨。贾诩劝张绣曰："操兵势大，不可与敌，不如举众投降。"张绣从之，使贾诩至操寨通款②。操见诩应对如流，甚爱之，欲用为谋士。诩曰："某昔从李傕，得罪天下；今从张绣，言听计从，不忍弃之。"乃辞去。次日引绣来见操，操待之甚厚。引兵入宛城屯扎，余军分屯城外，寨栅联络十余里。一住数日，绣每日设宴请操。

一日操醉，退入寝所，私问左右曰："此城中有妓女否?"操之兄子曹安民，知操意，乃密对曰："昨晚小侄窥见馆舍之侧，有一妇人，生得十分美丽，问之，即绣叔张济之妻也。"操闻言，便令安民领五十甲兵往取之。须臾，取到军中。操见之，果然美丽。问其姓，妇答曰："妾乃张济之妻邹氏也。"操曰："夫人识吾否?"邹氏曰："久闻丞相威名，今夕幸得瞻拜。"操曰："吾为夫人故，特纳张绣之降；不然灭族矣。"邹氏拜曰："实感再生之恩。"操曰："今日得见夫人，乃天幸也。今宵愿同枕席，随吾还都，安享富贵，何如?"邹氏拜谢。是夜，共宿于帐中。邹氏曰："久住城中，绣必生疑，亦恐外人议论。"操曰："明日同夫人去寨中住。"次日，移于城外安歇，唤典韦就中军帐房外宿卫。他人非奉呼唤，不许辄入。因此，内外不通。操每日与邹氏取乐，不想归期。

张绣家人密报绣。绣怒曰："操贼辱我太甚!"便请贾诩商议。诩曰："此事不可泄漏。来日等操出帐议事，如此如此。"次日，操坐帐中，张绣入告曰："新降兵多有逃亡者，乞移屯中军。"操许之。绣乃移屯其军，分为四寨，刻期举事。因畏典韦勇猛，急切难近，乃与偏将胡车儿商议。那胡车儿力能负五百斤，日行七百里，亦异人也。当下献计于绣曰："典韦之可畏者，双铁戟耳。主公明日可请他来吃酒，使尽醉而归。那时某便混入他跟来军士数内，偷入帐房，先盗其戟，此人不足畏矣。"绣甚喜，预先准备弓

---

① 阙——宫殿，引申为朝廷。

② 通款——向敌方表示愿意降服。

箭、甲兵，告示各寨。至期，令贾诩致意请典韦到寨，殷勤待酒。至晚醉归，胡车儿杂在众人队里，直入大寨。是夜曹操于帐中与邹氏饮酒，忽听帐外人言马嘶。操使人观之。回报是张绣军夜巡，操乃不疑。时近二更，忽闻寨内呐喊，报说草车上火起。操曰："军人失火，勿得惊动。"须臾，四下里火起，操始着忙，急唤典韦。韦方醉卧，睡梦中听得金鼓喊杀之声，便跳起身来，却寻不见了双戟。时敌兵已到辕门，韦急掣步卒腰刀在手。只见门首无数军马，各挺长枪，抢入寨来。韦奋力向前，砍死二十余人。马军方退，步军又到，两边枪如苇列。韦身无片甲，上下被数十枪，兀自①死战。刀砍缺不堪用，韦即弃刀，双手提着两个军人迎敌，击死者八九人。群贼不敢近，只远远以箭射之，箭如骤雨。韦犹死拒寨门。争奈寨后贼军已入，韦背上又中一枪，乃大叫数声，血流满地而死。死了半晌，还无一人敢从前门而入者。

却说曹操赖典韦当住寨门，乃得从寨后上马逃奔，只有曹安民步随。操右臂中了一箭，马亦中了三箭。亏得那马是大宛良马②，熬得痛，走得快。刚刚走到淯水河边，贼兵追至，安民被砍为肉泥。操急骤马冲波过河，才上得岸，贼兵一箭射来，正中马眼，那马扑地倒了。操长子曹昂，即以己所乘之马奉操。操上马急奔。曹昂却被乱箭射死。操乃走脱。路逢诸将，收集残兵。时夏侯惇所领青州之兵，乘势下乡，劫掠民家；平虏校尉于禁，即将本部军于路剿杀，安抚乡民。青州兵走回，迎操泣拜于地，言于禁造反，赶杀青州军马。操大惊。须臾，夏侯惇、许褚、李典、乐进都到。操言于禁造反，可整兵迎之。

却说于禁见操等俱到，乃引军射住阵角，凿堑安营。或告之曰："青州军言将军造反，今丞相已到，何不分辩，乃先立营寨耶？"于禁曰："今贼追兵在后，不时即至；若不先准备，何以拒敌？分辩小事，退敌大事。"安营方毕，张绣军两路杀至。于禁身先出寨迎敌。绣急退兵。左右诸将，见于禁向前，各引兵击之，绣军大败，追杀百余里。绣势穷力孤，引败兵投刘表去了。曹操收军点将，于禁入见，备言青州之兵，肆行劫掠，大失民望，某故杀之。操曰："不告我，先下寨，何也？"禁以前言对。操曰："将军在匆忙之

---

① 兀自——依然、仍然。

② 大宛良马——古代西域大宛国所产的马，汉代称为汗血马、天马，非常有名。

中，能整兵坚垒，任谤任劳，使反败为胜，虽古之名将，何以加兹①！”乃赐以金器一副，封益寿亭侯；责夏侯惇治兵不严之过。又设祭祭典韦，操亲自哭而奠之，顾谓诸将曰：“吾折长子、爱侄，俱无深痛；独号泣典韦也！”众皆感叹。次日下令班师。

不说曹操还兵许都。且说王则赍诏至徐州，布迎接入府，开读诏书：封布为平东将军，特赐印绶。又出操私书，王则在吕布面前极道曹公相敬之意。布大喜。忽报袁术遣人至，布唤入问之。使言：“袁公早晚即皇帝位，立东宫，催取皇妃早到淮南。”布大怒曰：“反贼焉敢如此！”遂杀来使，将韩胤用枷钉了，遣陈登赍谢表，解韩胤一同王则上许都来谢恩；且答书于操，欲求实授徐州牧。操知布绝婚袁术，大喜，遂斩韩胤于市曹。陈登密谏操曰：“吕布，豺狼也，勇而无谋，轻于去就，宜早图之。”操曰：“吾素知吕布狼子野心，诚难久养。非公父子莫能究其情，公当与吾谋之。”登曰：“丞相若有举动，某当为内应。”操喜，表赠陈珪秩中二千石②，登为广陵太守。登辞回，操执登手曰：“东方之事，便以相付。”登点头允诺。回徐州见吕布，布问之，登言：“父赠禄，某为太守。”布大怒曰：“汝不为吾求徐州牧，而乃自求爵禄！汝父教我协同曹公，绝婚公路，今吾所求，终无一获；而汝父子俱各显贵，吾为汝父子所卖耳！”遂拔剑欲斩之。登大笑曰：“将军何其不明之甚也！”布曰：“吾何不明？”登曰：“吾见曹公，言养将军譬如养虎，当饱其肉；不饱则将噬人。曹公笑曰：‘不如卿言。吾待温侯，如养鹰耳：狐兔未息，不敢先饱，饥则为用，饱则飏③去。’某问：‘谁为狐兔？’曹公曰：‘淮南袁术、江东孙策、冀州袁绍、荆襄刘表、益州刘璋、汉中张鲁，皆狐兔也。’”布掷剑笑曰：“曹公知我也！”正说话间，忽报袁术军取徐州。吕布闻言失惊。正是：秦晋未谐吴越斗，婚姻惹出甲兵来。毕竟后事如何，且听下文分解。

---

① 何以加兹——谁能超过这样。

② 秩(zhì)中二千石——秩：官禄等级。汉代官制，俸禄有中二千石、二千石、比二千石等级别。中二千石是很高的俸级，月俸达一百八十斛谷之多。

③ 飏(yáng)——飞扬。

# 第十七回

## 袁公路大起七军　曹孟德会合三将

却说袁术在淮南，地广粮多，又有孙策所质玉玺，遂思僭称帝号；大会群下议曰："昔汉高祖不过泗上一亭长，而有天下；今历年四百，气数已尽，海内鼎沸①。吾家四世三公，百姓所归；吾欲应天顺人，正位九五。尔众人以为何如？"主簿阎象曰："不可。昔周后稷②积德累功，至于文王，三分天下有其二，犹以服事殷。明公家世虽贵，未若有周之盛；汉室虽微，未若殷纣之暴也。此事决不可行。"术怒曰："吾袁姓出于陈。陈乃大舜之后。以土承火，正应其运。又谶云：'代汉者，当途高也。'吾字公路，正应其谶。又有传国玉玺。若不为君，背天道也。吾意已决，多言者斩！"遂建号仲氏，立台省等官，乘龙凤辇，祀南北郊③，立冯方女为后，立子为东宫。因命使催取吕布之女为东宫妃，却闻布已将韩胤解赴许都，为曹操所斩，乃大怒；遂拜张勋为大将军，统领大军二十余万，分七路征徐州：第一路大将张勋居中，第二路上将桥蕤居左，第三路上将陈纪居右，第四路副将雷薄居左，第五路副将陈兰居右，第六路降将韩暹居左，第七路降将杨奉居右。各领部下健将，克日起行。命兖州刺史金尚为太尉，监运七路钱粮。尚不从，术杀之。以纪灵为七路都救应使。术自引军三万，使李丰、梁刚、乐就为催进使，接应七路之兵。

吕布使人探听得张勋一军从大路径取徐州，桥蕤一军取小沛，陈纪一军取沂都，雷薄一军取琅琊，陈兰一军取碣石，韩暹一军取下邳，杨奉一军取浚山：七路军马，日行五十里，于路劫掠将来。乃急召众谋士商议，陈宫与陈珪父子俱至。陈宫曰："徐州之祸，乃陈珪父子所招，媚朝廷以求爵禄，今日移祸于将军。可斩二人之头献袁术，其军自退。"布听其言，即命

① 鼎沸——鼎：锅；沸：水煮开了。喻社会动荡不安。

② 后稷——周代的始祖。

③ 祀南北郊——古代皇帝即位后在南城郊外祭天、北城郊外祭地。

擒下陈珪、陈登。陈登大笑曰："何如是之懦也？吾观七路之兵，如七堆腐草，何足介意！"布曰："汝若有计破敌，免汝死罪。"陈登曰："将军若用老夫之言，徐州可保无虞。"布曰："试言之。"登曰："术兵虽众，皆乌合之师，素不亲信；我以正兵守之，出奇兵胜之，无不成功。更有一计，不止保安徐州，并可生擒袁术。"布曰："计将安出？"登曰："韩暹、杨奉乃汉旧臣，因惧曹操而走，无家可依，暂归袁术；术必轻之，彼亦不乐为术用。若凭尺书结为内应，更连刘备为外合，必擒袁术矣。"布曰："汝须亲到韩暹、杨奉处下书。"陈登允诺。布乃发表上许都，并致书与豫州，然后令陈登引数骑，先于下邳道上候韩暹。暹引兵至，下寨毕，登入见。暹问曰："汝乃吕布之人，来此何干？"登笑曰："某为大汉公卿，何谓吕布之人？若将军者，向为汉臣，今乃为叛贼之臣，使昔日关中保驾之功，化为乌有，窃为将军不取也。且袁术性最多疑，将军后必为其所害。今不早图，悔之无及！"暹叹曰："吾欲归汉，恨无门耳。"登乃出布书。暹览书毕曰："吾已知之。公先回。吾与杨将军反戈击之。但看火起为号，温侯以兵相应可也。"登辞暹，急回报吕布。

布乃分兵五路：高顺引一军进小沛，敌桥蕤；陈宫引一军进沂都，敌陈纪；张辽、臧霸引一军出琅琊，敌雷薄；宋宪、魏续引一军出碣石，敌陈兰；吕布自引一军出大道，敌张勋。各领军一万，余者守城。吕布出城三十里下寨。张勋军到，料敌吕布不过，且退二十里屯住，待四下兵接应。是夜二更时分，韩暹、杨奉分兵到处放火，接应吕家军入寨。勋军大乱。吕布乘势掩杀，张勋败走。吕布赶到天明，正撞纪灵接应。两军相迎，恰待交锋，韩暹、杨奉两路杀来。纪灵大败而走，吕布引兵追杀。山背后一彪军到，门旗开处，只见一队军马，打龙凤日月旗幡，四斗五方旌帜，金瓜银斧，黄钺白旄，黄罗销金伞盖之下，袁术身披金甲，腕悬两刀，立于阵前，大骂："吕布，背主家奴！"布怒，挺戟向前。术将李丰挺枪来迎；战不三合，被布刺伤其手，丰弃枪而走。吕布麾兵冲杀，术军大乱。吕布引军从后追赶，抢夺马匹衣甲无数。袁术引着败军，走不上数里，山背后一彪军出，截住去路。当先一将乃关云长也，大叫："反贼！还不受死！"袁术慌走，余众四散奔逃，被云长大杀了一阵。袁术收拾败军，奔回淮南去了。吕布得胜，邀请云长并杨奉、韩暹等一行人马到徐州，大排筵宴管待，军士都有犒赏。次日，云长辞归。布保韩暹为沂都牧、杨奉为琅琊牧，商议欲留二人在徐州。陈珪曰："不可。韩、杨二人据山东，不出一年，则山东城郭皆属将军也。"布然之，遂送二将暂于沂都、琅琊二处屯扎，以候恩命。陈登私问父曰："何不留二人在徐州，为杀吕布之根？"珪曰："倘二人协助吕布，是反为虎添爪牙也。"登乃服父之高见。

却说袁术败回淮南，遣人往江东问孙策借兵报仇。策怒曰："汝赖吾玉玺，僭称帝号，背反汉室，大逆不道！吾方欲加兵问罪，岂肯反助叛贼乎！"遂作书以绝之。使者赍书回见袁术。术看毕，怒曰："黄口孺子，何敢乃尔！吾先伐之！"长史杨大将力谏方止。

却说孙策自发书后，防袁术兵来，点军守住江口。忽曹操使至，拜策为会稽太守，令起兵征讨袁术。策乃商议，便欲起兵。长史张昭曰："术虽新败，兵多粮足，未可轻敌。不如遗书曹操，劝他南征，吾为后应：两军相援，术军必败。万一有失，亦望操救援。"策从其言，遣使以此意达曹操。

却说曹操至许都，思慕典韦，立祀祭之；封其子典满为中郎，收养在府。忽报孙策遣使致书，操览书毕；又有人报袁术乏粮，劫掠陈留。欲乘虚攻之，遂兴兵南征。令曹仁守许都，其余皆从征：马步兵十七万，粮食辎重千余车。一面先发人会合孙策与刘备、吕布。兵至豫州界上，玄德早引兵来迎，操命请入营。相见毕，玄德献上首级二颗。操惊曰："此是何人首级？"玄德曰："此韩暹、杨奉之首级也。"操曰："何以得之？"玄德曰："吕布令二人权住沂都、琅琊两县。不意二人纵兵掠民，人人嗟怨。因此备乃设一宴，诈请议事；饮酒间，掷盏为号，使关、张二弟杀之，尽降其众。今特来请罪。"操曰："君为国家除害，正是大功，何言罪也！"遂厚劳玄德，合兵到徐州界。吕布出迎，操善言抚慰，封为左将军，许于还都之时，换给印绶。布大喜。操即分吕布一军在左，玄德一军在右，自统大军居中，令夏侯惇、于禁为先锋。

袁术知操兵至，令大将桥蕤引兵五万作先锋。两军会于寿春界口。桥蕤当先出马，与夏侯惇战不三合，被夏侯惇搠死。术军大败，奔走回城。忽报孙策发船攻江边西面，吕布引兵攻东面，刘备、关、张引兵攻南面，操自引兵十七万攻北面。术大惊，急聚众文武商议。杨大将曰："寿春水旱连年，人皆缺食；今又动兵扰民，民既生怨，兵至难以拒敌。不如留军在寿春，不必与战；待彼兵粮尽，必然生变。陛下且统御林军渡淮，一者就熟，二者暂避其锐。"术用其言，留李丰、乐就、梁刚、陈纪四人分兵十万，坚守寿春;其余将卒并库藏金玉宝贝,尽数收拾过淮去了。

却说曹兵十七万,日费粮食浩大,诸郡又荒旱,接济不及。操催军速战,李丰等闭门不出。操军相拒月余,粮食将尽,致书于孙策,借得粮米十万斛,不敷支散。管粮官任峻部下仓官王垕①入禀操曰:"兵多粮少,当如之何?"操曰:"可将小斛散之,权且救一时之急。"垕曰:"兵士倘怨,如何?"操曰:"吾自有策。"垕依命,以小斛分散。操暗使人各寨探听,无不嗟怨,皆言丞相欺众。操乃密召王垕入曰:"吾欲问汝借一物,以压众心,汝必勿吝。"垕曰:"丞相欲用何物?"操曰:"欲借汝头以示众耳。"垕大惊曰:"某实无罪!"操曰:"吾亦知汝无罪,但不杀汝,军必变矣。汝死后,汝妻子吾自养之,汝勿虑也。"垕再欲言时,操早呼刀斧手推出门外,一刀斩讫,悬头高竿,出榜晓示曰:"王垕故行小斛,盗窃官粮,谨按军法。"于是众怨始解。

次日,操传令各营将领:"如三日内不并力破城,皆斩!"操亲自至城下,督诸军搬土运石,填壕塞堑。城上矢石如雨,有两员裨将畏避而回,操掣剑亲斩于城下,遂自下马接土填坑。于是大小将士无不向前,军威大振。城上抵敌不住。曹兵争先上城,斩关落锁,大队拥入。李丰、陈纪、乐就、梁刚都被生擒,操令皆斩于市。焚烧伪造宫室殿宇、一应犯禁之物;寿春城中,收掠一空。商议欲进兵渡淮,追赶袁术。荀彧谏曰:"年来荒旱,粮食艰难,若更进兵,劳军损民,未必有利。不若暂回许都,待来春麦熟,军粮足备,方可图之。"操踌躇未决。忽报马到,报说:"张绣依托刘表,复肆猖獗;南阳、江陵诸县复反;曹洪拒敌不住,连输数阵,今特来告急。"操乃驰书与孙策,令其跨江布阵,以为刘表疑兵,使不敢妄动;自己即日班师,别议征张绣之事。临行,令玄德仍屯兵小沛,与吕布结为兄弟,互相救助,再无相侵。吕布领兵自回徐州。操密谓玄德曰:"吾令汝屯兵小沛,是'掘坑待虎'之计也。公但与陈珪父子商议,勿致有失。某当为公外援。"话毕而别。

却说曹操引军回许都,人报段煨杀了李傕,伍习杀了郭汜,将头来献。段煨并将李傕合族老小二百余口活解入许都。操令分于各门处斩,传首号令,人民称快。天子升殿,会集文武,作太平筵宴。封段煨为荡寇将军、

---

① 王垕(hòu)——人名。

伍习为殄虏将军，各引兵镇守长安。二人谢恩而去。操即奏张绣作乱，当兴兵伐之。天子乃亲排銮驾，送操出师。——时建安三年夏四月也。操留荀彧在许都，调遣兵将，自统大军进发。行军之次，见一路麦已熟；民因兵至，逃避在外，不敢刈麦。操使人远近遍谕村人父老，及各处守境官吏曰："吾奉天子明诏，出兵讨逆，与民除害。方今麦熟之时，不得已而起兵，大小将校，凡过麦田，但有践踏者，并皆斩首。军法甚严，尔民勿得惊疑。"百姓闻谕，无不欢喜称颂，望尘遮道而拜。官军经过麦田，皆下马以手扶麦，递相传送而过，并不敢践踏。操乘马正行，忽田中惊起一鸠，那马眼生，窜入麦中，践坏了一大块麦田。操随呼行军主簿，拟议自己践麦之罪。主簿曰："丞相岂可议罪？"操曰："吾自制法，吾自犯之，何以服众？"即掣所佩之剑欲自刎。众急救住。郭嘉曰："古者《春秋》之义：法不加于尊。丞相总统大军，岂可自戕①？"操沉吟良久，乃曰："既《春秋》有'法不加于尊'之义，吾姑免死。"乃以剑割自己之发，掷于地曰："割发权代首。"使人以发传示三军曰："丞相践麦，本当斩首号令，今割发以代。"于是三军悚然，无不懔②遵军令。后人有诗论之曰：

十万貔貅③十万心，一人号令众难禁。
拔刀割发权为首，方见曹瞒诈术深。

却说张绣知操引兵来，急发书报刘表，使为后应；一面与雷叙、张先二将领兵出城迎敌。两阵对圆，张绣出马，指操骂曰："汝乃假仁义无廉耻之人，与禽兽何异！"操大怒，令许褚出马。绣令张先接战。只三合，许褚斩张先于马下，绣军大败。操引军赶至南阳城下。绣入城，闭门不出。操围城攻打，见城壕甚阔，水势又深，急难近城。乃令军士运土填壕；又用土布袋并柴薪草把相杂，于城边作梯凳；又立云梯窥望城中；操自骑马绕城观之，如此三日。传令教军士于西门角上，堆积柴薪，会集诸将，就那里上城。城中贾诩见如此光景，便谓张绣曰："某已知曹操之意矣。今可将计就计而行。"正是：强中自有强中手，用诈还逢识诈人。不知其计若何，且听下文分解。

---

① 自戕（qiāng）——戕：杀害。自杀的意思。

② 懔（lǐn）——危惧，看见危险而害怕。

③ 貔貅（pí xiū）——古代传说中的猛兽，比喻勇猛的军队。

# 第十八回

## 贾文和料敌决胜　夏侯惇拔矢啖睛

却说贾诩料知曹操之意，便欲将计就计而行，乃谓张绣曰："某在城上见曹操绕城而观者三日。他见城东南角砖土之色，新旧不等，鹿角①多半毁坏，意将从此处攻进；却虚去西北上积草，诈为声势，欲哄我撤兵守西北，彼乘夜黑必爬东南角而进也。"绣曰："然则奈何？"诩曰："此易事耳。来日可令精壮之兵，饱食轻装，尽藏于东南房屋内；却教百姓假扮军士，虚守西北。夜间任他在东南角上爬城。俟其爬进城时，一声炮响，伏兵齐起，操可擒矣。"绣喜，从其计。早有探马报曹操，说张绣尽撤兵在西北角上，呐喊守城，东南却甚空虚。操曰："中吾计矣！"遂命军中密备锹镬爬城器具。日间只引军攻西北角。至二更时分，却领精兵于东南角上爬过壕去，砍开鹿角。城中全无动静，众军一齐拥入。只听得一声炮响，伏兵四起。曹军急退，背后张绣亲驱勇壮杀来。曹军大败，退出城外，奔走数十里。张绣直杀至天明方收军入城。曹操计点败军，折兵五万余人，失去辎重无数。吕虔、于禁俱各被伤。

却说贾诩见操败走，急劝张绣遗书刘表，使起兵截其后路。表得书，即欲起兵。忽探马报孙策屯兵湖口。蒯良曰："策屯兵湖口，乃曹操之计也。今操新败，若不乘势击之，后必有患。"表乃令黄祖坚守隘口，自己统兵至安众县截操后路；一面约会张绣。绣知表兵已起，即同贾诩引兵袭操。

且说操军缓缓而行，至襄城，到淯水，操忽于马上放声大哭。众惊问其故，操曰："吾思去年于此地折了吾大将典韦，不由不哭耳！"因即下令屯住军马，大设祭筵，吊奠典韦亡魂。操亲自拈香哭拜，三军无不感叹。祭典韦毕，方祭侄曹安民及长子曹昂，并祭阵亡军士；连那匹射死的大宛马，

---

① 鹿角——又称鹿砦、鹿寨。军用的一种障碍物，把树木的枝干交叉放置在路口，用来阻止敌兵的进攻。

也都致祭。次日，忽荀彧差人报说："刘表助张绣屯兵安众，截吾归路。"操答彧书曰："吾日行数里，非不知贼来追我；然吾计划已定，若到安众，破绣必矣。君等勿疑。"便催军行至安众县界。刘表军已守险要，张绣随后引军赶来。操乃令众军黑夜凿险开道，暗伏奇兵。及天色微明，刘表、张绣军会合，见操兵少，疑操遁去，俱引兵入险击之。操纵奇兵出，大破两家之兵。曹兵出了安众隘口，于隘外下寨。刘表、张绣各整败兵相见。表曰："何期反中曹操奸计！"绣曰："容再图之。"于是两军集于安众。

且说荀彧探知袁绍欲兴兵犯许都，星夜驰书报曹操。操得书心慌，即日回兵。细作报知张绣，绣欲追之。贾诩曰："不可追也，追之必败。"刘表曰："今日不追，坐失机会矣。"力劝绣引军万余同往追之。约行十余里，赶上曹军后队。曹军奋力接战，绣、表两军大败而还。绣谓诩曰："不用公言，果有此败。"诩曰："今可整兵再往追之。"绣与表俱曰："今已败，奈何复追？"诩曰："今番追去，必获大胜；如其不然，请斩吾首。"绣信之。刘表疑虑，不肯同往。绣乃自引一军往追。操兵果然大败，军马辎重，连路散弃而走。绣正往前追赶，忽山后一彪军拥出。绣不敢前追，收军回安众。刘表问贾诩曰："前以精兵追退兵，而公曰必败；后以败卒击胜兵，而公曰必克：究竟悉如公言。何其事不同而皆验也？愿公明教我。"诩曰："此易知耳。将军虽善用兵，非曹操敌手。操军虽败，必有劲将为后殿①，以防追兵；我兵虽锐，不能敌之也：故知必败。夫操之急于退兵者，必因许都有事；既破我追军之后，必轻车速回，不复为备；我乘其不备而更追之：故能胜也。"刘表、张绣俱服其高见。诩劝表回荆州，绣守襄城，以为唇齿。两军各散。

且说曹操正行间，闻报后军为绣所追，急引众将回身救应，只见绣军已退。败兵回告操曰："若非山后这一路人马阻住中路，我等皆被擒矣。"操急问何人。那人绰枪下马，拜见曹操，乃镇威中郎将，江夏平春人，姓李，名通，字文达。操问何来。通曰："近守汝南，闻丞相与张绣、刘表战，特来接应。"操喜，封之为建功侯，守汝南西界，以防表、绣。李通拜谢而去。操还许都，表奏孙策有功，封为讨逆将军，赐爵吴侯，遣使赍诏江东，谕令防剿刘表。操回府，众官参见毕，荀彧问曰："丞相缓行至安众，何以

---

① 后殿——行军时后卫部队称殿军。

知必胜贼兵？”操曰：“彼退无归路，必将死战，吾缓诱之而暗图之，是以知其必胜也。”荀彧拜服。

郭嘉入，操曰：“公来何暮也？”嘉袖出一书，白操曰：“袁绍使人致书丞相，言欲出兵攻公孙瓒，特来借粮借兵。”操曰：“吾闻绍欲图许都，今见吾归，又别生他议。”遂拆书观之。见其词意骄慢，乃问嘉曰：“袁绍如此无状，吾欲讨之，恨力不及，如何？”嘉曰：“刘、项之不敌，公所知也。高祖惟智胜，项羽虽强，终为所擒。今绍有十败，公有十胜，绍兵虽盛，不足惧也：绍繁礼多仪，公体任自然，此道胜也；绍以逆动，公以顺率，此义胜也；桓、灵以来，政失于宽，绍以宽济，公以猛纠，此治胜也；绍外宽内忌，所任多亲戚，公外简内明，用人惟才，此度胜也；绍多谋少决，公得策辄行，此谋胜也；绍专收名誉，公以至诚待人，此德胜也；绍恤近忽远，公虑无不周，此仁胜也；绍听谗惑乱，公浸润不行①，此明胜也；绍是非混淆，公法度严明，此文胜也；绍好为虚势，不知兵要，公以少克众，用兵如神，此武胜也。公有此十胜，于以败绍无难矣。”操笑曰：“如公所言，孤何足以当之！”荀彧曰：“郭奉孝十胜十败之说，正与愚见相合。绍兵虽众，何足惧耶！”嘉曰：“徐州吕布，实心腹大患。今绍北征公孙瓒，我当乘其远出，先取吕布，扫除东南，然后图绍，乃为上计；否则我方攻绍，布必乘虚来犯许都，为害不浅也。”操然其言，遂议东征吕布。荀彧曰：“可先使人往约刘备，待其回报，方可动兵。”操从之，一面发书与玄德，一面厚遣绍使，奏封绍为大将军、太尉，兼都督冀、青、幽、并四州，密书答之云：“公可讨公孙瓒。吾当相助。”绍得书大喜，便进兵攻公孙瓒。

且说吕布在徐州，每当宾客宴会之际，陈珪父子必盛称布德。陈宫不悦，乘间告布曰：“陈珪父子面谀②将军，其心不可测，宜善防之。”布怒叱曰：“汝无端献谗，欲害好人耶？”宫出叹曰：“忠言不入，吾辈必受殃矣！”意欲弃布他往，却又不忍；又恐被人嗤笑。乃终日闷闷不乐。一日，带领数

① 浸润不行——浸润：“浸润之谮”的省语，时时利用说坏话进行挑拨离间，以逐渐渗入的方式腐蚀人，就像水浸泡物体一样，使听者不易察觉；不行：行不通、不做。

② 面谀——当面奉承。

骑去小沛地面围猎解闷，忽见官道上一骑驿马①，飞奔前去。宫疑之，弃了围场，引从骑从小路赶上，问曰："汝是何处使命？"那使者知是吕布部下人，慌不能答。陈宫令搜其身，得玄德回答曹操密书一封。宫即连人与书，拿见吕布。布问其故。来使曰："曹丞相差我往刘豫州处下书，今得回书，不知书中所言何事。"布乃拆书细看。书略曰：

奉明命欲图吕布，敢不夙夜用心。但备兵微将少，不敢轻动。丞相兴大师，备当为前驱。谨严兵整甲，专待钧命②。

吕布见了，大骂曰："操贼焉敢如此！"遂将使者斩首。先使陈宫、臧霸结连泰山寇孙观、吴敦、尹礼、昌豨，东取山东兖州诸郡。令高顺、张辽取沛城，攻玄德。令宋宪、魏续西取汝、颍。布自总中军为三路救应。

且说高顺等引兵出徐州，将至小沛，有人报知玄德。玄德急与众商议。孙乾曰："可速告急于曹操。"玄德曰："谁可去许都告急？"阶下一人出曰："某愿往。"视之，乃玄德同乡人，姓简，名雍，字宪和，现为玄德幕宾。玄德即修书付简雍，使星夜赴许都求援；一面整顿守城器具。玄德自守南门，孙乾守北门，云长守西门，张飞守东门，令糜竺与其弟糜芳守护中军。原来糜竺有一妹，嫁与玄德为次妻。玄德与他兄弟有郎舅之亲，故令其守中军保护妻小。高顺军至，玄德在敌楼上问曰："吾与奉先无隙，何故引兵至此？"顺曰："你结连曹操，欲害吾主，今事已露，何不就缚！"言讫，便麾军攻城。玄德闭门不出。次日，张辽引兵攻打西门。云长在城上谓之曰："公仪表非俗，何故失身于贼？"张辽低头不语。云长知此人有忠义之气，更不以恶言相加，亦不出战。辽引兵退至东门，张飞便出迎战。早有人报知关公。关公急来东门看时，只见张飞方出城，张辽军已退。飞欲追赶，关公急召入城。飞曰："彼惧而退，何不追之？"关公曰："此人武艺不在你我之下。因我以正言感之，颇有自悔之心，故不与我等战耳。"飞乃悟，只令士卒坚守城门，更不出战。

却说简雍至许都见曹操，具言前事。操即聚众谋士议曰："吾欲攻吕布，不忧袁绍掣肘，只恐刘表、张绣议其后耳。"荀攸曰："二人新破，未敢轻动。吕布骁勇，若更结连袁术，纵横淮、泗，急难图矣。"郭嘉曰："今可乘其

① 驿马——为公家传递文书所使用的马匹。

② 钧——敬辞，用于有关对方的事物或行为（对尊长或上级用）。

初叛，众心未附，疾往击之。”操从其言，即命夏侯惇与夏侯渊、吕虔、李典领兵五万先行，自统大军陆续进发，简雍随行。早有探马报知高顺。顺飞报吕布。布先令侯成、郝萌、曹性引二百余骑接应高顺，使离沛城三十里去迎曹军，自引大军随后接应。玄德在小沛城中见高顺退去，知是曹家兵至，乃只留孙乾守城，糜竺、糜芳守家，自己却与关、张二公，提兵尽出城外，分头下寨，接应曹军。

却说夏侯惇引军前进，正与高顺军相遇，便挺枪出马搦战。高顺迎敌。两马相交，战有四五十合，高顺抵敌不住，败下阵来。惇纵马追赶，顺绕阵而走。惇不舍，亦绕阵追之。阵上曹性看见，暗地拈弓搭箭，觑得亲切，一箭射去，正中夏侯惇左目。惇大叫一声，急用手拔箭，不想连眼珠拔出，乃大呼曰：“父精母血，不可弃也！”遂纳于口内啖之，仍复挺枪纵马，直取曹性。性不及提防，早被一枪搠透面门，死于马下。两边军士见者，无不骇然。夏侯惇既杀曹性，纵马便回。高顺从背后赶来，麾军齐上，曹兵大败。夏侯渊救护其兄而走。吕虔、李典将败军退去济北下寨。高顺得胜，引军回击玄德。恰好吕布大军亦至，布与张辽、高顺分兵三路，来攻玄德、关、张三寨。正是：啖睛猛将虽能战，中箭先锋难久持。未知玄德胜负如何，且听下文分解。

# 第十九回

## 下邳城曹操鏖兵　白门楼吕布殒命

却说高顺引张辽击关公寨，吕布自击张飞寨，关、张各出迎战，玄德引兵两路接应。吕布分军从背后杀来，关、张两军皆溃，玄德引数十骑奔回沛城。吕布赶来，玄德急唤城上军士放下吊桥。吕布随后也到。城上欲待放箭，又恐射了玄德。被吕布乘势杀入城门，把门将士，抵敌不住，都四散奔避。吕布招军入城。玄德见势已急，到家不及，只得弃了妻小，穿城而过，走出西门，匹马逃难。吕布赶到玄德家中，糜竺出迎，告布曰：“吾闻大丈夫不废人之妻子。今与将军争天下者，曹公耳。玄德常念辕门射戟之恩，不敢背将军也。今不得已而投曹公，惟将军怜之。”布曰：“吾与玄德旧交,岂忍害他妻子。”便令糜竺引玄德妻小,去徐州安置。布自引军投山东兖州境上,留高顺、张辽守小沛。此时孙乾已逃出城外。关、张二人亦各自收得些人马,往山中住扎。

且说玄德匹马逃难,正行间,背后一人赶至,视之乃孙乾也。玄德曰:“吾今两弟不知存亡,妻小失散,为之奈何?”孙乾曰:“不若且投曹操,以图后计。”玄德依言,寻小路投许都。途次绝粮,尝往村中求食。但到处,闻刘豫州,皆争进饮食。一日,到一家投宿,其家一少年出拜,问其姓名,乃猎户刘安也。当下刘安闻豫州牧至,欲寻野味供食,一时不能得,乃杀其妻以食之。玄德曰:“此何肉也?”安曰:“乃狼肉也。”玄德不疑,乃饱食了一顿,天晚就宿。至晓将去,往后院取马,忽见一妇人杀于厨下,臂上肉已都割去。玄德惊问,方知昨夜食者,乃其妻之肉也。玄德不胜伤感,洒泪上马。刘安告玄德曰:“本欲相随使君,因老母在堂,未敢远行。”玄德称谢而别,取路出梁城。忽见尘头蔽日,一彪大军来到。玄德知是曹操之军,同孙乾径至中军旗下,与曹操相见,具说失沛城、散二弟、陷妻小之事。操亦为之下泪。又说刘安杀妻为食之事,操乃令孙乾以金百两往赐之。

军行至济北,夏侯渊等迎接入寨,备言兄夏侯惇损其一目,卧病未痊。操临卧处视之,令先回许都调理。一面使人打探吕布现在何处。探马回报云:“吕布与陈宫、臧霸结连泰山贼寇,共攻兖州诸郡。”操即令曹仁引三千兵打沛城;操亲提大军,与玄德来战吕布。前至山东,路近萧关,正遇泰山寇孙观、吴敦、尹礼、昌豨领兵三万余拦住去路。操令许褚迎战,四将一齐出马。许褚奋力死战,四将抵敌不住,各自败走。操乘势掩杀,追至萧关。探马飞报吕布。

时布已回徐州,欲同陈登往救小沛,令陈珪守徐州。陈登临行,珪谓之曰:“昔曹公曾言东方事尽付与汝。今布将败,可便图之。”登曰:“外面之事,儿自为之;倘布败回,父亲便请糜竺一同守城,休放布入,儿自有脱身之计。”珪曰:“布妻小在此,心腹颇多,为之奈何?”登曰:“儿亦有计了。”乃入见吕布曰:“徐州四面受敌,操必力攻,我当先思退步:可将钱粮移于下邳,倘徐州被围,下邳有粮可救。主公盍①早为计?”布曰:“元龙之言甚善。吾当并妻小移去。”遂令宋宪、魏续保护妻小与钱粮移屯下邳;一面自

① 盍(hé)——何不。

引军与陈登往救萧关。到半路，登曰："容某先到关探曹操虚实，主公方可行。"布许之，登乃先到关上。陈宫等接见。登曰："温侯深怪公等不肯向前，要来责罚。"宫曰："今曹兵势大，未可轻敌。吾等紧守关隘，可劝主公深保沛城，乃为上策。"陈登唯唯。至晚，上关而望，见曹兵直逼关下，乃乘夜连写三封书，拴在箭上，射下关去。次日辞了陈宫，飞马来见吕布曰："关上孙观等皆欲献关，某已留下陈宫守把，将军可于黄昏时杀去救应。"布曰："非公则此关休矣。"便教陈登飞骑先至关，约陈宫为内应，举火为号。登径往报宫曰："曹兵已抄小路到关内，恐徐州有失。公等宜急回。"宫遂引众弃关而走。登就关上放起火来。吕布乘黑杀至，陈宫军和吕布军在黑暗里自相掩杀。曹兵望见号火，一齐杀到，乘势攻击。孙观等各自四散逃避去了。吕布直杀到天明，方知是计；急与陈宫回徐州。到得城边叫门时，城上乱箭射下。糜竺在敌楼上喝曰："汝夺吾主城池，今当仍还吾主，汝不得复入此城也。"布大怒曰："陈珪何在？"竺曰："吾已杀之矣。"布回顾宫曰："陈登安在？"宫曰："将军尚执迷而问此佞贼乎？"布令遍寻军中，却只不见。宫劝布急投小沛，布从之。行至半路，只见一彪军骤至，视之，乃高顺、张辽也。布问之，答曰："陈登来报说主公被围，令某等急来救解。"宫曰："此又佞贼之计也。"布怒曰："吾必杀此贼！"急驱马至小沛。只见小沛城上尽插曹兵旗号。原来曹操已令曹仁袭了城池，引军守把。吕布于城下大骂陈登。登在城上指布骂曰："吾乃汉臣，安肯事汝反贼耶！"布大怒，正待攻城，忽听背后喊声大起，一队人马来到，当先一将乃是张飞。高顺出马迎敌，不能取胜。布亲自接战。正斗间，阵外喊声复起，曹操亲统大军冲杀前来。吕布料难抵敌，引军东走。曹兵随后追赶。吕布走得人困马乏。忽又闪出一彪军拦住去路，为首一将，立马横刀，大喝："吕布休走！关云长在此！"吕布慌忙接战。背后张飞赶来。布无心恋战，与陈宫等杀开条路，径奔下邳。侯成引兵接应去了。

关、张相见，各洒泪言失散之事。云长曰："我在海州路上住扎，探得消息，故来至此。"张飞曰："弟在芒砀山住了这几时，今日幸得相遇。"两个叙话毕，一同引兵来见玄德，哭拜于地。玄德悲喜交集，引二人见曹操，便随操入徐州。糜竺接见，具言家属无恙，玄德甚喜。陈珪父子亦来参拜曹操。操设一大宴，犒劳诸将。操自居中，使陈珪居右、玄德居左。其余将士，各依次坐。宴罢，操嘉陈珪父子之功，加封十县之禄，授登为伏波将军。

且说曹操得了徐州，心中大喜，商议起兵攻下邳。程昱曰："布今止有下邳一城，若逼之太急，必死战而投袁术矣。布与术合，其势难攻。今可使能事者守住淮南径路，内防吕布，外当袁术。况今山东尚有臧霸、孙观之徒未曾归顺，防之亦不可忽也。"操曰："吾自当山东诸路。其淮南径路，请玄德当之。"玄德曰："丞相将令，安敢有违。"次日，玄德留糜竺、简雍在徐州，带孙乾、关、张引军往守淮南径路。曹操自引兵攻下邳。

且说吕布在下邳，自恃粮食足备，且有泗水之险，安心坐守，可保无虞。陈宫曰："今操兵方来，可乘其寨栅未定，以逸击劳，无不胜者。"布曰："吾方屡败，不可轻出。待其来攻而后击之，皆落泗水矣。"遂不听陈宫之言。过数日，曹兵下寨已定。操统众将至城下，大叫："吕布答话！"布上城而立。操谓布曰："闻奉先又欲结婚袁术，吾故领兵至此。夫术有反逆大罪，而公有讨董卓之功，今何自弃其前功而从逆贼耶？倘城池一破，悔之晚矣！若早来降，共扶王室，当不失封侯之位。"布曰："丞相且退，尚容商议。"陈宫在布侧大骂曹操"奸贼"，一箭射中其麾盖。操指宫恨曰："吾誓杀汝！"遂引兵攻城。

宫谓布曰："曹操远来，势不能久。将军可以步骑出屯于外，宫将余众闭守于内；操若攻将军，宫引兵击其背；若来攻城，将军为救于后；不过旬日，操军食尽，可一鼓而破：此乃掎角之势也。"布曰："公言极是。"遂归府收拾戎装。时方冬寒，分付从人多带棉衣。布妻严氏闻之，出问曰："君欲何往？"布告以陈宫之谋。严氏曰："君委①全城，捐妻子，孤军远出，倘一旦有变，妾岂得为将军之妻乎？"布踌躇未决，三日不出。宫入见曰："操军四面围城，若不早出，必受其困。"布曰："吾思远出不如坚守。"宫曰："近闻操军粮少，遣人往许都去取，早晚将至。将军可引精兵往断其粮道。此计大妙。"布然其言，复入内对严氏说知此事。严氏泣曰："将军若出，陈宫、高顺安能坚守城池？倘有差失，悔无及矣！妾昔在长安，已为将军所弃，幸赖庞舒私藏妾身，再得与将军相聚；孰知今又弃妾而去乎？将军前程万里，请勿以妾为念！"言罢痛哭。布闻言愁闷不决，入告貂蝉。貂蝉曰："将军与妾作主，勿轻身自出。"布曰："汝无忧虑。吾有画戟、赤兔马，谁敢近

① 委——抛弃、舍弃。

我！”乃出谓陈宫曰：“操军粮至者，诈也。操多诡计，吾未敢动。”宫出，叹曰：“吾等死无葬身之地矣！”布于是终日不出，只同严氏、貂蝉饮酒解闷。谋士许汜、王楷入见布，进计曰：“今袁术在淮南，声势大振。将军旧曾与彼约婚，今何不仍求之？彼兵若至，内外夹攻，操不难破也。”布从其计，即日修书，就着二人前去。许汜曰：“须得一军引路冲出方好。”布令张辽、郝萌两个引兵一千，送出隘口。是夜二更，张辽在前，郝萌在后，保着许汜、王楷杀出城去。抹过玄德寨，众将追赶不及，已出隘口。郝萌将五百人，跟许汜、王楷而去。张辽引一半军回来，到隘口时，云长拦住。未及交锋，高顺引兵出城救应，接入城中去了。

且说许汜、王楷至寿春，拜见袁术，呈上书信。术曰：“前者杀吾使命，赖我婚姻；今又来相问，何也？”汜曰：“此为曹操奸计所误，愿明上①详之。”术曰：“汝主不因曹兵困急，岂肯以女许我？”楷曰：“明上今不相救，恐唇亡齿寒，亦非明上之福也。”术曰：“奉先反复无信，可先送女，然后发兵。”许汜、王楷只得拜辞，和郝萌回来。到玄德寨边，汜曰：“日间不可过。夜半吾二人先行，郝将军断后。”商量停当。夜过玄德寨，许汜、王楷先过去了。郝萌正行之次，张飞出寨拦路。郝萌交马只一合，被张飞生擒过去，五百人马尽被杀散。张飞解郝萌来见玄德，玄德押往大寨见曹操。郝萌备说求救许婚一事。操大怒，斩郝萌于军门，使人传谕各寨，小心防守，如有走透吕布及彼军士者，依军法处治。各寨悚然。玄德回营，分付关、张曰：“我等正当淮南冲要之处。二弟切宜小心在意，勿犯曹公军令。”飞曰：“捉了一员贼将，操不见有甚褒赏，却反来中唬吓，何也？”玄德曰：“非也。曹操统领多军，不以军令，何能服人？弟勿犯之。”关、张应诺而退。

却说许汜、王楷回见吕布，具言袁术先欲得妇，然后起兵救援。布曰：“如何送去？”汜曰：“今郝萌被获，操必知我情，预作准备。若非将军亲自护送，谁能突出重围？”布曰：“今日便送去，如何？”汜曰：“今日乃凶神值日，不可去。明日大利，宜用戌、亥时。”布命张辽、高顺：“引三千军马，安排小车一辆；我亲送至二百里外，却使你两个送去。”次夜二更时分，吕布将女以棉缠身，用甲包裹，负于背上，提戟上马。放开城门，布当先出城，

---

① 明上——尊称。上：古代对皇帝的代称，因当时袁术已自称帝号，故许汜等称之为“明上”。

张辽、高顺跟着。将次到玄德寨前，一声鼓响，关、张二人拦住去路，大叫："休走！"布无心恋战，只顾夺路而行。玄德自引一军杀来，两军混战。吕布虽勇，终是缚一女在身上，只恐有伤，不敢冲突重围。后面徐晃、许褚皆杀来，众军皆大叫曰："不要走了吕布！"布见军来太急，只得仍退入城。玄德收军，徐晃等各归寨，端的不曾走透一个。吕布回到城中，心中忧闷，只是饮酒。

却说曹操攻城，两月不下。忽报："河内太守张杨出兵东市，欲救吕布；部将杨丑杀之，欲将头献丞相，却被张杨心腹将眭固所杀，反投犬戎去了。"操闻报，即遣史涣追斩眭固。因聚众将曰："张杨虽幸自灭，然北有袁绍之忧，东有表、绣之患，下邳久围不克。吾欲舍布还都，暂且息战，何如？"荀攸急止曰："不可。吕布屡败，锐气已堕，军以将为主，将衰则军无战心。彼陈宫虽有谋而迟。今布之气未复，宫之谋未定，作速攻之，布可擒也。"郭嘉曰："某有一计，下邳城可立破，胜于二十万师。"荀彧曰："莫非决沂、泗之水乎？"嘉笑曰："正是此意。"操大喜，即令军士决两河之水。曹兵皆居高原，坐视水淹下邳。下邳一城，只剩得东门无水；其余各门，都被水淹。众军飞报吕布。布曰："吾有赤兔马，渡水如平地，又何惧哉！"乃日与妻妾痛饮美酒。因酒色过伤，形容销减；一日取镜自照，惊曰："吾被酒色伤矣！自今日始，当戒之。"遂下令城中，但有饮酒者皆斩。

却说侯成有马十五匹，被后槽人盗去，欲献与玄德。侯成知觉，追杀后槽人，将马夺回；诸将与侯成作贺。侯成酿得五六斛酒，欲与诸将会饮，恐吕布见罪，乃先以酒五瓶诣布府，禀曰："托将军虎威，追得失马。众将皆来作贺。酿得些酒，未敢擅饮，特先奉上微意。"布大怒曰："吾方禁酒，汝却酿酒会饮，莫非同谋伐我乎！"命推出斩之。宋宪、魏续等诸将俱入告饶。布曰："故犯吾令，理合斩首。今看众将面，且打一百！"众将又哀告，打了五十背花①，然后放归。众将无不丧气。宋宪、魏续至侯成家来探视，侯成泣曰："非公等则吾死矣！"宪曰："布只恋妻子，视吾等如草芥。"续曰："军围城下，水绕壕边，吾等死无日矣！"宪曰："布无仁无义，我等弃之而走，何如？"续曰："非丈夫也。不若擒布献曹公。"侯成曰："我因追马受责，而布所倚恃者，赤兔马也。汝二人果能献门擒布，吾当先盗马去见曹公。"

---

① 背花——用刑杖打脊背，伤破的地方叫背花，打脊背就叫做打背花。

三人商议定了。是夜侯成暗至马院，盗了那匹赤兔马，飞奔东门来。魏续便开门放出，却佯作追赶之状。侯成到曹操寨，献上马匹，备言宋宪、魏续插白旗为号，准备献门。曹操闻此信，便押榜①数十张射入城去。其榜曰：

大将军曹，特奉明诏，征伐吕布。如有抗拒大军者，破城之日，满门诛戮。上至将校，下至庶民，有能擒吕布来献，或献其首级者，重加官赏。为此榜谕，各宜知悉。

次日平明，城外喊声震地。吕布大惊，提戟上城，各门点视，责骂魏续走透侯成，失了战马，欲待治罪。城下曹兵望见城上白旗，竭力攻城，布只得亲自抵敌。从平明直打到日中，曹兵稍退。布少憩门楼，不觉睡着在椅上。宋宪赶退左右，先盗其画戟，便与魏续一齐动手，将吕布绳缠索绑，紧紧缚住。布从睡梦中惊醒，急唤左右，却都被二人杀散，把白旗一招，曹兵齐至城下。魏续大叫："已生擒吕布矣！"夏侯渊尚未信。宋宪在城上掷下吕布画戟来，大开城门，曹兵一拥而入。高顺、张辽在西门，水围难出，为曹兵所擒。陈宫奔至南门，为徐晃所获。

曹操入城，即传令退了所决之水，出榜安民；一面与玄德同坐白门楼上，关、张侍立于侧，提过擒获一干人来。吕布虽然长大，却被绳索捆作一团。布叫曰："缚太急，乞缓之！"操曰："缚虎不得不急。"布见侯成、魏续、宋宪皆立于侧，乃谓之曰："我待诸将不薄，汝等何忍背反？"宪曰："听妻妾言，不听将计，何谓不薄？"布默然。须臾，众拥高顺至。操问曰："汝有何言？"顺不答。操怒命斩之。徐晃解陈宫至。操曰："公台别来无恙！"宫曰："汝心术不正，吾故弃汝！"操曰："吾心不正，公又奈何独事吕布？"宫曰："布虽无谋，不似你诡诈奸险。"操曰："公自谓足智多谋，今竟何如？"宫顾吕布曰："恨此人不从吾言！若从吾言，未必被擒也。"操曰："今日之事当如何？"宫大声曰："今日有死而已！"操曰："公如是，奈公之老母妻子何？"宫曰："吾闻以孝治天下者，不害人之亲；施仁政于天下者，不绝人之祀。老母妻子之存亡，亦在于明公耳。吾身既被擒，请即就戮，并无挂念。"操有留恋之意。宫径步下楼，左右牵之不住。操起身泣而送之。宫并不回顾。操谓从者曰："即送公台老母妻子回许都养老。怠慢者斩。"宫

① 押榜——押：签字；榜：布告文书。在布告文书上签字。

闻言,亦不开口,伸颈就刑。众皆下泪。操以棺椁盛其尸,葬于许都。后人有诗叹之曰:

生死无二志,丈夫何壮哉!不从金石论,空负栋梁材。

辅主真堪敬,辞亲实可哀。白门身死日,谁肯似公台!

方操送宫下楼时,布告玄德曰:“公为坐上客,布为阶下囚,何不发一言而相宽乎?”玄德点头。及操上楼来,布叫曰:“明公所患,不过于布;布今已服矣。公为大将,布副之,天下不难定也。”操回顾玄德曰:“何如?”玄德答曰:“公不见丁建阳、董卓之事乎?”布目视玄德曰:“是儿最无信者!”操令牵下楼缢①之。布回顾玄德曰:“大耳儿!不记辕门射戟时耶?”忽一人大叫曰:“吕布匹夫!死则死耳,何惧之有!”众视之,乃刀斧手拥张辽至。操令将吕布缢死,然后枭首。后人有诗叹曰:

洪水滔滔淹下邳,当年吕布受擒时:

空余赤兔马千里,漫有方天戟一枝。

缚虎望宽今太懦,养鹰休饱昔无疑。

恋妻不纳陈宫谏,枉骂无恩“大耳儿”。

又有诗论玄德曰:

伤人饿虎缚休宽,董卓丁原血未干。

玄德既知能啖父,争如留取害曹瞒?

却说武士拥张辽至。操指辽曰:“这人好生面善。”辽曰:“濮阳城中曾相遇,如何忘却?”操笑曰:“你原来也记得!”辽曰:“只是可惜!”操曰:“可惜甚的?”辽曰:“可惜当日火不大,不曾烧死你这国贼!”操大怒曰:“败将安敢辱吾!”拔剑在手,亲自来杀张辽。辽全无惧色,引颈待杀。曹操背后一人攀住臂膊,一人跪于面前,说道:“丞相且莫动手!”正是:乞哀吕布无人救,骂贼张辽反得生。毕竟救张辽的是谁,且听下文分解。

---

① 缢(yì)——吊死。

# 第二十回

## 曹阿瞒许田打围　董国舅内阁受诏

话说曹操举剑欲杀张辽，玄德攀住臂膊，云长跪于面前。玄德曰："此等赤心之人，正当留用。"云长曰："关某素知文远忠义之士，愿以性命保之。"操掷剑笑曰："我亦知文远忠义，故戏之耳。"乃亲释其缚，解衣衣之，延之上坐。辽感其意，遂降。操拜辽为中郎将，赐爵关内侯，使招安臧霸。霸闻吕布已死，张辽已降，遂亦引本部军投降。操厚赏之。臧霸又招安孙观、吴敦、尹礼来降；独昌豨未肯归顺。操封臧霸为琅琊相。孙观等亦各加官，令守青、徐沿海地面。将吕布妻女载回许都。大犒三军，拔寨班师。路过徐州，百姓焚香遮道，请留刘使君为牧。操曰："刘使君功大，且待面君封爵，回来未迟。"百姓叩谢。操唤车骑将军车胄权领徐州。操军回许昌，封赏出征人员，留玄德在相府左近宅院歇定。

次日，献帝设朝，操表奏玄德军功，引玄德见帝。玄德具朝服拜于丹墀①。帝宣上殿，问曰："卿祖何人？"玄德奏曰："臣乃中山靖王之后，孝景皇帝阁下玄孙，刘雄之孙，刘弘之子也。"帝教取宗族世谱检看，令宗正卿宣读曰：

> 孝景皇帝生十四子。第七子乃中山靖王刘胜。胜生陆城亭侯刘贞。贞生沛侯刘昂。昂生漳侯刘禄。禄生沂水侯刘恋。恋生钦阳侯刘英。英生安国侯刘建。建生广陵侯刘哀。哀生胶水侯刘宪。宪生祖邑侯刘舒。舒生祁阳侯刘谊。谊生原泽侯刘必。必生颍川侯刘达。达生丰灵侯刘不疑。不疑生济川侯刘惠。惠生东郡范令刘雄。雄生刘弘。弘不仕。刘备乃刘弘之子也。

帝排世谱，则玄德乃帝之叔也。帝大喜，请入偏殿叙叔侄之礼。帝暗思："曹操弄权，国事都不由朕主，今得此英雄之叔，朕有助矣！"遂拜玄德为左将军、宜城亭侯。设宴款待毕，玄德谢恩出朝。自此人皆称为刘皇叔。

---

① 丹墀(chí)——皇帝殿前石阶，涂上红色，叫做丹墀。

曹操回府，荀彧等一班谋士入见曰："天子认刘备为叔，恐无益于明公。"操曰："彼既认为皇叔，吾以天子之诏令之，彼愈不敢不服矣。况吾留彼在许都，名虽近君，实在吾掌握之内，吾何惧哉？吾所虑者，太尉杨彪系袁术亲戚，倘与二袁为内应，为害不浅。当即除之。"乃密使人诬告彪交通袁术，遂收彪下狱，命满宠按①治之。时北海太守孔融在许都，因谏操曰："杨公四世清德，岂可因袁氏而罪之乎？"操曰："此朝廷意也。"融曰："使成王杀召公，周公可得言不知耶？"操不得已，乃免彪官，放归田里。议郎赵彦愤操专横，上疏劾②操不奉帝旨、擅收大臣之罪。操大怒，即收赵彦杀之。于是百官无不悚惧。谋士程昱说操曰："今明公威名日盛，何不乘此时行王霸之事③？"操曰："朝廷股肱④尚多，未可轻动。吾当请天子田猎，以观动静。"

于是拣选良马、名鹰、俊犬，弓矢俱备，先聚兵城外，操入请天子田猎。帝曰："田猎恐非正道。"操曰："古之帝王，春蒐夏苗，秋狝冬狩⑤：四时出郊，以示武于天下。今四海扰攘之时，正当借田猎以讲武。"帝不敢不从，随即上逍遥马，带宝雕弓、金铍箭，排銮驾出城。玄德与关、张各弯弓插箭，内穿掩心甲，手持兵器，引数十骑随驾出许昌。曹操骑爪黄飞电马，引十万之众，与天子猎于许田。军士排开围场，周广二百余里。操与天子并马而行，只争⑥一马头。背后都是操之心腹将校。文武百官，远远侍从，谁敢近前。当日献帝驰马到许田，刘玄德起居⑦道傍。帝曰："朕今欲看皇叔射猎。"玄德领命上马，忽草中赶起一兔。玄德射之，一箭正中那兔。帝喝采。转过土坡，忽见荆棘中赶出一只大鹿。帝连射三箭不中，顾谓操曰："卿射之。"操就讨天子宝雕弓、金铍箭，扣满一射，正中鹿背，倒于草中。

---

① 按——考察、调查。

② 劾(hé)——弹动，揭发罪状。

③ 行王霸之事——王：指做天子；霸：指做诸侯中的盟主。这里指掌握大权，逐步篡位做皇帝。

④ 股肱(gōng)——股：大腿；肱：臂自肘至腕部分。喻皇帝亲信的大臣。

⑤ 春蒐(sōu)夏苗，秋狝(xiǎn)冬狩——蒐：春天打猎；苗：夏天打猎；狝：秋天打猎；狩：冬天打猎。

⑥ 争——相差。后文第一百十六回"争些儿"即差一点儿、险些儿。

⑦ 起居——向皇帝行礼请安的意思。

群臣将校，见了金鈚箭，只道天子射中，都踊跃向帝呼“万岁”。曹操纵马直出，遮于天子之前以迎受之。众皆失色。玄德背后云长大怒，剔起卧蚕眉，睁开丹凤眼，提刀拍马便出，要斩曹操。玄德见了，慌忙摇手送目。关公见兄如此，便不敢动。玄德欠身向操称贺曰：“丞相神射，世所罕及！”操笑曰：“此天子洪福耳。”乃回马向天子称贺，竟不献还宝雕弓，就自悬带。围场已罢，宴于许田。宴毕，驾回许都。众人各自归歇。云长问玄德曰：“操贼欺君罔上，我欲杀之，为国除害，兄何止我？”玄德曰：“‘投鼠忌器’①。操与帝相离只一马头，其心腹之人，周回拥侍；吾弟若逞一时之怒，轻有举动，倘事不成，有伤天子，罪反坐②我等矣。”云长曰：“今日不杀此贼，后必为祸。”玄德曰：“且宜秘之，不可轻言。”

却说献帝回宫，泣谓伏皇后曰：“朕自即位以来，奸雄并起，先受董卓之殃，后遭傕、汜之乱。常人未受之苦，吾与汝当之。后得曹操，以为社稷之臣；不意专国弄权，擅作威福。朕每见之，背若芒刺。今日在围场上，身迎呼贺，无礼已极！早晚必有异谋，吾夫妇不知死所也！”伏皇后曰：“满朝公卿，俱食汉禄，竟无一人能救国难乎？”言未毕，忽一人自外而入曰：“帝、后休忧。吾举一人，可除国害。”帝视之，乃伏皇后之父伏完也。帝掩泪问曰：“皇丈亦知操贼之专横乎？”完曰：“许田射鹿之事，谁不见之？但满朝之中，非操宗族，则其门下。若非国戚，谁肯尽忠讨贼？老臣无权，难行此事。车骑将军国舅董承可托也。”帝曰：“董国舅多赴国难，朕躬素知；可宣入内，共议大事。”完曰：“陛下左右皆操贼心腹，倘事泄，为祸不浅。”帝曰：“然则奈何？”完曰：“臣有一计：陛下可制衣一领，取玉带一条，密赐董承；却于带衬内缝一密诏以赐之，令到家见诏，可以昼夜画策，神鬼不觉矣。”帝然之，伏完辞出。

帝乃自作一密诏，咬破指尖，以血写之，暗令伏皇后缝于玉带紫锦衬内，却自穿锦袍，自系此带，令内史宣董承入。承见帝礼毕，帝曰：“朕夜来与后说霸河之苦，念国舅大功，故特宣入慰劳。”承顿首谢。帝引承出殿，到太庙，转上功臣阁内。帝焚香礼毕，引承观画像。中间画汉高祖容像。帝曰：“吾高祖皇帝起身何地？如何创业？”承大惊曰：“陛下戏臣耳。圣祖

---

① 投鼠忌器——虽然想打老鼠，但又顾虑砸坏了器物，只得不打。

② 反坐——坐：入罪、定罪、连累。反过来会怪罪。

之事，何为不知？高皇帝起自泗上亭长，提三尺剑，斩蛇起义，纵横四海，三载亡秦，五年灭楚：遂有天下，立万世之基业。”帝曰：“祖宗如此英雄，子孙如此懦弱，岂不可叹！”因指左右二辅之像曰：“此二人非留侯张良、酂侯萧何耶？”承曰：“然也。高祖开基创业，实赖二人之力。”帝回顾左右较远，乃密谓承曰：“卿亦当如此二人立于朕侧。”承曰：“臣无寸功，何以当此？”帝曰：“朕想卿西都救驾之功，未尝少忘，无可为赐。”因指所着袍带曰：“卿当衣朕此袍，系朕此带，常如在朕左右也。”承顿首谢。帝解袍带赐承，密语曰：“卿归可细观之，勿负朕意。”承会意，穿袍系带，辞帝下阁。早有人报知曹操曰：“帝与董承登功臣阁说话。”操即入朝来看。董承出阁，才过宫门，恰遇操来；急无躲避处，只得立于路侧施礼。操问曰：“国舅何来？”承曰：“适蒙天子宣召，赐以锦袍玉带。”操问曰：“何故见赐？”承曰：“因念某旧日西都救驾之功，故有此赐。”操曰：“解带我看。”承心知衣带中必有密诏，恐操看破，迟延不解。操叱左右：“急①解下来！”看了半晌，笑曰：“果然是条好玉带！再脱下锦袍来借看。”承心中畏惧，不敢不从，遂脱袍献上。操亲自以手提起，对日影中细细详看。看毕，自己穿在身上，系了玉带，回顾左右曰：“长短如何？”左右称美。操谓承曰：“国舅即以此袍带转赐与吾，何如？”承告曰：“君恩所赐，不敢转赠；容某别制奉献。”操曰：“国舅受此衣带，莫非其中有谋乎？”承惊曰：“某焉敢？丞相如要，便当留下。”操曰：“公受君赐，吾何相夺？聊为戏耳。”遂脱袍带还承。

承辞操归家，至夜独坐书院中，将袍仔细反复看了，并无一物。承思曰：“天子赐我袍带，命我细观，必非无意；今不见甚踪迹，何也？”随又取玉带检看，乃白玉玲珑，碾成小龙穿花，背用紫锦为衬，缝缀端整，亦并无一物。承心疑，放于桌上，反复寻之。良久，倦甚。正欲伏几而寝，忽然灯花落于带上，烧着背衬。承惊拭之，已烧破一处，微露素绢，隐见血迹。急取刀拆开视之，乃天子手书血字密诏也。诏曰：

朕闻人伦之大，父子为先；尊卑之殊，君臣为重。近日操贼弄权，欺压君父；结连党伍，败坏朝纲；敕赏封罚，不由朕主。朕夙夜忧思，恐天下将危。卿乃国之大臣，朕之至戚，当念高帝创业之艰难，纠合忠义两全之烈士，殄灭奸党，复安社稷，祖宗幸甚！破指洒血，书诏付卿，再四

① 急——快、立即。

慎之，勿负朕意！建安四年春三月诏。

董承览毕，涕泪交流，一夜寝不能寐。晨起，复至书院中，将诏再三观看，无计可施。乃放诏于几上，沉思灭操之计。忖量未定，隐几而卧。忽侍郎王子服至。门吏知子服与董承交厚，不敢拦阻，竟入书院。见承伏几不醒，袖底压着素绢，微露"朕"字。子服疑之，默取看毕，藏于袖中，呼承曰："国舅好自在！亏你如何睡得着！"承惊觉，不见诏书，魂不附体，手脚慌乱。子服曰："汝欲杀曹公！吾当出首。"承泣告曰："若兄如此，汉室休矣！"子服曰："吾戏耳。吾祖宗世食汉禄，岂无忠心？愿助兄一臂之力，共诛国贼。"承曰："兄有此心，国之大幸！"子服曰："当于密室同立义状，各舍三族，以报汉君。"承大喜，取白绢一幅，先书名画字。子服亦即书名画字。书毕，子服曰："将军吴子兰，与吾至厚，可与同谋。"承曰："满朝大臣，惟有长水校尉种辑、议郎吴硕是吾心腹，必能与我同事。"正商议间，家僮入报种辑、吴硕来探。承曰："此天助我也！"教子服暂避于屏后。承接二人入书院坐定，茶毕，辑曰："许田射猎之事，君亦怀恨乎？"承曰："虽怀恨，无可奈何。"硕曰："吾誓杀此贼，恨无助我者耳！"辑曰："为国除害，虽死无怨！"王子服从屏后出曰："汝二人欲杀曹丞相！我当出首，董国舅便是证见。"种辑怒曰："忠臣不怕死！吾等死做汉鬼，强似你阿附国贼！"承笑曰："吾等正为此事，欲见二公。王侍郎之言乃戏耳。"便于袖中取出诏来与二人看。二人读诏，挥泪不止。承遂请书名。子服曰："二公在此少待，吾去请吴子兰来。"子服去不多时，即同子兰至，与众相见，亦书名毕。承邀于后堂会饮。

忽报西凉太守马腾相探。承曰："只推我病，不能接见。"门吏回报。腾大怒曰："我夜来①在东华门外，亲见他锦袍玉带而出，何故推病耶！吾非无事而来，奈何拒我！"门吏入报，备言腾怒。承起曰："诸公少待，暂容承出。"随即出厅延接。礼毕坐定，腾曰："腾入觐将还，故来相辞，何见拒②也？"承曰："贱躯暴疾，有失迎候，罪甚！"腾曰："面带春色，未见病容。"承无言可答。腾拂袖便起，嗟叹下阶曰："皆非救国之人也！"承感其言，挽留之，问曰："公谓何人非救国之人？"腾曰："许田射猎之事，吾尚气满胸膛；

---

① 夜来——昨天。

② 见拒——被拒绝。

公乃国之至戚，犹自殢①于酒色，而不思讨贼，安得为皇家救难扶灾之人乎！”承恐其诈，佯惊曰：“曹丞相乃国之大臣，朝廷所倚赖，公何出此言？”腾大怒曰：“汝尚以曹贼为好人耶？”承曰：“耳目甚近，请公低声。”腾曰：“贪生怕死之徒，不足以论大事！”说罢，又欲起身。承知腾忠义，乃曰：“公且息怒。某请公看一物。”遂邀腾入书院，取诏示之。腾读毕，毛发倒竖，咬齿嚼唇，满口流血，谓承曰：“公若有举动，吾即统西凉兵为外应。”承请腾与诸公相见，取出义状，教腾书名。腾乃取酒歃血为盟曰：“吾等誓死不负所约！”指坐上五人言曰：“若得十人，大事谐矣。”承曰：“忠义之士，不可多得。若所与非人，则反相害矣。”腾教取《鸳行鹭序簿》②来检看。检到刘氏宗族，乃拍手言曰：“何不共此人商议？”众皆问何人。马腾不慌不忙，说出那人来。正是：本因国舅承明诏，又见宗潢③佐汉朝。毕竟马腾之言如何，且听下文分解。

# 第二十一回

## 曹操煮酒论英雄　关公赚城斩车胄

却说董承等问马腾曰：“公欲用何人？”马腾曰：“见有豫州牧刘玄德在此，何不求之？”承曰：“此人虽系皇叔，今正依附曹操，安肯行此事耶？”腾曰：“吾观前日围场之中，曹操迎受众贺之时，云长在玄德背后，挺刀欲杀操，玄德以目视之而止。玄德非不欲图操，恨操牙爪多，恐力不及耳。公试求之，当必应允。”吴硕曰：“此事不宜太速，当从容商议。”众皆散去。次日黑夜里，董承怀诏，径往玄德公馆中来。门吏入报，玄德迎出，请入小阁坐定。关、张侍立于侧。玄德曰：“国舅夤夜④至此，必有事故。”承曰：“白

---

① 殢(tì)——延搁、滞留的意思。

② 《鸳行鹭序簿》——也叫《搢绅便览》，在职官员的名册。鸳行、鹭序，指官僚朝会的班次。

③ 宗潢——皇帝的宗族子孙。

④ 夤(yín)夜——深夜。

日乘马相访，恐操见疑，故黑夜相见。”玄德命取酒相待。承曰：“前日围场之中，云长欲杀曹操，将军动目摇头而退之，何也？”玄德失惊曰：“公何以知之？”承曰：“人皆不见，某独见之。”玄德不能隐讳，遂曰：“舍弟见操僭越①，故不觉发怒耳。”承掩面而哭曰：“朝廷臣子，若尽如云长，何忧不太平哉！”玄德恐是曹操使他来试探，乃佯言曰：“曹丞相治国，为何忧不太平？”承变色而起曰：“公乃汉朝皇叔，故剖肝沥胆以相告，公何诈也？”玄德曰：“恐国舅有诈，故相试耳。”于是董承取衣带诏令观之，玄德不胜悲愤。又将义状出示，上止有六位：一，车骑将军董承；二，工部侍郎王子服；三，长水校尉种辑；四，议郎吴硕；五，昭信将军吴子兰；六，西凉太守马腾。玄德曰：“公既奉诏讨贼，备敢不效犬马之劳。”承拜谢，便请书名。玄德亦书“左将军刘备”，押了字，付承收讫。承曰：“尚容再请三人，共聚十义，以图国贼。”玄德曰：“切宜缓缓施行，不可轻泄。”共议到五更，相别去了。

玄德也防曹操谋害，就下处后园种菜，亲自浇灌，以为韬晦②之计。关、张二人曰：“兄不留心天下大事，而学小人③之事，何也？”玄德曰：“此非二弟所知也。”二人乃不复言。

一日，关、张不在，玄德正在后园浇菜，许褚、张辽引数十人入园中曰：“丞相有命，请使君便行。”玄德惊问曰：“有甚紧事？”许褚曰：“不知。只教我来相请。”玄德只得随二人入府见操。操笑曰：“在家做得好大事！”唬得玄德面如土色。操执玄德手，直至后园，曰：“玄德学圃④不易！”玄德方才放心，答曰：“无事消遣耳。”操曰：“适见枝头梅子青青，忽感去年征张绣时，道上缺水，将士皆渴；吾心生一计，以鞭虚指曰：‘前面有梅林。’军士闻之，口皆生唾，由是不渴。今见此梅，不可不赏。又值煮酒正熟，故邀使君小亭一会。”玄德心神方定。随至小亭，已设樽俎⑤：盘置青梅，一樽煮酒。二人对坐，开怀畅饮。

---

① 僭越——超越了礼法的等级规定。

② 韬(tāo)晦——把光芒收敛起来。比喻有意隐蔽自己，避免引起人注意或猜疑。

③ 小人——老百姓。

④ 学圃——学习种菜。

⑤ 樽俎——樽：酒器；俎：盛肉器皿。樽俎同“尊俎”，常用为宴席的代称。

酒至半酣，忽阴云漠漠，骤雨将至。从人遥指天外龙挂①，操与玄德凭栏观之。操曰："使君知龙之变化否？"玄德曰："未知其详。"操曰："龙能大能小，能升能隐：大则兴云吐雾，小则隐介藏形；升则飞腾于宇宙之间，隐则潜伏于波涛之内。方今春深，龙乘时变化，犹人得志而纵横四海。龙之为物，可比世之英雄。玄德久历四方，必知当世英雄。请试指言之。"玄德曰："备肉眼安识英雄？"操曰："休得过谦。"玄德曰："备叨②恩庇，得仕于朝。天下英雄，实有未知。"操曰："既不识其面，亦闻其名。"玄德曰："淮南袁术，兵粮足备，可为英雄？"操笑曰："冢中枯骨，吾早晚必擒之！"玄德曰："河北袁绍，四世三公，门多故吏；今虎踞冀州之地，部下能事者极多，可为英雄？"操笑曰："袁绍色厉胆薄，好谋无断；干大事而惜身，见小利而忘命：非英雄也。"玄德曰："有一人名称八俊，威镇九州——刘景升可为英雄？"操曰："刘表虚名无实，非英雄也。"玄德曰："有一人血气方刚，江东领袖——孙伯符乃英雄也？"操曰："孙策藉父之名，非英雄也。"玄德曰："益州刘季玉，可为英雄乎？"操曰："刘璋虽系宗室，乃守户之犬耳，何足为英雄！"玄德曰："如张绣、张鲁、韩遂等辈皆何如？"操鼓掌大笑曰："此等碌碌小人，何足挂齿！"玄德曰："舍此之外，备实不知。"操曰："夫英雄者，胸怀大志，腹有良谋，有包藏宇宙之机，吞吐天地之志者也。"玄德曰："谁能当之？"操以手指玄德，后自指，曰："今天下英雄，惟使君与操耳！"玄德闻言，吃了一惊，手中所执匙箸③，不觉落于地下。时正值大雨将至，雷声大作。玄德乃从容俯首拾箸曰："一震之威，乃至于此。"操笑曰："丈夫亦畏雷乎？"玄德曰："圣人迅雷风烈必变④，安得不畏？"将闻言失箸缘故，轻轻掩饰过了。操遂不疑玄德。后人有诗赞曰：

勉从虎穴暂趋身，说破英雄惊杀人。

巧借闻雷来掩饰，随机应变信如神。

天雨方住，见两个人撞入后园，手提宝剑，突至亭前，左右拦挡不住。

---

① 龙挂——龙卷风。古人认为是施雨的龙在下挂吸水。

② 叨（tāo）——受到（好处）。

③ 箸——筷子。

④ 迅雷风烈必变——语出《论语·乡党》：孔子遇到疾雷暴风，必定要改变容色，以示对上天的敬畏。迅雷风烈：迅雷烈风。

操视之，乃关、张二人也。原来二人从城外射箭方回，听得玄德被许褚、张辽请将去了，慌忙来相府打听；闻说在后园，只恐有失，故冲突而入。却见玄德与操对坐饮酒。二人按剑而立。操问二人何来。云长曰："听知丞相和兄饮酒，特来舞剑，以助一笑。"操笑曰："此非'鸿门会①'，安用项庄、项伯乎？"玄德亦笑。操命："取酒与二'樊哙'压惊。"关、张拜谢。须臾席散，玄德辞操而归。云长曰："险些惊杀我两个！"玄德以落箸事说与关、张。关、张问是何意。玄德曰："吾之学圃，正欲使操知我无大志；不意操竟指我为英雄，我故失惊落箸。又恐操生疑，故借惧雷以掩饰之耳。"关、张曰："兄真高见！"

操次日又请玄德。正饮间，人报满宠去探听袁绍而回。操召入问之。宠曰："公孙瓒已被袁绍破了。"玄德急问曰："愿闻其详。"宠曰："瓒与绍战不利，筑城围圈，圈上建楼，高十丈，名曰易京楼，积粟三十万以自守。战士出入不息，或有被绍围者，众请救之。瓒曰：'若救一人，后之战者只望人救，不肯死战矣。'遂不肯救。因此袁绍兵来，多有降者。瓒势孤，使人持书赴许都求救，不意中途为绍军所获。瓒又遗书张燕，暗约举火为号，里应外合。下书人又被袁绍擒住，却来城外放火诱敌。瓒自出战，伏兵四起，军马折其大半。退守城中，被袁绍穿地直入瓒所居之楼下，放起火来。瓒无走路，先杀妻子，然后自缢，全家都被火焚了。今袁绍得了瓒军，声势甚盛。绍弟袁术在淮南骄奢过度，不恤军民，众皆背反。术使人归帝号于袁绍。绍欲取玉玺，术约亲自送至，见今弃淮南欲归河北。若二人协力，急难收复。乞丞相作急图之。"玄德闻公孙瓒已死，追念昔日荐己之恩，不胜伤感；又不知赵子龙如何下落，放心不下。因暗想曰："我不就此时寻个脱身之计，更待何时？"遂起身对操曰："术若投绍，必从徐州过。备请一军就半路截击，术可擒矣。"操笑曰："来日奏帝，即便起兵。"

次日，玄德面奏君。操令玄德总督五万人马，又差朱灵、路昭二人同行。玄德辞帝，帝泣送之。玄德到寓，星夜收拾军器鞍马，挂了将军印，催促便行。董承赶出十里长亭来送。玄德曰："国舅宁耐②。某此行必有以

---

① 鸿门会——刘邦和项羽争霸时，二人曾在鸿门相会，宴间，范增使项庄舞剑，意在刺杀刘邦，但项伯也起身舞剑，保护刘邦。后樊哙闯入，救刘邦于难。

② 宁耐——宁：安定、安宁；耐：忍耐。

报命。"承曰:"公宜留意,勿负帝心。"二人分别。关、张在马上问曰:"兄今番出征,何故如此慌速?"玄德曰:"吾乃笼中鸟、网中鱼。——此一行如鱼入大海、鸟上青霄,不受笼网之羁绊也!"因命关、张催朱灵、路昭军马速行。时郭嘉、程昱考较钱粮方回,知曹操已遣玄德进兵徐州,慌入谏曰:"丞相何故令刘备督①军?"操曰:"欲截袁术耳。"程昱曰:"昔刘备为豫州牧时,某等请杀之,丞相不听;今日又与之兵:此放龙入海,纵虎归山也。后欲治之,其可得乎?"郭嘉曰:"丞相纵不杀备,亦不当使之去。古人云:'一日纵敌,万世之患。'望丞相察之。"操然其言,遂令许褚将兵五百前往,务要追玄德转来,许褚应诺而去。

却说玄德正行之间,只见后面尘头骤起,谓关、张曰:"此必曹兵追至也。"遂下了营寨,令关、张各执军器,立于两边。许褚至,见严兵整甲,乃下马入营见玄德。玄德曰:"公来此何干?"褚曰:"奉丞相命,特请将军回去,别有商议。"玄德曰:"'将在外,君命有所不受。'吾面过君,又蒙丞相钧语。今别无他议,公可速回,为我禀覆丞相。"许褚寻思:"丞相与他一向交好,今番又不曾教我来厮杀,只得将他言语回覆,另候裁夺便了。"遂辞了玄德,领兵而回。回见曹操,备述玄德之言。操犹豫未决。程昱、郭嘉曰:"备不肯回兵,可知其心变矣。"操曰:"我有朱灵、路昭二人在彼,料玄德未必敢心变。况我既遣之,何可复悔?"遂不复追玄德。后人有诗叹玄德曰:

束兵秣马去匆匆,心念天言衣带中。
撞破铁笼逃虎豹,顿开金锁走蛟龙。

却说马腾见玄德已去,边报又急,亦回西凉州去了。玄德兵至徐州,刺史车胄出迎。公宴毕,孙乾、糜竺等都来参见。玄德回家探视老小,一面差人探听袁术。探子回报:"袁术奢侈太过,雷薄、陈兰皆投嵩山去了。术势甚衰,乃作书让帝号于袁绍。绍命人召术,术乃收拾人马、宫禁御用之物,先到徐州来。"

玄德知袁术将至,乃引关、张、朱灵、路昭五万军出,正迎着先锋纪灵至。张飞更不打话,直取纪灵。斗无十合,张飞大喝一声,刺纪灵于马下,败军奔走。袁术自引军来斗。玄德分兵三路:朱灵、路昭在左,关、张在右,玄德自引兵居中,与术相见,在门旗下责骂曰:"汝反逆不道,吾今奉明

---

① 督——统率。

诏前来讨汝！汝当束手受降，免你罪犯。"袁术骂曰："织席编屦小辈，安敢轻我！"麾兵赶来。玄德暂退，让左右两路军杀出。杀得术军尸横遍野，血流成渠；兵卒逃亡，不可胜计。又被嵩山雷薄、陈兰劫去钱粮草料。欲回寿春，又被群盗所袭，只得住于江亭。止有一千余众，皆老弱之辈。时当盛暑，粮食尽绝，只剩麦三十斛，分派军士。家人无食，多有饿死者。术嫌饭粗，不能下咽，乃命庖人①取蜜水止渴。庖人曰："止有血水，安有蜜水！"术坐于床上，大叫一声，倒于地下，吐血斗余而死。时建安四年六月也。后人有诗曰：

汉末刀兵起四方，无端袁术太猖狂。
不思累世为公相，便欲孤身作帝王。
强暴枉夸传国玺，骄奢妄说应天祥。
渴思蜜水无由得，独卧空床呕血亡。

袁术已死，侄袁胤将灵柩及妻子奔庐江来，被徐璆尽杀之。璆夺得玉玺，赴许都献于曹操。操大喜，封徐璆为高陵太守。此时玉玺归操。

却说玄德知袁术已丧，写表申奏朝廷，书呈曹操，令朱灵、路昭回许都，留下军马保守徐州；一面亲自出城，招谕流散人民复业。

且说朱灵、路昭回许都见曹操，说玄德留下军马。操怒，欲斩二人。荀彧曰："权归刘备，二人亦无奈何。"操乃赦之。彧又曰："可写书与车胄就内图之。"操从其计，暗使人来见车胄，传曹操钧旨。胄随即请陈登商议此事。登曰："此事极易。今刘备出城招民，不日将还；将军可命军士伏于瓮城②边，只作接他，待马到来，一刀斩之；某在城上射住后军，大事济矣。"胄从之。陈登回见父陈珪，备言其事。珪命登先往报知玄德。登领父命，飞马去报，正迎着关、张，报说如此如此。原来关、张先回，玄德在后。张飞听得，便要去厮杀。云长曰："他伏瓮城边待我，去必有失。我有一计，可杀车胄：乘夜扮作曹军到徐州，引车胄出迎，袭而杀之。"飞然其言。那部下军原有曹操旗号，衣甲都同。当夜三更，到城边叫门。城上问是谁，众应是曹丞相差来张文远的人马。报知车胄，胄急请陈登议曰："若不迎

① 庖人——厨师。
② 瓮城——城门外防护城门的小城叫瓮城。

接,诚恐有疑;若出迎之,又恐有诈。”胄乃上城回言:“黑夜难以分辨,平明①了相见。”城下答应:“只恐刘备知道,疾快开门!”车胄犹豫未定,城外一片声叫开门。车胄只得披挂上马,引一千军出城;跑过吊桥,大叫:“文远何在?”火光中只见云长提刀纵马直迎车胄,大叫曰:“匹夫安敢怀诈,欲杀吾兄!”车胄大惊,战未数合,遮拦不住,拨马便回。到吊桥边,城上陈登乱箭射下,车胄绕城而走。云长赶来,手起一刀,砍于马下,割下首级提回,望城上呼曰:“反贼车胄,吾已杀之;众等无罪,投降免死!”诸军倒戈投降,军民皆安。

云长将胄头去迎玄德,具言车胄欲害之事,今已斩首。玄德大惊曰:“曹操若来,如之奈何?”云长曰:“弟与张飞迎之。”玄德懊悔不已,遂入徐州。百姓父老,伏道而接。玄德到府,寻张飞,飞已将车胄全家杀尽。玄德曰:“杀了曹操心腹之人,如何肯休?”陈登曰:“某有一计,可退曹操。”正是:既把孤身离虎穴,还将妙计息狼烟②。不知陈登说出甚计来,且听下文分解。

# 第二十二回

## 袁曹各起马步三军　关张共擒王刘二将

却说陈登献计于玄德曰:“曹操所惧者袁绍。绍虎踞冀、青、幽、并诸郡,带甲百万,文官武将极多,今何不写书遣人到彼求救?”玄德曰:“绍向与我未通往来,今又新破其弟,安肯相助?”登曰:“此间有一人与袁绍三世通家,若得其一书致绍,绍必来相助。”玄德问何人。登曰:“此人乃公平日所折节敬礼者,何故忘之?”玄德猛省曰:“莫非郑康成先生乎?”登笑曰:“然也。”

原来郑康成名玄,好学多才,尝受业于马融。融每当讲学,必设绛帐,前聚生徒,后陈声妓,侍女环列左右。玄听讲三年,目不邪视,融甚奇之。

① 平明——天亮。
② 狼烟——代指战争。据说狼粪晒干,燃烧起来烟直不散,古代军中用作报警的烽火。

及学成而归，融叹曰："得我学之秘者，惟郑玄一人耳！"玄家中侍婢俱通《毛诗》。一婢尝忤①玄意，玄命长跪阶前。一婢戏谓之曰："胡为乎泥中？"此婢应声曰："薄言往诉，逢彼之怒。②"其风雅如此。桓帝朝，玄官至尚书；后因十常侍之乱，弃官归田，居于徐州。玄德在涿郡时，已曾师事之；及为徐州牧，时时造庐请教，敬礼特甚。

当下玄德想出此人，大喜，便同陈登亲至郑玄家中，求其作书。玄慨然依允，写书一封，付与玄德。玄德便差孙乾星夜赍往袁绍处投递。绍览毕，自忖曰："玄德攻灭吾弟，本不当相助；但重以郑尚书之命，不得不往救之。"遂聚文武官，商议兴兵伐曹操。谋士田丰曰："兵起连年，百姓疲弊，仓廪无积，不可复兴大军。宜先遣人献捷天子，若不得通，乃表称曹操隔我王路，然后提兵屯黎阳；更于河内增益舟楫，缮置③军器，分遣精兵，屯扎边鄙④。三年之中，大事可定也。"谋士审配曰："不然。以明公之神武，抚河朔之强盛，兴兵讨曹贼，易如反掌，何必迁延日月？"谋士沮授曰："制胜之策，不在强盛。曹操法令既行，士卒精练，比公孙瓒坐受困者不同。今弃献捷良策，而兴无名之兵，窃为明公不取。"谋士郭图曰："非也。兵加曹操，岂曰无名？公正当及时早定大业。愿从郑尚书之言，与刘备共仗大义，剿灭曹贼，上合天意，下合民情，实为幸甚！"四人争论未定，绍踌躇不决。忽许攸、荀谌自外而入。绍曰："二人多有见识，且看如何主张。"二人施礼毕，绍曰："郑尚书有书来，令我起兵助刘备，攻曹操。起兵是乎？不起兵是乎？"二人齐声应曰："明公以众克寡，以强攻弱，讨汉贼以扶王室：起兵是也。"绍曰："二人所见，正合我心。"便商议兴兵。先令孙乾回报郑玄，并约玄德准备接应；一面令审配、逢纪为统军，田丰、荀谌、许攸为谋士，颜良、文丑为将军，起马军十五万，步兵十五万，共精兵三十万，望黎阳进发。分拨已定，郭图进曰："以明公大义伐操，必须数操之恶，驰檄各郡，

---

① 忤(wǔ)——违反。

② "胡为乎泥中"、"薄言往诉，逢彼之怒"——《诗经·邶风·式微》及《柏舟》中的句子。上句是问：为什么跪在地上？下两句是答：向他报告事情，正碰上他恼火。

③ 缮(shàn)置——修理、整治，安排。

④ 边鄙——边疆、边远的地方。

声罪致讨①，然后名正言顺。”绍从之，遂令书记陈琳草檄。琳字孔璋，素有才名；灵帝时为主簿，因谏何进不听，复遭董卓之乱，避难冀州，绍用为记室。当下领命草檄，援笔立就②。其文曰：

盖闻明主图危以制变，忠臣虑难以立权。是以有非常之人，然后有非常之事；有非常之事，然后立非常之功。夫非常者，固非常人所拟也。

曩者，强秦弱主，赵高执柄，专制朝权，威福由己；时人迫胁，莫敢正言；终有望夷之败③，祖宗焚灭，污辱至今，永为世鉴。及臻吕后季年，产、禄专政，内兼二军，外统梁、赵；擅断万机，决事省禁；下陵上替，海内寒心。于是绛侯、朱虚兴兵奋怒，诛夷逆暴，尊立太宗④，故能王道兴隆，光明显融：此则大臣立权之明表也。

司空曹操：祖父中常侍腾，与左悺、徐璜⑤，并作妖孽，饕餮⑥放横，伤化虐民；父嵩，乞丐携养，因赃假位，舆金辇璧，输货权门，窃盗鼎司，倾覆重器。操赘阉⑦遗丑，本无懿德；犷狡锋协，好乱乐祸。

幕府⑧董统鹰扬，扫除凶逆；续遇董卓，侵官暴国。于是提剑挥鼓，发命东夏，收罗英雄，弃瑕取用；故遂与操同谘合谋，授以裨师，谓其鹰犬之才，爪牙可任。至乃愚佻短略，轻进易退，伤夷折衄⑨，数丧师徒；幕府辄复分兵命锐，修完补辑，表行东郡，领兖州刺史，被以虎文，奖成威

---

① 声罪致讨——宣布对方的罪恶，发兵讨伐。

② 援笔立就——援：拿、拿过来。拿起笔来立即写就。

③ 望夷之败——望夷：秦宫名。秦二世宠用宦官赵高，后来反被他所迫，自杀于望夷宫。

④ 吕后季年，产、禄专政……诛夷逆暴，尊立太宗——高祖刘邦死后，其妻吕后由她的侄子吕产、吕禄领兵辅政，想篡皇位。大臣绛侯周勃和朱虚侯刘章联合用计，杀死吕产，迎立高祖之子刘恒做皇帝，是为汉文帝。“太宗”是汉文帝的庙号。

⑤ 曹腾、左悺、徐璜——东汉时三个专权太监。

⑥ 饕餮（tāo tiè）——传说中的一种贪食恶兽，后来也指贪婪凶恶的人。

⑦ 赘（zhuì）阉——赘：入赘，指曹嵩；阉：宦官，指曹腾。

⑧ 幕府——本指将帅办公的地方，这里是袁绍代称。

⑨ 衄（nǜ）——失败、挫伤。

柄，冀获秦师一克之报①。而操遂承资跋扈，恣行凶忒，割剥元元②，残贤害善。

故九江太守边让，英才俊伟，天下知名；直言正色，论不阿谄；身首被枭悬之诛，妻孥受灰灭之咎。自是士林愤痛，民怨弥重；一夫奋臂，举州同声。故躬破于徐方，地夺于吕布；彷徨东裔，蹈据无所。幕府惟强干弱枝之义，且不登叛人之党，故复援旌擐甲，席卷起征，金鼓响振，布众奔沮；拯其死亡之患，复其方伯之位：则幕府无德于兖土之民，而有大造于操也。

后会銮驾返旆，群虏寇攻。时冀州方有北鄙之警，匪遑离局；故使从事中郎徐勋，就发遣操，使缮修郊庙，翊卫③幼主。操便放志：专行胁迁，当御省禁；卑侮④王室，败法乱纪；坐领三台，专制朝政；爵赏由心，刑戮在口；所爱光五宗，所恶灭三族；群谈者受显诛，腹议者蒙隐戮；百僚钳口，道路以目；尚书记朝会，公卿充员品而已。

故太尉杨彪，典历二司⑤，享国极位。操因缘眦睚⑥，被以非罪；榜楚参并⑦，五毒备至；触情任忒，不顾宪纲。又议郎赵彦，忠谏直言，义有可纳，是以圣朝含听，改容加饰。操欲迷夺时明，杜绝言路，擅收立杀，不俟报闻。又梁孝王，先帝母昆⑧，坟陵尊显；桑梓松柏，犹宜肃恭。而操帅将吏士，亲临发掘，破棺裸尸，掠取金宝。至令圣朝流涕，士民伤怀！

---

① 秦师一克之报——春秋时，秦国大夫孟明领兵作战，被晋国打败，但秦君未加惩罚，希望他将来能报仇，后来，他果然战胜了晋国。

② 割剥元元——残害人民。元元：百姓。

③ 翊(yì)卫——翊：辅佐、帮助。辅佐保卫。

④ 卑侮——贬低侮辱。

⑤ 故太尉杨彪，典历二司——太尉、司徒、司空合称三公，是东汉最高的官位。杨彪在任太尉前，历任司空、司徒，所以这里说他“典历二司”。

⑥ 眦睚(zì yá)——睚眦，怒目而视。

⑦ 榜楚参并——榜：捶击、捶打；楚：打人的荆条，引申为打。棍棒交加。

⑧ 梁孝王，先帝母昆——梁孝王刘武，是汉文帝的儿子、汉景弟的弟弟。先帝：指景帝；母昆：同胞兄弟。

操又特置"发丘中郎将","摸金校尉",所过隳突①,无骸不露。身处三公之位,而行桀虏之态,污国害民,毒施人鬼!加其细政惨苛,科防互设;罾缴充蹊,坑阱塞路;举手挂网罗,动足触机陷:是以兖、豫有无聊之民,帝都有吁嗟之怨。历观载籍,无道之臣,贪残酷烈,于操为甚!

幕府方诘外奸,未及整训;加绪含容,冀可弥缝。而操豺狼野心,潜包祸谋,乃欲摧挠栋梁,孤弱汉室,除灭忠正,专为枭雄。往者伐鼓北征公孙瓒,强寇桀逆,拒围一年。操因其未破,阴交书命,外助王师,内相掩袭。会其行人②发露,瓒亦枭夷,故使锋芒挫缩,厥图不果③。

今乃屯据敖仓,阻河为固,欲以螳螂之斧,御隆车之隧。幕府奉汉威灵,折冲宇宙;长戟百万,胡骑千群;奋中黄、育、获④之士,骋良弓劲弩之势;并州越太行,青州涉济、漯;大军泛黄河而角其前,荆州下宛、叶而掎其后:雷震虎步,若举炎火以焫⑤飞蓬,覆沧海以沃熛炭⑥,有何不灭者哉?

又操军吏士,其可战者,皆出自幽、冀,或故营部曲,咸怨旷思归,流涕北顾。其余兖、豫之民,及吕布、张杨之余众,覆亡迫胁,权时苟从;各被创夷,人为仇敌。若回旆方徂,登高冈而击鼓吹,扬素挥以启降路,必土崩瓦解,不俟血刃。

方今汉室陵迟,纲维弛绝;圣朝无一介之辅,股肱无折冲之势。方畿之内,简练之臣,皆垂头质搨翼,莫所凭恃;虽有忠义之佐,胁于暴虐之臣,焉能展其节?

又操持部曲精兵七百,围守宫阙,外托宿卫,内实拘执。惧其篡逆之萌,因斯而作。此乃忠臣肝脑涂地之秋,烈士立功之会,可不勖⑦哉!

操又矫命称制,遣使发兵。恐边远州郡,过听给与,违众旅叛,举以

---

① 隳(huī)突——冲撞、破坏。
② 行人——官名,负有某种使命被派出外联络、交涉的人员。
③ 厥图不果——他的阴谋没有得逞。
④ 中黄、育、获——中黄伯、夏育、乌获,都是古代以武勇著称的大力士。
⑤ 焫(ruò)——点燃、焚烧。
⑥ 沃熛(biāo)炭——浇灭燃烧的木炭。
⑦ 勖(xù)——勉励。

丧名，为天下笑：则明哲不取也。

即日幽、并、青、冀四州并进。书到荆州，便勒现兵，与建忠将军①协同声势。州郡各整义兵，罗落境界，举武扬威，并匡社稷：则非常之功于是乎著。

其得操首者，封五千户侯，赏钱五千万。部曲偏裨将校诸吏降者，勿有所问。广宣恩信，班扬符赏，布告天下，咸使知圣朝有拘迫之难。如律令！

绍览檄大喜，即命使将此檄遍行州郡，并于各处关津隘口张挂。檄文传至许都，时曹操方患头风，卧病在床。左右将此檄传进，操见之，毛骨悚然，出了一身冷汗，不觉头风顿愈，从床上一跃而起，顾谓曹洪曰："此檄何人所作？"洪曰："闻是陈琳之笔。"操笑曰："有文事者，必须以武略济之。陈琳文事虽佳，其如袁绍武略之不足何！"遂聚众谋士商议迎敌。

孔融闻之，来见操曰："袁绍势大，不可与战，只可与和。"荀彧曰："袁绍无用之人，何必议和？"融曰："袁绍土广民强。其部下如许攸、郭图、审配、逢纪皆智谋之士；田丰、沮授皆忠臣也；颜良、文丑勇冠三军；其余高览、张郃、淳于琼等俱世之名将。——何谓绍为无用之人乎？"彧笑曰："绍兵多而不整。田丰刚而犯上，许攸贪而不智，审配专而无谋，逢纪果而无用：此数人者，势不相容，必生内变。颜良、文丑，匹夫之勇，一战可擒。其余碌碌等辈，纵有百万，何足道哉！"孔融默然。操大笑曰："皆不出荀文若之料。"遂唤前军刘岱、后军王忠引军五万，打着"丞相"旗号，去徐州攻刘备。原来刘岱旧为兖州刺史；及操取兖州，岱降于操，操用为偏将，故今差他与王忠一同领兵。操却自引大军二十万，进黎阳，拒袁绍。程昱曰："恐刘岱、王忠不称其使。"操曰："吾亦知非刘备敌手，权且虚张声势。"分付："不可轻进。待我破绍，再勒兵破备。"刘岱、王忠领兵去了。

曹操自引兵至黎阳。两军隔八十里，各自深沟高垒，相持不战。自八月守至十月。原来许攸不乐审配领兵，沮授又恨绍不用其谋，各不相和，不图进取。袁绍心怀疑惑，不思进兵。操乃唤吕布手下降将臧霸守把青、徐；于禁、李典屯兵河上；曹仁总督大军，屯于官渡。操自引一军，竟回许都。

---

① 建忠将军——指张绣，绣官建忠将军，当时他驻扎在宛城。

且说刘岱、王忠引军五万，离徐州一百里下寨。中军虚打"曹丞相"旗号，未敢进兵，只打听河北消息。这里玄德也不知曹操虚实，未敢擅动，亦只探听河北。忽曹操差人催刘岱、王忠进战。二人在寨中商议。岱曰："丞相催促攻城，你可先去。"王忠曰："丞相先差你。"岱曰："我是主将，如何先去？"忠曰："我和你同引兵去。"岱曰："我与你拈阄，拈着的便去。"王忠拈着"先"字，只得分一半军马，来攻徐州。玄德听知军马到来，请陈登商议曰："袁本初虽屯兵黎阳，奈谋臣不和，尚未进取。曹操不知在何处。闻黎阳军中，无操旗号，如何这里却反有他旗号？"登曰："操诡计百出，必以河北为重，亲自监督，却故意不建旗号，乃于此处虚张旗号：吾意操必不在此。"玄德曰："两弟谁可探听虚实？"张飞曰："小弟愿往。"玄德曰："汝为人躁暴，不可去。"飞曰："便是有曹操也拿将来！"云长曰："待弟往观其动静。"玄德曰："云长若去，我却放心。"于是云长引三千人马出徐州来。

时值初冬，阴云布合，雪花乱飘，军马皆冒雪布阵。云长骤马提刀而出，大叫王忠打话。忠出曰："丞相到此，缘何不降？"云长曰："请丞相出阵，我自有话说。"忠曰："丞相岂肯轻见你！"云长大怒，骤马向前。王忠挺枪来迎。两马相交，云长拨马便走。王忠赶来。转过山坡，云长回马，大叫一声，舞刀直取。王忠拦截不住，恰待骤马奔逃，云长左手倒提宝刀，右手揪住王忠勒甲绦，拖下鞍鞒，横担于马上，回本阵来。王忠军四散奔走。云长押解王忠，回徐州见玄德。玄德问："尔乃何人？现居何职？敢诈称'曹丞相'！"忠曰："焉敢有诈？——奉命教我虚张声势，以为疑兵。丞相实不在此。"玄德教付衣服酒食，且暂监下，待捉了刘岱，再作商议。云长曰："某知兄有和解之意，故生擒将来。"玄德曰："吾恐翼德躁暴，杀了王忠，故不教去。此等人杀之无益，留之可为解和之地。"张飞曰："二哥捉了王忠，我去生擒刘岱来！"玄德曰："刘岱昔为兖州刺史，虎牢关伐董卓时，也是一镇诸侯。今日为前军，不可轻敌。"飞曰："量此辈何足道哉！我也似二哥生擒将来便了。"玄德曰："只恐坏了他性命，误我大事。"飞曰："如杀了，我偿他命！"玄德遂与军三千。飞引兵前进。

却说刘岱知王忠被擒，坚守不出。张飞每日在寨前叫骂，岱听知是张飞，越不敢出。飞守了数日，见岱不出，心生一计：传令今夜二更去劫寨；日间却在帐中饮酒诈醉，寻军士罪过，打了一顿，缚在营中，曰："待我今夜出兵时，将来祭旗！"却暗使左右纵之去。军士得脱，偷走出营，径往刘岱营中来报劫寨之事。刘岱见降卒身受重伤，遂听其说，虚扎空寨，伏兵在外。是夜张飞却分兵三路，中间使三十余人，劫寨放火；却教两路军抄出他寨后，看火起为号，夹击之。三更时分，张飞自引精兵，先断刘岱后路；中路三十余人，抢入寨中放火。刘岱伏兵恰待杀入，张飞两路兵齐出。岱军自乱，正不知飞兵多少，各自溃散。刘岱引一队残军，夺路而走，正撞见张飞，狭路相逢，急难回避，交马只一合，早被张飞生擒过去。余众皆降。飞使人先报入徐州。玄德闻之，谓云长曰："翼德自来粗莽，今亦用智，吾无忧矣！"乃亲自出郭迎之。飞曰："哥哥道我躁暴，今日如何？"玄德曰："不用言语相激，如何肯使机谋！"飞大笑。

玄德见缚刘岱过来，慌下马解其缚曰："小弟张飞误有冒渎，望乞恕罪。"遂迎入徐州，放出王忠，一同管待。玄德曰："前因车胄欲害备，故不得不杀之。丞相错疑备反，遣二将军前来问罪。备受丞相大恩，正思报效，安敢反耶？二将军至许都，望善言为备分诉，备之幸也。"刘岱、王忠曰："深荷使君不杀之恩，当于丞相处方便，以某两家老小保使君。"玄德称谢。次日尽还原领军马，送出郭外。刘岱、王忠行不上十余里，一声鼓响，张飞拦路大喝曰："我哥哥忒没分晓！捉住贼将如何又放了？"唬得刘岱、王忠在马上发颤。张飞睁眼挺枪赶来，背后一人飞马大叫："不得无礼！"视之，乃云长也。刘岱、王忠方才放心。云长曰："既兄长放了，吾弟如何不遵法令？"飞曰："今番放了，下次又来。"云长曰："待他再来，杀之未迟。"刘岱、王忠连声告退曰："便丞相诛我三族，也不来了。望将军宽恕。"飞曰："便是曹操自来，也杀他片甲不回！今番权且寄下两颗头！"刘岱、王忠抱头鼠窜而去。

云长、翼德回见玄德曰："曹操必然复来。"孙乾谓玄德曰："徐州受敌之地，不可久居；不若分兵屯小沛，守邳城，为掎角之势，以防曹操。"玄德用其言，令云长守下邳；甘、糜二夫人亦于下邳安置。——甘夫人乃小沛人也，糜夫人乃糜竺之妹也。——孙乾、简雍、糜竺、糜芳守徐州。玄德与张飞屯小沛。

刘岱、王忠回见曹操，具言刘备不反之事。操怒骂："辱国之徒，留你何用！"喝令左右推出斩之。正是：犬豕何堪共虎斗，鱼虾空自与龙争。不知二人性命如何，且听下文分解。

# 第二十三回

## 祢正平裸衣骂贼　吉太医下毒遭刑

却说曹操欲斩刘岱、王忠。孔融谏曰："二人本非刘备敌手，若斩之，恐失将士之心。"操乃免其死，黜罢爵禄。欲自起兵伐玄德。孔融曰："方今隆冬盛寒，未可动兵，待来春未为晚也。可先使人招安张绣、刘表，然后再图徐州。"操然其言，先遣刘晔往说张绣。晔至襄城，先见贾诩，陈说曹公盛德。诩乃留晔于家中。次日来见张绣，说曹公遣刘晔招安之事。正议间，忽报袁绍有使至。绣命入。使者呈上书信。绣览之，亦是招安之意。诩问来使曰："近日兴兵破曹操，胜负何如？"使曰："隆冬寒月，权且罢兵。今以将军与荆州刘表俱有国士之风，故来相请耳。"诩大笑曰："汝可便回见本初，道：'汝兄弟尚不能容，何能容天下国士乎！'"当面扯碎书，叱退来使。

张绣曰："方今袁强曹弱；今毁书叱使，袁绍若至，当如之何？"诩曰："不如去从曹操。"绣曰："吾先与操有仇，安得相容？"诩曰："从操其便有三：夫曹公奉天子明诏，征伐天下，其宜从一也；绍强盛，我以少从之，必不以我为重，操虽弱，得我必喜，其宜从二也；曹公王霸之志，必释私怨，以明德于四海，其宜从三也。愿将军无疑焉。"绣从其言，请刘晔相见。晔盛称操德，且曰："丞相若记旧怨，安肯使某来结好将军乎？"绣大喜，即同贾诩等赴许都投降。绣见操，拜于阶下。操忙扶起，执其手曰："有小过失，勿记于心。"遂封绣为扬武将军，封贾诩为执金吾使。操即命绣作书招安刘表。贾诩进曰："刘景升好结纳名流，今必得一有文名之士往说之，方可降耳。"操问荀攸曰："谁人可去？"攸曰："孔文举可当其任。"操然之。攸出见孔融曰："丞相欲得一有文名之士，以备行人之选。公可当此任否？"融曰："吾友祢衡，字正平，其才十倍于我。此人宜在帝左右，不但可备行人而已。我当荐之天子。"于是遂上表奏帝。其文曰：

臣闻洪水横流，帝思俾乂①；旁求四方，以招贤俊。昔世宗②继统，将弘基业；畴咨熙载，群士响臻。陛下睿圣，纂承基绪，遭遇厄运，劳谦日昃③；维岳降神，异人并出。窃见处士平原祢衡：年二十四，字正平，淑质贞亮，英才卓跞。初涉艺文，升堂睹奥；目所一见，辄诵之口，耳所暂闻，不忘于心；性与道合，思若有神；弘羊潜计，安世默识④，以衡准⑤之，诚不足怪。忠果正直，志怀霜雪；见善若惊，嫉恶若仇；任座抗行，史鱼厉节⑥，殆无以过也。鸷鸟累百，不如一鹗；使衡立朝，必有可观。飞辩骋词，溢气坌涌；解疑释结，临敌有余。

昔贾谊求试属国，诡系单于⑦；终军欲以长缨，牵制劲越⑧；弱冠慷慨，前世美之。近日路粹、严象，亦用异才，擢拜台郎。衡宜与为比。如得龙跃天衢，振翼云汉，扬声紫微，垂光虹霓，足以昭近署之多士，增四门之穆穆。钧天广乐，必有奇丽之观；帝室皇居，必蓄非常之宝。若衡等辈，不可多得。《激楚》、《阳阿》，至妙之容，掌伎者之所贪；飞兔、騕褭，绝足奔放，良、乐之所急也⑨。臣等区区，敢不以闻？陛下笃慎取士，必须效试，乞令衡以褐衣⑩召见。如无可观采，臣等受面欺之罪。

---

① 乂(yì)——有才能的人。

② 世宗——汉武帝刘彻，“世宗”是他的庙号。

③ 日昃(zè)——昃：太阳西斜。形容很晚。

④ 弘羊潜计，安世默识(zhì)——桑弘羊，西汉时的理财家，善于在心里计算数目。张安世，西汉时丞相，记忆力强，皇帝丢失了三箧书，他都记得书里的内容。

⑤ 准——标准、衡量。

⑥ 任座抗行，史鱼厉节——任座，战国时魏国的臣子，魏君听到别人的批评，正在发怒，他却敢于当面再次肯定批评者是对的。史鱼，名佗，字子鱼，春秋时卫国的大夫，以死谏诤卫君，阻止卫君任用坏人做大臣。

⑦ 昔贾谊……诡系单于——贾谊，西汉时政论家。他曾向皇帝说：“如若派我做管理属国的官，我一定可以制服匈奴的皇帝单于，使他听命。”

⑧ 终军……牵制劲越——终军，西汉时人。汉与南越（粤）和亲，派终军作使者，他表示将用长绳子把南越王牵引到汉朝来，使他降服。

⑨ 飞兔、騕(yāo)褭(niǎo)……良、乐之所急也——飞兔、騕褭，都是良马的名称；良、乐，指王良、伯乐，以善于御马、相马著称。

⑩ 褐(hè)衣——粗布衣服，代指平民。

帝览表，以付曹操。操遂使人召衡至。礼毕，操不命坐。祢衡仰天叹曰："天地虽阔，何无一人也！"操曰："吾手下有数十人，皆当世英雄，何谓无人？"衡曰："愿闻。"操曰："荀彧、荀攸、郭嘉、程昱，机深智远，虽萧何、陈平不及也。张辽、许褚、李典、乐进，勇不可当，虽岑彭、马武不及也。吕虔、满宠为从事，于禁、徐晃为先锋；夏侯惇天下奇才，曹子孝世间福将。——安得无人？"衡笑曰："公言差矣！此等人物，吾尽识之：荀彧可使吊丧问疾，荀攸可使看坟守墓，程昱可使关门闭户，郭嘉可使白词念赋，张辽可使击鼓鸣金，许褚可使牧牛放马，乐进可使取状读招，李典可使传书送檄，吕虔可使磨刀铸剑，满宠可使饮酒食糟，于禁可使负版筑墙，徐晃可使屠猪杀狗；夏侯惇称为'完体将军'，曹子孝呼为'要钱太守'。其余皆是衣架、饭囊、酒桶、肉袋耳！"操怒曰："汝有何能？"衡曰："天文地理，无一不通；三教九流①，无所不晓；上可以致君为尧、舜，下可以配德于孔、颜②。岂与俗子共论乎！"时止有张辽在侧，掣剑欲斩之。操曰："吾正少一鼓吏；早晚朝贺宴享，可令祢衡充此职。"衡不推辞，应声而去。辽曰："此人出言不逊，何不杀之？"操曰："此人素有虚名，远近所闻。今日杀之，天下必谓我不能容物。彼自以为能，故令为鼓吏以辱之。"

来日，操于省厅上大宴宾客，令鼓吏挝鼓③。旧吏云："挝鼓必换新衣。"衡穿旧衣而入。遂击鼓为《渔阳三挝》，音节殊妙，渊渊有金石声。坐客听之，莫不慷慨流涕。左右喝曰："何不更衣！"衡当面脱下旧破衣服，裸体而立，浑身尽露。坐客皆掩面。衡乃徐徐着裤，颜色不变。操叱曰："庙堂之上，何太无礼？"衡曰："欺君罔上乃谓无礼。吾露父母之形，以显清白之体耳！"操曰："汝为清白，谁为污浊？"衡曰："汝不识贤愚，是眼浊也；不读诗书，是口浊也；不纳忠言，是耳浊也；不通古今，是身浊也；不容诸侯，是腹浊也；常怀篡逆，是心浊也！吾乃天下名士，用为鼓吏，是犹阳货轻仲尼，臧仓毁孟子耳！欲成王霸之业，而如此轻人耶？"

---

① 三教九流——三教：儒、释、道；九流：儒、道、阴阳、法、名、墨、纵横、杂、农九家的统称。泛指宗教、学术中各种流派或社会上各种行业。

② 孔、颜——孔子、颜回。

③ 挝（zhuā）鼓——击鼓。

时孔融在坐，恐操杀衡，乃从容进曰："祢衡罪同胥靡①，不足发明王之梦。"操指衡而言曰："令汝往荆州为使。如刘表来降，便用汝做公卿。"衡不肯往。操教备马三匹，令二人扶挟而行；却教手下文武，整酒于东门外送之。荀彧曰："如祢衡来，不可起身。"衡至，下马入见，众皆端坐。衡放声大哭。荀彧问曰："何为而哭？"衡曰："行于死柩之中，如何不哭？"众皆曰："吾等是死尸，汝乃无头狂鬼耳！"衡曰："吾乃汉朝之臣，不作曹瞒之党，安得无头？"众欲杀之。荀彧急止之曰："量鼠雀之辈，何足污刀！"衡曰："吾乃鼠雀，尚有人性；汝等只可谓之蜾虫！"众恨而散。

衡至荆州，见刘表毕，虽颂德，实讥讽。表不喜，令去江夏见黄祖。或问表曰："祢衡戏谑主公，何不杀之？"表曰："祢衡数辱曹操，操不杀者，恐失人望；故令作使于我，欲借我手杀之，使我受害贤之名也。吾今遣去见黄祖，使曹操知我有识。"众皆称善。

时袁绍亦遣使至。表问众谋士曰："袁本初又遣使来，曹孟德又差祢衡在此，当从何便？"从事中郎将韩嵩进曰："今两雄相持，将军若欲有为，乘此破敌可也。如其不然，将择其善者而从之。今曹操善能用兵，贤俊多归，其势必先取袁绍，然后移兵向江东，恐将军不能御；莫若举荆州以附操，操必重待将军矣。"表曰："汝且去许都，观其动静，再作商议。"嵩曰："君臣各有定分。嵩今事将军，虽赴汤蹈火，一唯所命。将军若能上顺天子，下从曹公，使嵩可也；如持疑未定，嵩到京师，天子赐嵩一官，则嵩为天子之臣，不复为将军死矣。"表曰："汝且先往观之。吾别有主意。"嵩辞表，到许都见操。操遂拜嵩为侍中，领零陵太守。荀彧曰："韩嵩来观动静，未有微功，重加此职。祢衡又无音耗②，丞相遣而不问，何也？"操曰："祢衡辱吾太甚，故借刘表手杀之，何必再问？"遂遣韩嵩回荆州说刘表。嵩回见表，称颂朝廷盛德，劝表遣子入侍。表大怒曰："汝怀二心耶！"欲斩之。嵩大叫曰："将军负嵩，嵩不负将军！"蒯良曰："嵩未去之前，先有此言矣。"刘表遂赦之。

人报黄祖斩了祢衡，表问其故，对曰："黄祖与祢衡共饮，皆醉。祖问衡曰：'君在许都有何人物？'衡曰：'大儿孔文举，小儿杨德祖。除此二人，

① 胥靡——服劳役的囚徒。

② 音耗——音讯。耗：消息、音信。

别无人物。'祖曰:'似我何如?'衡曰:'汝似庙中之神,虽受祭祀,恨无灵验!'祖大怒曰:'汝以我为土木偶人耶!'遂斩之。衡至死骂不绝口。"刘表闻衡死,亦嗟呀①不已,令葬于鹦鹉洲边。后人有诗叹曰:

黄祖才非长者俦②,祢衡珠碎此江头。
今来鹦鹉洲边过,惟有无情碧水流。

却说曹操知祢衡受害,笑曰:"腐儒舌剑,反自杀矣!"因不见刘表来降,便欲兴兵问罪。荀彧谏曰:"袁绍未平,刘备未灭,而欲用兵江汉,是犹舍心腹而顾手足也。可先灭袁绍,后灭刘备,江汉可一扫而平矣。"操从之。

且说董承自刘玄德去后,日夜与王子服等商议,无计可施。建安五年,元旦朝贺,见曹操骄横愈甚,感愤成疾。帝知国舅染病,令随朝太医前去医治。此医乃洛阳人,姓吉,名太,字称平,人皆呼为吉平,当时名医也。平到董承府用药调治,旦夕不离;常见董承长吁短叹,不敢动问。

时值元宵,吉平辞去,承留住,二人共饮。饮至更余,承觉困倦,就和衣而睡。忽报王子服等四人至,承出接入。服曰:"大事谐矣!"承曰:"愿闻其说。"服曰:"刘表结连袁绍,起兵五十万,共分十路杀来。马腾结连韩遂,起西凉军七十二万,从北杀来。曹操尽起许昌兵马,分头迎敌,城中空虚。若聚五家僮仆,可得千余人。乘今夜府中大宴,庆赏元宵,将府围住,突入杀之。不可失此机会!"承大喜,即唤家奴各人收拾兵器,自己披挂绰枪上马,约会都在内门前相会,同时进兵。夜至二鼓,众兵皆到。董承手提宝剑,徒步直入,见操设宴后堂,大叫:"操贼休走!"一剑剁去,随手而倒。霎时觉来,乃南柯一梦,口中犹骂"操贼"不止。吉平向前叫曰:"汝欲害曹公乎?"承惊惧不能答。吉平曰:"国舅休慌。某虽医人,未尝忘汉。某连日见国舅嗟叹,不敢动问。恰才梦中之言,已见真情,幸勿相瞒。倘有用某之处,虽灭九族,亦无后悔!"承掩面而哭曰:"只恐汝非真心!"平遂咬下一指为誓。

承乃取出衣带诏,令平视之;且曰:"今之谋望不成者,乃刘玄德、马腾各自去了,无计可施,因此感而成疾。"平曰:"不消诸公用心。操贼性命,

---

① 嗟呀——叹息。

② 俦(chóu)——同类、类别。

只在某手中。”承问其故。平曰：“操贼常患头风，痛入骨髓；才一举发，便召某医治。如早晚有召，只用一服毒药，必然死矣，何必举刀兵乎？”承曰：“若得如此，救汉朝社稷者，皆赖君也！”时吉平辞归。承心中暗喜，步入后堂，忽见家奴秦庆童同侍妾云英在暗处私语。承大怒，唤左右捉下，欲杀之。夫人劝免其死，各人杖脊四十，将庆童锁于冷房。庆童怀恨，夤夜将铁锁扭断，跳墙而出，径入曹操府中，告有机密事。操唤入密室问之。庆童云：“王子服、吴子兰、种辑、吴硕、马腾五人在家主府中商议机密，必然是谋丞相。家主将出白绢一段，不知写着甚的。近日吉平咬指为誓，我也曾见。”曹操藏匿庆童于府中，董承只道逃往他方去了，也不追寻。

次日，曹操诈患头风，召吉平用药。平自思曰：“此贼合休！”暗藏毒药入府。操卧于床上，令平下药。平曰：“此病可一服即愈。”教取药罐，当面煎之。药已半干，平已暗下毒药，亲自送上。操知有毒，故意迟延不服。平曰：“乘热服之，少汗即愈。”操起曰：“汝既读儒书，必知礼义：君有疾饮药，臣先尝之；父有疾饮药，子先尝之。汝为我心腹之人，何不先尝而后进？”平曰：“药以治病，何用人尝？”平知事已泄，纵步向前，扯住操耳而灌之。操推药泼地，砖皆迸裂。操未及言，左右已将吉平执下。操曰：“吾岂有疾，特试汝耳！汝果有害我之心！”遂唤二十个精壮狱卒，执平至后园拷问。操坐于亭上，将平缚倒于地。吉平面不改容，略无惧怯。操笑曰：“量汝是个医人，安敢下毒害我？必有人唆使你来。你说出那人，我便饶你。”平叱之曰：“汝乃欺君罔上之贼，天下皆欲杀汝，岂独我乎！”操再三磨问。平怒曰：“我自欲杀汝，安有人使我来？今事不成，惟死而已！”操怒，教狱卒痛打。打到两个时辰，皮开肉裂，血流满阶。操恐打死，无可对证，令狱卒揪去静处，权且将息。

传令次日设宴，请众大臣饮酒。惟董承托病不来。王子服等皆恐操生疑，只得俱至。操于后堂设席。酒行数巡，曰：“筵中无可为乐，我有一人，可为众官醒酒。”教二十个狱卒：“与吾牵来！”须臾，只见一长枷钉着吉平，拖至阶下。操曰：“众官不知，此人连结恶党，欲反背朝廷，谋害曹某；今日天败，请听口词。”操教先打一顿，昏绝于地，以水喷面。吉平苏醒，睁目切齿而骂曰：“操贼！不杀我，更待何时！”操曰：“同谋者先有六人，与汝共七人耶！”平只是大骂。王子服等四人面面相觑，如坐针毡。操教一面打，一面喷。平并无求饶之意。操见不招，且教牵去。

众官席散，操只留王子服等四人夜宴。四人魂不附体，只得留待。操曰：“本不相留，争奈有事相问。汝四人不知与董承商议何事？”子服曰：“并未商议甚事。”操曰：“白绢中写着何事？”子服等皆隐讳。操教唤出庆童对证。子服曰：“汝于何处见来？”庆童曰：“你回避了众人，六人在一处画字，如何赖得？”子服曰：“此贼与国舅侍妾通奸，被责诬主，不可听也。”操曰：“吉平下毒，非董承所使而谁？”子服等皆言不知。操曰：“今晚自首，尚犹可恕；若待事发，其实难容！”子服等皆言并无此事。操叱左右将四人拿住监禁。

次日，带领众人径投董承家探病。承只得出迎。操曰：“缘何夜来不赴宴？”承曰：“微疾未痊，不敢轻出。”操曰：“此是忧国家病耳。”承愕然。操曰：“国舅知吉平事乎？”承曰：“不知。”操冷笑曰：“国舅如何不知？”唤左右：“牵来与国舅起病。”承举措无地。须臾，二十狱卒推吉平至阶下。吉平大骂：“曹操逆贼！”操指谓承曰：“此人曾攀下王子服等四人，吾已拿下廷尉①。尚有一人，未曾捉获。”因问平曰：“谁使汝来药我？可速招出！”平曰：“天使我来杀逆贼！”操怒教打。身上无容刑之处。承在座观之，心如刀割。操又问平曰：“你原有十指，今如何只有九指？”平曰：“嚼以为誓，誓杀国贼！”操教取刀来，就阶下截去其九指，曰：“一发截了，教你为誓！”平曰：“尚有口可以吞贼，有舌可以骂贼！”操令割其舌。平曰：“且勿动手。吾今熬刑不过，只得供招。可释吾缚。”操曰：“释之何碍？”遂命解其缚。平起身望阙拜曰：“臣不能为国家除贼，乃天数也！”拜毕，撞阶而死。操令分其肢体号令。时建安五年正月也。史官有诗曰：

汉朝无起色，医国有称平：立誓除奸党，捐躯报圣明。

极刑词愈烈，惨死气如生。十指淋漓处，千秋仰异名。

操见吉平已死，教左右牵过秦庆童至面前。操曰：“国舅认得此人否？”承大怒曰：“逃奴在此！即当诛之！”操曰：“他首告谋反，今来对证，谁敢诛之？”承曰：“丞相何故听逃奴一面之说？”操曰：“王子服等吾已擒下，皆招证明白，汝尚抵赖乎？”即唤左右拿下，命从人直入董承卧房内，搜出衣带诏并义状。操看了，笑曰：“鼠辈安敢如此！”遂命：“将董承全家良贱，

① 廷尉——官名。掌刑狱，为九卿之一。秦始置，汉景帝时改称大理，武帝时复称廷尉。

尽皆监禁，休教走脱一个。”操回府以诏状示众谋士商议，要废献帝，更立新君。正是：数行丹诏成虚望，一纸盟书惹祸殃。未知献帝性命如何，且听下文分解。

# 第二十四回

## 国贼行凶杀贵妃　皇叔败走投袁绍

却说曹操见了衣带诏，与众谋士商议，欲废却献帝，更择有德者立之。程昱谏曰：“明公所以能威震四方，号令天下者，以奉汉家名号故也。今诸侯未平，遽行废立之事，必起兵端矣。”操乃止。只将董承等五人，并其全家老小，押送各门处斩。死者共七百余人。城中官民见者，无不下泪。后人有诗叹董承曰：

密诏传衣带，天言出禁门。当年曾救驾，此日更承恩。

忧国成心疾，除奸入梦魂。忠贞千古在，成败复谁论。

又有叹王子服等四人诗曰：

书名尺素矢①忠谋，慷慨思将君父酬。

赤胆可怜捐百口，丹心自是足千秋。

且说曹操既杀了董承等众人，怒气未消，遂带剑入宫，来弑董贵妃。——贵妃乃董承之妹，帝幸②之，已怀孕五月。——当日帝在后宫，正与伏皇后私论董承之事至今尚无音耗。忽见曹操带剑入宫，面有怒容，帝大惊失色。操曰：“董承谋反，陛下知否？”帝曰：“董卓已诛矣。”操大声曰：“不是董卓！是董承！”帝战栗曰：“朕实不知。”操曰：“忘了破指修诏耶？”帝不能答。操叱武士擒董妃至。帝告曰：“董妃有五月身孕，望丞相见怜。”操曰：“若非天败，吾已被害。岂得复留此女，为吾后患！”伏后告曰：“贬于冷宫，待分娩了，杀之未迟。”操曰：“欲留此逆种，为母报仇乎？”董妃泣告曰：“乞全尸而死，勿令彰露。”操令取白练至面前。帝泣谓妃曰：“卿

① 矢——发誓。

② 幸——宠爱。

于九泉之下，勿怨朕躬！”言讫，泪下如雨。伏后亦大哭。操怒曰：“犹作儿女态耶！”叱武士牵出，勒死于宫门之外。后人有诗叹董妃曰：

春殿承恩亦枉然，伤哉龙种并时捐。
堂堂帝主难相救，掩面徒看泪涌泉。

操谕监宫官曰：“今后但有外戚宗族，不奉吾旨，辄入宫门者，斩。守御不严，与同罪。”又拨心腹人三千充御林军，令曹洪统领，以为防察。

操谓程昱曰：“今董承等虽诛，尚有马腾、刘备，亦在此数，不可不除。”昱曰：“马腾屯军西凉，未可轻取；但当以书慰劳，勿使生疑，诱入京师，图之可也。刘备现在徐州，分布掎角之势，亦不可轻敌。况今袁绍屯兵官渡，常有图许都之心。若我一旦东征，刘备势必求救于绍。绍乘虚来袭，何以当之？”操曰：“非也。备乃人杰也，今若不击，待其羽翼既成，急难图矣。袁绍虽强，事多怀疑不决，何足忧乎！”正议间，郭嘉自外而入。操问曰：“吾欲东征刘备，奈有袁绍之忧，如何？”嘉曰：“绍性迟而多疑，其谋士各相妒忌，不足忧也。刘备新整军兵，众心未服，丞相引兵东征，一战可定矣。”操大喜曰：“正合吾意。”遂起二十万大军，分兵五路下徐州。

细作探知，报入徐州。孙乾先往下邳报知关公，随至小沛报知玄德。玄德与孙乾计议曰：“此必求救于袁绍，方可解危。”于是玄德修书一封，遣孙乾至河北。乾乃先见田丰，具言其事，求其引进。丰即引孙乾入见绍，呈上书信。只见绍形容憔悴，衣冠不整。丰曰：“今日主公何故如此？”绍曰：“我将死矣！”丰曰：“主公何出此言？”绍曰：“吾生五子，惟最幼者极快吾意；今患疥疮，命已垂绝。吾有何心更论他事乎？”丰曰：“今曹操东征刘玄德，许昌空虚，若以义兵乘虚而入，上可以保天子，下可以救万民。此不易得之机会也，惟明公裁之。”绍曰：“吾亦知此最好，奈我心中恍惚，恐有不利。”丰曰：“何恍惚之有？”绍曰：“五子中惟此子生得最异，倘有疏虞，吾命休矣。”遂决意不肯发兵，乃谓孙乾曰：“汝回见玄德，可言其故。倘有不如意，可来相投，吾自有相助之处。”田丰以杖击地曰：“遭此难遇之时，乃以婴儿之病，失此机会！大事去矣，可痛惜哉！”跌足①长叹而出。

孙乾见绍不肯发兵，只得星夜回小沛见玄德，具说此事。玄德大惊曰：“似此如之奈何？”张飞曰：“兄长勿忧。曹兵远来，必然困乏；乘其初

---

① 跌足——跺脚。表示气愤、懊恼的动作。

至，先去劫寨，可破曹操。”玄德曰：“素以汝为一勇夫耳。——前者捉刘岱时，颇能用计；今献此策，亦中兵法。”乃从其言，分兵劫寨。

且说曹操引军往小沛来。正行间，狂风骤至，忽听一声响亮，将一面牙旗吹折。操便令军兵且住，聚众谋士问吉凶。荀彧曰：“风从何方来？吹折甚颜色旗？”操曰：“风自东南方来，吹折角上牙旗，旗乃青红二色。”彧曰：“不主别事，今夜刘备必来劫寨。”操点头。忽毛玠入见曰：“方才东南风起，吹折青红牙旗一面。主公以为主何吉凶？”操曰：“公意若何？”毛玠曰：“愚意以为今夜必主有人来劫寨。”后人有诗叹曰：

吁嗟帝胄势孤穷，全仗分兵劫寨功。

争奈牙旗折有兆，老天何故纵奸雄？

操曰：“天报应我，当即防之。”遂分兵九队，只留一队向前虚扎营寨，余众八面埋伏。是夜月色微明。玄德在左，张飞在右，分兵两队进发；只留孙乾守小沛。

且说张飞自以为得计，领轻骑在前，突入操寨，但见零零落落，无多人马，四边火光大起，喊声齐举。飞知中计，急出寨外。正东张辽、正西许褚、正南于禁、正北李典、东南徐晃、西南乐进、东北夏侯惇、西北夏侯渊，八处军马杀来。张飞左冲右突，前遮后当；所领军兵原是曹操手下旧军，见事势已急，尽皆投降去了。飞正杀间，逢着徐晃大杀一阵，后面乐进赶到。飞杀条血路突围而走，只有数十骑跟定。欲还小沛，去路已断；欲投徐州、下邳，又恐曹军截住；寻思无路，只得望芒砀山而去。

却说玄德引军劫寨，将近寨门，忽然喊声大震，后面冲出一军，先截去了一半人马。夏侯惇又到。玄德突围而走，夏侯渊又从后赶来。玄德回顾，止有三十余骑跟随；急欲奔还小沛，早望见小沛城中火起，只得弃了小沛；欲投徐州、下邳，又见曹军漫山塞野，截住去路。玄德自思无路可归，想：“袁绍有言，‘倘不如意，可来相投’，今不若暂往依栖，别作良图。”遂望青州路而走，正逢李典拦住。玄德匹马落荒望北而逃，李典掳将从骑去了。

且说玄德匹马投青州，日行三百里，奔至青州城下叫门。门吏问了姓名，来报刺史。刺史乃袁绍长子袁谭。谭素敬玄德，闻知匹马到来，即便开门相迎，接入公廨①，细问其故。玄德备言兵败相投之意。谭乃留玄德于馆驿中住下，发书报父袁绍；一面差本州人马，护送玄德。至平原界口，袁绍亲自引众出邺郡三十里迎接玄德。玄德拜谢，绍忙答礼曰："昨为小儿抱病，有失救援，于心怏怏不安。今幸得相见，大慰平生渴想之思。"玄德曰："孤穷刘备，久欲投于门下，奈机缘未遇。今为曹操所攻，妻子俱陷，想将军容纳四方之士，故不避羞惭，径来相投。望乞收录，誓当图报。"绍大喜，相待甚厚，同居冀州。

且说曹操当夜取了小沛，随即进兵攻徐州。糜竺、简雍守把不住，只得弃城而走。陈登献了徐州。曹操大军入城，安民已毕，随唤众谋士议取下邳。荀彧曰："云长保护玄德妻小，死守此城。若不速取，恐为袁绍所窃。"操曰："吾素爱云长武艺人材，欲得之以为己用，不若令人说之使降。"郭嘉曰："云长义气深重，必不肯降。若使人说之，恐被其害。"帐下一人出曰："某与关公有一面之交，愿往说之。"众视之，乃张辽也。程昱曰："文远虽与云长有旧，吾观此人，非可以言词说也。某有一计，使此人进退无路，然后用文远说之，彼必归丞相矣。"正是：整备窝弓②射猛虎，安排香饵钓鳌鱼。未知其计若何，且听下文分解。

# 第二十五回

## 屯土山关公约三事　救白马曹操解重围

却说程昱献计曰："云长有万人之敌，非智谋不能取之。今可即差刘备手下投降之兵，入下邳，见关公，只说是逃回的，伏于城中为内应；却引关公出战，诈败佯输，诱入他处，以精兵截其归路，然后说之可也。"操听其谋，即令徐州降兵数十，径投下邳来降关公。关公以为旧兵，留而不疑。次日，夏侯惇为先锋，领兵五千来搦战。关公不出，惇即使人于城下辱骂。关公大怒，引三千人马出城，与夏侯惇交战。约战十余合，惇拨回马走。

---

① 公廨(xiè)——官署，官吏办事的地方。

② 窝弓——伏弩，猎人用来隐蔽地设在草丛中，以射猛兽。

关公赶来，惇且战且走。关公约赶二十里，恐下邳有失，提兵便回。只听得一声炮响，左有徐晃，右有许褚，两队军截住去路。关公夺路而走，两边伏兵排下硬弩百张，箭如飞蝗。关公不得过，勒兵再回，徐晃、许褚接住交战。关公奋力杀退二人，引军欲回下邳，夏侯惇又截住厮杀。公战至日晚，无路可归，只得到一座土山，引兵屯于山头，权且少歇。曹兵团团将土山围住。关公于山上遥望下邳城中火光冲天。——却是那诈降兵卒偷开城门，曹操自提大军杀入城中，只教举火以惑关公之心。——关公见下邳火起，心中惊惶，连夜几番冲下山来，皆被乱箭射回。

捱到天晓，再欲整顿下山冲突，忽见一人跑马上山来，视之乃张辽也。关公迎谓曰："文远欲来相敌耶？"辽曰："非也。想故人旧日之情，特来相见。"遂弃刀下马，与关公叙礼毕，坐于山顶。公曰："文远莫非说关某乎？"辽曰："不然。昔日蒙兄救弟，今日弟安得不救兄？"公曰："然则文远将欲助我乎？"辽曰："亦非也。"公曰："既不助我，来此何干？"辽曰："玄德不知存亡，翼德未知生死。昨夜曹公已破下邳，军民尽无伤害，差人护卫玄德家眷，不许惊扰。如此相待，弟特来报兄。"关公怒曰："此言特说我也。吾今虽处绝地，视死如归。汝当速去，吾即下山迎战。"张辽大笑曰："兄此言岂不为天下笑乎？"公曰："吾仗忠义而死，安得为天下笑？"辽曰："兄今即死，其罪有三。"公曰："汝且说我那三罪？"辽曰："当初刘使君与兄结义之时，誓同生死；今使君方败，而兄即战死，倘使君复出，欲求兄相助，而不可复得，岂不负当年之盟誓乎？其罪一也。刘使君以家眷付托于兄，兄今战死，二夫人无所依赖，负却使君依托之重。其罪二也。兄武艺超群，兼通经史，不思共使君匡扶汉室，徒欲赴汤蹈火，以成匹夫之勇，安得为义？其罪三也。兄有此三罪，弟不得不告。"

公沉吟曰："汝说我有三罪，欲我如何？"辽曰："今四面皆曹公之兵，兄若不降，则必死；徒死无益，不若且降曹公；却打听刘使君音信，如知何处，即往投之。一者可以保二夫人，二者不背桃园之约，三者可留有用之身：有此三便，兄宜详之。"公曰："兄言三便，吾有三约。若丞相能从，我即当卸甲；如其不允，吾宁受三罪而死。"辽曰："丞相宽洪大量，何所不容。愿闻三事。"公曰："一者，吾与皇叔设誓，共扶汉室，吾今只降汉帝，不降曹操；二者，二嫂处请给皇叔俸禄养赡，一应上下人等，皆不许到门；三者，但知刘皇叔去向，不管千里万里，便当辞去：三者缺一，断不肯降。望文远急急回报。”张辽应诺，遂上马，回见曹操，先说降汉不降曹之事。操笑曰：“吾为汉相，汉即吾也。此可从之。”辽又言：“二夫人欲请皇叔俸给，并上下人等不许到门。”操曰：“吾于皇叔俸内，更加倍与之。至于严禁内外，乃是家法，又何疑焉！”辽又曰：“但知玄德信息，虽远必往。”操摇首曰：“然则吾养云长何用？此事却难从。”辽曰：“岂不闻豫让‘众人国士’之论①乎？刘玄德待云长不过恩厚耳。丞相更施厚恩以结其心，何忧云长之不服也？”操曰：“文远之言甚当，吾愿从此三事。”

张辽再往山上回报关公。关公曰：“虽然如此，暂请丞相退军，容我入城见二嫂，告知其事，然后投降。”张辽再回，以此言报曹操。操即传令，退军三十里。荀彧曰：“不可，恐有诈。”操曰：“云长义士，必不失信。”遂引军退。关公引兵入下邳，见人民安妥不动，竟到府中，来见二嫂。甘、糜二夫人听得关公到来，急出迎之。公拜于阶下曰：“使二嫂受惊，某之罪也。”二夫人曰：“皇叔今在何处？”公曰：“不知去向。”二夫人曰：“二叔今将若何？”公曰：“关某出城死战，被困土山，张辽劝我投降，我以三事相约。曹操已皆允从，故特退兵，放我入城。我不曾得嫂嫂主意，未敢擅便。”二夫人问：“那三事？”关公将上项三事，备述一遍。甘夫人曰：“昨日曹军入城，我等皆以为必死；谁想毫发不动，一军不敢入门。叔叔既已领诺，何必问我二人？——只恐日后曹操不容叔叔去寻皇叔。”公曰：“嫂嫂放心，关某自有主张。”二夫人曰：“叔叔自家裁处，凡事不必问俺女流。”

关公辞退，遂引数十骑来见曹操。操自出辕门相接。关公下马入拜，操慌忙答礼。关公曰：“败兵之将，深荷不杀之恩。”操曰：“素慕云长忠义，今日幸得相见，足慰平生之望。”关公曰：“文远代禀三事，蒙丞相应允，谅不食言。”操曰：“吾言既出，安敢失信。”关公曰：“关某若知皇叔所在，虽蹈水火，必往从之。——此时恐不及拜辞，伏乞见原。”操曰：“玄德若在，必从公去；但恐乱军中亡矣。公且宽心，尚容缉听②。”关公拜谢。操设宴相待。次日班师还许昌。关公收拾车仗，请二嫂上车，亲自护车而行。于路

① 豫让“众人国士”之论——豫让，战国时人，他曾有这样的议论：国君若以对待众人的态度对待我，我当以众人的态度对待他；如果他以对待国士（国中名士）的态度对待我，那么，我也将以国士的态度报答他。

② 缉听——到各处去打听。

安歇馆驿，操欲乱其君臣之礼，使关公与二嫂共处一室。关公乃秉烛立于户外，自夜达旦，毫无倦色。操见公如此，愈加敬服。既到许昌，操拨一府与关公居住。关公分一宅为两院，内门拨老军十人把守，关公自居外宅。操引关公朝见献帝，帝命为偏将军。公谢恩归宅。操次日设大宴，会众谋臣武士，以客礼待关公，延之上座；又备绫锦及金银器皿相送。关公都送与二嫂收贮。关公自到许昌，操待之甚厚：小宴三日，大宴五日；又送美女十人，使侍关公。关公尽送入内门，令伏侍二嫂。却又三日一次于内门外躬身施礼，动问"二嫂安否"。二夫人回问皇叔之事毕，曰"叔叔自便"，关公方敢退回。操闻之，又叹服关公不已。

一日，操见关公所穿绿锦战袍已旧，即度其身品，取异锦做战袍一领相赠。关公受之，穿于衣底，上仍用旧袍罩之。操笑曰："云长何如此之俭乎？"公曰："某非俭也。旧袍乃刘皇叔所赐，某穿之如见兄面，不敢以丞相之新赐而忘兄长之旧赐，故穿于上。"操叹曰："真义士也！"然口虽称羡，心实不悦。一日，关公在府，忽报："内院二夫人哭倒于地，不知为何，请将军速入。"关公乃整衣跪于内门外，问二嫂为何悲泣。甘夫人曰："我夜梦皇叔身陷于土坑之内，觉来与糜夫人论之，想在九泉之下矣！是以相哭。"关公曰："梦寐之事，不可凭信。此是嫂嫂想念之故。请勿忧愁。"

正说间，适曹操命使来请关公赴宴。公辞二嫂，往见操。操见公有泪容，问其故。公曰："二嫂思兄痛哭，不由某心不悲。"操笑而宽解之，频以酒相劝。公醉，自绰其髯而言曰："生不能报国家，而背其兄，徒为人也！"操问曰："云长髯有数乎？"公曰："约数百根。每秋月约退三五根。冬月多以皂纱囊裹之，恐其断也。"操以纱锦做囊，与关公护髯。次日，早朝见帝。帝见关公一纱锦囊垂于胸次，帝问之。关公奏曰："臣髯颇长，丞相赐囊贮之。"帝令当殿披拂，过于其腹。帝曰："真美髯公也！"因此人皆呼为"美髯公"。

忽一日，操请关公宴。临散，送公出府，见公马瘦，操曰："公马因何而瘦？"关公曰："贱躯颇重，马不能载，因此常瘦。"操令左右备一马来。须臾牵至。那马身如火炭，状甚雄伟。操指曰："公识此马否？"公曰："莫非吕布所骑赤兔马乎？"操曰："然也。"遂并鞍辔送与关公。关公再拜称谢。操不悦曰："吾累送美女金帛，公未尝下拜；今吾赠马，乃喜而再拜：何贱人而贵畜耶？"关公曰："吾知此马日行千里，今幸得之，若知兄长下落，可一日而见面矣。”操愕然而悔。关公辞去。后人有诗叹曰：

威倾三国著英豪，一宅分居义气高。

奸相枉将虚礼待，岂知关羽不降曹。

操问张辽曰：“吾待云长不薄，而彼常怀去心，何也？”辽曰：“容某探其情。”次日，往见关公。礼毕，辽曰：“我荐兄在丞相处，不曾落后？”公曰：“深感丞相厚意。只是吾身虽在此，心念皇叔，未尝去怀。”辽曰：“兄言差矣。处世不分轻重，非丈夫也。玄德待兄，未必过于丞相，兄何故只怀去志？”公曰：“吾固知曹公待吾甚厚。奈吾受刘皇叔厚恩，誓以共死，不可背之。吾终不留此。要必立效以报曹公，然后去耳。”辽曰：“倘玄德已弃世，公何所归乎？”公曰：“愿从于地下。”辽知公终不可留，乃告退，回见曹操，具以实告。操叹曰：“事主不忘其本，乃天下之义士也！”荀彧曰：“彼言立功方去，若不教彼立功，未必便去。”操然之。

却说玄德在袁绍处，旦夕烦恼。绍曰：“玄德何故常忧？”玄德曰：“二弟不知音耗，妻小陷于曹贼；上不能报国，下不能保家：安得不忧？”绍曰：“吾欲进兵赴许都久矣。方今春暖，正好兴兵。”便商议破曹之策。田丰谏曰：“前操攻徐州，许都空虚，不及此时进兵；今徐州已破，操兵方锐，未可轻敌。不如以久持之，待其有隙而后可动也。”绍曰：“待我思之。”因问玄德曰：“田丰劝我固守，何如？”玄德曰：“曹操欺君之贼，明公若不讨之，恐失大义于天下。”绍曰：“玄德之言甚善。”遂欲兴兵。田丰又谏。绍怒曰：“汝等弄文轻武，使我失大义！”田丰顿首曰：“若不听臣良言，出师不利。”绍大怒，欲斩之。玄德力劝，乃囚于狱中。沮授见田丰下狱，乃会其宗族，尽散家财，与之诀曰：“吾随军而去，胜则威无不加，败则一身不保矣！”众皆下泪送之。

绍遣大将颜良做先锋，进攻白马。沮授谏曰：“颜良性狭，虽骁勇，不可独任。”绍曰：“吾之上将，非汝等可料。”大军进发至黎阳，东郡太守刘延告急许昌。曹操急议兴兵抵敌。关公闻知，遂入相府见操曰：“闻丞相起兵，某愿为前部。”操曰：“未敢烦将军。早晚有事，当来相请。”关公乃退。操引兵十五万，分三队而行。于路又连接刘延告急文书，操先提五万军亲临白马，靠土山扎住。遥望山前平川旷野之地，颜良前部精兵十万，排成阵势。操骇然，回顾吕布旧将宋宪曰：“吾闻汝乃吕布部下猛将，今可与颜良一战。”宋宪领诺，绰枪上马，直出阵前。颜良横刀立马于门旗下；见宋宪马至，良大喝一声，纵马来迎。战不三合，手起刀落，斩宋宪于阵前。曹操大惊曰："真勇将也！"魏续曰："杀我同伴，愿去报仇！"操许之。续上马持矛，径出阵前，大骂颜良。良更不打话，交马一合，照头一刀，劈魏续于马下。操曰："今谁敢当之？"徐晃应声而出，与颜良战二十合，败归本阵。诸将栗然。曹操收军，良亦引军退去。

操见连折二将，心中忧闷。程昱曰："某举一人可敌颜良。"操问是谁。昱曰："非关公不可。"操曰："吾恐他立了功便去。"昱曰："刘备若在，必投袁绍。今若使云长破袁绍之兵，绍必疑刘备而杀之矣。备既死，云长又安往乎？"操大喜，遂差人去请关公。关公即入辞二嫂。二嫂曰："叔今此去，可打听皇叔消息。"

关公领诺而出，提青龙刀，上赤兔马，引从者数人，直至白马来见曹操。操叙说："颜良连诛二将，勇不可当，特请云长商议。"关公曰："容某观之。"操置酒相待。忽报颜良搦战。操引关公上土山观看。操与关公坐，诸将环立。曹操指山下颜良排的阵势，旗帜鲜明，枪刀森布，严整有威，乃谓关公曰："河北人马，如此雄壮！"关公曰："以吾观之，如土鸡瓦犬耳！"操又指曰："麾盖之下，绣袍金甲，持刀立马者，乃颜良也。"关公举目一望，谓操曰："吾观颜良，如插标卖首耳！"操曰："未可轻视。"关公起身曰："某虽不才，愿去万军中取其首级，来献丞相。"张辽曰："军中无戏言，云长不可忽也。"关公奋然上马，倒提青龙刀，跑下山来，凤目圆睁，蚕眉直竖，直冲彼阵。河北军如波开浪裂，关公径奔颜良。颜良正在麾盖下，见关公冲来，方欲问时，关公赤兔马快，早已跑到面前；颜良措手不及，被云长手起一刀，刺于马下。忽地下马，割了颜良首级，拴于马项之下，飞身上马，提刀出阵，如入无人之境。河北兵将大惊，不战自乱。曹军乘势攻击，死者不可胜数；马匹器械，抢夺极多。关公纵马上山，众将尽皆称贺。公献首级于操前。操曰："将军真神人也！"关公曰："某何足道哉！吾弟张翼德于百万军中取上将之头，如探囊取物耳。"操大惊，回顾左右曰："今后如遇张翼德，不可轻敌。"令写于衣袍襟底以记之。

却说颜良败军奔回，半路迎见袁绍，报说被赤面长须使大刀一勇将，匹马入阵，斩颜良而去，因此大败。绍惊问曰："此人是谁？"沮授曰："此必是刘玄德之弟关云长也。"绍大怒，指玄德曰："汝弟斩吾爱将，汝必通谋，留尔何用！"唤刀斧手推出玄德斩之。正是：初见方为座上客，此日几同阶下囚。未知玄德性命如何,且听下文分解。

# 第二十六回

## 袁本初败兵折将　关云长挂印封金

却说袁绍欲斩玄德。玄德从容进曰:“明公只听一面之词,而绝向日之情耶?备自徐州失散,二弟云长未知存否;天下同貌者不少,岂赤面长须之人,即为关某也?明公何不察之?”袁绍是个没主张的人;闻玄德之言,责沮授曰:“误听汝言,险杀好人。”遂仍请玄德上帐坐,议报颜良之仇。帐下一人应声而进曰:“颜良与我如兄弟,今被曹贼所杀,我安得不雪其恨?”玄德视其人,身长八尺,面如獬豸,乃河北名将文丑也。袁绍大喜曰:“非汝不能报颜良之仇。吾与十万军兵,便渡黄河,追杀曹贼!”沮授曰:“不可。今宜留屯延津,分兵官渡,乃为上策。若轻举渡河,设或有变,众皆不能还矣。”绍怒曰:“皆是汝等迟缓军心,迁延日月,有妨大事!岂不闻‘兵贵神速’乎?”沮授出,叹曰:“上盈①其志,下务②其功;悠悠黄河,吾其济乎!”遂托疾不出议事。玄德曰:“备蒙大恩,无可报效,意欲与文将军同行:一者报明公之德,二者就探云长的实信。”绍喜,唤文丑与玄德同领前部。文丑曰:“刘玄德屡败之将,于军不利。既主公要他去时,某分三万军,教他为后部。”于是文丑自领七万军先行,令玄德引三万军随后。

且说曹操见云长斩了颜良,倍加钦敬,表奏朝廷,封云长为汉寿亭侯,铸印送关公。忽报袁绍又使大将文丑渡黄河,已据延津之上。操乃先使人移徙居民于西河,然后自领兵迎之;传下将令:以后军为前军,以前军为后军;粮草先行,军兵在后。吕虔曰:“粮草在先,军兵在后,何意也?”操曰:“粮草在后,多被剽掠,故令在前。”虔曰:“倘遇敌军劫去,如之奈何?”操曰:“且待敌军到时,却又理会。”虔心疑未决。操令粮食辎重沿河堑至延津。操在后军,听得前军发喊,急教人看时,报说:“河北大将文丑兵至,

---

① 盈——满足,自满。

② 务——追求、要求得到。

我军皆弃粮草，四散奔走。后军又远，将如之何？"操以鞭指南阜曰："此可暂避。"人马急奔土阜。操令军士皆解衣卸甲少歇，尽放其马。文丑军掩至。众将曰："贼至矣！可急收马匹，退回白马！"荀攸急止之曰："此正可以饵敌，何故反退？"操急以目视荀攸而笑。攸知其意，不复言。文丑军既得粮草车仗，又来抢马。军士不依队伍，自相杂乱。曹操却令军将一齐下土阜击之，文丑军大乱。曹兵围裹将来，文丑挺身独战，军士自相践踏。文丑止遏不住，只得拨马回走。操在土阜上指曰："文丑为河北名将，谁可擒之？"张辽、徐晃飞马齐出，大叫："文丑休走！"文丑回头见二将赶上，遂按住铁枪，拈弓搭箭，正射张辽。徐晃大叫："贼将休放箭！"张辽低头急躲，一箭射中头盔，将簪缨射去。辽奋力再赶，坐下战马，又被文丑一箭射中面颊。那马跪倒前蹄，张辽落地。文丑回马复来，徐晃急轮大斧，截住厮杀。只见文丑后面军马齐到，晃料敌不过，拨马而回。文丑沿河赶来。忽见十余骑马，旗号翩翻，一将当头提刀飞马而来，乃关云长也，大喝："贼将休走！"与文丑交马，战不三合，文丑心怯，拨马绕河而走。关公马快，赶上文丑，脑后一刀，将文丑斩下马来。曹操在土阜上，见关公砍了文丑，大驱人马掩杀。河北军大半落水，粮草马匹仍被曹操夺回。

云长引数骑东冲西突。正杀之间，刘玄德领三万军随后到。前面哨马探知，报与玄德云："今番又是红面长髯的斩了文丑。"玄德慌忙骤马来看，隔河望见一簇人马，往来如飞，旗上写着"汉寿亭侯关云长"七字。玄德暗谢天地曰："原来吾弟果然在曹操处！"欲待招呼相见，被曹兵大队拥来，只得收兵回去。袁绍接应至官渡，下定寨栅。郭图、审配入见袁绍，说："今番又是关某杀了文丑，刘备佯推不知。"袁绍大怒，骂曰："大耳贼！焉敢如此！"少顷，玄德至，绍令推出斩之。玄德曰："某有何罪？"绍曰："你故使汝弟又坏我一员大将，如何无罪？"玄德曰："容伸一言而死：曹操素忌备，今知备在明公处，恐备助公，故特使云长诛杀二将。公知必怒。此借公之手以杀刘备也。愿明公思之。"袁绍曰："玄德之言是也。汝等几使我受害贤之名。"喝退左右，请玄德上帐而坐。玄德谢曰："荷明公宽大之恩，无可补报，欲令一心腹人持密书去见云长，使知刘备消息，彼必星夜来到，辅佐明公，共诛曹操，以报颜良、文丑之仇，若何？"袁绍大喜曰："吾得云长，胜颜良、文丑十倍也。"玄德修下书札，未有人送去。绍令退军武阳，连营数十里，按兵不动。操乃使夏侯惇领兵守住官渡隘口，自己班师回许都，大宴众官，贺云长之功。因谓吕虔曰："昔日吾以粮草在前者，乃饵敌之计也。惟荀公达知吾心耳。"众皆叹服。正饮宴间，忽报："汝南有黄巾刘辟、龚都，甚是猖獗。曹洪累战不利，乞遣兵救之。"云长闻言，进曰："关某愿施犬马之劳，破汝南贼寇。"操曰："云长建立大功，未曾重酬，岂可复劳征进？"公曰："关某久闲，必生疾病。愿再一行。"曹操壮之，点兵五万，使于禁、乐进为副将，次日便行。荀彧密谓操曰："云长常有归刘之心，倘知消息必去，不可频令出征。"操曰："今次收功，吾不复教临敌矣。"

且说云长领兵将近汝南，扎住营寨。当夜营外拿了两个细作人来。云长视之，内中认得一人，乃孙乾也。关公叱退左右，问乾曰："公自溃散之后，一向踪迹不闻，今何为在此处？"乾曰："某自逃难，飘泊汝南，幸得刘辟收留。——今将军为何在曹操处？未识甘、糜二夫人无恙否？"关公因将上项事细说一遍。乾曰："近闻玄德公在袁绍处，欲往投之，未得其便。今刘、龚二人归顺袁绍，相助攻曹。天幸得将军到此，因特令小军引路，教某为细作，来报将军。来日二人当虚败一阵，公可速引二夫人投袁绍处，与玄德公相见。"关公曰："既兄在袁绍处，吾必星夜而往。但恨吾斩绍二将，恐今事变矣。"乾曰："吾当先往探彼虚实，再来报将军。"公曰："吾见兄长一面，虽万死不辞。今回许昌，便辞曹操也。"当夜密送孙乾去了。次日，关公引兵出，龚都披挂出阵。关公曰："汝等何故背反朝廷？"都曰："汝乃背主之人，何反责我？"关公曰："我何为背主？"都曰："刘玄德在袁本初处，汝却从曹操，何也？"关公更不打话，拍马舞刀向前。龚都便走，关公赶上。都回身告关公曰："故主之恩，不可忘也。公当速进，我让汝南。"关公会意，驱军掩杀。刘、龚二人佯输诈败，四散去了。云长夺得州县，安民已定，班师回许昌。曹操出郭迎接，赏劳军士。

宴罢，云长回家，参拜二嫂于门外。甘夫人曰："叔叔两番出军，可知皇叔音信否？"公答曰："未也。"关公退，二夫人于门内痛哭曰："想皇叔休矣！二叔恐我姊妹烦恼，故隐而不言。"正哭间，有一随行老军，听得哭声不绝，于门外告曰："夫人休哭，主人现在河北袁绍处。"夫人曰："汝何由知之？"军曰："跟关将军出征，有人在阵上说来。"夫人急召云长责之曰："皇叔未尝负汝，汝今受曹操之恩，顿忘旧日之义，不以实情告我，何也？"关公顿首曰："兄今委实①在河北。未敢教嫂嫂知者，恐有泄漏也。事须缓图，不可欲速。"甘夫人曰："叔宜上紧。"公退，寻思去计，坐立不安。

原来于禁探知刘备在河北，报与曹操。操令张辽来探关公意。关公正闷坐，张辽入贺曰："闻兄在阵上知玄德音信，特来贺喜。"关公曰："故主虽在，未得一见，何喜之有！"辽曰："兄与玄德交，比弟与兄交何如？"公曰："我与兄，朋友之交也；我与玄德，是朋友而兄弟、兄弟而主臣者也：岂可共论乎？"辽曰："今玄德在河北，兄往从否？"关公曰："昔日之言，安肯背之！文远须为我致意丞相。"张辽将关公之言，回告曹操。操曰："吾自有计留之。"

且说关公正寻思间，忽报有故人相访。及请入，却不相识。关公问曰："公何人也？"答曰："某乃袁绍部下南阳陈震也。"关公大惊，急退左右，问曰："先生此来，必有所为？"震出书一缄，递与关公。公视之，乃玄德书也。其略云：

备与足下，自桃园缔盟，誓以同死。今何中道相违，割恩断义？君必欲取功名、图富贵，愿献备首级以成全功。书不尽言，死待来命。

关公看书毕，大哭曰："某非不欲寻兄，奈不知所在也。安肯图富贵而背旧盟乎？"震曰："玄德望公甚切，公既不背旧盟，宜速往见。"关公曰："人生天地间，无终始者，非君子也。吾来时明白，去时不可不明白。吾今作书，烦公先达知兄长，容某辞却曹操，奉二嫂来相见。"震曰："倘曹操不允，为之奈何？"公曰："吾宁死，岂肯久留于此！"震曰："公速作回书，免致刘使君悬望。"关公写书答云：

窃闻义不负心，忠不顾死。羽自幼读书，粗知礼义，观羊角哀、左伯桃之事②，未尝不三叹而流涕也。前守下邳，内无积粟，外无援兵；欲即效死，奈有二嫂之重，未敢断首捐躯，致负所托；故尔暂且羁身，冀图后会。近至汝南，方知兄信；即当面辞曹公，奉二嫂归。羽但怀异心，神人

---

① 委实——确实。

② 羊角哀、左伯桃之事——羊、左都是战国时人，两人是好友，同往楚国求官，路上遇雪，衣薄粮少，估计不能俱全，左伯桃便把衣粮都给了羊角哀，自己冻饿而死。后来羊角哀在楚国做了大官，寻得左尸施以礼葬，又因迷信左魂托梦的缘故，自杀而亡以报朋友。

共戮。披肝沥胆，笔楮①难穷。瞻拜有期，伏惟照鉴。

陈震得书自回。关公入内告知二嫂，随即至相府，拜辞曹操。操知来意，乃悬回避牌于门。关公怏怏而回，命旧日跟随人役，收拾车马，早晚伺候；分付宅中，所有原赐之物，尽皆留下，分毫不可带去。次日再往相府辞谢，门首又挂回避牌。关公一连去了数次，皆不得见。乃往张辽家相探，欲言其事。辽亦托疾不出。关公思曰："此曹丞相不容我去之意。我去志已决，岂可复留！"即写书一封，辞谢曹操。书略曰：

> 羽少事皇叔，誓同生死；皇天后土，实闻斯言。前者下邳失守，所请三事，已蒙恩诺。今探知故主现在袁绍军中，回思昔日之盟，岂容违背？新恩虽厚，旧义难忘。兹特奉书告辞，伏惟照察。其有余恩未报，愿以俟之异日。

写毕，封固，差人去相府投递；一面将累次所受金银，一一封置库中，悬汉寿亭侯印于堂上，请二夫人上车。关公上赤兔马，手提青龙刀，率领旧日跟随人役，护送车仗，径出北门。门吏挡之。关公怒目横刀，大喝一声，门吏皆退避。关公既出门，谓从者曰："汝等护送车仗先行，但有追赶者，吾自当之，勿得惊动二位夫人。"从者推车，望官道进发。

却说曹操正论关公之事未定，左右报关公呈书。操即看毕，大惊曰："云长去矣！"忽北门守将飞报："关公夺门而去，车仗鞍马二十余人，皆望北行。"又关公宅中人来报说："关公尽封所赐金银等物。美女十人，另居内室。其汉寿亭侯印悬于堂上。丞相所拨人役，皆不带去，只带原跟从人，及随身行李，出北门去了。"众皆愕然。一将挺身出曰："某愿将铁骑三千，去生擒关某，献与丞相！"众视之，乃将军蔡阳也。正是：欲离万丈蛟龙穴，又遇三千狼虎兵。蔡阳要赶关公，毕竟如何，且听下文分解。

---

① 楮(chǔ)——纸的代称。

# 第二十七回

## 美髯公千里走单骑　汉寿侯五关斩六将

却说曹操部下诸将中，自张辽而外，只有徐晃与云长交厚，其余亦皆敬服；独蔡阳不服关公，故今日闻其去，欲往追之。操曰："不忘故主，来去明白，真丈夫也。汝等皆当效之。"遂叱退蔡阳，不令去赶。程昱曰："丞相待关某甚厚，今彼不辞而去，乱言片楮，冒渎钧威，其罪大矣。若纵之使归袁绍，是与虎添翼也。不若追而杀之，以绝后患。"操曰："吾昔已许之，岂可失信！彼各为其主，勿追也。"因谓张辽曰："云长封金挂印，财贿不以动其心，爵禄不以移其志，此等人吾深敬之。想他去此不远，我一发①结识他做个人情。汝可先去请住他，待我与他送行，更以路费征袍赠之，使为后日记念。"张辽领命，单骑先往。曹操引数十骑随后而来。

却说云长所骑赤兔马，日行千里，本是赶不上；因欲护送车仗，不敢纵马，按辔徐行。忽听背后有人大叫："云长且慢行！"回头视之，见张辽拍马而至。关公教车仗从人，只管望大路紧行；自己勒住赤兔马，按定青龙刀，问曰："文远莫非欲追我回乎？"辽曰："非也。丞相知兄远行，欲来相送，特先使我请住台驾，别无他意。"关公曰："便是丞相铁骑来，吾愿决一死战！"遂立马于桥上望之。见曹操引数十骑，飞奔前来，背后乃是许褚、徐晃、于禁、李典之辈。操见关公横刀立马于桥上，令诸将勒住马匹，左右排开。关公见众人手中皆无军器，方始放心。操曰："云长行何太速？"关公于马上欠身答曰："关某前曾禀过丞相。今故主在河北，不由某不急去。累次造府，不得参见，故拜书告辞，封金挂印，纳还丞相。望丞相勿忘昔日之言。"操曰："吾欲取信于天下，安肯有负前言。恐将军途中乏用，特具路资相送。"一将便从马上托过黄金一盘。关公曰："累蒙恩赐，尚有余资。留此黄金以赏将士。"操曰："特以少酬大功于万一，何必推辞？"关公曰："区区微劳，何足挂齿。"操笑曰："云长天下义士，恨吾福薄，不得相留。锦袍

① 一发——这里是越发、索性的意思。

一领，略表寸心。”令一将下马，双手捧袍过来。云长恐有他变，不敢下马，用青龙刀尖挑锦袍披于身上，勒马回头称谢曰：“蒙丞相赐袍，异日更得相会。”遂下桥望北而去。许褚曰：“此人无礼太甚，何不擒之？”操曰：“彼一人一骑，吾数十余人，安得不疑？吾言既出，不可追也。”曹操自引众将回城，于路叹想云长不已。

不说曹操自回。且说关公来赶车仗，约行三十里，却只不见。云长心慌，纵马四下寻之。忽见山头一人，高叫：“关将军且住！”云长举目视之，只见一少年，黄巾锦衣，持枪跨马，马项下悬着首级一颗，引百余步卒，飞奔前来。公问曰：“汝何人也？”少年弃枪下马，拜伏于地。云长恐是诈，勒马持刀问曰：“壮士，愿通姓名。”答曰：“吾本襄阳人，姓廖，名化，字元俭。因世乱流落江湖，聚众五百余人，劫掠为生。恰才同伴杜远下山巡哨，误将两夫人劫掠上山。吾问从者，知是大汉刘皇叔夫人，且闻将军护送在此，吾即欲送下山来。杜远出言不逊，被某杀之。今献头与将军请罪。”关公曰：“二夫人何在？”化曰：“现在山中。”关公教急取下山。不移时，百余人簇拥车仗前来。关公下马停刀，叉手于车前问候曰：“二嫂受惊否？”二夫人曰：“若非廖将军保全，已被杜远所辱。”关公问左右曰：“廖化怎生救夫人？”左右曰：“杜远劫上山去，就要与廖化各分一人为妻。廖化问起根由，好生拜敬；杜远不从，已被廖化杀了。”关公听言，乃拜谢廖化。廖化欲以部下人送关公。关公寻思此人终是黄巾余党，未可作伴，乃谢却之。廖化又拜送金帛，关公亦不受。廖化拜别，自引人伴投山谷中去了。

云长将曹操赠袍事，告知二嫂，催促车仗前行。至天晚，投一村庄安歇。庄主出迎，须发皆白，问曰：“将军姓甚名谁？”关公施礼曰：“吾乃刘玄德之弟关某也。”老人曰：“莫非斩颜良、文丑的关公否？”公曰：“便是。”老人大喜，便请入庄。关公曰：“车上还有二位夫人。”老人便唤妻女出迎。二夫人至草堂上，关公叉手立于二夫人之侧。老人请公坐，公曰：“尊嫂在上，安敢就坐！”老人乃令妻女请二夫人入内室款待，自于草堂款待关公。关公问老人姓名。老人曰：“吾姓胡，名华。桓帝时曾为议郎，致仕①归乡。今有小儿胡班，在荥阳太守王植部下为从事。将军若从此处经过，某有一书寄与小儿。”关公允诺。

---

① 致仕——年老辞官退休。

次日早膳毕，请二嫂上车，取了胡华书信，相别而行，取路投洛阳来。前至一关，名东岭关。把关将姓孔，名秀，引五百军兵在岭上把守。当日关公押车仗上岭，军士报知孔秀，秀出关来迎。关公下马，与孔秀施礼。秀曰："将军何往？"公曰："某辞丞相，特往河北寻兄。"秀曰："河北袁绍，正是丞相对头。将军此去，必有丞相文凭①？"公曰："因行期慌迫，不曾讨得。"秀曰："既无文凭，待我差人禀过丞相，方可放行。"关公曰："待去禀时，须误了我行程。"秀曰："法度所拘，不得不如此。"关公曰："汝不容我过关乎？"秀曰："汝要过去，留下老小为质。"关公大怒，举刀就杀孔秀。秀退入关去，鸣鼓聚军，披挂上马，杀下关来，大喝曰："汝敢过去么！"关公约退车仗，纵马提刀，竟不打话，直取孔秀。秀挺枪来迎。两马相交，只一合，钢刀起处，孔秀尸横马下。众军便走。关公曰："军士休走。吾杀孔秀，不得已也，与汝等无干。借汝众军之口，传语曹丞相，言孔秀欲害我，我故杀之。"众军俱拜于马前。

关公即请二夫人车仗出关，望洛阳进发。早有军士报知洛阳太守韩福。韩福急聚众将商议。牙将孟坦曰："既无丞相文凭，即系私行；若不阻挡，必有罪责。"韩福曰："关公勇猛，颜良、文丑俱为所杀。今不可力敌，只须设计擒之。"孟坦曰："吾有一计：先将鹿角拦定关口，待他到时，小将引兵和他交锋，佯败诱他来追，公可用暗箭射之。若关某坠马，即擒解许都，必得重赏。"商议停当，人报关公车仗已到。韩福弯弓插箭，引一千人马，排列关口，问："来者何人？"关公马上欠身言曰："吾汉寿亭侯关某，敢借过路。"韩福曰："有曹丞相文凭否？"关公曰："事冗不曾讨得。"韩福曰："吾奉丞相钧命，镇守此地，专一盘诘往来奸细。若无文凭，即系逃窜。"关公怒曰："东岭孔秀，已被吾杀。汝亦欲寻死耶？"韩福曰："谁人与我擒之？"孟坦出马，轮双刀来取关公。关公约退车仗，拍马来迎。孟坦战不三合，拨回马便走。关公赶来。孟坦只指望引诱关公，不想关公马快，早已赶上，只一刀，砍为两段。关公勒马回来，韩福闪在门首，尽力放了一箭，正射中关公左臂。公用口拔出箭，血流不住，飞马径奔韩福，冲散众军，韩福急走不迭，关公手起刀落，带头连肩，斩于马下；杀散众军，保护车仗。

关公割帛束住箭伤，于路恐人暗算，不敢久住，连夜投汜水关来。把

① 文凭——作为通行凭证的文书。

关将乃并州人氏，姓卞，名喜，善使流星锤；原是黄巾余党，后投曹操，拨来守关。当下闻知关公将到，寻思一计：就关前镇国寺中，埋伏下刀斧手二百余人，诱关公至寺，约击盏为号，欲图相害。安排已定，出关迎接关公。公见卞喜来迎，便下马相见。喜曰："将军名震天下，谁不敬仰！今归皇叔，足见忠义！"关公诉说斩孔秀、韩福之事。卞喜曰："将军杀之是也。某见丞相，代禀衷曲。"关公甚喜，同上马过了汜水关，到镇国寺前下马。众僧鸣钟出迎。原来那镇国寺乃汉明帝御前香火院，本寺有僧三十余人。内有一僧，却是关公同乡人，法名普净。当下普净已知其意，向前与关公问讯，曰："将军离蒲东几年矣？"关公曰："将及二十年矣。"普净曰："还认得贫僧否？"公曰："离乡多年，不能相识。"普净曰："贫僧家与将军家只隔一条河。"卞喜见普净叙出乡里之情，恐有走泄，乃叱之曰："吾欲请将军赴宴，汝僧人何得多言！"关公曰："不然。乡人相遇，安得不叙旧情耶？"普净请关公方丈待茶。关公曰："二位夫人在车上，可先献茶。"普净教取茶先奉夫人，然后请关公入方丈。普净以手举所佩戒刀，以目视关公。公会意，命左右持刀紧随。卞喜请关公于法堂筵席。关公曰："卞君请关某，是好意，还是歹意？"卞喜未及回言，关公早望见壁衣①中有刀斧手，乃大喝卞喜曰："吾以汝为好人，安敢如此！"卞喜知事泄，大叫："左右下手！"左右方欲动手，皆被关公拔剑砍之。卞喜下堂绕廊而走，关公弃剑执大刀来赶。卞喜暗取飞锤掷打关公。关公用刀隔开锤，赶将入去，一刀劈卞喜为两段。随即回身来看二嫂，早有军人围住，见关公来，四下奔走。关公赶散，谢普净曰："若非吾师，已被此贼害矣。"普净曰："贫僧此处难容，收拾衣钵，亦往他处云游也。后会有期，将军保重。"关公称谢，护送车仗，往荥阳进发。

荥阳太守王植，却与韩福是两亲家；闻得关公杀了韩福，商议欲暗害关公，乃使人守住关口。待关公到时，王植出关，喜笑相迎。关公诉说寻兄之事。植曰："将军于路驱驰，夫人车上劳困，且请入城，馆驿中暂歇一宵，来日登途未迟。"关公见王植意甚殷勤，遂请二嫂入城。馆驿中皆铺陈了当。王植请公赴宴，公辞不往；植使人送筵席至馆驿。关公因于路辛苦，请二嫂晚膳毕，就正房歇定；令从者各自安歇，饱喂马匹。关公亦解甲

---

① 壁衣——遮蔽墙壁的大帷幕。

憩息。

却说王植密唤从事胡班听令曰："关某背丞相而逃，又于路杀太守并守关将校，死罪不轻！此人武勇难敌。汝今晚点一千军围住馆驿，一人一个火把，待三更时分，一齐放火；不问是谁，尽皆烧死！吾亦自引军接应。"胡班领命，便点起军士，密将干柴引火之物，搬于馆驿门首，约时举事。胡班寻思："我久闻关云长之名，不识如何模样，试往窥之。"乃至驿中，问驿吏曰："关将军在何处？"答曰："正厅上观书者是也。"胡班潜至厅前，见关公左手绰髯，于灯下凭几看书。班见了，失声叹曰："真天人也！"公问何人，胡班入拜曰："荥阳太守部下从事胡班。"关公曰："莫非许都城外胡华之子否？"班曰："然也。"公唤从者于行李中取书付班。班看毕，叹曰："险些误杀忠良！"遂密告曰："王植心怀不仁，欲害将军，暗令人四面围住馆驿，约于三更放火。今某当先去开了城门，将军急收拾出城。"关公大惊，忙披挂提刀上马，请二嫂上车，尽出馆驿，果见军士各执火把听候。关公急来到城边，只见城门已开。关公催车仗急急出城。胡班还去放火。关公行不到数里，背后火把照耀，人马赶来。当先王植大叫："关某休走！"关公勒马，大骂："匹夫！我与你无仇，如何令人放火烧我？"王植拍马挺枪，径奔关公，被关公拦腰一刀，砍为两段。人马都赶散。关公催车仗速行，于路感胡班不已。

行至滑州界首，有人报与刘延。延引数十骑，出郭而迎。关公马上欠身而言曰："太守别来无恙！"延曰："公今欲何往？"公曰："辞了丞相，去寻家兄。"延曰："玄德在袁绍处，绍乃丞相仇人，如何容公去？"公曰："昔日曾言定来。"延曰："今黄河渡口关隘，夏侯惇部将秦琪据守，恐不容将军过渡。"公曰："太守应付船只，若何？"延曰："船只虽有，不敢应付。"公曰："我前者诛颜良、文丑，亦曾与足下解厄。今日求一渡船而不与，何也？"延曰："只恐夏侯惇知之，必然罪我。"关公知刘延无用之人，遂自催车仗前进。到黄河渡口，秦琪引军出问："来者何人？"关公曰："汉寿亭侯关某也。"琪曰："今欲何往？"关公曰："欲投河北去寻兄长刘玄德，敬来借渡。"琪曰："丞相公文何在？"公曰："吾不受丞相节制，有甚公文！"琪曰："吾奉夏侯将军将令，守把关隘，你便插翅，也飞不过去！"关公大怒曰："你知我于路斩戮拦截者乎？"琪曰："你只杀得无名下将，敢杀我么？"关公怒曰："汝比颜良、文丑若何？"秦琪大怒，纵马提刀，直取关公。二马相交，只一合，关公刀起，秦琪头落。关公曰："当吾者已死，余人不必惊走。速备船只，送我渡河。"军士急撑舟傍岸。关公请二嫂上船渡河。渡过黄河，便是袁绍地方。关公所历关隘五处，斩将六员。后人有诗叹曰：

挂印封金辞汉相，寻兄遥望远途还。
马骑赤兔行千里，刀偃青龙出五关。
忠义慨然冲宇宙，英雄从此震江山。
独行斩将应无敌，今古留题翰墨间。

关公于马上自叹曰："吾非欲沿途杀人，奈事不得已也。曹公知之，必以我为负恩之人矣。"正行间，忽见一骑自北而来，大叫："云长少住！"关公勒马视之，乃孙乾也。关公曰："自汝南相别，一向消息若何？"乾曰："刘辟、龚都自将军回兵之后，复夺了汝南；遣某往河北结好袁绍，请玄德同谋破曹之计。不想河北将士，各相妒忌。田丰尚囚狱中；沮授黜退不用；审配、郭图各自争权；袁绍多疑，主持不定。某与刘皇叔商议，先求脱身之计。今皇叔已往汝南会合刘辟去了。恐将军不知，反到袁绍处，或为所害，特遣某于路迎接将来。幸于此得见。将军可速往汝南与皇叔相会。"关公教孙乾拜见夫人。夫人问其动静。孙乾备说："袁绍二次欲斩皇叔，今幸脱身往汝南去了。夫人可与云长到此相会。"二夫人皆掩面垂泪。关公依言，不投河北去，径取汝南来。正行之间，背后尘埃起处，一彪人马赶来。当先夏侯惇大叫："关某休走！"正是：六将阻关徒受死，一军拦路复争锋。毕竟关公怎生脱身，且听下文分解。

# 第二十八回

## 斩蔡阳兄弟释疑　会古城主臣聚义

却说关公同孙乾保二嫂向汝南进发，不想夏侯惇领三百余骑，从后追来。孙乾保车仗前行。关公回身勒马按刀问曰："汝来赶我，有失丞相大度。"夏侯惇曰："丞相无明文传报，汝于路杀人，又斩吾部将，无礼太甚！我特来擒你，献与丞相发落！"言讫，便拍马挺枪欲斗。只见后面一骑飞来，大叫："不可与云长交战！"关公按辔不动。来使于怀中取出公文，谓夏侯惇曰:“丞相敬爱关将军忠义,恐于路关隘拦截,故遣某特赍公文,遍行诸处。”惇曰:“关某于路杀把关将士,丞相知否?”来使曰:“此却未知。”惇曰:“我只活捉他去见丞相,待丞相自放他。”关公怒曰:“吾岂惧汝耶!”拍马持刀,直取夏侯惇。惇挺枪来迎。两马相交,战不十合,忽又一骑飞至,大叫:“二将军少歇!”惇停枪问来使曰:“丞相叫擒关某乎?”使者曰:“非也。丞相恐守关诸将阻挡关将军,故又差某驰公文来放行。”惇曰:“丞相知其于路杀人否?”使者曰:“未知。”惇曰:“既未知其杀人,不可放去。”指挥手下军士,将关公围住。关公大怒,舞刀迎战。两个正欲交锋,阵后一人飞马而来,大叫:“云长、元让,休得争战!”众视之,乃张辽也。二人各勒住马。张辽近前言曰:“奉丞相钧旨:因闻知云长斩关杀将,恐于路有阻,特差我传谕各处关隘,任便放行。”惇曰:“秦琪是蔡阳之甥。他将秦琪托付我处,今被关某所杀,怎肯干休?”辽曰:“我见蔡将军,自有分解。既丞相大度,教放云长去,公等不可废丞相之意。”夏侯惇只得将军马约退。辽曰:“云长今欲何往?”关公曰:“闻兄长又不在袁绍处,吾今将遍天下寻之。”辽曰:“既未知玄德下落,且再回见丞相,若何?”关公笑曰:“安有是理!文远回见丞相,幸为我谢罪。”说毕,与张辽拱手而别。于是张辽与夏侯惇领军自回。

关公赶上车仗,与孙乾说知此事。二人并马而行。行了数日,忽值大雨滂沱,行装尽湿。遥望山冈边有一所庄院,关公引着车仗,到彼借宿。庄内一老人出迎。关公具言来意。老人曰:“某姓郭,名常,世居于此。久闻大名,幸得瞻拜。”遂宰羊置酒相待,请二夫人于后堂暂歇。郭常陪关公、孙乾于草堂饮酒。一边烘焙①行李,一边喂养马匹。至黄昏时候,忽见一少年,引数人入庄,径上草堂。郭常唤曰:“吾儿来拜将军。”因谓关公曰:“此愚男也。”关公问何来。常曰:“射猎方回。”少年见过关公,即下堂去了。常流泪言曰:“老夫耕读传家,止生此子,不务本业,惟以游猎为事。是家门不幸也!”关公曰:“方今乱世,若武艺精熟,亦可以取功名,何云不幸?”常曰:“他若肯习武艺,便是有志之人。今专务游荡,无所不为:老夫所以忧耳!”关公亦为叹息。至更深,郭常辞出。关公与孙乾方欲就寝,忽闻后院马嘶人叫。关公急唤从人,却都不应,乃与孙乾提剑往视之。只见

---

① 烘焙——用火烘干。

郭常之子倒在地上叫唤,从人正与庄客厮打。公问其故。从人曰:"此人来盗赤兔马,被马踢倒。我等闻叫唤之声,起来巡看,庄客们反来厮闹。"公怒曰:"鼠贼焉敢盗吾马!"恰待发作,郭常奔至告曰:"不肖子为此歹事,罪合万死!奈老妻最怜爱此子,乞将军仁慈宽恕!"关公曰:"此子果然不肖,适才老翁所言,真'知子莫若父'也。我看翁面,且姑恕之。"遂分付从人看好了马,喝散庄客,与孙乾回草堂歇息。次日,郭常夫妇出拜于堂前,谢曰:"犬子冒渎虎威,深感将军恩恕。"关公令:"唤出,我以正言教之。"常曰:"他于四更时分,又引数个无赖之徒,不知何处去了。"

关公谢别郭常,奉二嫂上车,出了庄院,与孙乾并马,护着车仗,取山路而行。不及三十里,只见山背后拥出百余人,为首两骑马:前面那人,头裹黄巾,身穿战袍;后面乃郭常之子也。黄巾者曰:"我乃天公将军张角部将也!来者快留下赤兔马,放你过去!"关公大笑曰:"无知狂贼!汝既从张角为盗,亦知刘、关、张兄弟三人名字否?"黄巾者曰:"我只闻赤面长髯者名关云长,却未识其面。汝何人也?"公乃停刀立马,解开须囊,出长髯令视之。其人滚鞍下马,脑揪①郭常之子拜献于马前。关公问其姓名。告曰:"某姓裴,名元绍。自张角死后,一向无主,啸聚山林,权于此处藏伏。今早这厮来报:'有一客人,骑一匹千里马,在我家投宿。'特邀某来劫夺此马。不想却遇将军。"郭常之子拜伏乞命。关公曰:"吾看汝父之面,饶你性命!"郭子抱头鼠窜而去。

公谓元绍曰:"汝不识吾面,何以知吾名?"元绍曰:"离此二十里有一卧牛山。山上有一关西人,姓周,名仓,两臂有千斤之力,板肋虬髯②,形容甚伟;原在黄巾张宝部下为将,张宝死,啸聚山林。他多曾与某说将军盛名,恨无门路相见。"关公曰:"绿林中非豪杰托足之处。公等今后可各去邪归正,勿自陷其身。"元绍拜谢。正说话间,遥望一彪人马来到。元绍曰:"此必周仓也。"关公乃立马待之。果见一人,黑面长身,持枪乘马,引众而至;见了关公,惊喜曰:"此关将军也!"疾忙下马,俯伏道傍曰:"周仓参拜。"关公曰:"壮士何处曾识关某来?"仓曰:"旧随黄巾张宝时,曾识尊颜;恨失身贼党,不得相随。今日幸得拜见。愿将军不弃,收为步卒,早晚

---

① 脑揪——抓住脑后的头发。

② 虬(qiú)髯——蜷曲的胡须。

执鞭随镫，死亦甘心！”公见其意甚诚，乃谓曰：“汝若随我，汝手下人伴若何？”仓曰：“愿从则俱从；不愿从者，听之可也。”于是众人皆曰：“愿从。”关公乃下马至车前禀问二嫂。甘夫人曰：“叔叔自离许都，于路独行至此，历过多少艰难，未尝要军马相随。前廖化欲相投，叔既却之，今何独容周仓之众耶？我辈女流浅见，叔自斟酌。”公曰：“嫂嫂之言是也。”遂谓周仓曰：“非关某寡情，奈二夫人不从。汝等且回山中，待我寻见兄长，必来相招。”周仓顿首告曰：“仓乃一粗莽之夫，失身为盗；今遇将军，如重见天日，岂忍复错过！若以众人相随为不便，可令其尽跟裴元绍去。仓只身步行，跟随将军，虽万里不辞也！”关公再以此言告二嫂。甘夫人曰：“一二人相从，无妨于事。”公乃令周仓拨人伴随裴元绍去。元绍曰：“我亦愿随关将军。”周仓曰：“汝若去时，人伴皆散；且当权时统领。我随关将军去，但有住扎处，便来取你。”元绍怏怏而别。

周仓跟着关公，往汝南进发。行了数日，遥见一座山城。公问土人：“此何处也？”土人曰：“此名古城。数月前有一将军，姓张，名飞，引数十骑到此，将县官逐去，占住古城，招军买马，积草屯粮。今聚有三五千人马，四远无人敢敌。”关公喜曰：“吾弟自徐州失散，一向不知下落，谁想却在此！”乃令孙乾先入城通报，教来迎接二嫂。

却说张飞在芒砀山中，住了月余，因出外探听玄德消息，偶过古城，入县借粮；县官不肯，飞怒，因就逐去县官，夺了县印，占住城池，权且安身。当日孙乾领关公命，入城见飞。施礼毕，具言：“玄德离了袁绍处，投汝南去了。今云长直从许都送二位夫人至此，请将军出迎。”张飞听罢，更不回言，随即披挂持矛上马，引一千余人，径出北门。孙乾惊讶，又不敢问，只得随出城来。关公望见张飞到来，喜不自胜，付刀与周仓接了，拍马来迎。只见张飞圆睁环眼，倒竖虎须，吼声如雷，挥矛向关公便搠。关公大惊，连忙闪过，便叫：“贤弟何故如此？岂忘了桃园结义耶？”飞喝曰：“你既无义，有何面目来与我相见！”关公曰：“我如何无义？”飞曰：“你背了兄长，降了曹操，封侯赐爵。今又来赚我！我今与你拼个死活！”关公曰：“你原来不知！——我也难说。现放着二位嫂嫂在此，贤弟请自问。”二夫人听得，揭帘而呼曰：“三叔何故如此？”飞曰：“嫂嫂住着。且看我杀了负义的人，然后请嫂嫂入城。”甘夫人曰：“二叔因不知你等下落，故暂时栖身曹氏。今知你哥哥在汝南，特不避险阻，送我们到此。三叔休错见了。”糜夫人曰：

"二叔向在许都,原出于无奈。"飞曰:"嫂嫂休要被他瞒过了!忠臣宁死而不辱。大丈夫岂有事二主之理!"关公曰:"贤弟休屈了我。"孙乾曰:"云长特来寻将军。"飞喝曰:"如何你也胡说!他那里有好心,必是来捉我!"关公曰:"我若捉你,须带军马来。"飞把手指曰:"兀的①不是军马来也!"

关公回顾,果见尘埃起处,一彪人马来到。风吹旗号,正是曹军。张飞大怒曰:"今还敢支吾②么?"挺丈八蛇矛便搠将来。关公急止之曰:"贤弟且住。你看我斩此来将,以表我真心。"飞曰:"你果有真心,我这里三通鼓罢,便要你斩来将!"关公应诺。须臾,曹军至。为首一将,乃是蔡阳,挺刀纵马大喝曰:"你杀吾外甥秦琪,却原来逃在此!吾奉丞相命,特来拿你!"关公更不打话,举刀便砍。张飞亲自擂鼓。只见一通鼓未尽,关公刀起处,蔡阳头已落地。众军士俱走。关公活捉执认旗③的小卒过来,问取来由。小卒告说:"蔡阳闻将军杀了他外甥,十分忿怒,要来河北与将军交战。丞相不肯,因差他往汝南攻刘辟。不想在这里遇着将军。"关公闻言,教去张飞前告说其事。飞将关公在许都时事细问小卒;小卒从头至尾,说了一遍,飞方才信。

正说间,忽城中军士来报:"城南门外有十数骑来的甚紧,不知是甚人。"张飞心中疑虑,便转出南门看时,果见十数骑轻弓短箭而来。见了张飞,滚鞍下马。视之,乃糜竺、糜芳也。飞亦下马相见。竺曰:"自徐州失散,我兄弟二人逃难回乡。使人远近打听,知云长降了曹操,主公在于河北;又闻简雍亦投河北去了。只不知将军在此。昨于路上遇见一伙客人,说有一姓张的将军,如此模样,今据古城。我兄弟度量必是将军,故来寻访。幸得相见!"飞曰:"云长兄与孙乾送二嫂方到,已知哥哥下落。"二糜大喜,同来见关公,并参见二夫人。飞遂迎请二嫂入城。至衙中坐定,二夫人诉说关公历过之事,张飞方才大哭,参拜云长。二糜亦俱伤感。张飞亦自诉别后之事,一面设宴贺喜。

次日,张飞欲与关公同赴汝南见玄德。关公曰:"贤弟可保护二嫂,暂住此城,待我与孙乾先去探听兄长消息。"飞允诺。关公与孙乾引数骑奔

---

① 兀(wù)的——"这"的意思,指点时所用词语。

② 支吾——用含混闪烁的言语搪塞。

③ 认旗——就是认军旗,旗上有将领的姓氏或官号。

汝南来。刘辟、龚都接着，关公便问："皇叔何在？"刘辟曰："皇叔到此住了数日，为见军少，复往河北袁本初处商议去了。"关公怏怏不乐。孙乾曰："不必忧虑。再苦一番驱驰，仍往河北去报知皇叔，同至古城便了。"关公依言，辞了刘辟、龚都，回至古城，与张飞说知此事。张飞便欲同至河北。关公曰："有此一城，便是我等安身之处，未可轻弃。我还与孙乾同往袁绍处，寻见兄长，来此相会。贤弟可坚守此城。"飞曰："兄斩他颜良、文丑，如何去得？"关公曰："不妨。我到彼当见机而变。"遂唤周仓问曰："卧牛山裴元绍处，共有多少人马？"仓曰："约有四五百。"关公曰："我今抄近路去寻兄长。汝可往卧牛山招此一枝人马，从大路上接来。"仓领命而去。

关公与孙乾只带二十余骑投河北来。将至界首，乾曰："将军未可轻入，只在此间暂歇。待某先入见皇叔，别作商议。"关公依言，先打发孙乾去了。遥望前村有一所庄院，便与从人到彼投宿。庄内一老翁携杖而出，与关公施礼。公具以实告。老翁曰："某亦姓关，名定。久闻大名，幸得瞻谒。"遂命二子出见，款留关公，并从人俱留于庄内。

且说孙乾匹马入冀州见玄德，具言前事。玄德曰："简雍亦在此间，可暗请来同议。"少顷，简雍至，与孙乾相见毕，共议脱身之计。雍曰："主公明日见袁绍，只说要往荆州，说刘表共破曹操，便可乘机而去。"玄德曰："此计大妙！但公能随我去否？"雍曰："某亦自有脱身之计。"商议已定。次日，玄德入见袁绍，告曰："刘景升镇守荆襄九郡，兵精粮足，宜与相约，共攻曹操。"绍曰："吾尝遣使约之，奈彼未肯相从。"玄德曰："此人是备同宗，备往说之，必无推阻。"绍曰："若得刘表，胜刘辟多矣。"遂命玄德行。绍又曰："近闻关云长已离了曹操，欲来河北；吾当杀之，以雪颜良、文丑之恨！"玄德曰："明公前欲用之，吾故召之。今何又欲杀之耶？且颜良、文丑比之二鹿耳，云长乃一虎也；失二鹿而得一虎，何恨之有？"绍笑曰："吾实爱之，故戏言耳。公可再使人召之，令其速来。"玄德曰："即遣孙乾往召之可也。"绍大喜从之。玄德出，简雍进曰："玄德此去，必不回矣。某愿与偕往：一则同说刘表，二则监住玄德。"绍然其言，便命简雍与玄德同行。郭图谏绍曰："刘备前去说刘辟，未见成事；今又使与简雍同往荆州，必不返矣。"绍曰："汝勿多疑，简雍自有见识。"郭图嗟呀而出。

却说玄德先命孙乾出城，回报关公；一面与简雍辞了袁绍，上马出城。行至界首，孙乾接着，同往关定庄上。关公迎门接拜，执手啼哭不止。关定领二子拜于草堂之前。玄德问其姓名。关公曰:“此人与弟同姓,有二子:长子关宁,学文;次子关平,学武。”关定曰:“今愚意欲遣次子跟随关将军,未识肯容纳否?”玄德曰:“年几何矣?”定曰:“十八岁矣。”玄德曰:“既蒙长者厚意,吾弟尚未有子,今即以贤郎为子,若何?”关定大喜,便命关平拜关公为父,呼玄德为伯父。玄德恐袁绍追之,急收拾起行。关平随着关公,一齐起身。关定送了一程自回。

关公教取路往卧牛山来。正行间,忽见周仓引数十人带伤而来。关公引他见了玄德。问其何故受伤,仓曰:“某未至卧牛山之前,先有一将单骑而来,与裴元绍交锋,只一合,刺死裴元绍,尽数招降人伴,占住山寨。仓到彼招诱人伴时,止有这几个过来,余者俱惧怕,不敢擅离。仓不忿,与那将交战,被他连胜数次,身中三枪。——因此来报主公。”玄德曰:“此人怎生模样?姓甚名谁?”仓曰:“极其雄壮,不知姓名。”于是关公纵马当先,玄德在后,径投卧牛山来。周仓在山下叫骂,只见那将全副披挂,持枪骤马,引众下山。玄德早挥鞭出马大叫曰:“来者莫非子龙否?”那将见了玄德,滚鞍下马,拜伏道旁。——原来果然是赵子龙。玄德、关公俱下马相见,问其何由至此。云曰:“云自别使君,不想公孙瓒不听人言,以致兵败自焚。袁绍屡次招云,云想绍亦非用人之人,因此未往。后欲至徐州投使君,又闻徐州失守,云长已归曹操,使君又在袁绍处。云几番欲来相投,只恐袁绍见怪。四海飘零,无容身之地。前偶过此处,适遇裴元绍下山来欲夺吾马,云因杀之,借此安身。近闻翼德在古城,欲往投之,未知真实。今幸得遇使君!”玄德大喜,诉说从前之事。关公亦诉前事。玄德曰:“吾初见子龙,便有留恋不舍之情。今幸得相遇!”云曰:“云奔走四方,择主而事,未有如使君者。今得相随,大称平生。虽肝脑涂地,无恨矣。”当日就烧毁山寨,率领人众,尽随玄德前赴古城。

张飞、糜竺、糜芳迎接入城,各相拜诉。二夫人具言云长之事,玄德感叹不已。于是杀牛宰马,先拜谢天地,然后遍劳诸军。玄德见兄弟重聚,将佐无缺,又新得了赵云,关公又得了关平、周仓二人,欢喜无限,连饮数日。后人有诗赞之曰:

当时手足似瓜分,信断音稀杳不闻。
今日君臣重聚义,正如龙虎会风云。

时玄德、关、张、赵云、孙乾、简雍、糜竺、糜芳、关平、周仓部领马步军校共四五千人。玄德欲弃了古城去守汝南，恰好刘辟、龚都差人来请。于是遂起军往汝南驻扎，招军买马，徐图征进，不在话下。

且说袁绍见玄德不回，大怒，欲起兵伐之。郭图曰："刘备不足虑。曹操乃劲敌也，不可不除。刘表虽据荆州，不足为强。江东孙伯符威镇三江，地连六郡，谋臣武士极多，可使人结之，共攻曹操。"绍从其言，即修书遣陈震为使，来会孙策。正是：只因河北英雄去，引出江东豪杰来。未知其事如何，且听下文分解。

# 第二十九回

## 小霸王怒斩于吉　碧眼儿坐领江东

却说孙策自霸江东，兵精粮足。建安四年，袭取庐江，败刘勋，使虞翻驰檄豫章，豫章太守华歆投降。自此声势大振，乃遣张纮往许昌上表献捷。曹操知孙策强盛，叹曰："狮儿难与争锋也！"遂以曹仁之女许配孙策幼弟孙匡，两家结婚。留张纮在许昌。孙策求为大司马，曹操不许。策恨之，常有袭许都之心。于是吴郡太守许贡，乃暗遣使赴许都上书于曹操。其略曰：

孙策骁勇，与项籍相似。朝廷宜外示荣宠，召还京师；不可使居外镇，以为后患。

使者赍书渡江，被防江将士所获，解赴孙策处。策观书大怒，斩其使，遣人假意请许贡议事。贡至，策出书示之，叱曰："汝欲送我于死地耶！"命武士绞杀之。贡家属皆逃散。有家客三人，欲为许贡报仇，恨无其便。

一日，孙策引军会猎于丹徒之西山，赶起一大鹿，策纵马上山逐之。正赶之间，只见树林之内有三个人持枪带弓而立。策勒马问曰："汝等何人？"答曰："乃韩当军士也。在此射鹿。"策方举辔欲行，一人拈枪望策左腿便刺。策大惊，急取佩剑从马上砍去，剑刃忽坠，止存剑把在手。一人早拈弓搭箭射来，正中孙策面颊。策就拔面上箭，取弓回射放箭之人，应弦而倒。那二人举枪向孙策乱搠，大叫曰："我等是许贡家客，特来为主人报仇！"策别无器械，只以弓拒之，且拒且走。二人死战不退。策身被数枪，马亦带伤。正危急之时，程普引数人至。孙策大叫："杀贼！"程普引众齐上，将许贡家客砍为肉泥。看孙策时，血流满面，被伤至重，乃以刀割袍，裹其伤处，救回吴会养病。后人有诗赞许家三客曰：

孙郎智勇冠江湄，射猎山中受困危。

许客三人能死义，杀身豫让未为奇。

却说孙策受伤而回，使人寻请华佗医治。不想华佗已往中原去了，止有徒弟在吴，命其治疗。其徒曰："箭头有药，毒已入骨。须静养百日，方可无虞。若怒气冲激，其疮难治。"孙策为人最是性急，恨不得即日便愈。将息到二十余日，忽闻张纮有使者自许昌回，策唤问之。使者曰："曹操甚惧主公；其帐下谋士，亦俱敬服；惟有郭嘉不服。"策曰："郭嘉曾有何说？"使者不敢言。策怒，固问之。使者只得从实告曰："郭嘉曾对曹操言主公不足惧也：轻而无备，性急少谋，乃匹夫之勇耳，他日必死于小人之手。"策闻言，大怒曰："匹夫安敢料吾！吾誓取许昌！"遂不待疮愈，便欲商议出兵。张昭谏曰："医者戒主公百日休动，今何因一时之忿，自轻万金之躯？"

正话间，忽报袁绍遣使陈震至。策唤入问之。震具言袁绍欲结东吴为外应，共攻曹操。策大喜，即日会诸将于城楼上，设宴款待陈震。饮酒之间，忽见诸将互相耳语，纷纷下楼。策怪问何故。左右曰："有于神仙者，今从楼下过，诸将欲往拜之耳。"策起身凭栏观之，见一道人，身披鹤氅①，手携藜杖，立于当道，百姓俱焚香伏道而拜。策怒曰："是何妖人？快与我擒来！"左右告曰："此人姓于，名吉，寓居东方，往来吴会，普施符水，救人万病，无有不验。当世呼为神仙，未可轻渎。"策愈怒，喝令："速速擒来！违者斩！"左右不得已，只得下楼，拥于吉至楼上。策叱曰："狂道怎敢煽惑人心！"于吉曰："贫道乃琅琊宫道士，顺帝时曾入山采药，得神书于阳曲泉水上，号曰《太平青领道》，凡百余卷，皆治人疾病方术。贫道得之，惟务代天宣化，普救万人，未曾取人毫厘之物，安得煽惑人心？"策曰："汝毫不取人，衣服饮食，从何而得？汝即黄巾张角之流，今若不诛，必为后患！"叱左右斩之。张昭谏曰："于道人在江东数十年，并无过犯，不可杀害。"策曰："此等妖人，吾杀之，何异屠猪狗！"众官皆苦谏，陈震亦劝。策怒未息，命且囚于狱中。众官俱散。陈震自归馆驿安歇。

---

① 鹤氅(chǎng)——用鸟羽制成的大衣。

孙策归府，早有内侍传说此事与策母吴太夫人知道。夫人唤孙策入后堂，谓曰："吾闻汝将于神仙下于缧绁①。此人多曾医人疾病，军民敬仰，不可加害。"策曰："此乃妖人，能以妖术惑众，不可不除！"夫人再三劝解。策曰："母亲勿听外人妄言，儿自有区处。"乃出唤狱吏取于吉来问。原来狱吏皆敬信于吉，吉在狱中时，尽去其枷锁；及策唤取，方带枷锁而出。策访知大怒，痛责狱吏，仍将于吉械系下狱。张昭等数十人，连名作状，拜求孙策，乞保于神仙。策曰："公等皆读书人，何不达理？昔交州刺史张津，听信邪教，鼓瑟焚香，常以红帕裹头，自称可助出军之威，后竟为敌军所杀。此等事甚无益，诸君自未悟耳。吾欲杀于吉，正思禁邪觉迷②也。"

吕范曰："某素知于道人能祈风祷雨。方今天旱，何不令其祈雨以赎罪？"策曰："吾且看此妖人若何。"遂命于狱中取出于吉，开其枷锁，令登坛求雨。吉领命，即沐浴更衣，取绳自缚于烈日之中。百姓观者，填街塞巷。于吉谓众人曰："吾求三尺甘霖，以救万民，然我终不免一死。"众人曰："若有灵验，主公必然敬服。"于吉曰："气数至此，恐不能逃。"少顷，孙策亲至坛中下令："若午时无雨，即焚死于吉。"先令人堆积干柴伺候。将及午时，狂风骤起。风过处，四下阴云渐合。策曰："时已近午，空有阴云，而无甘雨，正是妖人！"叱左右将于吉扛上柴堆，四下举火，焰随风起。忽见黑烟一道，冲上空中，一声响亮，雷电齐发，大雨如注。顷刻之间，街市成河，溪涧皆满，足有三尺甘雨。于吉仰卧于柴堆之上，大喝一声，云收雨住，复见太阳。于是众官及百姓，共将于吉扶下柴堆，解去绳索，再拜称谢。孙策见官民俱罗拜于水中，不顾衣服，乃勃然大怒，叱曰："晴雨乃天地之定数，妖人偶乘其便，你等何得如此惑乱！"掣宝剑令左右速斩于吉。众官力谏，策怒曰："尔等皆欲从于吉造反耶！"众官乃不敢复言。策叱武士将于吉一刀斩头落地。只见一道青气，投东北去了。策命将其尸号令于市，以正妖妄之罪。

是夜风雨交作，及晓，不见了于吉尸首。守尸军士报知孙策。策怒，欲杀守尸军士。忽见一人，从堂前徐步而来，视之，却是于吉。策大怒，正

---

① 缧绁(léi xiè)——捆绑犯人的绳索。这里代指监狱。

② 禁邪觉迷——禁止邪恶事情发生，使迷雾中人觉醒。

欲拔剑斫之，忽然昏倒于地。左右急救入卧内，半晌方苏。吴太夫人来视疾，谓策曰："吾儿屈杀神仙，故招此祸。"策笑曰："儿自幼随父出征，杀人如麻，何曾有为祸之理？今杀妖人，正绝大祸，安得反为我祸？"夫人曰："因汝不信，以致如此；今可作好事以禳①之。"策曰："吾命在天，妖人决不能为祸，何必禳耶！"夫人料劝不信，乃自令左右暗修善事禳解。

是夜二更，策卧于内宅，忽然阴风骤起，灯灭而复明。灯影之下，见于吉立于床前。策大喝曰："吾平生誓诛妖妄，以靖②天下！汝既为阴鬼，何敢近我！"取床头剑掷之，忽然不见。吴太夫人闻之，转生忧闷。策乃扶病强行，以宽母心。母谓策曰："圣人云：'鬼神之为德，其盛矣乎！'又云：'祷尔于上下神祇。'鬼神之事，不可不信。汝屈杀于先生，岂无报应？吾已令人设醮③于郡之玉清观内，汝可亲往拜祷，自然安妥。"策不敢违母命，只得勉强乘轿至玉清观。道士接入，请策焚香，策焚香而不谢。忽香炉中烟起不散，结成一座华盖，上面端坐着于吉。策怒，唾骂之；走离殿宇，又见于吉立于殿门首，怒目视策。策顾左右曰："汝等见妖鬼否？"左右皆云未见。策愈怒，拔佩剑望于吉掷去，一人中剑而倒。众视之，乃前日动手杀于吉之小卒，被剑斫入脑袋，七窍流血而死。策命扛出葬之。比及出观，又见于吉走入观门来。策曰："此观亦藏妖之所也！"遂坐于观前，命武士五百人拆毁之。武士方上屋揭瓦，却见于吉立于屋上，飞瓦掷地。策大怒，传令逐出本观道士，放火烧毁殿宇。火起处，又见于吉立于火光之中。策怒归府，又见于吉立于府门前。策乃不入府，随点起三军，出城外下寨，传唤众将商议，欲起兵助袁绍夹攻曹操。众将俱曰："主公玉体违和，未可轻动。且待平愈，出兵未迟。"

是夜孙策宿于寨内，又见于吉披发而来。策于帐中叱喝不绝。次日，吴太夫人传命，召策回府。策乃归见其母。夫人见策形容憔悴，泣曰："儿失形矣！"策即引镜自照，果见形容十分瘦损，不觉失惊，顾左右曰："吾奈何憔悴至此耶！"言未已，忽见于吉立于镜中。策拍镜大叫一声，金疮迸裂，昏绝于地。夫人令扶入卧内。须臾苏醒，自叹曰："吾不能复生矣！"随

---

① 禳（ráng）——古人以祭祷消除灾祸的一种迷信活动。

② 靖——安定、平定。

③ 醮（jiào）——古代祭祀、祈祷神灵的迷信活动。这里是道士设坛祭祀。

召张昭等诸人，及弟孙权，至卧榻前，嘱付曰："天下方乱，以吴越之众，三江之固，大可有为。子布等幸善相吾弟。"乃取印绶与孙权曰："若举江东之众，决机于两阵之间，与天下争衡，卿不如我；举贤任能，使各尽力以保江东，我不如卿。卿宜念父兄创业之艰难，善自图之！"权大哭，拜受印绶。策告母曰："儿天年已尽，不能奉慈母。今将印绶付弟，望母朝夕训之。父兄旧人，慎勿轻怠。"母哭曰："恐汝弟年幼，不能任大事，当复如何？"策曰："弟才胜儿十倍，足当大任。倘内事不决，可问张昭；外事不决，可问周瑜。——恨周瑜不在此，不得面嘱之也！"又唤诸弟嘱曰："吾死之后，汝等并辅仲谋。宗族中敢有生异心者，众共诛之；骨肉为逆，不得入祖坟安葬。"诸弟泣受命。又唤妻乔夫人谓曰："吾与汝不幸中途相分，汝须孝养尊姑。早晚汝妹入见，可嘱其转致周郎，尽力辅佐吾弟，休负我平日相知之雅。"言讫，瞑目而逝。年止二十六岁。后人有诗赞曰：

独战东南地，人称"小霸王"。运筹如虎踞，决策似鹰扬。

威镇三江靖，名闻四海香。临终遗大事，专意属周郎。

孙策既死，孙权哭倒于床前。张昭曰："此非将军哭时也。宜一面治丧事，一面理军国大事。"权乃收泪。张昭令孙静理会丧事，请孙权出堂，受众文武谒贺。孙权生得方颐①大口，碧眼紫髯。昔汉使刘琬入吴，见孙家诸昆仲，因语人曰："吾遍观孙氏兄弟，虽各才气秀达，然皆禄祚②不终。惟仲谋形貌奇伟，骨格非常，乃大贵之表，又享高寿，众皆不及也。"

且说当时孙权承孙策遗命，掌江东之事。经理未定，人报周瑜自巴丘提兵回吴。权曰："公瑾已回，吾无忧矣。"原来周瑜守御巴丘，闻知孙策中箭被伤，因此回来问候；将至吴郡，闻策已亡，故星夜来奔丧。当下周瑜哭拜于孙策灵柩之前。吴太夫人出，以遗嘱之语告瑜。瑜拜伏于地曰："敢不效犬马之力，继之以死！"少顷，孙权入。周瑜拜见毕，权曰："愿公无忘先兄遗命。"瑜顿首曰："愿以肝脑涂地，报知己之恩。"权曰："今承父兄之业，将何策以守之？"瑜曰："自古'得人者昌，失人者亡'。为今之计，须求高明远见之人为辅，然后江东可定也。"权曰："先兄遗言：内事托子布，外事全赖公瑾。"瑜曰："子布贤达之士，足当大任。瑜不才，恐负倚托之重，

---

① 颐——面颊、腮。

② 禄祚——福分、寿命。

愿荐一人以辅将军。”权问何人。瑜曰：“姓鲁，名肃，字子敬，临淮东川人也。此人胸怀韬略①，腹隐机谋。早年丧父，事母至孝。其家极富，尝散财以济贫乏。瑜为居巢长之时，将数百人过临淮，因乏粮，闻鲁肃家有两囷米，各三千斛，因往求助。肃即指一囷相赠，其慷慨如此。平生好击剑骑射，寓居曲阿。祖母亡，还葬东城。其友刘子扬欲约彼往巢湖投郑宝，肃尚踌躇未往。今主公可速召之。”权大喜，即命周瑜往聘。瑜奉命亲往，见肃叙礼毕，具道孙权相慕之意。肃曰：“近刘子扬约某往巢湖，某将就之。”瑜曰：“昔马援对光武云：‘当今之世，非但君择臣，臣亦择君。’今吾孙将军亲贤礼士，纳奇录异，世所罕有。足下不须他计，只同我往投东吴为是。”肃从其言，遂同周瑜来见孙权。权甚敬之，与之谈论，终日不倦。

一日，众官皆散，权留鲁肃共饮，至晚同榻抵足而卧。夜半，权问肃曰：“方今汉室倾危，四方纷扰；孤承父兄余业，思为桓、文之事②，君将何以教我？”肃曰：“昔汉高祖欲尊事义帝③而不获者，以项羽为害也。今之曹操可比项羽，将军何由得为桓、文乎？肃窃料汉室不可复兴，曹操不可卒除。为将军计，惟有鼎足江东以观天下之衅。今乘北方多务，剿除黄祖，进伐刘表，竟长江所极而据守之；然后建号帝王，以图天下：此高祖之业也。”权闻言大喜，披衣起谢。次日厚赠鲁肃，并将衣服帏帐等物赐肃之母。肃又荐一人见孙权：此人博学多才，事母至孝；覆姓诸葛，名瑾，字子瑜，琅琊南阳人也。权拜之为上宾。瑾劝权勿通袁绍，且顺曹操，然后乘便图之。权依言，乃遣陈震回，以书绝袁绍。

却说曹操闻孙策已死，欲起兵下江南。侍御史张纮谏曰：“乘人之丧而伐之，既非义举；若其不克，弃好成仇：不如因而善遇之。”操然其说，乃即奏封孙权为将军，兼领会稽太守；即令张纮为会稽都尉，赍印往江东。孙权大喜，又得张纮回吴，即命与张昭同理政事。张纮又荐一人于孙权：此人姓顾，名雍，字元叹，乃中郎蔡邕之徒；其为人少言语，不饮酒，严厉正大。权以为丞，行太守事。自是孙权威震江东，深得民心。

---

① 韬略——策略、计谋。

② 思为桓、文之事——想要效法齐桓公、晋文公的事业。齐桓公、晋文公都是春秋五霸中的人物。

③ 义帝——指秦朝末年项梁所立的楚怀王，项羽入关后尊他为义帝。

且说陈震回见袁绍，具说："孙策已亡，孙权继立。曹操封之为将军，结为外应矣。"袁绍大怒，遂起冀、青、幽、并等处人马七十余万，复来攻取许昌。正是：江南兵革方休息，冀北干戈又复兴。未知胜负若何，且听下文分解。

# 第三十回

## 战官渡本初败绩　劫乌巢孟德烧粮

却说袁绍兴兵，望官渡进发。夏侯惇发书告急。曹操起军七万，前往迎敌，留荀彧守许都。绍兵临发，田丰从狱中上书谏曰："今且宜静守以待天时，不可妄兴大兵，恐有不利。"逢纪谮①曰："主公兴仁义之师，田丰何得出此不祥之语！"绍因怒，欲斩田丰。众官告免。绍恨曰："待吾破了曹操，明正其罪！"遂催军进发，旌旗遍野，刀剑如林。行至阳武，下定寨栅。沮授曰："我军虽众，而勇猛不及彼军；彼军虽精，而粮草不如我军。彼军无粮，利在急战；我军有粮，宜且缓守。若能旷以日月，则彼军不战自败矣。"绍怒曰："田丰慢我军心，吾回日必斩之。汝安敢又如此！"叱左右："将沮授锁禁军中，待我破曹之后，与田丰一体治罪！"于是下令，将大军七十万，东西南北，周围安营，连络九十余里。

细作探知虚实，报至官渡。曹军新到，闻之皆惧。曹操与众谋士商议。荀攸曰："绍军虽多，不足惧也。我军俱精锐之士，无不一以当十。但利在急战。若迁延日月，粮草不敷，事可忧矣。"操曰："所言正合吾意。"遂传令军将鼓噪而进。绍军来迎，两边排成阵势。审配拨弩手一万，伏于两翼；弓箭手五千，伏于门旗内：约炮响齐发。三通鼓罢，袁绍金盔金甲，锦袍玉带，立马阵前。左右排列着张郃、高览、韩猛、淳于琼等诸将。旌旗节钺，甚是严整。曹阵上门旗开处，曹操出马。许褚、张辽、徐晃、李典等，各持兵器，前后拥卫。曹操以鞭指袁绍曰："吾于天子之前，保奏你为大将军，今何故谋反？"绍怒曰："汝托名汉相，实为汉贼！罪恶弥天，甚于莽、

① 谮（zèn）——说坏话诬陷别人。

卓，乃反诬人造反耶！”操曰：“吾今奉诏讨汝！”绍曰：“吾奉衣带诏讨贼！”操怒，使张辽出战。张郃跃马来迎。二将斗了四五十合，不分胜负。曹操见了，暗暗称奇。许褚挥刀纵马，直出助战。高览挺枪接住。四员将捉对儿厮杀。曹操令夏侯惇、曹洪、各引三千军，齐冲彼阵。审配见曹军来冲阵，便令放起号炮：两下万弩并发，中军内弓箭手一齐拥出阵前乱射。曹军如何抵敌，望南急走。袁绍驱兵掩杀，曹军大败，尽退至官渡。

袁绍移军逼近官渡下寨。审配曰：“今可拨兵十万守官渡，就曹操寨前筑起土山，令军人下视寨中放箭。操若弃此而去，吾得此隘口，许昌可破矣。”绍从之，于各寨内选精壮军人，用铁锹土担，齐来曹操寨边，垒土成山。曹营内见袁军堆筑土山，欲待出去冲突，被审配弓弩手当住咽喉要路，不能前进。十日之内，筑成土山五十余座，上立高橹①，分拨弓弩手于其上射箭。曹军大惧，皆顶着遮箭牌守御。土山上一声梆子响处，箭下如雨。曹军皆蒙楯伏地，袁军呐喊而笑。曹操见军慌乱，集众谋士问计。刘晔进曰：“可作发石车以破之。”操令晔进车式，连夜造发石车数百乘，分布营墙内，正对着土山上云梯。候弓箭手射箭时，营内一齐拽动石车，炮石飞空，往上乱打。人无躲处，弓箭手死者无数。袁军皆号其车为“霹雳车”。由是袁军不敢登高射箭。审配又献一计：令军人用铁锹暗打地道，直透曹营内，号为“掘子军”。曹兵望见袁军于山后掘土坑，报知曹操。操又问计于刘晔。晔曰：“此袁军不能攻明而攻暗，发掘伏道，欲从地下透营而入耳。”操曰：“何以御之？”晔曰：“可绕营掘长堑，则彼伏道无用也。”操连夜差军掘堑。袁军掘伏道到堑边，果不能入，空费军力。

却说曹操守官渡，自八月起，至九月终，军力渐乏，粮草不继。意欲弃官渡退回许昌，迟疑未决，乃作书遣人赴许昌问荀彧。彧以书报之。书略曰：

承尊命，使决进退之疑。愚以袁绍悉众聚于官渡，欲与明公决胜负，公以至弱当至强，若不能制，必为所乘：是天下之大机也。绍军虽众，而不能用；以公之神武明哲，何向而不济？今军实虽少，未若楚、汉在荥阳、成皋间也。公今画地而守，扼其喉而使不能进，情见势竭，必将有变。此用奇之时，断不可失。惟明公裁察焉。

---

① 橹——望楼。了望观察敌情的建筑。

曹操得书大喜，令将士效力死守。绍军约退三十余里，操遣将出营巡哨。有徐晃部将史涣获得袁军细作，解见徐晃。晃问其军中虚实。答曰："早晚大将韩猛运粮至军前接济，先令我等探路。"徐晃便将此事报知曹操。荀攸曰："韩猛匹夫之勇耳。若遣一人引轻骑数千，从半路击之，断其粮草，绍军自乱。"操曰："谁人可往？"攸曰："即遣徐晃可也。"操遂差徐晃将带史涣并所部兵先出，后使张辽、许褚引兵救应。当夜韩猛押粮车数千辆，解赴绍寨。正走之间，山谷内徐晃、史涣引军截住去路。韩猛飞马来战，徐晃接住厮杀。史涣便杀散人夫，放火焚烧粮车。韩猛抵当不住，拨回马走。徐晃催军烧尽辎重。袁绍军中，望见西北上火起，正惊疑间，败军报来："粮草被劫！"绍急遣张郃、高览去截大路，正遇徐晃烧粮而回。恰欲交锋，背后张辽、许褚军到。两下夹攻，杀散袁军，四将合兵一处，回官渡寨中。曹操大喜，重加赏劳。又分军于寨前结营，为掎角之势。

却说韩猛败军还营，绍大怒，欲斩韩猛，众官劝免。审配曰："行军以粮食为重，不可不用心提防。乌巢乃屯粮之处，必得重兵守之。"袁绍曰："吾筹策已定。汝可回邺都监督粮草，休教缺乏。"审配领命而去。袁绍遣大将淳于琼，部领督将眭元进、韩莒子、吕威璜、赵睿等，引二万人马，守乌巢。那淳于琼性刚好酒，军士多畏之；既至乌巢，终日与诸将聚饮。

且说曹操军粮告竭，急发使往许昌教荀彧作速措办粮草，星夜解赴军前接济。使者赍书而往，行不上三十里，被袁军捉住，缚见谋士许攸。那许攸字子远，少时曾与曹操为友，此时却在袁绍处为谋士。当下搜得使者所赍曹操催粮书信，径来见绍曰："曹操屯军官渡，与我相持已久，许昌必空虚；若分一军星夜掩袭许昌，则许昌可拔，而操可擒也。今操粮草已尽，正可乘此机会，两路击之。"绍曰："曹操诡计极多，此书乃诱敌之计也。"攸曰："今若不取，后将反受其害。"正话间，忽有使者自邺郡来，呈上审配书。书中先说运粮事；后言许攸在冀州时，尝滥受民间财物，且纵令子侄辈多科税，钱粮入己，今已收其子侄下狱矣。绍见书大怒曰："滥行匹夫！尚有面目于吾前献计耶！汝与曹操有旧，想今亦受他财贿，为他做奸细，啜赚①吾军耳！本当斩首，今权且寄头在项！可速退出，今后不许相见！"许攸出，仰天叹曰："忠言逆耳，竖子不足与谋！吾子侄已遭审配之害，吾何颜

① 啜（chuò）赚——欺骗、调唆。

复见冀州之人乎！”遂欲拔剑自刎。左右夺剑劝曰：“公何轻生至此？袁绍不纳直言，后必为曹操所擒。公既与曹公有旧，何不弃暗投明？”只这两句言语，点醒许攸；于是许攸径投曹操。后人有诗叹曰：

本初豪气盖中华，官渡相持枉叹嗟。

若使许攸谋见用，山河争得属曹家？

却说许攸暗步出营，径投曹寨，伏路军人拿住。攸曰：“我是曹丞相故友，快与我通报，说南阳许攸来见。”军士忙报入寨中。时操方解衣歇息，闻说许攸私奔到寨，大喜，不及穿履，跣足出迎。遥见许攸，抚掌欢笑，携手共入，操先拜于地。攸慌扶起曰：“公乃汉相，吾乃布衣，何谦恭如此？”操曰：“公乃操故友，岂敢以名爵相上下乎！”攸曰：“某不能择主，屈身袁绍，言不听，计不从，今特弃之来见故人。愿赐收录。”操曰：“子远肯来，吾事济矣！愿即教我以破绍之计。”攸曰：“吾曾教袁绍以轻骑乘虚袭许都，首尾相攻。”操大惊曰：“若袁绍用子言，吾事败矣。”攸曰：“公今军粮尚有几何？”操曰：“可支一年。”攸笑曰：“恐未必。”操曰：有半年耳。”攸拂袖而起，趋步出帐曰：“吾以诚相投，而公见欺如是，岂吾所望哉！”操挽留曰：“子远勿嗔，尚容实诉：军中粮实可支三月耳。”攸笑曰：“世人皆言孟德奸雄，今果然也。”操亦笑曰：“岂不闻兵不厌诈！”遂附耳低言曰：“军中止有此月之粮。”攸大声曰：“休瞒我！粮已尽矣！”操愕然曰：“何以知之？”攸乃出操与荀彧之书以示之曰：“此书何人所写？”操惊问曰：“何处得之？”攸以获使之事相告。操执其手曰：“子远既念旧交而来，愿即有以教我。”攸曰：“明公以孤军抗大敌，而不求急胜之方，此取死之道也。攸有一策，不过三日，使袁绍百万之众，不战自破。明公还肯听否？”操喜曰：“愿闻良策。”攸曰：“袁绍军粮辎重，尽积乌巢，今拨淳于琼守把，琼嗜酒无备。公可选精兵诈称袁将蒋奇领兵到彼护粮，乘间烧其粮草辎重，则绍军不三日将自乱矣。”操大喜，重待许攸，留于寨中。

次日，操自选马步军士五千，准备往乌巢劫粮。张辽曰：“袁绍屯粮之所，安得无备？丞相未可轻往，恐许攸有诈。”操曰：“不然。许攸此来，天败袁绍。今吾军粮不给，难以久持；若不用许攸之计，是坐而待困也。彼若有诈，安肯留我寨中？且吾亦欲劫寨久矣。今劫粮之举，计在必行，君请勿疑。”辽曰：“亦须防袁绍乘虚来袭。”操笑曰：“吾已筹之熟矣。”便教荀攸、贾诩、曹洪同许攸守大寨，夏侯惇、夏侯渊领一军伏于左，曹仁、李典领一军伏于右，以备不虞。教张辽、许褚在前，徐晃、于禁在后，操自引诸将居中：共五千人马，打着袁军旗号，军士皆束草负薪，人衔枚，马勒口①，黄昏时分，望乌巢进发。是夜星光满天。

且说沮授被袁绍拘禁在军中，是夜因见众星朗列，乃命监者引出中庭，仰观天象。忽见太白逆行，侵犯牛、斗之分，大惊曰："祸将至矣！"遂连夜求见袁绍。时绍已醉卧，听说沮授有密事启报，唤入问之。授曰："适观天象，见太白逆行于柳、鬼之间，流光射入牛、斗之分，恐有贼兵劫掠之害。乌巢屯粮之所，不可不提备。宜速遣精兵猛将，于间道山路巡哨，免为曹操所算。"绍怒叱曰："汝乃得罪之人，何敢妄言惑众！"因叱监者曰："吾令汝拘囚之，何敢放出！"遂命斩监者，别唤人监押沮授。授出，掩泪叹曰："我军亡在旦夕，我尸骸不知落何处也！"后人有诗叹曰：

逆耳忠言反见仇，独夫袁绍少机谋。
乌巢粮尽根基拔，犹欲区区守冀州。

却说曹操领兵夜行，前过袁绍别寨，寨兵问是何处军马。操使人应曰："蒋奇奉命往乌巢护粮。"袁军见是自家旗号，遂不疑惑。凡过数处，皆诈称蒋奇之兵，并无阻碍。及到乌巢，四更已尽。操教军士将束草周围举火，众将校鼓噪直入。时淳于琼方与众将饮了酒，醉卧帐中；闻鼓噪之声，连忙跳起问："何故喧闹？"言未已，早被挠钩拖翻。眭元进、赵睿运粮方回，见屯上火起，急来救应。曹军飞报曹操，说："贼兵在后，请分军拒之。"操大喝曰："诸将只顾奋力向前，待贼至背后，方可回战！"于是众军将无不争先掩杀。一霎时，火焰四起，烟迷太空。眭、赵二将驱兵来救，操勒马回战。二将抵敌不住，皆被曹军所杀，粮草尽行烧绝。淳于琼被擒见操，操命割去其耳鼻手指，缚于马上，放回绍营以辱之。

却说袁绍在帐中，闻报正北上火光满天，知是乌巢有失，急出帐召文武各官，商议遣兵往救。张郃曰："某与高览同往救之。"郭图曰："不可。曹军劫粮，曹操必然亲往；操既自出，寨必空虚，可纵兵先击曹操之寨；操

① 人衔枚，马勒口——行军时的一种保密措施，军士口里横衔着"枚"（箸状物，一端用绳系在脖上），马匹勒紧嘴，防止喧哗和马嘶，以免被敌方发觉。

闻之,必速还:此孙膑'围魏救赵'①之计也。"张郃曰:"非也。曹操多谋,外出必为内备,以防不虞。今若攻操营而不拔,琼等见获,吾属皆被擒矣。"郭图曰:"曹操只顾劫粮,岂留兵在寨耶!"再三请劫曹营。绍乃遣张郃、高览引军五千,往官渡击曹营;遣蒋奇领兵一万,往救乌巢。

且说曹操杀散淳于琼部卒,尽夺其衣甲旗帜,伪作淳于琼部下败军回寨,至山僻小路,正遇蒋奇军马。奇军问之,称是乌巢败军奔回。奇遂不疑,驱马径过。张辽、许褚忽至,大喝:"蒋奇休走!"奇措手不及,被张辽斩于马下,尽杀蒋奇之兵。又使人当先伪报云:"蒋奇已自杀散乌巢兵了。"袁绍因不复遣人接应乌巢,只添兵往官渡。

却说张郃、高览攻打曹营,左边夏侯惇,右边曹仁,中路曹洪,一齐冲出:三下攻击,袁军大败。比及接应军到,曹操又从背后杀来,四下围住掩杀。张郃、高览夺路走脱。袁绍收得乌巢败残军马归寨,见淳于琼耳鼻皆无,手足尽落。绍问:"如何失了乌巢?"败军告说:"淳于琼醉卧,因此不能抵敌。"绍怒,立斩之。郭图恐张郃、高览回寨证对是非,先于袁绍前谮曰:"张郃、高览见主公兵败,心中必喜。"绍曰:"何出此言?"图曰:"二人素有降曹之意,今遣击寨,故意不肯用力,以致损折士卒。"绍大怒,遂遣使急召二人归寨问罪。郭图先使人报二人云:"主公将杀汝矣。"及绍使至,高览问曰:"主公唤我等为何?"使者曰:"不知何故。"览遂拔剑斩来使。郃大惊。览曰:"袁绍听信谗言,必为曹操所擒;吾等岂可坐而待死?不如去投曹操。"郃曰:"吾亦有此心久矣。"于是二人领本部兵马,往曹操寨中投降。夏侯惇曰:"张、高二人来降,未知虚实。"操曰:"吾以恩遇之,虽有异心,亦可变矣。"遂开营门命二人入。二人倒戈卸甲,拜伏于地。操曰:"若使袁绍肯从二将军之言,不致有败。今二将军肯来相投,如微子去殷②,韩信归汉也。"遂封张郃为偏将军、都亭侯,高览为偏将军、东莱侯。二人大喜。

却说袁绍既去了许攸,又去了张郃、高览,又失了乌巢粮,军心皇皇。

---

① 围魏救赵——公元前353年,魏国围攻赵国都城邯郸。齐国派田忌率军救赵。田忌用军师孙膑的计策,乘魏国内部空虚而引兵攻魏都城,魏军回救本国,齐军乘其疲惫,大败魏军,赵国因而解围。

② 微子去殷——微子:商纣王之兄,纣暴虐无道,微子谏而不听,于是他就离开了商朝,投奔周。去:离开。

许攸又劝曹操作速进兵;张郃、高览请为先锋;操从之。即令张郃、高览领兵往劫绍寨。当夜三更时分,出军三路劫寨。混战到明,各自收兵,绍军折其大半。荀攸献计曰:“今可扬言调拨人马,一路取酸枣,攻邺郡;一路取黎阳,断袁兵归路。袁绍闻之,必然惊惶,分兵拒我;我乘其兵动时击之,绍可破也。”操用其计,使大小三军,四远扬言。绍军闻此信,来寨中报说:“曹操分兵两路:一路取邺郡,一路取黎阳去也。”绍大惊,急遣袁谭分兵五万救邺郡,辛明分兵五万救黎阳,连夜起行。曹操探知袁绍兵动,便分大队军马,八路齐出,直冲绍营。袁军俱无斗志,四散奔走,遂大溃。袁绍披甲不迭,单衣幅巾上马;幼子袁尚后随。张辽、许褚、徐晃、于禁四员将,引军追赶袁绍。绍急渡河,尽弃图书车仗金帛,止引随行八百余骑而去。操军追之不及,尽获遗下之物。所杀八万余人,血流盈沟,溺水死者不计其数。操获全胜,将所得金宝缎匹,给赏军士。于图书中检出书信一束,皆许都及军中诸人与绍暗通之书。左右曰:“可逐一点对姓名,收而杀之。”操曰:“当绍之强,孤亦不能自保,况他人乎?”遂命尽焚之,更不再问。

却说袁绍兵败而奔,沮授因被囚禁,急走不脱,为曹军所获,擒见曹操。操素与授相识。授见操,大呼曰:“授不降也!”操曰:“本初无谋,不用君言,君何尚执迷耶?吾若早得足下,天下不足虑也。”因厚待之,留于军中。授乃于营中盗马,欲归袁氏。操怒,乃杀之。授至死神色不变。操叹曰:“吾误杀忠义之士也!”命厚礼殡殓,为建坟安葬于黄河渡口,题其墓曰:“忠烈沮君之墓。”后人有诗赞曰:

河北多名士,忠贞推沮君:凝眸知阵法,仰面识天文;
至死心如铁,临危气似云。曹公钦义烈,特与建孤坟。

操下令攻冀州。正是:势弱只因多算胜,兵强却为寡谋亡。未知胜负如何,且看下文分解。

# 第三十一回

## 曹操仓亭破本初　玄德荆州依刘表

却说曹操乘袁绍之败,整顿军马,迤逦追袭。袁绍幅巾单衣,引八百余骑，奔至黎阳北岸，大将蒋义渠出寨迎接。绍以前事诉与义渠。义渠乃招谕离散之众，众闻绍在，又皆蚁聚。军势复振，议还冀州。军行之次，夜宿荒山。绍于帐中闻远远有哭声，遂私往听之。却是败军相聚，诉说丧兄失弟、弃伴亡亲之苦，各各捶胸大哭，皆曰："若听田丰之言，我等怎遭此祸！"绍大悔曰："吾不听田丰之言，兵败将亡；今回去，有何面目见之耶！"次日，上马正行间，逢纪引军来接。绍对逢纪曰："吾不听田丰之言，致有此败。吾今归去，羞见此人。"逢纪因谮曰："丰在狱中闻主公兵败，抚掌大笑曰：'果不出吾之料！'"袁绍大怒曰："竖儒①怎敢笑我！我必杀之！"遂命使者赍宝剑先往冀州狱中杀田丰。

却说田丰在狱中，一日，狱吏来见丰曰："与别驾贺喜！"丰曰："何喜可贺？"狱吏曰："袁将军大败而回，君必见重矣。"丰笑曰："吾今死矣！"狱吏问曰："人皆为君喜，君何言死也？"丰曰："袁将军外宽而内忌，不念忠诚。若胜而喜，犹能赦我；今战败则羞，吾不望生矣。"狱吏未信。忽使者赍剑至，传袁绍命，欲取田丰之首，狱吏方惊。丰曰："吾固知必死也。"狱吏皆流泪。丰曰："大丈夫生于天地间，不识其主而事之，是无智也！今日受死，夫何足惜！"乃自刎于狱中。后人有诗曰：

昨朝沮授军中失，今日田丰狱内亡。
河北栋梁皆折断，本初焉不丧家邦！

田丰既死，闻者皆为叹惜。

袁绍回冀州，心烦意乱，不理政事。其妻刘氏劝立后嗣。绍所生三子：长子袁谭字显思，出守青州；次子袁熙字显奕，出守幽州；三子袁尚字显甫，是绍后妻刘氏所出，生得形貌俊伟，绍甚爱之，因此留在身边。自官渡兵败之后，刘氏劝立尚为后嗣，绍乃与审配、逢纪、辛评、郭图四人商议。原来审、逢二人，向辅袁尚；辛、郭二人，向辅袁谭：四人各为其主。当下袁绍谓四人曰："今外患未息，内事不可不早定，吾将议立后嗣：长子谭，为人性刚好杀；次子熙，为人柔懦难成；三子尚，有英雄之表，礼贤敬士，吾欲立之。公等之意若何？"郭图曰："三子之中，谭为长，今又居外；主公若废长立幼，此乱萌也。今军威稍挫，敌兵压境，岂可复使父子兄弟自相争乱耶？主公且理会拒敌之策，立嗣之事，毋容多议。"袁绍踌躇未决。

---

① 竖儒——骂人的话，指无识见的儒生。

忽报袁熙引兵六万，自幽州来；袁谭引兵五万，自青州来；外甥高干亦引兵五万，自并州来：各至冀州助战。绍喜，再整人马来战曹操。时操引得胜之兵，陈列于河上，有土人箪食壶浆①以迎之。操见父老数人，须发尽白，乃命入帐中赐坐，问之曰："老丈多少年纪？"答曰："皆近百岁矣。"操曰："吾军士惊扰汝乡，吾甚不安。"父老曰："桓帝时，有黄星见于楚、宋之分，辽东人殷馗善晓天文，夜宿于此，对老汉等言：'黄星见于乾象，正照此间。后五十年，当有真人②起于梁、沛之间。'今以年计之，整整五十年。袁本初重敛于民，民皆怨之。丞相兴仁义之兵，吊民伐罪③，官渡一战，破袁绍百万之众，正应当时殷馗之言，兆民④可望太平矣。"操笑曰："何敢当老丈所言？"遂取酒食绢帛赐老人而遣之。号令三军："如有下乡杀人家鸡犬者，如杀人之罪！"于是军民震服。操亦心中暗喜。

人报袁绍聚四州之兵，得二三十万，前至仓亭下寨。操提兵前进，下寨已定。次日，两军相对，各布成阵势。操引诸将出阵，绍亦引三子一甥及文官武将出到阵前。操曰："本初计穷力尽，何尚不思投降？直待刀临项上，悔无及矣！"绍大怒，回顾众将曰："谁敢出马？"袁尚欲于父前逞能，便舞双刀，飞马出阵，来往奔驰。操指问众将曰："此何人？"有识者答曰："此袁绍三子袁尚也。"言未毕，一将挺枪早出。操视之，乃徐晃部将史涣也。两骑相交，不三合，尚拨马刺斜而走。史涣赶来，袁尚拈弓搭箭，翻身背射，正中史涣左目，坠马而死。袁绍见子得胜，挥鞭一指，大队人马拥将过来，混战大杀一场，各鸣金收军还寨。

操与诸将商议破绍之策。程昱献"十面埋伏"之计，劝操退军于河上，伏兵十队，诱绍追至河上，"我军无退路，必将死战，可胜绍矣"。操然其计。左右各分五队。左：一队夏侯惇，二队张辽，三队李典，四队乐进，五队夏侯渊；右：一队曹洪，二队张郃，三队徐晃，四队于禁，五队高览。中军许褚为先锋。次日，十队先进，埋伏左右已定。至半夜，操令许褚引兵前

---

① 箪(dān)食壶浆——箪：盛食物用的竹器；浆：汤水，有时也指酒。慰劳军队的表示。

② 真人——真命天子。

③ 吊民伐罪——抚慰百姓，讨伐有罪之人。

④ 兆民——众百姓。兆：极言其多。

进，伪作劫寨之势。袁绍五寨人马，一齐俱起。许褚回军便走。袁绍引军赶来，喊声不绝；比及天明，赶至河上。曹军无去路，操大呼曰："前无去路，诸军何不死战？"众军回身奋力向前。许褚飞马当先，力斩十数将。袁军大乱。袁绍退军急回，背后曹军赶来。正行间，一声鼓响，左边夏侯渊，右边高览，两军冲出。袁绍聚三子一甥，死冲血路奔走。又行不到十里，左边乐进，右边于禁杀出，杀得袁军尸横遍野，血流成渠。又行不到数里，左边李典，右边徐晃，两军截杀一阵。袁绍父子胆丧心惊，奔入旧寨。令三军造饭，方欲待食，左边张辽，右边张郃，径来冲寨。绍慌上马，前奔仓亭。人马困乏，欲待歇息，后面曹操大军赶来，袁绍舍命而走。正行之间，右边曹洪，左边夏侯惇，挡住去路。绍大呼曰："若不决死战，必为所擒矣！"奋力冲突，得脱重围。袁熙、高干皆被箭伤。军马死亡殆尽。绍抱三子痛哭一场，不觉昏倒。众人急救，绍口吐鲜血不止，叹曰："吾自历战数十场，不意今日狼狈至此！此天丧吾也！汝等各回本州，誓与曹贼一决雌雄！"便教辛评、郭图火急随袁谭前往青州整顿，恐曹操犯境；令袁熙仍回幽州，高干仍回并州：各去收拾人马，以备调用。袁绍引袁尚等入冀州养病，令尚与审配、逢纪暂掌军事。

却说曹操自仓亭大胜，重赏三军；令人探察冀州虚实。细作回报："绍卧病在床。袁尚、审配紧守城池。袁谭、袁熙、高干皆回本州。"众皆劝操急攻之。操曰："冀州粮食极广，审配又有机谋，未可急拔。现今禾稼在田，恐废民业，姑待秋成后取之未晚。"正议间，忽荀彧有书到，报说："刘备在汝南得刘辟、龚都数万之众。闻丞相提军出征河北，乃令刘辟守汝南，备亲自引兵乘虚来攻许昌。丞相可速回军御之。"操大惊，留曹洪屯兵河上，虚张声势。操自提大兵往汝南来迎刘备。

却说玄德与关、张、赵云等，引兵欲袭许都。行近穰山地面，正遇曹兵杀来，玄德便于穰山下寨。军分三队：云长屯兵于东南角上，张飞屯兵于西南角上，玄德与赵云于正南立寨。曹操兵至，玄德鼓噪而出。操布成阵势，叫玄德打话。玄德出马于门旗下。操以鞭指骂曰："吾待汝为上宾，汝何背义忘恩？"玄德曰："汝托名汉相，实为国贼！吾乃汉室宗亲，奉天子密诏，来讨反贼！"遂于马上朗诵衣带诏。操大怒，教许褚出战。玄德背后赵云挺枪出马。二将相交三十合，不分胜负。忽然喊声大震，东南角上，云长冲突而来；西南角上，张飞引军冲突而来。三处一齐掩杀。曹军远来疲困，不能抵当，大败而走。玄德得胜回营。

次日，又使赵云搦战。操兵旬日不出。玄德再使张飞搦战，操兵亦不出。玄德愈疑。忽报龚都运粮至，被曹军围住，玄德急令张飞去救。忽又报夏侯惇引军抄背后径取汝南，玄德大惊曰："若如此，吾前后受敌，无所归矣！"急遣云长救之。两军皆去。不一日，飞马来报夏侯惇已打破汝南，刘辟弃城而走，云长现今被围。玄德大惊。又报张飞去救龚都，也被围住了。玄德急欲回兵，又恐操兵后袭。忽报寨外许褚搦战。玄德不敢出战，候至天黑，教军士饱餐，步军先起，马军后随，寨中虚传更点。玄德等离寨约行数里，转过土山，火把齐明，山头上大呼曰："休教走了刘备！丞相在此专等！"玄德慌寻走路。赵云曰："主公勿忧，但跟某来。"赵云挺枪跃马，杀开条路，玄德掣双股剑后随。正战间，许褚追至，与赵云力战。背后于禁、李典又到。玄德见势危，落荒而走。听得背后喊声渐远，玄德望深山僻路，单马逃生。捱到天明，侧首一彪军冲出。玄德大惊，视之，乃刘辟引败军千余骑，护送玄德家小前来；孙乾、简雍、糜芳亦至，诉说："夏侯惇军势甚锐，因此弃城而走。曹兵赶来，幸得云长当住，因此得脱。"玄德曰："不知云长今在何处？"刘辟曰："将军且行，却再理会。"行到数里，一棒鼓响，前面拥出一彪人马。当先大将，乃是张郃，大叫："刘备快下马受降！"玄德方欲退后，只见山头上红旗磨动①，一军从山坞内拥出，为首大将，乃高览也。玄德两头无路，仰天大呼曰："天何使我受此窘极耶！事势至此，不如就死！"欲拔剑自刎。刘辟急止之曰："容某死战，夺路救君。"言讫，便来与高览交锋。战不三合，被高览一刀砍于马下。玄德正慌，方欲自战，高览后军忽然自乱，一将冲阵而来，枪起处，高览翻身落马。视之，乃赵云也。玄德大喜。云纵马挺枪，杀散后队，又来前军独战张郃。郃与云战三十余合，拨马败走。云乘势冲杀，却被郃兵守住山隘，路窄不得出。正夺路间，只见云长、关平、周仓引三百军到。两下相攻，杀退张郃。各出隘口，占住山险下寨。玄德使云长寻觅张飞。原来张飞去救龚都，龚都已被夏侯渊所杀；飞奋力杀退夏侯渊，迤逦赶去，却被乐进引军围住。云长路逢败军，寻踪而去，杀退乐进，与飞同回见玄德。人报曹军大队赶来，玄德教孙乾等保护老小先行。玄德与关、张、赵云在后，且战且走。操见玄德

① 磨(mò)动——作圆圈式的挥舞。

去远，收军不赶。

玄德败军不满一千，狼狈而奔。前至一江，唤土人问之，乃汉江也。玄德权且安营。土人知是玄德，奉献羊酒，乃聚饮于沙滩之上。玄德叹曰："诸君皆有王佐之才，不幸跟随刘备。备之命窘，累及诸君。今日身无立锥①，诚恐有误诸君。君等何不弃备而投明主，以取功名乎?"众皆掩面而哭。云长曰："兄言差矣。昔日高祖与项羽争天下，数败于羽；后九里山一战成功，而开四百年基业。胜负兵家之常，何可自隳其志!"

孙乾曰："成败有时，不可丧志。此离荆州不远。刘景升坐镇九郡，兵强粮足，更且与公皆汉室宗亲，何不往投之?"玄德曰："但恐不容耳。"乾曰："某愿先往说之，使景升出境而迎主公。"玄德大喜，便令孙乾星夜往荆州。到郡入见刘表，礼毕，刘表问曰："公从玄德，何故至此?"乾曰："刘使君天下英雄，虽兵微将寡，而志欲匡扶社稷。汝南刘辟、龚都素无亲故，亦以死报之。明公与使君，同为汉室之胄；今使君新败，欲往江东投孙仲谋。乾僭言曰：'不可背亲而向疏。荆州刘将军礼贤下士，士归之如水之投东，何况同宗乎?'因此使君特使乾先来拜白。惟明公命之。"表大喜曰："玄德，吾弟也。久欲相会，而不可得。今肯惠顾，实为幸甚!"蔡瑁谮曰："不可。刘备先从吕布，后事曹操，近投袁绍，皆不克终，足可见其为人。今若纳之，曹操必加兵于我，枉动干戈。不如斩孙乾之首，以献曹操，操必重待主公也。"孙乾正色曰："乾非惧死之人也。刘使君忠心为国，非曹操、袁绍、吕布等比。前此相从，不得已也。今闻刘将军汉朝苗裔，谊切同宗，故千里相投。尔何献谗而妒贤如此耶?"刘表闻言，乃叱蔡瑁曰："吾主意已定，汝勿多言。"蔡瑁惭恨而出。刘表遂命孙乾先往报玄德，一面亲自出郭三十里迎接。玄德见表，执礼甚恭。表亦相待甚厚。玄德引关、张等拜见刘表，表遂与玄德等同入荆州，分拨院宅居住。

却说曹操探知玄德已往荆州，投奔刘表，便欲引兵攻之。程昱曰："袁绍未除，而遽攻荆襄，倘袁绍从北而起，胜负未可知矣。不如还兵许都，养军蓄锐，待来年春暖，然后引兵先破袁绍，后取荆襄：南北之利，一举可收也。"操然其言，遂提兵回许都。至建安七年，春正月，操复商议兴兵。先

① 身无立锥——没有寸土可以立身。立锥，即立锥之地，仅可竖立一个锥子的地方。

差夏侯惇、满宠镇守汝南，以拒刘表；留曹仁、荀彧守许都；亲统大军前赴官渡屯扎。

且说袁绍自旧岁感冒①吐血症候，今方稍愈，商议欲攻许都。审配谏曰："旧岁官渡、仓亭之败，军心未振；尚当深沟高垒，以养军民之力。"正议间，忽报曹操进兵官渡，来攻冀州。绍曰："若候兵临城下，将至壕边，然后拒敌，事已迟矣。吾当自领大军出迎。"袁尚曰："父亲病体未痊，不可远征。儿愿提兵前去迎敌。"绍许之，遂使人往青州取袁谭，幽州取袁熙，并州取高干：四路同破曹操。正是：才向汝南鸣战鼓，又从冀北动征鼙。未知胜负如何，且听下文分解。

# 第三十二回

## 夺冀州袁尚争锋　决漳河许攸献计

却说袁尚自斩史涣之后，自负其勇，不待袁谭等兵至，自引兵数万出黎阳，与曹军前队相迎。张辽当先出马，袁尚挺枪来战，不三合，架隔遮拦不住，大败而走。张辽乘势掩杀，袁尚不能主张，急急引军奔回冀州。袁绍闻袁尚败回，又受了一惊，旧病复发，吐血数斗，昏倒在地。刘夫人慌救入卧内，病势渐危。刘夫人急请审配、逢纪，直至袁绍榻前，商议后事。绍但以手指而不能言。刘夫人曰："尚可继后嗣否？"绍点头。审配便就榻前写了遗嘱。绍翻身大叫一声，又吐血斗余而死。后人有诗曰：

累世公卿立大名，少年意气自纵横。
空招俊杰三千客，漫有英雄百万兵。
羊质虎皮功不就，凤毛鸡胆事难成。
更怜一种伤心处，家难徒延两弟兄。

袁绍既死，审配等主持丧事。刘夫人便将袁绍所爱宠妾五人，尽行杀害；又恐其阴魂于九泉之下再与绍相见，乃髡②其发，刺其面，毁其尸：其妒

① 感冒——受刺激而发病。冒：此作"犯病"之"犯"字解。
② 髡(kūn)——古代一种剃去头发的刑罚。

恶如此。袁尚恐宠妾家属为害，并收而杀之。审配、逢纪立袁尚为大司马将军，领冀、青、幽、并四州牧，遣使报丧。此时袁谭已发兵离青州；知父死，便与郭图、辛评商议。图曰："主公不在冀州，审配、逢纪必立显甫为主矣。当速行。"辛评曰："审、逢二人，必预定机谋。今若速往，必遭其祸。"袁谭曰："若此当何如？"郭图曰："可屯兵城外，观其动静。某当亲往察之。"谭依言。郭图遂入冀州，见袁尚。礼毕，尚问："兄何不至？"图曰："因抱病在军中，不能相见。"尚曰："吾受父亲遗命，立我为主，加兄为车骑将军。目下曹军压境，请兄为前部，吾随后便调兵接应也。"图曰："军中无人商议良策，愿乞审正南、逢元图二人为辅。"尚曰："吾亦欲仗此二人早晚画策，如何离得！"图曰："然则于二人内遣一人去，何如？"尚不得已，乃令二人拈阄，拈着者便去。逢纪拈着，尚即命逢纪赍印绶，同郭图赴袁谭军中。纪随图至谭军，见谭无病，心中不安，献上印绶。谭大怒，欲斩逢纪。郭图密谏曰："今曹军压境，且只款留逢纪在此，以安尚心。待破曹之后，却来争冀州不迟。"

谭从其言。即时拔寨起行，前至黎阳，与曹军相抵。谭遣大将汪昭出战，操遣徐晃迎敌。二将战不数合，徐晃一刀斩汪昭于马下。曹军乘势掩杀，谭军大败。谭收败军入黎阳，遣人求救于尚。尚与审配计议，只发兵五千余人相助。曹操探知救军已到，遣乐进、李典引兵于半路接着，两头围住尽杀之。袁谭知尚止拨兵五千，又被半路坑杀，大怒，乃唤逢纪责骂。纪曰："容某作书致主公，求其亲自来救。"谭即令纪作书，遣人到冀州致袁尚。尚与审配共议。配曰："郭图多谋，前次不争而去者，为曹军在境也。今若破曹，必来争冀州矣。不如不发救兵，借操之力以除之。"尚从其言，不肯发兵。使者回报，谭大怒，立斩逢纪，议欲降曹。早有细作密报袁尚。尚与审配议曰："使谭降曹，并力来攻，则冀州危矣。"乃留审配并大将苏由固守冀州，自领大军来黎阳救谭。尚问军中谁敢为前部，大将吕旷、吕翔兄弟二人愿去。尚点兵三万，使为先锋，先至黎阳。谭闻尚自来，大喜，遂罢降曹之议。谭屯兵城中，尚屯兵城外，为掎角之势。

不一日，袁熙、高干皆领军到城外，屯兵三处，每日出兵与操相持。尚屡败，操兵屡胜。至建安八年春二月，操分路攻打，袁谭、袁熙、袁尚、高干皆大败，弃黎阳而走。操引兵追至冀州。谭与尚入城坚守；熙与干离城三十里下寨，虚张声势。操兵连日攻打不下。郭嘉进曰："袁氏废长立幼，而兄弟之间,权力相并,各自树党,急之则相救,缓之则相争;不如举兵南向荆州,征讨刘表,以候袁氏兄弟之变;变成而后击之,可一举而定也。”操善其言,命贾诩为太守,守黎阳;曹洪引兵守官渡。操引大军向荆州进兵。

谭、尚听知曹军自退,遂相庆贺。袁熙、高干各自辞去。袁谭与郭图、辛评议曰:“我为长子,反不能承父业;尚乃继母所生,反承大爵:心实不甘。”图曰:“主公可勒兵城外,只做请显甫、审配饮酒,伏刀斧手杀之,大事定矣。”谭从其言。适别驾王修自青州来,谭将此计告之。修曰:“兄弟者,左右手也。今与他人争斗,断其右手,而曰我必胜,安可得乎?夫弃兄弟而不亲,天下其谁亲之?彼谗人离间骨肉,以求一朝之利,愿塞耳勿听也。”谭怒,叱退王修,使人去请袁尚。尚与审配商议。配曰:“此必郭图之计也。主公若往,必遭奸计;不如乘势攻之。”袁尚依言,便披挂上马,引兵五万出城。袁谭见袁尚引军来,情知事泄,亦即披挂上马,与尚交锋。尚见谭大骂。谭亦骂曰:“汝药死父亲,篡夺爵位,今又来杀兄耶!”二人亲自交锋,袁谭大败。尚亲冒矢石,冲突掩杀。谭引败军奔平原,尚收兵还。袁谭与郭图再议进兵,令岑璧为将,领兵前来。尚自引兵出冀州。两阵对圆,旗鼓相望。璧出骂阵;尚欲自战,大将吕旷,拍马舞刀,来战岑璧。二将战无数合,旷斩岑璧于马下。谭兵又败,再奔平原。审配劝尚进兵,追至平原。谭抵当不住,退入平原,坚守不出。尚三面围城攻打。谭与郭图计议。图曰:“今城中粮少,彼军方锐,势不相敌。愚意可遣人投降曹操,使操将兵攻冀州,尚必还救。将军引兵夹击之,尚可擒矣。若操击破尚军,我因而敛其军实以拒操。操军远来,粮食不继,必自退去。我可以仍据冀州,以图进取也。”

谭从其言,问曰:“何人可为使?”图曰:“辛评之弟辛毗,字佐治,见为平原令。此人乃能言之士,可命为使。”谭即召辛毗,毗欣然而至。谭修书付毗,使三千军送毗出境。毗星夜赍书往见曹操。时操屯军西平伐刘表,表遣玄德引兵为前部以迎之。未及交锋,辛毗到操寨。见操礼毕,操问其来意,毗具言袁谭相求之意,呈上书信。操看书毕,留辛毗于寨中,聚文武计议。程昱曰:“袁谭被袁尚攻击太急,不得已而来降,不可准信。”吕虔、满宠亦曰:“丞相既引兵至此,安可复舍表而助谭?”荀攸曰:“三公之言未善。以愚意度之:天下方有事,而刘表坐保江、汉之间,不敢展足,其无四方之志可知矣。袁氏据四州之地,带甲数十万,若二子和睦,共守成业,天下事未可知也；今乘其兄弟相攻，势穷而投我，我提兵先除袁尚，后观其变，并灭袁谭，天下定矣。此机会不可失也。”操大喜，便邀辛毗饮酒，谓之曰：“袁谭之降，真耶诈耶？袁尚之兵，果可必胜耶？”毗对曰：“明公勿问真与诈也，只论其势可耳。袁氏连年丧败，兵革疲于外，谋臣诛于内；兄弟谗隙①，国分为二；加之饥馑并臻，天灾人困：无问智愚，皆知土崩瓦解，此乃天灭袁氏之时也。今明公提兵攻邺，袁尚不还救，则失巢穴；若还救，则谭踵②袭其后。以明公之威，击疲惫之众，如迅风之扫秋叶也。不此之图，而伐荆州；荆州丰乐之地，国和民顺，未可摇动。况四方之患，莫大于河北；河北既平，则霸业成矣。愿明公详之。”操大喜曰：“恨与辛佐治相见之晚也！”即日督军还取冀州。玄德恐操有谋，不敢追袭，引兵自回荆州。

却说袁尚知曹军渡河，急急引军还邺，命吕旷、吕翔断后。袁谭见尚退军，乃大起平原军马，随后赶来。行不到数十里，一声炮响，两军齐出：左边吕旷，右边吕翔，兄弟二人截住袁谭。谭勒马告二将曰：“吾父在日，吾并未慢待二将军，今何从吾弟而见逼耶？”二将闻言，乃下马降谭。谭曰：“勿降我，可降曹丞相。”二将因随谭归营。谭候操军至，引二将见操。操大喜，以女许谭为妻，即令吕旷、吕翔为媒。谭请操攻取冀州。操曰：“方今粮草不接，搬运劳苦，我济河，遏淇水入白沟，以通粮道，然后进兵。”令谭且居平原。操引军退屯黎阳，封吕旷、吕翔为列侯，随军听用。郭图谓袁谭曰：“曹操以女许婚，恐非真意。今又封赏吕旷、吕翔，带去军中，此乃牢笼河北人心。后必终为我祸。主公可刻将军印二颗，暗使人送与二吕，令作内应。待操破了袁尚，可乘便图之。”谭依言，遂刻将军印二颗，暗送与二吕。二吕受讫，径将印来禀曹操。操大笑曰：“谭暗送印者，欲汝等为内助，待我破袁尚之后，就中取事耳。汝等且权受之，我自有主张。”自此曹操便有杀谭之心。

且说袁尚与审配商议：“今曹兵运粮入白沟，必来攻冀州，如之奈何？”配曰：“可发檄使武安长尹楷屯毛城，通上党运粮道；令沮授之子沮鹄守邯郸，遥为声援。主公可进兵平原，急攻袁谭。先绝袁谭，然后破曹。”袁尚大喜，留审配与陈琳守冀州，使马延、张颉二将为先锋，连夜起兵攻打平

---

① 谗(chán)隙——谗：毁谤别人，挑拨离间。因听信谗言而彼此产生怨仇。

② 踵(zhǒng)——原意是脚后跟，这里是跟随的意思。

原。谭知尚兵来近，告急于操。操曰："吾今番必得冀州矣。"正说间，适许攸自许昌来；闻尚又攻谭，入见操曰："丞相坐守于此，岂欲待天雷击杀二袁乎？"操笑曰："吾已料定矣。"遂令曹洪先进兵攻邺，操自引一军来攻尹楷。兵临本境，楷引军来迎。楷出马，操曰："许仲康安在？"许褚应声而出，纵马直取尹楷。楷措手不及，被许褚一刀斩于马下，余众奔溃。操尽招降之，即勒兵取邯郸。沮鹄进兵来迎。张辽出马，与鹄交锋。战不三合，鹄大败，辽从后追赶。两马相离不远，辽急取弓射之，应弦落马。操指挥军马掩杀，众皆奔散。于是操引大军前抵冀州。曹洪已近城下。操令三军绕城筑起土山，又暗掘地道以攻之。审配设计坚守，法令甚严，东门守将冯礼，因酒醉有误巡警，配痛责之。冯礼怀恨，潜地出城降操。操问破城之策，礼曰："突门内土厚，可掘地道而入。"操便命冯礼引三百壮士，夤夜掘地道而入。

却说审配自冯礼出降之后，每夜亲自登城点视军马。当夜在突门阁上，望见城外无灯火。配曰："冯礼必引兵从地道而入也。"急唤精兵运石击突闸门；门闭，冯礼及三百壮士，皆死于土内。操折了这一场，遂罢地道之计，退军于洹水之上，以候袁尚回兵。袁尚攻平原，闻曹操已破尹楷、沮鹄，大军围困冀州，乃掣兵回救。部将马延曰："从大路去，曹操必有伏兵；可取小路，从西山出滏水口去劫曹营，必解围也。"尚从其言，自领大军先行，令马延与张觊断后。早有细作去报曹操。操曰："彼若从大路上来，吾当避之；若从西山小路而来，一战可擒也。吾料袁尚必举火为号，令城中接应。吾可分兵击之。"于是分拨已定。

却说袁尚出滏水界口，东至阳平，屯军阳平亭，离冀州十七里，一边靠着滏水。尚令军士堆积柴薪干草，至夜焚烧为号；遣主簿李孚扮作曹军都督，直至城下，大叫："开门！"审配认得是李孚声音，放入城中，说："袁尚已陈兵在阳平亭，等候接应。若城中兵出，亦举火为号。"配教城中堆草放火，以通音信。孚曰："城中无粮，可发老弱残兵并妇人出降；彼必不为备，我即以兵继百姓之后出攻之。"配从其论。次日，城上竖起白旗，上写"冀州百姓投降"。操曰："此是城中无粮，教老弱百姓出降，后必有兵出也。"操教张辽、徐晃各引三千军马，伏于两边。操自乘马、张麾盖至城下，果见城门开处，百姓扶老携幼，手持白旗而出。百姓才出尽，城中兵突出。操教将红旗一招，张辽、徐晃两路兵齐出乱杀，城中兵只得复回。操自飞马赶来，到吊桥边，城中弩箭如雨，射中操盔，险透其顶。众将急救回阵。操更衣换马，引众将来攻尚寨，尚自迎敌。时各路军马一齐杀至，两军混战，袁尚大败。尚引败兵退往西山下寨，令人催取马延、张颢军来。——不知曹操已使吕旷、吕翔去招安二将。二将随二吕来降，操亦封为列侯。即日进兵攻打西山，先使二吕、马延、张颢截断袁尚粮道。尚情知西山守不住，夜走滥口。安营未定，四下火光并起，伏兵齐出，人不及甲，马不及鞍。尚军大溃，退走五十里，势穷力极，只得遣豫州刺史阴夔至操营请降。操佯许之，却连夜使张辽、徐晃去劫寨。尚尽弃印绶、节钺、衣甲、辎重，望中山而逃。

操回军攻冀州。许攸献计曰："何不决漳河之水以淹之？"操然其计，先差军于城外掘壕堑，周围四十里。审配在城上见操军在城外掘堑，却掘得甚浅。配暗笑曰："此欲决漳河之水以灌城耳。壕深可灌，如此之浅，有何用哉！"遂不为备。当夜曹操添十倍军士并力发掘，比及天明，广深二丈，引漳水灌之，城中水深数尺。更兼粮绝，军士皆饿死。辛毗在城外，用枪挑袁尚印绶衣服，招安城内之人。审配大怒，将辛毗家属老小八十余口，就于城上斩之，将头掷下。辛毗号哭不已。审配之侄审荣，素与辛毗相厚，见辛毗家属被害，心中怀忿，乃密写献门之书，拴于箭上，射下城来。军士拾献辛毗，毗将书献操。操先下令：如入冀州，休得杀害袁氏一门老小；军民降者免死。次日天明，审荣大开西门，放曹兵入。辛毗跃马先入，军将随后，杀入冀州。审配在东南城楼上，见操军已入城中，引数骑下城死战，正迎徐晃交马。徐晃生擒审配，绑出城来。路逢辛毗，毗咬牙切齿，以鞭鞭配首曰："贼杀才！今日死矣！"配大骂："辛毗贼徒！引曹操破我冀州，我恨不杀汝也！"徐晃解配见操。操曰："汝知献门接我者乎？"配曰："不知。"操曰："此汝侄审荣所献也。"配怒曰："小儿不行，乃至于此！"操曰："昨孤至城下，何城中弩箭之多耶？"配曰："恨少！恨少！"操曰："卿忠于袁氏，不容不如此。今肯降吾否？"配曰："不降！不降！"辛毗哭拜于地曰："家属八十余口，尽遭此贼杀害。愿丞相戮之，以雪此恨！"配曰："吾生为袁氏臣，死为袁氏鬼，不似汝辈谗谄阿谀之贼！可速斩我！"操教牵出。临受刑，叱行刑者曰："吾主在北，不可使我面南而死！"乃向北跪，引颈就刃。后人有诗叹曰：

河北多名士，谁如审正南：命因昏主丧，心与古人参。

忠直言无隐，廉能志不贪。临亡犹北面，降者尽羞惭。

审配既死，操怜其忠义，命葬于城北。众将请曹操入城。操方欲起行，只见刀斧手拥一人至，操视之，乃陈琳也。操谓之曰："汝前为本初作檄，但罪状孤可也；何乃辱及祖、父耶？"琳答曰："箭在弦上，不得不发耳。"左右劝操杀之；操怜其才，乃赦之，命为从事。

却说操长子曹丕，字子桓，时年十八岁。丕初生时，有云气一片，其色青紫，圆如车盖，覆于其室，终日不散。有望气者，密谓操曰："此天子气也。令嗣贵不可言！"丕八岁能属文，有逸才，博古通今，善骑射，好击剑。时操破冀州，丕随父在军中，先领随身军，径投袁绍家，下马拔剑而入。有一将当之曰："丞相有命，诸人不许入绍府。"丕叱退，提剑入后堂。见两个妇人相抱而哭，丕向前欲杀之。正是：四世公侯已成梦，一家骨肉又遭殃。未知性命如何，且听下文分解。

# 第三十三回

## 曹丕乘乱纳甄氏　郭嘉遗计定辽东

却说曹丕见二妇人啼哭，拔剑欲斩之。忽见红光满目，遂按剑而问曰："汝何人也？"一妇人告曰："妾乃袁将军之妻刘氏也。"丕曰："此女何人？"刘氏曰："此次男袁熙之妻甄氏也。因熙出镇幽州，甄氏不肯远行，故留于此。"丕拖此女近前，见披发垢面。丕以衫袖拭其面而观之，见甄氏玉肌花貌，有倾国之色。遂对刘氏曰："吾乃曹丞相之子也。愿保汝家。汝勿忧虑。"遂按剑坐于堂上。

却说曹操统领众将入冀州城，将入城门，许攸纵马近前，以鞭指城门而呼操曰："阿瞒，汝不得我，安得入此门？"操大笑。众将闻言，俱怀不平。操至绍府门下，问曰："谁曾入此门来？"守将对曰："世子①在内。"操唤出责之。刘氏出拜曰："非世子不能保全妾家，愿献甄氏为世子执箕帚。"操教唤出甄氏拜于前。操视之曰："真吾儿妇也！"遂令曹丕纳之。

---

① 世子——古代天子、诸侯的嫡长子。

操既定冀州，亲往袁绍墓下设祭，再拜而哭甚哀，顾谓众官曰："昔日吾与本初共起兵时，本初问吾曰：'若事不辑，方面何所可据？'吾问之曰：'足下意欲若何？'本初曰：'吾南据河，北阻燕、代，兼沙漠之众，南向以争天下，庶可以济乎？'吾答曰：'吾任天下之智力，以道御之，无所不可。'此言如昨，而今本初已丧，吾不能不为流涕也！"众皆叹息。操以金帛粮米赐绍妻刘氏。乃下令曰："河北居民遭兵革之难，尽免今年租赋。"一面写表申朝；操自领冀州牧。

一日，许褚走马入东门，正迎许攸。攸唤褚曰："汝等无我，安能出入此门乎？"褚怒曰："吾等千生万死，身冒血战，夺得城池，汝安敢夸口！"攸骂曰："汝等皆匹夫耳，何足道哉！"褚大怒，拔剑杀攸，提头来见曹操，说："许攸如此无礼，某杀之矣。"操曰："子远与吾旧交，故相戏耳，何故杀之！"深责许褚，令厚葬许攸。乃令人遍访冀州贤士。冀民曰："骑都尉崔琰，字季珪，清河东武城人也。数曾献计于袁绍，绍不从，因此托疾在家。"操即召琰为本州别驾从事，因谓曰："昨按本州户籍，共计三十万众，可谓大州。"琰曰："今天下分崩，九州幅裂，二袁兄弟相争，冀民暴骨原野，丞相不急存问风俗，救其涂炭，而先计校户籍，岂本州士女所望于明公哉？"操闻言，改容谢之，待为上宾。

操已定冀州，使人探袁谭消息。时谭引兵劫掠甘陵、安平、渤海、河间等处，闻袁尚败走中山，乃统军攻之。尚无心战斗，径奔幽州投袁熙。谭尽降其众，欲复图冀州。操使人召之，谭不至。操大怒，驰书绝其婚，自统大军征之，直抵平原。谭闻操自统军来，遣人求救于刘表。表请玄德商议。玄德曰："今操已破冀州，兵势正盛，袁氏兄弟不久必为操擒，救之无益；况操常有窥荆襄之意，我只养兵自守，未可妄动。"表曰："然则何以谢之？"玄德曰："可作书与袁氏兄弟，以和解为名，婉词谢之。"表然其言，先遣人以书遗谭。书略曰：

君子违难①，不适仇国。日前闻君屈膝降曹，则是忘先人之仇，弃手足之谊，而遗同盟之耻矣。若冀州②不弟，当降心相从。待事定之后，使天下平其曲直，不亦高义耶？

---

① 违难——避难。违：避开。

② 冀州——指袁尚，因他任冀州牧。古人常用官名代称人名。

又与袁尚书曰：

青州天性峭急，迷于曲直。君当先除曹操，以卒先公之恨。事定之后，乃计曲直，不亦善乎？若迷而不返，则是韩卢、东郭自困于前，而遗田父之获也①。

谭得表书，知表无发兵之意，又自料不能敌操，遂弃平原，走保南皮。曹操追至南皮，时天气寒肃，河道尽冻，粮船不能行动。操令本处百姓敲冰拽船，百姓闻令而逃。操大怒，欲捕斩之。百姓闻得，乃亲往营中投首。操曰："若不杀汝等，则吾号令不行；若杀汝等，吾又不忍：汝等快往山中藏避，休被我军士擒获。"百姓皆垂泪而去。

袁谭引兵出城，与曹军相敌。两阵对圆，操出马以鞭指谭而骂曰："吾厚待汝，汝何生异心？"谭曰："汝犯吾境界，夺吾城池，赖吾妻子，反说我有异心耶！"操大怒，使徐晃出马。谭使彭安接战。两马相交，不数合，晃斩彭安于马下。谭军败走，退入南皮。操遣军四面围住。谭着慌，使辛评见操约降。操曰："袁谭小子，反覆无常，吾难准信。汝弟辛毗，吾已重用，汝亦留此可也。"评曰："丞相差矣。某闻'主贵臣荣，主忧臣辱'。某久事袁氏，岂可背之！"操知其不可留，乃遣回。评回见谭，言操不准投降。谭叱曰："汝弟现事曹操，汝怀二心耶？"评闻言，气满填胸，昏绝于地。谭令扶出，须臾而死。谭亦悔之。郭图谓谭曰："来日尽驱百姓当先，以军继其后，与曹操决一死战。"谭从其言。当夜尽驱南皮百姓，皆执刀枪听令。次日平明，大开四门，军在后，驱百姓在前，喊声大举，一齐拥出，直抵曹寨。两军混战，自辰至午，胜负未分，杀人遍地。操见未获全胜，弃马上山，亲自击鼓。将士见之，奋力向前，谭军大败。百姓被杀者无数。曹洪奋威突阵，正迎袁谭，举刀乱砍，谭竟被曹洪杀于阵中。郭图见阵大乱，急驰入城中。乐进望见，拈弓搭箭，射下城壕，人马俱陷。操引兵入南皮，安抚百姓。忽有一彪军来到，乃袁熙部将焦触、张南也。操自引军迎之。二将倒戈卸甲，特来投降。操封为列侯。又黑山贼张燕，引军十万来降，操封为平北将军。下令将袁谭首级号令，敢有哭者斩。头挂北门外，一人布冠衰

① 韩卢、东郭自困于前，田父之获——古代寓言故事：韩卢是只最好的猎狗，东郭逡是只跑得很快的狡兔。韩卢追赶东郭逡，绕山三圈，翻山五次，最后都精疲力尽，累死在地，过路的农民不费吹灰之力就把它们两个都拾了去。

衣①,哭于头下。左右拿来见操,操问之,乃青州别驾王修也,因谏袁谭被逐,今知谭死,故来哭之。操曰:“汝知吾令否?”修曰:“知之。”操曰:“汝不怕死耶?”修曰:“我生受其辟命②,亡而不哭,非义也。畏死忘义,何以立世乎!若得收葬谭尸,受戮无恨。”操曰:“河北义士,何其如此之多也!可惜袁氏不能用!若能用,则吾安敢正眼觑此地哉!”遂命收葬谭尸,礼修为上宾,以为司金中郎将。因问之曰:“今袁尚已投袁熙,取之当用何策?”修不答。操曰:“忠臣也。”问郭嘉,嘉曰:“可使袁氏降将焦触、张南等自攻之。”操用其言,随差焦触、张南,吕旷、吕翔,马延、张颢,各引本部兵,分三路进攻幽州;一面使李典、乐进会合张燕,打并州,攻高干。

且说袁尚、袁熙知曹兵将至,料难迎敌,乃弃城引兵,星夜奔辽西投乌桓去了。幽州刺史乌桓触,聚幽州众官,歃血为盟,共议背袁向曹之事。乌桓触先言曰:“吾知曹丞相当世英雄,今往投降,有不遵令者斩。”依次歃血,循至别驾韩珩。珩乃掷剑于地,大呼曰:“吾受袁公父子厚恩,今主败亡,智不能救,勇不能死,于义缺矣!若北面而降操,吾不为也!”众皆失色。乌桓触曰:“夫兴大事,当立大义。事之济否,不待一人。韩珩既有志如此,听其自便。”推珩而出。乌桓触乃出城迎接三路军马,径来降操。操大喜,加为镇北将军。

忽探马来报:“乐进、李典、张燕攻打并州,高干守住壶关口,不能下。”操自勒兵前往。三将接着,说干拒关难击。操集众将共议破干之计。荀攸曰:“若破干,须用诈降计方可。”操然之。唤降将吕旷、吕翔,附耳低言如此如此。吕旷等引军数十,直抵关下,叫曰:“吾等原系袁氏旧将,不得已而降曹。曹操为人诡谲,薄待吾等;吾今还扶旧主。可疾开关相纳。”高干未信,只教二将自上关说话。二将卸甲弃马而入,谓干曰:“曹军新到,可乘其军心未定,今夜劫寨。某等愿当先。”干喜,从其言,是夜教二吕当先,引万余军前去。将至曹寨,背后喊声大震,伏兵四起。高干知是中计,急回壶关城,乐进、李典已夺了关。高干夺路走脱,往投单于。操领兵拒住关口,使人追袭高干。干到单于界,正迎北番左贤王。干下马拜伏于

① 衰(cuī)衣——古代丧服,是一种用麻制成的胸衣。

② 辟命——辟除的命令。汉代州郡长官有权自行任用属吏,王修官至青州别驾,就是青州刺史袁谭生前所授,所以说“生受其辟命”。

地，言："曹操吞并疆土，今欲犯王子地面，万乞救援，同力克复，以保北方。"左贤王曰："吾与曹操无仇，岂有侵我土地？汝欲使我结怨于曹氏耶！"叱退高干。干寻思无路，只得去投刘表。行至上洛，被都尉王琰所杀，将头解送曹操。曹封琰为列侯。

并州既定，操商议西击乌桓。曹洪等曰："袁熙、袁尚兵败将亡，势穷力尽，远投沙漠；我今引兵西击，倘刘备、刘表乘虚袭许都，我救应不及，为祸不浅矣：请回师勿进为上。"郭嘉曰："诸公所言错矣。主公虽威震天下，沙漠之人恃其边远，必不设备；乘其无备，卒然击之，必可破也。且袁绍与乌桓有恩，而尚与熙兄弟犹存，不可不除。刘表坐谈之客耳，自知才不足以御刘备，重任之，则恐不能制；轻任之，则备不为用。——虽虚国远征，公无忧也。"操曰："奉孝之言极是。"遂率大小三军，车数千辆，望前进发。但见黄沙漠漠，狂风四起；道路崎岖，人马难行。操有回军之心，问于郭嘉。嘉此时不服水土，卧病车上。操泣曰："因我欲平沙漠，使公远涉艰辛，以致染病，吾心何安！"嘉曰："某感丞相大恩，虽死不能报万一。"操曰："吾见北地崎岖，意欲回军，若何？"嘉曰："兵贵神速。今千里袭人，辎重多而难以趋利，不如轻兵兼道以出，掩其不备。——但须得识径路者为引导耳。"

遂留郭嘉于易州养病，求向导官以引路。人荐袁绍旧将田畴深知此境，操召而问之。畴曰："此道秋夏间有水，浅不通车马，深不载舟楫，最难行动。不如回军，从卢龙口越白檀之险，出空虚之地，前近柳城，掩其不备：蹋顿可一战而擒也。"操从其言，封田畴为靖北将军，作向导官，为前驱；张辽为次；操自押后：倍道轻骑而进。田畴引张辽前至白狼山，正遇袁熙、袁尚会合蹋顿等数万骑前来。张辽飞报曹操。操自勒马登高望之，见蹋顿兵无队伍，参差不整。操谓张辽曰："敌兵不整，便可击之。"乃以麾授辽。辽引许褚、于禁、徐晃分四路下山，备力急攻，蹋顿大乱。辽拍马斩蹋顿于马下，余众皆降。袁熙、袁尚引数千骑投辽东去了。

操收军入柳城，封田畴为柳亭侯，以守柳城。畴涕泣曰："某负义逃窜之人耳，蒙厚恩全活，为幸多矣；岂可卖卢龙之寨，以邀赏禄哉！死不敢受侯爵。"操义之，乃拜畴为议郎。操抚慰单于人等，收得骏马万匹，即日回兵。时天气寒且旱，二百里无水，军又乏粮，杀马为食，凿地三四十丈，方得水。操回至易州，重赏先曾谏者；因谓众将曰："孤前者乘危远征，侥幸成功。虽得胜，天所佑也，不可以为法。诸君之谏，乃万安之计，是以相赏。后勿难言。”操到易州时，郭嘉已死数日，停柩在公廨。操往祭之，大哭曰：“奉孝死，乃天丧吾也！”回顾众官曰：“诸君年齿，皆孤等辈，惟奉孝最少，吾欲托以后事。不期中年夭折，使吾心肠崩裂矣！”嘉之左右，将嘉临死所封之书呈上曰：“郭公临亡，亲笔书此，嘱曰：‘丞相若从书中所言，辽东事定矣。’”操拆书视之，点头嗟叹。诸人皆不知其意。次日，夏侯惇引众人禀曰：“辽东太守公孙康，久不宾服。今袁熙、袁尚又往投之，必为后患。不如乘其未动，速往征之，辽东可得也。”操笑曰：“不烦诸公虎威。数日之后，公孙康自送二袁之首至矣。”诸将皆不肯信。

却说袁熙、袁尚引数千骑奔辽东。辽东太守公孙康，本襄平人，武威将军公孙度之子也。当日知袁熙、袁尚来投，遂聚本部属官商议此事。公孙恭曰：“袁绍在日，常有吞辽东之心；今袁熙、袁尚兵败将亡，无处依栖，来此相投，是鸠夺鹊巢①之意也。若容纳之，后必相图。不如赚入城中杀之，献头与曹公，曹公必重待我。”康曰：“只怕曹操引兵下辽东，又不如纳二袁使为我助。”恭曰：“可使人探听。如曹兵来攻，则留二袁；如其不动，则杀二袁，送与曹公。”康从之，使人去探消息。

却说袁熙、袁尚至辽东，二人密议曰：“辽东军兵数万，足可与曹操争衡。今暂投之，后当杀公孙康而夺其地，养成气力而抗中原，可复河北也。”商议已定，乃入见公孙康。康留于馆驿，只推有病，不即相见。不一日，细作回报：“曹公兵屯易州，并无下辽东之意。”公孙康大喜，乃先伏刀斧手于壁衣中，使二袁入。相见礼毕，命坐。时天气严寒，尚见床榻上无茵褥②，谓康曰：“愿铺坐席。”康瞋目言曰：“汝二人之头，将行万里！何席之有！”尚大惊。康叱曰：“左右何不下手！”刀斧手拥出，就坐席上砍下二人之头，用木匣盛贮，使人送到易州，来见曹操。时操在易州，按兵不动。夏侯惇、张辽入禀曰：“如不下辽东，可回许都。——恐刘表生心。”操曰：“待二袁首级至，即便回兵。”众皆暗笑。忽报辽东公孙康遣人送袁熙、袁尚首级至，众皆大惊。使者呈上书信。操大笑曰：“不出奉孝之料！”重赏

① 鸠夺鹊巢——相传斑鸠自己不做巢，等到鹊把巢做好了，它便把鹊的巢占为己有。

② 茵褥——被褥。茵：垫子或褥子。

来使,封公孙康为襄平侯、左将军。众官问曰:“何为不出奉孝之所料?”操遂出郭嘉书以示之。书略曰:

今闻袁熙、袁尚往投辽东,明公切不可加兵。公孙康久畏袁氏吞并,二袁往投必疑。若以兵击之,必并力迎敌,急不可下;若缓之,公孙康、袁氏必自相图,其势然也。

众皆踊跃称善。操引众官复设祭于郭嘉灵前。——亡年三十八岁,从征十有一年,多立奇勋。——后人有诗赞曰:

天生郭奉孝,豪杰冠群英:腹内藏经史,胸中隐甲兵;

运谋如范蠡,决策似陈平①。可惜身先丧,中原梁栋倾。

操领兵还冀州,使人先扶郭嘉灵柩于许都安葬。

程昱等请曰:“北方既定,今还许都,可早建下江南之策。”操笑曰:“吾有此志久矣。诸君所言,正合吾意。”是夜宿于冀州城东角楼上,凭栏仰观天文。时荀攸在侧,操指曰:“南方旺气灿然,恐未可图也。”攸曰:“以丞相天威,何所不服!”正看间,忽见一道金光,从地而起。攸曰:“此必有宝于地下。”操下楼令人随光掘之。正是:星文方向南中指,金宝旋从北地生。不知所得何物,且听下文分解。

# 第三十四回

## 蔡夫人隔屏听密语　刘皇叔跃马过檀溪

却说曹操于金光处,掘出一铜雀,问荀攸曰:“此何兆也?”攸曰:“昔舜母梦玉雀入怀而生舜。今得铜雀,亦吉祥之兆也。”操大喜,遂命作高台以庆之。乃即日破土断木,烧瓦磨砖,筑铜雀台于漳河之上。约计一年而工毕。少子曹植进曰:“若建层台,必立三座:中间高者,名为铜雀;左边一座,名为玉龙;右边一座,名为金凤。更作两条飞桥,横空而上,乃为壮观。”操曰:“吾儿所言甚善。他日台成,足可娱吾老矣!”原来曹操有五子,

① 运谋如范蠡,决策似陈平——范蠡:春秋末越国大夫,曾助越王勾践灭吴;陈平:汉初大臣,曾助刘邦得天下。

惟植性敏慧，善文章，曹操平日最爱之。于是留曹植与曹丕在邺郡造台，使张燕守北寨。操将所得袁绍之兵，共五六十万，班师回许都。大封功臣；又表赠郭嘉为贞侯，养其子奕于府中。复聚众谋士商议，欲南征刘表。荀彧曰："大军方北征而回，未可复动。且待半年，养精蓄锐，刘表、孙权可一鼓而下也。"操从之，遂分兵屯田，以候调用。

却说玄德自到荆州，刘表待之甚厚。一日，正相聚饮酒，忽报降将张武、陈孙在江夏掳掠人民，共谋造反。表惊曰："二贼又反，为祸不小！"玄德曰："不须兄长忧虑，备请往讨之。"表大喜，即点三万军，与玄德前去。玄德领命即行，不一日，来到江夏。张武、陈孙引兵来迎。玄德与关、张、赵云出马在门旗下，望见张武所骑之马，极其雄骏。玄德曰："此必千里马也。"言未毕，赵云挺枪而出，径冲彼阵。张武纵马来迎，不三合，被赵云一枪刺落马下，随手扯住辔头，牵马回阵。陈孙见了，随赶来夺。张飞大喝一声，挺矛直出，将陈孙刺死。众皆溃散。玄德招安余党，平复江夏诸县，班师而回。表出郭迎接入城，设宴庆功。酒至半酣，表曰："吾弟如此雄才，荆州有倚赖也。但忧南越不时来寇，张鲁、孙权皆足为虑。"玄德曰："弟有三将，足可委用：使张飞巡南越之境；云长拒固子城，以镇张鲁；赵云拒三江，以当孙权。何足虑哉？"表喜，欲从其言。蔡瑁告其姊蔡夫人曰："刘备遣三将居外，而自居荆州，久必为患。"蔡夫人乃夜对刘表曰："我闻荆州人多与刘备往来，不可不防之。今容其居住城中，无益，不若遣使他往。"表曰："玄德仁人也。"蔡氏曰："只恐他人不似汝心。"表沉吟不答。

次日出城，见玄德所乘之马极骏，问之，知是张武之马，表称赞不已。玄德遂将此马送与刘表。表大喜，骑回城中。蒯越见而问之。表曰："此玄德所送也。"越曰："昔先兄蒯良，最善相马；越亦颇晓。此马眼下有泪槽，额边生白点，名为'的卢'，骑则妨主。张武为此马而亡。主公不可乘之。"表听其言。次日请玄德饮宴，因言曰："昨承惠良马，深感厚意。但贤弟不时征进，可以用之。敬当送还。"玄德起谢。表又曰："贤弟久居此间，恐废武事。襄阳属邑新野县，颇有钱粮。弟可引本部军马于本县屯扎，何如？"玄德领诺。次日，谢别刘表，引本部军马径往新野。方出城门，只见一人在马前长揖曰："公所骑马，不可乘也。"玄德视之，乃荆州幕宾伊籍，字机伯，山阳人也。玄德忙下马问之。籍曰："昨闻蒯异度对刘荆州云：'此马名的卢，乘则妨主。'因此还公。公岂可复乘之？"玄德曰："深感先生见爱。但凡人死生有命，岂马所能妨哉！”籍服其高见，自此常与玄德往来。

玄德自到新野，军民皆喜，政治一新。建安十二年春，甘夫人生刘禅。是夜有白鹤一只，飞来县衙屋上，高鸣四十余声，望西飞去。临分娩时，异香满室。甘夫人尝夜梦仰吞北斗，因而怀孕，故乳名阿斗。此时曹操正统兵北征。玄德乃往荆州，说刘表曰：“今曹操悉兵北征，许昌空虚，若以荆襄之众，乘间袭之，大事可就也。”表曰：“吾坐据九郡足矣，岂可别图？”玄德默然。表邀入后堂饮酒。酒至半酣，表忽然长叹。玄德曰：“兄长何故长叹？”表曰：“吾有心事，未易明言。”玄德再欲问时，蔡夫人出立屏后。刘表乃垂头不语。须臾席散，玄德自归新野。

至是年冬，闻曹操自柳城回，玄德甚叹表之不用其言。忽一日，刘表遣使至，请玄德赴荆州相会。玄德随使而往。刘表接着，叙礼毕，请入后堂饮宴；因谓玄德曰：“近闻曹操提兵回许都，势日强盛，必有吞并荆襄之心。昔日悔不听贤弟之言，失此好机会。”玄德曰：“今天下分裂，干戈日起，机会岂有尽乎？若能应之于后，未足为恨也。”表曰：“吾弟之言甚当。”相与对饮。酒酣，表忽潸然泪下。玄德问其故。表曰：“吾有心事，前者欲诉与贤弟，未得其便。”玄德曰：“兄长有何难决之事？倘有用弟之处，弟虽死不辞。”表曰：“前妻陈氏所生长子琦，为人虽贤，而柔懦不足立事；后妻蔡氏所生少子琮，颇聪明。吾欲废长立幼，恐碍于礼法；欲立长子，争奈蔡氏族中，皆掌军务，后必生乱：因此委决不下。”玄德曰：“自古废长立幼，取乱之道。若忧蔡氏权重，可徐徐削之，不可溺爱而立少子也。”表默然。

原来蔡夫人素疑玄德，凡遇玄德与表叙论，必来窃听。是时正在屏风后，闻玄德此言，心甚恨之。玄德自知语失，遂起身如厕。因见己身髀肉复生①，亦不觉潸然流涕。少顷复入席。表见玄德有泪容，怪问之。玄德长叹曰：“备往常身不离鞍，髀肉皆散；今久不骑，髀里肉生。日月蹉跎，老将至矣，而功业不建：是以悲耳！”表曰：“吾闻贤弟在许昌，与曹操青梅煮酒，共论英雄；贤弟尽举当世名士，操皆不许，而独曰：‘天下英雄，惟使君与操耳。’以曹操之权力，犹不敢居吾弟之先，何虑功业不建乎？”玄德乘着

① 髀(bì)肉复生——髀：股腿相接处的外侧，因久不骑马奔驰，腿根侧部长了肥肉。

酒兴，失口答曰："备若有基本，天下碌碌之辈，诚不足虑也。"表闻言默然。玄德自知语失，托醉而起，归馆舍安歇。后人有诗赞玄德曰：

曹公屈指从头数："天下英雄独使君。"

髀肉复生犹感叹，争教寰宇不三分？

却说刘表闻玄德语，口虽不言，心怀不足，别了玄德，退入内宅。蔡夫人曰："适间我于屏后听得刘备之言，甚轻觑人，足见其有吞并荆州之意。今若不除，必为后患。"表不答，但摇头而已。蔡氏乃密召蔡瑁入，商议此事。瑁曰："请先就馆舍杀之，然后告知主公。"蔡氏然其言。瑁出，便连夜点军。

却说玄德在馆舍中秉烛而坐，三更以后，方欲就寝。忽一人叩门而入，视之乃伊籍也：原来伊籍探知蔡瑁欲害玄德，特夤夜来报。当下伊籍将蔡瑁之谋，报知玄德，催促玄德速速起身。玄德曰："未辞景升，如何便去？"籍曰："公若辞，必遭蔡瑁之害矣。"玄德乃谢别伊籍，急唤从者，一齐上马，不待天明，星夜奔回新野。比及蔡瑁领军到馆舍时，玄德已去远矣。瑁悔恨无及，乃写诗一首于壁间，径入见表曰："刘备有反叛之意，题反诗于壁上，不辞而去矣。"表不信，亲诣馆舍观之，果有诗四句。诗曰：

数年徒守困，空对旧山川。龙岂池中物，乘雷欲上天！

刘表见诗大怒，拔剑言曰："誓杀此无义之徒！"行数步，猛省曰："吾与玄德相处许多时，不曾见他作诗。——此必外人离间之计也。"遂回步入馆舍，用剑尖削去此诗，弃剑上马。蔡瑁请曰："军士已点齐，可就往新野擒刘备。"表曰："未可造次，容徐图之。"蔡瑁见表持疑不决，乃暗与蔡夫人商议：即日大会众官于襄阳，就彼处谋之。次日，瑁禀表曰："近年丰熟，合①聚众官于襄阳，以示抚劝之意。请主公一行。"表曰："吾近日气疾作，实不能行。可令二子为主待客。"瑁曰："公子年幼，恐失于礼节。"表曰："可往新野请玄德待客。"瑁暗喜正中其计，便差人请玄德赴襄阳。

却说玄德奔回新野，自知失言取祸，未对众人言之。忽使者至，请赴襄阳。孙乾曰："昨见主公匆匆而回，意甚不乐。愚意度之，在荆州必有事故。今忽请赴会，不可轻往。"玄德方将前项事诉与诸人。云长曰："兄自疑心语失。刘荆州并无嗔责之意。外人之言，未可轻信。襄阳离此不远，

① 合——该当。

若不去，则荆州反生疑矣。”玄德曰：“云长之言是也。”张飞曰：“‘筵无好筵，会无好会’，不如休去。”赵云曰：“某将马步军三百人同往，可保主公无事。”玄德曰：“如此甚好。”

遂与赵云即日赴襄阳。蔡瑁出郭迎接，意甚谦谨。随后刘琦、刘琮二子，引一班文武官僚出迎。玄德见二公子俱在，并不疑忌。是日请玄德于馆舍暂歇。赵云引三百军围绕保护。云披甲挂剑，行坐不离左右。刘琦告玄德曰：“父亲气疾作，不能行动，特请叔父待客，抚劝各处守牧之官。”玄德曰：“吾本不敢当此；既有兄命，不敢不从。”次日，人报九郡四十二州官员，俱已到齐。蔡瑁预请蒯越计议曰：“刘备世之枭雄①，久留于此，后必为害，可就今日除之。”越曰：“恐失士民之望。”瑁曰：“吾已密领刘荆州言语在此。”越曰：“既如此，可预作准备。”瑁曰：“东门岘山大路，已使吾弟蔡和引军守把；南门外已使蔡中守把；北门外已使蔡勋守把。止有西门不必守把：前有檀溪阻隔，虽有数万之众，不易过也。”越曰：“吾见赵云行坐不离玄德，恐难下手。”瑁曰：“吾伏五百军在城内准备。”越曰：“可使文聘、王威二人另设一席于外厅，以待武将。先请住赵云，然后可行事。”瑁从其言。当日杀牛宰马，大张筵席。玄德乘的卢马至州衙，命牵入后园拴系。从官皆至堂中。玄德主席，二公子两边分坐，其余各依次而坐。赵云带剑立于玄德之侧。文聘、王威入请赵云赴席。云推辞不去。玄德令云就席，云勉强应命而出。蔡瑁在外收拾得铁桶相似，将玄德带来三百军，都遣归馆舍，只待半酣，号起下手。酒至三巡，伊籍起把盏，至玄德前，以目视玄德，低声谓曰：“请更衣。”玄德会意，即起如厕。伊籍把盏毕，疾入后园，接着玄德，附耳报曰：“蔡瑁设计害君，城外东、南、北三处，皆有军马守把。惟西门可走，公宜速逃！”玄德大惊，急解的卢马，开后园门牵出，飞身上马，不顾从者，匹马望西门而走。门吏问之，玄德不答，加鞭而出。门吏当之不住，飞报蔡瑁。瑁即上马，引五百军随后追赶。

却说玄德撞出西门，行无数里，前有大溪，拦住去路。那檀溪阔数丈，水通襄江，其波甚紧。玄德到溪边，见不可渡，勒马再回，遥望城西尘头大起，追兵将至。玄德曰：“今番死矣！”遂回马到溪边。回头看时，追兵已近。玄德着慌，纵马下溪。行不数步，马前蹄忽陷，浸湿衣袍。玄德乃加

---

① 枭(xiāo)雄——强横而有野心的人物。

鞭大呼曰："的卢，的卢！今日妨吾！"言毕，那马忽从水中涌身而起，一跃三丈，飞上西岸。玄德如从云雾中起。后来苏学士有古风一篇，单咏跃马檀溪事。诗曰：

老去花残春日暮，宦游偶至檀溪路；
停骖①遥望独徘徊，眼前零落飘红絮。
暗想咸阳火德衰，龙争虎斗交相持；
襄阳会上王孙饮，坐中玄德身将危。
逃生独出西门道，背后追兵复将到；
一川烟水涨檀溪，急叱征骑往前跳。
马蹄踏碎青玻璃，天风响处金鞭挥；
耳畔但闻千骑走，波中忽见双龙飞：
西川独霸真英主，坐下龙驹两相遇。
檀溪溪水自东流，龙驹英主今何处！
临流三叹心欲酸，斜阳寂寂照空山；
三分鼎足浑如梦，踪迹空留在世间。

玄德跃过溪西，顾望东岸。蔡瑁已引军赶到溪边，大叫："使君何故逃席而去？"玄德曰："吾与汝无仇，何故欲相害？"瑁曰："吾并无此心，使君休听人言。"玄德见瑁手将拈弓取箭，乃急拨马望西南而去。瑁谓左右曰："是何神助也？"方欲收军回城，只见西门内赵云引三百军赶来。正是：跃去龙驹能救主，追来虎将欲诛仇。未知蔡瑁性命如何，且听下文分解。

# 第三十五回

## 玄德南漳逢隐沦　单福新野遇英主

却说蔡瑁方欲回城，赵云引军赶出城来。原来赵云正饮酒间，忽见人马动，急入内观之，席上不见了玄德。云大惊，出投馆舍，听得人说："蔡瑁引军望西赶去了。"云火急绰枪上马，引着原带来三百军，奔出西门，正迎

① 骖(cān)——三匹马驾的一辆车。

着蔡瑁，急问曰："吾主何在?"瑁曰："使君逃席而去，不知何往。"赵云是谨细之人，不肯造次，即策马前行。遥望大溪，别无去路，乃复回马，喝问蔡瑁曰："汝请吾主赴宴，何故引着军马追来?"瑁曰："九郡四十二州县官僚俱在此，吾为上将，岂可不防护?"云曰："汝逼吾主何处去了?"瑁曰："闻使君匹马出西门，到此却又不见。"云惊疑不定，直来溪边看时，只见隔岸一带水迹。云暗忖曰："难道连马跳过了溪去? ……"令三百军四散观望，并不见踪迹。云再回马时，蔡瑁已入城去了。云乃拿守门军士追问，皆说："刘使君飞马出西门而去。"云再欲入城，又恐有埋伏，遂急引军归新野。

却说玄德跃马过溪，似醉如痴，想："此阔涧一跃而过，岂非天意!"迤逦望南漳策马而行，日将沉西。正行之间，见一牧童跨于牛背上，口吹短笛而来。玄德叹曰："吾不如也!"遂立马观之。牧童亦停牛罢笛，熟视玄德，曰："将军莫非破黄巾刘玄德否?"玄德惊问曰："汝乃村僻小童，何以知吾姓字?"牧童曰："我本不知。因常侍师父，有客到日，多曾说有一刘玄德，身长七尺五寸，垂手过膝，目能自顾其耳，乃当世之英雄。今观将军如此模样，想必是也。"玄德曰："汝师何人也?"牧童曰："吾师覆姓司马，名徽，字德操，颍川人也。道号'水镜先生'。"玄德曰："汝师与谁为友?"小童曰："与襄阳庞德公、庞统为友。"玄德曰："庞德公乃庞统何人?"童子曰："叔侄也。庞德公字山民，长俺师父十岁；庞统字士元，少俺师父五岁。一日，我师父在树上采桑，适庞统来相访，坐于树下，共相议论，终日不倦。吾师甚爱庞统，呼之为弟。"玄德曰："汝师今居何处?"牧童遥指曰："前面林中，便是庄院。"玄德曰："吾正是刘玄德。汝可引我去拜见你师父。"

童子便引玄德，行二里余，到庄前下马，入至中门，忽闻琴声甚美。玄德教童子且休通报，侧耳听之。琴声忽住而不弹。一人笑而出曰："琴韵清幽，音中忽起高抗之调，必有英雄窃听。"童子指谓玄德曰："此即吾师水镜先生也。"玄德视其人，松形鹤骨，器宇①不凡。慌忙进前施礼，衣襟尚湿。水镜曰："公今日幸免大难!"玄德惊讶不已。小童曰："此刘玄德也。"水镜请入草堂，分宾主坐定。玄德见架上满堆书卷，窗外盛栽松竹，横琴于石床之上，清气飘然。水镜问曰："明公何来?"玄德曰："偶尔经由此地，因小童相指，得拜尊颜，不胜万幸!"水镜笑曰："公不必隐讳。公今必逃难

① 器宇——人的外表、风度。

至此。”玄德遂以襄阳一事告之。水镜曰：“吾观公气色，已知之矣。”因问玄德曰：“吾久闻明公大名，何故至今犹落魄不偶①耶？”玄德曰：“命途多蹇②，所以至此。”水镜曰：“不然。盖因将军左右不得其人耳。”玄德曰：“备虽不才，文有孙乾、糜竺、简雍之辈，武有关、张、赵云之流，竭忠辅相，颇赖其力。”水镜曰：“关、张、赵云，皆万人敌，惜无善用之之人。若孙乾、糜竺辈，乃白面书生，非经纶济世③之才也。”玄德曰：“备亦尝侧身④以求山谷之遗贤，奈未遇其人何！”水镜曰：“岂不闻孔子云：‘十室之邑，必有忠信。’何谓无人？”玄德曰：“备愚昧不识，愿赐指教。”水镜曰：“公闻荆襄诸郡小儿谣言乎？其谣曰：‘八九年间始欲衰，至十三年无孑遗⑤。到头天命有所归，泥中蟠龙向天飞。’此谣始于建安初：建安八年，刘景升丧却前妻，便生家乱，此所谓‘始欲衰’也；‘无孑遗’者，不久则景升将逝，文武零落无孑遗矣；‘天命有归’，‘龙向天飞’，盖应在将军也。”玄德闻言惊谢曰：“备安敢当此！”水镜曰：“今天下之奇才，尽在于此，公当往求之。”玄德急问曰：“奇才安在？果系何人？”水镜曰：“伏龙、凤雏，两人得一，可安天下。”玄德曰：“伏龙、凤雏何人也？”水镜抚掌大笑曰：“好！好！”玄德再问时，水镜曰：“天色已晚，将军可于此暂宿一宵，明日当言之。即命小童具饮馔相待，马牵入后院喂养。

玄德饮膳毕，即宿于草堂之侧。玄德因思水镜之言，寝不成寐。约至更深，忽听一人叩门而入，水镜曰：“元直何来？”玄德起床密听之，闻其人答曰：“久闻刘景升善善恶恶⑥，特往谒之。及至相见，徒有虚名，盖善善而不能用，恶恶而不能去者也。故遗书别之⑦，而来至此。”水镜曰：“公怀王佐之才，宜择人而事，奈何轻身往见景升乎？且英雄豪杰，只在眼前，公自不识耳。”其人曰：“先生之言是也。”玄德闻之大喜，暗忖此人必是伏龙、凤

---

① 落魄(pò)不偶——落魄：潦倒、倒霉；不偶：不走运，古人迷信认为偶数好，奇数不好，故运气不好称“不偶”。

② 蹇(jiǎn)——困苦，不顺利。

③ 经纶济世——经纶：整理过的蚕丝，喻政治规划；济世：救世。

④ 侧身——侧：斜、倾斜。侧身，表示认真，聚精会神。

⑤ 无孑(jié)遗——没有一个遗留下来，意思是发生巨大灾难。

⑥ 善善恶(wù)恶——喜爱好人，憎恨坏人。

⑦ 别之——到别处去。

雏，即欲出见，又恐造次。

候至天晓，玄德求见水镜，问曰："昨夜来者是谁？"水镜曰："此吾友也。"玄德求与相见。水镜曰："此人欲往投明主，已到他处去了。"玄德请问其姓名。水镜笑曰："好！好！"玄德再问："伏龙、凤雏，果系何人？"水镜亦只笑曰："好！好！"玄德拜请水镜出山相助，同扶汉室。水镜曰："山野闲散之人，不堪世用。自有胜吾十倍者来助公，公宜访之。"正谈论间，忽闻庄外人喊马嘶，小童来报："有一将军，引数百人到庄来也。"玄德大惊，急出视之，乃赵云也。玄德大喜。云下马入见曰："某夜来回县，寻不见主公，连夜跟问到此。主公可作速回县，只恐有人来县中厮杀。"玄德辞了水镜，与赵云上马，投新野来。行不数里，一彪人马来到，视之，乃云长、翼德也。相见大喜。玄德诉说跃马檀溪之事，共相嗟讶。

到县中，与孙乾等商议。乾曰："可先致书于景升，诉告此事。"玄德从其言，即令孙乾赍书至荆州。刘表唤入问曰："吾请玄德襄阳赴会，缘何逃席而去？"孙乾呈上书札，具言蔡瑁设谋相害，赖跃马檀溪得脱。表大怒，急唤蔡瑁责骂曰："汝焉敢害吾弟！"命推出斩之。蔡夫人出，哭求免死，表怒犹未息。孙乾告曰："若杀蔡瑁，恐皇叔不能安居于此矣。"表乃责而释之，使长子刘琦同孙乾至玄德处请罪。琦奉命赴新野，玄德接着，设宴相待。酒酣，琦忽然堕泪。玄德问其故。琦曰："继母蔡氏，常怀谋害之心；侄无计免祸，幸叔父指教。"玄德劝以"小心尽孝，自然无祸"。次日，琦泣别。玄德乘马送琦出郭，因指马谓琦曰："若非此马，吾已为泉下之人矣。"琦曰："此非马之力，乃叔父之洪福也。"说罢，相别。刘琦涕泣而去。

玄德回马入城，忽见市上一人，葛巾布袍，皂绦乌履，长歌而来。歌曰：

> 天地反覆兮，火欲殂①；大厦将崩兮，一木难扶。
>
> 山谷有贤兮，欲投明主；明主求贤兮，却不知吾。

玄德闻歌，暗思："此人莫非水镜所言伏龙、凤雏乎？"遂下马相见，邀入县衙；问其姓名，答曰："某乃颍上人也，姓单，名福。久闻使君纳士招贤，欲来投托，未敢辄造；故行歌于市，以动尊听耳。"玄德大喜，待为上宾。

---

① 火欲殂(cú)——汉将灭。火，是汉朝代称，按五行生克说法，汉属火德。殂：死亡。

单福曰:“适使君所乘之马,再乞一观。”玄德命去鞍牵于堂下。单福曰:“此非的卢马乎?虽是千里马,却只妨主,不可乘也。”玄德曰:“已应之矣。”遂具言跃檀溪之事。福曰:“此乃救主,非妨主也;终必妨一主。某有一法可禳。”玄德曰:“愿闻禳法。”福曰:“公意中有仇怨之人,可将此马赐之;待妨过了此人,然后乘之,自然无事。”玄德闻言变色曰:“公初至此,不教吾以正道,便教作利己妨人之事,备不敢闻教。”福笑谢曰:“向闻使君仁德,未敢便信,故以此言相试耳。”玄德亦改容起谢曰:“备安能有仁德及人,惟先生教之。”福曰:“吾自颍上来此,闻新野之人歌曰:‘新野牧,刘皇叔;自到此,民丰足。’可见使君之仁德及人也。”玄德乃拜单福为军师,调练本部人马。

却说曹操自冀州回许都,常有取荆州之意,特差曹仁、李典并降将吕旷、吕翔等领兵三万,屯樊城,虎视荆襄,就探看虚实。时吕旷、吕翔禀曹仁曰:“今刘备屯兵新野,招军买马,积草储粮,其志不小,不可不早图之。吾二人自降丞相之后,未有寸功,愿请精兵五千,取刘备之头,以献丞相。”曹仁大喜,与二吕兵五千,前往新野厮杀。探马飞报玄德。玄德请单福商议。福曰:“既有敌兵,不可令其入境。可使关公引一军从左而出,以敌来军中路;张飞引一军从右而出,以敌来军后路;公自引赵云出兵前路相迎:敌可破矣。”玄德从其言,即差关、张二人去讫;然后与单福、赵云等,共引二千人马出关相迎。行不数里,只见山后尘头大起,吕旷、吕翔引军来到。两边各射住阵角。玄德出马于旗门下,大呼曰:“来者何人,敢犯吾境?”吕旷出马曰:“吾乃大将吕旷也。奉丞相命,特来擒汝!”玄德大怒,使赵云出马。二将交战,不数合,赵云一枪刺吕旷于马下。玄德麾军掩杀,吕翔抵敌不住,引军便走。正行间,路傍一军突出,为首大将,乃关云长也;冲杀一阵,吕翔折兵大半,夺路走脱。行不到十里,又一军拦住去路,为首大将,挺矛大叫:“张翼德在此!”直取吕翔。翔措手不及,被张飞一矛刺中,翻身落马而死。余众四散奔走。玄德合军追赶,大半多被擒获。玄德班师回县,重待单福,犒赏三军。

却说败军回见曹仁,报说:“二吕被杀,军士多被活捉。”曹仁大惊,与李典商议。典曰:“二将欺敌而亡,今只宜按兵不动,申报丞相,起大兵来征剿,乃为上策。”仁曰:“不然。今二将阵亡,又折许多军马,此仇不可不急报。量新野弹丸之地,何劳丞相大军?”典曰:“刘备人杰也,不可轻视。”

仁曰："公何怯也！"典曰："兵法云：'知彼知己，百战百胜。'某非怯战，但恐不能必胜耳。"仁怒曰："公怀二心耶？吾必欲生擒刘备！"典曰："将军若去，某守樊城。"仁曰："汝若不同去，真怀二心矣！"典不得已，只得与曹仁点起二万五千军马，渡河投新野而来。正是：偏裨既有舆尸①辱，主将重兴雪耻兵。未知胜负何如，且听下文分解。

# 第三十六回

## 玄德用计袭樊城　元直走马荐诸葛

却说曹仁忿怒，遂大起本部之兵，星夜渡河，意欲踏平新野。

且说单福得胜回县，谓玄德曰："曹仁屯兵樊城，今知二将被诛，必起大军来战。"玄德曰："当何以迎之？"福曰："彼若尽提兵而来，樊城空虚，可乘间夺之。"玄德问计。福附耳低言如此如此。玄德大喜，预先准备已定。忽报马报说："曹仁引大军渡河来了。"单福曰："果不出吾之料。"遂请玄德出军迎敌。两阵对圆，赵云出马唤彼将答话。曹仁命李典出阵，与赵云交锋。约战十数合，李典料敌不过，拨马回阵。云纵马追赶，两翼军射住，遂各罢兵归寨。李典回见曹仁，言："彼军精锐，不可轻敌，不如回樊城。"曹仁大怒曰："汝未出军时，已慢吾军心；今又卖阵，罪当斩首！"便喝刀斧手推出李典要斩；众将苦告方免。乃调李典领后军，仁自引兵为前部。次日鸣鼓进军，布成一个阵势，使人问玄德曰："识吾阵否？"单福便上高处观看毕，谓玄德曰："此'八门金锁阵'也。八门者：休、生、伤、杜、景、死、惊、开。如从生门、景门、开门而入则吉；从伤门、惊门、休门而入则伤；从杜门、死门而入则亡。今八门虽布得整齐，只是中间通欠主将。如从东南角上生门击入，往正西景门而出，其阵必乱。"玄德传令，教军士把住阵角，命赵云引五百军从东南而入，径往西出。云得令，挺枪跃马，引兵径投东南角上，呐喊杀入中军。曹仁便投北走。云不追赶，却突出西门，又从西杀转东南

① 偏裨既有舆尸辱——指吕旷、吕翔的兵败受辱。偏裨：副将，主将下属的武官；舆尸：战败而死，抬回尸体。

角上来。曹仁军大乱。玄德麾军冲击,曹兵大败而退。单福命休追赶,收军自回。

却说曹仁输了一阵,方信李典之言;因复请典商议,言:"刘备军中必有能者。吾阵竟为所破。"李典曰:"吾虽在此,甚忧樊城。"曹仁曰:"今晚去劫寨。如得胜,再作计议;如不胜,便退军回樊城。"李典曰:"不可。刘备必有准备。"仁曰:"若如此多疑,何以用兵!"遂不听李典之言。自引军为前队,使李典为后应,当夜二更劫寨。

却说单福正与玄德在寨中议事,忽信风骤起。福曰:"今夜曹仁必来劫寨。"玄德曰:"何以敌之?"福笑曰:"吾已预算定了。"遂密密分拨已毕。至二更,曹仁兵将近寨,只见寨中四围火起,烧着寨栅。曹仁知有准备,急令退军。赵云掩杀将来。仁不及收兵回寨,急望北河而走。将到河边,才欲寻船渡河,岸上一彪军杀到:为首大将,乃张飞也。曹仁死战,李典保护曹仁下船渡河。曹军大半淹死水中。曹仁渡过河面,上岸奔至樊城,令人叫门。只见城上一声鼓响,一将引军而出,大喝曰:"吾已取樊城多时矣!"众惊视之,乃关云长也。仁大惊,拨马便走。云长追杀过来。曹仁又折了好些军马,星夜投许昌。于路打听,方知有单福为军师,设谋定计。

不说曹仁败回许昌。且说玄德大获全胜,引军入樊城,县令刘泌出迎。玄德安民已定。那刘泌乃长沙人,亦汉室宗亲,遂请玄德到家,设宴相待。只见一人侍立于侧。玄德视其人器宇轩昂,因问泌曰:"此何人?"泌曰:"此吾之甥寇封,本罗侯寇氏之子也,因父母双亡,故依于此。"玄德爱之,欲嗣为义子。刘泌欣然从之,遂使寇封拜玄德为父,改名刘封。玄德带回,令拜云长、翼德为叔。云长曰:"兄长既有子,何必用螟蛉①?后必生乱。"玄德曰:"吾待之如子,彼必事吾如父,何乱之有!"云长不悦。玄德与单福计议,令赵云引一千军守樊城。玄德领众自回新野。

却说曹仁与李典回许都,见曹操,泣拜于地请罪,具言损将折兵之事。操曰:"胜负乃军家之常。但不知谁为刘备画策?"曹仁言是单福之计。操曰:"单福何人也?"程昱笑曰:"此非单福也。此人幼好学击剑;中平末年,

---

① 螟蛉(míng líng)——义子的代称。螟蛉:本是一种绿色小虫,蜾蠃(一种寄生蜂)常捕捉它存放在窝里,在它身体内产卵,古人误以为蜾蠃不产子,喂养螟蛉为子,故有称"螟蛉"为义子的说法。

尝为人报仇杀人，披发涂面而走，为吏所获；问其姓名不答，吏乃缚于车上，击鼓行于市，令市人识之，虽有识者不敢言，而同伴窃解救之。乃更姓名而逃，折节①向学，遍访名师，尝与司马徽谈论。——此人乃颍川徐庶，字元直。单福乃其托名耳。”操曰：“徐庶之才，比君何如？”昱曰：“十倍于昱。”操曰：“惜乎贤士归于刘备！羽翼成矣！奈何？”昱曰：“徐庶虽在彼，丞相要用，召来不难。”操曰：“安得彼来归？”昱曰：“徐庶为人至孝。幼丧其父，止有老母在堂。现今其弟徐康已亡，老母无人侍养。丞相可使人赚其母至许昌，令作书召其子，则徐庶必至矣。”

操大喜，使人星夜前去取徐庶母。不一日，取至。操厚待之，因谓之曰：“闻令嗣徐元直，乃天下奇才也。今在新野，助逆臣刘备，背叛朝廷，正犹美玉落于污泥之中，诚为可惜。今烦老母作书，唤回许都，吾于天子之前保奏，必有重赏。”遂命左右捧过文房四宝，令徐母作书。徐母曰：“刘备何如人也？”操曰：“沛郡小辈，妄称‘皇叔’，全无信义，所谓外君子而内小人者也。”徐母厉声曰：“汝何虚诳之甚也！吾久闻玄德乃中山靖王之后，孝景皇帝阁下玄孙，屈身下士，恭己待人，仁声素著，世之黄童、白叟、牧子、樵夫皆知其名：真当世之英雄也。吾儿辅之，得其主矣。汝虽托名汉相，实为汉贼。乃反以玄德为逆臣，欲使吾儿背明投暗，岂不自耻乎！”言讫，取石砚便打曹操。操大怒，叱武士执徐母出，将斩之。程昱急止之，入谏操曰：“徐母触忤丞相者，欲求死也。丞相若杀之，则招不义之名，而成徐母之德。徐母既死，徐庶必死心助刘备以报仇矣；不如留之，使徐庶身心两处，纵使助刘备，亦不尽力也。且留得徐母在，昱自有计赚徐庶至此，以辅丞相。”操然其言，遂不杀徐母，送于别室养之。程昱日往问候，诈言曾与徐庶结为兄弟，待徐母如亲母；时常馈送物件，必具手启。徐母因亦作手启答之。程昱赚得徐母笔迹，乃仿其字体，诈修家书一封，差一心腹人，持书径奔新野县，寻问“单福”行幕。军士引见徐庶。庶知母有家书至，急唤入问之。来人曰：“某乃馆下走卒，奉老夫人言语，有书附达②。”庶拆封视之。书曰：

近汝弟康丧，举目无亲。正悲凄间，不期曹丞相使人赚至许昌，言

---

① 折节——改变平时的行为、作风。

② 有书附达——有信带到。

汝背反，下我于缧绁，赖程昱等救免。若得汝降，能免我死。如书到日，可念劬劳①之恩，星夜前来，以全孝道；然后徐图归耕故园，免遭大祸。吾今命若悬丝，专望救援！更不多嘱。

徐庶览毕，泪如泉涌。持书来见玄德曰："某本颍川徐庶，字元直；为因逃难，更名单福。前闻刘景升招贤纳士，特往见之；及与论事，方知是无用之人，故作书别之。夤夜至司马水镜庄上，诉说其事。水镜深责庶不识主，因说：'刘豫州在此，何不事之？'庶故作狂歌于市，以动使君；幸蒙不弃，即赐重用。争奈老母今被曹操奸计，赚至许昌囚禁，将欲加害。老母手书来唤，庶不容不去。非不欲效犬马之劳，以报使君；奈慈亲被执，不得尽力。今当告归，容图后会。"玄德闻言大哭曰："子母乃天性之亲，元直无以备为念。待与老夫人相见之后，或者再得奉教。"徐庶便拜谢欲行。玄德曰："乞再聚一宵，来日饯行。"孙乾密谓玄德曰："元直天下奇才，久在新野，尽知我军中虚实。今若使归曹操，必然重用，我其危矣。主公宜苦留之，切勿放去。操见元直不去，必斩其母。元直知母死，必为母报仇，力攻曹操也。"玄德曰："不可。使人杀其母，而吾用其子，不仁也；留之不使去，以绝其子母之道，不义也。吾宁死，不为不仁不义之事。"众皆感叹。

玄德请徐庶饮酒，庶曰："今闻老母被囚，虽金波玉液不能下咽矣。"玄德曰："备闻公将去，如失左右手，虽龙肝凤髓，亦不甘味。"二人相对而泣，坐以待旦。诸将已于郭外安排筵席饯行。玄德与徐庶并马出城，至长亭，下马相辞。玄德举杯谓徐庶曰："备分浅缘薄，不能与先生相聚。望先生善事新主，以成功名。"庶泣曰："某才微智浅，深荷使君重用。今不幸半途而别，实为老母故也。纵使曹操相逼，庶亦终身不设一谋。"玄德曰："先生既去，刘备亦将远遁山林矣。"庶曰："某所以与使君共图王霸之业者，恃此方寸②耳；今以老母之故，方寸乱矣，纵使在此，无益于事。使君宜别求高贤辅佐，共图大业，何便灰心如此？"玄德曰："天下高贤，无有出先生右者。"庶曰："某樗栎③庸材，何敢当此重誉。"临别，又顾谓诸将曰："愿诸公

---

① 劬(qú)劳——劳累、辛苦。

② 方寸——心。

③ 樗(chū)栎(lì)——两种树名。这两种树都没有多大的用处，这里比喻没有才能。

善事使君，以图名垂竹帛，功标青史，切勿效庶之无始终也。”诸将无不伤感。玄德不忍相离，送了一程，又送一程。庶辞曰：“不劳使君远送，庶就此告别。”玄德就马上执庶之手曰：“先生此去，天各一方，未知相会却在何日！”说罢，泪如雨下。庶亦涕泣而别。玄德立马于林畔，看徐庶乘马与从者匆匆而去。玄德哭曰：“元直去矣！吾将奈何？”凝泪而望，却被一树林隔断。玄德以鞭指曰：“吾欲尽伐此处树木。”众问何故。玄德曰：“因阻吾望徐元直之目也。”

正望间，忽见徐庶拍马而回。玄德曰：“元直复回，莫非无去意乎？”遂欣然拍马向前迎问曰：“先生此回，必有主意。”庶勒马谓玄德曰：“某因心绪如麻，忘却一语：此间有一奇士，只在襄阳城外二十里隆中。使君何不求之？”玄德曰：“敢烦元直为备请来相见。”庶曰：“此人不可屈致，使君可亲往求之。若得此人，无异周得吕望、汉得张良也。”玄德曰：“此人比先生才德何如？”庶曰：“以某比之，譬犹驽马并麒麟、寒鸦配鸾凤耳。此人每尝自比管仲、乐毅①。以吾观之，管、乐殆不及此人。此人有经天纬地之才，盖天下一人也！”玄德喜曰：“愿闻此人姓名。”庶曰：“此人乃琅琊阳都人，覆姓诸葛，名亮，字孔明，乃汉司隶校尉诸葛丰之后。其父名珪，字子贡，为泰山郡丞，早卒；亮从其叔玄。玄与荆州刘景升有旧，因往依之，遂家于襄阳。后玄卒，亮与弟诸葛均躬耕于南阳。尝好为《梁父吟》②。所居之地有一冈，名卧龙冈，因自号为‘卧龙先生’。此人乃绝代奇才，使君急宜枉驾见之。若此人肯相辅佐，何愁天下不定乎！”玄德曰：“昔水镜先生曾为备言：‘伏龙、凤雏，两人得一，可安天下。’今所云莫非即伏龙、凤雏乎？”庶曰：“凤雏乃襄阳庞统也。伏龙正是诸葛孔明。”玄德踊跃曰：“今日方知‘伏龙、凤雏’之语。何期大贤只在目前！非先生言，备有眼如盲也！”后人有赞徐庶走马荐诸葛诗曰：

痛恨高贤不再逢，临岐泣别两情浓。
片言却似春雷震，能使南阳起卧龙。

---

① 管仲、乐毅——管仲：春秋时齐国政治家，曾辅助齐桓公九合诸侯，称霸天下。乐毅：战国时燕国上将，曾率赵、楚、韩、魏、燕五国军队进攻齐国，大破齐兵。

② 《梁父吟》——乐府曲名。

徐庶荐了孔明，再别玄德，策马而去。玄德闻徐庶之语，方悟司马德操之言，似醉方醒，如梦初觉。引众将回至新野，便具厚币，同关、张前去南阳请孔明。

且说徐庶既别玄德，感其留恋之情，恐孔明不肯出山辅之，遂乘马直至卧龙冈下，入草庐见孔明。孔明问其来意。庶曰："庶本欲事刘豫州，奈老母为曹操所囚，驰书来召，只得舍之而往。临行时，将公荐与玄德。玄德即日将来奉谒，望公勿推阻，即展平生之大才以辅之，幸甚！"孔明闻言作色曰："君以我为享祭之牺牲①乎！"说罢，拂袖而入。庶羞惭而退，上马趱程②，赴许昌见母。正是：嘱友一言因爱主，赴家千里为思亲。未知后事若何，下文便见。

# 第三十七回

## 司马徽再荐名士　刘玄德三顾草庐

却说徐庶趱程赴许昌。曹操知徐庶已到，遂命荀彧、程昱等一班谋士往迎之。庶入相府拜见曹操。操曰："公乃高明之士，何故屈身而事刘备乎？"庶曰："某幼逃难，流落江湖，偶至新野，遂与玄德交厚。老母在此，幸蒙慈念，不胜愧感。"操曰："公今至此，正可晨昏侍奉令堂，吾亦得听清诲矣。"庶拜谢而出。急往见其母，泣拜于堂下。母大惊曰："汝何故至此？"庶曰："近于新野事刘豫州；因得母书，故星夜至此。"徐母勃然大怒，拍案骂曰："辱子飘荡江湖数年，吾以为汝学业有进，何其反不如初也！汝既读书，须知忠孝不能两全。岂不识曹操欺君罔上之贼？刘玄德仁义布于四海，况又汉室之胄，汝既事之，得其主矣。今凭一纸伪书，更不详察，遂弃明投暗，自取恶名，真愚夫也！吾有何面目与汝相见！汝玷辱祖宗，空生于天地间耳！"骂得徐庶拜伏于地，不敢仰视。母自转入屏风后去了。少顷，家人出报曰："老夫人自缢于梁间。"徐庶慌入救时，母气已绝。后人有

---

① 牺牲——古人祭祀时被用作祭品的家畜，如猪、牛、羊等。

② 趱(zǎn)程——赶路。趱：赶。

《徐母赞》曰：

贤哉徐母，流芳千古：守节无亏，于家有补；教子多方，处身自苦；气若丘山，义出肺腑；赞美"豫州"，毁触魏武；不畏鼎镬，不惧刀斧；唯恐后嗣，玷辱先祖。伏剑同流，断机堪伍；生得其名，死得其所：贤哉徐母，流芳千古！

徐庶见母已死，哭绝于地，良久方苏。曹操使人赍礼吊问，又亲往祭奠。徐庶葬母柩于许昌之南原，居丧守墓。凡曹操所赐，庶俱不受。

时操欲商议南征。荀彧谏曰："天寒未可用兵；姑待春暖，方可长驱大进。"操从之，乃引漳河之水作一池，名玄武池，于内教练水军，准备南征。

却说玄德正安排礼物，欲往隆中谒诸葛亮，忽人报："门外有一先生，峨冠博带①，道貌非常，特来相探。"玄德曰："此莫非即孔明否？"遂整衣出迎。视之，乃司马徽也。玄德大喜，请入后堂高坐，拜问曰："备自别仙颜，因军务倥偬②，有失拜访。今得光降，大慰仰慕之私。"徽曰："闻徐元直在此，特来一会。"玄德曰："近因曹操囚其母，徐母遣人驰书，唤回许昌去矣。"徽曰："此中曹操之计矣！吾素闻徐母最贤，虽为操所囚，必不肯驰书召其子，此书必诈也。元直不去，其母尚存；今若去，母必死矣！"玄德惊问其故，徽曰："徐母高义，必羞见其子也。"玄德曰："元直临行，荐南阳诸葛亮，其人若何？"徽笑曰："元直欲去，自去便了，何又惹他出来呕心血也？"玄德曰："先生何出此言？"徽曰："孔明与博陵崔州平、颍川石广元、汝南孟公威与徐元直四人为密友。此四人务于精纯，惟孔明独观其大略。尝抱膝长吟，而指四人曰：'公等仕进可至刺史、郡守。'众问孔明之志若何，孔明但笑而不答。每常自比管仲、乐毅，其才不可量也。"玄德曰："何颍川之多贤乎！"徽曰："昔有殷馗善观天文，尝谓'群星聚于颍分，其地必多贤士'。"时云长在侧曰："某闻管仲、乐毅乃春秋、战国名人，功盖寰宇；孔明自比此二人，毋乃太过？"徽笑曰："以吾观之，不当比此二人；我欲另以二人比之。"云长问："那二人？"徽曰："可比兴周八百年之姜子牙、旺汉四百年之张子房也。"众皆愕然。徽下阶相辞欲行，玄德留之不住。徽出门仰天大笑曰："卧龙虽得其主，不得其时，惜哉！"言罢，飘然而去。玄德叹曰：

---

① 峨冠博带——高高的帽子和宽大的带子，古时形容士大夫的服装。

② 倥偬（kǒng zǒng）——急迫、匆忙。

“真隐居贤士也!”

次日,玄德同关、张并从人等来隆中。遥望山畔数人,荷锄耕于田间,而作歌曰:

苍天如圆盖,陆地似棋局;世人黑白分,往来争荣辱:
荣者自安安,辱者定碌碌。南阳有隐居,高眠卧不足!

玄德闻歌,勒马唤农夫问曰:“此歌何人所作?”答曰:“乃卧龙先生所作也。”玄德曰:“卧龙先生住何处?”农夫曰:“自此山之南,一带高冈,乃卧龙冈也。冈前疏林内茅庐中,即诸葛先生高卧之地。”玄德谢之,策马前行。不数里,遥望卧龙冈,果然清景异常。后人有古风一篇,单道卧龙居处。诗曰:

襄阳城西二十里,一带高冈枕流水:
高冈屈曲压云根,流水潺湲①飞石髓;
势若困龙石上蟠,形如单凤松阴里;
柴门半掩闭茅庐,中有高人卧不起。
修竹交加列翠屏,四时篱落野花馨;
床头堆积皆黄卷,座上往来无白丁;
叩户苍猿时献果,守门老鹤夜听经;
囊里名琴藏古锦,壁间宝剑挂七星。
庐中先生独幽雅,闲来亲自勤耕稼;
专待春雷惊梦回,一声长啸安天下。

玄德来到庄前,下马亲叩柴门,一童出问。玄德曰:“汉左将军、宜城亭侯、领豫州牧、皇叔刘备,特来拜见先生。”童子曰:“我记不得许多名字。”玄德曰:“你只说刘备来访。”童子曰:“先生今早少出。”玄德曰:“何处去了?”童子曰:“踪迹不定,不知何处去了。”玄德曰:“几时归?”童子曰:“归期亦不定,或三五日,或十数日。”玄德惆怅不已。张飞曰:“既不见,自归去罢了。”玄德曰:“且待片时。”云长曰:“不如且归,再使人来探听。”玄德从其言,嘱咐童子:“如先生回,可言刘备拜访。”

遂上马,行数里,勒马回观隆中景物,果然山不高而秀雅,水不深而澄清;地不广而平坦,林不大而茂盛;猿鹤相亲,松篁交翠,观之不已。忽见

① 潺湲(yuán)——水慢慢流动的样子。

一人，容貌轩昂，丰姿俊爽，头戴逍遥巾，身穿皂布袍，杖藜①从山僻小路而来。玄德曰："此必卧龙先生也！"急下马向前施礼，问曰："先生非卧龙否？"其人曰："将军是谁？"玄德曰："刘备也。"其人曰："吾非孔明，乃孔明之友：博陵崔州平也。"玄德曰："久闻大名，幸得相遇。乞即席地权坐，请教一言。"二人对坐于林间石上，关、张侍立于侧。州平曰："将军何故欲见孔明？"玄德曰："方今天下大乱，四方云扰，欲见孔明，求安邦定国之策耳。"州平笑曰："公以定乱为主，虽是仁心，但自古以来，治乱无常。自高祖斩蛇起义，诛无道秦，是由乱而入治也；至哀、平之世二百年，太平日久，王莽篡逆，又由治而入乱；光武中兴，重整基业，复由乱而入治；至今二百年，民安已久，故干戈又复四起：此正由治入乱之时，未可猝定也。将军欲使孔明斡旋天地，补缀乾坤②，恐不易为，徒费心力耳。岂不闻'顺天者逸，逆天者劳'、'数之所在，理不得而夺之；命之所在，人不得而强之'乎？"玄德曰："先生所言，诚为高见。但备身为汉胄，合当匡扶汉室，何敢委之数与命？"州平曰："山野之夫，不足与论天下事，适承明问，故妄言之。"玄德曰："蒙先生见教。但不知孔明往何处去了？"州平曰："吾亦欲访之，正不知其何往。"玄德曰："请先生同至敝县，若何？"州平曰："愚性颇乐闲散，无意功名久矣；容他日再见。"言讫，长揖而去。玄德与关、张上马而行。张飞曰："孔明又访不着，却遇此腐儒，闲谈许久！"玄德曰："此亦隐者之言也。"

三人回至新野，过了数日，玄德使人探听孔明。回报曰："卧龙先生已回矣。"玄德便教备马。张飞曰："量一村夫，何必哥哥自去，可使人唤来便了。"玄德叱曰："汝岂不闻孟子云：'欲见贤而不以其道，犹欲其入而闭之门也。'孔明当世大贤，岂可召乎！"遂上马再往访孔明。关、张亦乘马相随。时值隆冬，天气严寒，彤云③密布。行无数里，忽然朔风凛凛，瑞雪霏霏；山如玉簇，林似银妆。张飞曰："天寒地冻，尚不用兵，岂宜远见无益之人乎！不如回新野以避风雪。"玄德曰："吾正欲使孔明知我殷勤之意。如

① 杖藜——手持藜杖。

② 斡(wò)旋天地，补缀乾坤——扭转乾坤的意思。斡旋：挽回、转变；补缀：缝补。

③ 彤云——下雪前密布的阴云。

弟辈怕冷，可先回去。”飞曰：“死且不怕，岂怕冷乎！但恐哥哥空劳神思。”玄德曰：“勿多言，只相随同去。”将近茅庐，忽闻路傍酒店中有人作歌。玄德立马听之。其歌曰：

壮士功名尚未成，呜呼久不遇阳春！
君不见：东海老叟①辞荆榛，后车遂与文王亲；
八百诸侯不期会，白鱼入舟涉孟津；
牧野一战血流杵，鹰扬伟烈冠武臣。
又不见：高阳酒徒②起草中，长揖芒砀“隆准公③”；
高谈王霸惊人耳，辍洗延坐钦英风；
东下齐城七十二，天下无人能继踪。
二人功迹尚如此，至今谁肯论英雄？

歌罢，又有一人击桌而歌。其歌曰：

吾皇提剑清寰海，创业垂基四百载；
桓灵季业火德衰，奸臣贼子调鼎鼐④。
青蛇飞下御座傍，又见妖虹降玉堂；
群盗四方如蚁聚，奸雄百辈皆鹰扬。
吾侪⑤长啸空拍手，闷来村店饮村酒；
独善其身尽日安，何须千古名不朽！

二人歌罢，抚掌⑥大笑。玄德曰：“卧龙其⑦在此间乎！”遂下马入店。见二人凭桌对饮：上首者白面长须，下首者清奇古貌。玄德揖而问曰：“二公谁是卧龙先生？”长须者曰：“公何人？欲寻卧龙何干？”玄德曰：“某乃刘

---

① 东海老叟——指吕望，即姜子牙，东海人氏。

② 高阳酒徒——指郦食其。沛公（刘邦）引兵过陈留，高阳儒生郦食其求见。使者入通，沛公曰：“为我谢之，言我方以天下为事，未暇见儒人也。”使者出以告。郦生瞋目按剑叱使者曰：“走！复入言沛公，吾高阳酒徒也，非儒人也。”遂延入。终受重用。

③ 隆准公——对汉高祖刘邦的别称，据说刘邦的鼻子生得很高大，故有此称。

④ 鼎鼐——喻王位、帝业。古代曾用鼎作为传国的宝器。鼐：最大的鼎。

⑤ 吾侪(chái)——吾辈、我们这类人。侪：同辈、同类的人。

⑥ 抚掌——拍掌。

⑦ 其——句中语气词，表示揣测。

备也。欲访先生，求济世安民之术。”长须者曰：“我等非卧龙，皆卧龙之友也：吾乃颍川石广元，此位是汝南孟公威。”玄德喜曰：“备久闻二公大名，幸得邂逅①。今有随行马匹在此，敢请二公同往卧龙庄上一谈。”广元曰：“吾等皆山野慵懒之徒，不省治国安民之事，不劳下问。明公请自上马，寻访卧龙。”

玄德乃辞二人，上马投卧龙冈来。到庄前下马，扣门问童子曰：“先生今日在庄否？”童子曰：“现在堂上读书。”玄德大喜，遂跟童子而入。至中门，只见门上大书一联云：“淡泊以明志，宁静而致远。”玄德正看间，忽闻吟咏之声，乃立于门侧窥之，见草堂之上，一少年拥炉抱膝，歌曰：

凤翱翔于千仞兮，非梧不栖；士伏处于一方兮，非主不依。

乐躬耕于陇亩兮，吾爱吾庐；聊寄傲于琴书兮，以待天时。

玄德待其歌罢，上草堂施礼曰：“备久慕先生，无缘拜会。昨因徐元直称荐，敬至仙庄，不遇空回。今特冒风雪而来。得瞻道貌，实为万幸！”那少年慌忙答礼曰：“将军莫非刘豫州，欲见家兄否？”玄德惊讶曰：“先生又非卧龙耶？”少年曰：“某乃卧龙之弟诸葛均也。愚兄弟三人：长兄诸葛瑾，现在江东孙仲谋处为幕宾；孔明乃二家兄。”玄德曰：“卧龙今在家否？”均曰：“昨为崔州平相约，出外闲游去矣。”玄德曰：“何处闲游？”均曰：“或驾小舟游于江湖之中，或访僧道于山岭之上，或寻朋友于村落之间，或乐琴棋于洞府之内：往来莫测，不知去所。”玄德曰：“刘备直如此缘分浅薄，两番不遇大贤！”均曰：“少坐献茶。”张飞曰：“那先生既不在，请哥哥上马。”玄德曰：“我既到此间，如何无一语而回？”因问诸葛均曰：“闻令兄卧龙先生熟谙韬略，日看兵书，可得闻乎？”均曰：“不知。”张飞曰：“问他则甚！风雪甚紧，不如早归。”玄德叱止之。均曰：“家兄不在，不敢久留车骑；容日却来回礼。”玄德曰：“岂敢望先生枉驾。数日之后，备当再至。愿借纸笔作一书，留达令兄，以表刘备殷勤之意。”均遂进文房四宝。玄德呵开冻笔，拂展云笺，写书曰：

备久慕高名，两次晋谒，不遇空回，惆怅何似！窃念备汉朝苗裔，滥叨名爵，伏睹朝廷陵替②，纲纪崩摧，群雄乱国，恶党欺君，备心胆俱裂。

---

① 邂逅（xiè hòu）——不期而遇，偶然遇见。

② 陵替——衰微低落。

虽有匡济之诚，实乏经纶之策。仰望先生仁慈忠义，慨然展吕望之大才，施子房之鸿略，天下幸甚！社稷幸甚！先此布达，再容斋戒薰沐，特拜尊颜，面倾鄙悃①。统希鉴原。

玄德写罢，递与诸葛均收了，拜辞出门。均送出，玄德再三殷勤致意而别。方上马欲行，忽见童子招手篱外，叫曰："老先生来也。"玄德视之，见小桥之西，一人暖帽遮头，狐裘蔽体，骑着一驴，后随一青衣小童，携一葫芦酒，踏雪而来；转过小桥，口吟诗一首。诗曰：

一夜北风寒，万里彤云厚。长空雪乱飘，改尽江山旧。
仰面观太虚②，疑是玉龙斗。纷纷鳞甲飞，顷刻遍宇宙。
骑驴过小桥，独叹梅花瘦！

玄德闻歌曰："此真卧龙矣！"滚鞍下马，向前施礼曰："先生冒寒不易！刘备等候久矣！"那人慌忙下驴答礼。诸葛均在后曰："此非卧龙家兄，乃家兄岳父黄承彦也。"玄德曰："适间所吟之句，极其高妙。"承彦曰："老夫在小婿家观《梁父吟》，记得这一篇；适过小桥，偶见篱落间梅花，故感而诵之。不期为尊客所闻。"玄德曰："曾见令婿否？"承彦曰："便是老夫也来看他。"玄德闻言，辞别承彦，上马而归。正值风雪又大，回望卧龙冈，悒快③不已。后人有诗单道玄德风雪访孔明。诗曰：

一天风雪访贤良，不遇空回意感伤。
冻合溪桥山石滑，寒侵鞍马路途长。
当头片片梨花落，扑面纷纷柳絮狂。
回首停鞭遥望处，烂银堆满卧龙冈。

玄德回新野之后，光阴荏苒④，又早新春。乃令卜者揲蓍⑤，选择吉期，斋戒三日，薰沐更衣，再往卧龙冈谒孔明。关、张闻之不悦，遂一齐入谏玄德。正是：高贤未服英雄志，屈节偏生杰士疑。未知其言若何，下文便晓。

---

① 面倾鄙悃(kǔn)——当面表达我的诚意。悃：诚恳、诚实。

② 太虚——指天、天空。

③ 悒快(yì yāng)——愁闷不乐。

④ 荏苒(rěn rǎn)——时间渐渐过去的意思。

⑤ 揲蓍(shé shī)——卜卦的一种方式：把四十九根蓍草分作两部分，然后四根一数，以定阴爻或阳爻，推知吉凶祸福。

# 第三十八回

## 定三分隆中决策　战长江孙氏报仇

却说玄德访孔明两次不遇，欲再往访之。关公曰："兄长两次亲往拜谒，其礼太过矣。想诸葛亮有虚名而无实学，故避而不敢见。兄何惑于斯人之甚也！"玄德曰："不然。昔齐桓公欲见东郭野人，五反而方得一面①。况吾欲见大贤耶？"张飞曰："哥哥差矣。量此村夫，何足为大贤！今番不须哥哥去；他如不来，我只用一条麻绳缚将来！"玄德叱曰："汝岂不闻周文王谒姜子牙之事乎？文王且如此敬贤，汝何太无礼！今番汝休去，我自与云长去。"飞曰："既两位哥哥都去，小弟如何落后！"玄德曰："汝若同往，不可失礼。"飞应诺。

于是三人乘马引从者往隆中。离草庐半里之外，玄德便下马步行，正遇诸葛均。玄德忙施礼，问曰："令兄在庄否？"均曰："昨暮方归。将军今日可与相见。"言罢，飘然自去。玄德曰："今番侥幸得见先生矣！"张飞曰："此人无礼！便引我等到庄也不妨，何故竟自去了！"玄德曰："彼各有事，岂可相强。"三人来到庄前叩门，童子开门出问。玄德曰："有劳仙童转报：刘备专来拜见先生。"童子曰："今日先生虽在家，但今在草堂上昼寝未醒。"玄德曰："既如此，且休通报。"分付关、张二人，只在门首等着。玄德徐步而入，见先生仰卧于草堂几席之上。玄德拱立阶下。半晌，先生未醒。关、张在外立久，不见动静，入见玄德犹然侍立。张飞大怒，谓云长曰："这先生如何傲慢！见我哥哥侍立阶下，他竟高卧，推睡不起！等我去屋后放一把火，看他起不起！"云长再三劝住。玄德仍命二人出门外等候。望堂上时，见先生翻身将起，忽又朝里壁睡着。童子欲报。玄德曰："且勿

---

① 齐桓公欲见……方得一面——春秋时齐桓公亲自去看一个小臣，三次都未见着。别人劝他不要去了，他不听，第五次去的时候，终于如愿以偿了。这里说的东郭野人即是指原故事里的"小臣"。

惊动。”又立了一个时辰，孔明才醒，口吟诗曰：

大梦谁先觉？平生我自知。草堂春睡足，窗外日迟迟。

孔明吟罢，翻身问童子曰：“有俗客来否？”童子曰：“刘皇叔在此，立候多时。”孔明乃起身曰：“何不早报！尚容更衣。”遂转入后堂。又半晌，方整衣冠出迎。玄德见孔明身长八尺，面如冠玉，头戴纶巾①，身披鹤氅，飘飘然有神仙之概。玄德下拜曰：“汉室末胄、涿郡愚夫，久闻先生大名，如雷贯耳。昨两次晋谒，不得一见，已书贱名于文几，未审得入览否？”孔明曰：“南阳野人，疏懒性成，屡蒙将军枉临，不胜愧赧。”二人叙礼毕，分宾主而坐，童子献茶。茶罢，孔明曰：“昨观书意，足见将军忧民忧国之心；但恨亮年幼才疏，有误下问。”玄德曰：“司马德操之言，徐元直之语，岂虚谈哉？望先生不弃鄙贱，曲赐教诲。”孔明曰：“德操、元直，世之高士。亮乃一耕夫耳，安敢谈天下事？二公谬举矣。将军奈何舍美玉而求顽石乎？”玄德曰：“大丈夫抱经世奇才，岂可空老于林泉之下？愿先生以天下苍生为念，开备愚鲁而赐教。”孔明笑曰：“愿闻将军之志。”玄德屏人促席而告曰：“汉室倾颓，奸臣窃命，备不量力，欲伸大义于天下，而智术浅短，迄无所就。惟先生开其愚而拯其厄，实为万幸！”孔明曰：“自董卓造逆以来，天下豪杰并起。曹操势不及袁绍，而竟能克绍者，非惟天时，抑亦人谋也。今操已拥百万之众，挟天子以令诸侯，此诚不可与争锋。孙权据有江东，已历三世，国险而民附，此可用为援而不可图也。荆州北据汉、沔，利尽南海，东连吴会，西通巴、蜀，此用武之地，非其主不能守：是殆天所以资将军②，将军岂有意乎？益州险塞，沃野千里，天府之国，高祖因之以成帝业；今刘璋暗弱，民殷国富，而不知存恤③，智能之士，思得明君。将军既帝室之胄，信义著于四海，总揽英雄，思贤如渴，若跨有荆、益，保其岩阻，西和诸戎，南抚④彝、越，外结孙权，内修政理；待天下有变，则命一上将将荆州之兵以向宛、洛，将军身率益州之众以出秦川，百姓有不箪食壶浆以迎将军者乎？

---

① 纶(guān)巾——古代配有青丝带的头巾。

② 是殆天所以资将军——这大概是上天拿来资助您的。殆：大概、恐怕；资：资助、供给；所以：用来……的东西。

③ 存恤——慰问救济。

④ 抚——抚慰、安抚。

诚如是，则大业可成，汉室可兴矣。此亮所以为将军谋者也。惟将军图之。”言罢，命童子取出画一轴，挂于中堂，指谓玄德曰：“此西川五十四州之图也。将军欲成霸业，北让曹操占天时，南让孙权占地利，将军可占人和。先取荆州为家，后即取西川建基业，以成鼎足之势，然后可图中原也。”玄德闻言，避席拱手谢曰：“先生之言，顿开茅塞，使备如拨云雾而睹青天。但荆州刘表、益州刘璋，皆汉室宗亲，备安忍夺之？”孔明曰：“亮夜观天象，刘表不久人世；刘璋非立业之主：久后必归将军。”玄德闻言，顿首拜谢。只这一席话，乃孔明未出茅庐，已知三分天下，真万古之人不及也！后人有诗赞曰：

豫州当日叹孤穷，何幸南阳有卧龙！
欲识他年分鼎处，先生笑指画图中。

玄德拜请孔明曰：“备虽名微德薄，愿先生不弃鄙贱，出山相助。备当拱听明诲。”孔明曰：“亮久乐耕锄，懒于应世，不能奉命。”玄德泣曰：“先生不出，如苍生何！”言毕，泪沾袍袖，衣襟尽湿。孔明见其意甚诚，乃曰：“将军既不相弃，愿效犬马之劳。”玄德大喜，遂命关、张入，拜献金帛礼物。孔明固辞不受。玄德曰：“此非聘大贤之礼，但表刘备寸心耳。”孔明方受。于是玄德等在庄中共宿一宵。次日，诸葛均回，孔明嘱付曰：“吾受刘皇叔三顾之恩，不容不出。汝可躬耕于此，勿得荒芜田亩。待我功成之日，即当归隐。”后人有诗叹曰：

身未升腾思退步，功成应忆去时言。
只因先生丁宁后，星落秋风五丈原。

又有古风一篇曰：

高皇手提三尺雪，芒砀白蛇夜流血；
平秦灭楚入咸阳，二百年前几断绝。
大哉光武兴洛阳，传至桓灵又崩裂；
献帝迁都幸许昌，纷纷四海生豪杰：
曹操专权得天时，江东孙氏开鸿业；
孤穷玄德走天下，独居新野愁民厄①。
南阳卧龙有大志，腹内雄兵分正奇；

---

① 厄——穷困、灾难。

只因徐庶临行语，茅庐三顾心相知。
先生尔时①年三九，收拾琴书离陇亩；
先取荆州后取川，大展经纶补天手；
纵横舌上鼓风雷，谈笑胸中换星斗；
龙骧虎视安乾坤，万古千秋名不朽！

玄德等三人别了诸葛均，与孔明同归新野。玄德待孔明如师，食则同桌，寝则同榻，终日共论天下之事。孔明曰："曹操于冀州作玄武池以练水军，必有侵江南之意。可密令人过江探听虚实。"玄德从之，使人往江东探听。

却说孙权自孙策死后，据住江东，承父兄基业，广纳贤士，开宾馆于吴会，命顾雍、张纮延接四方宾客。连年以来，你我相荐。时有会稽阚泽，字德润；彭城严畯，字曼才；沛县薛综，字敬文；汝阳程秉，字德枢；吴郡朱桓，字休穆，陆绩，字公纪；吴人张温，字惠恕；乌伤骆统，字公绪；乌程吾粲，字孔休：此数人皆至江东，孙权敬礼甚厚。又得良将数人：乃汝南吕蒙，字子明；吴郡陆逊，字伯言；琅琊徐盛，字文向；东郡潘璋，字文珪；庐江丁奉，字承渊。文武诸人，共相辅佐，由此江东称得人之盛。

建安七年，曹操破袁绍，遣使往江东，命孙权遣子入朝随驾。权犹豫未决。吴太夫人命周瑜、张昭等面议。张昭曰："操欲令我遣子入朝，是牵制诸侯之法也。然若不令去，恐其兴兵下江东，势必危矣。"周瑜曰："将军承父兄遗业，兼六郡之众，兵精粮足，将士用命，有何逼迫而欲送质于人？质一人，不得不与曹氏连和；彼有命召，不得不往：如此，则见制于人也。不如勿遣，徐观其变，别以良策御之。"吴太夫人曰："公瑾之言是也。"权遂从其言，谢使者，不遣子。自此曹操有下江南之意。但正值北方未宁，无暇南征。

建安八年十一月，孙权引兵伐黄祖，战于大江之中。祖军败绩②。权部将凌操，轻舟当先，杀入夏口，被黄祖部将甘宁一箭射死。凌操子凌统，时年方十五岁，奋力往夺父尸而归。权见风色不利，收军还东吴。

却说孙权弟孙翊为丹阳太守。翊性刚好酒，醉后尝鞭挞士卒。丹阳督将妫览、郡丞戴员二人，常有杀翊之心；乃与翊从人边洪结为心腹，共谋

① 尔时——这时。尔：这。
② 败绩——在战争中大败。

杀翊。时诸将县令，皆集丹阳。翊设宴相待。翊妻徐氏美而慧，极善卜《易》；是日卜一卦，其象大凶，劝翊勿出会客。翊不从，遂与众大会。至晚席散，边洪带刀跟出门外，即抽刀砍死孙翊。妫览、戴员乃归罪边洪，斩之于市。二人乘势掳翊家资侍妾。妫览见徐氏美貌，乃谓之曰："吾为汝夫报仇，汝当从我；不从则死。"徐氏曰："夫死未几，不忍便相从；可待至晦日①，设祭除服，然后成亲未迟。"览从之。徐氏乃密召孙翊心腹旧将孙高、傅婴二人入府，泣告曰："先夫在日，常言二公忠义。今妫、戴二贼，谋杀我夫，只归罪边洪，将我家资童婢尽皆分去。妫览又欲强占妾身，妾已诈许之，以安其心。二将军可差人星夜报知吴侯，一面设密计以图二贼，雪此仇辱，生死衔②恩！"言毕再拜。孙高、傅婴皆泣曰："我等平日感府君恩遇，今日所以不即死难者，正欲为复仇计耳。夫人所命，敢不效力！"于是密遣心腹使者往报孙权。至晦日，徐氏先召孙、傅二人，伏于密室帏幕之中，然后设祭于堂上。祭毕，即除去孝服，沐浴薰香，浓妆艳裹，言笑自若。妫览闻之甚喜。至夜，徐氏遣婢妾请览入府，设席堂中饮酒。饮既醉，徐氏乃邀览入密室。览喜，乘醉而入。徐氏大呼曰："孙、傅二将军何在！"二人即从帏幕中持刀跃出。妫览措手不及，被傅婴一刀砍倒在地，孙高再复一刀，登时杀死。徐氏复传请戴员赴宴。员入府来，至堂中，亦被孙、傅二将所杀。一面使人诛戮二贼家小，及其余党。徐氏遂重穿孝服，将妫览、戴员首级，祭于孙翊灵前。不一日，孙权自领军马至丹阳，见徐氏已杀妫、戴二贼，乃封孙高、傅婴为牙门将，令守丹阳，取徐氏归家养老。江东人无不称徐氏之德。后人有诗赞曰：

才节双全世所无，奸回一旦受摧锄。
庸臣从贼忠臣死，不及东吴女丈夫。

且说东吴各处山贼，尽皆平复。大江之中，有战船七千余只。孙权拜周瑜为大都督，总统江东水陆军马。建安十二年，冬十月，权母吴太夫人病危，召周瑜、张昭二人至，谓曰："我本吴人，幼亡父母，与弟吴景徙居越中。后嫁与孙氏，生四子。长子策生时，吾梦月入怀；后生次子权，又梦日

---

① 晦日——阴历每月的最后一日。
② 衔——藏在心中。

入怀。卜者云:'梦日月入怀者,其子大贵。'不幸策早丧,今将江东基业付权。望公等同心助之,吾死不朽矣!"又嘱权曰:"汝事子布、公瑾以师傅之礼,不可怠慢。吾妹与我共嫁汝父,则亦汝之母也;吾死之后,事吾妹如事我。汝妹亦当恩养,择佳婿以嫁之。"言讫遂终。孙权哀哭,具丧葬之礼,自不必说。

至来年春,孙权商议欲伐黄祖。张昭曰:"居丧未及期年,不可动兵。"周瑜曰:"报仇雪恨,何待期年?"权犹豫未决。适平北都尉吕蒙入见,告权曰:"某把龙湫水口,忽有黄祖部将甘宁来降。某细询之:宁字兴霸,巴郡临江人也;颇通书史,有气力,好游侠;尝招合亡命,纵横于江湖之中;腰悬铜铃,人听铃声,尽皆避之。又尝以西川锦作帆幔,时人皆称为'锦帆贼'。后悔前非,改行从善,引众投刘表。见表不能成事,即欲来投东吴,却被黄祖留住在夏口。前东吴破祖时,祖得甘宁之力,救回夏口;乃待宁甚薄。都督苏飞屡荐宁于祖。祖曰:'宁乃劫江之贼,岂可重用!'宁因此怀恨。苏飞知其意,乃置酒邀宁到家,谓之曰:'吾荐公数次,奈主公不能用。日月逾迈,人生几何,宜自远图。吾当保公为鄂县长,自作去就之计。'宁因此得过夏口,欲投江东,恐江东恨其救黄祖杀凌操之事。某具言主公求贤若渴,不记旧恨;况各为其主,又何恨焉?宁欣然引众渡江,来见主公。乞钧旨定夺。"孙权大喜曰:"吾得兴霸,破黄祖必矣。"遂命吕蒙引甘宁入见。参拜已毕,权曰:"兴霸来此,大获我心,岂有记恨之理?请无怀疑。愿教我以破黄祖之策。"宁曰:"今汉祚①日危,曹操终必篡窃。南荆之地,操所必争也。刘表无远虑,其子又愚劣,不能承业传基,明公宜早图之;若迟,则操先图之矣。今宜先取黄祖。祖今年老昏迈,务于货利;侵求吏民,人心皆怨;战具不修,军无法律。明公若往攻之,其势必破。既破祖军,鼓行而西,据楚关而图巴、蜀,霸业可定也。"孙权曰:"此金玉之论也!"

遂命周瑜为大都督,总水陆军兵;吕蒙为前部先锋;董袭与甘宁为副将;权自领大军十万,征讨黄祖。细作探知,报至江夏。黄祖急聚众商议,令苏飞为大将,陈就、邓龙为先锋,尽起江夏之兵迎敌。陈就、邓龙各引一

---

①　汉祚(zuò)——汉代帝位。祚:帝位。

队艨艟①截住沔口，艨艟上各设强弓硬弩千余张，将大索系定艨艟于水面上。东吴兵至，艨艟上鼓响，弓弩齐发，兵不敢进，约退数里水面。甘宁谓董袭曰："事已至此，不得不进。"乃选小船百余只，每船用精兵五十人：二十人撑船，三十人各披衣甲，手执钢刀，不避矢石，直至艨艟傍边，砍断大索，艨艟遂横。甘宁飞上艨艟，将邓龙砍死。陈就弃船而走。吕蒙见了，跳下小船，自举橹棹，直入船队，放火烧船。陈就急待上岸，吕蒙舍命赶到跟前，当胸一刀砍翻。比及苏飞引军于岸上接应时，东吴诸将一齐上岸，势不可当。祖军大败。苏飞落荒而走，而遇东吴大将潘璋，两马相交，战不数合，被璋生擒过去，径至船中来见孙权。权命左右以槛车囚之，待活捉黄祖，一并诛戮。催动三军，不分昼夜，攻打夏口。正是：只因不用锦帆贼，至令冲开大索船。未知黄祖胜负如何，且看下文分解。

# 第三十九回

## 荆州城公子三求计　博望坡军师初用兵

却说孙权督众攻打夏口，黄祖兵败将亡，情知守把不住，遂弃江夏，望荆州而走。甘宁料得黄祖必走荆州，乃于东门外伏兵等候。祖带数十骑突出东门，正走之间，一声喊起，甘宁拦住。祖于马上谓宁曰："我向日不曾轻待汝，今何相逼耶？"宁叱曰："吾昔在江夏，多立功绩，汝乃以'劫江贼'待我，今日尚有何说！"黄祖自知难免，拨马而走。甘宁冲开士卒，直赶将来，只听得后面喊声起处，又有数骑赶来。宁视之，乃程普也。宁恐普来争功，慌忙拈弓搭箭，背射黄祖，祖中箭翻身落马；宁枭其首级，回马与程普合兵一处，回见孙权，献黄祖首级。权命以木匣盛贮，待回江东祭献于亡父灵前。重赏三军，升甘宁为都尉。商议欲分兵守江夏。张昭曰："孤城不可守，不如且回江东。刘表知我破黄祖，必来报仇；我以逸待劳，必败刘表；表败而后乘势攻之，荆襄可得也。"权从其言，遂弃江夏，班师回江东。

---

① 艨艟（méng chōng）——古时战船。也作蒙冲。

苏飞在槛车内，密使人告甘宁求救。宁曰："飞即不言，吾岂忘之？"大军既至吴会，权命将苏飞枭首，与黄祖首级一同祭献。甘宁乃入见权，顿首哭告曰："某向日若不得苏飞，则骨填沟壑矣，安能效命将军麾下哉？今飞罪当诛，某念其昔日之恩情，愿纳还官爵，以赎飞罪。"权曰："彼既有恩于君，吾为君赦之。但彼若逃去奈何？"宁曰："飞得免诛戮，感恩无地，岂肯走乎！若飞去，宁愿将首级献于阶下。"权乃赦苏飞，止将黄祖首级祭献。祭毕设宴，大会文武庆功。正饮酒间，忽见座上一人大哭而起，拔剑在手，直取甘宁。宁忙举坐椅以迎之。权惊视其人，乃凌统也。因甘宁在江夏时，射死他父亲凌操，今日相见，故欲报仇。权连忙劝住，谓统曰："兴霸射死卿父，彼时各为其主，不容不尽力。今既为一家人，岂可复理旧仇？万事皆看吾面。"凌统叩头大哭曰："不共戴天之仇，岂容不报！"权与众官再三劝之，凌统只是怒目而视甘宁。权即日命甘宁领兵五千、战船一百只，往夏口镇守，以避凌统。宁拜谢，领兵自往夏口去了。权又加封凌统为承烈都尉，统只得含恨而止。东吴自此广造战船，分兵守把江岸；又命孙静引一枝军守吴会；孙权自领大军，屯柴桑；周瑜日于鄱阳湖教练水军，以备攻战。

话分两头。却说玄德差人打探江东消息，回报："东吴已攻杀黄祖，现今屯兵柴桑。"玄德便请孔明计议。正话间，忽刘表差人来请玄德赴荆州议事。孔明曰："此必因江东破了黄祖，故请主公商议报仇之策也。某当与主公同往，相机而行，自有良策。"玄德从之，留云长守新野，令张飞引五百人马跟随往荆州来。玄德在马上谓孔明曰："今见景升，当若何对答？"孔明曰："当先谢襄阳之事。他若令主公去征讨江东，切不可应允，但说容归新野，整顿军马。"玄德依言。来到荆州，馆驿安下，留张飞屯兵城外，玄德与孔明入城见刘表。礼毕，玄德请罪于阶下。表曰："吾已悉知贤弟被害之事。当时即欲斩蔡瑁之首，以献贤弟；因众人告免，故姑恕之。贤弟幸勿见罪。"玄德曰："非干蔡将军之事，想皆下人所为耳。"表曰："今江夏失守，黄祖遇害，故请贤弟共议报复之策。"玄德曰："黄祖性暴，不能用人，故致此祸。今若兴兵南征，倘曹操北来，又当奈何？"表曰："吾今年老多病，不能理事，贤弟可来助我。我死之后，弟便为荆州之主也。"玄德曰："兄何出此言！量备安敢当此重任。"孔明以目视玄德。玄德曰："容徐思良策 。"遂辞出，回至馆驿。孔明曰："景升欲以荆州付主公，奈何却之？"玄德曰："景升待我，恩礼交至，安忍乘其危而夺之？"孔明叹曰："真仁慈之主也！"

正商论间，忽报公子刘琦来见。玄德接入。琦泣拜曰："继母不能相容，性命只在旦夕，望叔父怜而救之。"玄德曰："此贤侄家事耳，奈何问我？"孔明微笑。玄德求计于孔明，孔明曰："此家事，亮不敢与闻。"少时，玄德送琦出，附耳低言曰："来日我使孔明回拜贤侄，可如此如此，彼定有妙计相告。"琦谢而去。次日，玄德只推腹痛，乃浼①孔明代往回拜刘琦。孔明允诺，来至公子宅前下马，入见公子。公子邀入后堂。茶罢，琦曰："琦不见容于继母，幸先生一言相救。"孔明曰："亮客寄于此，岂敢与人骨肉之事？倘有漏泄，为害不浅。"说罢，起身告辞。琦曰："既承光顾，安敢慢别。"乃挽留孔明入密室共饮。饮酒之间，琦又曰："继母不见容，乞先生一言救我。"孔明曰："此非亮所敢谋也。"言讫，又欲辞去。琦曰："先生不言则已，何便欲去？"孔明乃复坐。琦曰："琦有一古书，请先生一观。"乃引孔明登一小楼。孔明曰："书在何处？"琦泣拜曰："继母不见容，琦命在旦夕，先生忍无一言相救乎？"孔明作色而起，便欲下楼，只见楼梯已撤去。琦告曰："琦欲求教良策，先生恐有泄漏，不肯出言；今日上不至天，下不至地，出君之口，入琦之耳：可以赐教矣。"孔明曰："'疏不间亲'，亮何能为公子谋？"琦曰："先生终不幸教琦乎！琦命固不保矣，请即死于先生之前。"乃掣剑欲自刎。孔明止之曰："已有良策。"琦拜曰："愿即赐教。"孔明曰："公子岂不闻申生、重耳之事②乎？申生在内而亡，重耳在外而安。今黄祖新亡，江夏乏人守御，公子何不上言，乞屯兵守江夏，则可以避祸矣。"琦再拜谢教，乃命人取梯送孔明下楼。孔明辞别，回见玄德，具言其事。玄德大喜。

次日，刘琦上言，欲守江夏。刘表犹豫未决，请玄德共议。玄德曰："江夏重地，固非他人可守，正须公子自往。东南之事，兄父子当之；西北之事，备愿当之。"表曰："近闻曹操于邺郡作玄武池以练水军，必有南征之

---

① 浼(měi)——托请、央求。

② 申生、重耳之事——两人都是春秋时晋献公的儿子。献公宠爱骊姬，想立她生的儿子奚齐做太子。骊姬进谗言陷害他们两人。申生不肯逃亡，被迫自杀；重耳逃亡在外后返晋做国君(晋文公)，成了春秋时的五霸之一。

意，不可不防。”玄德曰：“备已知之，兄勿忧虑。”遂拜辞回新野。刘表令刘琦引兵三千往江夏镇守。

却说曹操罢三公之职，自以丞相兼之。以毛玠为东曹掾①，崔琰为西曹掾，司马懿为文学掾。懿字仲达，河内温人也：颍川太守司马隽之孙，京兆尹司马防之子，主簿司马朗之弟也。自是文官大备，乃聚武将商议南征。夏侯惇进曰：“近闻刘备在新野，每日教演士卒，必为后患，可早图之。”操即命夏侯惇为都督，于禁、李典、夏侯兰、韩浩为副将，领兵十万，直抵博望城，以窥新野。荀彧谏曰：“刘备英雄，今更兼诸葛亮为军师，不可轻敌。”惇曰：“刘备鼠辈耳，吾必擒之。”徐庶曰：“将军勿轻视刘玄德。今玄德得诸葛亮为辅，如虎生翼矣。”操曰：“诸葛亮何人也？”庶曰：“亮字孔明，道号卧龙先生。有经天纬地之才，出鬼入神之计，真当世之奇才，非可小觑。”操曰：“比公若何？”庶曰：“庶安敢比亮？庶如萤火之光，亮乃皓月之明也。”夏侯惇曰：“元直之言谬矣，吾看诸葛亮如草芥耳，何足惧哉！吾若不一阵生擒刘备，活捉诸葛，愿将首级献与丞相。”操曰：“汝早报捷书，以慰吾心。”惇奋然辞曹操，引军登程。

却说玄德自得孔明，以师礼待之。关、张二人不悦，曰：“孔明年幼，有甚才学？兄长待之太过！又未见他真实效验！”玄德曰：“吾得孔明，犹鱼之得水也。两弟勿复多言。”关、张见说，不言而退。一日，有人送牦牛②尾至。玄德取尾亲自结帽。孔明入见，正色曰：“明公无复有远志，但事此而已耶？”玄德投帽于地而谢曰：“吾聊假此③以忘忧耳。”孔明曰：“明公自度比曹操若何？”玄德曰：“不如也。”孔明曰：“明公之众，不过数千人，万一曹兵至，何以迎之？”玄德曰：“吾正愁此事，未得良策。”孔明曰：“可速招募民兵，亮自教之，可以待敌。”玄德遂招新野之民，得三千人。孔明朝夕教演阵法。

忽报曹操差夏侯惇引兵十万，杀奔新野来了。张飞闻知，谓云长曰：“可着孔明前去迎敌便了。”正说之间，玄德召二人入，谓曰：“夏侯惇引兵到来，如何迎敌？”张飞曰：“哥哥何不使‘水’去？”玄德曰：“智赖孔明，勇须

---

① 掾(yuàn)——古代属官的通称。

② 犛(lí)牛——牦牛。全身有长毛，黑褐色、棕色或白色，腿短。

③ 假此——借此。假：借。

二弟，何可推调？”关、张出，玄德请孔明商议。孔明曰：“但恐关、张二人不肯听吾号令；主公若欲亮行兵，乞假剑印。”玄德便以剑印付孔明，孔明遂聚集众将听令。张飞谓云长曰：“且听令去，看他如何调度。”孔明令曰：“博望之左有山，名曰豫山；右有林，名曰安林：可以埋伏军马。云长可引一千军往豫山埋伏，等彼军至，放过休敌；其辎重粮草，必在后面。但看南面火起，可纵兵出击，就焚其粮草。翼德可引一千军去安林背后山谷中埋伏，只看南面火起，便可出，向博望城旧屯粮草处纵火烧之。关平、刘封可引五百军，预备引火之物，于博望坡后两边等候，至初更兵到，便可放火矣。”又命：“于樊城取回赵云，令为前部，不要赢，只要输。主公自引一军为后援。各须依计而行，勿使有失。”云长曰：“我等皆出迎敌，未审军师却作何事？”孔明曰：“我只坐守县城。”张飞大笑曰：“我们都去厮杀，你却在家里坐地，好自在！”孔明曰：“剑印在此，违令者斩！”玄德曰：“岂不闻‘运筹帷幄之中，决胜千里之外’①？二弟不可违令。”张飞冷笑而去。云长曰：“我们且看他的计应也不应，那时却来问他未迟。”二人去了。众将皆未知孔明韬略，今虽听令，却都疑惑不定。孔明谓玄德曰：“主公今日可便引兵就博望山下屯住。来日黄昏，敌军必到，主公便弃营而走；但见火起，即回军掩杀。亮与糜竺、糜芳引五百军守县。”命孙乾、简雍准备庆喜筵席，安排功劳簿伺候。派拨已毕，玄德亦疑惑不定。

却说夏侯惇与于禁等引兵至博望，分一半精兵作前队，其余尽护粮车而行。时当秋月，商飙②徐起。人马趱行之间，望见前面尘头忽起。惇便将人马摆开，问向导官曰：“此间是何处？”答曰：“前面便是博望坡，后面是罗川口。”惇令于禁、李典押住阵脚，亲自出马阵前。遥望军马来到，惇忽然大笑。众问：“将军为何而笑？”惇曰：“吾笑徐元直在丞相面前，夸诸葛亮为天人；今观其用兵，乃以此等军马为前部，与吾对敌，正如驱犬羊与虎豹斗耳！吾于丞相前夸口，要活捉刘备、诸葛亮，今必应吾言矣。”遂自纵马向前。赵云出马。惇骂曰：“汝等随刘备，如孤魂随鬼耳！”云大怒，纵马

① 运筹帷幄之中，决胜千里之外——原是刘邦称赞张良的话，意思是：在幕帐里运用好了计谋，就可以决定千里之外的胜利。运：运用；筹：筹划、用兵计谋；帷幄：军中帐幕。

② 商飙（biāo）——秋天的大风。

来战。两马相交,不数合,云诈败而走。夏侯惇从后追赶。云约走十余里,回马又战,不数合又走。韩浩拍马向前谏曰:“赵云诱敌,恐有埋伏。”惇曰:“敌军如此,虽十面埋伏,吾何惧哉!”遂不听浩言,直赶至博望坡。一声炮响,玄德自引军冲将过来,接应交战。夏侯惇笑谓韩浩曰:“此即埋伏之兵也!吾今晚不到新野,誓不罢兵!”乃催军前进。玄德、赵云退后便走。

时天色已晚,浓云密布,又无月色;昼风既起,夜风愈大。夏侯惇只顾催军赶杀。于禁、李典赶到窄狭处,两边都是芦苇。典谓禁曰:“欺敌者必败。南道路狭,山川相逼,树木丛杂,倘彼用火攻,奈何?”禁曰:“君言是也。吾当往前为都督言之;君可止住后军。”李典便勒回马,大叫:“后军慢行!”人马走发,那里拦当得住?于禁骤马大叫:“前军都督且住!”夏侯惇正走之间,见于禁从后军奔来,便问何故。禁曰:“南道路狭,山川相逼,树木丛杂,可防火攻。”夏侯惇猛省,即回马令军马勿进。言未已,只听背后喊声震起,早望见一派火光烧着,随后两边芦苇亦着。一霎时,四面八方,尽皆是火;又值风大,火势愈猛。曹家人马,自相践踏,死者不计其数。赵云回军赶杀,夏侯惇冒烟突火而走。

且说李典见势头不好,急奔回博望城时,火光中一军拦住。当先大将,乃关云长也。李典纵马混战,夺路而走。于禁见粮草车辆,都被火烧,便投小路奔逃去了。夏侯兰、韩浩来救粮草,正遇张飞。战不数合,张飞一枪刺夏侯兰于马下。韩浩夺路走脱。直杀到天明,却才收军。杀得尸横遍野,血流成河。后人有诗曰:

博望相持用火攻,指挥如意笑谈中。
直须惊破曹公胆,初出茅庐第一功!

夏侯惇收拾残军,自回许昌。

却说孔明收军。关、张二人相谓曰:“孔明真英杰也!”行不数里,见糜竺、糜芳引军簇拥着一辆小车,车中端坐一人,乃孔明也。关、张下马拜伏于车前。须臾,玄德、赵云、刘封、关平等皆至,收聚众军,把所获粮草辎重,分赏将士,班师回新野。新野百姓望尘遮道而拜,曰:“吾属①生全,皆使君得贤人之力也!”孔明回至县中,谓玄德曰:“夏侯惇虽败去,曹操必自

① 吾属——我们。属:类、类别。

引大军来。”玄德曰：“似此如之奈何？”孔明曰：“亮有一计，可敌曹军。”正是：破敌未堪①息战马，避兵又必赖良谋。未知其计若何，且看下回分解。

# 第四十回

## 蔡夫人议献荆州　诸葛亮火烧新野

却说玄德问孔明求拒曹兵之计。孔明曰：“新野小县，不可久居。近闻刘景升病在危笃，可乘此机会，取彼荆州为安身之地，庶可拒曹操也。”玄德曰：“公言甚善；但备受景升之恩，安忍图之！”孔明曰：“今若不取，后悔何及！”玄德曰：“吾宁死，不忍作负义之事。”孔明曰：“且再作商议。”

却说夏侯惇败回许昌，自缚见曹操，伏地请死。操释之。惇曰：“惇遭诸葛亮诡计，用火攻破我军。”操曰：“汝自幼用兵，岂不知狭处须防火攻？”惇曰：“李典、于禁曾言及此，悔之不及！”操乃赏二人。惇曰：“刘备如此猖狂，真腹心之患也，不可不急除。”操曰：“吾所虑者，刘备、孙权耳；余皆不足介意。今当乘此时扫平江南。”便传令起大兵五十万，令曹仁、曹洪为第一队，张辽、张郃为第二队，夏侯渊、夏侯惇为第三队，于禁、李典为第四队，操自领诸将为第五队：每队各引兵十万。又令许褚为折冲将军，引兵三千为先锋。选定建安十三年秋七月丙午日出师。

太中大夫孔融谏曰：“刘备、刘表皆汉室宗亲，不可轻伐；孙权虎踞六郡，且有大江之险，亦不易取。今丞相兴此无义之师，恐失天下之望。”操怒曰：“刘备、刘表、孙权皆逆命之臣，岂容不讨！”遂叱退孔融，下令：“如有再谏者，必斩。”孔融出府，仰天叹曰：“以至不仁伐至仁，安得不败乎！”时御史大夫郗虑家客闻此言，报知郗虑。虑常被孔融侮慢，心正恨之，乃以此言入告曹操；且曰：“融平日每每狎侮②丞相，又与祢衡相善，衡赞融曰‘仲尼不死’，融赞衡曰‘颜回复生’。向者祢衡之辱丞相，乃融使之也。”操

① 未堪——不能、不可以。堪：能够、可以。
② 狎（xiá）侮——轻慢、侮辱。狎：轻侮。

大怒，遂命廷尉捕捉孔融。融有二子，年尚少，时方在家，对坐弈棋。左右急报曰："尊君被廷尉执去，将斩矣！二公子何不急避？"二子曰："破巢之下，安有完卵乎？"言未已，廷尉又至，尽收融家小并二子，皆斩之，号令融尸于市。京兆脂习伏尸而哭。操闻之，大怒，欲杀之。荀彧曰："彧闻脂习常谏融曰：'公刚直太过，乃取祸之道。'今融死而来哭，乃义人也，不可杀。"操乃止。习收融父子尸首，皆葬之。后人有诗赞孔融曰：

孔融居北海，豪气贯长虹：坐上客长满，樽中酒不空；
文章惊世俗，谈笑侮王公。史笔褒忠直，存官纪太中①。

曹操既杀孔融，传令五队军马次第②起行，只留荀彧等守许昌。

却说荆州刘表病重，使人请玄德来托孤③。玄德引关、张至荆州见刘表。表曰："我病已入膏肓④，不久便死矣，特托孤于贤弟。我子无才，恐不能承父业；我死之后，贤弟可自领荆州。"玄德泣拜曰："备当竭力以辅贤侄，安敢有他意乎！"正说间，人报曹操自统大兵至。玄德急辞刘表，星夜回新野。刘表病中闻此信，吃惊不小，商议写遗嘱，令玄德辅佐长子刘琦为荆州之主。蔡夫人闻之大怒，关上内门；使蔡瑁、张允二人把住外门。时刘琦在江夏，知父病危，来至荆州探病，方到外门，蔡瑁当住曰："公子奉父命镇守江夏，其任至重；今擅离职守，倘东吴兵至，如之奈何？若入见主公，主公必生嗔怒，病将转增，非孝也。宜速回。"刘琦立于门外，大哭一场，上马仍回江夏。刘表病势危笃，望刘琦不来；至八月戊申日，大叫数声而死。后人有诗叹刘表曰：

昔闻袁氏居河朔，又见刘君霸汉阳。
总为牝晨致家累⑤，可怜不久尽销亡！

刘表既死，蔡夫人与蔡瑁、张允商议，假写遗嘱，令次子刘琮为荆州之主，然后举哀报丧。时刘琮年方十四岁，颇聪明，乃聚众言曰："吾父弃世，

---

① 存官纪太中——《纲目》书载："杀太中大夫孔融。"保存了他的官名。
② 次第——一个挨一个地。
③ 托孤——以遗孤相托。
④ 病入膏肓(huāng)——病患已到了不可医治的地步。膏、肓：胸腔内两个部位，药物和针灸的力量都达不到的深处。
⑤ 总为牝(pìn)晨致家累——指袁绍和刘表都是因为女人(儿女之事)的拖累，而致灭亡。牝晨：母鸡司晨。古人认为母鸡替代公鸡报晓，其家必乱。

吾兄现在江夏，更有叔父玄德在新野。汝等立我为主，倘兄与叔兴兵问罪，如何解释？”众官未及对，幕官李珪答曰：“公子之言甚善。今可急发哀书至江夏，请大公子为荆州之主，就命玄德一同理事：北可以敌曹操，南可以拒孙权。此万全之策也。”蔡瑁叱曰：“汝何人，敢乱言以逆主公遗命！”李珪大骂曰：“汝内外朋谋，假称遗命，废长立幼，眼见荆襄九郡，送于蔡氏之手！故主有灵，必当殛①汝！”蔡瑁大怒，喝令左右推出斩之。李珪至死大骂不绝。于是蔡瑁遂立刘琮为主。蔡氏宗族分领荆州之兵；命治中邓义、别驾刘先守荆州；蔡夫人自与刘琮前赴襄阳驻扎，以防刘琦、刘备。就葬刘表之柩于襄阳城东汉阳之原，竟不讣告刘琦与玄德。

刘琮至襄阳，方才歇马，忽报曹操引大军径望襄阳而来。琮大惊，遂请蒯越、蔡瑁等商议。东曹掾傅巽进言曰：“不特曹操兵来为可忧；今大公子在江夏，玄德在新野，我皆未往报丧，若彼兴兵问罪，荆襄危矣。巽有一计，可使荆襄之民，安如泰山，又可保全主公名爵。”琮曰：“计将安出？”巽曰：“不如将荆襄九郡，献与曹操，操必重待主公也。”琮叱曰：“是何言也！孤受先君之基业，坐尚未稳，岂可便弃之他人？”蒯越曰：“傅公悌之言是也。夫逆顺有大体，强弱有定势。今曹操南征北讨，以朝廷为名，主公拒之，其名不顺。且主公新立，外患未宁，内忧将作。荆襄之民，闻曹兵至，未战而胆先寒，安能与之敌哉？”琮曰：“诸公善言，非我不从；但以先君之业，一旦弃与他人，恐贻笑于天下耳。”

言未已，一人昂然而进曰：“傅公悌、蒯异度之言甚善，何不从之？”众视之，乃山阳高平人，姓王，名粲，字仲宣。粲容貌瘦弱，身材短小；幼时往见中郎蔡邕，时邕高朋满座，闻粲至，倒履迎之。宾客皆惊曰：“蔡中郎何独敬此小子耶？”邕曰：“此子有异才，吾不如也。”粲博闻强记，人皆不及：尝观道旁碑文一过，便能记诵；观人弈棋，棋局乱，粲复为摆出，不差一子。又善算术。其文词妙绝一时。年十七，辟②为黄门侍郎，不就。后因避乱至荆襄，刘表以为上宾。当日谓刘琮曰：“将军自料比曹公何如？”琮曰：“不如也。”粲曰：“曹公兵强将勇，足智多谋；擒吕布于下邳，摧袁绍于官渡，逐刘备于陇右，破乌桓于白狼：枭除荡定者，不可胜计。今以大军南下

① 殛(jí)——诛杀。
② 辟(bì)——征召、拜官。

荆襄，势难抵敌。傅、蒯二君之谋，乃长策也。将军不可迟疑，致生后悔。”琮曰：“先生见教极是。但须禀告母亲知道。”只见蔡夫人从屏后转出，谓琮曰：“既是仲宣、公悌、异度三人所见相同，何必告我。”于是刘琮意决，便写降书，令宋忠潜地往曹操军前投献。宋忠领命，直至宛城，接着曹操，献上降书。操大喜，重赏宋忠，分付教刘琮出城迎接，便着他永为荆州之主。

宋忠拜辞曹操，取路回荆襄。将欲渡江，忽见一枝人马到来，视之，乃关云长也。宋忠回避不迭，被云长唤住，细问荆州之事。忠初时隐讳；后被云长盘问不过，只得将前后事情，一一实告。云长大惊，随捉宋忠至新野见玄德，备言其事。玄德闻之大哭。张飞曰：“事已如此，可先斩宋忠，随起兵渡江，夺了襄阳，杀了蔡氏、刘琮，然后与曹操交战。”玄德曰：“你且缄口①。我自有斟酌。”乃叱宋忠曰：“你知众人作事，何不早来报我？今虽斩汝，无益于事。可速去。”忠拜谢，抱头鼠窜而去。

玄德正忧闷间，忽报公子刘琦差伊籍到来。玄德感伊籍昔日相救之恩，降阶迎之，再三称谢。籍曰：“大公子在江夏，闻荆州已故，蔡夫人与蔡瑁等商议，不来报丧，竟立刘琮为主。公子差人往襄阳探听，回说是实；恐使君不知，特差某赍哀书呈报，并求使君尽起麾下精兵，同往襄阳问罪。”玄德看书毕，谓伊籍曰：“机伯只知刘琮僭立，更不知刘琮已将荆襄九郡献与曹操矣！”籍大惊曰：“使君从何知之？”玄德具言拿获宋忠之事。籍曰：“若如此，使君不如以吊丧为名，前赴襄阳，诱刘琮出迎，就便擒下，诛其党类，则荆州属使君矣。”孔明曰：“机伯之言是也。主公可从之。”玄德垂泪曰：“吾兄临危托孤于我，今若执其子而夺其地，异日死于九泉之下，何面目复见吾兄乎？”孔明曰：“如不行此事，今曹兵已至宛城，何以拒敌？”玄德曰：“不如走樊城以避之。”

正商议间，探马飞报曹兵已到博望了。玄德慌忙发付伊籍回江夏整顿军马，一面与孔明商议拒敌之计。孔明曰：“主公且宽心。前番一把火，烧了夏侯惇大半人马；今番曹军又来，必教他中这条计。我等在新野住不得了，不如早到樊城去。”便差人四门张榜，晓谕居民：“无问老幼男女，愿从者，即于今日皆跟我往樊城暂避，不可自误。”差孙乾往河边调拨船只，救济百姓；差糜竺护送各官家眷到樊城。一面聚诸将听令，先教云长：“引

---

①　缄口——闭口。

一千军去白河上流头埋伏。各带布袋，多装沙土，遏住白河之水；至来日三更后，只听下流头人喊马嘶，急取起布袋，放水淹之，却顺水杀将下来接应。"又唤张飞："引一千军去博陵渡口埋伏。此处水势最慢，曹军被淹，必从此逃难，可便乘势杀来接应。"又唤赵云："引军三千，分为四队，自领一队伏于东门外，其三队分伏西、南、北三门，却先于城内人家屋上，多藏硫黄焰硝引火之物。曹军入城，必安歇民房。来日黄昏后，必有大风；但看风起，便令西、南、北三门伏军尽将火箭射入城去；待城中火势大作，却于城外呐喊助威，只留东门放他出走。汝却于东门外从后击之。天明会合关、张二将，收军回樊城。"再令糜芳、刘封二人："带二千军，一半红旗，一半青旗，去新野城外三十里鹊尾坡前屯住。一见曹军到，红旗军走在左，青旗军走在右。他心疑必不敢追。汝二人却去分头埋伏。只望城中火起，便可追杀败兵，然后却来白河上流头接应。"孔明分拨已定，乃与玄德登高了望，只候捷音。

却说曹仁、曹洪引军十万为前队，前面已有许褚引三千铁甲军开路，浩浩荡荡，杀奔新野来。是日午牌时分，来到鹊尾坡，望见坡前一簇人马，尽打青、红旗号。许褚催军向前。刘封、糜芳分为四队，青、红旗各归左右。许褚勒马，教且休进："前面必有伏兵。我兵只在此处住下。"许褚一骑马飞报前队曹仁。曹仁曰："此是疑兵，必无埋伏。可速进兵。我当催军继至。"许褚复回坡前，提兵杀入。至林下追寻时，不见一人。时日已坠西。许褚方欲前进，只听得山上大吹大擂。抬头看时，只见山顶上一簇旗，旗丛中两把伞盖：左玄德，右孔明，二人对坐饮酒。许褚大怒，引军寻路上山。山上檑木炮石打将下来，不能前进。又闻山后喊声大震。欲寻路厮杀，天色已晚。

曹仁领兵到，教且夺新野城歇马。军士至城下时，只见四门大开。曹兵突入，并无阻当，城中亦不见一人，竟是一座空城了。曹洪曰："此是势孤计穷，故尽带百姓逃窜去了。我军权且在城安歇，来日平明进兵。"此时各军走乏，都已饥饿，皆去夺房造饭。曹仁、曹洪就在衙内安歇。初更已后，狂风大作。守门军士飞报火起。曹仁曰："此必军士造饭不小心，遗漏之火，不可自惊。"说犹未了，接连几次飞报，西、南、北三门皆火起。曹仁急令众将上马时，满县火起，上下通红。是夜之火，更胜前日博望烧屯之火。后人有诗叹曰：

奸雄曹操守中原，九月南征到汉川。

风伯怒临新野县，祝融①飞下焰摩天。

曹仁引众将突烟冒火，寻路奔走，闻说东门无火，急急奔出东门。军士自相践踏，死者无数。曹仁等方才脱得火厄，背后一声喊起，赵云引军赶来混战，败军各逃性命，谁肯回身厮杀。正奔走间，糜芳引一军至，又冲杀一阵。曹仁大败，夺路而走，刘封又引一军截杀一阵。到四更时分，人困马乏，军士大半焦头烂额；奔至白河边，喜得河水不甚深，人马都下河吃水：人相喧嚷，马尽嘶鸣。

却说云长在上流用布袋遏住河水，黄昏时分，望见新野火起；至四更，忽听得下流头人喊马嘶，急令军士一齐掣起布袋，水势滔天，望下流冲去，曹军人马俱溺于水中，死者极多。曹仁引众将望水势慢处夺路而走。行到博陵渡口，只听喊声大起，一军拦路，当先大将，乃张飞也，大叫："曹贼快来纳命！"曹军大惊。正是：城内才看红焰吐，水边又遇黑风来。未知曹仁性命如何，且看下文分解。

# 第四十一回

## 刘玄德携民渡江　赵子龙单骑救主

却说张飞因关公放了上流水，遂引军从下流杀将来，截住曹仁混杀。忽遇许褚，便与交锋；许褚不敢恋战，夺路走脱。张飞赶来，接着玄德、孔明，一同沿河到上流。刘封、糜芳已安排船只等候，遂一齐渡河，尽望樊城而去。孔明教将船筏放火烧毁。

却说曹仁收拾残军，就新野屯住，使曹洪去见曹操，具言失利之事。操大怒曰："诸葛村夫，安敢如此！"催动三军，漫山塞野，尽至新野下寨。传令军士一面搜山，一面填塞白河。令大军分作八路，一齐去取樊城。刘晔曰："丞相初至襄阳，必须先买民心。今刘备尽迁新野百姓入樊城，若我兵径进，二县为齑粉矣；不如先使人招降刘备。备即不降，亦可见我爱民

---

① 祝融——一说为帝喾时的火官，后人尊为火神。

之心;若其来降,则荆州之地,可不战而定也。”操从其言,便问:“谁可为使?”刘晔曰:“徐庶与刘备至厚,今现在军中,何不命他一往?”操曰:“他去恐不复来。”晔曰:“他若不来,贻笑于人矣。丞相勿疑。”操乃召徐庶至,谓曰:“我本欲踏平樊城,奈怜众百姓之命。公可往说刘备:如肯来降,免罪赐爵;若更执迷,军民共戮,玉石俱焚。吾知公忠义,故特使公往。愿勿相负。”徐庶受命而行。至樊城,玄德、孔明接见,共诉旧日之情。庶曰:“曹操使庶来招降使君,乃假买民心也。今彼分兵八路,填白河而进,樊城恐不可守,宜速作行计。”玄德欲留徐庶。庶谢曰:“某若不还,恐惹人笑。今老母已丧,抱恨终天。身虽在彼,誓不为设一谋。公有卧龙辅佐,何愁大业不成。庶请辞。”玄德不敢强留。

徐庶辞回,见了曹操,言玄德并无降意。操大怒,即日进兵。玄德问计于孔明。孔明曰:“可速弃樊城,取襄阳暂歇。”玄德曰:“奈百姓相随许久,安忍弃之?”孔明曰:“可令人遍告百姓:有愿随者同去,不愿者留下。”先使云长往江岸整顿船只,令孙乾、简雍在城中声扬曰:“今曹兵将至,孤城不可久守,百姓愿随者,便同过江。”两县之民,齐声大呼曰:“我等虽死,亦愿随使君!”即日号泣而行。扶老携幼,将男带女,滚滚渡河,两岸哭声不绝。玄德于船上望见,大恸曰:“为吾一人而使百姓遭此大难,吾何生哉!”欲投江而死,左右急救止。闻者莫不痛哭。船到南岸,回顾百姓,有未渡者,望南而哭。玄德急令云长催船渡之,方才上马。

行至襄阳东门,只见城上遍插旌旗,壕边密布鹿角。玄德勒马大叫曰:“刘琮贤侄,吾但欲救百姓,并无他念。可快开门。”刘琮闻玄德至,惧而不出。蔡瑁、张允径来敌楼上,叱军士乱箭射下。城外百姓,皆望敌楼而哭。城中忽有一将,引数百人径上城楼,大喝:“蔡瑁、张允卖国之贼!刘使君乃仁德之人,今为救民而来投,何得相拒!”众视其人,身长八尺,面如重枣;乃义阳人也,姓魏,名延,字文长。当下魏延轮刀砍死守门将士,开了城门,放下吊桥,大叫:“刘皇叔快领兵入城,共杀卖国之贼!”张飞便跃马欲入,玄德急止之曰:“休惊百姓!”魏延只管招呼玄德军马入城。只见城内一将飞马引军而出,大喝:“魏延无名小卒,安敢造乱!认得我大将文聘么!”魏延大怒,挺枪跃马,便来交战。两下军兵在城边混杀,喊声大震。玄德曰:“本欲保民,反害民也!吾不愿入襄阳!”孔明曰:“江陵乃荆州要地,不如先取江陵为家。”玄德曰:“正合吾心。”于是引着百姓,尽离襄阳大路，望江陵而走。襄阳城中百姓，多有乘乱逃出城来，跟玄德而去。魏延与文聘交战，从巳至未，手下兵卒皆已折尽。延乃拨马而逃，却寻不见玄德，自投长沙太守韩玄去了。

却说玄德同行军民十余万，大小车数千辆，挑担背包者不计其数。路过刘表之墓，玄德率众将拜于墓前，哭告曰："辱弟备无德无才，负兄寄托之重，罪在备一身，与百姓无干。望兄英灵，垂救荆襄之民！"言甚悲切，军民无不下泪。忽哨马报说："曹操大军已屯樊城，使人收拾船筏，即日渡江赶来也。"众将皆曰："江陵要地，足可拒守。今拥民众数万，日行十余里，似此几时得至江陵？倘曹兵到，如何迎敌？不如暂弃百姓，先行为上。"玄德泣曰："举大事者必以人为本。今人归我，奈何弃之？"百姓闻玄德此言，莫不伤感。后人有诗赞之曰：

临难仁心存百姓，登舟挥泪动三军。
至今凭吊襄江口，父老犹然忆使君。

却说玄德拥着百姓，缓缓而行。孔明曰："追兵不久即至，可遣云长往江夏求救于公子刘琦，教他速起兵乘船会于江陵。"玄德从之，即修书令云长同孙乾领五百军往江夏求救；令张飞断后；赵云保护老小；其余俱管顾百姓而行。每日只走十余里便歇。

却说曹操在樊城，使人渡江至襄阳，召刘琮相见。琮惧怕不敢往见。蔡瑁、张允请行。王威密告琮曰："将军既降，玄德又走，曹操必懈弛无备。愿将军奋整奇兵，设于险处击之，操可获矣。获操则威震天下，中原虽广，可传檄而定。此难遇之机，不可失也。"琮以其言告蔡瑁。瑁叱王威曰："汝不知天命，安敢妄言！"威怒骂曰："卖国之徒，吾恨不生啖汝肉！"瑁欲杀之，蒯越劝止。瑁遂与张允同至樊城，拜见曹操。瑁等辞色甚是谄佞。操问："荆州军马钱粮，今有多少？"瑁曰："马军五万，步军十五万，水军八万：共二十八万。钱粮大半在江陵；其余各处，亦足供给一载。"操曰："战船多少？原是何人管领？"瑁曰："大小战船，共七千余只，原是瑁等二人掌管。"操遂加瑁为镇南侯、水军大都督，张允为助顺侯、水军副都督。二人大喜拜谢。操又曰："刘景升既死，其子降顺，吾当表奏天子，使永为荆州之主。"二人大喜而退。荀攸曰："蔡瑁、张允乃谄佞之徒，主公何遂加以如此显爵，更教都督水军乎？"操笑曰："吾岂不识人！止因吾所领北地之众，不习水战，故且权用此二人；待成事之后，别有理会。"

却说蔡瑁、张允归见刘琮，具言："曹操许保奏将军永镇荆襄。"琮大喜。次日，与母蔡夫人赍捧印绶兵符，亲自渡江拜迎曹操。操抚慰毕，即引随征军将，进屯襄阳城外。蔡瑁、张允令襄阳百姓焚香拜接。曹操俱用好言抚谕。入城至府中坐定，即召蒯越近前，抚慰曰："吾不喜得荆州，喜得异度也。"遂封蒯越为江陵太守、樊城侯；傅巽、王粲等皆为关内侯；而以刘琮为青州刺史，便教起程。琮闻命大惊，辞曰："琮不愿为官，愿守父母乡土。"操曰："青州近帝都，教你随朝为官，免在荆襄被人图害。"琮再三推辞，曹操不准。琮只得与母蔡夫人同赴青州。只有故将王威相随，其余官员俱送至江口而回。操唤于禁嘱付曰："你可引轻骑追刘琮母子杀之，以绝后患。"于禁得令，领众赶上，大喝曰："我奉丞相令，教来杀汝母子！可早纳下首级！"蔡夫人抱刘琮而大哭。于禁喝令军士下手。王威忿怒，奋力相斗，竟被众军所杀。军士杀死刘琮及蔡夫人。于禁回报曹操，操重赏于禁。便使人往隆中搜寻孔明妻小，却不知去向。原来孔明先已令人搬送至三江内隐避矣。操深恨之。

襄阳既定，荀攸进言曰："江陵乃荆襄重地，钱粮极广。刘备若据此地，急难动摇。"操曰："孤岂忘之！"随命于襄阳诸将中，选一员引军开道。诸将中却独不见文聘。操使人寻问，方才来见。操曰："汝来何迟？"对曰："为人臣而不能使其主保全境土，心实悲惭，无颜早见耳。"言讫，欷歔流涕。操曰："真忠臣也！"除江夏太守，赐爵关内侯，便教引军开道。探马报说："刘备带领百姓，日行止十数里，计程只有三百余里。"操教各部下精选五千铁骑，星夜前进，限一日一夜，赶上刘备。大军陆续随后而进。

却说玄德引十数万百姓、三千余军马，一程程挨着往江陵进发。赵云保护老小，张飞断后。孔明曰："云长往江夏去了，绝无回音，不知若何。"玄德曰："敢烦军师亲自走一遭。刘琦感公昔日之教，今若见公亲至，事必谐矣。"孔明允诺，便同刘封引五百军先往江夏求救去了。当日玄德自与简雍、糜竺、糜芳同行。正行间，忽然一阵狂风就马前刮起，尘土冲天，平遮红日。玄德惊曰："此何兆也？"简雍颇明阴阳，袖占一课，失惊曰："此大凶之兆也。应在今夜。主公可速弃百姓而走。"玄德曰："百姓从新野相随至此，吾安忍弃之？"雍曰："主公若恋而不弃，祸不远矣。"玄德问："前面是何处？"左右答曰："前面是当阳县。有座山名为景山。"玄德便教就此山扎住。时秋末冬初，凉风透骨；黄昏将近，哭声遍野。至四更时分，只听得西北喊声震地而来。玄德大惊，急上马引本部精兵二千余人迎敌。曹兵掩至，势不可当。玄德死战。正在危迫之际，幸得张飞引军至，杀开一条血路，救玄德望东而走。文聘当先拦住，玄德骂曰："背主之贼，尚有何面目见人！"文聘羞惭满面，引兵自投东北去了。张飞保着玄德，且战且走。奔至天明，闻喊声渐渐远去，玄德方才歇马。看手下随行人，止有百余骑；百姓、老小并糜竺、糜芳、简雍、赵云等一干人，皆不知下落。玄德大哭曰："十数万生灵，皆因恋我，遭此大难；诸将及老小，皆不知存亡：虽土木之人，宁不悲乎！"

正凄惶时，忽见糜芳面带数箭，踉跄而来，口言："赵子龙反投曹操去了也！"玄德叱曰："子龙是我故交，安肯反乎？"张飞曰："他今见我等势穷力尽，或者反投曹操，以图富贵耳！"玄德曰："子龙从我于患难，心如铁石，非富贵所能动摇也。"糜芳曰："我亲见他投西北去了。"张飞曰："待我亲自寻他去。若撞见时，一枪刺死！"玄德曰："休错疑了。岂不见你二兄诛颜良、文丑之事乎？子龙此去，必有事故。吾料子龙必不弃我也。"张飞那里肯听，引二十余骑，至长坂桥。见桥东有一带树木，飞生一计：教所从二十余骑，都砍下树枝，拴在马尾上，在树林内往来驰骋，冲起尘土，以为疑兵。飞却亲自横矛立马于桥上，向西而望。

却说赵云自四更时分，与曹军厮杀，往来冲突，杀至天明，寻不见玄德，又失了玄德老小。云自思曰："主公将甘、糜二夫人与小主人阿斗，托付在我身上；今日军中失散，有何面目去见主人？不如去决一死战，好歹要寻主母与小主人下落！"回顾左右，只有三四十骑相随。云拍马在乱军中寻觅，二县百姓号哭之声，震天动地；中箭着枪、抛男弃女而走者，不计其数。赵云正走之间，见一人卧在草中，视之，乃简雍也。云急问曰："曾见两位主母否？"雍曰："二主母弃了车仗，抱阿斗而走。我飞马赶去，转过山坡，被一将刺了一枪，跌下马来，马被夺了去。我争斗不得，故卧在此。"云乃将从骑所骑之马，借一匹与简雍骑坐；又着二卒扶护简雍先去报与主人："我上天入地，好歹寻主母与小主人来。如寻不见，死在沙场上也！"

说罢，拍马望长坂坡而去。忽一人大叫："赵将军那里去？"云勒马问曰："你是何人？"答曰："我乃刘使君帐下护送车仗的军士，被箭射倒在此。”赵云便问二夫人消息。军士曰：“恰才见甘夫人披头跣足①，相随一伙百姓妇女，投南而走。”云见说，也不顾军士，急纵马望南赶去。只见一伙百姓，男女数百人，相携而走。云大叫曰：“内中有甘夫人否？”夫人在后面望见赵云，放声大哭。云下马插枪而泣曰：“使主母失散，云之罪也！糜夫人与小主人安在？”甘夫人曰：“我与糜夫人被逐，弃了车仗，杂于百姓内步行，又撞见一枝军马冲散。糜夫人与阿斗不知何往。我独自逃生至此。”正言间，百姓发喊，又撞出一枝军来。赵云拔枪上马看时，面前马上绑着一人，乃糜竺也。背后一将，手提大刀，引着千余军，乃曹仁部将淳于导，拿住糜竺，正要解去献功。赵云大喝一声，挺枪纵马，直取淳于导。导抵敌不住，被云一枪刺落马下，向前救了糜竺，夺得马二匹。云请甘夫人上马，杀开条大路，直送至长坂坡。只见张飞横矛立马于桥上，大叫：“子龙！你如何反我哥哥？”云曰：“我寻不见主母与小主人，因此落后，何言反耶？”飞曰：“若非简雍先来报信，我今见你，怎肯干休也！”云曰：“主公在何处？”飞曰：“只在前面不远。”云谓糜竺曰：“糜子仲保甘夫人先行，待我仍往寻糜夫人与小主人去。”言罢，引数骑再回旧路。

正走之间，见一将手提铁枪，背着一口剑，引十数骑跃马而来。赵云更不打话，直取那将。交马只一合，把那将一枪刺倒，从骑皆走。原来那将乃曹操随身背剑之将夏侯恩也。曹操有宝剑二口：一名“倚天”，一名“青釭”；倚天剑自佩之，青釭剑令夏侯恩佩之。那青釭剑砍铁如泥，锋利无比。当时夏侯恩自恃勇力，背着曹操，只顾引人抢夺掳掠。不想撞着赵云，被他一枪刺死，夺了那口剑，看靶上有金嵌“青釭”二字，方知是宝剑也。云插剑提枪，复杀入重围；回顾手下从骑，已没一人，只剩得孤身。云并无半点退心，只顾往来寻觅；但逢百姓，便问糜夫人消息。忽一人指曰：“夫人抱着孩儿，左腿上着了枪，行走不得，只在前面墙缺内坐地。”

赵云听了，连忙追寻。只见一个人家，被火烧坏土墙，糜夫人抱着阿斗，坐于墙下枯井之傍啼哭。云急下马伏地而拜。夫人曰：“妾得见将军，阿斗有命矣。望将军可怜他父亲飘荡半世，只有这点骨血。将军可护持此子，教他得见父面，妾死无恨！”云曰：“夫人受难，云之罪也。不必多言，请夫人上马。云自步行死战，保夫人透出重围。”糜夫人曰：“不可！将军

---

① 跣(xiǎn)足——赤脚。

岂可无马！此子全赖将军保护。妾已重伤，死何足惜！望将军速抱此子前去，勿以妾为累也。”云曰：“喊声将近，追兵已至，请夫人速速上马。”糜夫人曰：“妾身委实难去，休得两误。”乃将阿斗递与赵云曰：“此子性命全在将军身上！”赵云三回五次请夫人上马，夫人只不肯上马。四边喊声又起。云厉声曰：“夫人不听吾言，追军若至，为之奈何？”糜夫人乃弃阿斗于地，翻身投入枯井中而死。后人有诗赞之曰：

战将全凭马力多，步行怎把幼君扶？
拚将一死存刘嗣，勇决还亏女丈夫。

赵云见夫人已死，恐曹军盗尸，便将土墙推倒，掩盖枯井。掩讫，解开勒甲绦①，放下掩心镜，将阿斗抱护在怀，绰枪上马。早有一将，引一队步军至，乃曹洪部将晏明也，持三尖两刃刀来战赵云。不三合，被赵云一枪刺倒，杀散众军，冲开一条路。正走间，前面又一枝军马拦路。当先一员大将，旗号分明，大书“河间张郃”。云更不答话，挺枪便战。约十余合，云不敢恋战，夺路而走。背后张郃赶来，云加鞭而行，不想趷跶②一声，连马和人，颠入土坑之内。张郃挺枪来刺，忽然一道红光，从土坑中滚起，那匹马平空一跃，跳出坑外。后人有诗曰：

红光罩体困龙飞，征马冲开长坂围。
四十二年真命主，将军因得显神威。

张郃见了，大惊而退。赵云纵马正走，背后忽有二将大叫：“赵云休走！”前面又有二将，使两般军器，截住去路：后面赶的是马延、张顗，前面阻的是焦触、张南，都是袁绍手下降将。赵云力战四将，曹军一齐拥至。云乃拔青釭剑乱砍，手起处，衣甲平过，血如涌泉。杀退众军将，直透重围。

却说曹操在景山顶上，望见一将，所到之处，威不可当，急问左右是谁。曹洪飞马下山大叫曰：“军中战将可留姓名！”云应声曰：“吾乃常山赵子龙也！”曹洪回报曹操。操曰：“真虎将也！吾当生致之。”遂令飞马传报各处：“如赵云到，不许放冷箭，只要捉活的。”因此赵云得脱此难，此亦阿斗之福所致也。这一场杀：赵云怀抱后主，直透重围，砍倒大旗两面，夺槊

---

① 绦(tāo)——丝编的腰带。

② 趷跶(gé tà)——形容跌倒的声音。

三条；前后枪刺剑砍，杀死曹营名将五十余员。后人有诗曰：

血染征袍透甲红，当阳谁敢与争锋！

古来冲阵扶危主，只有常山赵子龙。

赵云当下杀透重围，已离大阵，血满征袍。正行间，山坡下又撞出两枝军，乃夏侯惇部将钟缙、钟绅兄弟二人，一个使大斧，一个使画戟，大喝："赵云快下马受缚！"正是：才离虎窟逃生去，又遇龙潭鼓浪来。毕竟子龙怎地脱身，且听下回分解。

# 第四十二回

## 张翼德大闹长坂桥　刘豫州败走汉津口

却说钟缙、钟绅二人拦住赵云厮杀。赵云挺枪便刺，钟缙当先挥大斧来迎。两马相交，战不三合，被云一枪刺落马下，夺路便走。背后钟绅持戟赶来，马尾相衔，那枝戟只在赵云后心内弄影。云急拨转马头，恰好两胸相拍。云左手持枪隔过画戟，右手拔出青釭宝剑砍去，带盔连脑，砍去一半，绅落马而死，余众奔散。赵云得脱，望长坂桥而走。只闻后面喊声大震，原来文聘引军赶来。赵云到得桥边，人困马乏。见张飞挺矛立马于桥上，云大呼曰："翼德援我！"飞曰："子龙速行，追兵我自当之。"

云纵马过桥，行二十余里，见玄德与众人憩于树下。云下马伏地而泣。玄德亦泣。云喘息而言曰："赵云之罪，万死犹轻！糜夫人身带重伤，不肯上马，投井而死，云只得推土墙掩之。怀抱公子，身突重围；赖主公洪福，幸而得脱。适来公子尚在怀中啼哭，此一会不见动静，多是不能保也。"遂解视之，原来阿斗正睡着未醒。云喜曰："幸得公子无恙！"双手递与玄德。玄德接过，掷之于地曰："为汝这孺子，几损我一员大将！"赵云忙向地下抱起阿斗，泣拜曰："云虽肝脑涂地，不能报也！"后人有诗曰：

曹操军中飞虎出，赵云怀内小龙眠。

无由抚慰忠臣意，故把亲儿掷马前。

却说文聘引军追赵云至长坂桥，只见张飞倒竖虎须，圆睁环眼，手绰蛇矛，立马桥上；又见桥东树林之后，尘头大起，疑有伏兵，便勒住马，不敢近前。俄而①,曹仁、李典、夏侯惇、夏侯渊、乐进、张辽、张郃、许褚等都至。见飞怒目横矛,立马于桥上,又恐是诸葛孔明之计,都不敢近前。扎住阵脚,一字儿摆在桥西,使人飞报曹操。操闻知,急上马,从阵后来。张飞睁圆环眼,隐隐见后军青罗伞盖、旄钺旌旗来到,料得是曹操心疑,亲自来看。飞乃厉声大喝曰:“我乃燕人张翼德也!谁敢与我决一死战?”声如巨雷。曹军闻之,尽皆股栗②。曹操急令去其伞盖,回顾左右曰:“我向曾闻云长言:翼德于百万军中,取上将之首,如探囊取物。今日相逢,不可轻敌。”言未已,张飞睁目又喝曰:“燕人张翼德在此!谁敢来决死战?”曹操见张飞如此气概,颇有退心。飞望见曹操后军阵脚移动,乃挺矛又喝曰:“战又不战,退又不退,却是何故!”喊声未绝,曹操身边夏侯杰惊得肝胆碎裂,倒撞于马下。操便回马而走。于是诸军众将一齐望西奔走。正是:黄口孺子,怎闻霹雳之声;病体樵夫,难听虎豹之吼。一时弃枪落盔者,不计其数,人如潮涌,马似山崩,自相践踏。后人有诗赞曰:

长坂桥头杀气生,横枪立马眼圆睁。

一声好似轰雷震,独退曹家百万兵。

却说曹操惧张飞之威,骤马望西而走,冠簪尽落,披发奔逃。张辽、许褚赶上,扯住辔环。曹操仓皇失措。张辽曰:“丞相休惊。料张飞一人,何足深惧!今急回军杀去,刘备可擒也。”曹操神色方才稍定,乃令张辽、许褚再至长坂桥探听消息。

且说张飞见曹军一拥而退,不敢追赶;速唤回原随二十余骑,解去马尾树枝,令将桥梁拆断,然后回马来见玄德,具言断桥一事。玄德曰:“吾弟勇则勇矣,惜失于计较。”飞问其故。玄德曰:“曹操多谋。汝不合拆断桥梁,彼必追至矣。”飞曰:“他被我一喝,倒退数里,何敢再追?”玄德曰:“若不断桥,彼恐有埋伏,不敢进兵;今拆断了桥,彼料我无军而怯,必来追赶。彼有百万之众,虽涉江汉,可填而过,岂惧一桥之断耶?”于是即刻起身,从小路斜投汉津,望沔阳路而走。

却说曹操使张辽、许褚探长坂桥消息,回报曰:“张飞已拆断桥梁而去矣。”操曰:“彼断桥而去,乃心怯也。”遂传令差一万军,速搭三座浮桥,只

---

① 俄而——不一会儿。

② 股栗——两腿发抖。

今夜就要过。李典曰："此恐是诸葛亮之诈谋，不可轻进。"操曰："张飞一勇之夫，岂有诈谋！"遂传下号令，火速进兵。

却说玄德行近汉津，忽见后面尘头大起，鼓声连天，喊声震地。玄德曰："前有大江，后有追兵，如之奈何？"急命赵云准备抵敌。曹操下令军中曰："今刘备釜中之鱼，阱中之虎；若不就此时擒捉，如放鱼入海，纵虎归山矣。众将可努力向前。"众将领命，一个个奋威追赶。忽山坡后鼓声响处，一队军马飞出，大叫曰："我在此等候多时了！"当头那员大将，手执青龙刀，坐下赤兔马——原来是关云长，去江夏借得军马一万，探知当阳长坂大战，特地从此路截出。曹操一见云长，即勒住马回顾众将曰："又中诸葛亮之计也！"传令大军速退。

云长追赶十数里，即回军保护玄德等到汉津，已有船只伺候；云长请玄德并甘夫人、阿斗至船中坐定。云长问曰："二嫂嫂如何不见？"玄德诉说当阳之事。云长叹曰："曩日①猎于许田时，若从吾意，可无今日之患。"玄德曰："我于此时亦投鼠忌器耳。"正说之间，忽见江南岸战鼓大鸣，舟船如蚁，顺风扬帆而来。玄德大惊。船来至近，只见一人白袍银铠，立于船头上大呼曰："叔父别来无恙！小侄得罪！"玄德视之，乃刘琦也。琦过船哭拜曰："闻叔父困于曹操，小侄特来接应。"玄德大喜，遂合兵一处，放舟而行。在船中正诉情由，江西南上战船一字儿摆开，乘风唿哨②而至。刘琦惊曰："江夏之兵，小侄已尽起至此矣。今有战船拦路，非曹操之军，即江东之军也，如之奈何？"玄德出船头视之，见一人纶巾道服，坐在船头上，乃孔明也，背后立着孙乾。玄德慌请过船，问其何故却在此。孔明曰："亮自至江夏，先令云长于汉津登陆地而接。我料曹操必来追赶，主公必不从江陵来，必斜取汉津矣；故特请公子先来接应，我竟往夏口，尽起军前来相助。"玄德大悦，合为一处，商议破曹之策。孔明曰："夏口城险，颇有钱粮，可以久守。请主公且到夏口屯住。公子自回江夏，整顿战船，收拾军器，为掎角之势，可以抵当曹操。若共归江夏，则势反孤矣。"刘琦曰："军师之言甚善。但愚意欲请叔父暂至江夏，整顿军马停当，再回夏口不迟。"玄德曰："贤侄之言亦是。"遂留下云长，引五千军守夏口。玄德、孔明、刘琦共

① 曩(nǎng)日——昔日。

② 唿哨——哨声，这里比喻船行之快。

投江夏。

却说曹操见云长在旱路引军截出，疑有伏兵，不敢来追；又恐水路先被玄德夺了江陵，便星夜提兵赴江陵来。荆州治中邓义、别驾刘先，已备知襄阳之事，料不能抵敌曹操，遂引荆州军民出郭投降。曹操入城，安民已定，释韩嵩之囚，加为大鸿胪。其余众官，各有封赏。曹操与众将议曰："今刘备已投江夏，恐结连东吴，是滋蔓也。当用何计破之？"荀攸曰："我今大振兵威，遣使驰檄江东，请孙权会猎于江夏，共擒刘备，分荆州之地，永结盟好。孙权必惊疑而来降，则吾事济矣。"操从其计，一面发檄遣使赴东吴；一面计点马步水军共八十三万，诈称一百万，水陆并进，船骑双行，沿江而来，西连荆、峡，东接蕲、黄，寨栅联络三百余里。

话分两头。却说江东孙权，屯兵柴桑郡，闻曹操大军至襄阳，刘琮已降，今又星夜兼道取江陵，乃集众谋士商议御守之策。鲁肃曰："荆州与国邻接，江山险固，士民殷富。吾若据而有之，此帝王之资也。今刘表新亡，刘备新败，肃请奉命往江夏吊丧，因说刘备使抚刘表众将，同心一意，共破曹操；备若喜而从命，则大事可定矣。"权喜从其言，即遣鲁肃赍礼往江夏吊丧。

却说玄德至江夏，与孔明、刘琦共议良策。孔明曰："曹操势大，急难抵敌，不如往投东吴孙权，以为应援。使南北相持，吾等于中取利，有何不可？"玄德曰："江东人物极多，必有远谋，安肯相容耶？"孔明笑曰："今操引百万之众，虎踞江汉，江东安得不使人来探听虚实？若有人到此，亮借一帆风，直至江东，凭三寸不烂之舌，说南北两军互相吞并。若南军胜，共诛曹操以取荆州之地；若北军胜，则我乘势以取江南可也。"玄德曰："此论甚高。但如何得江东人到？"

正说间，人报江东孙权差鲁肃来吊丧，船已傍岸。孔明笑曰："大事济矣！"遂问刘琦曰："往日孙策亡时，襄阳曾遣人去吊丧否？"琦曰："江东与我家有杀父之仇，安得通庆吊之礼！"孔明曰："然则鲁肃之来，非为吊丧，乃来探听军情也。"遂谓玄德曰："鲁肃至，若问曹操动静，主公只推不知。再三问时，主公只说可问诸葛亮。"计会已定，使人迎接鲁肃。肃入城吊丧；收过礼物，刘琦请肃与玄德相见。礼毕，邀入后堂饮酒。肃曰："久闻皇叔大名，无缘拜会；今幸得见，实为欣慰。近闻皇叔与曹操会战，必知彼虚实：敢问操军约有几何？"玄德曰："备兵微将寡，一闻操至即走，竟不知彼虚实。”鲁肃曰：“闻皇叔用诸葛孔明之谋，两场火烧得曹操魂亡胆落，何言不知耶？”玄德曰：“除非问孔明，便知其详。”肃曰：“孔明安在？愿求一见。”玄德教请孔明出来相见。

肃见孔明礼毕，问曰：“向慕先生才德，未得拜晤；今幸相遇，愿闻目今安危之事。”孔明曰：“曹操奸计，亮已尽知；但恨力未及，故且避之。”肃曰：“皇叔今将止于此乎？”孔明曰：“使君与苍梧太守吴臣有旧，将往投之。”肃曰：“吴臣粮少兵微，自不能保，焉能容人？”孔明曰：“吴臣处虽不足久居，今且暂依之，别有良图。”肃曰：“孙将军虎踞六郡，兵精粮足，又极敬贤礼士，江表①英雄，多归附之。今为君计，莫若遣心腹往结东吴，以共图大事。”孔明曰：“刘使君与孙将军自来无旧②，恐虚费词说。且别无心腹之人可使。”肃曰：“先生之兄，现为江东参谋，日望与先生相见。肃不才，愿与公同见孙将军，共议大事。”玄德曰：“孔明是吾之师，顷刻不可相离，安可去也？”肃坚请孔明同去。玄德佯不许。孔明曰：“事急矣，请奉命一行。”玄德方才许诺。鲁肃遂别了玄德、刘琦，与孔明登舟，望柴桑郡来。正是：只因诸葛扁舟去，致使曹兵一旦休。不知孔明此去毕竟如何，且看下文分解。

# 第四十三回

## 诸葛亮舌战群儒　鲁子敬力排众议

却说鲁肃、孔明辞了玄德、刘琦，登舟望柴桑郡来。二人在舟中共议。鲁肃谓孔明曰：“先生见孙将军，切不可实言曹操兵多将广。”孔明曰：“不须子敬叮咛，亮自有对答之语。”及船到岸，肃请孔明于馆驿中暂歇，先自往见孙权。权正聚文武于堂上议事，闻鲁肃回，急召入问曰：“子敬往江夏，体探虚实若何？”肃曰：“已知其略，尚容徐禀。”权将曹操檄文示肃曰：“操昨遣使赍文至此，孤先发遣来使，现今会众商议未定。”肃接檄文观看。

---

① 江表——古地区名，指长江以南地方。从中原人看来，地在长江之外，故称。

② 无旧——没有交往。

其略曰：

> 孤近承帝命，奉词伐罪。旄麾南指，刘琮束手；荆襄之民，望风归顺。今统雄兵百万，上将千员，欲与将军会猎于江夏，共伐刘备，同分土地，永结盟好。幸勿观望，速赐回音。

鲁肃看毕曰："主公尊意若何？"权曰："未有定论。"张昭曰："曹操拥百万之众，借天子之名，以征四方，拒之不顺。且主公大势可以拒操者，长江也。今操既得荆州，长江之险，已与我共之矣，势不可敌。以愚之计，不如纳降，为万安之策。"众谋士皆曰："子布之言，正合天意。"孙权沉吟不语。张昭又曰："主公不必多疑。如降操，则东吴民安，江南六郡可保矣。"孙权低头不语。须臾，权起更衣，鲁肃随于权后。权知肃意，乃执肃手而言曰："卿欲如何？"肃曰："恰才众人所言，深误将军。众人皆可降曹操，惟将军不可降曹操。"权曰："何以言之？"肃曰："如肃等降操，当以肃还乡党①，累官②故不失州郡也；将军降操，欲安所归乎③？位不过封侯，车不过一乘，骑不过一匹，从不过数人，岂得南面称孤哉！众人之意，各自为己，不可听也。将军宜早定大计。"权叹曰："诸人议论，大失孤望。子敬开说大计，正与吾见相同。此天以子敬赐我也！但操新得袁绍之众，近又得荆州之兵，恐势大难以抵敌。"肃曰："肃至江夏，引诸葛瑾之弟诸葛亮在此，主公可问之，便知虚实。"权曰："卧龙先生在此乎？"肃曰："现在馆驿中安歇。"权曰："今日天晚，且未相见。来日聚文武于帐下，先教见我江东英俊，然后升堂议事。"

肃领命而去。次日至馆驿中见孔明，又嘱曰："今见我主，切不可言曹操兵多。"孔明笑曰："亮自见机而变，决不有误。"肃乃引孔明至幕下。早见张昭、顾雍等一班文武二十余人，峨冠博带，整衣端坐。孔明逐一相见，各问姓名。施礼已毕，坐于客位。张昭等见孔明丰神飘洒，器宇轩昂，料道此人必来游说。张昭先以言挑之曰："昭乃江东微末之士，久闻先生高卧隆中，自比管、乐。此语果有之乎？"孔明曰："此亮平生小可④之比也。"

---

① 乡党——指乡里。周代制度，以五百家为党，一万二千五百家为乡。

② 累官——一级一级地升官。累：堆叠、积累。

③ 欲安所归乎——想要被怎样安置呢？

④ 小可——寻常的。

昭曰:"近闻刘豫州三顾先生于草庐之中,幸得先生,以为如鱼得水,思欲席卷荆襄。今一旦以①属曹操,未审是何主见?"孔明自思张昭乃孙权手下第一个谋士,若不先难倒他,如何说得孙权,遂答曰:"吾观取汉上之地,易如反掌。我主刘豫州躬行仁义,不忍夺同宗之基业,故力辞之。刘琮孺子,听信佞言,暗自投降,致使曹操得以猖獗。今我主屯兵江夏,别有良图,非等闲可知也。"昭曰:"若此,是先生言行相违也。先生自比管、乐,管仲相桓公,霸诸侯,一匡②天下;乐毅扶持微弱之燕,下③齐七十余城:此二人者,真济世之才也。先生在草庐之中,但笑傲风月,抱膝危坐。今既从事刘豫州,当为生灵兴利除害,剿灭乱贼。且刘豫州未得先生之前,尚且纵横寰宇,割据城池;今得先生,人皆仰望。虽三尺童蒙,亦谓彪虎生翼,将见汉室复兴,曹氏即灭矣。朝廷旧臣,山林隐士,无不拭目而待:以为拂高天之云翳,仰日月之光辉,拯民于水火之中,措天下于衽席④之上,在此时也。何先生自归豫州,曹兵一出,弃甲抛戈,望风而窜;上不能报刘表以安庶民,下不能辅孤子而据疆土;乃⑤弃新野,走樊城,败当阳,奔夏口,无容身之地:是豫州既得先生之后,反不如其初也。管仲、乐毅,果如是乎?愚直之言,幸勿见怪!"孔明听罢,哑然⑥而笑曰:"鹏飞万里,其志岂群鸟能识哉?譬如人染沉疴⑦,当先用糜粥以饮之,和药以服之;待其腑脏调和,形体渐安,然后用肉食以补之,猛药以治之:则病根尽去,人得全生也。若不待气脉和缓,便投以猛药厚味,欲求安保,诚为难矣。吾主刘豫州,向日军败于汝南,寄迹刘表,兵不满千,将止关、张、赵云而已:此正如病势尫羸⑧已极之时也。新野山僻小县,人民稀少,粮食鲜薄,豫州不过暂借以容身,岂真将坐守于此耶?夫以甲兵不完,城郭不固,军不经练,粮不继日,

---

① 以——这里通"已"。

② 匡——匡扶、救助。

③ 下——使之降服的意思。

④ 措天下于衽(rèn)席之上——意思是使天下太平。措:安置、安放;衽、席:都是坐卧用的铺垫。

⑤ 乃——却、竟然。

⑥ 哑然——形容笑声。

⑦ 沉疴(kē)——重病。

⑧ 尫羸(wāng léi)——瘦瘠、衰弱。

然而博望烧屯，白河用水，使夏侯惇、曹仁辈心惊胆裂：窃谓管仲、乐毅之用兵，未必过此。至于刘琮降操，豫州实出不知；且又不忍乘乱夺同宗之基业，此真大仁大义也。当阳之败，豫州见有数十万赴义之民，扶老携幼相随，不忍弃之，日行十里，不思进取江陵，甘与同败，此亦大仁大义也。寡不敌众，胜负乃其常事。昔高皇数败于项羽，而垓下一战成功，此非韩信之良谋乎？夫信久事高皇，未尝累胜。盖国家大计，社稷安危，是有主谋。非比夸辩之徒，虚誉欺人：坐议立谈，无人可及；临机应变，百无一能。诚为天下笑耳！"这一篇言语，说得张昭并无一言回答。

座上忽一人抗声问曰："今曹公兵屯百万，将列千员，龙骧虎视，平吞江夏，公以为何如？"孔明视之，乃虞翻也。孔明曰："曹操收袁绍蚁聚之兵，劫刘表乌合之众，虽数百万不足惧也。"虞翻冷笑曰："军败于当阳，计穷于夏口，区区求救于人，而犹言不惧，此真大言欺人也！"孔明曰："刘豫州以数千仁义之师，安能敌百万残暴之众？退守夏口，所以待时也。今江东兵精粮足，且有长江之险，犹欲使其主屈膝降贼，不顾天下耻笑。由此论之，刘豫州真不惧操贼者矣！"虞翻不能对。

座间又一人问曰："孔明欲效仪、秦①之舌，游说东吴耶？"孔明视之，乃步骘也。孔明曰："步子山以苏秦、张仪为辩士，不知苏秦、张仪亦豪杰也；苏秦佩六国相印，张仪两次相秦，皆有匡扶人国之谋，非比畏强凌弱、惧刀避剑之人也。君等闻曹操虚发诈伪之词，便畏惧请降，敢笑苏秦、张仪乎？"步骘默然无语。

忽一人问曰："孔明以曹操何如人也？"孔明视其人，乃薛综也。孔明答曰："曹操乃汉贼也，又何必问？"综曰："公言差矣。汉传世至今，天数将终。今曹公已有天下三分之二，人皆归心。刘豫州不识天时，强欲与争，正如以卵击石，安得不败乎？"孔明厉声曰："薛敬文安得出此无父无君之言乎！夫人生天地间，以忠孝为立身之本。公既为汉臣，则见有不臣之人，当誓共戮之：臣之道也。今曹操祖宗叨食汉禄，不思报效，反怀篡逆之心，天下之所共愤；公乃以天数归之，真无父无君之人也！不足与语！请勿复言！"薛综满面羞惭，不能对答。

---

① 仪、秦——即张仪、苏秦。这两人都是战国时以雄辩著名的说客。

座上又一人应声问曰："曹操虽挟天子以令诸侯，犹是相国曹参①之后。刘豫州虽云中山靖王苗裔，却无可稽考②，眼见只是织席贩屦之夫耳，何足与曹操抗衡哉！"孔明视之，乃陆绩也。孔明笑曰："公非袁术座间怀桔③之陆郎乎？请安坐，听吾一言：曹操既为曹相国之后，则世为汉臣矣；今乃专权肆横，欺凌君父，是不惟无君，亦且蔑祖，不惟汉室之乱臣，亦曹氏之贼子也。刘豫州堂堂帝胄，当今皇帝，按谱赐爵，何云'无可稽考'？且高祖起身亭长，而终有天下；织席贩屦，又何足为辱乎？公小儿之见，不足与高士共语！"陆绩语塞。

座上一人忽曰："孔明所言，皆强词夺理，均非正论，不必再言。且请问孔明治何经典？"孔明视之，乃严畯也。孔明曰："寻章摘句，世之腐儒也，何能兴邦立事？且古耕莘伊尹，钓渭子牙，张良、陈平之流，邓禹、耿弇④之辈，皆有匡扶宇宙之才，未审其生平治何经典。岂亦效书生，区区于笔砚之间，数黑论黄，舞文弄墨而已乎？"严畯低头丧气而不能对。

忽又一人大声曰："公好为大言，未必真有实学，恐适为儒者所笑耳。"孔明视其人，乃汝阳程德枢也。孔明答曰："儒有君子小人之别。君子之儒，忠君爱国，守正恶邪，务使泽⑤及当时，名留后世。若夫小人之儒，惟务雕虫⑥，专工翰墨；青春作赋，皓首穷经；笔下虽有千言，胸中实无一策。且如扬雄⑦以文章名世，而屈身事莽，不免投阁而死，此所谓小人之儒

---

① 曹参——汉高祖刘邦的功臣。

② 稽(jī)考——查考。稽：考证。

③ 座间怀桔——陆绩六岁时，曾在袁术座间藏起三个待客的桔子，放在怀里，临走时不小心掉了出来。袁术问他时，他说是要带回去孝敬母亲的。这里暗含调侃揶揄的意思。

④ 耕莘伊尹，钓渭子牙……邓禹、耿弇(yǎn)——伊尹：商初大臣，名伊，尹是官名，传说他曾在莘地种过田；子牙：即姜尚，传说他曾在渭水垂钓，后遇周文王；张良、陈平：汉初大臣，曾辅助刘邦夺天下；邓禹、耿弇：汉光武帝刘秀的功臣。

⑤ 泽——恩泽、恩惠。

⑥ 雕虫——指辞赋的雕辞琢句，不切实际，没有实用价值。

⑦ 扬雄——西汉辞赋家，王莽时任大夫，后因事害怕受刑，跳楼自杀，几乎摔死。

也;虽日赋万言,亦何取哉!”程德枢不能对。众人见孔明对答如流,尽皆失色。

时座上张温、骆统二人,又欲问难。忽一人自外而入,厉声言曰:“孔明乃当世奇才,君等以唇舌相难,非敬客之礼也。曹操大军临境,不思退敌之策,乃徒斗口耶!”众视其人,乃零陵人,姓黄,名盖,字公覆,现为东吴粮官。当时黄盖谓孔明曰:“愚闻多言获利,不如默而无言。何不将金石之论为我主言之,乃与众人辩论也?”孔明曰:“诸君不知世务,互相问难,不容不答耳。”于是黄盖与鲁肃引孔明入。至中门,正遇诸葛瑾,孔明施礼。瑾曰:“贤弟既到江东,如何不来见我?”孔明曰:“弟既事刘豫州,理宜先公后私。公事未毕,不敢及私。望兄见谅。”瑾曰:“贤弟见过吴侯,却来叙话。”说罢自去。

鲁肃曰:“适间所嘱,不可有误。”孔明点头应诺。引至堂上,孙权降阶而迎,优礼相待。施礼毕,赐孔明坐。众文武分两行而立。鲁肃立于孔明之侧,只看他讲话。孔明致玄德之意毕,偷眼看孙权:碧眼紫髯,堂堂一表。孔明暗思:“此人相貌非常,只可激,不可说。等他问时,用言激之便了。”献茶已毕,孙权曰:“多闻鲁子敬谈足下之才,今幸得相见,敢求教益。”孔明曰:“不才无学,有辱明问。”权曰:“足下近在新野,佐刘豫州与曹操决战,必深知彼军虚实。”孔明曰:“刘豫州兵微将寡,更兼新野城小无粮,安能与曹操相持。”权曰:“曹兵共有多少?”孔明曰:“马步水军,约有一百余万。”权曰:“莫非诈乎?”孔明曰:“非诈也。曹操就兖州已有青州军二十万;平了袁绍,又得五六十万;中原新招之兵三四十万;今又得荆州之军二三十万:以此计之,不下一百五十万。亮以百万言之,恐惊江东之士也。”鲁肃在旁,闻言失色,以目视孔明;孔明只做不见。权曰:“曹操部下战将,还有多少?”孔明曰:“足智多谋之士,能征惯战之将,何止一二千人。”权曰:“今曹操平了荆、楚,复有远图乎?”孔明曰:“即今沿江下寨,准备战船,不欲图江东,待取何地?”权曰:“若彼有吞并之意,战与不战,请足下为我一决。”孔明曰:“亮有一言,但恐将军不肯听从。”权曰:“愿闻高论。”孔明曰:“向者宇内大乱,故将军起江东,刘豫州收众汉南,与曹操并争天下。今操芟除①大难,略已平矣;近又新破荆州,威震海内;纵有英

---

① 芟(shān)除——扫除。芟:除去。

雄，无用武之地：故豫州遁逃至此。愿将军量力而处之：若能以吴、越之众，与中国①抗衡，不如早与之绝；若其不能，何不从众谋士之论，按兵束甲，北面而事之？”权未及答。孔明又曰：“将军外托服从之名，内怀疑贰②之见，事急而不断，祸至无日矣！”权曰：“诚如君言，刘豫州何不降操？”孔明曰：“昔田横③，齐之壮士耳，犹守义不辱。况刘豫州王室之胄，英才盖世，众士仰慕。事之不济，此乃天也，又安能屈处人下乎！”

孙权听了孔明此言，不觉勃然变色，拂衣而起，退入后堂。众皆哂笑而散。鲁肃责孔明曰：“先生何故出此言？幸是吾主宽洪大度，不即面责。先生之言，藐视吾主甚矣。”孔明仰面笑曰：“何如此不能容物耶！我自有破曹之计，彼不问我，我故不言。”肃曰：“果有良策，肃当请主公求教。”孔明曰：“吾视曹操百万之众，如群蚁耳！但我一举手，则皆为齑粉矣！”肃闻言，便入后堂见孙权。权怒气未息，顾谓肃曰：“孔明欺吾太甚！”肃曰：“臣亦以此责孔明，孔明反笑主公不能容物。破曹之策，孔明不肯轻言，主公何不求之？”权回嗔作喜曰：“原来孔明有良谋，故以言词激我。我一时浅见，几误大事。”便同鲁肃重复出堂，再请孔明叙话。权见孔明，谢曰：“适来冒渎威严，幸勿见罪。”孔明亦谢曰：“亮言语冒犯，望乞恕罪。”权邀孔明入后堂，置酒相待。

数巡之后，权曰：“曹操平生所恶者：吕布、刘表、袁绍、袁术、豫州与孤耳。今数雄已灭，独豫州与孤尚存。孤不能以全吴之地，受制于人。吾计决矣。非刘豫州莫与当曹操者④；然豫州新败之后，安能抗此难乎？”孔明曰：“豫州虽新败，然关云长犹率精兵万人；刘琦领江夏战士，亦不下万人。曹操之众，远来疲惫；近追豫州，轻骑一日夜行三百里，此所谓‘强弩之末，势不能穿鲁缟⑤’者也。且北方之人，不习水战。荆州士民附操者，迫于势

① 中国——中原、中土。

② 疑贰——疑惑不定，三心二意。

③ 田横——秦末齐人。齐王田广被韩信俘虏，田横自立为王，后来退守海岛。汉高祖派人招降，田横及部下五百余人都不屈自杀。

④ 非刘豫州莫与当曹操者——除非刘备，其他人没有谁能够（和我一起）阻挡曹操的。当：挡住。

⑤ 强弩之末，势不能穿鲁缟——《左传》上的成语：强弩射出的箭，到最后力量弱了，连鲁缟（薄绸子）都穿不透。喻很强的力量已经微弱。

耳，非本心也。今将军诚能与豫州协力同心，破曹军必矣。操军破，必北还，则荆、吴之势强，而鼎足之形成矣。成败之机，在于今日。惟将军裁之。”权大悦曰：“先生之言，顿开茅塞。吾意已决，更无他疑。即日商议起兵，共灭曹操！”遂令鲁肃将此意传谕文武官员，就送孔明于馆驿安歇。

张昭知孙权欲兴兵，遂与众议曰：“中了孔明之计也！”急入见权曰：“昭等闻主公将兴兵与曹操争锋。主公自思比袁绍若何？曹操向日兵微将寡，尚能一鼓克袁绍；何况今日拥百万之众南征，岂可轻敌？若听诸葛亮之言，妄动甲兵，此所谓负薪救火也。”孙权只低头不语。顾雍曰：“刘备因为曹操所败，故欲借我江东之兵以拒之，主公奈何为其所用乎？愿听子布之言。”孙权沉吟未决。张昭等出，鲁肃入见曰：“适张子布等，又劝主公休动兵，力主降议，此皆全躯保妻子之臣，为自谋之计耳。愿主公勿听也。”孙权尚在沉吟。肃曰：“主公若迟疑，必为众人误矣。”权曰：“卿且暂退，容我三思。”肃乃退出。时武将或有要战的，文官都是要降的，议论纷纷不一。

且说孙权退入内宅，寝食不安，犹豫不决。吴国太见权如此，问曰：“何事在心，寝食俱废？”权曰：“今曹操屯兵于江汉，有下江南之意。问诸文武，或欲降者，或欲战者。欲待战来，恐寡不敌众；欲待降来，又恐曹操不容：因此犹豫不决。”吴国太曰：“汝何不记吾姐临终之语乎？”孙权如醉方醒，似梦初觉，想出这句话来。正是：追思国母临终语，引得周郎立战功。毕竟说着甚的，且看下文分解。

# 第四十四回

## 孔明用智激周瑜　孙权决计破曹操

却说吴国太见孙权疑惑不决，乃谓之曰：“先姊遗言云：‘伯符临终有言：内事不决问张昭，外事不决问周瑜。’今何不请公瑾问之？”权大喜，即遣使往鄱阳请周瑜议事。原来周瑜在鄱阳湖训练水师，闻曹操大军至汉上，便星夜回柴桑郡议军机事。使者未发，周瑜已先到。鲁肃与瑜最厚，先来接着，将前项事细述一番。周瑜曰：“子敬休忧，瑜自有主张。今可速请孔明来相见。”鲁肃上马去了。

周瑜方才歇息。忽报张昭、顾雍、张纮、步骘四人来相探。瑜接入堂中坐定，叙寒温毕。张昭曰：“都督知江东之利害否？”瑜曰：“未知也。”昭曰：“曹操拥众百万，屯于汉上，昨传檄文至此，欲请主公会猎于江夏。虽有相吞之意，尚未露其形。昭等劝主公且降之，庶免江东之祸。不想鲁子敬从江夏带刘备军师诸葛亮至此，彼因自欲雪愤，特下说词以激主公。子敬却执迷不悟。正欲待都督一决。”瑜曰：“公等之见皆同否？”顾雍等曰：“所议皆同。”瑜曰：“吾亦欲降久矣。公等请回。明早见主公，自有定议。”昭等辞去。

少顷，又报程普、黄盖、韩当等一班战将来见。瑜迎入，各问慰讫。程普曰：“都督知江东早晚属他人否？”瑜曰：“未知也。”普曰：“吾等自随孙将军开基创业，大小数百战，方才战得六郡城池。今主公听谋士之言，欲降曹操，此真可耻可惜之事！吾等宁死不辱。望都督劝主公决计兴兵，吾等愿效死战。”瑜曰：“将军等所见皆同否？”黄盖忿然而起，以手拍额曰：“吾头可断，誓不降曹！”众人皆曰：“吾等都不愿降！”瑜曰：“吾正欲与曹操决战，安肯投降！将军等请回。瑜见主公，自有定议。”程普等别去。

又未几，诸葛瑾、吕范等一班儿文官相候。瑜迎入，讲礼方毕，诸葛瑾曰：“舍弟诸葛亮自汉上来，言刘豫州欲结东吴，共伐曹操，文武商议未定。因舍弟为使，瑾不敢多言，专候都督来决此事。”瑜曰：“以公论之若何？”瑾曰：“降者易安，战者难保。”周瑜笑曰：“瑜自有主张。来日同至府下定议。”瑾等辞退。

忽又报吕蒙、甘宁等一班儿来见。瑜请入，亦叙谈此事。有要战者，有要降者，互相争论。瑜曰：“不必多言，来日都到府下公议。”众乃辞去。周瑜冷笑不止。

至晚，人报鲁子敬引孔明来拜。瑜出中门迎入。叙礼毕，分宾主而坐。肃先问瑜曰：“今曹操驱众南侵，和与战二策，主公不能决，一听于将军。将军之意若何？”瑜曰：“曹操以天子为名，其师不可拒。且其势大，未可轻敌。战则必败，降则易安。吾意已决。来日见主公，便当遣使纳降。”鲁肃愕然曰：“君言差矣！江东基业，已历三世，岂可一旦弃于他人？伯符遗言，外事付托将军。今正欲仗将军保全国家，为泰山之靠，奈何从懦夫之议耶？”瑜曰：“江东六郡，生灵无限；若罹兵革之祸，必有归怨于我，故决计请降耳。”肃曰：“不然。以将军之英雄，东吴之险固，操未必便能得志也。”二人互相争辩，孔明只袖手冷笑。瑜曰：“先生何故哂笑？”孔明曰：“亮不笑别人，笑子敬不识时务耳。”肃曰：“先生如何反笑我不识时务？”孔明曰：“公瑾主意欲降操，甚为合理。”瑜曰：“孔明乃识时务之士，必与吾有同心。”肃曰：“孔明，你也如何说此？”孔明曰：“操极善用兵，天下莫敢当。向只有吕布、袁绍、袁术、刘表敢与对敌。今数人皆被操灭，天下无人矣。独有刘豫州不识时务，强与争衡；今孤身江夏，存亡未保。将军决计降曹，可以保妻子，可以全富贵。——国祚迁移，付之天命，何足惜哉！”鲁肃大怒曰：“汝教吾主屈膝受辱于国贼乎！”

孔明曰：“愚有一计：并不劳牵羊担酒，纳土献印；亦不须亲自渡江；只须遣一介之使，扁舟送两个人到江上。操一得此两人，百万之众，皆卸甲卷旗而退矣。”瑜曰：“用何二人，可退操兵？”孔明曰：“江东去此两人，如大木飘一叶，太仓减一粟耳；而操得之，必大喜而去。”瑜又问：“果用何二人？”孔明曰：“亮居隆中时，即闻操于漳河新造一台，名曰铜雀，极其壮丽；广选天下美女以实其中。操本好色之徒，久闻江东乔公有二女，长曰大乔，次曰小乔，有沉鱼落雁之容，闭月羞花之貌。操曾发誓曰：‘吾一愿扫平四海，以成帝业；一愿得江东二乔，置之铜雀台，以乐晚年，虽死无恨矣。’今虽引百万之众，虎视江南，其实为此二女也。将军何不去寻乔公，以千金买此二女，差人送与曹操，操得二女，称心满意，必班师矣。此范蠡献西施之计，何不速为之？”瑜曰：“操欲得二乔，有何证验？”孔明曰：“曹操幼子曹植，字子建，下笔成文。操尝命作一赋，名曰《铜雀台赋》。赋中之意，单道他家合为天子，誓取二乔。”瑜曰：“此赋公能记否？”孔明曰：“吾爱其文华美，尝窃记之。”瑜曰：“试请一诵。”孔明即时诵《铜雀台赋》云：

从明后以嬉游兮，登层台以娱情。见太府之广开兮，观圣德之所营。建高门之嵯峨①兮，浮双阙乎太清。立中天之华观兮，连飞阁乎西城。临漳水之长流兮，望园果之滋荣。立双台于左右兮，有玉龙与金

① 嵯(cuó)峨——本指山势高峻，这里形容高门之高。

凤。揽“二乔”①于东南兮，乐朝夕之与共。俯皇都之宏丽兮，瞰云霞之浮动。欣群才之来萃兮，协飞熊之吉梦②。仰春风之和穆兮，听百鸟之悲鸣。天云垣其既立兮，家愿得乎获逞。扬仁化于宇宙兮，尽肃恭于上京。惟桓文之为盛兮，岂足方乎圣明？

休矣！美矣！惠泽远扬。翼佐我皇家兮，宁彼四方。同天地之规量兮，齐日月之辉光。永贵尊而无极兮，等年寿于东皇。御龙旗以遨游兮，回鸾驾而周章。恩化及乎四海兮，嘉物阜而民康。愿斯台之永固兮，乐终古而未央！

周瑜听罢，勃然大怒，离座指北而骂曰：“老贼欺吾太甚！”孔明急起止之曰：“昔单于屡侵疆界，汉天子许以公主和亲，今何惜民间二女乎？”瑜曰：“公有所不知：大乔是孙伯符将军主妇，小乔乃瑜之妻也。”孔明佯作惶恐之状，曰：“亮实不知。失口乱言，死罪！死罪！”瑜曰：“吾与老贼誓不两立！”孔明曰：“事须三思，免致后悔。”瑜曰：“吾承伯符寄托，安有屈身降操之理？适来所言，故相试耳。吾自离鄱阳湖，便有北伐之心，虽刀斧加头，不易其志也！望孔明助一臂之力，同破曹贼。”孔明曰：“若蒙不弃，愿效犬马之劳，早晚拱听驱策。”瑜曰：“来日入见主公，便议起兵。”孔明与鲁肃辞出，相别而去。

次日清晨，孙权升堂。左边文官张昭、顾雍等三十余人；右边武官程普、黄盖等三十余人：衣冠济济，剑佩锵锵，分班侍立。少顷，周瑜入见。礼毕，孙权问慰罢，瑜曰：“近闻曹操引兵屯汉上，驰书至此，主公尊意若何？”权即取檄文与周瑜看。瑜看毕，笑曰：“老贼以我江东无人，敢如此相侮耶！”权曰：“君之意若何？”瑜曰：“主公曾与众文武商议否？”权曰：“连日议此事：有劝我降者，有劝我战者。吾意未定，故请公瑾一决。”瑜曰：“谁劝主公降？”权曰：“张子布等皆主其意。”瑜即问张昭曰：“愿闻先生所以主

---

① “二乔”——本书第三十四回有“更作两条飞桥，横空而上”之语，可见赋中之“二乔”当指此二桥。此处是诸葛亮有意的曲解。另：这里所引《铜雀台赋》与原文也有出入，其中“立双台于左右兮”至“协飞熊之吉梦”八句及“御龙旗以遨游兮”至“乐终古而未央”六句，均为曹植原诗所无，当系伪托。

② 飞熊吉梦——传说周文王因梦见飞熊而得姜子牙。

降之意。”昭曰：“曹操挟天子而征四方，动以朝廷为名；近又得荆州，威势愈大。吾江东可以拒操者，长江耳。今操艨艟战舰，何止千百？水陆并进，何可当之？不如且降，更图后计。”瑜曰：“此迂儒之论也！江东自开国以来，今历三世，安忍一旦废弃！”权曰：“若此，计将安出？”瑜曰：“操虽托名汉相，实为汉贼。将军以神武雄才，仗父兄余业，据有江东，兵精粮足，正当横行天下，为国家除残去暴，奈何降贼耶？且操今此来，多犯兵家之忌：北土未平，马腾、韩遂为其后患，而操久于南征，一忌也；北军不熟水战，操舍鞍马，仗舟楫，与东吴争衡，二忌也；又时值隆冬盛寒，马无藁草，三忌也；驱中国士卒，远涉江湖，不服水土，多生疾病，四忌也。操兵犯此数忌，虽多必败。将军擒操，正在今日。瑜请得精兵数万人，进屯夏口，为将军破之！”权矍然①起曰：“老贼欲废汉自立久矣，所惧二袁、吕布、刘表与孤耳。今数雄已灭，惟孤尚存。孤与老贼，誓不两立！卿言当伐，甚合孤意。此天以卿授我也。”瑜曰：“臣为将军决一血战，万死不辞。只恐将军狐疑不定。”权拔佩剑砍面前奏案一角曰：“诸官将有再言降操者，与此案同！”言罢，便将此剑赐周瑜，即封瑜为大都督，程普为副都督，鲁肃为赞军校尉。如文武官将有不听号令者，即以此剑诛之。瑜受了剑，对众言曰：“吾奉主公之命，率众破曹。诸将官吏来日俱于江畔行营听令。如迟误者，依七禁令五十四斩②施行。”言罢，辞了孙权，起身出府。众文武各无言而散。

周瑜回到下处，便请孔明议事。孔明至。瑜曰：“今日府下公议已定，愿求破曹良策。”孔明曰：“孙将军心尚未稳，不可以决策也。”瑜曰：“何谓心不稳？”孔明曰：“心怯曹兵之多，怀寡不敌众之意。将军能以军数开解，使其了然无疑，然后大事可成。”瑜曰：“先生之论甚善。”乃复入见孙权。权曰：“公瑾夜至，必有事故。”瑜曰：“来日调拨军马，主公心有疑否？”权曰：“但忧曹操兵多，寡不敌众耳。他无所疑。”瑜笑曰：“瑜特为此来开解主公。主公因见操檄文，言水陆大军百万，故怀疑惧，不复料其虚实。今

---

① 矍(qú)然——张大眼睛的样子，形容精神振奋。

② 七禁令五十四斩——古代军法条例。七禁令包括：轻军、慢军、盗军、欺军、背军、乱军、误军。其中每条禁令又包括若干细则，合起来共五十四项，触犯每一项都要处以斩刑，故曰五十四斩。

以实较之:彼将中国之兵,不过十五六万,且已久疲;所得袁氏之众,亦止七八万耳,尚多怀疑未服。夫以久疲之卒,御狐疑之众,其数虽多,不足畏也。瑜得五万兵,自足破之。愿主公勿以为虑。"权抚瑜背曰:"公瑾此言,足释吾疑。子布无谋,深失孤望;独卿及子敬,与孤同心耳。卿可与子敬、程普即日选军前进。孤当续发人马,多载资粮,为卿后应。卿前军倘不如意,便还就孤。孤当亲与操贼决战,更无他疑。"周瑜谢出,暗忖曰:"孔明早已料着吴侯之心。其计画又高我一头。久必为江东之患,不如杀之。"乃令人连夜请鲁肃入帐,言欲杀孔明之事。肃曰:"不可。今操贼未破,先杀贤士,是自去其助也。"瑜曰:"此人助刘备,必为江东之患。"肃曰:"诸葛瑾乃其亲兄,可令招此人同事东吴,岂不妙哉?"瑜善其言。

次日平明,瑜赴行营,升中军帐高坐。左右立刀斧手,聚集文官武将听令。原来程普年长于瑜,今瑜爵居其上,心中不乐;是日乃托病不出,令长子程咨自代。瑜令众将曰:"王法无亲,诸君各守乃职。方今曹操弄权,甚于董卓:囚天子于许昌,屯暴兵于境上。吾今奉命讨之,诸君幸皆努力向前。大军到处,不得扰民。赏劳罚罪,并不徇纵①。"令毕,即差韩当、黄盖为前部先锋,领本部战船,即日起行,前至三江口下寨,别听将令;蒋钦、周泰为第二队;凌统、潘璋为第三队;太史慈、吕蒙为第四队;陆逊、董袭为第五队;吕范、朱治为四方巡警使,催督六郡官军,水陆并进,克期取齐。调拨已毕,诸将各自收拾船只军器起行。程咨回见父程普,说周瑜调兵,动止有法。普大惊曰:"吾素欺周郎懦弱,不足为将;今能如此,真将才也!我如何不服!"遂亲诣行营谢罪。瑜亦逊谢。

次日,瑜请诸葛瑾,谓曰:"令弟孔明有王佐之才,如何屈身事刘备?今幸至江东,欲烦先生不惜齿牙余论②,使令弟弃刘备而事东吴,则主公既得良辅,而先生兄弟又得相见,岂不美哉?先生幸即一行。"瑾曰:"瑾自至江东,愧无寸功。今都督有命,敢不效力。"即时上马,径投驿亭来见孔明。孔明接入,哭拜,各诉阔情。瑾泣曰:"弟知伯夷、叔齐乎?"孔明暗思:"此必周郎教来说我也。"遂答曰:"夷、齐,古之圣贤也。"瑾曰:"夷、齐虽至饿死首阳山下,兄弟二人亦在一处。我今与你同胞共乳,乃各事其主,不能

① 徇纵——徇私放纵。

② 齿牙余论——言辞、口舌。

旦暮相聚，视夷、齐之为人，能无愧乎?”孔明曰:“兄所言者，情也;弟所守者，义也。弟与兄皆汉人。今刘皇叔乃汉室之胄，兄若能去东吴，而与弟同事刘皇叔，则上不愧为汉臣，而骨肉又得相聚，此情义两全之策也。不识兄意以为何如?”瑾思曰:“我来说他，反被他说了我也。”遂无言回答，起身辞去。回见周瑜，细述孔明之言。瑜曰:“公意若何?”瑾曰:“吾受孙将军厚恩，安肯相背!”瑜曰:“公既忠心事主，不必多言。吾自有伏孔明之计。”正是:智与智逢宜必合，才和才角又难容。毕竟周瑜定何计伏孔明，且看下回分解。

# 第四十五回

## 三江口曹操折兵　群英会蒋干中计

却说周瑜闻诸葛瑾之言，转恨孔明，存心欲谋杀之。次日，点齐军将，入辞孙权。权曰:“卿先行，孤即起兵继后。”瑜辞出，与程普、鲁肃领兵起行，便邀孔明同往。孔明欣然从之。一同登舟，驾起帆樯①，迤逦望夏口而进。离三江口五六十里，船依次第歇定。周瑜在中央下寨，岸上依西山结营，周围屯住。孔明只在一叶小舟内安身。

周瑜分拨已定，使人请孔明议事。孔明至中军帐，叙礼毕，瑜曰:“昔曹操兵少，袁绍兵多，而操反胜绍者，因用许攸之谋，先断乌巢之粮也。今操兵八十三万，我兵只五六万，安能拒之?亦必须先断操之粮，然后可破。我已探知操军粮草，俱屯于聚铁山。先生久居汉上，熟知地理。敢烦先生与关、张、子龙辈——吾亦助兵千人——星夜往聚铁山断操粮道。彼此各为主人之事，幸勿推调。”孔明暗思:“此因说我不动，设计害我。我若推调，必为所笑。不如应之，别有计议。”乃欣然领诺。瑜大喜。孔明辞出。鲁肃密谓瑜曰:“公使孔明劫粮，是何意见?”瑜曰:“吾欲杀孔明，恐惹人笑，故借曹操之手杀之，以绝后患耳。”肃闻言，乃往见孔明，看他知也不知。只见孔明略无难色，整点军马要行。肃不忍，以言挑之曰:“先生此去

---

① 帆樯(qiáng)——船帆与桅杆，常代指船。

可成功否?”孔明笑曰:“吾水战、步战、马战、车战,各尽其妙,何愁功绩不成,非比江东公与周郎辈止一能也。”肃曰:“吾与公瑾何谓一能?”孔明曰:“吾闻江南小儿谣言云:‘伏路把关饶子敬,临江水战有周郎。’公等于陆地但能伏路把关;周公瑾但堪水战,不能陆战耳。”

肃乃以此言告知周瑜。瑜怒曰:“何欺我不能陆战耶!不用他去!我自引一万马军,往聚铁山断操粮道。”肃又将此言告孔明。孔明笑曰:“公瑾令吾断粮者,实欲使曹操杀吾耳。吾故以片言戏之,公瑾便容纳不下。目今用人之际,只愿吴侯与刘使君同心,则功可成;如各相谋害,大事休矣。操贼多谋,他平生惯断人粮道,今如何不以重兵提备?公瑾若去,必为所擒。今只当先决水战,挫动北军锐气,别寻妙计破之。望子敬善言以告公瑾为幸。”鲁肃遂连夜回见周瑜,备述孔明之言。瑜摇首顿足曰:“此人见识胜吾十倍,今不除之,后必为我国之祸!”肃曰:“今用人之际,望以国家为重。且待破曹之后,图之未晚。”瑜然其说。

却说玄德分付刘琦守江夏,自领众将引兵往夏口。遥望江南岸旗幡隐隐,戈戟重重,料是东吴已动兵矣,乃尽移江夏之兵,至樊口屯扎。玄德聚众曰:“孔明一去东吴,杳无音信,不知事体如何。谁人可去探听虚实回报?”糜竺曰:“竺愿往。”玄德乃备羊酒礼物,令糜竺至东吴,以犒军为名,探听虚实。竺领命,驾小舟顺流而下,径至周瑜大寨前。军士入报周瑜,瑜召入。竺再拜,致玄德相敬之意,献上酒礼。瑜受讫,设宴款待糜竺。竺曰:“孔明在此已久,今愿与同回。”瑜曰:“孔明方与我同谋破曹,岂可便去?吾亦欲见刘豫州,共议良策;奈身统大军,不可暂离。若豫州肯枉驾来临,深慰所望。”竺应诺,拜辞而回。肃问瑜曰:“公欲见玄德,有何计议?”瑜曰:“玄德世之枭雄,不可不除。吾今乘机诱至杀之,实为国家除一后患。”鲁肃再三劝谏,瑜只不听,遂传密令:“如玄德至,先埋伏刀斧手五十人于壁衣中,看吾掷杯为号,便出下手。”

却说糜竺回见玄德,具言周瑜欲请主公到彼面会,别有商议。玄德便教收拾快船一只,只今便行。云长谏曰:“周瑜多谋之士,又无孔明书信,恐其中有诈,不可轻去。”玄德曰:“我今结东吴以共破曹操,周郎欲见我,我若不往,非同盟之意。两相猜忌,事不谐矣。”云长曰:“兄长若坚意要去,弟愿同往。”张飞曰:“我也跟去。”玄德曰:“只云长随我去。翼德与子龙守寨。简雍固守鄂县。我去便回。”分付毕,即与云长乘小舟,并从者二十余人，飞棹赴江东。玄德观看江东艨艟战舰、旌旗甲兵，左右分布整齐，心中甚喜。军士飞报周瑜："刘豫州来了。"瑜问："带多少船只来?"军士答曰："只有一只船，二十余从人。"瑜笑曰："此人命合休矣！"乃命刀斧手先埋伏定，然后出寨迎接。玄德引云长等二十余人，直到中军帐，叙礼毕，瑜请玄德上坐。玄德曰："将军名传天下，备不才，何烦将军重礼?"乃分宾主而坐。周瑜设宴相待。

且说孔明偶来江边，闻说玄德来此与都督相会，吃了一惊，急入中军帐窃看动静。只见周瑜面有杀气，两边壁衣中密排刀斧手。孔明大惊曰："似此如之奈何?"回视玄德，谈笑自若；却见玄德背后一人，按剑而立，乃云长也。孔明喜曰："吾主无危矣。"遂不复入，仍回身至江边等候。

周瑜与玄德饮宴，酒行数巡，瑜起身把盏，猛见云长按剑立于玄德背后，忙问何人。玄德曰："吾弟关云长也。"瑜惊曰："非向日斩颜良、文丑者乎?"玄德曰："然也。"瑜大惊，汗流满背，便斟酒与云长把盏。少顷，鲁肃入。玄德曰："孔明何在? 烦子敬请来一会。"瑜曰："且待破了曹操，与孔明相会未迟。"玄德不敢再言。云长以目视玄德。玄德会意，即起身辞瑜曰："备暂告别。即日破敌收功之后，专当叩贺。"瑜亦不留，送出辕门。玄德别了周瑜，与云长等来至江边，只见孔明已在舟中。玄德大喜。孔明曰："主公知今日之危乎?"玄德愕然曰："不知也。"孔明曰："若无云长，主公几为周郎所害矣。"玄德方才省悟，便请孔明同回樊口。孔明曰："亮虽居虎口，安如泰山。今主公但收拾船只军马候用。以十一月二十甲子日后为期，可令子龙驾小舟来南岸边等候。切勿有误。"玄德问其意。孔明曰："但看东南风起，亮必还矣。"玄德再欲问时，孔明催促玄德作速开船。言讫自回。玄德与云长及从人开船，行不数里，忽见上流头放下五六十只船来。船头上一员大将，横矛而立，乃张飞也——因恐玄德有失，云长独力难支，特来接应。于是三人一同回寨，不在话下。

却说周瑜送了玄德，回至寨中，鲁肃入问曰："公既诱玄德至此，为何又不下手?"瑜曰："关云长，世之虎将也，与玄德行坐相随，吾若下手，他必来害我。"肃愕然。忽报曹操遣使送书至。瑜唤入。使者呈上书看时，封面上判云："汉大丞相付周都督开拆。"瑜大怒，更不开看，将书扯碎，掷于地下，喝斩来使。肃曰："两国相争，不斩来使。"瑜曰："斩使以示威！"遂斩使者，将首级付从人持回。随令甘宁为先锋，韩当为左翼，蒋钦为右翼。

瑜自部领诸将接应。来日四更造饭，五更开船，鸣鼓呐喊而进。

却说曹操知周瑜毁书斩使，大怒，便唤蔡瑁、张允等一班荆州降将为前部，操自为后军，催督战船，到三江口。早见东吴船只，蔽江而来。为首一员大将，坐在船头上大呼曰："吾乃甘宁也！谁敢来与我决战？"蔡瑁令弟蔡埙前进。两船将近，甘宁拈弓搭箭，望蔡埙射来，应弦而倒。宁驱船大进，万弩齐发。曹军不能抵当。右边蒋钦，左边韩当，直冲入曹军队中。曹军大半是青、徐之兵，素不习水战，大江面上，战船一摆，早立脚不住。甘宁等三路战船，纵横水面。周瑜又催船助战。曹军中箭着炮者，不计其数。从巳时直杀到未时①。周瑜虽得利，只恐寡不敌众，遂下令鸣金，收住船只。曹军败回。操登旱寨，再整军士，唤蔡瑁、张允责之曰："东吴兵少，反为所败，是汝等不用心耳！"蔡瑁曰："荆州水军，久不操练；青、徐之军，又素不习水战，故尔致败。今当先立水寨，令青、徐军在中，荆州军在外，每日教习精熟，方可用之。"操曰："汝既为水军都督，可以便宜从事，何必禀我！"于是张、蔡二人，自去训练水军。沿江一带分二十四座水门，以大船居于外为城郭，小船居于内，可通往来。至晚点上灯火，照得天心水面通红。旱寨三百余里，烟火不绝。

却说周瑜得胜回寨，犒赏三军，一面差人到吴侯处报捷。当夜瑜登高观望，只见西边火光接天。左右告曰："此皆北军灯火之光也。"瑜亦心惊。次日，瑜欲亲往探看曹军水寨，乃命收拾楼船②一只，带着鼓乐，随行健将数员，各带强弓硬弩，一齐上船迤逦前进。至操寨边，瑜命下了矴石③，楼船上鼓乐齐奏。瑜暗窥他水寨，大惊曰："此深得水军之妙也！"问："水军都督是谁？"左右曰："蔡瑁、张允。"瑜思曰："二人久居江东，谙习水战，吾必设计先除此二人，然后可以破曹。"正窥看间，早有曹军飞报曹操，说："周瑜偷看吾寨。"操命纵船擒捉。瑜见水寨中旗号动，急教收起矴石，两边四下一齐轮转橹棹，望江面上如飞而去。比及曹寨中船出时，周瑜的楼船已离了十数里远，追之不及，回报曹操。

---

① 从巳(sì)时直杀到未时——巳时：上午九点至十一点；未时：下午一点至三点。

② 楼船——高大、有楼的战船。

③ 矴(dìng)石——系船的石墩，沉在水中用以停船，和锚的用处相同。

操问众将曰:“昨日输了一阵,挫动锐气;今又被他深窥吾寨。吾当作何计破之?”言未毕,忽帐下一人出曰:“某自幼与周郎同窗交契,愿凭三寸不烂之舌,往江东说此人来降。”曹操大喜,视之,乃九江人,姓蒋,名干,字子翼,现为帐下幕宾。操问曰:“子翼与周公瑾相厚乎?”干曰:“丞相放心。干到江左,必要成功。”操问:“要将何物去?”干曰:“只消一童随往,二仆驾舟,其余不用。”操甚喜,置酒与蒋干送行。干葛巾布袍,驾一只小舟,径到周瑜寨中,命传报:“故人蒋干相访。”周瑜正在帐中议事,闻干至,笑谓诸将曰:“说客至矣!”遂与众将附耳低言,如此如此。众皆应命而去。

瑜整衣冠,引从者数百,皆锦衣花帽,前后簇拥而出。蒋干引一青衣小童,昂然而来。瑜拜迎之。干曰:“公瑾别来无恙!”瑜曰:“子翼良苦:远涉江湖,为曹氏做说客耶?”干愕然曰:“吾久别足下,特来叙旧,奈何疑我做说客也?”瑜笑曰:“吾虽不及师旷之聪①,闻弦歌而知雅意。”干曰:“足下待故人如此,便请告退。”瑜笑而挽其臂曰:“吾但恐兄为曹氏做说客耳。既无此心,何速去也。”遂同入帐。叙礼毕,坐定,即传令悉召江左英杰与子翼相见。

须臾,文官武将,各穿锦衣;帐下偏裨将校,都披银铠:分两行而入。瑜都教相见毕,就列于两傍而坐。大张筵席,奏军中得胜之乐,轮换行酒。瑜告众官曰:“此吾同窗契友也。虽从江北到此,却不是曹家说客。公等勿疑。”遂解佩剑付太史慈曰:“公可佩我剑做监酒:今日宴饮,但叙朋友交情;如有提起曹操与东吴军旅之事者,即斩之!”太史慈应诺,按剑坐于席上。蒋干惊愕,不敢多言。周瑜曰:“吾自领军以来,滴酒不饮;今日见了故人,又无疑忌,当饮一醉。”说罢,大笑畅饮。座上觥筹交错。饮至半酣,瑜携干手,同步出帐外。左右军士,皆全装惯带,持戈执戟而立。瑜曰:“吾之军士,颇雄壮否?”干曰:“真熊虎之士也。”瑜又引干到帐后一望,粮草堆如山积。瑜曰:“吾之粮草,颇足备否?”干曰:“兵精粮足,名不虚传。”瑜佯醉大笑曰:“想周瑜与子翼同学业时,不曾望有今日。”干曰:“以吾兄高才,实不为过。”瑜执干手曰:“大丈夫处世,遇知己之主,外托君臣之义,

---

① 师旷之聪——师旷:春秋时晋国乐师,辨音能力极强。晋平公铸大钟,众乐工听后都认为音律准确,独他不以为然。他的判断,后来为另一个大音乐家师涓证实。

内结骨肉之恩，言必行，计必从，祸福共之。假使苏秦、张仪、陆贾、郦生①复出，口似悬河，舌如利刃，安能动我心哉！”言罢大笑。蒋干面如土色。瑜复携干入帐，会诸将再饮；因指诸将曰：“此皆江东之英杰。今日此会，可名‘群英会’。”饮至天晚，点上灯烛，瑜自起舞剑作歌。歌曰：

丈夫处世兮立功名，立功名兮慰平生。
慰平生兮吾将醉，吾将醉兮发狂吟！

歌罢，满座欢笑。至夜深，干辞曰：“不胜酒力矣。”瑜命撤席，诸将辞出。瑜曰：“久不与子翼同榻，今宵抵足而眠。”于是佯作大醉之状，携干入帐共寝。瑜和衣卧倒，呕吐狼藉②。蒋干如何睡得着？伏枕听时，军中鼓打二更，起视残灯尚明。看周瑜时，鼻息如雷。干见帐内桌上，堆着一卷文书，乃起床偷视之，却都是往来书信。内有一封，上写“蔡瑁张允谨封”。干大惊，暗读之。书略曰：

某等降曹，非图仕禄，迫于势耳。今已赚北军困于寨中，但得其便，即将操贼之首，献于麾下。早晚人到，便有关报。幸勿见疑。先此敬覆。

干思曰：“原来蔡瑁、张允结连东吴！”遂将书暗藏于衣内。再欲检看他书时，床上周瑜翻身，干急灭灯就寝。瑜口内含糊曰：“子翼，我数日之内，教你看操贼之首！”干勉强应之。瑜又曰：“子翼，且住！……教你看操贼之首！……”及干问之，瑜又睡着。干伏于床上，将近四更，只听得有人入帐唤曰：“都督醒否？”周瑜梦中做忽觉之状，故问那人曰：“床上睡着何人？”答曰：“都督请子翼同寝，何故忘却？”瑜懊悔曰：“吾平日未尝饮醉；昨日醉后失事，不知可曾说甚言语？”那人曰：“江北有人到此。”瑜喝：“低声！”便唤：“子翼。”蒋干只装睡着。瑜潜出帐。干窃听之，只闻有人在外曰：“张、蔡二都督道：‘急切不得下手……’”后面言语颇低，听不真实。少顷，瑜入帐，又唤：“子翼。”蒋干只是不应，蒙头假睡。瑜亦解衣就寝。干寻思：“周瑜是个精细人，天明寻书不见，必然害我。”睡至五更，干起唤周瑜；瑜却睡着。干戴上巾帻，潜步出帐，唤了小童，径出辕门。军士问：“先

① 陆贾、郦生——两人都是汉初的辩士。郦生：即郦食其。
② 狼藉——杂乱的意思。据说狼群常藉草而卧，起则践草使乱以灭迹，后因以“狼藉”为散乱之形容。

生那里去?”干曰:“吾在此恐误都督事,权且告别。”军士亦不阻当。

干下船,飞棹回见曹操。操问:“子翼干事若何?”干曰:“周瑜雅量高致,非言词所能动也。”操怒曰:“事又不济,反为所笑!”干曰:“虽不能说周瑜,却与丞相打听得一件事。乞退左右。”干取出书信,将上项事逐一说与曹操。操大怒曰:“二贼如此无礼耶!”即便唤蔡瑁、张允到帐下。操曰:“我欲使汝二人进兵。”瑁曰:“军尚未曾练熟,不可轻进。”操怒曰:“军若练熟,吾首级献于周郎矣!”蔡、张二人不知其意,惊慌不能回答。操喝武士推出斩之。须臾,献头帐下,操方省悟曰:“吾中计矣!”后人有诗叹曰:

曹操奸雄不可当,一时诡计中周郎。
蔡张卖主求生计,谁料今朝剑下亡!

众将见杀了张、蔡二人,入问其故。操虽心知中计,却不肯认错,乃谓众将曰:“二人怠慢军法,吾故斩之。”众皆嗟呀不已。操于众将内选毛玠、于禁为水军都督,以代蔡、张二人之职。

细作探知,报过江东。周瑜大喜曰:“吾所患者,此二人耳。今既剿除,吾无忧矣。”肃曰:“都督用兵如此,何愁曹贼不破乎!”瑜曰:“吾料诸将不知此计,独有诸葛亮识见胜我,想此谋亦不能瞒也。子敬试以言挑之,看他知也不知,便当回报。”正是:还将反间成功事,去试从旁冷眼人。未知肃去问孔明还是如何,且看下文分解。

# 第四十六回

## 用奇谋孔明借箭　献密计黄盖受刑

却说鲁肃领了周瑜言语,径来舟中相探孔明。孔明接入小舟对坐。肃曰:“连日措办军务,有失听教。”孔明曰:“便是亮亦未与都督贺喜。”肃曰:“何喜?”孔明曰:“公瑾使先生来探亮知也不知,便是这件事可贺喜耳。”唬得鲁肃失色问曰:“先生何由知之?”孔明曰:“这条计只好弄蒋干。曹操虽被一时瞒过,必然便省悟,只是不肯认错耳。今蔡、张两人既死,江东无患矣,如何不贺喜!吾闻曹操换毛玠、于禁为水军都督,则这两个手里,好歹送了水军性命。”鲁肃听了,开口不得,把些言语支吾了半晌,别孔明而回。孔明嘱曰:“望子敬在公瑾面前勿言亮先知此事。恐公瑾心怀妒忌,又要寻事害亮。”鲁肃应诺而去,回见周瑜,把上项事只得实说了。瑜大惊曰:“此人决不可留!吾决意斩之!”肃劝曰:“若杀孔明,却被曹操笑也。”瑜曰:“吾自有公道斩之,教他死而无怨。”肃曰:“何以公道斩之?”瑜曰:“子敬休问,来日便见。”

次日,聚众将于帐下,教请孔明议事。孔明欣然而至。坐定,瑜问孔明曰:“即日将与曹军交战,水路交兵,当以何兵器为先?”孔明曰:“大江之上,以弓箭为先。”瑜曰:“先生之言,甚合愚意。但今军中正缺箭用,敢烦先生监造十万枝箭,以为应敌之具。此系公事,先生幸勿推却。”孔明曰:“都督见委,自当效劳。敢问十万枝箭,何时要用?”瑜曰:“十日之内,可完办否?”孔明曰:“操军即日将至,若候十日,必误大事。”瑜曰:“先生料几日可完办?”孔明曰:“只消三日,便可拜纳十万枝箭。”瑜曰:“军中无戏言。”孔明曰:“怎敢戏都督!愿纳军令状:三日不办,甘当重罚。”瑜大喜,唤军政司当面取了文书,置酒相待曰:“待军事毕后,自有酬劳。”孔明曰:“今日已不及,来日造起。至第三日,可差五百小军到江边搬箭。”饮了数杯,辞去。鲁肃曰:“此人莫非诈乎?”瑜曰:“他自送死,非我逼他。今明白对众要了文书,他便两胁生翅,也飞不去。我只分付军匠人等,教他故意迟延,凡应用物件,都不与齐备。如此,必然误了日期。那时定罪,有何理说?公今可去探他虚实,却来回报。”

肃领命来见孔明。孔明曰:“吾曾告子敬,休对公瑾说,他必要害我。不想子敬不肯为我隐讳,今日果然又弄出事来。三日内如何造得十万枝箭?子敬只得救我!”肃曰:“公自取其祸,我如何救得你?”孔明曰:“望子敬借我二十只船,每船要军士三十人,船上皆用青布为幔,各束草千余个,分布两边。吾别有妙用。第三日包管有十万枝箭。只不可又教公瑾得知。——若彼知之,吾计败矣。”肃允诺,却不解其意。回报周瑜,果然不提起借船之事,只言:“孔明并不用箭竹、翎毛、胶漆等物,自有道理。”瑜大疑曰:“且看他三日后如何回覆我!”

却说鲁肃私自拨轻快船二十只,各船三十余人,并布幔、束草等物,尽皆齐备,候孔明调用。第一日却不见孔明动静,第二日亦只不动。至第三日四更时分,孔明密请鲁肃到船中。肃问曰:“公召我来何意?”孔明曰:“特请子敬同往取箭。”肃曰:“何处去取?”孔明曰:“子敬休问,前去便见。”

遂命将二十只船，用长索相连，径望北岸进发。是夜大雾漫天，长江之中，雾气更甚，对面不相见。孔明促舟前进，果然是好大雾！前人有篇《大雾垂江赋》曰：

大哉长江！西接岷、峨，南控三吴，北带九河。汇百川而入海，历万古以扬波。至若龙伯、海若，江妃、水母，长鲸千丈，天蜈九首，鬼怪异类，咸集而有。盖夫鬼神之所凭依，英雄之所战守也。

时也阴阳既乱，昧爽不分。讶长空之一色，忽大雾之四屯。虽舆薪而莫睹，惟金鼓之可闻。初若溟濛，才隐南山之豹；渐而充塞，欲迷北海之鲲。然后上接高天，下垂厚地；渺乎苍茫，浩乎无际。鲸鲵出水而腾波，蛟龙潜渊而吐气。又如梅霖①收溽②，春阴酿寒；溟溟漠漠，浩浩漫漫。东失柴桑之岸，南无夏口之山。战船千艘，俱沉沦于岩壑；渔舟一叶，惊出没于波澜。甚则穹昊③无光，朝阳失色；返白昼为昏黄，变丹山为水碧。虽大禹之智，不能测其浅深；离娄之明④，焉能辨乎咫尺？

于是冯夷息浪，屏翳⑤收功；鱼鳖遁迹，鸟兽潜踪。隔断蓬莱之岛，暗围阊阖之宫。恍惚奔腾，如骤雨之将至；纷纭杂沓，若寒云之欲同。乃能中隐毒蛇，因之而为瘴疠；内藏妖魅，凭之而为祸害。降疾厄于人间，起风尘于塞外。小民遇之夭伤，大人观之感慨。盖将返元气于洪荒，混天地为大块。

当夜五更时候，船已近曹操水寨。孔明教把船只头西尾东，一带摆开，就船上擂鼓呐喊。鲁肃惊曰："倘曹兵齐出，如之奈何？"孔明笑曰："吾料曹操于重雾中必不敢出。吾等只顾酌酒取乐，待雾散便回。"

却说曹寨中，听得擂鼓呐喊，毛玠、于禁二人慌忙飞报曹操。操传令曰："重雾迷江，彼军忽至，必有埋伏，切不可轻动。可拨水军弓弩手乱箭射之。"又差人往旱寨内唤张辽、徐晃各带弓弩军三千，火速到江边助射。

---

① 霖(lín)——久下不停的雨。

② 溽(rù)——湿润。

③ 穹昊——苍天。

④ 离娄之明——离娄：古代传说中的人名，亦作"离朱"，传说他能视于百步之外，见秋毫之末。

⑤ 冯夷、屏翳(yì)——神话中的水神和风神。

比及号令到来，毛玠、于禁怕南军抢入水寨，已差弓弩手在寨前放箭；少顷，旱寨内弓弩手亦到，约一万余人，尽皆向江中放箭：箭如雨发。孔明教把船吊回，头东尾西，逼近水寨受箭，一面擂鼓呐喊。待至日高雾散，孔明令收船急回。二十只船两边束草上，排满箭枝。孔明令各船上军士齐声叫曰："谢丞相箭！"比及曹军寨内报知曹操时，这里船轻水急，已放回二十余里，追之不及。曹操懊悔不已。

却说孔明回船谓鲁肃曰："每船上箭约五六千矣。不费江东半分之力，已得十万余箭。明日即将来射曹军，却不甚便！"肃曰："先生真神人也！何以知今日如此大雾？"孔明曰："为将而不通天文，不识地利，不知奇门①，不晓阴阳，不看阵图，不明兵势，是庸才也。亮于三日前已算定今日有大雾，因此敢任三日之限。公瑾教我十日完办，工匠料物，都不应手，将这一件风流罪过，明白要杀我。我命系于天，公瑾焉能害我哉！"鲁肃拜服。

船到岸时，周瑜已差五百军在江边等候搬箭。孔明教于船上取之，可得十余万枝，都搬入中军帐交纳。鲁肃入见周瑜，备说孔明取箭之事。瑜大惊，慨然叹曰："孔明神机妙算，吾不如也！"后人有诗赞曰：

一天浓雾满长江，远近难分水渺茫。
骤雨飞蝗来战舰，孔明今日伏周郎。

少顷，孔明入寨见周瑜。瑜下帐迎之，称羡曰："先生神算，使人敬服。"孔明曰："诡谲小计，何足为奇。"瑜邀孔明入帐共饮。瑜曰："昨吾主遣使来催督进军，瑜未有奇计，愿先生教我。"孔明曰："亮乃碌碌庸才，安有妙计？"瑜曰："某昨观曹操水寨，极是严整有法，非等闲可攻。思得一计，不知可否。先生幸为我一决之。"孔明曰："都督且休言。各自写于手内，看同也不同。"瑜大喜，教取笔砚来，先自暗写了，却送与孔明；孔明亦暗写了。两个移近坐榻，各出掌中之字，互相观看，皆大笑。原来周瑜掌中字，乃一"火"字；孔明掌中，亦一"火"字。瑜曰："既我两人所见相同，更无疑矣。幸勿漏泄。"孔明曰："两家公事，岂有漏泄之理。吾料曹操虽两

---

① 奇门——即"奇门遁甲"。古代迷信术数，认为根据阴阳、五行、八卦、九宫、干支的推算，牵附天上的星辰、地面的区域，就可以预知军事行动的成败吉凶，从而采取趋吉避凶的措施。

番经我这条计，然必不为备。今都督尽行之可也。”饮罢分散，诸将皆不知其事。

却说曹操平白折了十五六万枝箭，心中气闷。荀攸进计曰：“江东有周瑜、诸葛亮二人用计，急切难破。可差人去东吴诈降，为奸细内应，以通消息，方可图也。”操曰：“此言正合吾意。汝料军中谁可行此计？”攸曰：“蔡瑁被诛，蔡氏宗族，皆在军中。瑁之族弟蔡中、蔡和现为副将。丞相可以恩结之，差往诈降东吴，必不见疑。”操从之，当夜密唤二人入帐嘱付曰：“汝二人可引些少军士，去东吴诈降。但有动静，使人密报。事成之后，重加封赏。休怀二心！”二人曰：“吾等妻子俱在荆州，安敢怀二心，丞相勿疑。某二人必取周瑜、诸葛亮之首，献于麾下。”操厚赏之。次日，二人带五百军士，驾船数只，顺风望着南岸来。

且说周瑜正理会进兵之事，忽报江北有船来到江口，称是蔡瑁之弟蔡和、蔡中，特来投降。瑜唤入。二人哭拜曰：“吾兄无罪，被操贼所杀。吾二人欲报兄仇，特来投降。望赐收录，愿为前部。”瑜大喜，重赏二人，即命与甘宁引军为前部。二人拜谢，以为中计。瑜密唤甘宁分付曰：“此二人不带家小，非真投降，乃曹操使来为奸细者。吾今欲将计就计，教他通报消息。汝可殷勤相待，就里提防。至出兵之日，先要杀他两个祭旗。汝切须小心，不可有误。”甘宁领命而去。鲁肃入见周瑜曰：“蔡中、蔡和之降，多应是诈，不可收用。”瑜叱曰：“彼因曹操杀其兄，欲报仇而来降，何诈之有！你若如此多疑，安能容天下之士乎！”肃默然而退，乃往告孔明。孔明笑而不言。肃曰：“孔明何故哂笑？”孔明曰：“吾笑子敬不识公瑾用计耳。大江隔远，细作极难往来。操使蔡中、蔡和诈降，刺探我军中事，公瑾将计就计，正要他通报消息。兵不厌诈，公瑾之谋是也。”肃方才省悟。

却说周瑜夜坐帐中，忽见黄盖潜入中军来见周瑜。瑜问曰：“公覆夜至，必有良谋见教？”盖曰：“彼众我寡，不宜久持，何不用火攻之？”瑜曰：“谁教公献此计？”盖曰：“某出自己意，非他人之所教也。”瑜曰：“吾正欲如此，故留蔡中、蔡和诈降之人，以通消息；但恨无一人为我行诈降计耳。”盖曰：“某愿行此计。”瑜曰：“不受些苦，彼如何肯信？”盖曰：“某受孙氏厚恩，虽肝脑涂地，亦无怨悔。”瑜拜而谢之曰：“君若肯行此苦肉计，则江东之万幸也。”盖曰：“某死亦无怨。”遂谢而出。

次日，周瑜鸣鼓大会诸将于帐下。孔明亦在座。周瑜曰：“操引百万之众，连络三百余里，非一日可破。今令诸将各领三个月粮草，准备御敌。”言未讫，黄盖进曰：“莫说三个月，便支三十个月粮草，也不济事！若是这个月破的，便破；若是这个月破不的，只可依张子布之言，弃甲倒戈，北面而降之耳！”周瑜勃然变色，大怒曰：“吾奉主公之命，督兵破曹，敢有再言降者必斩。今两军相敌之际，汝敢出此言，慢我军心，不斩汝首，难以服众！”喝左右将黄盖斩讫报来。黄盖亦怒曰：“吾自随破虏将军，纵横东南，已历三世，那有你来？”瑜大怒，喝令速斩。甘宁进前告曰：“公覆乃东吴旧臣，望宽恕之。”瑜喝曰：“汝何敢多言，乱吾法度！”先叱左右将甘宁乱棒打出。众官皆跪告曰：“黄盖罪固当诛，但于军不利。望都督宽恕，权且记罪。破曹之后，斩亦未迟。”瑜怒未息。众官苦苦告求。瑜曰：“若不看众官面皮，决须斩首！今且免死！”命左右：“拖翻打一百脊杖，以正其罪！”众官又告免。瑜推翻案桌，叱退众官，喝教行杖。将黄盖剥了衣服，拖翻在地，打了五十脊杖。众官又复苦苦求免。瑜跃起指盖曰：“汝敢小觑我耶！且寄下五十棍！再有怠慢，二罪俱罚！”恨声不绝而入帐中。

众官扶起黄盖，打得皮开肉绽，鲜血迸流，扶归本寨，昏绝几次。动问之人，无不下泪。鲁肃也往看问了，来至孔明船中，谓孔明曰：“今日公瑾怒责公覆，我等皆是他部下，不敢犯颜①苦谏；先生是客，何故袖手旁观，不发一语？”孔明笑曰：“子敬欺我。”肃曰：“肃与先生渡江以来，未尝一事相欺。今何出此言？”孔明曰：“子敬岂不知公瑾今日毒打黄公覆，乃其计耶？如何要我劝他？”肃方悟。孔明曰：“不用苦肉计，何能瞒过曹操？今必令黄公覆去诈降，却教蔡中、蔡和报知其事矣。子敬见公瑾时，切勿言亮先知其事，只说亮也埋怨都督便了。”肃辞去，入帐见周瑜。瑜邀入帐后。肃曰：“今日何故痛责黄公覆？”瑜曰：“诸将怨否？”肃曰：“多有心中不安者。”瑜曰：“孔明之意若何？”肃曰：“他也埋怨都督忒情薄。”瑜笑曰：“今番须瞒过他也。”肃曰：“何谓也？”瑜曰：“今日痛打黄盖，乃计也。吾欲令他诈降，先须用苦肉计瞒过曹操，就中用火攻之，可以取胜。”肃乃暗思孔明之高见，却不敢明言。

且说黄盖卧于帐中，诸将皆来动问。盖不言语，但长吁而已。忽报参谋阚泽来问。盖令请入卧内，叱退左右。阚泽曰：“将军莫非与都督有仇？”盖

① 犯颜——冒犯君主或尊长的威严。

曰："非也。"泽曰："然则公之受责，莫非苦肉计乎？"盖曰："何以知之？"泽曰："某观公瑾举动，已料着八九分。"盖曰："某受吴侯三世厚恩，无以为报，故献此计，以破曹操。吾虽受苦，亦无所恨。吾遍观军中，无一人可为心腹者。惟公素有忠义之心，敢以心腹相告。"泽曰："公之告我，无非要我献诈降书耳。"盖曰："实有此意。未知肯否？"阚泽欣然领诺。正是：勇将轻身思报主，谋臣为国有同心。未知阚泽所言若何，且看下文分解。

# 第四十七回

## 阚泽密献诈降书　庞统巧授连环计

却说阚泽字德润，会稽山阴人也；家贫好学，与人佣工，尝借人书来看，看过一遍，更不遗忘；口才辩给①，少有胆气。孙权召为参谋，与黄盖最相善。盖知其能言有胆，故欲使献诈降书。泽欣然应诺曰："大丈夫处世，不能立功建业，不几与草木同腐乎！公既捐躯报主，泽又何惜微生！"黄盖滚下床来，拜而谢之。泽曰："事不可缓，即今便行。"盖曰："书已修下了。"

泽领了书，只就当夜扮作渔翁，驾小舟，望北岸而行。是夜寒星满天。三更时候，早到曹军水寨。巡江军士拿住，连夜报知曹操。操曰："莫非是奸细么？"军士曰："只一渔翁，自称是东吴参谋阚泽，有机密事来见。"操便教引将入来。军士引阚泽至，只见帐上灯烛辉煌，曹操凭几危坐②，问曰："汝既是东吴参谋，来此何干？"泽曰："人言曹丞相求贤若渴，今观此问，甚不相合。——黄公覆，汝又错寻思了也！"操曰："吾与东吴旦夕交兵，汝私行到此，如何不问？"泽曰："黄公覆乃东吴三世旧臣，今被周瑜于众将之前，无端毒打，不胜忿恨。因欲投降丞相，为报仇之计，特谋之于我。我与公覆，情同骨肉，径来为献密书。未知丞相肯容纳否？"操曰："书在何处？"阚泽取书呈上。操拆书，就灯下观看。书略曰：

---

① 辩给——口才敏捷。

② 危坐 ——端坐。

盖受孙氏厚恩，本不当怀二心。然以今日事势论之：用江东六郡之卒，当中国百万之师，众寡不敌，海内所共见也。东吴将吏，无有智愚，皆知其不可。周瑜小子，偏怀浅戆①，自负其能，辄欲以卵敌石；兼之擅作威福，无罪受刑，有功不赏。盖系旧臣，无端为所摧辱，心实恨之！伏闻丞相诚心待物，虚怀纳士，盖愿率众归降，以图建功雪耻。粮草军仗，随船献纳。泣血拜白，万勿见疑。

曹操于几案上翻覆将书看了十余次，忽然拍案张目大怒曰："黄盖用苦肉计，令汝下诈降书，就中取事，却敢来戏侮我耶！"便教左右推出斩之。左右将阚泽簇下。泽面不改容，仰天大笑。操教牵回，叱曰："吾已识破奸计，汝何故哂笑？"泽曰："吾不笑你。吾笑黄公覆不识人耳。"操曰："何不识人？"泽曰："杀便杀，何必多问！"操曰："吾自幼熟读兵书，深知奸伪之道。汝这条计，只好瞒别人，如何瞒得我！"泽曰："你且说书中那件事是奸计？"操曰："我说出你那破绽，教你死而无怨：你既是真心献书投降，如何不明约几时？——你今有何理说？"阚泽听罢，大笑曰："亏汝不惶恐，敢自夸熟读兵书！还不及早收兵回去！倘若交战，必被周瑜擒矣！无学之辈！可惜吾屈死汝手！"操曰："何谓我无学？"泽曰："汝不识机谋，不明道理，岂非无学？"操曰："你且说我那几般不是处？"泽曰："汝无待贤之礼，吾何必言！但有死而已。"操曰："汝若说得有理，我自然敬服。"泽曰："岂不闻'背主作窃，不可定期'？倘今约定日期，急切下不得手，这里反来接应，事必泄漏。但可觑便而行，岂可预期相订乎？汝不明此理，欲屈杀好人，真无学之辈也！"操闻言，改容下席而谢曰："某见事不明，误犯尊威，幸勿挂怀。"泽曰："吾与黄公覆，倾心投降，如婴儿之望父母，岂有诈乎！"操大喜曰："若二人能建大功，他日受爵，必在诸人之上。"泽曰："某等非为爵禄而来，实应天顺人耳。"操取酒待之。

少顷，有人入帐，于操耳边私语。操曰："将书来看。"其人以密书呈上。操观之，颜色颇喜。阚泽暗思："此必蔡中、蔡和来报黄盖受刑消息，操故喜我降之之事为真实也。"操曰："烦先生再回江东，与黄公覆约定，先通消息过江，吾以兵接应。"泽曰："某已离江东，不可复还。望丞相别遣机密人去。"操曰："若他人去，事恐泄漏。"泽再三推辞；良久，乃曰："若去则

---

① 偏怀浅戆(gàng)——偏怀：心胸偏狭；浅戆：浅薄愚蠢。

不敢久停,便当行矣。"

操赐以金帛,泽不受。辞别出营,再驾扁舟,重回江东,来见黄盖,细说前事。盖曰:"非公能辩,则盖徒受苦矣。"泽曰:"吾今去甘宁寨中,探蔡中、蔡和消息。"盖曰:"甚善。"泽至宁寨,宁接入。泽曰:"将军昨为救黄公覆,被周公瑾所辱,吾甚不平。"宁笑而不答。正话间,蔡和、蔡中至。泽以目送甘宁,宁会意,乃曰:"周公瑾只自恃其能,全不以我等为念。我今被辱,羞见江左诸人!"说罢,咬牙切齿,拍案大叫。泽乃虚与宁耳边低语。宁低头不言,长叹数声。蔡和、蔡中见宁、泽皆有反意,以言挑之曰:"将军何故烦恼?先生有何不平?"泽曰:"吾等腹中之苦,汝岂知耶!"蔡和曰:"莫非欲背吴投曹耶?"阚泽失色,甘宁拔剑而起曰:"吾事已为窥破,不可不杀之以灭口!"蔡和、蔡中慌曰:"二公勿忧。——吾亦当以心腹之事相告。"宁曰:"可速言之!"蔡和曰:"吾二人乃曹公使来诈降者。二公若有归顺之心,吾当引进。"宁曰:"汝言果真?"二人齐声曰:"安敢相欺!"宁佯喜曰:"若如此,是天赐其便也!"二蔡曰:"黄公覆与将军被辱之事,吾已报知丞相矣。"泽曰:"吾已为黄公覆献书丞相,今特来见兴霸,相约同降耳。"宁曰:"大丈夫既遇明主,自当倾心相投。"于是四人共饮,同论心事。二蔡即时写书,密报曹操,说"甘宁与某同为内应"。阚泽另自修书,遣人密报曹操,书中具言:黄盖欲来,未得其便;但看船头插青牙旗而来者,即是也。

却说曹操连得二书,心中疑惑不定,聚众谋士商议曰:"江左甘宁,被周瑜所辱,愿为内应;黄盖受责,令阚泽来纳降;俱未可深信。谁敢直入周瑜寨中,探听实信?"蒋干进曰:"某前日空往东吴,未得成功,深怀惭愧。今愿舍身再往,务得实信,回报丞相。"操大喜,即时令蒋干上船。干驾小舟,径到江南水寨边,便使人传报。周瑜听得干又到,大喜曰:"吾之成功,只在此人身上!"遂嘱付鲁肃:"请庞士元来,为我如此如此。"原来襄阳庞统,字士元,因避乱寓居江东,鲁肃曾荐之于周瑜,统未及往见。瑜先使肃问计于统曰:"破曹当用何策?"统密谓肃曰:"欲破曹兵,须用火攻;但大江面上,一船着火,余船四散;除非献'连环计',教他钉作一处,然后功可成也。"肃以告瑜,瑜深服其论,因谓肃曰:"为我行此计者,非庞士元不可。"肃曰:"只怕曹操奸猾,如何去得?"

周瑜沉吟未决。正寻思没个机会,忽报蒋干又来。瑜大喜,一面分付庞统用计;一面坐于帐上,使人请干。干见不来接,心中疑虑,教把船于僻静岸口缆系，乃入寨见周瑜。瑜作色曰："子翼何故欺吾太甚？"蒋干笑曰："吾想与你乃旧日弟兄，特来吐心腹事，何言相欺也？"瑜曰："汝要说我降，除非海枯石烂！前番吾念旧日交情，请你痛饮一醉，留你共榻；你却盗吾私书，不辞而去，归报曹操，杀了蔡瑁、张允，致使吾事不成。今日无故又来，必不怀好意！吾不看旧日之情，一刀两断！本待送你过去，争奈吾一二日间，便要破曹贼；待留你在军中，又必有泄漏。"便教左右："送子翼往西山庵中歇息。待吾破了曹操，那时渡你过江未迟。"

蒋干再欲开言，周瑜已入帐后去了。左右取马与蒋干乘坐，送到西山背后小庵歇息，拨两个军人伏侍。干在庵内，心中忧闷，寝食不安。是夜星露满天，独步出庵后，只听得读书之声。信步寻去，见山岩畔有草屋数椽，内射灯光。干往窥之，只见一人挂剑灯前，诵孙、吴兵书。干思："此必异人也。"叩户请见。其人开门出迎，仪表非俗。干问姓名，答曰："姓庞，名统，字士元。"干曰："莫非凤雏先生否？"统曰："然也。"干喜曰："久闻大名，今何僻居此地？"答曰："周瑜自恃才高，不能容物，吾故隐居于此。公乃何人？"干曰："吾蒋干也。"统乃邀入草庵，共坐谈心。干曰："以公之才，何往不利？如肯归曹，干当引进。"统曰："吾亦欲离江东久矣。公既有引进之心，即今便当一行。如迟则周瑜闻之，必将见害。"

于是与干连夜下山，至江边寻着原来船只，飞棹投江北。既至操寨，干先入见，备述前事。操闻凤雏先生来，亲自出帐迎入，分宾主坐定，问曰："周瑜年幼，恃才欺众，不用良谋。操久闻先生大名，今得惠顾，乞不吝教诲。"统曰："某素闻丞相用兵有法，今愿一睹军容。"操教备马，先邀统同观旱寨。统与操并马登高而望。统曰："傍山依林，前后顾盼，出入有门，进退曲折，虽孙、吴再生，穰苴①复出，亦不过此矣。"操曰："先生勿得过誉，尚望指教。"于是又与同观水寨。见向南分二十四座门，皆有艨艟战舰，列为城郭，中藏小船，往来有巷，起伏有序，统笑曰："丞相用兵如此，名不虚传！"因指江南而言曰："周郎，周郎！克期必亡！"

操大喜。回寨，请入帐中，置酒共饮，同说兵机。统高谈雄辩，应答如流。操深敬服，殷勤相待。统佯醉曰："敢问军中有良医否？"操问何用。统曰："水军多疾，须用良医治之。"时操军因不服水土，俱生呕吐之疾，多

---

① 穰苴（ráng jū）——司马穰苴，春秋时齐国人，兵法家。

有死者，操正虑此事；忽闻统言，如何不问？统曰："丞相教练水军之法甚妙，但可惜不全。"操再三请问。统曰："某有一策，使大小水军，并无疾病，安稳成功。"操大喜，请问妙策。统曰："大江之中，潮生潮落，风浪不息；北兵不惯乘舟，受此颠簸，便生疾病。若以大船小船各皆配搭，或三十为一排，或五十为一排，首尾用铁环连锁，上铺阔板，休言人可渡，马亦可走矣，乘此而行，任他风浪潮水上下，复何惧哉？"曹操下席而谢曰："非先生良谋，安能破东吴耶！"统曰："愚浅之见，丞相自裁之。"操即时传令，唤军中铁匠，连夜打造连环大钉，锁住船只。诸军闻之，俱各喜悦。后人有诗曰：

赤壁鏖兵用火攻，运筹决策尽皆同。

若非庞统连环计，公瑾安能立大功？

庞统又谓操曰："某观江左豪杰，多有怨周瑜者；某凭三寸舌，为丞相说之，使皆来降。周瑜孤立无援，必为丞相所擒。瑜既破，则刘备无所用矣。"操曰："先生果能成大功，操请奏闻天子，封为三公之列。"统曰："某非为富贵，但欲救万民耳。丞相渡江，慎勿杀害。"操曰："吾替天行道，安忍杀戮人民！"统拜求榜文，以安宗族。操曰："先生家属，现居何处？"统曰："只在江边。若得此榜，可保全矣。"操命写榜佥①押付统。统拜谢曰："别后可速进兵，休待周郎知觉。"操然之。

统拜别，至江边，正欲下船，忽见岸上一人，道袍竹冠，一把扯住统曰："你好大胆！黄盖用苦肉计，阚泽下诈降书，你又来献连环计：只恐烧不尽绝！你们把出这等毒手来，只好瞒曹操，也须瞒我不得！"唬得庞统魂飞魄散。正是：莫道东南能制胜，谁云西北独无人？毕竟此人是谁，且看下文分解。

---

① 佥——通"签"。

# 第四十八回

## 宴长江曹操赋诗　锁战船北军用武

却说庞统闻言,吃了一惊,急回视其人,原来却是徐庶。统见是故人,心下方定。回顾左右无人,乃曰:"你若说破我计,可惜江南八十一州百姓,皆是你送了也!"庶笑曰:"此间八十三万人马,性命如何?"统曰:"元直真欲破我计耶?"庶曰:"吾感刘皇叔厚恩,未尝忘报。曹操送死吾母,吾已说过终身不设一谋,今安肯破兄良策?只是我亦随军在此,兵败之后,玉石不分,岂能免难?君当教我脱身之术,我即缄口远避矣。"统笑曰:"元直如此高见远识,谅此有何难哉!"庶曰:"愿先生赐教。"统去徐庶耳边略说数句。庶大喜,拜谢。庞统别却徐庶,下船自回江东。

且说徐庶当晚密使近人去各寨中暗布谣言。次日,寨中三三五五,交头接耳而说。早有探事人报知曹操,说:"军中传言西凉州韩遂、马腾谋反,杀奔许都来。"操大惊,急聚众谋士商议曰:"吾引兵南征,心中所忧者,韩遂、马腾耳。军中谣言,虽未辨虚实,然不可不防。"言未毕,徐庶进曰:"庶蒙丞相收录,恨无寸功报效。请得三千人马,星夜往散关把住隘口;如有紧急,再行告报。"操喜曰:"若得元直去,吾无忧矣!散关之上,亦有军兵,公统领之。目下拨三千马步军,命臧霸为先锋,星夜前去,不可稽迟①。"徐庶辞了曹操,与臧霸便行。——此便是庞统救徐庶之计。后人有诗曰:

> 曹操征南日日忧,马腾韩遂起戈矛。
> 凤雏一语教徐庶,正似游鱼脱钓钩。

曹操自遣徐庶去后,心中稍安,遂上马先看沿江旱寨,次看水寨。乘大船一只于中央,上建"帅"字旗号,两傍皆列水寨,船上埋伏弓弩千张。操居于上。时建安十三年冬十一月十五日,天气晴明,平风静浪。操令:"置酒设乐于大船之上,吾今夕欲会诸将。"天色向晚,东山月上,皎皎如同

① 稽迟——拖延。

白日。长江一带，如横素练①。操坐大船之上，左右侍御者数百人，皆锦衣绣袄，荷戈执戟。文武众官，各依次而坐。操见南屏山色如画，东视柴桑之境，西观夏口之江，南望樊山，北觑乌林，四顾空阔，心中欢喜，谓众官曰："吾自起义兵以来，与国家除凶去害，誓愿扫清四海，削平天下；所未得者江南也。今吾有百万雄师，更赖诸公用命，何患不成功耶！收服江南之后，天下无事，与诸公共享富贵，以乐太平。"文武皆起谢曰："愿得早奏凯歌！我等终身皆赖丞相福荫。"操大喜，命左右行酒。饮至半夜，操酒酣，遥指南岸曰："周瑜、鲁肃，不识天时！今幸有投降之人，为彼心腹之患，此天助吾也。"荀攸曰："丞相勿言，恐有泄漏。"操大笑曰："座上诸公，与近侍左右，皆吾心腹之人也，言之何碍！"又指夏口曰："刘备、诸葛亮，汝不料蝼蚁之力，欲撼泰山，何其愚耶！"顾谓诸将曰："吾今年五十四岁矣，如得江南，窃有所喜。昔日乔公与吾至契，吾知其二女皆有国色。后不料为孙策、周瑜所娶。吾今新构铜雀台于漳水之上，如得江南，当娶二乔，置之台上，以娱暮年，吾愿足矣！"言罢大笑。唐人杜牧之有诗曰：

折戟沉沙铁未消，自将磨洗认前朝。
东风不与周郎便，铜雀春深锁二乔。

曹操正笑谈间，忽闻鸦声望南飞鸣而去。操问曰："此鸦缘何夜鸣？"左右答曰："鸦见月明，疑是天晓，故离树而鸣也。"操又大笑。时操已醉，乃取槊立于船头上，以酒奠于江中，满饮三爵，横槊谓诸将曰："我持此槊，破黄巾、擒吕布、灭袁术、收袁绍，深入塞北，直抵辽东，纵横天下：颇不负大丈夫之志也。今对此景，甚有慷慨。吾当作歌，汝等和之。"歌曰：

对酒当歌，人生几何；譬如朝露，去日②苦多。
慨当以慷，忧思难忘；何以解忧，惟有杜康③。
青青子衿，悠悠我心④；但为君故，沉吟至今。

---

① 素练——白绸。

② 去日——过去的日子、逝去的岁月。

③ 杜康——酒的代称。传说酒是由杜康开始酿造的。

④ 青青子衿(jīn)，悠悠我心——青衿：周代读书人的服装，这里代指人才；悠悠：长久、耿耿于怀的样子。这两句诗出自《诗经·郑风》，在这里表示曹操对人才的渴慕。

呦呦鹿鸣，食野之苹；我有嘉宾，鼓瑟吹笙①。
皎皎如月，何时可辍②？忧从中来，不可断绝！
越陌度阡，枉用相存；契阔谈宴，心念旧恩③。
月明星稀，乌鹊南飞；绕树三匝④，无枝可依。
山不厌高，水不厌深；周公吐哺，天下归心⑤。

歌罢，众和之，共皆欢笑。忽座间一人进曰："大军相当之际，将士用命之时，丞相何故出此不吉之言？"操视之，乃扬州刺史，沛国相人，姓刘，名馥，字元颖。馥起自合肥，创立州治，聚逃散之民，立学校，广屯田，兴治教，久事曹操，多立功绩。当下操横槊问曰："吾言有何不吉？"馥曰："'月明星稀，乌鹊南飞；绕树三匝，无枝可依。'此不吉之言也。"操大怒曰："汝安敢败吾兴！"手起一槊，刺死刘馥。众皆惊骇。遂罢宴。次日，操酒醒，懊恨不已。馥子刘熙，告请父尸归葬。操泣曰："吾昨因醉误伤汝父，悔之无及。可以三公厚礼葬之。"又拨军士护送灵柩，即日回葬。

次日，水军都督毛玠、于禁诣帐下，请曰："大小船只，俱已配搭连锁停当。旌旗战具，一一齐备。请丞相调遣，克日进兵。"操至水军中央大战船上坐定，唤集诸将，各各听令。水旱二军，俱分五色旗号：水军中央黄旗毛玠、于禁，前军红旗张郃，后军皂旗吕虔，左军青旗文聘，右军白旗吕通；马步前军红旗徐晃，后军皂旗李典，左军青旗乐进，右军白旗夏侯渊。水陆路都接应使：夏侯淳、曹洪；护卫往来监战使：许褚、张辽。其余骁将，各依队伍。令毕，水军寨中发擂三通，各队伍战船，分门而出。是日西北风骤起，各船拽起风帆，冲波激浪，稳如平地。北军在船上，踊跃施勇，刺枪使

① 呦呦鹿鸣……鼓瑟吹笙——《诗经·鹿鸣》中的句子。呦呦：鹿叫声；苹：艾蒿。这里表现大宴宾客的气氛和场面。

② 辍——停止的意思。表示皎洁的月光如流水一般笼罩大地，自己的忧思也连绵不断。后面的"中"通"衷"，心中的意思。

③ 越陌度阡……心念旧恩——你们从四面八方屈驾来访，久别重逢，大家一同饮宴，共叙旧情。存：问候、拜访；契阔：久别。

④ 匝（zā）——圈。

⑤ 周公吐哺，天下归心——周公：即周公旦，周武王死后，他辅幼小的成王，为了招纳人才，他"一沐三握发，一饭三吐哺"，可谓谦虚、殷勤之至。吐哺：吐出嘴里的食物。因为周公的努力，天下稳定。这里曹操自比周公。

刀。前后左右各军，旗幡不杂。又有小船五十余只，往来巡警催督。操立于将台之上，观看调练，心中大喜，以为必胜之法；教且收住帆幔，各依次序回寨。操升帐谓众谋士曰："若非天命助吾，安得凤雏妙计？铁索连舟，果然渡江如履平地。"程昱曰："船皆连锁，固是平稳；但彼若用火攻，难以回避。不可不防。"操大笑曰："程仲德虽有远虑，却还有见不到处。"荀攸曰："仲德之言甚是。丞相何故笑之？"操曰："凡用火攻，必藉风力。方今隆冬之际，但有西风北风，安有东风南风耶？吾居于西北之上，彼兵皆在南岸，彼若用火，是烧自己之兵也，吾何惧哉？若是十月小春之时，吾早已提备矣。"诸将皆拜伏曰："丞相高见，众人不及。"操顾诸将曰："青、徐、燕、代之众，不惯乘舟。今非此计，安能涉大江之险！"只见班部中二将挺身出曰："小将虽幽、燕之人，也能乘舟。今愿借巡船二十只，直至江口，夺旗鼓而还，以显北军亦能乘舟也。"

操视之，乃袁绍手下旧将焦触、张南也。操曰："汝等皆生长北方，恐乘舟不便。江南之兵，往来水上，习练精熟，汝勿轻以性命为儿戏也。"焦触、张南大叫曰："如其不胜，甘受军法！"操曰："战船尽已连锁，惟有小舟。每舟可容二十人，只恐未便接战。"触曰："若用大船，何足为奇？乞付小舟二十余只，某与张南各引一半，只今日直抵江南水寨，须要夺旗斩将而还。"操曰："吾与汝二十只船，差拨精锐军五百人，皆长枪硬弩。到来日天明，将大寨船出到江面上，远为之势。更差文聘亦领三十只巡船接应汝回。"焦触、张南欣喜而退。次日，四更造饭，五更结束①已定，早听得水寨中擂鼓鸣金。船皆出寨，分布水面，长江一带，青红旗号交杂。焦触、张南领哨船二十只，穿寨而出，望江南进发。

却说南岸隔夜听得鼓声喧震，遥望曹操调练水军，探事人报知周瑜。瑜往山顶观之，操军已收回。次日，忽又闻鼓声震天，军士急登高观望，见有小船冲波而来，飞报中军。周瑜问帐下："谁敢先出？"韩当、周泰二人齐出曰："某当权为先锋破敌。"瑜喜，传令各寨严加守御，不可轻动。韩当、周泰各引哨船五只，分左右而出。

却说焦触、张南凭一勇之气，飞棹小船而来。韩当独披掩心②，手执长

---

① 结束——这里指整顿衣甲装备。

② 掩心——护胸铠甲。

枪，立于船头。焦触船先到，便命军士乱箭望韩当船上射来。当用牌遮隔。焦触捻长枪与韩当交锋。当手起一枪，刺死焦触。张南随后大叫赶来。隔斜里周泰船出。张南挺枪立于船头，两边弓矢乱射。周泰一臂挽牌，一手提刀，两船相离七八尺，泰即飞身一跃，直跃过张南船上，手起刀落，砍张南于水中，乱杀驾舟军士。众船飞棹急回。韩当、周泰催船追赶，到半江中，恰与文聘船相迎。两边便摆定船厮杀。

却说周瑜引众将立于山顶，遥望江北水面艨艟战船，排合江上，旗帜号带，皆有次序。回看文聘与韩当、周泰相持，韩当、周泰奋力攻击，文聘抵敌不住，回船而走，韩、周二人，急催船追赶。周瑜恐二人深入重地，便将白旗招飐，令众鸣金。二人乃挥棹而回。周瑜于山顶看隔江战船，尽入水寨。瑜顾谓众将曰："江北战船如芦苇之密，操又多谋，当用何计以破之？"众未及对，忽见曹军寨中，被风吹折中央黄旗，飘入江中。瑜大笑曰："此不祥之兆也！"正观之际，忽狂风大作，江中波涛拍岸。一阵风过，刮起旗角于周瑜脸上拂过。瑜猛然想起一事在心，大叫一声，往后便倒，口吐鲜血。诸将急救起时，却早不省人事。正是：一时忽笑又忽叫，难使南军破北军。毕竟周瑜性命如何，且看下文分解。

# 第四十九回

## 七星坛诸葛祭风　三江口周瑜纵火

却说周瑜立于山顶，观望良久，忽然望后而倒，口吐鲜血，不省人事。左右救回帐中。诸将皆来动问，尽皆愕然相顾曰："江北百万之众，虎踞鲸吞。不争都督如此，倘曹兵一至，如之奈何？"慌忙差人申报吴侯，一面求医调治。

却说鲁肃见周瑜卧病，心中忧闷，来见孔明，言周瑜卒①病之事。孔明曰："公以为何如？"肃曰："此乃曹操之福，江东之祸也。"孔明笑曰："公瑾之病，亮亦能医。"肃曰："诚如此，则国家万幸！"即请孔明同去看病。肃先

① 卒——这里通"猝"，突然的意思。

入见周瑜。瑜以被蒙头而卧。肃曰:“都督病势若何?”周瑜曰:“心腹搅痛,时复昏迷。”肃曰:“曾服何药饵?”瑜曰:“心中呕逆 ,药不能下。”肃曰:“适来去望孔明,言能医都督之病。现在帐外,烦来医治,何如?”瑜命请入,教左右扶起,坐于床上。孔明曰:“连日不晤君颜,何期贵体不安!”瑜曰:“‘人有旦夕祸福’,岂能自保?”孔明笑曰:“‘天有不测风云’,人又岂能料乎?”瑜闻失色,乃作呻吟之声。孔明曰:“都督心中似觉烦积否?”瑜曰:“然。”孔明曰:“必须用凉药以解之。”瑜曰:“已服凉药,全然无效。”孔明曰:“须先理其气;气若顺,则呼吸之间,自然痊可。”瑜料孔明必知其意,乃以言挑之曰:“欲得顺气,当服何药?”孔明笑曰:“亮有一方,便教都督气顺。”瑜曰:“愿先生赐教。”孔明索纸笔,屏退左右,密书十六字曰:

欲破曹公,宜用火攻;万事俱备,只欠东风。

写毕,递与周瑜曰:“此都督病源也。”瑜见了大惊,暗思:“孔明真神人也!早已知我心事!只索①以实情告之。”乃笑曰:“先生已知我病源,将用何药治之?事在危急,望即赐教。”孔明曰:“亮虽不才,曾遇异人,传授奇门遁甲天书,可以呼风唤雨。都督若要东南风时,可于南屏山建一台,名曰‘七星坛’:高九尺,作三层,用一百二十人,手执旗幡围绕。亮于台上作法,借三日三夜东南大风,助都督用兵,何如?”瑜曰:“休道三日三夜,只一夜大风,大事可成矣。只是事在目前,不可迟缓。”孔明曰:“十一月二十日甲子祭风,至二十二日丙寅风息,如何?”瑜闻言大喜,矍然而起。便传令差五百精壮军士,往南屏山筑坛;拨一百二十人,执旗守坛,听候使令。

孔明辞别出帐,与鲁肃上马,来南屏山相度②地势,令军士取东南方赤土筑坛。方圆二十四丈,每一层高三尺,共是九尺。下一层插二十八宿旗:东方七面青旗,按角、亢、氐、房、心、尾、箕③,布苍龙之形;北方七面皂旗,按斗、牛、女、虚、危、室、壁,作玄武之势;西方七面白旗,按奎、娄、胃、

---

① 索——须、应。

② 相度——察看。

③ 角、亢……尾、箕——角、亢、氐、房、心、尾、箕是东方七宿,下文斗、牛、女、虚、危、室、壁是北方七宿,奎、娄、胃、昴、毕、觜、参是西方七宿,井、鬼、柳、星、张、翼、轸是南方七宿。中国古代天文学把这二十八个星宿叫“二十八宿”。又按四方分为四组:苍龙(东)、白虎(西)、朱雀(南)、玄武(北)。

昴、毕、觜、参，踞白虎之威；南方七面红旗，按井、鬼、柳、星、张、翼、轸，成朱雀之状。第二层周围黄旗六十四面，按六十四卦，分八位而立。上一层用四人，各人戴束发冠，穿皂罗袍，凤衣博带，朱履方裾。前左立一人，手执长竿，竿尖上用鸡羽为葆①，以招风信；前右立一人，手执长竿，竿上系七星号带，以表风色②；后左立一人，捧宝剑；后右立一人，捧香炉。坛下二十四人，各持旌旗、宝盖、大戟、长戈、黄钺、白旄、朱幡、皂纛，环绕四面。孔明于十一月二十日甲子吉辰，沐浴斋戒，身披道衣，跣足散发，来到坛前。分付鲁肃曰："子敬自往军中相助公瑾调兵。倘亮所祈无应，不可有怪。"鲁肃别去。孔明嘱付守坛将士："不许擅离方位。不许交头接耳。不许失口乱言。不许失惊打怪。如违令者斩!"众皆领命。孔明缓步登坛，观瞻方位已定，焚香于炉，注水于盂，仰天暗祝。下坛入帐中少歇，令军士更替吃饭。孔明一日上坛三次，下坛三次。却并不见有东南风。

且说周瑜请程普、鲁肃一班军官，在帐中伺候，只等东南风起，便调兵出；一面关报孙权接应。黄盖已自准备火船二十只，船头密布大钉；船内装载芦苇干柴，灌以鱼油，上铺硫黄、焰硝引火之物，各用青布油单遮盖；船头上插青龙牙旗，船尾各系走舸③：在帐下听候，只等周瑜号令。甘宁、阚泽窝盘蔡和、蔡中在水寨中，每日饮酒，不放一卒登岸；周围尽是东吴军马，把得水泄不通：只等帐上号令下来。周瑜正在帐中坐议，探子来报："吴侯船只离寨八十五里停泊，只等都督好音。"瑜即差鲁肃遍告各部下官兵将士："俱各收拾船只、军器、帆橹等物。号令一出，时刻休违。倘有违误，即按军法。"众兵将得令，一个个磨拳擦掌，准备厮杀。是日，看看近夜，天色清明，微风不动。瑜谓鲁肃曰："孔明之言谬矣。隆冬之时，怎得东南风乎?"肃曰："吾料孔明必不谬谈。"将近三更时分，忽听风声响，旗幡转动。瑜出帐看时，旗脚竟飘西北，霎时间东南风大起。

瑜骇然曰："此人有夺天地造化之法、鬼神不测之术！若留此人，乃东吴祸根也。及早杀却，免生他日之忧。"急唤帐前护军校尉丁奉、徐盛二将："各带一百人。徐盛从江内去，丁奉从旱路去，都到南屏山七星坛前，

---

① 葆(bǎo)——一种把羽毛挂在竿头制成的仪仗。

② 风色——指风力的强弱。前文风信指风的动定起止。

③ 走舸(gě)——供平时联络、应急用的轻便小船。

休问长短,拿住诸葛亮便行斩首,将首级来请功。”二将领命。徐盛下船,一百刀斧手荡开棹桨;丁奉上马,一百弓弩手各跨征驹:往南屏山来。于路正迎着东南风起。后人有诗曰:

七星坛上卧龙登,一夜东风江水腾。

不是孔明施妙计,周郎安得逞才能?

丁奉马军先到,见坛上执旗将士,当风而立。丁奉下马提剑上坛,不见孔明,慌问守坛将士。答曰:“恰才下坛去了。”丁奉忙下坛寻时,徐盛船已到。二人聚于江边。小卒报曰:“昨晚一只快船停在前面滩口。适间却见孔明披发下船,那船望上水去了。”丁奉、徐盛便分水陆两路追袭。徐盛教拽起满帆,抢风而使。遥望前船不远,徐盛在船头上高声大叫:“军师休去!都督有请!”只见孔明立于船尾大笑曰:“上覆都督:好好用兵;诸葛亮暂回夏口,异日再容相见。”徐盛曰:“请暂少住,有紧话说。”孔明曰:“吾已料定都督不能容我,必来加害,预先教赵子龙来相接。——将军不必追赶。”徐盛见前船无篷,只顾赶去。看看至近,赵云拈弓搭箭,立于船尾大叫曰:“吾乃常山赵子龙也!奉令特来接军师。你如何来追赶?本待一箭射死你来,显得两家失了和气。——教你知我手段!”言讫,箭到处,射断徐盛船上篷索。那篷堕落下水,其船便横。赵云却教自己船上拽起满帆,乘顺风而去。其船如飞,追之不及。岸上丁奉唤徐盛船近岸,言曰:“诸葛亮神机妙算,人不可及。更兼赵云有万夫不当之勇,汝知他当阳长坂时否?吾等只索回报便了。”于是二人回见周瑜,言孔明预先约赵云迎接去了。周瑜大惊曰:“此人如此多谋,使我晓夜不安矣!”鲁肃曰:“且待破曹之后,却再图之。”

瑜从其言,唤集诸将听令。先教甘宁:“带了蔡中并降卒沿南岸而走,只打北军旗号,直取乌林地面,正当曹操屯粮之所,深入军中,举火为号。只留下蔡和一人在帐下,我有用处。”第二唤太史慈分付:“你可领三千兵,直奔黄州地界,断曹操合淝接应之兵,就逼曹兵,放火为号;只看红旗,便是吴侯接应兵到。”这两队兵最远,先发。第三唤吕蒙领三千兵去乌林接应甘宁,焚烧曹操寨栅。第四唤凌统领三千兵,直截彝陵界首,只看乌林火起,以兵应之。第五唤董袭领三千兵,直取汉阳,从汉川杀奔曹操寨中,看白旗接应。第六唤潘璋领三千兵,尽打白旗,往汉阳接应董袭。六队船只各自分路去了。却令黄盖安排火船,使小卒驰书约曹操,今夜来降。一面拨战船四只，随于黄盖船后接应。第一队领兵军官韩当，第二队领兵军官周泰，第三队领兵军官蒋钦，第四队领兵军官陈武：四队各引战船三百只，前面各摆列火船二十只。周瑜自与程普在大艨艟上督战，徐盛、丁奉为左右护卫，只留鲁肃共阚泽及众谋士守寨。程普见周瑜调军有法，甚相敬服。

却说孙权差使命持兵符至，说已差陆逊为先锋，直抵蕲、黄地面进兵，吴侯自为后应。瑜又差人西山放火炮，南屏山举号旗。各各准备停当，只等黄昏举动。

话分两头。且说刘玄德在夏口专候孔明回来，忽见一队船到，乃是公子刘琦自来探听消息。玄德请上敌楼坐定，说："东南风起多时，子龙去接孔明，至今不见到，吾心甚忧。"小校遥指樊口港上："一帆风送扁舟来到，必军师也。"玄德与刘琦下楼迎接。须臾船到，孔明、子龙登岸。玄德大喜。问候毕，孔明曰："且无暇告诉别事。前者所约军马战船，皆已办否？"玄德曰："收拾久矣，只候军师调用。"孔明便与玄德、刘琦升帐坐定，谓赵云曰："子龙可带三千军马，渡江径取乌林小路，拣树木芦苇密处埋伏。今夜四更已后，曹操必然从那条路奔走。等他军马过，就半中间放起火来，虽然不杀他尽绝，也杀一半。"云曰："乌林有两条路：一条通南郡，一条取荆州。不知向那条路来？"孔明曰："南郡势迫，曹操不敢往；必来荆州，然后大军投许昌而去。"云领计去了。又唤张飞曰："翼德可领三千兵渡江，截断彝陵这条路，去葫芦谷口埋伏。曹操不敢走南彝陵，必望北彝陵去。来日雨过，必然来埋锅造饭。只看烟起，便就山边放起火来。虽然不捉得曹操，翼德这场功料也不小。"飞领计去了。又唤糜竺、糜芳、刘封三人各驾船只，绕江剿擒败军，夺取器械。三人领计去了。孔明起身，谓公子刘琦曰："武昌一望之地，最为紧要。公子便请回，率领所部之兵，陈于岸口。操一败必有逃来者，就而擒之，却不可轻离城郭。"刘琦便辞玄德、孔明去了。孔明谓玄德曰："主公可于樊口屯兵，凭高而望，坐看今夜周郎成大功也。"

时云长在侧，孔明全然不睬。云长忍耐不住，乃高声曰："关某自随兄长征战，许多年来，未尝落后。今日逢大敌，军师却不委用，此是何意？"孔明笑曰："云长勿怪！某本欲烦足下把一个最紧要的隘口，怎奈有些违碍，不敢教去。”云长曰:“有何违碍?愿即见谕。”孔明曰:“昔日曹操待足下甚厚,足下当有以报之。今日操兵败,必走华容道;若令足下去时,必然放他过去。因此不敢教去。”云长曰:“军师好心多!当日曹操果是重待某,某已斩颜良,诛文丑,解白马之围,报过他了。今日撞见,岂肯放过!”孔明曰:“倘若放了时,却如何?”云长曰:“愿依军法!”孔明曰:“如此,立下文书。”云长便与了军令状。云长曰:“若曹操不从那条路上来,如何?”孔明曰:“我亦与你军令状。”云长大喜。孔明曰:“云长可于华容小路高山之处,堆积柴草,放起一把火烟,引曹操来。”云长曰:“曹操望见烟,知有埋伏,如何肯来?”孔明笑曰:“岂不闻兵法‘虚虚实实’之论?操虽能用兵,只此可以瞒过他也。他见烟起,将谓虚张声势,必然投这条路来。将军休得容情。”云长领了将令,引关平、周仓并五百校刀手,投华容道埋伏去了。玄德曰:“吾弟义气深重,若曹操果然投华容道去时,只恐端的放了。”孔明曰:“亮夜观乾象,操贼未合身亡。留这人情,教云长做了,亦是美事。”玄德曰:“先生神算,世所罕及!”孔明遂与玄德往樊口,看周瑜用兵,留孙乾、简雍守城。

却说曹操在大寨中,与众将商议,只等黄盖消息。当日东南风起甚紧。程昱入告曹操曰:“今日东南风起,宜预提防。”操笑曰:“冬至一阳生,来复之时①,安得无东南风?何足为怪!”军士忽报江东一只小船来到,说有黄盖密书。操急唤入。其人呈上书。书中诉说:“周瑜关防得紧,因此无计脱身。今有鄱阳湖新运到粮,周瑜差盖巡哨,已有方便。好歹杀江东名将,献首来降。只在今晚二更,船上插青龙牙旗者,即粮船也。”操大喜,遂与众将来水寨中大船上,观望黄盖船到。

且说江东,天色向晚,周瑜唤出蔡和,令军士缚倒。和叫:“无罪!”瑜曰:“汝是何等人,敢来诈降!吾今缺少福物②祭旗,愿借你首级。”和抵赖不过,大叫曰:“汝家阚泽、甘宁亦曾与谋!”瑜曰:“此乃吾之所使也。”蔡和悔之无及。瑜令捉至江边皂纛旗下,奠酒烧纸,一刀斩了蔡和,用血祭旗

---

① 冬至一阳生,来复之时——古代历法气候上,以夏至节为阳的极点,阳到了极点便开始向阴转化;以冬至节为阴的极点,阴到了极点又开始向阳转化,所以有“夏至一阴生”、“冬至一阳生”之说。阴阳的循环转化,叫做“来复”。

② 福物——祭品。

毕,便令开船。黄盖在第三只火船上,独披掩心,手提利刃,旗上大书“先锋黄盖”。盖乘一天顺风,望赤壁进发。是时东风大作,波浪汹涌。操在中军遥望隔江,看看月上,照耀江水,如万道金蛇,翻波戏浪。操迎风大笑,自以为得志。忽一军指说:“江南隐隐一簇帆幔,使风而来。”操凭高望之。报称:“皆插青龙牙旗。内中有大旗,上书先锋黄盖名字。”操笑曰:“公覆来降,此天助我也!”来船渐近。程昱观望良久,谓操曰:“来船必诈。且休教近寨。”操曰:“何以知之?”程昱曰:“粮在船中,船必稳重;今观来船,轻而且浮。更兼今夜东南风甚紧,倘有诈谋,何以当之?”操省悟,便问:“谁去止之?”文聘曰:“某在水上颇熟,愿请一往。”言毕,跳下小船,用手一指,十数只巡船,随文聘船出。聘立于船头,大叫:“丞相钧旨:南船且休近寨,就江心抛住。”众军齐喝:“快下了篷!”言未绝,弓弦响处,文聘被箭射中左臂,倒在船中。船上大乱,各自奔回。南船距操寨止隔二里水面。黄盖用刀一招,前船一齐发火。火趁风威,风助火势,船如箭发,烟焰涨天,二十只火船,撞入水寨,曹寨中船只一时尽着;又被铁环锁住,无处逃避。隔江炮响,四下火船齐到,但见三江面上,火逐风飞,一派通红,漫天彻地。

曹操回观岸上营寨,几处烟火。黄盖跳在小船上,背后数人驾舟,冒烟突火,来寻曹操。操见势急,方欲跳上岸,忽张辽驾一小脚船,扶操下得船时,那只大船,已自着了。张辽与十数人保护曹操,飞奔岸口。黄盖望见穿绛红袍者下船,料是曹操,乃催船速进,手提利刃,高声大叫:“曹贼休走!黄盖在此!”操叫苦连声。张辽拈弓搭箭,觑着黄盖较近,一箭射去。此时风声正大,黄盖在火光中,那里听得弓弦响?正中肩窝,翻身落水。正是:火厄盛时遭水厄,棒疮愈后患金疮。未知黄盖性命如何,且看下文分解。

# 第五十回

## 诸葛亮智算华容　关云长义释曹操

却说当夜张辽一箭射黄盖下水,救得曹操登岸,寻着马匹走时,军已大乱。韩当冒烟突火来攻水寨，忽听得士卒报道："后梢舵上一人，高叫将军表字。"韩当细听，但闻高叫"义公救我!"当曰："此黄公覆也!"急教救起。见黄盖负箭着伤，咬出箭杆，箭头陷在肉内。韩当急为脱去湿衣，用刀剜出箭头，扯旗束之，脱自己战袍与黄盖穿了，先令别船送回大寨医治。原来黄盖深知水性，故大寒之时，和甲堕江，也逃得性命。

却说当日满江火滚，喊声震地。左边是韩当、蒋钦两军从赤壁西边杀来；右边是周泰、陈武两军从赤壁东边杀来；正中是周瑜、程普、徐盛、丁奉大队船只都到。火须兵应，兵仗火威。此正是：三江水战，赤壁鏖兵。曹军着枪中箭、火焚水溺者，不计其数。后人有诗曰：

魏吴争斗决雌雄，赤壁楼船一扫空。
烈火初张照云海，周郎曾此破曹公。

又有一绝云：

山高月小水茫茫，追叹前朝割据忙。
南士无心迎魏武，东风有意便周郎。

不说江中鏖兵。且说甘宁令蔡中引入曹寨深处，宁将蔡中一刀砍于马下，就草上放起火来。吕蒙遥望中军火起，也放十数处火，接应甘宁。潘璋、董袭分头放火呐喊，四下里鼓声大震。曹操与张辽引百余骑，在火林内走，看前面无一处不着。正走之间，毛玠救得文聘，引十数骑到。操令军寻路。张辽指道："只有乌林地面，空阔可走。"操径奔乌林。正走间，背后一军赶到，大叫："曹贼休走!"火光中现出吕蒙旗号。操催军马向前，留张辽断后，抵敌吕蒙。却见前面火把又起，从山谷中拥出一军，大叫："凌统在此!"曹操肝胆皆裂。忽刺斜里一彪军到，大叫："丞相休慌！徐晃在此!"彼此混战一场，夺路望北而走。忽见一队军马，屯在山坡前。徐晃出问，乃是袁绍手下降将马延、张顗，有三千北地军马，列寨在彼；当夜见满天火起，未敢转动，恰好接着曹操。操教二将引一千军马开路，其余留着护身。操得这枝生力军马，心中稍安。马延、张顗二将飞骑前行。不到十里，喊声起处，一彪军出。为首一将，大呼曰："吾乃东吴甘兴霸也!"马延正欲交锋，早被甘宁一刀斩于马下；张顗挺枪来迎，宁大喝一声，顗措手不及，被宁手起一刀，翻身落马。后军飞报曹操。操此时指望合淝有兵救应；不想孙权在合淝路口，望见江中火光，知是我军得胜，便教陆逊举火为号，太史慈见了，与陆逊合兵一处，冲杀将来。操只得望彝陵而走。路上撞见张郃，操令断后。

纵马加鞭，走至五更，回望火光渐远，操心方定，问曰："此是何处？"左右曰："此是乌林之西，宜都之北。"操见树木丛杂，山川险峻，乃于马上仰面大笑不止。诸将问曰："丞相何故大笑？"操曰："吾不笑别人，单笑周瑜无谋，诸葛亮少智。若是吾用兵之时，预先在这里伏下一军，如之奈何？"说犹未了，两边鼓声震响，火光竟天而起，惊得曹操几乎坠马。刺斜里一彪军杀出，大叫："我赵子龙奉军师将令，在此等候多时了！"操教徐晃、张郃双敌赵云，自己冒烟突火而去。子龙不来追赶，只顾抢夺旗帜。曹操得脱。

天色微明，黑云罩地，东南风尚不息。忽然大雨倾盆，湿透衣甲。操与军士冒雨而行，诸军皆有饥色。操令军士往村落中劫掠粮食，寻觅火种。方欲造饭，后面一军赶到。操心甚慌——原来却是李典、许褚保护着众谋士来到。操大喜，令军马且行，问："前面是那里地面？"人报："一边是南彝陵大路，一边是北彝陵山路。"操问："那里投南郡江陵去近？"军士禀曰："取北彝陵过葫芦口去最便。"操教走北彝陵。行至葫芦口，军皆饥馁，行走不上，马亦困乏，多有倒于路者。操教前面暂歇。马上有带得锣锅的，也有村中掠得粮米的，便就山边拣干处埋锅造饭，割马肉烧吃。尽皆脱去湿衣，于风头吹晒；马皆摘鞍野放，咽咬草根。操坐于疏林之下，仰面大笑。众官问曰："适来丞相笑周瑜、诸葛亮，引惹出赵子龙来，又折了许多人马。如今为何又笑？"操曰："吾笑诸葛亮、周瑜毕竟智谋不足。若是我用兵时，就这个去处，也埋伏一彪军马，以逸待劳；我等纵然脱得性命，也不免重伤矣。彼见不到此，我是以笑之。"正说间，前军后军一齐发喊。操大惊，弃甲上马。众军多有不及收马者。早见四下火烟布合，山口一军摆开，为首乃燕人张翼德，横矛立马，大叫："操贼走那里去！"诸军众将见了张飞，尽皆胆寒。许褚骑无鞍马来战张飞。张辽、徐晃二将，纵马也来夹攻。两边军马混战做一团。操先拨马走脱，诸将各自脱身。张飞从后赶来。操迤逦奔逃，追兵渐远，回顾众将多已带伤。

正行间，军士禀曰："前面有两条路，请问丞相从那条路去？"操问："那条路近？"军士曰："大路稍平，却远五十余里。小路投华容道，却近五十余里；只是地窄路险，坑坎难行。"操令人上山观望，回报："小路山边有数处烟起;大路并无动静。”操教前军便走华容道小路。诸将曰:“烽烟起处,必有军马,何故反走这条路?”操曰:“岂不闻兵书有云:‘虚则实之,实则虚之。’诸葛亮多谋,故使人于山僻烧烟,使我军不敢从这条山路走,他却伏兵于大路等着。吾料已定,偏不教中他计!”诸将皆曰:“丞相妙算,人不可及。”遂勒兵走华容道。此时人皆饥倒,马尽困乏。焦头烂额者扶策①而行,中箭着枪者勉强而走。衣甲湿透,个个不全;军器旗幡,纷纷不整:大半皆是彝陵道上被赶得慌,只骑得秃马,鞍辔衣服,尽皆抛弃。正值隆冬严寒之时,其苦何可胜言。

操见前军停马不进,问是何故。回报曰:“前面山僻路小,因早晨下雨,坑堑内积水不流,泥陷马蹄,不能前进。”操大怒,叱曰:“军旅逢山开路,遇水叠桥,岂有泥泞不堪行之理!”传下号令,教老弱中伤军士在后慢行,强壮者担土束柴,搬草运芦,填塞道路,务要即时行动,如违令者斩。众军只得都下马,就路旁砍伐竹木,填塞山路。操恐后军来赶,令张辽、许褚、徐晃引百骑执刀在手,但迟慢者便斩之。此时军已饿乏,众皆倒地,操喝令人马践踏而行,死者不可胜数。号哭之声,于路不绝。操怒曰:“生死有命,何哭之有!如再哭者立斩!”三停人马,一停落后,一停填了沟壑,一停跟随曹操。过了险峻,路稍平坦。操回顾止有三百余骑随后,并无衣甲袍铠整齐者。操催速行。众将曰:“马尽乏矣,只好少歇。”操曰:“赶到荆州将息②未迟。”又行不到数里,操在马上扬鞭大笑。众将问:“丞相何又大笑?”操曰:“人皆言周瑜、诸葛亮足智多谋,以吾观之,到底是无能之辈。若使此处伏一旅之师,吾等皆束手受缚矣。”

言未毕,一声炮响,两边五百校刀手摆开,为首大将关云长,提青龙刀,跨赤兔马,截住去路。操军见了,亡魂丧胆,面面相觑。操曰:“既到此处,只得决一死战!”众将曰:“人纵然不怯,马力已乏,安能复战?”程昱曰:“某素知云长傲上而不忍下,欺强而不凌弱;恩怨分明,信义素著。丞相旧日有恩于彼,今只亲自告之,可脱此难。”操从其说,即纵马向前,欠身谓云长曰:“将军别来无恙!”云长亦欠身答曰:“关某奉军师将令,等候丞相多时。”操曰:“曹操兵败势危,到此无路,望将军以昔日之情为重。”云长曰:

① 扶策——拄着拐棍。

② 将息——养息、休养。

"昔日关某虽蒙丞相厚恩,然已斩颜良,诛文丑,解白马之围,以奉报矣。今日之事,岂敢以私废公?"操曰:"五关斩将之时,还能记否?大丈夫以信义为重。将军深明《春秋》,岂不知庾公之斯追子濯孺子之事①乎?"云长是个义重如山之人,想起当日曹操许多恩义,与后来五关斩将之事,如何不动心?又见曹军惶惶,皆欲垂泪,一发心中不忍。于是把马头勒回,谓众军曰:"四散摆开。"这个分明是放曹操的意思。操见云长回马,便和众将一齐冲将过去。云长回身时,曹操已与众将过去了。云长大喝一声,众军皆下马,哭拜于地。云长愈加不忍。正犹豫间,张辽纵马而至。云长见了,又动故旧之情,长叹一声,并皆放去。后人有诗曰:

曹瞒兵败走华容,正与关公狭路逢。

只为当初恩义重,放开金锁走蛟龙。

曹操既脱华容之难,行至谷口,回顾所随军兵,止有二十七骑。比及天晚,已近南郡,火把齐明,一簇人马拦路。操大惊曰:"吾命休矣!"只见一群哨马冲到,方认得是曹仁军马。操才心安。曹仁接着,言:"虽知兵败,不敢远离,只得在附近迎接。"操曰:"几与汝不相见也!"于是引众入南郡安歇。随后张辽也到,说云长之德。操点将校,中伤者极多,操皆令将息。曹仁置酒与操解闷。众谋士俱在座。操忽仰天大恸。众谋士曰:"丞相于虎窟中逃难之时,全无惧怯;今到城中,人已得食,马已得料,正须整顿军马复仇,何反痛哭?"操曰:"吾哭郭奉孝耳!若奉孝在,决不使吾有此大失也!"遂捶胸大哭曰:"哀哉,奉孝!痛哉,奉孝!惜哉,奉孝!"众谋士皆默然自惭。次日,操唤曹仁曰:"吾今暂回许都,收拾军马,必来报仇。汝可保全南郡。吾有一计,密留在此,非急休开,急则开之。依计而行,使东吴不敢正视南郡。"仁曰:"合淝、襄阳,谁可保守?"操曰:"荆州托汝管领;襄阳吾已拨夏侯惇守把;合淝最为紧要之地,吾令张辽为主将,乐进、李典为副将,保守此地。但有缓急,飞报将来。"操分拨已定,遂上马引众

① 庾公之斯追子濯孺子之事——春秋时故事,卫国派庾公之斯追击子濯孺子,他俩的射术都很高,但子濯孺子因为生病,不能拿弓应战。庾公之斯对他说:"我跟尹公之他学射箭,尹公之他又跟您学,我不忍把您的技术转用来伤害您。"于是把箭头敲掉,射了四枝没有箭头的箭就回去了。意思是顾念旧恩,不忘本负心。

奔回许昌。荆州原降文武各官，依旧带回许昌调用。曹仁自遣曹洪据守彝陵、南郡，以防周瑜。

却说关云长放了曹操，引军自回。此时诸路军马，皆得马匹、器械、钱粮，已回夏口；独云长不获一人一骑，空身回见玄德。孔明正与玄德作贺，忽报云长至。孔明忙离坐席，执杯相迎曰："且喜将军立此盖世之功，与普天下除大害。合宜远接庆贺！"云长默然。孔明曰："将军莫非因吾等不曾远接，故尔不乐？"回顾左右曰："汝等缘何不先报？"云长曰："关某特来请死。"孔明曰："莫非曹操不曾投华容道上来？"云长曰："是从那里来。关某无能，因此被他走脱。"孔明曰："拿得甚将士来？"云长曰："皆不曾拿。"孔明曰："此是云长想曹操昔日之恩，故意放了。但既有军令状在此，不得不按军法。"遂叱武士推出斩之。正是：拼将一死酬知己，致令千秋仰义名。未知云长性命如何，且看下文分解。

# 第五十一回

## 曹仁大战东吴兵　孔明一气周公瑾

却说孔明欲斩云长，玄德曰："昔吾三人结义时，誓同生死。今云长虽犯法，不忍违却前盟。望权记过，容将功赎罪。"孔明方才饶了。

且说周瑜收军点将，各各叙功，申报吴侯。所得降卒，尽行发付渡江。大犒三军，遂进兵攻取南郡。前队临江下寨，前后分五营。周瑜居中。瑜正与众商议征进之策，忽报："刘玄德使孙乾来与都督作贺。"瑜命请入。乾施礼毕，言："主公特命乾拜谢都督大德，有薄礼上献。"瑜问曰："玄德在何处？"乾答曰："现移兵屯油江口。"瑜惊曰："孔明亦在油江否？"乾曰："孔明与主公同在油江。"瑜曰："足下先回，某亲来相谢也。"瑜收了礼物，发付孙乾先回。肃曰："却才都督为何失惊？"瑜曰："刘备屯兵油江，必有取南郡之意。我等费了许多军马，用了许多钱粮，目下南郡反手可得；彼等心怀不仁，要就现成，须放着周瑜不死！"肃曰："当用何策退之？"瑜曰："吾自去和他说话。好便好；不好时，不等他取南郡，先结果了刘备！"肃曰："某愿同往。"于是瑜与鲁肃引三千轻骑，径投油江口来。

先说孙乾回见玄德，言周瑜将亲来相谢。玄德乃问孔明曰："来意若何？"孔明笑曰："那里为这些薄礼肯来相谢。止为南郡而来。"玄德曰："他若提兵来，何以待之？"孔明曰："他来便可如此如此应答。"遂于油江口摆开战船，岸上列着军马。人报："周瑜、鲁肃引兵到来。"孔明使赵云领数骑来接。瑜见军势雄壮，心甚不安。行至营门外，玄德、孔明迎入帐中。各叙礼毕，设宴相待。玄德举酒致谢鏖兵之事。酒至数巡，瑜曰："豫州移兵在此，莫非有取南郡之意否？"玄德曰："闻都督欲取南郡，故来相助。若都督不取，备必取之。"瑜笑曰："吾东吴久欲吞并汉江，今南郡已在掌中，如何不取？"玄德曰："胜负不可预定。曹操临归，令曹仁守南郡等处，必有奇计；更兼曹仁勇不可当：但恐都督不能取耳。"瑜曰："吾若取不得，那时任从公取。"玄德曰："子敬、孔明在此为证，都督休悔。"鲁肃踌躇未对。瑜曰："大丈夫一言既出，何悔之有！"孔明曰："都督此言，甚是公论。先让东吴去取；若不下，主公取之，有何不可！"瑜与肃辞别玄德、孔明，上马而去。玄德问孔明曰："却才先生教备如此回答，虽一时说了，展转寻思，于理未然。我今孤穷一身，无置足之地，欲得南郡，权且容身；若先教周瑜取了，城池已属东吴矣，却如何得住？"孔明大笑曰："当初亮劝主公取荆州，主公不听，今日却想耶？"玄德曰："前为景升之地，故不忍取；今为曹操之地，理合取之。"孔明曰："不须主公忧虑。尽着周瑜去厮杀，早晚教主公在南郡城中高坐。"玄德曰："计将安出？"孔明曰："只须如此如此。"玄德大喜，只在江口屯扎，按兵不动。

却说周瑜、鲁肃回寨。肃曰："都督如何亦许玄德取南郡？"瑜曰："吾弹指可得南郡，落得虚做人情。"随问帐下将士："谁敢先取南郡？"一人应声而出，乃蒋钦也。瑜曰："汝为先锋，徐盛、丁奉为副将，拨五千精锐军马，先渡江。吾随后引兵接应。"

且说曹仁在南郡，分付曹洪守彝陵，以为掎角之势。人报："吴兵已渡汉江。"仁曰："坚守勿战为上。"骁将牛金奋然进曰："兵临城下而不出战，是怯也。况吾兵新败，正当重振锐气。某愿借精兵五百，决一死战。"仁从之，令牛金引五百军出战。丁奉纵马来迎。约战四五合，奉诈败，牛金引军追赶入阵。奉指挥众军一裹围牛金于阵中。金左右冲突，不能得出。曹仁在城上望见牛金困在垓心，遂披甲上马，引麾下壮士数百骑出城，奋力挥刀，杀入吴阵。徐盛迎战，不能抵当。曹仁杀到垓心，救出牛金。回顾尚有数十骑在阵,不能得出,遂复翻身杀入,救出重围。正遇蒋钦拦路,曹仁与牛金奋力冲散。仁弟曹纯,亦引兵接应,混杀一阵。吴军败走,曹仁得胜而回。蒋钦兵败,回见周瑜,瑜怒欲斩之,众将告免。

瑜即点兵,要亲与曹仁决战。甘宁曰:“都督未可造次。今曹仁令曹洪据守彝陵,为犄角之势;某愿以精兵三千,径取彝陵,都督然后可取南郡。”瑜服其论,先教甘宁领三千兵攻打彝陵。早有细作报知曹仁,仁与陈矫商议。矫曰:“彝陵有失,南郡亦不可守矣。宜速救之。”仁遂令曹纯与牛金暗地引兵救曹洪。曹纯先使人报知曹洪,令洪出城诱敌。甘宁引兵至彝陵,洪出与甘宁交锋。战有二十余合,洪败走。宁夺了彝陵。至黄昏时,曹纯、牛金兵到,两下相合,围了彝陵。探马飞报周瑜,说甘宁困于彝陵城中,瑜大惊。程普曰:“可急分兵救之。”瑜曰:“此地正当冲要之处,若分兵去救,倘曹仁引兵来袭,奈何?”吕蒙曰:“甘兴霸乃江东大将,岂可不救?”瑜曰:“吾欲自往救之;但留何人在此,代当吾任?”蒙曰:“留凌公绩当之。蒙为前驱,都督断后;不须十日,必奏凯歌。”瑜曰:“未知凌公绩肯暂代吾任否?”凌统曰:“若十日为期,可当之;十日之外,不胜其任矣。”瑜大喜,遂留兵万余,付与凌统;即日起大兵投彝陵来。蒙谓瑜曰:“彝陵南僻小路,取南郡极便。可差五百军去砍倒树木,以断其路。彼军若败,必走此路;马不能行,必弃马而走,吾可得其马也。”瑜从之,差军去讫。大兵将至彝陵,瑜问:“谁可突围而入,以救甘宁?”周泰愿往,即时绰刀纵马,直杀入曹军之中,径到城下。甘宁望见周泰至,自出城迎之。泰言:“都督自提兵至。”宁传令教军士严装饱食 ,准备内应。却说曹洪、曹纯、牛金闻周瑜兵将至,先使人往南郡报知曹仁,一面分兵拒敌。及吴兵至,曹兵迎之。比及交锋,甘宁、周泰分两路杀出,曹兵大乱,吴兵四下掩杀。曹洪、曹纯、牛金果然投小路而走;却被乱柴塞道,马不能行,尽皆弃马而走。吴兵得马五百余匹。周瑜驱兵星夜赶到南郡,正遇曹仁军来救彝陵。两军接着,混战一场。天色已晚,各自收兵。

曹仁回城中,与众商议。曹洪曰:“目今失了彝陵,势已危急,何不拆丞相遗计观之,以解此危?”曹仁曰:“汝言正合吾意。”遂拆书观之,大喜,便传令教五更造饭;平明,大小军马,尽皆弃城;城上遍插旌旗,虚张声势,军分三门而出。

却说周瑜救出甘宁,陈兵于南郡城外。见曹兵分三门而出,瑜上将台观看。只见女墙①边虚搠旌旗，无人守护；又见军士腰下各束缚包裹。瑜暗忖曹仁必先准备走路，遂下将台号令，分布两军为左右翼；如前军得胜，只顾向前追赶，直待鸣金，方许退步。命程普督后军，瑜亲自引军取城。对阵鼓声响处，曹洪出马搦战，瑜自至门旗下，使韩当出马，与曹洪交锋；战到三十余合，洪败走。曹仁自出接战，周泰纵马相迎；斗十余合，仁败走。阵势错乱。周瑜麾两翼军杀出，曹军大败。瑜自引军马追至南郡城下，曹军皆不入城，望西北而走。韩当、周泰引前部尽力追赶。瑜见城门大开，城上又无人，遂令众军抢城。数十骑当先而入。瑜在背后纵马加鞭，直入瓮城。陈矫在敌楼上，望见周瑜亲自入城来，暗暗喝采道："丞相妙策如神！"一声梆子响，两边弓弩齐发，势如骤雨。争先入城的，都颠入陷坑内。周瑜急勒马回时，被一弩箭，正射中左肋，翻身落马。牛金从城中杀出，来捉周瑜；徐盛、丁奉二人舍命救去。城中曹兵突出，吴兵自相践踏，落堑坑者无数。程普急收军时，曹仁、曹洪分兵两路杀回。吴兵大败。幸得凌统引一军从刺斜里杀来，敌住曹兵。曹仁引得胜兵进城，程普收败军回寨。丁、徐二将救得周瑜到帐中，唤行军医者用铁钳子拔出箭头，将金疮药敷掩疮口，疼不可当，饮食俱废。医者曰："此箭头上有毒，急切不能痊可。若怒气冲激，其疮复发。"程普令三军紧守各寨，不许轻出。三日后，牛金引军来搦战，程普按兵不动。牛金骂至日暮方回，次日又来骂战。程普恐瑜生气，不敢报知。第三日，牛金直至寨门外叫骂，声声只道要捉周瑜。程普与众商议，欲暂且退兵，回见吴侯，却再理会。

却说周瑜虽患疮痛，心中自有主张；已知曹兵常来寨前叫骂，却不见众将来禀。一日，曹仁自引大军，擂鼓呐喊，前来搦战。程普拒住不出。周瑜唤众将入帐问曰："何处鼓噪呐喊？"众将曰："军中教演士卒。"瑜怒曰："何欺我也！吾已知曹兵常来寨前辱骂。程德谋既同掌兵权，何故坐视？"遂命人请程普入帐问之。普曰："吾见公瑾病疮，医者言勿触怒，故曹兵搦战，不敢报知。"瑜曰："公等不战，主意若何？"普曰："众将皆欲收兵暂回江东。待公箭疮平复，再作区处。"瑜听罢，于床上奋然跃起曰："大丈夫既食君禄，当死于战场，以马革裹尸还，幸也！岂可为我一人，而废国家大事乎？"言讫，即披甲上马。诸军众将，无不骇然。遂引数百骑出营前。望

---

① 女墙——城墙上的矮墙。

见曹兵已布成阵势，曹仁自立马于门旗下，扬鞭大骂曰："周瑜孺子，料必横夭①，再不敢正觑我兵！"骂犹未绝，瑜从群骑内突然出曰："曹仁匹夫！见周郎否！"曹军看见，尽皆惊骇。曹仁回顾众将曰："可大骂之！"众军厉声大骂。周瑜大怒，使潘璋出战。未及交锋，周瑜忽大叫一声，口中喷血，坠于马下。曹兵冲来，众将向前抵住，混战一场，救起周瑜，回到帐中，程普问曰："都督贵体若何？"瑜密谓普曰："此吾之计也。"普曰："计将安出？"瑜曰："吾身本无甚痛楚；吾所以为此者，欲令曹兵知我病危，必然欺敌。可使心腹军士去城中诈降，说吾已死。今夜曹仁必来劫寨。吾却于四下埋伏以应之，则曹仁可一鼓而擒也。"程普曰："此计大妙！"随就帐下举起哀声。众军大惊，尽传言都督箭疮大发而死，各寨尽皆挂孝。

却说曹仁在城中与众商议，言周瑜怒气冲发，金疮崩裂，以致口中喷血，坠于马下，不久必亡。正论间，忽报："吴寨内有十数个军士来降。中间亦有二人，原是曹兵被掳过去的。"曹仁忙唤入问之。军士曰："今日周瑜阵前金疮碎裂，归寨即死。今众将皆已挂孝举哀。我等皆受程普之辱，故特归降，便报此事。"曹仁大喜，随即商议今晚便去劫寨，夺周瑜之尸，斩其首级，送赴许都。陈矫曰："此计速行，不可迟误。"曹仁遂令牛金为先锋，自为中军，曹洪、曹纯为合后，只留陈矫领些少军士守城，其余军兵尽起。初更后出城，径投周瑜大寨。来到寨门，不见一人，但见虚插旗枪而已。情知中计，急忙退军。四下炮声齐发：东边韩当、蒋钦杀来，西边周泰、潘璋杀来，南边徐盛、丁奉杀来，北边陈武、吕蒙杀来。曹兵大败，三路军皆被冲散，首尾不能相救。曹仁引十数骑杀出重围，正遇曹洪，遂引败残军马一同奔走。杀到五更，离南郡不远，一声鼓响，凌统又引一军拦住去路，截杀一阵。曹仁引军刺斜而走，又遇甘宁大杀一阵。曹仁不敢回南郡，径投襄阳大路而行。吴军赶了一程，自回。

周瑜、程普收住众军，径到南郡城下，见旌旗布满，敌楼上一将叫曰："都督少罪！吾奉军师将令，已取城了。——吾乃常山赵子龙也。"周瑜大怒，便命攻城。城上乱箭射下。瑜命且回军商议，使甘宁引数千军马，径取荆州；凌统引数千军马，径取襄阳；然后却再取南郡未迟。正分拨间，忽然探马急来报说："诸葛亮自得了南郡，遂用兵符，星夜诈调荆州守城军马

① 横夭——夭折。少壮时遭到意外死去。

来救，却教张飞袭了荆州。”又一探马飞来报说：“夏侯惇在襄阳，被诸葛亮差人赍兵符，诈称曹仁求救，诱惇引兵出，却教云长袭取了襄阳。二处城池，全不费力，皆属刘玄德矣。”周瑜曰：“诸葛亮怎得兵符？”程普曰：“他拿住陈矫，兵符自然尽属之矣。”周瑜大叫一声，金疮迸裂。正是：几郡城池无我分，一场辛苦为谁忙！未知性命如何，且看下文分解。

# 第五十二回

## 诸葛亮智辞鲁肃　赵子龙计取桂阳

却说周瑜见孔明袭了南郡，又闻他袭了荆襄，如何不气？气伤箭疮，半晌方苏。众将再三劝解。瑜曰：“若不杀诸葛村夫，怎息我心中怨气！程德谋可助我攻打南郡，定要夺还东吴。”正议间，鲁肃至。瑜谓之曰：“吾欲起兵与刘备、诸葛亮共决雌雄，复夺城池。子敬幸助我。”鲁肃曰：“不可。方今与曹操相持，尚未分成败；主公现攻合淝不下。不争自家互相吞并，倘曹兵乘虚而来，其势危矣。况刘玄德旧曾与曹操相厚，若逼得紧急，献了城池，一同攻打东吴，如之奈何？”瑜曰：“吾等用计策，损兵马，费钱粮，他去图现成，岂不可恨！”肃曰：“公瑾且耐。容某亲见玄德，将理来说他。若说不通，那时动兵未迟。”诸将曰：“子敬之言甚善。”

于是鲁肃引从者径投南郡来，到城下叫门。赵云出问，肃曰：“我要见刘玄德有话说。”云答曰：“吾主与军师在荆州城中。”肃遂不入南郡，径奔荆州。见旌旗整列，军容甚盛，肃暗羡曰：“孔明真非常人也！”军士报入城中，说鲁子敬要见。孔明令大开城门，接肃入衙。讲礼毕，分宾主而坐。茶罢，肃曰：“吾主吴侯，与都督公瑾，教某再三申意皇叔：前者，操引百万之众，名下江南，实欲来图皇叔；幸得东吴杀退曹兵，救了皇叔。所有荆州九郡，合当归于东吴。今皇叔用诡计，夺占荆襄，使江东空费钱粮军马，而皇叔安受其利，恐于理未顺。”孔明曰：“子敬乃高明之士，何故亦出此言？常言道：‘物必归主。’荆襄九郡，非东吴之地，乃刘景升之基业。吾主固景升之弟也。景升虽亡，其子尚在；以叔辅侄，而取荆州，有何不可？”肃曰：“若果系公子刘琦占据，尚有可解；今公子在江夏，须不在这里①！”孔明曰：“子敬欲见公子乎？”便命左右：“请公子出来。”只见两从者从屏风后扶出刘琦。琦谓肃曰：“病躯不能施礼，子敬勿罪。”鲁肃吃了一惊，默然无语，良久，言曰：“公子若不在，便如何？”孔明曰：“公子在一日，守一日；若不在，别有商议。”肃曰：“若公子不在，须将城池还我东吴。”孔明曰：“子敬之言是也。”遂设宴相待。

宴罢，肃辞出城，连夜归寨，具言前事。瑜曰：“刘琦正青春年少，如何便得他死？这荆州何日得还？”肃曰：“都督放心。只在鲁肃身上，务要讨荆襄还东吴。”瑜曰：“子敬有何高见？”肃曰：“吾观刘琦过于酒色，病入膏肓，现今面色羸瘦，气喘呕血；不过半年，其人必死。那时往取荆州，刘备须无得推故。”周瑜犹自忿气未消，忽孙权遣使至。瑜令请入。使曰：“主公围合淝，累战不捷。特令都督收回大军，且拨兵赴合淝相助。”周瑜只得班师回柴桑养病，令程普部领战船士卒，来合淝听孙权调用。

却说刘玄德自得荆州、南郡、襄阳，心中大喜，商议久远之计。忽见一人上厅献策，视之，乃伊籍也。玄德感其旧日之恩，十分相敬，坐而问之②。籍曰：“要知荆州久远之计，何不求贤士以问之？”玄德曰：“贤士安在？”籍曰：“荆襄马氏，兄弟五人并有才名：幼者名谡，字幼常；其最贤者，眉间有白毛，名良，字季常。乡里为之谚曰：‘马氏五常，白眉最良。’公何不求此人而与之谋？”玄德遂命请之。马良至，玄德优礼相待，请问保守荆襄之策。良曰：“荆襄四面受敌之地，恐不可久守；可令公子刘琦于此养病，招谕旧人以守之，就表奏公子为荆州刺史，以安民心。然后南征武陵、长沙、桂阳、零陵四郡，积收钱粮，以为根本。此久远之计也。”玄德大喜，遂问：“四郡当先取何郡？”良曰：“湘江之西，零陵最近，可先取之；次取武陵。然后湘江之东取桂阳；长沙为后。”玄德遂用马良为从事，伊籍副之。请孔明商议送刘琦回襄阳，替云长回荆州。便调兵取零陵，差张飞为先锋，赵云合后，孔明、玄德为中军，人马一万五千；留云长守荆州；糜竺、刘封守江陵。

却说零陵太守刘度，闻玄德军马到来，乃与其子刘贤商议。贤曰：“父

---

① 须不在这里——根本不在这里。须：本来、该是。

② 坐而问之——让他坐下来问他话。这里表示刘备不把伊籍当作一般下属。

亲放心。他虽有张飞、赵云之勇，我本州上将邢道荣，力敌万人，可以抵对。”刘度遂命刘贤与邢道荣引兵万余，离城三十里，依山靠水下寨。探马报说：“孔明自引一军到来。”道荣便引军出战。两阵对圆，道荣出马，手使开山大斧，厉声高叫：“反贼安敢侵我境界！”只见对阵中，一簇黄旗出。旗开处，推出一辆四轮车，车中端坐一人，头戴纶巾，身披鹤氅，手执羽扇，用扇招邢道荣曰：“吾乃南阳诸葛孔明也。曹操引百万之众，被吾聊施小计，杀得片甲不回。汝等岂堪与我对敌？我今来招安汝等，何不早降？”道荣大笑曰：“赤壁鏖兵，乃周郎之谋也，干汝何事，敢来诳语！”轮大斧竟奔孔明。孔明便回车，望阵中走，阵门复闭。道荣直冲杀过来，阵势急分两下而走。道荣遥望中央一簇黄旗，料是孔明，乃只望黄旗而赶。抹过山脚，黄旗扎住，忽地中央分开，不见四轮车，只见一将挺矛跃马，大喝一声，直取道荣，乃张翼德也。道荣轮大斧来迎，战不数合，气力不加，拨马便走。翼德随后赶来，喊声大震，两下伏兵齐出。道荣舍死冲过，前面一员大将，拦住去路，大叫：“认得常山赵子龙否！”道荣料敌不过，又无处奔走，只得下马请降。子龙缚来寨中见玄德、孔明。玄德喝教斩首。孔明急止之，问道荣曰：“汝若与我捉了刘贤，便准你投降。”道荣连声愿往。孔明曰：“你用何法捉他？”道荣曰：“军师若肯放某回去，某自有巧说。今晚军师调兵劫寨，某为内应，活捉刘贤，献与军师。刘贤既擒，刘度自降矣。”玄德不信其言。孔明曰：“邢将军非谬言也。”遂放道荣归。道荣得放回寨，将前事实诉刘贤。贤曰：“如之奈何？”道荣曰：“可将计就计。今夜将兵伏于寨外，寨中虚立旗幡，待孔明来劫寨，就而擒之。”刘贤依计。

当夜二更，果然有一彪军到寨口，每人各带草把，一齐放火。刘贤、道荣两下杀来，放火军便退。刘贤、道荣两军乘势追赶，赶了十余里，军皆不见。刘贤、道荣大惊，急回本寨，只见火光未灭，寨中突出一将，乃张翼德也。刘贤叫道荣：“不可入寨，却去劫孔明寨便了。”于是复回军。走不十里，赵云引一军刺斜里杀出，一枪刺道荣于马下。刘贤急拨马奔走，背后张飞赶来，活捉过马，绑缚见孔明。贤告曰：“邢道荣教某如此，实非本心也。”孔明令释其缚，与衣穿了，赐酒压惊，教人送入城说父投降；如其不降，打破城池，满门尽诛。刘贤回零陵见父刘度，备述孔明之德，劝父投降。度从之，遂于城上竖起降旗，大开城门，赍捧印绶出城，竟投玄德大寨纳降。孔明教刘度仍为郡守，其子刘贤赴荆州随军办事。零陵一郡居民，尽皆喜悦。

玄德入城安抚已毕，赏劳三军。乃问众将曰："零陵已取了，桂阳郡何人敢取?"赵云应曰："某愿往。"张飞奋然出曰："飞亦愿往!"二人相争。孔明曰："终是子龙先应，只教子龙去。"张飞不服，定要去取。孔明教拈阄，拈着的便去。又是子龙拈着。张飞怒曰："我并不要人相帮，只独领三千军去，稳取城池。"赵云曰："某也只领三千军去。如不得城，愿受军令。"孔明大喜，责了军令状，选三千精兵付赵云去。张飞不服，玄德喝退。

赵云领了三千人马，径往桂阳进发。早有探马报知桂阳太守赵范。范急聚众商议。管军校尉陈应、鲍隆愿领兵出战。原来二人都是桂阳岭山乡猎户出身，陈应会使飞叉，鲍隆曾射杀双虎。二人自恃勇力，乃对赵范曰："刘备若来，某二人愿为前部。"赵范曰："我闻刘玄德乃大汉皇叔；更兼孔明多谋，关、张极勇；今领兵来的赵子龙，在当阳长坂百万军中，如入无人之境。我桂阳能有多少人马？不可迎敌，只可投降。"应曰："某请出战。若擒不得赵云，那时任太守投降不迟。"赵范拗不过，只得应允。

陈应领三千人马出城迎敌，早望见赵云领军来到。陈应列成阵势，飞马绰叉而出。赵云挺枪出马，责骂陈应曰："吾主刘玄德，乃刘景升之弟，今辅公子刘琦同领荆州，特来抚民。汝何敢迎敌!"陈应骂曰："我等只服曹丞相，岂顺刘备!"赵云大怒，挺枪骤马，直取陈应。应捻叉来迎。两马相交，战到四五合，陈应料敌不过，拨马便走。赵云追赶。陈应回顾赵云马来相近，用飞叉掷去，被赵云接住，回掷陈应。应急躲过，云马早到，将陈应活捉过马，掷于地下，喝军士绑缚回寨。败军四散奔走。云入寨叱陈应曰："量汝安敢敌我！我今不杀汝，放汝回去；说与赵范，早来投降。"陈应谢罪，抱头鼠窜，回到城中，对赵范尽言其事。范曰："我本欲降，汝强要战，以致如此。"遂叱退陈应，赍捧印绶，引十数骑出城投大寨纳降。

云出寨迎接，待以宾礼，置酒共饮，纳了印绶。酒至数巡，范曰："将军姓赵，某亦姓赵，五百年前，合是一家。将军乃真定人，某亦真定人，又是同乡。倘得不弃，结为兄弟，实为万幸。"云大喜，各叙年庚。云与范同年。云长范四个月，范遂拜云为兄。二人同乡，同年，又同姓，十分相得。至晚席散，范辞回城。次日，范请云入城安民。云教军士休动，只带五十骑随入城中。居民执香伏道而接。云安民已毕，赵范邀请入衙饮宴。酒至半酣，范复邀云入后堂深处，洗盏更酌。云饮微醉。范忽请出一妇人，与云把酒。子龙见妇人身穿缟素，有倾国倾城之色，乃问范曰："此何人也？"范曰："家嫂樊氏也。"子龙改容敬之。樊氏把盏毕，范令就坐。云辞谢。樊氏辞归后堂。云曰："贤弟何必烦令嫂举杯耶？"范笑曰："中间有个缘故，乞兄勿阻：先兄弃世已三载，家嫂寡居，终非了局，弟常劝其改嫁。嫂曰：'若得三件事兼全之人，我方嫁之：第一要文武双全，名闻天下；第二要相貌堂堂，威仪出众；第三要与家兄同姓。'你道天下那得有这般凑巧的？今尊兄堂堂仪表，名震四海，又与家兄同姓，正合家嫂所言。若不嫌家嫂貌陋，愿陪嫁资，与将军为妻，结累世之亲，如何？"云闻言大怒而起，厉声曰："吾既与汝结为兄弟，汝嫂即吾嫂也，岂可作此乱人伦之事乎！"赵范羞惭满面，答曰："我好意相待，如何这般无礼！"遂目视左右，有相害之意。云已觉，一拳打倒赵范，径出府门，上马出城去了。

范急唤陈应、鲍隆商议。应曰："这人发怒去了，只索与他厮杀。"范曰："但恐赢他不得。"鲍隆曰："我两个诈降在他军中，太守却引兵来搦战，我二人就阵上擒之。"陈应曰："必须带些人马。"隆曰："五百骑足矣。"当夜二人引五百军径奔赵云寨来投降。云已心知其诈，遂教唤入。二将到帐下，说："赵范欲用美人计赚将军，只等将军醉了，扶入后堂谋杀，将头去曹丞相处献功：如此不仁。某二人见将军怒出，必连累于某，因此投降。"赵云佯喜，置酒与二人痛饮。二人大醉，云乃缚于帐中，擒其手下人问之，果是诈降。云唤五百军入，各赐酒食，传令曰："要害我者，陈应、鲍隆也；不干众人之事。汝等听吾行计，皆有重赏。"众军拜谢。将降将陈、鲍二人当时斩了；却教五百军引路，云引一千军在后，连夜到桂阳城下叫门。城上听时，说陈、鲍二将军杀了赵云回军，请太守商议事务。城上将火照看，果是自家军马。赵范急忙出城。云喝左右捉下。遂入城，安抚百姓已定，飞报玄德。

玄德与孔明亲赴桂阳。云迎接入城，推赵范于阶下。孔明问之，范备言以嫂许嫁之事。孔明谓云曰："此亦美事，公何如此？"云曰："赵范既与某结为兄弟，今若娶其嫂，惹人唾骂，一也；其妇再嫁，使失大节，二也；赵范初降，其心难测，三也。主公新定江汉，枕席未安，云安敢以一妇人而废主公之大事？"玄德曰："今日大事已定，与汝娶之，若何？"云曰："天下女子不少，但恐名誉不立，何患无妻子乎？"玄德曰："子龙真丈夫也！"遂释赵范，仍令为桂阳太守，重赏赵云。

张飞大叫曰:“偏子龙干得功!偏我是无用之人!只拨三千军与我去取武陵郡,活捉太守金旋来献!”孔明大喜曰:“翼德要去不妨,但要依一件事。”正是:军师决胜多奇策,将士争先立战功。未知孔明说出那一件事来,且看下文分解。

# 第五十三回

## 关云长义释黄汉升　孙仲谋大战张文远

却说孔明谓张飞曰:“前者子龙取桂阳郡时,责下军令状而去。今日翼德要取武陵,必须也责下军令状,方可领兵去。”张飞遂立军令状,欣然领三千军,星夜投武陵界上来。金旋听得张飞引兵到,乃集将校,整点精兵器械,出城迎敌。从事巩志谏曰:“刘玄德乃大汉皇叔,仁义布于天下;加之张翼德骁勇非常。不可迎敌,不如纳降为上。”金旋大怒曰:“汝欲与贼通连为内变耶?”喝令武士推出斩之。众官皆告曰:“先斩家人,于军不利。”金旋乃喝退巩志,自率兵出。离城二十里,正迎张飞。飞挺矛立马,大喝金旋。旋问部将:“谁敢出战?”众皆畏惧,莫敢向前。旋自骤马舞刀迎之。张飞大喝一声,浑如巨雷,金旋失色,不敢交锋,拨马便走。飞引众军随后掩杀。金旋走至城边,城上乱箭射下。旋惊视之,见巩志立于城上曰:“汝不顺天时,自取败亡,吾与百姓自降刘矣。”言未毕,一箭射中金旋面门,坠于马下,军士割头献张飞。巩志出城纳降,飞就令巩志赍印绶,往桂阳见玄德。玄德大喜,遂令巩志代金旋之职。

玄德亲至武陵安民毕,驰书报云长,言翼德、子龙各得一郡。云长乃回书上请曰:“闻长沙尚未取,如兄长不以弟为不才,教关某干这件功劳甚好。”玄德大喜,遂教张飞星夜去替云长守荆州,令云长来取长沙。云长既至,入见玄德、孔明。孔明曰:“子龙取桂阳,翼德取武陵,都是三千军去。今长沙太守韩玄,固不足道。只是他有一员大将,乃南阳人,姓黄,名忠,字汉升;是刘表帐下中郎将,与刘表之侄刘磐共守长沙,后事韩玄;虽今年近六旬,却有万夫不当之勇,不可轻敌。云长去,必须多带军马。”云长曰:“军师何故长别人锐气,灭自己威风?量一老卒,何足道哉!关某不须用三千军，只消本部下五百名校刀手，决定斩黄忠、韩玄之首，献来麾下。”玄德苦挡。云长不依，只领五百校刀手而去。孔明谓玄德曰：“云长轻敌黄忠，只恐有失。主公当往接应。”玄德从之，随后引兵望长沙进发。

却说长沙太守韩玄，平生性急，轻于杀戮，众皆恶之。是时听知云长军到，便唤老将黄忠商议。忠曰：“不须主公忧虑。凭某这口刀、这张弓，一千个来，一千个死！”原来黄忠能开二石力之弓，百发百中。言未毕，阶下一人应声而出曰：“不须老将军出战，只就某手中定活捉关某。”韩玄视之，乃管军校尉杨龄。韩玄大喜，遂令杨龄引军一千，飞奔出城。约行五十里，望见尘头起处，云长军马早到。杨龄挺枪出马，立于阵前骂战。云长大怒，更不打话，飞马舞刀，直取杨龄。龄挺枪来迎。不三合，云长手起刀落，砍杨龄于马下。追杀败兵，直至城下。韩玄闻之大惊，便教黄忠出马。玄自来城上观看。忠提刀纵马，引五百骑兵飞过吊桥。云长见一老将出马，知是黄忠，把五百校刀手一字摆开，横刀立马而问曰：“来将莫非黄忠否？”忠曰：“既知我名，焉敢犯我境！”云长曰：“特来取汝首级！”言罢，两马交锋。斗一百余合，不分胜负。韩玄恐黄忠有失，鸣金收军。黄忠收军入城。云长也退军，离城十里下寨，心中暗忖：“老将黄忠，名不虚传：斗一百合，全无破绽。来日必用拖刀计，背砍赢之。”

次日早饭毕，又来城下搦战。韩玄坐在城上，教黄忠出马。忠引数百骑杀过吊桥，再与云长交马。又斗五六十合，胜负不分。两军齐声喝采。鼓声正急时，云长拨马便走。黄忠赶来。云长方欲用刀砍去，忽听得脑后一声响；急回头看时，见黄忠被战马前失，掀在地下。云长急回马，双手举刀猛喝曰：“我且饶你性命！快换马来厮杀！”黄忠急提起马蹄，飞身上马，奔入城中。玄惊问之。忠曰：“此马久不上阵，故有此失。”玄曰：“汝箭百发百中，何不射之？”忠曰：“来日再战，必然诈败，诱到吊桥边射之。”玄以自己所乘一匹青马与黄忠。忠拜谢而退，寻思：“难得云长如此义气！他不忍杀害我，我又安忍射他？若不射，又恐违了将令。”是夜踌躇未定。次日天晓，人报云长搦战。忠领兵出城。云长两日战黄忠不下，十分焦躁，抖擞威风，与忠交马。战不到三十余合，忠诈败，云长赶来。忠想昨日不杀之恩，不忍便射，带住刀，把弓虚拽弦响，云长急闪，却不见箭；云长又赶，忠又虚拽，云长急闪，又无箭；只道黄忠不会射，放心赶来。将近吊桥，黄忠在桥上搭箭开弓，弦响箭到，正射在云长盔缨根上。前面军齐声喊起。云长吃了一惊，带箭回寨，方知黄忠有百步穿杨之能，今日只射盔缨，正是报昨日不杀之恩也。云长领兵而退。

黄忠回到城上来见韩玄，玄便喝左右捉下黄忠。忠叫曰："无罪！"玄大怒曰："我看了三日，汝敢欺我！汝前日不力战，必有私心；昨日马失，他不杀汝，必有关通①；今日两番虚拽弓弦，第三箭却止射他盔缨，如何不是外通内连？若不斩汝，必有后患！"喝令刀斧手推下城门外斩之。众将欲告，玄曰："但告免黄忠者，便是同情！"刚推到门外，恰欲举刀，忽然一将挥刀杀入，砍死刀手，救起黄忠，大叫曰："黄汉升乃长沙之保障，今杀汉升，是杀长沙百姓也！韩玄残暴不仁，轻贤慢士，当众共殛之！愿随我者便来！"众视其人，面如重枣，目若朗星，乃义阳人魏延也——自襄阳赶刘玄德不着，来投韩玄；玄怪其傲慢少礼，不肯重用，故屈沉于此。当日救下黄忠，教百姓同杀韩玄，袒臂一呼，相从者数百余人。黄忠拦当不住。魏延直杀上城头，一刀砍韩玄为两段，提头上马，引百姓出城，投拜云长。云长大喜，遂入城。安抚已毕，请黄忠相见；忠托病不出。云长即使人去请玄德、孔明。

却说玄德自云长来取长沙，与孔明随后催促人马接应。正行间，青旗倒卷，一鸦自北南飞，连叫三声而去。玄德曰："此应何祸福？"孔明就马上袖占一课，曰："长沙郡已得，又主得大将。午时后定见分晓。"少顷，见一小校飞报前来，说："关将军已得长沙郡，降将黄忠、魏延。专等主公到彼。"玄德大喜，遂入长沙。云长接入厅上，具言黄忠之事。玄德乃亲往黄忠家相请，忠方出降，求葬韩玄尸首于长沙之东。后人有诗赞黄忠曰：

将军气概与天参，白发犹然困汉南。
至死甘心无怨望，临降低首尚怀惭。
宝刀灿雪彰神勇，铁骑临风忆战酣。
千古高名应不泯，长随孤月照湘潭。

玄德待黄忠甚厚。云长引魏延来见，孔明喝令刀斧手推下斩之。玄德惊问孔明曰："魏延乃有功无罪之人，军师何故欲杀之？"孔明曰："食其禄而杀其主，是不忠也；居其土而献其地，是不义也。吾观魏延脑后有反骨，久后必反，故先斩之，以绝祸根。"玄德曰："若斩此人，恐降者人人自

---

① 关通——串连、勾结。

危。望军师恕之。”孔明指魏延曰：“吾今饶汝性命。汝可尽忠报主，勿生异心；若生异心，我好歹取汝首级。”魏延喏喏连声而退。黄忠荐刘表侄刘磐——现在攸县闲居，玄德取回，教掌长沙郡。四郡已平，玄德班师回荆州，改油江口为公安。自此钱粮广盛，贤士归之；将军马四散屯于隘口。

却说周瑜自回柴桑养病，令甘宁守巴陵郡，令凌统守汉阳郡，二处分布战船，听候调遣。程普引其余将士投合淝县来。原来孙权自从赤壁鏖兵之后，久在合淝，与曹兵交锋，大小十余战，未决胜负，不敢逼城下寨，离城五十里屯兵。闻程普兵到，孙权大喜，亲自出营劳军。人报鲁子敬先至，权乃下马立待之。肃慌忙滚鞍下马施礼。众将见权如此待肃，皆大惊异。权请肃上马，并辔而行，密谓曰：“孤下马相迎，足显公否？”肃曰：“未也。”权曰：“然则何如而后为显耶？”肃曰：“愿明公威德加于四海，总括九州，克①成帝业，使肃名书竹帛，始为显矣。”权抚掌大笑。同至帐中，大设饮宴，犒劳鏖兵将士，商议破合淝之策。

忽报张辽差人来下战书。权拆书观毕，大怒曰：“张辽欺吾太甚！汝闻程普军来，故意使人搦战！来日吾不用新军赴敌，看我大战一场！”传令当夜五更，三军出寨，望合淝进发。辰时左右，军马行至半途，曹兵已到。两边布成阵势。孙权金盔金甲，披挂出马；左宋谦，右贾华，二将使方天画戟，两边护卫。三通鼓罢，曹军阵中，门旗两开，三员将全装惯带，立于阵前：中央张辽，左边李典，右边乐进。张辽纵马当先，专搦孙权决战。权绰枪欲自战，阵门中一将挺枪骤马早出，乃太史慈也。张辽挥刀来迎。两将战有七八十合，不分胜负。曹阵上李典谓乐进曰：“对面金盔者，孙权也。若捉得孙权，足可与八十三万大军报仇。”说犹未了，乐进一骑马，一口刀，从刺斜里径取孙权，如一道电光，飞至面前，手起刀落。宋谦、贾华急将画戟遮架。刀到处，两枝戟齐断，只将戟杆望马头上打。乐进回马，宋谦绰军士手中枪赶来。李典搭上箭，望宋谦心窝里便射，应弦落马。太史慈见背后有人堕马，弃却张辽，望本阵便回。张辽乘势掩杀过来，吴兵大乱，四散奔走。张辽望见孙权，骤马赶来。看看赶上，刺斜里撞出一军，为首大将，乃程普也；截杀一阵，救了孙权。张辽收军自回合淝 。

程普保孙权归大寨，败军陆续回营。孙权因见折了宋谦，放声大哭。

---

① 克——能够。

长史张纮曰:“主公恃盛壮之气,轻视大敌,三军之众,莫不寒心。即使斩将搴①旗,威振疆埸②,亦偏将之任,非主公所宜也。愿抑贲、育③之勇,怀王霸之计。且今日宋谦死于锋镝之下,皆主公轻敌之故。今后切宜保重。”权曰:“是孤之过也。从今当改之。”少顷,太史慈入帐,言:“某手下有一人,姓戈,名定,与张辽手下养马后槽是弟兄。后槽被责怀怨,今晚使人报来,举火为号,刺杀张辽,以报宋谦之仇。某请引兵为外应。”权曰:“戈定何在?”太史慈曰:“已混入合淝城中去了。某愿乞五千兵去。”诸葛瑾曰:“张辽多谋,恐有准备,不可造次。”太史慈坚执要行。权因伤感宋谦之死,急要报仇,遂令太史慈引兵五千,去为外应。

却说戈定乃太史慈乡人;当日杂在军中,随入合淝城,寻见养马后槽,两个商议。戈定曰:“我已使人报太史慈将军去了,今夜必来接应。你如何用事?”后槽曰:“此间离中军较远,夜间急不能进,只就草堆上放起一把火,你去前面叫反,城中兵乱,就里刺杀张辽,余军自走也。”戈定曰:“此计大妙!”是夜张辽得胜回城,赏劳三军,传令不许解甲宿睡。左右曰:“今日全胜,吴兵远遁,将军何不卸甲安息?”辽曰:“非也。为将之道:勿以胜为喜,勿以败为忧。倘吴兵度我无备,乘虚攻击,何以应之?今夜防备,当比每夜更加谨慎。”说犹未了,后寨火起,一片声叫反,报者如麻。张辽出帐上马,唤亲从将校十数人,当道而立。左右曰:“喊声甚急,可往观之。”辽曰:“岂有一城皆反者?此是造反之人,故惊军士耳。如乱者先斩!”无移时,李典擒戈定并后槽至。辽询得其情,立斩于马前。只听得城门外鸣锣击鼓,喊声大震。辽曰:“此是吴兵外应,可就计破之。”便令人于城门内放起一把火,众皆叫反,大开城门,放下吊桥。太史慈见城门大开,只道内变,挺枪纵马先入。城上一声炮响,乱箭射下,太史慈急退,身中数箭。背后李典、乐进杀出,吴兵折其大半,乘势直赶到寨前。陆逊、董袭杀出,救了太史慈。曹兵自回。孙权见太史慈身带重伤,愈加伤感。张昭请权罢兵。权从之,遂收兵下船,回南徐润州。比及屯住军马,太史慈病重;权使张昭等问安,太史慈大叫曰:“大丈夫生于乱世,当带三尺剑立不世之功;

---

① 搴(qiān)——拔取、取。

② 疆埸(yì)——本义是国界,后多混作“疆场”,指战场。

③ 贲(bēn)、育——贲:孟贲,战国时人;育:夏育,周朝时人,两个都是勇士。

今所志未遂，奈何死乎！”言讫而亡，年四十一岁。后人有诗赞曰：

矢志全忠孝，东莱太史慈；姓名昭远塞，弓马震雄师；

北海酬恩日，神亭酣战时。临终言壮志，千古共嗟咨！

孙权闻慈死，伤悼不已，命厚葬于南徐北固山下，养其子太史亨于府中。

却说玄德在荆州整顿军马，闻孙权合淝兵败，已回南徐，与孔明商议。孔明曰：“亮夜观星象，见西北有星坠地，必应折一皇族。”正言间，忽报公子刘琦病亡。玄德闻之，痛哭不已。孔明劝曰：“生死分定，主公勿忧，恐伤贵体。且理大事：可急差人到彼守御城池，并料理葬事。”玄德曰：“谁可去？”孔明曰：“非云长不可。”即时便教云长前去襄阳保守。玄德曰：“今日刘琦已死，东吴必来讨荆州，如何对答？”孔明曰：“若有人来，亮自有言对答。”过了半月，人报东吴鲁肃特来吊丧。正是：先将计策安排定，只等东吴使命来。未知孔明如何对答，且看下文分解。

# 第五十四回

## 吴国太佛寺看新郎　刘皇叔洞房续佳偶

却说孔明闻鲁肃到，与玄德出城迎接，接到公廨，相见毕。肃曰：“主公闻令侄弃世，特具薄礼，遣某前来致祭。周都督再三致意刘皇叔、诸葛先生。”玄德、孔明起身称谢，收了礼物，置酒相待。肃曰：“前者皇叔有言：‘公子不在，即还荆州。’今公子已去世，必然见还。不识几时可以交割？”玄德曰：“公且饮酒，有一个商议。”肃强饮数杯，又开言相问。玄德未及回答，孔明变色曰：“子敬好不通理，直须待人开口！自我高皇帝斩蛇起义，开基立业，传至于今；不幸奸雄并起，各据一方；少不得天道好还，复归正统。我主人乃中山靖王之后，孝景皇帝玄孙，今皇上之叔，岂不可分茅裂土①？况刘景升乃我主之兄也，弟承兄业，有何不顺？汝主乃钱塘小吏之子，素无功德于朝廷；今倚势力，占据六郡八十一州，尚自贪心不足，而欲

① 分茅裂土——古代天子分封诸侯，举行一定的仪式，用白茅包些土给他，表示分封土地的意思。

并吞汉土。刘氏天下，我主姓刘倒无分，汝主姓孙反要强争？且赤壁之战，我主多负勤劳，众将并皆用命，岂独是汝东吴之力？若非我借东南风，周郎安能展半筹之功？江南一破，休说二乔置于铜雀宫，虽公等家小，亦不能保。适来我主人不即答应者，以子敬乃高明之士，不待细说。何公不察之甚也！”

一席话，说得鲁子敬缄口无言；半晌乃曰：“孔明之言，怕不有理；争奈鲁肃身上甚是不便。”孔明曰：“有何不便处？”肃曰：“昔日皇叔当阳受难时，是肃引孔明渡江，见我主公；后来周公瑾要兴兵取荆州，又是肃挡住；至说待公子去世还荆州，又是肃担承；今却不应前言，教鲁肃如何回覆？我主与周公瑾必然见罪。肃死不恨，只恐惹恼东吴，兴动干戈，皇叔亦不能安坐荆州，空为天下耻笑耳。”孔明曰：“曹操统百万之众，动以天子为名，吾亦不以为意，岂惧周郎一小儿乎！若恐先生面上不好看，我劝主人立纸文书，暂借荆州为本；待我主别图得城池之时，便交付还东吴。此论如何？”肃曰：“孔明待夺得何处，还我荆州？”孔明曰：“中原急未可图；西川刘璋暗弱，我主将图之。若图得西川，那时便还。”肃无奈，只得听从。玄德亲笔写成文书一纸，押了字。保人诸葛孔明也押了字。孔明曰：“亮是皇叔这里人，难道自家做保？烦子敬先生也押个字，回见吴侯也好看。”肃曰：“某知皇叔乃仁义之人，必不相负。”遂押了字，收了文书。宴罢辞回。玄德与孔明，送到船边。孔明嘱曰：“子敬回见吴侯，善言伸意，休生妄想。若不准我文书，我翻了面皮，连八十一州都夺了。今只要两家和气，休教曹贼笑话。”

肃作别下船而回，先到柴桑郡见周瑜。瑜问曰：“子敬讨荆州如何？”肃曰：“有文书在此。”呈与周瑜。瑜顿足曰：“子敬中诸葛之谋也！名为借地，实是混赖。他说取了西川便还，知他几时取西川？假如十年不得西川，十年不还？这等文书，如何中用，你却与他做保！他若不还时，必须连累足下，主公见罪奈何？”肃闻言，呆了半晌，曰：“恐玄德不负我。”瑜曰：“子敬乃诚实人也。刘备枭雄之辈，诸葛亮奸猾之徒，恐不似先生心地。”肃曰：“若此，如之奈何？”瑜曰：“子敬是我恩人，想昔日指囷相赠之情，如何不救你？你且宽心住数日，待江北探细的回，别有区处。”鲁肃跼蹐①

① 跼蹐(jú jí)——惧怕、畏缩的样子。

不安。

过了数日，细作回报："荆州城中扬起布幡做好事，城外别建新坟，军士各挂孝。"瑜惊问曰："没了甚人?"细作曰："刘玄德没了甘夫人，即日安排殡葬。"瑜谓鲁肃曰："吾计成矣：使刘备束手就缚，荆州反掌可得!"肃曰："计将安出?"瑜曰："刘备丧妻，必将续娶。主公有一妹，极其刚勇，侍婢数百，居常带刀，房中军器摆列遍满，虽男子不及。我今上书主公，教人去荆州为媒，说刘备来入赘。赚到南徐，妻子不能勾得，幽囚①在狱中，却使人去讨荆州换刘备。等他交割了荆州城池，我别有主意。于子敬身上，须无事也。"鲁肃拜谢。周瑜写了书呈，选快船送鲁肃投南徐见孙权，先说借荆州一事，呈上文书。权曰："你却如此糊涂！这样文书，要他何用!"肃曰："周都督有书呈在此，说用此计，可得荆州。"权看毕，点头暗喜，寻思谁人可去。猛然省曰："非吕范不可。"遂召吕范至，谓曰："近闻刘玄德丧妇。吾有一妹，欲招赘玄德为婿，永结姻亲，同心破曹，以扶汉室。非子衡不可为媒，望即往荆州一言。"范领命，即日收拾船只，带数个从人，望荆州来。

却说玄德自没了甘夫人，昼夜烦恼。一日，正与孔明闲叙，人报东吴差吕范到来。孔明笑曰："此乃周瑜之计，必为荆州之故。亮只在屏风后潜听。但有甚说话，主公都应承了。留来人在馆驿中安歇，别作商议。"玄德教请吕范入。礼毕坐定，茶罢，玄德问曰："子衡来，必有所谕?"范曰："范近闻皇叔失偶，有一门好亲，故不避嫌，特来作媒。未知尊意若何?"玄德曰："中年丧妻，大不幸也。骨肉未寒，安忍便议亲?"范曰："人若无妻，如屋无梁，岂可中道而废人伦？吾主吴侯有一妹，美而贤，堪奉箕帚。若两家共结秦、晋之好，则曹贼不敢正视东南也。此事家国两便，请皇叔勿疑。但我国太吴夫人甚爱幼女，不肯远嫁，必求皇叔到东吴就婚。"玄德曰："此事吴侯知否?"范曰："不先禀吴侯，如何敢造次来说!"玄德曰："吾年已半百，鬓发斑白；吴侯之妹，正当妙龄②：恐非配偶。"范曰："吴侯之妹，身虽女子，志胜男儿。常言：'若非天下英雄，吾不事之。'今皇叔名闻四海，正所谓淑女配君子，岂以年齿上下相嫌乎!"玄德曰："公且少留，来日

① 幽囚——囚拘、监禁。幽：囚拘。

② 妙龄——指女子的青春时期。

回报。”是日设宴相待，留于馆舍。至晚，与孔明商议。孔明曰：“来意亮已知道了。适间卜《易》，得一大吉大利之兆。主公便可应允。先教孙乾和吕范回见吴侯，面许已定，择日便去就亲。”玄德曰：“周瑜定计欲害刘备，岂可以身轻入危险之地？”孔明大笑曰：“周瑜虽能用计，岂能出诸葛亮之料乎！略用小谋，使周瑜半筹不展；吴侯之妹，又属主公；荆州万无一失。”玄德怀疑未决。孔明竟教孙乾往江南说合亲事。孙乾领了言语，与吕范同到江南，来见孙权。权曰：“吾愿将小妹招赘玄德，并无异心。”孙乾拜谢，回荆州见玄德，言：“吴侯专候主公去结亲。”玄德怀疑不敢往。孔明曰：“吾已定下三条计策，非子龙不可行也。”遂唤赵云近前，附耳言曰：“汝保主公入吴，当领此三个锦囊。囊中有三条妙计，依次而行。”即将三个锦囊，与云贴肉收藏。孔明先使人往东吴纳了聘，一切完备。

时建安十四年冬十月。玄德与赵云、孙乾取快船十只，随行五百余人，离了荆州，前往南徐进发。荆州之事，皆听孔明裁处。玄德心中怏怏不安。到南徐州，船已傍岸，云曰：“军师分付三条妙计，依次而行。今已到此，当先开第一个锦囊来看。”于是开囊看了计策。便唤五百随行军士，一一分付如此如此，众军领命而去。又教玄德先往见乔国老。那乔国老乃二乔之父，居于南徐。玄德牵羊担酒，先往拜见，说吕范为媒、娶夫人之事。随行五百军士，俱披红挂彩，入南徐买办物件，传说玄德入赘东吴，城中人尽知其事。孙权知玄德已到，教吕范相待，且就馆舍安歇。

却说乔国老既见玄德，便入见吴国太贺喜。国太曰：“有何喜事？”乔国老曰：“令爱已许刘玄德为夫人，今玄德已到，何故相瞒？”国太惊曰：“老身不知此事！”便使人请吴侯问虚实，一面先使人于城中探听。人皆回报：“果有此事。女婿已在馆驿安歇，五百随行军士都在城中买猪羊果品，准备成亲。做媒的女家是吕范，男家是孙乾，俱在馆驿中相待。”国太吃了一惊。少顷，孙权入后堂见母亲。国太捶胸大哭。权曰：“母亲何故烦恼？”国太曰：“你直如此将我看承得如无物！我姐姐临危之时，分付你甚么话来！”孙权失惊曰：“母亲有话明说，何苦如此？”国太曰：“男大须婚，女大须嫁，古今常理。我为你母亲，事当禀命于我。你招刘玄德为婿，如何瞒我？女儿须是我的！”权吃了一惊，问曰：“那里得这话来？”国太曰：“若要不知，除非莫为。满城百姓，那一个不知？你倒瞒我！”乔国老曰：“老夫已知多日了，今特来贺喜。”权曰：“非也。此是周瑜之计，因要取荆州，故将此为名，赚刘备来拘囚在此，要他把荆州来换；若其不从，先斩刘备。此是计策，非实意也。”国太大怒，骂周瑜曰：“汝做六郡八十一州大都督，直恁①无条计策去取荆州，却将我女儿为名，使美人计！杀了刘备，我女便是望门寡②，明日再怎的说亲？须误了我女儿一世！你们好做作③！”乔国老曰：“若用此计，便得荆州，也被天下人耻笑。此事如何行得！”说得孙权默然无语。

国太不住口的骂周瑜。乔国老劝曰：“事已如此，刘皇叔乃汉室宗亲，不如真个招他为婿，免得出丑。”权曰：“年纪恐不相当。”国老曰：“刘皇叔乃当世豪杰，若招得这个女婿，也不辱了令妹。”国太曰：“我不曾认得刘皇叔。明日约在甘露寺相见：如不中我意，任从你们行事；若中我的意，我自把女儿嫁他！”孙权乃大孝之人，见母亲如此言语，随即应承，出外唤吕范，分付来日甘露寺方丈④设宴，国太要见刘备。吕范曰：“何不令贾华部领三百刀斧手，伏于两廊；若国太不喜时，一声号举，两边齐出，将他拿下。”权遂唤贾华，分付预先准备，只看国太举动。

却说乔国老辞吴国太归，使人去报玄德，言：“来日吴侯、国太亲自要见，好生在意！”玄德与孙乾、赵云商议。云曰：“来日此会，多凶少吉，云自引五百军保护。”次日，吴国太、乔国老先在甘露寺方丈里坐定。孙权引一班谋士，随后都到，却教吕范来馆驿中请玄德。玄德内披细铠，外穿锦袍，从人背剑紧随，上马投甘露寺来。赵云全装惯带，引五百军随行。来到寺前下马，先见孙权。权观玄德仪表非凡，心中有畏惧之意。二人叙礼毕，遂入方丈见国太。国太见了玄德，大喜，谓乔国老曰：“真吾婿也！”国老曰：“玄德有龙凤之姿，天日之表⑤；更兼仁德布于天下：国太得此佳婿，真可庆也！”玄德拜谢，共宴于方丈之中。少刻，子龙带剑而入，立于玄德之侧。国太问曰：“此是何人？”玄德答曰：“常山赵子龙也。”国太曰：“莫非当

---

① 直恁（nèn）——竟然如此。

② 望门寡——订婚而未过门的亲事中，男方先亡，女方遵从礼教不另嫁他人，在娘家守节，叫做“望门寡”。

③ 你们好做作——相当于：你们做的好事！含有责骂的意思。

④ 方丈——佛寺或道观中住持住的房间。

⑤ 龙凤之姿，天日之表——这里迷信的相面术所谓的“贵相”，意思是有注定要做帝王的容貌。

阳长坂抱阿斗者乎?”玄德曰:“然。”国太曰:“真将军也!”遂赐以酒。赵云谓玄德曰:“却才某于廊下巡视,见房内有刀斧手埋伏,必无好意。可告知国太。”玄德乃跪于国太席前,泣而告曰:“若杀刘备,就此请诛。”国太曰:“何出此言?”玄德曰:“廊下暗伏刀斧手,非杀备而何?”国太大怒,责骂孙权:“今日玄德既为我婿,即我之儿女也。何故伏刀斧手于廊下!”权推不知,唤吕范问之;范推贾华;国太唤贾华责骂,华默然无言。国太喝令斩之。玄德告曰:“若斩大将,于亲不利,备难久居膝下①矣。”乔国老也相劝。国太方叱退贾华。刀斧手皆抱头鼠窜而去。

玄德更衣出殿前,见庭下有一石块。玄德拔从者所佩之剑,仰天祝曰:“若刘备能勾回荆州,成王霸之业,一剑挥石为两段。如死于此地,剑剁石不开。”言讫,手起剑落,火光迸溅,砍石为两段。孙权在后面看见,问曰:“玄德公如何恨此石?”玄德曰:“备年近五旬,不能为国家剿除贼党,心常自恨。今蒙国太招为女婿,此平生之际遇也。恰才问天买卦,如破曹兴汉,砍断此石。今果然如此。”权暗思:“刘备莫非用此言瞒我?”亦掣剑谓玄德曰:“吾亦问天买卦。若破得曹贼,亦断此石。”却暗暗祝告曰:“若再取得荆州,兴旺东吴,砍石为两半!”手起剑落,巨石亦开。至今有十字纹“恨石”尚存。后人观此胜迹,作诗赞曰:

宝剑落时山石断,金环响处火光生。
两朝旺气皆天数,从此乾坤鼎足成。

二人弃剑,相携入席。又饮数巡,孙乾目视玄德,玄德辞曰:“备不胜酒力,告退。”孙权送出寺前,二人并立,观江山之景。玄德曰:“此乃天下第一江山也!”至今甘露寺牌上云“天下第一江山”。后人有诗赞曰:

江山雨霁拥青螺,境界无忧乐最多。
昔日英雄凝目处,岩崖依旧抵风波。

二人共览之次②,江风浩荡,洪波滚雪,白浪掀天。忽见波上一叶小舟,行于江面上,如行平地。玄德叹曰:“‘南人驾船,北人乘马’,信有之也。”孙权闻言自思曰:“刘备此言,戏我不惯乘马耳。”乃令左右牵过马来,飞身上

① 膝下——本是子女对双亲的用语,儿女幼时常在父母跟前,因此旧时表示有无儿女,常说“膝下怎样怎样”。这里是借用。

② 之次——之间,这个当儿。

马，驰骤下山，复加鞭上岭，笑谓玄德曰："南人不能乘马乎？"玄德闻言，撩衣一跃，跃上马背，飞走下山，复驰骋而上。二人立马于山坡之上，扬鞭大笑。至今此处名为"驻马坡"。后人有诗曰：

驰骤龙驹气概多，二人并辔望山河。
东吴西蜀成王霸，千古犹存驻马坡。

当日二人并辔而回。南徐之民，无不称贺。

玄德自回馆驿，与孙乾商议。乾曰："主公只是哀求乔国老，早早毕姻，免生别事。"次日，玄德复至乔国老宅前下马。国老接入，礼毕，茶罢，玄德告曰："江左之人，多有要害刘备者，恐不能久居。"国老曰："玄德宽心。吾为公告国太，令作护持。"玄德拜谢自回。乔国老入见国太，言玄德恐人谋害，急急要回。国太大怒曰："我的女婿，谁敢害他！"即时便教搬入书院暂住，择日毕姻。玄德自入告国太曰："只恐赵云在外不便，军士无人约束。"国太教尽搬入府中安歇，休留在馆驿中，免得生事。玄德暗喜。

数日之内，大排筵会，孙夫人与玄德结亲。至晚客散，两行红炬，接引玄德入房。灯光之下，但见枪刀簇满；侍婢皆佩剑悬刀，立于两傍。唬得玄德魂不附体。正是：惊看侍女横刀立，疑是东吴设伏兵。毕竟是何缘故，且看下文分解。

# 第五十五回

## 玄德智激孙夫人　孔明二气周公瑾

却说玄德见孙夫人房中两边枪刀森列，侍婢皆佩剑，不觉失色。管家婆进曰："贵人休得惊惧：夫人自幼好观武事，居常令侍婢击剑为乐，故尔如此。"玄德曰："非夫人所观之事，吾甚心寒，可命暂去。"管家婆禀覆孙夫人曰："房中摆列兵器，娇客不安，今且去之。"孙夫人笑曰："厮杀半生，尚惧兵器乎！"命尽撤去，令侍婢解剑伏侍。当夜玄德与孙夫人成亲，两情欢洽。玄德又将金帛散给侍婢，以买其心，先教孙乾回荆州报喜。自此连日饮酒。国太十分爱敬。

却说孙权差人来柴桑郡报周瑜，说："我母亲力主，已将吾妹嫁刘备。

不想弄假成真。此事还复如何?”瑜闻大惊,行坐不安,乃思一计,修密书付来人持回见孙权。权拆书视之。书略曰:

瑜所谋之事,不想反覆如此。既已弄假成真,又当就此用计。刘备以枭雄之姿,有关、张、赵云之将,更兼诸葛用谋,必非久屈人下者。愚意莫如软困之于吴中:盛为筑宫室,以丧其心志;多送美色玩好,以娱其耳目;使分开关、张之情,隔远诸葛之契:各置一方,然后以兵击之,大事可定矣。今若纵之,恐蛟龙得云雨,终非池中物也。愿明公熟思之。

孙权看毕,以书示张昭。昭曰:“公瑾之谋,正合愚意。刘备起身微末,奔走天下,未尝受享富贵。今若以华堂大厦,子女金帛,令彼享用,自然疏远孔明、关、张等,使彼各生怨望,然后荆州可图也。主公可依公瑾之计而速行之。”权大喜,即日修整东府,广栽花木,盛设器用,请玄德与妹居住;又增女乐数十余人,并金玉锦绮玩好之物。国太只道孙权好意,喜不自胜。玄德果然被声色所迷,全不想回荆州。

却说赵云与五百军在东府前住,终日无事,只去城外射箭走马。看看年终。云猛省:“孔明分付三个锦囊与我,教我一到南徐,开第一个;住到年终,开第二个;临到危急无路之时,开第三个:于内有神出鬼没之计,可保主公回家。此时岁已将终,主公贪恋女色,并不见面,何不拆开第二个锦囊,看计而行?”遂拆开视之。原来如此神策。即日径到府堂,要见玄德。侍婢报曰:“赵子龙有紧急事来报贵人。”玄德唤入问之。云佯作失惊之状曰:“主公深居画堂,不想荆州耶?”玄德曰:“有甚事如此惊怪?”云曰:“今早孔明使人来报,说曹操要报赤壁鏖兵之恨,起精兵五十万,杀奔荆州,甚是危急,请主公便回。”玄德曰:“必须与夫人商议。”云曰:“若和夫人商议,必不肯教主公回。不如休说,今晚便好起程。迟则误事!”玄德曰:“你且暂退,我自有道理。”云故意催逼数番而出。玄德入见孙夫人,暗暗垂泪。孙夫人曰:“丈夫何故烦恼?”玄德曰:“念备一身飘荡异乡,生不能侍奉二亲,又不能祭祀宗祖,乃大逆不孝也。今岁旦在迩①,使备悒怏不已。”孙夫人曰:“你休瞒我,我已听知了也!方才赵子龙报说荆州危急,你欲还乡,故推此意。”玄德跪而告曰:“夫人既知,备安敢相瞒。备欲不去,使荆州有失,被天下人耻笑;欲去,又舍不得夫人:因此烦恼。”夫人曰:“妾

---

① 迩——近。

已事君，任君所之，妾当相随。”玄德曰：“夫人之心，虽则如此，争奈国太与吴侯安肯容夫人去？夫人若可怜刘备，暂时辞别。”言毕，泪如雨下。孙夫人劝曰：“丈夫休得烦恼。妾当苦告母亲，必放妾与君同去。”玄德曰：“纵然国太肯时，吴侯必然阻挡。”孙夫人沉吟良久，乃曰：“妾与君正旦拜贺时，推称江边祭祖，不告而去，若何？”玄德又跪而谢曰：“若如此，生死难忘！——切勿漏泄。”两个商议已定。玄德密唤赵云分付：“正旦日，你先引军士出城，于官道等候。吾推祭祖，与夫人同走。”云领诺。建安十五年春正月元旦，吴侯大会文武于堂上。玄德与孙夫人入拜国太。孙夫人曰：“夫主想父母宗祖坟墓，俱在涿郡，昼夜伤感不已。今日欲往江边，望北遥祭，须告母亲得知。”国太曰：“此孝道也，岂有不从？汝虽不识舅姑，可同汝夫前去祭拜，亦见为妇之礼。”孙夫人同玄德拜谢而出。

此时只瞒着孙权。夫人乘车，止带随身一应细软。玄德上马，引数骑跟随出城，与赵云相会。五百军士前遮后拥，离了南徐，趱程而行。当日，孙权大醉，左右近侍扶入后堂，文武皆散。比及众官探得玄德、夫人逃遁之时，天色已晚。要报孙权，权醉不醒。及至睡觉①，已是五更。次日，孙权闻知走了玄德，急唤文武商议。张昭曰：“今日走了此人，早晚必生祸乱。可急追之。”孙权令陈武、潘璋选五百精兵，无分昼夜，务要赶上拿回。二将领命去了。孙权深恨玄德，将案上玉砚摔为粉碎。程普曰：“主公空有冲天之怒，某料陈武、潘璋必擒此人不得。”权曰：“焉敢违我令！”普曰：“郡主自幼好观武事，严毅刚正，诸将皆惧。既然肯顺刘备，必同心而去。所追之将，若见郡主，岂肯下手？”权大怒，掣所佩之剑，唤蒋钦、周泰听令，曰：“汝二人将这口剑去取吾妹并刘备头来！违令者立斩！”蒋钦、周泰领命，随后引一千军赶来。

却说玄德加鞭纵辔，趱程而行；当夜于路暂歇两个更次，慌忙起行。看看来到柴桑界首，望见后面尘头大起，人报：“追兵至矣！”玄德慌问赵云曰：“追兵既至，如之奈何？”赵云曰：“主公先行，某愿当后。”转过前面山脚，一彪军马拦住去路。当先两员大将，厉声高叫曰：“刘备早早下马受缚！吾奉周都督将令，守候多时！”原来周瑜恐玄德走脱，先使徐盛、丁奉引三千军马于冲要之处扎营等候，时常令人登高遥望，料得玄德若投旱

---

① 睡觉——睡醒了。

路，必经此道而过。当日徐盛、丁奉了望得玄德一行人到，各绰兵器截住去路。玄德惊慌勒回马问赵云曰："前有拦截之兵，后有追赶之兵：前后无路，如之奈何？"云曰："主公休慌。军师有三条妙计，多在锦囊之中。已拆了两个，并皆应验。今尚有第三个在此，分付遇危难之时，方可拆看。今日危急，当拆观之。"便将锦囊拆开，献与玄德。玄德看了，急来车前泣告孙夫人曰："备有心腹之言，至此尽当实诉。"夫人曰："丈夫有何言语，实对我说。"玄德曰："昔日吴侯与周瑜同谋，将夫人招嫁刘备，实非为夫人计，乃欲幽困刘备而夺荆州耳。夺了荆州，必将杀备。是以夫人为香饵而钓备也。备不惧万死而来，盖知夫人有男子之胸襟，必能怜备。昨闻吴侯将欲加害，故托荆州有难，以图归计。幸得夫人不弃，同至于此。今吴侯又令人在后追赶，周瑜又使人于前截住，非夫人莫解此祸。如夫人不允，备请死于车前，以报夫人之德。"夫人怒曰："吾兄既不以我为亲骨肉，我有何面目重相见乎！今日之危，我当自解。"于是叱从人推车直出，卷起车帘，亲喝徐盛、丁奉曰："你二人欲造反耶？"徐、丁二将慌忙下马，弃了兵器，声喏于车前曰："安敢造反。为奉周都督将令，屯兵在此专候刘备。"孙夫人大怒曰："周瑜逆贼！我东吴不曾亏负你！玄德乃大汉皇叔，是我丈夫。我已对母亲、哥哥说知回荆州去。今你两个于山脚去处，引着军马拦截道路，意欲劫掠我夫妻财物耶？"徐盛、丁奉喏喏连声，口称："不敢。请夫人息怒。这不干我等之事，乃是周都督的将令。"孙夫人叱曰："你只怕周瑜，独不怕我？周瑜杀得你，我岂杀不得周瑜？"把周瑜大骂一场，喝令推车前进。徐盛、丁奉自思："我等是下人，安敢与夫人违拗？"又见赵云十分怒气，只得把军喝住，放条大路教过去。

恰才行不得五六里，背后陈武、潘璋赶到。徐盛、丁奉备言其事。陈、潘二将曰："你放他过去差了也。我二人奉吴侯旨意，特来追捉他回去。"于是四将合兵一处，趱程赶来。玄德正行间，忽听得背后喊声大起。玄德又告孙夫人曰："后面追兵又到，如之奈何？"夫人曰："丈夫先行，我与子龙当后。"玄德先引三百军，望江岸去了。子龙勒马于车傍，将士卒摆开，专候来将。四员将见了孙夫人，只得下马，叉手而立。夫人曰："陈武、潘璋，来此何干？"二将答曰："奉主公之命，请夫人、玄德回。"夫人正色叱曰："都是你这伙匹夫，离间我兄妹不睦！我已嫁他人，今日归去，须不是与人私奔。我奉母亲慈旨，令我夫妇回荆州。便是我哥哥来，也须依礼而行。你二人倚仗兵威，欲待杀害我耶?”骂得四人面面相觑，各自寻思：“他一万年也只是兄妹。更兼国太作主；吴侯乃大孝之人，怎敢违逆母言？明日翻过脸来，只是我等不是。不如做个人情。”军中又不见玄德；但见赵云怒目睁眉，只待厮杀。——因此四将喏喏连声而退。孙夫人令推车便行。徐盛曰：“我四人同去见周都督，告禀此事。”四人犹豫未定。忽见一军如旋风而来，视之，乃蒋钦、周泰。二将问曰：“你等曾见刘备否?”四人曰：“早晨过去，已半日矣。”蒋钦曰：“何不拿下?”四人各言孙夫人发话之事。蒋钦曰：“便是吴侯怕道如此，封一口剑在此，教先杀他妹，后斩刘备。违者立斩!”四将曰：“去之已远，怎生奈何?”蒋钦曰：“他终是些步军，急行不上。徐、丁二将军可飞报都督，教水路棹快船追赶；我四人在岸上追赶：无问水旱之路，赶上杀了，休听他言语。”于是徐盛、丁奉飞报周瑜；蒋钦、周泰、陈武、潘璋四个领兵沿江赶来。

却说玄德一行人马，离柴桑较远，来到刘郎浦，心才稍宽。沿着江岸寻渡，一望江水弥漫，并无船只。玄德俯首沉吟。赵云曰：“主公在虎口中逃出，今已近本界，吾料军师必有调度，何用忧疑?”玄德听罢，蓦然想起在吴繁华之事，不觉凄然泪下。后人有诗叹曰：

吴蜀成婚此水浔①，明珠步障屋黄金。
谁知一女轻天下，欲易刘郎鼎峙心。

玄德令赵云望前哨探船只，忽报后面尘土冲天而起。玄德登高望之，但见军马盖地而来，叹曰：“连日奔走，人困马乏，追兵又到，死无地矣!”看看喊声渐近。正慌急间，忽见江岸边一字儿抛着拖篷船二十余只。赵云曰：“天幸有船在此！何不速下，棹过对岸，再作区处!”玄德与孙夫人便奔上船。子龙引五百军亦都上船。只见船舱中一人纶巾道服，大笑而出，曰：“主公且喜！诸葛亮在此等候多时。”船中扮作客人的，皆是荆州水军。玄德大喜。不移时，四将赶到。孔明笑指岸上人言曰：“吾已算定多时矣。汝等回去传示周郎，教休再使美人局手段。”岸上乱箭射来，船已开的远了。蒋钦等四将，只好呆看。

玄德与孔明正行间，忽然江声大震。回头视之，只见战船无数。帅字旗下，周瑜自领惯战水军，左有黄盖，右有韩当，势如飞马，疾似流星。看

---

① 浔——水边。

看赶上。孔明教棹船投北岸，弃了船，尽皆上岸而走，车马登程。周瑜赶到江边，亦皆上岸追袭。大小水军，尽是步行；止有为首官军骑马。周瑜当先，黄盖、韩当、徐盛、丁奉紧随。周瑜曰："此处是那里？"军士答曰："前面是黄州界首。"望见玄德车马不远，瑜令并力追袭。正赶之间，一声鼓响，山崦内一彪刀手拥出，为首一员大将，乃关云长也。周瑜举止失措，急拨马便走；云长赶来，周瑜纵马逃命。正奔走间，左边黄忠，右边魏延，两军杀出。吴兵大败。周瑜急急下得船时，岸上军士齐声大叫曰："周郎妙计安天下，赔了夫人又折兵！"瑜怒曰："可再登岸决一死战！"黄盖、韩当力阻。瑜自思曰："吾计不成，有何面目去见吴侯！"大叫一声，金疮迸裂，倒于船上。众将急救，却早不省人事。正是：两番弄巧翻成拙，此日含嗔却带羞。未知周郎性命如何，且看下文分解。

# 第五十六回

## 曹操大宴铜雀台　孔明三气周公瑾

却说周瑜被诸葛亮预先埋伏关公、黄忠、魏延三枝军马，一击大败。黄盖、韩当急救下船，折却水军无数。遥观玄德、孙夫人车马仆从，都停住于山顶之上，瑜如何不气？箭疮未愈，因怒气冲激，疮口迸裂，昏绝于地。众将救醒，开船逃去。孔明教休追赶，自和玄德归荆州庆喜，赏赐众将。

周瑜自回柴桑。蒋钦等一行人马自归南徐报孙权。权不胜忿怒，欲拜程普为都督，起兵取荆州。周瑜又上书，请兴兵雪恨。张昭谏曰："不可。曹操日夜思报赤壁之恨，因恐孙、刘同心，故未敢兴兵。今主公若以一时之忿，自相吞并，操必乘虚来攻，国势危矣。"顾雍曰："许都岂无细作在此？若知孙、刘不睦，操必使人勾结刘备。备惧东吴，必投曹操。若是，则江南何日得安？为今之计，莫若使人赴许都，表刘备为荆州牧。曹操知之，则惧而不敢加兵于东南。且使刘备不恨于主公。然后使心腹用反间之计，令曹、刘相攻，吾乘隙而图之，斯为得耳。"权曰："元叹之言甚善。但谁可为使？"雍曰："此间有一人，乃曹操敬慕者，可以为使。"权问何人。雍曰:“华歆在此,何不遣之?”权大喜,即遣歆赍表赴许都。歆领命起程,径到许都来见曹操。闻操会群臣于邺郡,庆赏铜雀台,歆乃赴邺郡候见。

操自赤壁败后,常思报仇;只疑孙、刘并力,因此不敢轻进。时建安十五年春,造铜雀台成,操乃大会文武于邺郡,设宴庆贺。其台正临漳河,中央乃铜雀台,左边一座名玉龙台,右边一座名金凤台,各高十丈,上横二桥相通,千门万户,金碧交辉。是日,曹操头戴嵌宝金冠,身穿绿锦罗袍,玉带珠履,凭高而坐。文武侍立台下。

操欲观武官比试弓箭,乃使近侍将西川红锦战袍一领,挂于垂杨枝上,下设一箭垛,以百步为界。分武官为两队:曹氏宗族俱穿红,其余将士俱穿绿;各带雕弓长箭,跨鞍勒马,听候指挥。操传令曰:“有能射中箭垛红心者,即以锦袍赐之;如射不中,罚水一杯。”号令方下,红袍队中,一个少年将军骤马而出,众视之,乃曹休也。休飞马往来,奔驰三次,扣上箭,拽满弓,一箭射去,正中红心。金鼓齐鸣,众皆喝采。曹操于台上望见大喜,曰:“此吾家千里驹也!”方欲使人取锦袍与曹休,只见绿袍队中,一骑飞出,叫曰:“丞相锦袍,合让俺外姓先取,宗族中不宜搀越①。”操视其人,乃文聘也。众官曰:“且看文仲业射法。”文聘拈弓纵马一箭,亦中红心。众皆喝采,金鼓乱鸣。聘大呼曰:“快取袍来!”只见红袍队中,又一将飞马而出,厉声曰:“文烈先射,汝何得争夺?看我与你两个解箭!”拽满弓,一箭射去,也中红心。众人齐声喝采。视其人,乃曹洪也。洪方欲取袍,只见绿袍队里又一将出,扬弓叫曰:“你三人射法,何足为奇!看我射来!”众视之,乃张郃也。郃飞马翻身,背射一箭,也中红心。四枝箭齐齐的攒在红心里。众人都道:“好射法!”郃曰:“锦袍须该是我的!”言未毕,红袍队中一将飞马而出,大叫曰:“汝翻身背射,何足称异!看我夺射红心!”众视之,乃夏侯渊也。渊骤马至界口,纽回身一箭射去,正在四箭当中,金鼓齐鸣。渊勒马按弓大叫曰:“此箭可夺得锦袍么?”只见绿袍队里,一将应声而出,大叫:“且留下锦袍与我徐晃!”渊曰:“汝更有何射法,可夺我袍?”晃曰:“汝夺射红心,不足为异。看我单取锦袍!”拈弓搭箭,遥望柳条射去,

① 搀越——抢先,不照顺序。

恰好射断柳条，锦袍坠地。徐晃飞取锦袍，披于身上，骤马至台前声喏①曰："谢丞相袍！"曹操与众官无不称羡。晃才勒马要回，猛然台边跃出一个绿袍将军，大呼曰："你将锦袍那里去？早早留下与我！"众视之，乃许褚也。晃曰："袍已在此，汝何敢强夺！"褚更不回答，竟飞马来夺袍。两马相近，徐晃便把弓打许褚。褚一手按住弓，把徐晃拖离鞍鞒。晃急弃了弓，翻身下马，褚亦下马，两个揪住厮打。操急使人解开。那领锦袍已是扯得粉碎。操令二人都上台。徐晃睁眉怒目，许褚切齿咬牙，各有相斗之意。操笑曰："孤特视公等之勇耳。岂惜一锦袍哉？"便教诸将尽都上台，各赐蜀锦一匹。诸将各各称谢。操命各依位次而坐。乐声竞奏，水陆并陈。文官武将轮次把盏，献酬交错。

操顾谓众文官曰："武将既以骑射为乐，足显威勇矣。公等皆饱学之士，登此高台，可不进佳章以纪一时之胜事乎？"众官皆躬身而言曰："愿从钧命。"时有王朗、钟繇、王粲、陈琳一班文官，进献诗章。诗中多有称颂曹操功德巍巍、合当受命②之意。曹操逐一览毕，笑曰："诸公佳作，过誉甚矣。孤本愚陋，始举孝廉。后值天下大乱，筑精舍于谯东五十里，欲春夏读书，秋冬射猎，以待天下清平，方出仕耳。不意朝廷征孤为典军校尉，遂更其意，专欲为国家讨贼立功，图死后得题墓道曰：'汉故征西将军曹侯之墓'，平生愿足矣。念自讨董卓、剿黄巾以来，除袁术、破吕布、灭袁绍、定刘表，遂平天下。身为宰相，人臣之贵已极，又复何望哉？如国家无孤一人，正不知几人称帝，几人称王。或见孤权重，妄相忖度，疑孤有异心，此大谬也。孤常念孔子称文王之至德，此言耿耿在心。但欲孤委捐③兵众，归就所封武平侯之国④，实不可耳：诚恐一解兵柄，为人所害；孤败则国家倾危；是以不得慕虚名而处实祸也。诸公必无知孤意者。"众皆起拜曰："虽伊尹、周公，不及丞相矣。"后人有诗曰：

---

① 声喏——唱喏。古代行礼时口中并作颂词，这里的"声"作动词，发声的意思，同"唱"。

② 合当受命——应该做皇帝。受命：受天命，古代皇帝被称为"天子"。

③ 委捐——放弃。

④ 归就所封武平侯之国——这里指要他放弃兵权和丞相的职位，回到侯爵的封国，过有荣誉而无实权的退休生活。

周公恐惧流言日，王莽谦恭下士时。

假使当年身便死，一生真伪有谁知！

曹操连饮数杯，不觉沉醉，唤左右捧过笔砚，亦欲作《铜雀台诗》。刚才下笔，忽报："东吴使华歆表奏刘备为荆州牧，孙权以妹嫁刘备，汉上九郡大半已属备矣。"操闻之，手脚慌乱，投笔于地。程昱曰："丞相在万军之中，矢石交攻之际，未尝动心；今闻刘备得了荆州，何故如此失惊？"操曰："刘备，人中之龙也，生平未尝得水。今得荆州，是困龙入大海矣。孤安得不动心哉！"程昱曰："丞相知华歆来意否？"操曰："未知。"昱曰："孙权本忌刘备，欲以兵攻之；但恐丞相乘虚而击，故令华歆为使，表荐刘备。乃安备之心，以塞丞相之望耳。"操点头曰："是也。"昱曰："某有一计，使孙、刘自相吞并，丞相乘间图之，一鼓而二敌俱破。"操大喜，遂问其计。程昱曰："东吴所倚者，周瑜也。丞相今表奏周瑜为南郡太守、程普为江夏太守，留华歆在朝重用之；瑜必自与刘备为仇敌矣。我乘其相并而图之，不亦善乎？"操曰："仲德之言，正合孤意。"遂召华歆上台，重加赏赐。当日筵散，操即引文武回许昌，表奏周瑜为总领南郡太守、程普为江夏太守。封华歆为大理少卿，留在许都。使命至东吴，周瑜、程普各受职讫。

周瑜既领南郡，愈思报仇，遂上书吴侯，乞令鲁肃去讨还荆州。孙权乃命肃曰："汝昔保借荆州与刘备，今备迁延不还，等待何时？"肃曰："文书上明白写着，得了西川便还。"权叱曰："只说取西川，到今又不动兵，不等老了人！"肃曰："某愿往言之。"遂乘船投荆州而来。

却说玄德与孔明在荆州广聚粮草，调练军马，远近之士多归之。忽报鲁肃到。玄德问孔明曰："子敬此来何意？"孔明曰："昨者孙权表主公为荆州牧，此是惧曹操之计。操封周瑜为南郡太守，此欲令我两家自相吞并，他好于中取事也。今鲁肃此来，又是周瑜既受太守之职，要来索荆州之意。"玄德曰："何以答之？"孔明曰："若肃提起荆州之事，主公便放声大哭。哭到悲切之处，亮自出来解劝。"计会已定，接鲁肃入府，礼毕，叙坐。肃曰："今日皇叔做了东吴女婿，便是鲁肃主人，如何敢坐？"玄德笑曰："子敬与我旧交，何必太谦？"肃乃就坐。茶罢，肃曰："今奉吴侯钧命，专为荆州一事而来。皇叔已借住多时，未蒙见还。今既两家结亲，当看亲情面上，早早交付。"玄德闻言，掩面大哭。肃惊曰："皇叔何故如此？"玄德哭声不绝。孔明从屏后出曰："亮听之久矣。子敬知吾主人哭的缘故么？"肃曰：

"某实不知。"孔明曰:"有何难见?当初我主人借荆州时,许下取得西川便还。仔细想来:益州刘璋是我主人之弟,一般都是①汉朝骨肉,若要兴兵去取他城池时,恐被外人唾骂;若要不取,还了荆州,何处安身?若不还时,于尊舅②面上又不好看。事实两难,因此泪出痛肠。"孔明说罢,触动玄德衷肠,真个捶胸顿足,放声大哭。鲁肃劝曰:"皇叔且休烦恼,与孔明从长计议。"孔明曰:"有烦子敬,回见吴侯,勿惜一言之劳,将此烦恼情节,恳告吴侯,再容几时。"肃曰:"倘吴侯不从,如之奈何?"孔明曰:"吴侯既以亲妹聘嫁皇叔,安得不从乎?望子敬善言回覆。"

鲁肃是个宽仁长者,见玄德如此哀痛,只得应允。玄德、孔明拜谢。宴毕,送鲁肃下船。径到柴桑,见了周瑜,具言其事。周瑜顿足曰:"子敬又中诸葛亮之计也!当初刘备依刘表时,常有吞并之意,何况西川刘璋乎?似此推调,未免累及老兄矣。吾有一计,使诸葛亮不能出吾算中。子敬便当一行。"肃曰:"愿闻妙策。"瑜曰:"子敬不必去见吴侯,再去荆州对刘备说:孙、刘两家,既结为亲,便是一家;若刘氏不忍去取西川,我东吴起兵去取;取得西川时,以作嫁资,却把荆州交还东吴。"肃曰:"西川迢递③,取之非易。都督此计,莫非不可?"瑜笑曰:"子敬真长者也。你道我真个去取西川与他?我只以此为名,实欲去取荆州,且教他不做准备。东吴军马收川,路过荆州,就问他索要钱粮,刘备必然出城劳军。那时乘势杀之,夺取荆州,雪吾之恨,解足下之祸。"鲁肃大喜,便再往荆州来。玄德与孔明商议。孔明曰:"鲁肃必不曾见吴侯,只到柴桑和周瑜商量了甚计策,来诱我耳。但说的话,主公只看我点头,便满口应承。"计会已定。鲁肃入见,礼毕,曰:"吴侯甚是称赞皇叔盛德,遂与诸将商议,起兵替皇叔收川。取了西川,却换荆州,以西川权当嫁资。但军马经过,却望应些钱粮。"孔明听了,忙点头曰:"难得吴侯好心!"玄德拱手称谢曰:"此皆子敬善言之力。"孔明曰:"如雄师到日,即当远接犒劳。"鲁肃暗喜,宴罢辞回。玄德问孔明曰:"此是何意?"孔明大笑曰:"周瑜死日近矣!这等计策,小儿也瞒不过!"玄德又

---

① 一般都是——一样都是。

② 尊舅——指孙权。舅:舅兄。

③ 迢递——远的样子。

问如何，孔明曰："此乃'假途灭虢①'之计也。虚名收川，实取荆州。等主公出城劳军，乘势拿下，杀入城来，'攻其无备，出其不意'也。"玄德曰："如之奈何？"孔明曰："主公宽心，只顾'准备窝弓以擒猛虎，安排香饵以钓鳌鱼'。等周瑜到来，他便不死，也九分无气。"便唤赵云听计："如此如此，其余我自有摆布。"玄德大喜。后人有诗叹云：

周瑜决策取荆州，诸葛先知第一筹。
指望长江香饵稳，不知暗里钓鱼钩。

却说鲁肃回见周瑜，说玄德、孔明欢喜一节，准备出城劳军。周瑜大笑曰："原来今番也中了吾计！"便教鲁肃禀报吴侯，并遣程普引军接应。周瑜此时箭疮已渐平愈，身躯无事，使甘宁为先锋，自与徐盛、丁奉为第二，凌统、吕蒙为后队，水陆大兵五万，望荆州而来。周瑜在船中，时复欢笑，以为孔明中计。前军至夏口，周瑜问："荆州有人在前面接否？"人报："刘皇叔使糜竺来见都督。"瑜唤至，问劳军如何。糜竺曰："主公皆准备安排下了。"瑜曰："皇叔何在？"竺曰："在荆州城门外相等，与都督把盏。"瑜曰："今为汝家之事，出兵远征；劳军之礼，休得轻易。"糜竺领了言语先回。战船密密排在江上，依次而进。看看至公安，并无一只军船，又无一人远接。周瑜催船速行。离荆州十余里，只见江面上静荡荡的。哨探的回报："荆州城上，插两面白旗，并不见一人之影。"瑜心疑，教把船傍岸，亲自上岸乘马，带了甘宁、徐盛、丁奉一班军官，引亲随精军三千人，径望荆州来。既至城下，并不见动静。瑜勒住马，令军士叫门。城上问是谁人。吴军答曰："是东吴周都督亲自在此。"言未毕，忽一声梆子响，城上军一齐都竖起枪刀。敌楼上赵云出曰："都督此行，端的为何？"瑜曰："吾替汝主取西川，汝岂犹未知耶？"云曰："孔明军师已知都督'假途灭虢'之计，故留赵云在此。吾主公有言：'孤与刘璋，皆汉室宗亲，安忍背义而取西川？若汝东吴端的取蜀，吾当披发入山，不失信于天下也。'"周瑜闻之，勒马便回。只见一人打着令字旗，于马前报说："探得四路军马，一齐杀到：关某从江陵杀来，张飞从秭归杀来，黄忠从公安杀来，魏延从孱陵小路杀来，四路正不知多少军马。喊声远近震动百余里，皆言要捉周瑜。"瑜马上大叫一声，箭疮

① 假途灭虢（guó）——春秋时故事：晋国从虞国借路去攻打虢国，虞国同意了，但晋灭虢之后，回来的路上，顺便把虞国也灭掉了。假途：借路。

复裂，坠于马下。正是：一着棋高难对敌，几番算定总成空。未知性命如何，且看下文分解。

# 第五十七回

## 柴桑口卧龙吊丧　耒阳县凤雏理事

却说周瑜怒气填胸，坠于马下，左右急救归船。军士传说："玄德、孔明在前山顶上饮酒取乐。"瑜大怒，咬牙切齿曰："你道我取不得西川，吾誓取之！"正恨间，人报吴侯遣弟孙瑜到。周瑜接入，具言其事。孙瑜曰："吾奉兄命来助都督。"遂令催军前行。行至巴丘，人报上流有刘封、关平二人领军截住水路。周瑜愈怒。忽又报孔明遣人送书至。周瑜拆封视之。书曰：

汉军师中郎将诸葛亮，致书于东吴大都督公瑾先生麾下：亮自柴桑一别，至今恋恋不忘。闻足下欲取西川，亮窃以为不可。益州民强地险，刘璋虽暗弱①，足以自守。今劳师远征，转运万里，欲收全功，虽吴起不能定其规，孙武不能善其后也。曹操失利于赤壁，志岂须臾忘报仇哉？今足下兴兵远征，倘操乘虚而至，江南齑粉矣！亮不忍坐视，特此告知。幸垂照鉴。

周瑜览毕，长叹一声，唤左右取纸笔作书上吴侯。乃聚众将曰："吾非不欲尽忠报国，奈天命已绝矣。汝等善事吴侯，共成大业。"言讫，昏绝。徐徐又醒，仰天长叹曰："既生瑜，何生亮！"连叫数声而亡。寿三十六岁。后人有诗叹曰：

赤壁遗雄烈，青年有俊声。弦歌知雅意，杯酒谢良朋。

曾谒三千斛，常驱十万兵。巴丘终命处，凭吊欲伤情。

周瑜停丧于巴丘。众将将所遗书缄，遣人飞报孙权。权闻瑜死，放声大哭。拆视其书，乃荐鲁肃以自代也。书略曰：

瑜以凡才，荷蒙殊遇，委任腹心，统御兵马，敢不竭股肱之力，以图

---

① 暗弱——愚昧软弱。

报效。奈死生不测，修短①有命；愚志未展，微躯已殒，遗恨何极！方今曹操在北，疆埸未静；刘备寄寓，有似养虎；天下之事，尚未可知。此正朝士旰食之秋，至尊垂虑之日②也。鲁肃忠烈，临事不苟，可以代瑜之任。"人之将死，其言也善。"倘蒙垂鉴，瑜死不朽矣。

孙权览毕，哭曰："公瑾有王佐之才，今忽短命而死，孤何赖哉？既遗书特荐子敬，孤敢不从之。"即日便命鲁肃为都督，总统兵马；一面教发周瑜灵柩回葬。

却说孔明在荆州，夜观天文，见将星坠地，乃笑曰："周瑜死矣。"至晓，告于玄德。玄德使人探之，果然死了。玄德问孔明曰："周瑜既死，还当如何？"孔明曰："代瑜领兵者，必鲁肃也。亮观天象，将星聚于东方。亮当以吊丧为由，往江东走一遭，就寻贤士佐助主公。"玄德曰："只恐吴中将士加害于先生。"孔明曰："瑜在之日，亮犹不惧；今瑜已死，又何患乎？"乃与赵云引五百军，具祭礼，下船赴巴丘吊丧。于路探听得孙权已令鲁肃为都督，周瑜灵柩已回柴桑。孔明径至柴桑，鲁肃以礼迎接。周瑜部将皆欲杀孔明，因见赵云带剑相随，不敢下手。孔明教设祭物于灵前，亲自奠酒，跪于地下，读祭文曰：

呜呼公瑾，不幸夭亡！修短故天，人岂不伤？我心实痛，酹酒一觞③；君其有灵，享我烝尝④！吊君幼学，以交伯符；仗义疏财，让舍以居。吊君弱冠⑤，万里鹏抟⑥；定建霸业，割据江南。吊君壮力，远镇巴丘；景升怀虑，讨逆无忧。吊君丰度，佳配小乔；汉臣之婿，不愧当朝。吊君气概，谏阻纳质；始不垂翅，终能奋翼。吊君鄱阳，蒋干来说；挥洒

---

① 修短——长短。此指寿命。

② 朝士旰(gàn)食之秋，至尊垂虑之日——朝廷将士努力效命、圣明君主施展心智的时候。朝士：朝廷将士；旰食：因忙于公务，很晚才吃饭；至尊：至高无上的地位，多指皇位。

③ 酹(lèi)酒一觞(shāng)——祭奠一觞酒。酹：把酒洒在地上表示祭奠；觞：古代喝酒用的器具。

④ 烝尝——祭奠。烝：冬祭；尝：秋祭。

⑤ 弱冠——男子二十岁左右的年龄。古代男子二十岁行冠礼，因为还没有到壮年，所以称做弱冠。

⑥ 鹏抟(tuán)——腾飞，像大鹏鸟一样盘旋。抟：盘旋。

自如，雅量高志。吊君弘才，文武筹略；火攻破敌，挽强为弱。想君当年，雄姿英发；哭君早逝，俯地流血。忠义之心，英灵之气；命终三纪①，名垂百世。哀君情切，愁肠千结；惟我肝胆，悲无断绝。昊天昏暗，三军怆然②；主为哀泣，友为泪涟。

亮也不才，丐计求谋③；助吴拒曹，辅汉安刘；掎角之援，首尾相俦④；若存若亡，何虑何忧？呜呼公瑾！生死永别！朴守其贞，冥冥灭灭。魂如有灵，以鉴我心：从此天下，更无知音！呜呼痛哉！伏惟尚飨⑤。

孔明祭毕，伏地大哭，泪如涌泉，哀恸不已。众将相谓曰："人尽道公瑾与孔明不睦，今观其祭奠之情，人皆虚言也。"鲁肃见孔明如此悲切，亦为感伤，自思曰："孔明自是多情，乃公瑾量窄，自取死耳。"后人有诗叹曰：

卧龙南阳睡未醒，又添列曜⑥下舒城。
苍天既已生公瑾，尘世何须出孔明！

鲁肃设宴款待孔明。宴罢，孔明辞回。方欲下船，只见江边一人道袍竹冠，皂绦素履，一手揪住孔明大笑曰："汝气死周郎，却又来吊孝，明欺东吴无人耶！"孔明急视其人，乃凤雏先生庞统也。孔明亦大笑。两人携手登舟，各诉心事。孔明乃留书一封与统，嘱曰："吾料孙仲谋必不能重用足下。稍有不如意，可来荆州共扶玄德。此人宽仁厚德，必不负公平生之所学。"统允诺而别。孔明自回荆州。

却说鲁肃送周瑜灵柩至芜湖，孙权接着，哭祭于前，命厚葬于本乡。瑜有两男一女，长男循，次男胤，权皆厚恤之。鲁肃曰："肃碌碌庸才，误蒙公瑾重荐，其实不称所职。愿举一人以助主公。此人上通天文，下晓地

---

① 三纪——三十六岁。一纪十二年。

② 怆(chuàng)然——悲伤的样子。

③ 丐计求谋——乞求计谋。丐：乞求。

④ 相俦(chóu)——相伴。俦：伴侣。

⑤ 伏惟尚飨(xiǎng)——祭文结尾用语，意思是恭请享受祭品。伏惟：本意是伏着想，多用为下对上有所陈述时的表敬之辞。尚飨：也作"尚享"，意思是希望死者来享受祭品。

⑥ 列曜(yào)——耀眼的星辰，这里代指周瑜。曜：日、月、星都叫曜。

理；谋略不减于管、乐，枢机①可并于孙、吴。往日周公瑾多用其言，孔明亦深服其智。现在江南，何不重用？”权闻言大喜，便问此人姓名。肃曰：“此人乃襄阳人，姓庞，名统，字士元，道号凤雏先生。”权曰：“孤亦闻其名久矣。今既在此，可即请来相见。”于是鲁肃邀请庞统入见孙权。施礼毕。权见其人浓眉掀鼻，黑面短髯，形容古怪，心中不喜。乃问曰：“公平生所学，以何为主？”统曰：“不必拘执，随机应变。”权曰：“公之才学，比公瑾如何？”统笑曰：“某之所学，与公瑾大不相同。”权平生最喜周瑜，见统轻之，心中愈不乐，乃谓统曰：“公且退。待有用公之时，却来相请。”统长叹一声而出。鲁肃曰：“主公何不用庞士元？”权曰：“狂士也，用之何益！”肃曰：“赤壁鏖兵之时，此人曾献连环策，成第一功。——主公想必知之。”权曰：“此时乃曹操自欲钉船，未必此人之功也。吾誓不用之。”鲁肃出谓庞统曰：“非肃不荐足下，奈吴侯不肯用公。公且耐心。”统低头长叹不语。肃曰：“公莫非无意于吴中乎？”统不答。肃曰：“公抱匡济之才，何往不利？可实对肃言，将欲何往？”统曰：“吾欲投曹操去也。”肃曰：“此明珠暗投矣。可往荆州投刘皇叔，必然重用。”统曰：“统意实欲如此，前言戏耳。”肃曰：“某当作书奉荐。公辅玄德，必令孙、刘两家，无相攻击，同力破曹。”统曰：“此某平生之素志也。”乃求肃书，径往荆州来见玄德。

此时孔明按察四郡未回。门吏传报：“江南名士庞统，特来相投。”玄德久闻统名，便教请入相见。统见玄德，长揖不拜。玄德见统貌陋，心中亦不悦，乃问统曰：“足下远来不易？”统不拿出鲁肃、孔明书投呈，但答曰：“闻皇叔招贤纳士，特来相投。”玄德曰：“荆楚稍定，苦无闲职。此去东北一百三十里，有一县名耒阳县，缺一县宰，屈公任之。如后有缺，却当重用。”统思：“玄德待我何薄！”欲以才学动之，见孔明不在，只得勉强相辞而去。统到耒阳县，不理政事，终日饮酒为乐；一应钱粮词讼，并不理会。有人报知玄德，言庞统将耒阳县事尽废。玄德怒曰：“竖儒焉敢乱吾法度！”遂唤张飞分付，引从人去荆南诸县巡视：“如有不公不法者，就便究问。恐于事有不明处，可与孙乾同去。”

张飞领了言语，与孙乾前至耒阳县。军民官吏，皆出郭迎接，独不见县令。飞问曰：“县令何在？”同僚覆曰：“庞县令自到任及今，将百余日，县

① 枢机——原指事物的关键，这里和前句的“谋略”互文，意思相当于“主见”。

中之事，并不理问，每日饮酒，自旦及夜，只在醉乡。今日宿酒未醒，犹卧不起。"张飞大怒，欲擒之。孙乾曰："庞士元乃高明之人，未可轻忽。且到县问之。如果于理不当，治罪未晚。"飞乃入县，正厅上坐定，教县令来见。统衣冠不整，扶醉而出。飞怒曰："吾兄以汝为人，令做县宰，汝焉敢尽废县事！"统笑曰："将军以吾废了县中何事？"飞曰："汝到任百余日，终日在醉乡，安得不废政事？"统曰："量百里小县，些小公事，何难决断！将军少坐，待我发落。"随即唤公吏，将百余日所积公务，都取来剖断。吏皆纷然赍抱案卷上厅，诉词被告人等，环跪阶下。统手中批判，口中发落，耳内听词，曲直分明，并无分毫差错。民皆叩首拜伏。不到半日，将百余日之事，尽断毕了，投笔于地而对张飞曰："所废之事何在？曹操、孙权，吾视之若掌上观文，量此小县，何足介意！"飞大惊，下席谢曰："先生大才，小子失敬。吾当于兄长处极力举荐。"统乃将出鲁肃荐书。飞曰："先生初见吾兄，何不将出？"统曰："若便将出，似乎专藉荐书来干谒矣。"飞顾谓孙乾曰："非公则失一大贤也。"遂辞统回荆州见玄德，具说庞统之才。玄德大惊曰："屈待大贤，吾之过也！"飞将鲁肃荐书呈上。玄德拆视之。书略曰：

庞士元非百里之才，使处治中、别驾之任，始当展其骥足。如以貌取之，恐负所学，终为他人所用，实可惜也！

玄德看毕，正在嗟叹，忽报孔明回。玄德接入，礼毕，孔明先问曰："庞军师近日无恙否？"玄德曰："近治耒阳县，好酒废事。"孔明笑曰："士元非百里之才，胸中之学，胜亮十倍。亮曾有荐书在士元处，曾达主公否？"玄德曰："今日方得子敬书，却未见先生之书。"孔明曰："大贤若处小任，往往以酒糊涂，倦于视事。"玄德曰："若非吾弟所言，险失大贤。"随即令张飞往耒阳县敬请庞统到荆州。玄德下阶请罪。统方将出孔明所荐之书。玄德看书中之意，言凤雏到日，宜即重用。玄德喜曰："昔司马德操言：'伏龙、凤雏，两人得一，可安天下。'今吾二人皆得，汉室可兴矣。"遂拜庞统为副军师中郎将，与孔明共赞方略，教练军士，听候征伐。

早有人报到许昌，言刘备有诸葛亮、庞统为谋士，招军买马，积草屯粮，连结东吴，早晚必兴兵北伐。曹操闻之，遂聚众谋士商议南征。荀攸进曰："周瑜新死，可先取孙权，次攻刘备。"操曰："我若远征，恐马腾来袭许都。前在赤壁之时，军中有讹言，亦传西凉入寇之事，今不可不防也。"荀攸曰："以愚所见，不若降诏加马腾为征南将军，使讨孙权，诱入京师，先除此人，则南征无患矣。"操大喜，即日遣人赍诏至西凉召马腾。

却说腾字寿成，汉伏波将军马援之后。父名肃，字子硕，桓帝时为天水兰干县尉；后失官流落陇西，与羌人杂处，遂取羌女生腾。腾身长八尺，体貌雄异，禀性温良，人多敬之。灵帝末年，羌人多叛，腾招募民兵破之。初平中年，因讨贼有功，拜征西将军，与镇西将军韩遂为弟兄。当日奉诏，乃与长子马超商议曰："吾自与董承受衣带诏以来，与刘玄德约共讨贼，不幸董承已死，玄德屡败。我又僻处西凉，未能协助玄德。今闻玄德已得荆州，我正欲展昔日之志，而曹操反来召我，当是如何？"马超曰："操奉天子之命以召父亲，今若不往，彼必以逆命责我矣。当乘其来召，竟往京师，于中取事，则昔日之志可展也。"马腾兄子马岱谏曰："曹操心怀叵测，叔父若往，恐遭其害。"超曰："儿愿尽起西凉之兵，随父亲杀入许昌，为天下除害，有何不可？"腾曰："汝自统羌兵保守西凉，只教次子马休、马铁并侄马岱随我同往。曹操见有汝在西凉，又有韩遂相助，谅不敢加害于我也。"超曰："父亲欲往，切不可轻入京师。当随机应变，观其动静。"腾曰："吾自有处①，不必多虑。"于是马腾乃引西凉兵五千，先教马休、马铁为前部，留马岱在后接应，迤逦望许昌而来。离许昌二十里屯住军马。

曹操听知马腾已到，唤门下侍郎黄奎分付曰："目今马腾南征，吾命汝为行军参谋，先至马腾寨中劳军，可对马腾说：西凉路远，运粮甚难，不能多带人马。我当更遣大兵，协同前进。来日教他入城面君，吾就应付粮草与之。"奎领命，来见马腾。腾置酒相待。奎酒半酣而言曰："吾父黄琬死于李傕、郭汜之难，尝怀痛恨。不想今日又遇欺君之贼！"腾曰："谁为欺君之贼？"奎曰："欺君者操贼也。公岂不知之，而问我耶？"腾恐是操使来相探，急止之曰："耳目较近，休得乱言。"奎叱曰："公竟忘却衣带诏乎！"腾见他说出心事，乃密以实情告之。奎曰："操欲公入城面君，必非好意。公不可轻入。来日当勒兵城下。待曹操出城点军，就点军处杀之，大事济矣。"二人商议已定。黄奎回家，恨气未息。其妻再三问之，奎不肯言。不料其妾李春香，与奎妻弟苗泽私通。泽欲得春香，正无计可施。妾见黄奎愤恨，遂对泽曰："黄侍郎今日商议军情回，意甚愤恨，不知为谁？"泽曰："汝可以言挑之曰：'人皆说刘皇叔仁德，曹操奸雄，何也？'看他说甚言语。"是

① 吾自有处——我自有办法对付。处：处理、处置。

夜黄奎果到春香房中。妾以言挑之。奎乘醉言曰:“汝乃妇人,尚知邪正,何况我乎？吾所恨者,欲杀曹操也!”妾曰:“若欲杀之,如何下手?”奎曰:“吾已约定马将军,明日在城外点兵时杀之。”妾告于苗泽,泽报知曹操。操便密唤曹洪、许褚分付如此如此;又唤夏侯渊、徐晃分付如此如此。各人领命去了,一面先将黄奎一家老小拿下。

次日,马腾领着西凉兵马,将次①近城,只见前面一簇红旗,打着丞相旗号。马腾只道曹操自来点军,拍马向前。忽听得一声炮响,红旗开处,弓弩齐发。一将当先,乃曹洪也。马腾急拨马回时,两下喊声又起;左边许褚杀来,右边夏侯渊杀来,后面又是徐晃领兵杀至,截断西凉军马,将马腾父子三人困在垓心。马腾见不是头,奋力冲杀。马铁早被乱箭射死。马休随着马腾,左冲右突,不能得出。二人身带重伤,坐下马又被箭射倒,父子二人俱被执。曹操教将黄奎与马腾父子,一齐绑至。黄奎大叫:“无罪!”操教苗泽对证。马腾大骂曰:“竖儒误我大事！我不能为国杀贼,是乃天也!”操命牵出。马腾骂不绝口,与其子马休,及黄奎,一同遇害。后人有诗叹马腾曰:

父子齐芳烈,忠贞著一门。捐生图国难,誓死答君恩。

嚼血盟言在,诛奸义状存。西凉推世胄,不愧伏波孙!

苗泽告操曰:“不愿加赏,只求李春香为妻。”操笑曰:“你为了一妇人,害了你姐夫一家,留此不义之人何用!”便教将苗泽、李春香与黄奎一家老小并斩于市。观者无不叹息。后人有诗叹曰:

苗泽因私害荩臣②,春香未得反伤身。

奸雄亦不相容恕,枉自图谋作小人。

曹操教招安西凉兵马,谕之曰:“马腾父子谋反,不干众人之事。”一面使人分付把住关隘,休教走了马岱。

且说马岱自引一千兵在后。早有许昌城外逃回军士,报知马岱。岱大惊,只得弃了兵马,扮作客商,连夜逃遁去了。曹操杀了马腾等,便决意南征。忽人报曰:“刘备调练军马,收拾器械,将欲取川。”操惊曰:“若刘备收川,则羽翼成矣。将何以图之?”言未毕,阶下一人进言曰:“某有一计,

---

① 将次——将要、快要。

② 荩(jìn)臣——忠臣。

使刘备、孙权不能相顾，江南、西川皆归丞相。”正是：西州豪杰方遭戮，南国英雄又受殃。未知献计者是谁，且看下文分解。

# 第五十八回

## 马孟起兴兵雪恨　曹阿瞒割须弃袍

却说献策之人，乃治书侍御史陈群，字长文。操问曰：“陈长文有何良策？”群曰：“今刘备、孙权结为唇齿，若刘备欲取西川，丞相可命上将提兵，会合淝之众，径取江南，则孙权必求救于刘备；备意在西川，必无心救权；权无救则力乏兵衰，江东之地，必为丞相所得。——若得江东，则荆州一鼓可平也；荆州既平，然后徐图西川：天下定矣。”操曰：“长文之言，正合吾意。”即时起大兵三十万，径下江南；令合淝张辽，准备粮草，以为供给。

早有细作报知孙权。权聚众将商议。张昭曰：“可差人往鲁子敬处，教急发书到荆州，使玄德同力拒曹。子敬有恩于玄德，其言必从；且玄德既为东吴之婿，亦义不容辞。若玄德来相助，江南可无患矣。”权从其言，即遣人谕鲁肃，使求救于玄德。肃领命，随即修书使人送玄德。玄德看了书中之意，留使者于馆舍，差人往南郡请孔明。孔明到荆州，玄德将鲁肃书与孔明看毕，孔明曰：“也不消动江南之兵，也不必动荆州之兵，自使曹操不敢正觑东南。”便回书与鲁肃，教高枕无忧。若但有北兵侵犯，皇叔自有退兵之策。使者去了。玄德问曰：“今操起三十万大军，会合淝之众，一拥而来，先生有何妙计？可以退之？”孔明曰：“操平生所虑者，乃西凉之兵也。今操杀马腾，其子马超，现统西凉之众，必切齿操贼。主公可作一书，往结马超，使超兴兵入关，则操又何暇下江南乎？”玄德大喜，即时作书，遣一心腹人，径往西凉州投下。

却说马超在西凉州，夜感一梦：梦见身卧雪地，群虎来咬。惊惧而觉，心中疑惑，聚帐下将佐，告说梦中之事。帐下一人应声曰：“此梦乃不祥之兆也。”众视其人，乃帐前心腹校尉，姓庞，名德，字令明。超问：“令明所见若何？”德曰：“雪地遇虎，梦兆殊恶。莫非老将军在许昌有事否？”言未毕，一人踉跄而入，哭拜于地曰：“叔父与弟皆死矣！”超视之，乃马岱也。超惊问何为。岱曰："叔父与侍郎黄奎同谋杀操，不幸事泄，皆被斩于市。二弟亦遇害。惟岱扮作客商，星夜走脱。"超闻言，哭倒于地。众将救起。超咬牙切齿，痛恨操贼。忽报荆州刘皇叔遣人赍书至。超拆视之。书略曰：

伏念汉室不幸，操贼专权，欺君罔上，黎民凋残。备昔与令先君同受密诏，誓诛此贼。今令先君被操所害，此将军不共天地、不同日月之仇也。若能率西凉之兵，以攻操之右，备当举荆襄之众，以遏操之前：则逆操可擒，奸党可灭，仇辱可报，汉室可兴矣。书不尽言，立待回音。

马超看毕，即时挥涕回书，发使者先回，随后便起西凉军马。正欲进发，忽西凉太守韩遂使人请马超往见。超至遂府，遂将出曹操书示之。内云："若将马超擒赴许都，即封汝为西凉侯。"超拜伏于地曰："请叔父就缚俺兄弟二人，解赴许昌，免叔父戈戟之劳。"韩遂扶起曰："吾与汝父结为兄弟，安忍害汝？汝若兴兵，吾当相助。"马超拜谢。韩遂便将操使者推出斩之，乃点手下八部军马，一同进发。那八部？乃侯选、程银、李堪、张横、梁兴、成宜、马玩、杨秋也。八将随着韩遂，合马超手下庞德、马岱，共起二十万大兵，杀奔长安来。长安郡守钟繇，飞报曹操；一面引军拒敌，布阵于野。西凉州前部先锋马岱，引军一万五千，浩浩荡荡，漫山遍野而来。钟繇出马答话。岱使宝刀一口，与繇交战。不一合，繇大败奔走。岱提刀赶来。马超、韩遂引大军都到，围住长安。钟繇上城守护。长安乃西汉建都之处，城郭坚固，壕堑险深，急切攻打不下。一连围了十日，不能攻破。庞德进计曰："长安城中土硬水碱，甚不堪食，更兼无柴。今围十日，军民饥荒。不如暂且收军，只须如此如此，长安唾手可得。"马超曰："此计大妙！"即时差"令"字旗传与各部，尽教退军，马超亲自断后。各部军马渐渐退去。钟繇次日登城看时，军皆退了，只恐有计；令人哨探，果然远去，方才放心。纵令军民出城打柴取水，大开城门，放人出入。至第五日，人报马超兵又到，军民竞奔入城，钟繇仍复闭城坚守。

却说钟繇弟钟进，守把西门。约近三更，城门里一把火起。钟进急来救时，城边转过一人，举刀纵马大喝曰："庞德在此！"钟进措手不及，被庞德一刀斩于马下，杀散军校，斩关断锁，放马超、韩遂军马入城。钟繇从东门弃城而走。马超、韩遂得了城池，赏劳三军。钟繇退守潼关，飞报曹操。操知失了长安，不敢复议南征，遂唤曹洪、徐晃分付："先带一万人马，替钟繇紧守潼关。如十日内失了关隘，皆斩；十日外，不干汝二人之事。我统大军随后便至。”二人领了将令，星夜便行。曹仁谏曰：“洪性躁，诚恐误事。”操曰：“你与我押送粮草，便随后接应。”

却说曹洪、徐晃到潼关，替钟繇坚守关隘，并不出战。马超领军来关下，把曹操三代毁骂。曹洪大怒，要提兵下关厮杀。徐晃谏曰：“此是马超要激将军厮杀，切不可与战。待丞相大军来，必有主画。”马超军日夜轮流来骂。曹洪只要厮杀，徐晃苦苦挡住。至第九日，在关上看时，西凉军都弃马在于关前草地上坐；多半困乏，就于地上睡卧。曹洪便教备马，点起三千兵杀下关来。西凉兵弃马抛戈而走。洪迤逦追赶。时徐晃正在关上点视粮车，闻曹洪下关厮杀，大惊，急引兵随后赶来，大叫曹洪回马。忽然背后喊声大震，马岱引军杀至。曹洪、徐晃急回走时，一棒鼓响，山背后两军截出：左是马超，右是庞德，混杀一阵。曹洪抵挡不住，折军大半，撞出重围，奔到关上。西凉兵随后赶来，洪等弃关而走。庞德直追过潼关，撞见曹仁军马，救了曹洪等一军。马超接应庞德上关。曹洪失了潼关，奔见曹操。操曰：“与你十日限，如何九日失了潼关？”洪曰：“西凉军兵，百般辱骂。因见彼军懈怠，乘势赶去，不想中贼奸计。”操曰：“洪年幼躁暴，徐晃你须晓事！”晃曰：“累谏不从。当日晃在关上点粮车，比及知道，小将军已下关了。晃恐有失，连忙赶去，已中贼奸计矣。”操大怒，喝斩曹洪。众官告免。曹洪服罪而退。

操进兵直叩潼关。曹仁曰：“可先下定寨栅，然后打关未迟。”操令砍伐树木，起立排栅，分作三寨：左寨曹仁，右寨夏侯渊，操自居中寨。次日，操引三寨大小将校，杀奔关隘前去，正遇西凉军马。两边各布阵势。操出马于门旗下，看西凉之兵，人人勇健，个个英雄。又见马超生得面如傅粉，唇若抹朱，腰细膀宽，声雄力猛，白袍银铠，手执长枪，立马阵前；上首庞德，下首马岱。操暗暗称奇，自纵马谓超曰：“汝乃汉朝名将子孙，何故背反耶？”超咬牙切齿，大骂：“操贼！欺君罔上，罪不容诛！害我父弟，不共戴天之仇！吾当活捉生啖汝肉！”说罢，挺枪直杀过来。曹操背后于禁出迎。两马交战，斗得八九合，于禁败走。张郃出迎，战二十合亦败走。李通出迎，超奋威交战，数合之中，一枪刺李通于马下。超把枪望后一招，西凉兵一齐冲杀过来。操兵大败。西凉兵来得势猛，左右将佐，皆抵当不住。马超、庞德、马岱引百余骑，直入中军来捉曹操。操在乱军中，只听得西凉军大叫:“穿红袍的是曹操!”操就马上急脱下红袍。又听得大叫:“长髯者是曹操!”操惊慌,掣所佩刀断其髯。军中有人将曹操割髯之事,告知马超,超遂令人叫拿:“短髯者是曹操!”操闻知,即扯旗角包颈而逃。后人有诗曰:

潼关战败望风逃,孟德怆惶脱锦袍。

剑割髭髯应丧胆,马超声价盖天高。

曹操正走之间,背后一骑赶来,回头视之,正是马超。操大惊。左右将校见超赶来,各自逃命,只撇下曹操。超厉声大叫曰:“曹操休走!”操惊得马鞭坠地。看看赶上,马超从后使枪搠来。操绕树而走,超一枪搠在树上;急拔下时,操已走远。超纵马赶来,山坡边转过一将,大叫:“勿伤吾主!曹洪在此!”轮刀纵马,拦住马超。操得命走脱。洪与马超战到四五十合,渐渐刀法散乱,气力不加。夏侯渊引数十骑随到。马超独自一人,恐被所算,乃拨马而回。夏侯渊也不来赶。

曹操回寨,却得曹仁死据定了寨栅,因此不曾多折军马。操入帐叹曰:“吾若杀了曹洪,今日必死于马超之手也!”遂唤曹洪,重加赏赐。收拾败军,坚守寨栅,深沟高垒,不许出战。超每日引兵来寨前辱骂搦战。操传令教军士坚守,如乱动者斩。诸将曰:“西凉之兵,尽使长枪,当选弓弩迎之。”操曰:“战与不战,皆在于我,非在贼也。贼虽有长枪,安能便刺?诸公但坚壁观之,贼自退矣。”诸将皆私相议曰:“丞相自来征战,一身当先;今败于马超,何如此之弱也?”过了几日,细作报来:“马超又添二万生力兵来助战,乃是羌人部落。”操闻知大喜。诸将曰:“马超添兵,丞相反喜,何也?”操曰:“待吾胜了,却对汝等说。”三日后又报关上又添军马。操又大喜,就于帐中设宴作贺。诸将皆暗笑。操曰:“诸公笑我无破马超之谋,公等有何良策?”徐晃进曰:“今丞相盛兵在此,贼亦全部现屯关上,此去河西,必无准备;若得一军暗渡蒲阪津,先截贼归路,丞相径发河北击之,贼两不相应,势必危矣。”操曰:“公明之言,正合吾意。”便教徐晃引精兵四千,和朱灵同去径袭河西,伏于山谷之中,“待我渡河北同时击之”。徐晃、朱灵领命,先引四千军暗暗去了。操下令,先教曹洪于蒲阪津,安排船筏。留曹仁守寨,操自领兵渡渭河。早有细作报知马超。超曰:“今操不攻潼关,而使人准备船筏,欲渡河北,必将遏吾之后也。吾当引一军循河拒住岸北。操兵不得渡,不消二十日,河东粮尽,操兵必乱,却循河南而击之,操可擒矣。"韩遂曰:"不必如此。岂不闻兵法有云:'兵半渡可击。'待操兵渡至一半,汝却于南岸击之,操兵皆死于河内矣。"超曰:"叔父之言甚善。"即使人探听曹操几时渡河。

却说曹操整兵已毕,分三停军,前渡渭河。比及人马到河口时,日光初起。操先发精兵渡过北岸,开创营寨。操自引亲随护卫军将百人,按剑坐于南岸,看军渡河。忽然人报:"后边白袍将军到了!"众皆认得是马超,一拥下船。河边军争上船者,声喧不止。操犹坐而不动,按剑指约休闹。只听得人喊马嘶,蜂拥而来,船上一将跃身上岸,呼曰:"贼至矣!请丞相下船!"操视之,乃许褚也。操口内犹言:"贼至何妨?"回头视之,马超已离不得百余步。许褚拖操下船时,船已离岸一丈有余,褚负操一跃上船。随行将士尽皆下水,扳住船边,争欲上船逃命。船小将翻,褚掣刀乱砍,傍船手尽折,倒于水中,急将船望下水棹去。许褚立于梢上,忙用木篙撑之。操伏在许褚脚边。马超赶到河岸,见船已流在半河,遂拈弓搭箭,喝令骁将绕河射之,矢如雨急。褚恐伤曹操,以左手举马鞍遮之。马超箭不虚发,船上驾舟之人,应弦落水;船中数十人皆被射倒。其船反撑不定,于急水中旋转。许褚独奋神威,将两腿夹舵摇撼,一手使篙撑船,一手举鞍遮护曹操。

时有渭南县令丁斐,在南山之上,见马超追操甚急,恐伤操命,遂将寨内牛只马匹,尽驱于外,漫山遍野,皆是牛马。西凉兵见之,都回身争取牛马,无心追赶,曹操因此得脱。方到北岸,便把船筏凿沉。诸将听得曹操在河中逃难,急来救时,操已登岸。许褚身被重铠,箭皆嵌在甲上。众将保操至野寨中,皆拜于地而问安。操大笑曰:"我今日几为小贼所困!"褚曰:"若非有人纵马放牛以诱贼,贼必努力渡河矣。"操问曰:"诱贼者谁也?"有知者答曰:"渭南县令丁斐也。"少顷,斐入见。操谢曰:"若非公之良谋,则吾被贼所擒矣。"遂命为典军校尉。斐曰:"贼虽暂去,明日必复来。须以良策拒之。"操曰:"吾已准备了也。"遂唤诸将各分头循河筑起甬道①,暂为寨脚。贼若来时,陈兵于甬道外,内虚立旌旗,以为疑兵;更沿河掘下壕堑,虚土棚盖,河内以兵诱之,"贼急来必陷,贼陷便可击矣"。

却说马超回见韩遂,说:"几乎捉住曹操!有一将奋勇负操下船去了,

---

① 甬道——两旁有墙的驰道或通道。

不知何人。”遂曰：“吾闻曹操选极精壮之人，为帐前侍卫，名曰‘虎卫军’，以骁将典韦、许褚领之。典韦已死，今救曹操者，必许褚也。此人勇力过人，人皆称为‘虎痴’；如遇之，不可轻敌。”超曰：“吾亦闻其名久矣。”遂曰：“今操渡河，将袭我后，可速攻之，不可令他创立营寨。若立营寨，急难剿除。”超曰：“以侄愚意，还只拒住北岸，使彼不得渡河，乃为上策。”遂曰：“贤侄守寨，吾引军循河战操，若何？”超曰：“令庞德为先锋，跟叔父前去。”于是韩遂与庞德将兵五万，直抵渭南。操令众将于甬道两旁诱之。庞德先引铁骑千余，冲突而来。喊声起处，人马俱落于陷马坑内。庞德踊身一跳，跃出土坑，立于平地，立杀数人，步行砍出重围。韩遂已被困在垓心，庞德步行救之。正遇着曹仁部将曹永，被庞德一刀砍于马下，夺其马，杀开一条血路，救出韩遂，投东南而走。背后曹兵赶来，马超引军接应，杀败曹兵，复救出大半军马。战至日暮方回。计点人马，折了将佐程银、张横，陷坑中死者二百余人。超与韩遂商议：“若迁延日久，操于河北立了营寨，难以退敌；不若乘今夜引轻骑去劫野营。”遂曰：“须分兵前后相救。”于是超自为前部，令庞德、马岱为后应，当夜便行。

却说曹操收兵屯渭北，唤诸将曰：“贼欺我未立寨栅，必来劫野营。可四散伏兵，虚其中军。号炮响时，伏兵尽起，一鼓可擒也。”众将依令，伏兵已毕。当夜，马超却先使成宜引三十骑往前哨探。成宜见无人马，径入中军。操军见西凉兵到，遂放号炮。四面伏兵皆出，只围得三十骑。成宜被夏侯渊所杀。马超却自从背后与庞德、马岱兵分三路蜂拥杀来。正是：纵有伏兵能候敌，怎当健将共争先？未知胜负若何，且看下文分解。

# 第五十九回

## 许褚裸衣斗马超　曹操抹书间韩遂

却说当夜两兵混战，直到天明，各自收兵。马超屯兵渭口，日夜分兵，前后攻击。曹操在渭河内将船筏锁链作浮桥三条，接连南岸。曹仁引军夹河立寨，将粮草车辆穿连，以为屏障。马超闻之，教军士各挟草一束，带着火种，与韩遂引军并力杀到寨前，堆积草把，放起烈火。操兵抵敌不住，弃寨而走。车乘、浮桥，尽被烧毁。西凉兵大胜，截住渭河。曹操立不起营寨，心中忧惧。荀攸曰："可取渭河沙土筑起土城，可以坚守。"操拨三万军担土筑城。马超又差庞德、马岱各引五百马军，往来冲突；更兼沙土不实，筑起便倒，操无计可施。时当九月尽，天气暴冷，彤云密布，连日不开。曹操在寨中纳闷。忽人报曰："有一老人来见丞相，欲陈说方略。"操请入。见其人鹤骨松姿，形貌苍古。问之，乃京兆人也，隐居终南山，姓娄，名子伯，道号"梦梅居士"。操以客礼待之。子伯曰："丞相欲跨渭安营久矣，今何不乘时筑之？"操曰："沙土之地，筑垒不成。隐士有何良策赐教？"子伯曰："丞相用兵如神，岂不知天时乎？连日阴云布合，朔风一起，必大冻矣。风起之后，驱兵士运土泼水，比及天明，土城已就。"操大悟，厚赏子伯。子伯不受而去。

是夜北风大作。操尽驱兵士担土泼水；为无盛水之具，作缣囊①盛水浇之，随筑随冻。比及天明，沙水冻紧，土城已筑完。细作报知马超。超领兵观之，大惊，疑有神助。次日，集大军鸣鼓而进。操自乘马出营，止有许褚一人随后。操扬鞭大呼曰："孟德单骑至此，请马超出来答话。"超乘马挺枪而出。操曰："汝欺我营寨不成，今一夜天已筑就，汝何不早降！"马超大怒，意欲突前擒之，见操背后一人，睁圆怪眼，手提钢刀，勒马而立。超疑是许褚，乃扬鞭问曰："闻汝军中有虎侯，安在哉？"许褚提刀大叫曰："吾即谯郡许褚也！"目射神光，威风抖擞。超不敢动，乃勒马回。操亦引许褚回寨。两军观之，无不骇然。操谓诸将曰："贼亦知仲康乃虎侯也！"自此军中皆称褚为虎侯。许褚曰："某来日必擒马超。"操曰："马超英勇，不可轻敌。"褚曰："某誓与死战！"即使人下战书，说虎侯单搦马超来日决战。超接书大怒曰："何敢如此相欺耶！"即批次日誓杀"虎痴"。

次日，两军出营布成阵势。超分庞德为左翼，马岱为右翼，韩遂押中军。超挺枪纵马，立于阵前，高叫："虎痴快出！"曹操在门旗下回顾众将曰："马超不减吕布之勇！"言未绝，许褚拍马舞刀而出。马超挺枪接战。斗了一百余合，胜负不分。马匹困乏，各回军中，换了马匹，又出阵前。又斗一百余合，不分胜负。许褚性起，飞回阵中，卸了盔甲，浑身筋突，赤体提刀，翻身上马，来与马超决战。两军大骇。两个又斗到三十余合，褚奋

---

① 缣(jiān)囊——细绢做成的袋子。缣：细绢。

威举刀便砍马超。超闪过，一枪望褚心窝刺来。褚弃刀将枪挟住。两个在马上夺枪。许褚力大，一声响，拗断枪杆，各拿半节在马上乱打。操恐褚有失，遂令夏侯渊、曹洪两将齐出夹攻。庞德、马岱见操将齐出，麾两翼铁骑，横冲直撞，混杀将来。操兵大乱。许褚臂中两箭。诸将慌退入寨。马超直杀到壕边，操兵折伤大半。操令坚闭休出。马超回至渭口，谓韩遂曰："吾见恶战者莫如许褚，真'虎痴'也！"

却说曹操料马超可以计破，乃密令徐晃、朱灵尽渡河西结营，前后夹攻。一日，操于城上见马超引数百骑，直临寨前，往来如飞。操观良久，掷兜鍪于地曰："马儿不死，吾无葬地矣！"夏侯渊听了，心中气忿，厉声曰："吾宁死于此地，誓灭马贼！"遂引本部千余人，大开寨门，直赶去。操急止不住，恐其有失，慌自上马前来接应。马超见曹兵至，乃将前军作后队，后队作先锋，一字儿摆开。夏侯渊到，马超接住厮杀。超于乱军中遥见曹操，就撇了夏侯渊，直取曹操。操大惊，拨马而走。曹兵大乱。正追之际，忽报操有一军，已在河西下了营寨。超大惊，无心追赶，急收军回寨，与韩遂商议，言："操兵乘虚已渡河西，吾军前后受敌，如之奈何？"部将李堪曰："不如割地请和，两家且各罢兵。捱过冬天，到春暖别作计议。"韩遂曰："李堪之言最善，可从之。"

超犹豫未决。杨秋、侯选皆劝求和。于是韩遂遣杨秋为使，直往操寨下书，言割地请和之事。操曰："汝且回寨。吾来日使人回报。"杨秋辞去。贾诩入见操曰："丞相主意若何？"操曰："公所见若何？"诩曰："兵不厌诈，可伪许之；然后用反间计，令韩、马相疑，则一鼓可破也。"操抚掌大喜曰："天下高见，多有相合。文和之谋，正吾心中之事也。"于是遣人回书，言："待我徐徐退兵，还汝河西之地。"一面教搭起浮桥，作退军之意。马超得书，谓韩遂曰："曹操虽然许和，奸雄难测。倘不准备，反受其制。超与叔父轮流调兵，今日叔向操，超向徐晃；明日超向操，叔向徐晃：分头提备，以防其诈。"韩遂依计而行。

早有人报知曹操。操顾贾诩曰："吾事济矣！"问："来日是谁合向我这边？"人报曰："韩遂。"次日，操引众将出营，左右围绕，操独显一骑于中央。韩遂部卒多有不识操者，出阵观看。操高叫曰："汝诸军欲观曹公耶？吾亦犹人也，非有四目两口，但多智谋耳。"诸军皆有惧色。操使人过阵谓韩遂曰："丞相谨请韩将军会话。"韩遂即出阵；见操并无甲仗，亦弃衣甲，轻服匹马而出。二人马头相交,各按辔对语。操曰:"吾与将军之父,同举孝廉,吾尝以叔事之。吾亦与公同登仕路,不觉有年矣。将军今年妙龄几何?"韩遂答曰:"四十岁矣。"操曰:"往日在京师,皆青春年少,何期又中旬矣!安得天下清平共乐耶!"只把旧事细说,并不提起军情。说罢大笑。相谈有一个时辰,方回马而别,各自归寨。早有人将此事报知马超。超忙来问韩遂曰:"今日曹操阵前所言何事?"遂曰:"只诉京师旧事耳。"超曰:"安得不言军务乎?"遂曰:"曹操不言,吾何独言之?"超心甚疑,不言而退。

却说曹操回寨,谓贾诩曰:"公知吾阵前对语之意否?"诩曰:"此意虽妙,尚未足间二人。某有一策,令韩、马自相仇杀。"操问其计。贾诩曰:"马超乃一勇之夫,不识机密。丞相亲笔作一书,单与韩遂,中间朦胧字样,于要害处,自行涂抹改易,然后封送与韩遂,故意使马超知之。超必索书来看。若看见上面要紧去处,尽皆改抹,只猜是韩遂恐超知甚机密事,自行改抹,正合着单骑会语之疑;疑则必生乱。我更暗结韩遂部下诸将,使互相离间,超可图矣。"操曰:"此计甚妙。"随写书一封,将紧要处尽皆改抹,然后实封,故意多遣从人送过寨去,下了书自回。果然有人报知马超。超心愈疑,径来韩遂处索书看。韩遂将书与超。超见上面有改抹字样,问遂曰:"书上如何都改抹糊涂?"遂曰:"原书如此,不知何故。"超曰:"岂有以草稿送与人耶?必是叔父怕我知了详细,先改抹了。"遂曰:"莫非曹操错将草稿误封来了。"超曰:"吾又不信。曹操是精细之人,岂有差错?吾与叔父并力杀贼,奈何忽生异心?"遂曰:"汝若不信吾心,来日吾在阵前赚操说话,汝从阵内突出,一枪刺杀便了。"超曰:"若如此,方见叔父真心。"

两人约定。次日,韩遂引侯选、李堪、梁兴、马玩、杨秋五将出阵。马超藏在门影里。韩遂使人到操寨前,高叫:"韩将军请丞相攀话。"操乃令曹洪引数十骑径出阵前与韩遂相见。马离数步,洪马上欠身言曰:"夜来丞相拜意将军之言,切莫有误。"言讫便回马。超听得大怒,挺枪骤马,便刺韩遂。五将拦住,劝解回寨。遂曰:"贤侄休疑,我无歹心。"马超那里肯信,恨怨而去。韩遂与五将商议曰:"这事如何解释?"杨秋曰:"马超倚仗武勇,常有欺凌主公之心,便胜得曹操,怎肯相让?以某愚见,不如暗投曹公,他日不失封侯之位。"遂曰:"吾与马腾结为兄弟,安忍背之?"杨秋曰:"事已至此,不得不然。"遂曰:"谁可以通消息?"杨秋曰:"某愿往。"遂乃写密书，遣杨秋径来操寨，说投降之事。操大喜，许封韩遂为西凉侯、杨秋为西凉太守，其余皆有官爵。约定放火为号，共谋马超。杨秋拜辞，回见韩遂，备言其事："约定今夜放火，里应外合。"遂大喜，就令军士于中军帐后堆积干柴，五将各悬刀剑听候。韩遂商议，欲设宴赚请马超，就席图之，犹豫未决。

不想马超早已探知备细，便带亲随数人，仗剑先行，令庞德、马岱为后应。超潜步入韩遂帐中，只见五将与韩遂密语，只听得杨秋口中说道："事不宜迟，可速行之！"超大怒，挥剑直入，大喝曰："群贼焉敢谋害我！"众皆大惊。超一剑望韩遂面门剁去，遂慌以手迎之，左手早被砍落。五将挥刀齐出。超纵步出帐外，五将围绕混杀。超独挥宝剑，力敌五将。剑光明处，鲜血溅飞：砍翻马玩，剁倒梁兴，三将各自逃生。超复入帐中来杀韩遂时，已被左右救去。帐后一把火起，各寨兵皆动。超连忙上马。庞德、马岱亦至，互相混战。超领军杀出时，操兵四至：前有许褚，后有徐晃，左有夏侯渊，右有曹洪。西凉之兵，自相并杀。超不见了庞德、马岱，乃引百余骑，截于渭桥之上。天色微明，只见李堪领一军从桥下过，超挺枪纵马逐之。李堪拖枪而走。恰好于禁从马超背后赶来，禁开弓射马超。超听得背后弦响，急闪过，却射中前面李堪，落马而死。超回马来杀于禁，禁拍马走了。超回桥上住扎。操兵前后大至，虎卫军当先，乱箭夹射马超。超以枪拨之，矢皆纷纷落地。超令从骑往来突杀。争奈曹兵围裹坚厚，不能冲出。超于桥上大喝一声，杀入河北，从骑皆被截断。超独在阵中冲突，却被暗弩射倒坐下马，马超堕于地上，操军逼合。正在危急，忽西北角上一彪军杀来，乃庞德、马岱也。二人救了马超，将军中战马与马超骑了，翻身杀条血路，望西北而走。曹操闻马超走脱，传令诸将："无分晓夜，务要赶到马儿。如得首级者，千金赏，万户侯；生获者封大将军。"众将得令，各要争功，迤逦追袭。马超顾不得人马困乏，只顾奔走。从骑渐渐皆散。步兵走不上者，多被擒去。止剩得三十余骑，与庞德、马岱望陇西临洮而去。

曹操亲自追至安定，知马超去远，方收兵回长安。众将毕集。韩遂已无左手，做了残疾之人，操教就于长安歇马，授西凉侯之职。杨秋、侯选皆封列侯，令守渭口。下令班师回许都。凉州参军杨阜，字义山，径来长安见操。操问之，杨阜曰："马超有吕布之勇，深得羌人之心。今丞相若不乘势剿绝，他日养成气力，陇上诸郡，非复国家之有也。望丞相且休回兵。"

操曰："吾本欲留兵征之，奈中原多事，南方未定，不可久留。君当为孤保之。"阜领诺，又保荐韦康为凉州刺史，同领兵屯冀城，以防马超。阜临行，请于操曰："长安必留重兵以为后援。"操曰："吾已定下，汝但放心。"阜辞而去。众将皆问曰："初贼据潼关，渭北道缺，丞相不从河东击冯翊，而反守潼关，迁延日久，而后北渡，立营固守，何也？"操曰："初贼守潼关，若吾初到，便取河东，贼必以各寨分守诸渡口，则河西不可渡矣。吾故盛兵皆聚于潼关前，使贼尽南守，而河西不准备，故徐晃、朱灵得渡也。吾然后引兵北渡，连车树栅为甬道，筑冰城，欲贼知吾弱，以骄其心，使不准备。吾乃巧用反间，畜士卒之力，一旦击破之。正所谓'疾雷不及掩耳'。兵之变化，固非一道也。"众将又请问曰："丞相每闻贼加兵添众，则有喜色，何也？"操曰："关中边远，若群贼各依险阻，征之非一二年不可平复；今皆来聚一处，其众虽多，人心不一，易于离间，一举可灭：吾故喜也。"众将拜曰："丞相神谋，众不及也！"操曰："亦赖汝众文武之力。"遂重赏诸军。留夏侯渊屯兵长安，所得降兵，分拨各部。夏侯渊保举冯翊高陵人，姓张，名既，字德容，为京兆尹，与渊同守长安。操班师回都。献帝排銮驾出郭迎接。诏操"赞拜不名，入朝不趋，剑履上殿"：如汉相萧何故事。自此威震中外。

这消息播入汉中，早惊动了汉宁太守张鲁。原来张鲁乃沛国丰人。其祖张陵在西川鹄鸣山中造作道书以惑人，人皆敬之。陵死之后，其子张衡行之。百姓但有学道者，助米五斗，世号"米贼"。张衡死，张鲁行之。鲁在汉中自号为"师君"；其来学道者皆号为"鬼卒"；为首者号为"祭酒"；领众多者号为"治头大祭酒"。务以诚信为主，不许欺诈。如有病者，即设坛使病人居于静室之中，自思己过，当面陈首①，然后为之祈祷；主祈祷之事者，号为"奸令祭酒"。祈祷之法，书病人姓名，说服罪之意，作文三通，名为"三官手书"：一通放于山顶以奏天，一通埋于地以奏地，一通沉于水以申水官。如此之后，但病痊可，将米五斗为谢。又盖义舍：舍内饭米、柴火、肉食齐备，许过往人量食多少，自取而食；多取者受天诛。境内有犯法者，必恕三次；不改者，然后施刑。所在并无官长，尽属祭酒所管。如此雄据汉中之地已三十年。国家以为地远不能征伐，就命鲁为镇南中郎将，领汉宁太守，通进贡而已。当年闻操破西凉之众，威震天下，乃聚众商议曰：

① 陈首——自己陈述自己的罪过。

"西凉马腾遭戮,马超新败,曹操必将侵我汉中。我欲自称汉宁王,督兵拒曹操,诸君以为何如?"阎圃曰:"汉川之民,户出十万余众,财富粮足,四面险固;今马超新败,西凉之民,从子午谷奔入汉中者,不下数万。愚意益州刘璋昏弱,不如先取西川四十一州为本,然后称王未迟。"张鲁大喜,遂与弟张卫商议起兵。早有细作报入川中。

却说益州刘璋,字季玉,即刘焉之子,汉鲁恭王之后。章帝元和中,徙封竟陵,支庶①因居于此。后焉官至益州牧,兴平元年患病疽而死。州大吏赵韪等,共保璋为益州牧。璋曾杀张鲁母及弟,因此有仇。璋使庞羲为巴西太守,以拒张鲁。时庞羲探知张鲁欲兴兵取川,急报知刘璋。璋平生懦弱,闻得此信,心中大忧,急聚众官商议。忽一人昂然而出曰:"主公放心。某虽不才,凭三寸不烂之舌,使张鲁不敢正眼来觑西川。"正是:只因蜀地谋臣进,致引荆州豪杰来。未知此人是谁,且看下文分解。

# 第六十回

## 张永年反难杨修　庞士元议取西蜀

却说那进计于刘璋者,乃益州别驾,姓张,名松,字永年。其人生得额镬头尖,鼻偃齿露,身短不满五尺,言语有若铜钟。刘璋问曰:"别驾有何高见,可解张鲁之危?"松曰:"某闻许都曹操,扫荡中原,吕布、二袁皆为所灭,近又破马超,天下无敌矣。主公可备进献之物,松亲往许都,说曹操兴兵取汉中,以图张鲁。则鲁拒敌不暇,何敢复窥蜀中耶?"刘璋大喜,收拾金珠锦绮,为进献之物,遣张松为使。松乃暗画西川地理图本藏之,带从人数骑,取路赴许都。早有人报入荆州。孔明便使人入许都打探消息。

却说张松到了许都馆驿中住定,每日去相府伺候,求见曹操。原来曹操自破马超回,傲睨②得志,每日饮宴,无事少出,国政皆在相府商议。张松候了三日,方得通姓名。左右近侍先要贿赂,却才引入。操坐于堂上,

① 支庶——旁支。与嫡系相对。

② 傲睨(nì)——傲然斜视。形容倨傲、蔑视一切。

松拜毕，操问曰："汝主刘璋连年不进贡，何也？"松曰："为路途艰难，贼寇窃发，不能通进。"操叱曰："吾扫清中原，有何盗贼？"松曰："南有孙权，北有张鲁，西有刘备，至少者亦带甲十余万，岂得为太平耶？"操先见张松人物猥琐，五分不喜；又闻语言冲撞，遂拂袖而起，转入后堂。左右责松曰："汝为使命，何不知礼，一味冲撞？幸得丞相看汝远来之面，不见罪责。汝可急急回去！"松笑曰："吾川中无谄佞之人也。"忽然阶下一人大喝曰："汝川中不会谄佞，吾中原岂有谄佞者乎？"

松观其人，单眉细眼，貌白神清。问其姓名，乃太尉杨彪之子杨修，字德祖，现为丞相门下掌库主簿。此人博学能言，智识过人。松知修是个舌辩之士，有心难之。修亦自恃其才，小觑天下之士。当时见张松言语讥讽，遂邀出外面书院中，分宾主而坐，谓松曰："蜀道崎岖，远来劳苦。"松曰："奉主之命，虽赴汤蹈火，弗敢辞也。"修问："蜀中风土何如？"松曰："蜀为西郡，古号益州。路有锦江之险，地连剑阁之雄。回还二百八程，纵横三万余里，鸡鸣犬吠相闻，市井闾阎①不断。田肥地茂，岁无水旱之忧；国富民丰，时有管弦之乐。所产之物，阜②如山积。天下莫可及也！"修又问曰："蜀中人物如何？"松曰："文有相如③之赋，武有伏波之才；医有仲景④之能，卜有君平⑤之隐。九流三教，'出乎其类，拔乎其萃'者，不可胜记，岂能尽数！"修又问曰："方今刘季玉手下，如公者还有几人？"松曰："文武全才，智勇足备，忠义慷慨之士，动以百数。如松不才之辈，车载斗量，不可胜记。"修曰："公近居何职？"松曰："滥充别驾之任，甚不称职。敢问公为朝廷何官？"修曰："现为丞相府主簿。"松曰："久闻公世代簪缨⑥，何不立于庙堂，辅佐天子，乃区区作相府门下一吏乎？"杨修闻言，满面羞惭，强颜而答曰："某虽居下寮，丞相委以军政钱粮之重，早晚多蒙丞相教诲，极有开发，故就此职耳。"松笑曰："松闻曹丞相文不明孔、孟之道，武不达孙、吴之

---

① 闾阎——里巷的门，这里借指里巷。

② 阜——多、大。

③ 相如——即司马相如，汉代辞赋家，著有《子虚赋》、《上林赋》等。

④ 仲景——即张仲景，汉代医学家，著有《伤寒杂病论》等著作。

⑤ 君平——严君平，汉时著名卜者。

⑥ 簪缨——贵族身份的标志，代指高官。簪：簪子，结发戴冠用的；缨：系在脖子上的帽带。

机，专务强霸而居大位，安能有所教诲，以开发明公耶？”修曰：“公居边隅，安知丞相大才乎？吾试令公观之。”呼左右于箧中取书一卷，以示张松。松观其题曰《孟德新书》。从头至尾，看了一遍，共一十三篇，皆用兵之要法。松看毕，问曰：“公以此为何书耶？”修曰：“此是丞相酌古准今，仿《孙子十三篇》而作。公欺丞相无才，此堪以传后世否？”松大笑曰：“此书吾蜀中三尺小童，亦能暗诵，何为‘新书’？此是战国时无名氏所作，曹丞相盗窃以为己能，止好瞒足下耳！”修曰：“丞相秘藏之书，虽已成帙①，未传于世。公言蜀中小儿暗诵如流，何相欺乎？”松曰：“公如不信，吾试诵之。”遂将《孟德新书》，从头至尾，朗诵一遍，并无一字差错。修大惊曰：“公过目不忘，真天下奇才也！”后人有诗赞曰：

古怪形容异，清高体貌疏。语倾三峡水，目视十行书。

胆量魁西蜀，文章贯太虚。百家并诸子，一览更无余。

当下张松欲辞回。修曰：“公且暂居馆舍，容某再禀丞相，令公面君。”松谢而退。

修入见操曰：“适来丞相何慢张松乎？”操曰：“言语不逊，吾故慢之。”修曰：“丞相尚容一祢衡，何不纳张松？”操曰：“祢衡文章，播于当今，吾故不忍杀之。松有何能？”修曰：“且无论其口似悬河，辩才无碍。适修以丞相所撰《孟德新书》示之，彼观一遍，即能暗诵。如此博闻强记②，世所罕有。松言此书乃战国时无名氏所作，蜀中小儿，皆能熟记。”操曰：“莫非古人与我暗合否？”令扯碎其书烧之。修曰：“此人可使面君，教见天朝气象。”操曰：“来日我于西教场点军，汝可先引他来，使见我军容之盛，教他回去传说：吾即日下了江南，便来收川。”修领命。

至次日，与张松同至西教场。操点虎卫雄兵五万，布于教场中。果然盔甲鲜明，衣袍灿烂；金鼓震天，戈矛耀日；四方八面，各分队伍；旌旗飏彩，人马腾空。松斜目视之。良久，操唤松指而示曰：“汝川中曾见此英雄人物否？”松曰：“吾蜀中不曾见此兵革，但以仁义治人。”操变色视之。松全无惧意。杨修频以目视松。操谓松曰：“吾视天下鼠辈犹草芥耳。大军到处，战无不胜，攻无不取，顺吾者生，逆吾者死。汝知之乎？”松曰：“丞相

---

① 帙(zhì)——本义是书画外面包着的布套。这里为成套之意。

② 博闻强记——见闻广博，记忆力强。

驱兵到处,战必胜,攻必取,松亦素知。昔日濮阳攻吕布之时,宛城战张绣之日;赤壁遇周郎,华容逢关羽;割须弃袍于潼关,夺船避箭于渭水:此皆无敌于天下也!"操大怒曰:"竖儒怎敢揭吾短处!"喝令左右推出斩之。杨修谏曰:"松虽可斩,奈从蜀道而来入贡,若斩之,恐失远人之意。"操怒气未息。荀彧亦谏。操方免其死,令乱棒打出。

松归馆舍,连夜出城,收拾回川。松自思曰:"吾本欲献西川州郡与曹操,谁想如此慢人!我来时于刘璋之前,开了大口;今日怏怏空回,须被蜀中人所笑。吾闻荆州刘玄德仁义远播久矣,不如径由那条路回。试看此人如何,我自有主见。"于是乘马引仆从望荆州界上而来。前至郢州界口,忽见一队军马,约有五百余骑,为首一员大将,轻装软扮,勒马前问曰:"来者莫非张别驾乎?"松曰:"然也。"那将慌忙下马,声喏曰:"赵云等候多时。"松下马答礼曰:"莫非常山赵子龙乎?"云曰:"然也。某奉主公刘玄德之命,为大夫远涉路途,鞍马驱驰,特命赵云聊奉酒食。"言罢,军士跪奉酒食,云敬进之。松自思曰:"人言刘玄德宽仁爱客,今果如此。"遂与赵云饮了数杯,上马同行。来到荆州界首,是日天晚,前到馆驿,见驿门外百余人侍立,击鼓相接。一将于马前施礼曰:"奉兄长将令,为大夫远涉风尘,令关某洒扫驿庭,以待歇宿。"松下马,与云长、赵云同入馆舍,讲礼叙坐。须臾,排上酒筵,二人殷勤相劝。饮至更阑,方始罢席,宿了一宵。

次日早膳毕,上马行不到三五里,只见一簇人马到。乃是玄德引着伏龙、凤雏,亲自来接。遥见张松,早先下马等候。松亦慌忙下马相见。玄德曰:"久闻大夫高名,如雷灌耳。恨云山遥远,不得听教。今闻回都,专此相接。倘蒙不弃,到荒州暂歇片时,以叙渴仰之思,实为万幸!"松大喜,遂上马并辔入城。至府堂上各各叙礼,分宾主依次而坐,设宴款待。饮酒间,玄德只说闲话,并不提起西川之事。松以言挑之曰:"今皇叔守荆州,还有几郡?"孔明答曰:"荆州乃暂借东吴的,每每使人取讨。今我主因是东吴女婿,故权且在此安身。"松曰:"东吴据六郡八十一州,民强国富,犹且不知足耶?"庞统曰:"吾主汉朝皇叔,反不能占据州郡;其他皆汉之蟊贼①,却都恃强侵占地土:惟智者不平焉。"玄德曰:"二公休言。吾有何德,

---

① 蟊(máo)贼——比喻对国家有危害的人。蟊:吃禾苗根的害虫;贼:吃禾苗节的害虫。

敢多望乎?”松曰:“不然。明公乃汉室宗亲,仁义充塞四海。休道占据州郡,便代正统而居帝位,亦非分外。”玄德拱手谢曰:“公言太过,备何敢当!”

自此一连留张松饮宴三日,并不提起川中之事。松辞去,玄德于十里长亭设宴送行。玄德举酒酌松曰:“甚荷大夫不外,留叙三日;今日相别,不知何时再得听教。”言罢,潸然泪下。张松自思:“玄德如此宽仁爱士,安可舍之? 不如说之,令取西川。”乃言曰:“松亦思朝暮趋侍,恨未有便耳。松观荆州:东有孙权,常怀虎踞;北有曹操,每欲鲸吞。亦非可久恋之地也。”玄德曰:“故知如此,但未有安迹之所。”松曰:“益州险塞,沃野千里,民殷国富;智能之士,久慕皇叔之德。若起荆襄之众,长驱西指,霸业可成,汉室可兴矣。”玄德曰:“备安敢当此? 刘益州亦帝室宗亲,恩泽布蜀中久矣。他人岂可得而动摇乎?”松曰:“某非卖主求荣;今遇明公,不敢不披沥肝胆:刘季玉虽有益州之地,禀性暗弱,不能任贤用能;加之张鲁在北,时思侵犯;人心离散,思得明主。松此一行,专欲纳款①于操;何期逆贼恣逞奸雄,傲贤慢士,故特来见明公。明公先取西川为基,然后北图汉中,收取中原,匡正天朝,名垂青史,功莫大焉。明公果有取西川之意,松愿施犬马之劳,以为内应。未知钧意若何?”玄德曰:“深感君之厚意。奈刘季玉与备同宗,若攻之,恐天下人唾骂。”松曰:“大丈夫处世,当努力建功立业,著鞭在先。今若不取,为他人所取,悔之晚矣。”玄德曰:“备闻蜀道崎岖,千山万水,车不能方轨,马不能联辔;虽欲取之,用何良策?”松于袖中取出一图,递与玄德曰:“松感明公盛德,敢献此图。但看此图,便知蜀中道路矣。”玄德略展视之,上面尽写着地理行程,远近阔狭,山川险要,府库钱粮,一一俱载明白。松曰:“明公可速图之。松有心腹契友二人:法正、孟达。此二人必能相助。如二人到荆州时,可以心事共议。”玄德拱手谢曰:“青山不老,绿水长存。他日事成,必当厚报。”松曰:“松遇明主,不得不尽情相告,岂敢望报乎?”说罢作别。孔明命云长等护送数十里方回。

张松回益州,先见友人法正。正字孝直,右扶风郿人也,贤士法真之子。松见正,备说:“曹操轻贤傲士,只可同忧,不可同乐。吾已将益州许刘皇叔矣。专欲与兄共议。”法正曰:“吾料刘璋无能,已有心见刘皇叔久

---

① 纳款——投诚、归附。

矣。此心相同,又何疑焉?”少顷,孟达至。达字子庆,与法正同乡。达入,见正与松密语。达曰:“吾已知二公之意。将欲献益州耶?”松曰:“是欲如此。兄试猜之,合献与谁?”达曰:“非刘玄德不可。”三人抚掌大笑。法正谓松曰:“兄明日见刘璋,当若何?”松曰:“吾荐二公为使,可往荆州。”二人应允。

次日,张松见刘璋。璋问:“干事若何?”松曰:“操乃汉贼,欲篡天下,不可为言。彼已有取川之心。”璋曰:“似此如之奈何?”松曰:“松有一谋,使张鲁、曹操必不敢轻犯西川。”璋曰:“何计?”松曰:“荆州刘皇叔,与主公同宗,仁慈宽厚,有长者风。赤壁鏖兵之后,操闻之而胆裂,何况张鲁乎?主公何不遣使结好,使为外援,可以拒曹操、张鲁矣。”璋曰:“吾亦有此心久矣。谁可为使?”松曰:“非法正、孟达,不可往也。”璋即召二人入,修书一封,令法正为使,先通情好;次遣孟达领精兵五千,迎玄德入川为援。正商议间,一人自外突入,汗流满面,大叫曰:“主公若听张松之言,则四十一州郡,已属他人矣!”松大惊,视其人,乃西阆中巴人,姓黄,名权,字公衡,现为刘璋府下主簿。璋问曰:“玄德与我同宗,吾故结之为援;汝何出此言?”权曰:“某素知刘备宽以待人,柔能克刚,英雄莫敌;远得人心,近得民望;兼有诸葛亮、庞统之智谋,关、张、赵云、黄忠、魏延为羽翼。若召到蜀中,以部曲①待之,刘备安肯伏低做小?若以客礼待之,又一国不容二主。今听臣言,则西蜀有泰山之安;不听臣言,则主公有累卵之危矣。张松昨从荆州过,必与刘备同谋。可先斩张松,后绝刘备,则西川万幸也。”璋曰:“曹操、张鲁到来,何以拒之?”权曰:“不如闭境绝塞,深沟高垒,以待时清。”璋曰:“贼兵犯界,有烧眉之急;若待时清,则是慢计也。”遂不从其言,遣法正行。又一人阻曰:“不可!不可!”璋视之,乃帐前从事官王累也。累顿首言曰:“主公今听张松之说,自取其祸。”璋曰:“不然。吾结好刘玄德,实欲拒张鲁也。”累曰:“张鲁犯界,乃癣疥之疾;刘备入川,乃心腹之大患。况刘备世之枭雄,先事曹操,便思谋害;后从孙权,便夺荆州。心术如此,安可同处乎?今若召来,西川休矣!”璋叱曰:“再休乱道!玄德是我同宗,他安肯夺我基业?”便教扶二人出。遂命法正便行。

法正离益州,径取荆州,来见玄德。参拜已毕,呈上书信。玄德拆封

---

①　部曲——本为军队编制之称,这里指家仆的意思。

视之。书曰：

族弟刘璋，再拜致书于玄德宗兄将军麾下：久伏电天，蜀道崎岖，未及赍贡，甚切惶愧。璋闻"吉凶相救，患难相扶"，朋友尚然，况宗族乎？今张鲁在北，旦夕兴兵，侵犯璋界，甚不自安。专人谨奉尺书，上乞钧听。倘念同宗之情，全手足之义，即日兴师剿灭狂寇，永为唇齿，自有重酬。书不尽言，专候车骑。

玄德看毕大喜，设宴相待法正。酒过数巡，玄德屏退左右，密谓正曰："久仰孝直英名，张别驾多谈盛德。今获听教，甚慰平生。"法正谢曰："蜀中小吏，何足道哉！盖闻马逢伯乐而嘶，人遇知己而死。张别驾昔日之言，将军复有意乎？"玄德曰："备一身寄客，未尝不伤感而叹息。尝思鹪鹩尚存一枝，狡兔犹藏三窟①，何况人乎？蜀中丰余之地，非不欲取；奈刘季玉系备同宗，不忍相图。"法正曰："益州天府之国，非治乱之主，不可居也。今刘季玉不能用贤，此业不久必属他人。今日自付与将军，不可错失。岂不闻'逐兔先得②'之语乎？将军欲取，某当效死。"玄德拱手谢曰："尚容商议。"

当日席散，孔明亲送法正归馆舍。玄德独坐沉吟。庞统进曰："事当决而不决者，愚人也。主公高明，何多疑耶？"玄德问曰："以公之意，当复何如？"统曰："荆州东有孙权，北有曹操，难以得志。益州户口百万，土广财富，可资大业。今幸张松、法正为内助，此天赐也。何必疑哉？"玄德曰："今与吾水火相敌者，曹操也。操以急，吾以宽；操以暴，吾以仁；操以谲，吾以忠：每与操相反，事乃可成。若以小利而失信义于天下，吾不忍也。"庞统笑曰："主公之言，虽合天理，奈离乱之时，用兵争强，固非一道；若拘执常理，寸步不可行矣，宜从权变。且'兼弱攻昧'、'逆取顺守'③，汤、武之道也。若事定之后，报之以义，封为大国，何负于信？今日不取，终被他人

---

① 鹪鹩一枝、狡兔三窟——成语，这里喻凡是生物都有安身之地。鹪鹩：小鸟，一棵小树即可栖身；古人说兔子为了安全，要打三个洞穴。

② 逐兔先得——古代俗语："万人逐兔，一人获之，贪者悉止，分定故也。"

③ 兼弱攻昧、逆取顺守——前语见《尚书》，意思是：对力量弱的就加以吞并，对政治昏乱的就出兵攻打。后语见《汉书》，意思是用武力夺天下，胜利后再用柔顺的手段来治理天下。

取耳。主公幸熟思焉。"玄德乃恍然曰："金石之言，当铭肺腑。"于是遂请孔明，同议起兵西行。孔明曰："荆州重地，必须分兵守之。"玄德曰："吾与庞士元、黄忠、魏延前往西川；军师可与关云长、张翼德、赵子龙守荆州。"孔明应允。于是孔明总守荆州；关公拒襄阳要路，当青泥隘口；张飞领四郡巡江；赵云屯江陵，镇公安。玄德令黄忠为前部，魏延为后军，玄德自与刘封、关平在中军，庞统为军师，马步兵五万，起程西行。临行时，忽廖化引一军来降。玄德便教廖化辅佐云长以拒曹操。

是年冬月，引兵望西川进发。行不数程，孟达接着，拜见玄德，说刘益州令某领兵五千远来迎接。玄德使人入益州，先报刘璋。璋便发书告报沿途州郡，供给钱粮。璋欲自出涪城亲接玄德，即下令准备车乘帐幔，旌旗铠甲，务要鲜明。主簿黄权入谏曰："主公此去，必被刘备之害，某食禄多年，不忍主公中他人奸计。望三思之！"张松曰："黄权此言，疏间宗族之义，滋长寇盗之威，实无益于主公。"璋乃叱权曰："吾意已决，汝何逆吾！"权叩首流血，近前口衔璋衣而谏。璋大怒，扯衣而起。权不放，顿落门牙两个。璋喝左右，推出黄权。权大哭而归。

璋欲行，一人叫曰："主公不纳黄公衡忠言，乃欲自就死地耶！"伏于阶前而谏。璋视之，乃建宁俞元人也，姓李，名恢，叩首谏曰："窃闻'君有诤①臣，父有诤子'。黄公衡忠义之言，必当听从。若容刘备入川，是犹迎虎于门也。"璋曰："玄德是吾宗兄，安肯害吾？再言者必斩！"叱左右推出李恢。张松曰："今蜀中文官各顾妻子，不复为主公效力；诸将恃功骄傲，各有外意。不得刘皇叔，则敌攻于外，民攻于内，必败之道也。"璋曰："公所谋，深于吾有益。"次日，上马出榆桥门。人报："从事王累，自用绳索倒吊于城门之上，一手执谏章，一手仗剑，口称如谏不从，自割断其绳索，撞死于此地。"刘璋教取所执谏章观之。其略曰：

> 益州从事臣王累，泣血恳告：窃闻良药苦口利于病，忠言逆耳利于行。昔楚怀王不听屈原之言，会盟于武关，为秦所困。今主公轻离大郡，欲迎刘备于涪城，恐有去路而无回路矣。倘能斩张松于市，绝刘备之约，则蜀中老幼幸甚，主公之基业亦幸甚！

刘璋观毕，大怒曰："吾与仁人相会，如亲芝兰，汝何数侮于吾耶！"王累大

① 诤——以直言劝告。

叫一声，自割断其索，撞死于地。后人有诗叹曰：

倒挂城门捧谏章，拼将一死报刘璋。

黄权折齿终降备，矢节何如王累刚！

刘璋将三万人马往涪城来。后军装载资粮钱帛一千余辆，来接玄德。

却说玄德前军已到垫江。所到之处，一者是西川供给；二者是玄德号令严明，如有妄取百姓一物者斩：于是所到之处，秋毫无犯。百姓扶老携幼，满路瞻观，焚香礼拜。玄德皆用好言抚慰。

却说法正密谓庞统曰："近张松有密书到此，言于涪城相会刘璋，便可图之。机会切不可失。"统曰："此意且勿言。待二刘相见，乘便图之。若预①走泄，于中有变。"法正乃秘而不言。涪城离成都三百六十里。璋已到，使人迎接玄德。两军皆屯于涪江之上。玄德入城，与刘璋相见，各叙兄弟之情。礼毕，挥泪诉告衷情。饮宴毕，各回寨中安歇。

璋谓众官曰："可笑黄权、王累等辈，不知宗兄之心，妄相猜疑。吾今日见之，真仁义之人也。吾得他为外援，又何虑曹操、张鲁耶？非张松则失之矣。"乃脱所穿绿袍，并黄金五百两，令人往成都赐与张松。时部下将佐刘璝、泠苞、张任、邓贤等一班文武官曰："主公且休欢喜。刘备柔中有刚，其心未可测，还宜防之。"璋笑曰："汝等皆多虑。吾兄岂有二心哉！"众皆嗟叹而退。

却说玄德归到寨中。庞统入见曰："主公今日席上见刘季玉动静乎？"玄德曰："季玉真诚实人也。"统曰："季玉虽善，其臣刘璝、张任等皆有不平之色，其间吉凶未可保也。以统之计，莫若来日设宴，请季玉赴席；于壁衣中埋伏刀斧手一百人，主公掷杯为号，就筵上杀之；一拥入成都，刀不出鞘，弓不上弦，可坐而定也。"玄德曰："季玉是吾同宗，诚心待吾；更兼吾初到蜀中，恩信未立；若行此事，上天不容，下民亦怨。公此谋，虽霸者亦不为也。"统曰："此非统之谋，是法孝直得张松密书，言事不宜迟，只在早晚当图之。"言未已，法正入见，曰："某等非为自己，乃顺天命。"玄德曰："刘季玉与吾同宗，不忍取之。"正曰："明公差矣。若不如此，张鲁与蜀有杀母之仇，必来攻取。明公远涉山川，驱驰士马，既到此地，进则有功，退则无益。若执狐疑之心，迁延日久，大为失计。且恐机谋一泄，反为他人所算。

---

① 预——预先、事先。

不若乘此天与人归①之时，出其不意，早立基业，实为上策。”庞统亦再三相劝。正是：人主几番存厚道，才臣一意进权谋。未知玄德心下如何，且看下文分解。

# 第六十一回

## 赵云截江夺阿斗　孙权遗书退老瞒

却说庞统、法正二人，劝玄德就席间杀刘璋，西川唾手可得。玄德曰：“吾初入蜀中，恩信未立，此事决不可行。”二人再三说之，玄德只是不从。次日，复与刘璋宴于城中，彼此细叙衷曲，情好甚密。酒至半酣，庞统与法正商议曰：“事已至此，由不得主公了。”便教魏延登堂舞剑，乘势杀刘璋。延遂拔剑进曰：“筵间无以为乐，愿舞剑为戏。”庞统便唤众武士入，列于堂下，只待魏延下手。刘璋手下诸将，见魏延舞剑筵前，又见阶下武士手按刀靶，直视堂上，从事张任亦掣剑舞曰：“舞剑必须有对，某愿与魏将军同舞。”二人对舞于筵前。魏延目视刘封，封亦拔剑助舞。于是刘璝、泠苞、邓贤各掣剑出曰：“我等当群舞，以助一笑。”玄德大惊，急掣左右所佩之剑，立于席上曰：“吾兄弟相逢痛饮，并无疑忌。又非‘鸿门会’上，何用舞剑？不弃剑者立斩！”刘璋亦叱曰：“兄弟相聚，何必带刀？”命侍卫者尽去佩剑。众皆纷然下堂。玄德唤诸将士上堂，以酒赐之，曰：“吾弟兄同宗骨血，共议大事，并无二心。汝等勿疑。”诸将皆拜谢。刘璋执玄德之手而泣曰：“吾兄之恩，誓不敢忘！”二人欢饮至晚而散。玄德归寨，责庞统曰：“公等奈何欲陷备于不义耶？今后断勿为此。”统嗟叹而退。

却说刘璋归寨，刘璝等曰：“主公见今日席上光景乎？不如早回，免生后患。”刘璋曰：“吾兄刘玄德，非比他人。”众将曰：“虽玄德无此心，他手下人皆欲吞并西川，以图富贵。”璋曰：“汝等无间吾兄弟之情。”遂不听，日与玄德欢叙。忽报张鲁整顿兵马，将犯葭萌关。刘璋便请玄德往拒之。玄德慨然领诺，即日引本部兵望葭萌关去了。众将劝刘璋令大将紧守各处

---

① 天与人归——上天给与、人心归附。

关隘，以防玄德兵变。璋初时不从，后因众人苦劝，乃令白水都督杨怀、高沛二人，守把涪水关。刘璋自回成都。玄德到葭萌关，严禁军士，广施恩惠，以收民心。

早有细作报入东吴。吴侯孙权会文武商议。顾雍进曰："刘备分兵远涉山险而去，未易往还。何不差一军先截川口，断其归路，后尽起东吴之兵，一鼓而下荆襄？此不可失之机会也。"权曰："此计大妙！"正商议间，忽屏风后一人大喝而出曰："进此计者可斩之！——欲害吾女之命耶？"众惊视之，乃吴国太也。国太怒曰："吾一生惟有一女，嫁与刘备。今若动兵，吾女性命如何？"因叱孙权曰："汝掌父兄之业，坐领八十一州，尚自不足，乃顾小利而不念骨肉！"孙权喏喏连声，答曰："老母之训，岂敢有违！"遂叱退众官。国太恨恨而入。孙权立于轩下，自思："此机会一失，荆襄何日可得？"正沉吟间，只见张昭入问曰："主公有何忧疑？"孙权曰："正思适间之事。"张昭曰："此极易也：今差心腹将一人，只带五百军，潜入荆州，下一封密书与郡主，只说国太病危，欲见亲女，取郡主星夜回东吴。玄德平生只有一子，就教带来。那时玄德定把荆州来换阿斗。如其不然，一任动兵，更有何碍？"权曰："此计大妙！吾有一人，姓周，名善，最有胆量。自幼穿房入户，多随吾兄。今可差他去。"昭曰："切勿漏泄。只此便令起行。"

于是密遣周善，将五百人，扮为商人，分作五船；更诈修国书，以备盘诘；船内暗藏兵器。周善领命，取荆州水路而来。船泊江边，善自入荆州，令门吏报孙夫人。夫人命周善入。善呈上密书。夫人见说国太病危，洒泪动问。周善拜诉曰："国太好生病重，旦夕只是思念夫人。倘去得迟，恐不能相见。就教夫人带阿斗去见一面。"夫人曰："皇叔引兵远出，我今欲回，须使人知会军师，方可以行。"周善曰："若军师回言道：须报知皇叔，候了回命，方可下船，如之奈何？"夫人曰："若不辞而去，恐有阻当。"周善曰："大江之中，已准备下船只。只今便请夫人上车出城。"孙夫人听知母病危急，如何不慌？便将七岁孩子阿斗，载在车中；随行带三十余人，各跨刀剑，上马离荆州城，便来江边上船。府中人欲报时，孙夫人已到沙头镇，下在船中了。

周善方欲开船，只听得岸上有人大叫："且休开船，容与夫人饯行！"视之，乃赵云也。原来赵云巡哨方回，听得这个消息，吃了一惊，只带四五骑，旋风般沿江赶来。周善手执长戈，大喝曰："汝何人，敢当主母！"叱令军士一齐开船，各将军器出来，摆列在船上。风顺水急，船皆随流而去。赵云沿江赶叫："任从夫人去。只有一句话拜禀。"周善不睬，只催船速进。赵云沿江赶到十余里，忽见江滩斜缆一只渔船在那里。赵云弃马执枪，跳上渔船。只两人驾船前来，望着夫人所坐大船追赶。周善教军士放箭。赵云以枪拨之，箭皆纷纷落水。离大船悬隔丈余，吴兵用枪乱刺。赵云弃枪在小船上，掣所佩青釭剑在手，分开枪搠，望吴船踊身一跳，早登大船。吴兵尽皆惊倒。赵云入舱中，夫人抱阿斗于怀中，喝赵云曰："何故无礼！"云插剑声喏曰："主母欲何往？何故不令军师知会？"夫人曰："我母亲病在危笃，无暇报知。"云曰："主母探病，何故带小主人去？"夫人曰："阿斗是吾子，留在荆州，无人看觑。"云曰："主母差矣。主人一生，只有这点骨血，小将在当阳长坂坡百万军中救出；今日夫人却欲抱将去，是何道理？"夫人怒曰："量汝只是帐下一武夫，安敢管我家事！"云曰："夫人要去便去，只留下小主人。"夫人喝曰："汝半路辄入船中，必有反意！"云曰："若不留下小主人，纵然万死，亦不敢放夫人去。"夫人喝侍婢向前揪捽①，被赵云推倒，就怀中夺了阿斗，抱出船头上。——欲要傍岸，又无帮手；欲要行凶，又恐碍于道理：进退不得。夫人喝侍婢夺阿斗，赵云一手抱定阿斗，一手仗剑，人不敢近。周善在后梢挟住舵，只顾放船下水。风顺水急，望中流而去。赵云孤掌难鸣，只护得阿斗，安能移舟傍岸？

正在危急，忽见下流头港内一字儿使出十余只船来，船上磨旗擂鼓。赵云自思："今番中了东吴之计！"只见当头船上一员大将，手执长矛，高声大叫："嫂嫂留下侄儿去！"原来张飞巡哨，听得这个消息，急来油江夹口，正撞着吴船，急忙截住。当下张飞提剑跳上吴船。周善见张飞上船，提刀来迎，被张飞手起一剑砍倒，提头掷于孙夫人前。夫人大惊曰："叔叔何故无礼？"张飞曰："嫂嫂不以俺哥哥为重，私自归家，这便无礼！"夫人曰："吾母病重，甚是危急，若等你哥哥回报，须误了我事。若你不放我回去，我情愿投江而死！"

张飞与赵云商议："若逼死夫人，非为臣下之道。只护着阿斗过船去罢。"乃谓夫人曰："俺哥哥大汉皇叔，也不辱没嫂嫂。今日相别，若思哥哥恩义，早早回来。"说罢，抱了阿斗，自与赵云回船，放孙夫人五只船去了。

---

① 揪捽（zuó）——揪抓。捽：也是"揪"的意思。

后人有诗赞子龙曰：

昔年救主在当阳，今日飞身向大江。
船上吴兵皆胆裂，子龙英勇世无双！

又有诗赞翼德曰：

长坂桥边怒气腾，一声虎啸退曹兵。
今朝江上扶危主，青史应传万载名。

二人欢喜回船。行不数里，孔明引大队船只接来，见阿斗已夺回，大喜。三人并马而归。孔明自申文书往葭萌关，报知玄德。

却说孙夫人回吴，具说张飞、赵云杀了周善，截江夺了阿斗。孙权大怒曰："今吾妹已归，与彼不亲，杀周善之仇，如何不报！"唤集文武，商议起军攻取荆州。正商议调兵，忽报曹操起军四十万来报赤壁之仇。孙权大惊，且按下荆州，商议拒敌曹操。人报长史张纮辞疾回家，今已病故，有哀书上呈。权拆视之，书中劝孙权迁居秣陵，言秣陵山川有帝王之气，可速迁于此，以为万世之业。孙权览书大哭，谓众官曰："张子纲劝吾迁居秣陵，吾如何不从！"即命迁治建业，筑石头城。吕蒙进曰："曹操兵来，可于濡须水口筑坞以拒之。"诸将皆曰："上岸击贼，跣足入船，何用筑城？"蒙曰："兵有利钝，战无必胜。如猝然遇敌，步骑相促，人尚不暇及水，何能入船乎？"权曰："人无远虑，必有近忧。子明之见甚远。"便差军数万筑濡须坞。晓夜并工，刻期告竣。

却说曹操在许都，威福日甚。长史董昭进曰："自古以来，人臣未有如丞相之功者，虽周公、吕望，莫可及也：栉风沐雨①，三十余年，扫荡群凶，与百姓除害，使汉室复存。岂可与诸臣宰同列乎？合受魏公之位，加'九锡'以彰功德。"——你道那九锡？

一，车　马　大辂、戎辂各一。大辂，金车也。戎辂，兵车也。玄牡二驷，黄马八匹。

二，衣　服　衮冕之服，赤舄副焉。衮冕，王者之服。赤舄，朱履也。

三，乐　悬　乐悬，王者之乐也。

四，朱　户　居以朱户，红门也。

---

① 栉（zhì）风沐雨——风梳头，雨洗发，形容奔波劳碌，风雨不停。

五，纳　陛 纳陛以登。<br>陛，阶也。

六，虎　贲 虎贲三百人，<br>守门之军也。

七，铁　钺 铁、钺各一。铁，即<br>斧也。钺，斧属。

八，弓　矢 彤弓一，彤矢百。彤，赤色也。<br>兹弓十，兹矢千。兹，黑色也。

九，秬鬯圭瓒 秬鬯一卣，圭瓒副焉。秬，黑黍也。鬯，香酒，灌地以求<br>神于阴。卣，中樽也。圭瓒，宗庙祭器，以祀先王也。

侍中荀彧曰："不可。丞相本兴义兵，匡扶汉室，当秉忠贞之志，守谦退之节。君子爱人以德，不宜如此。"曹操闻言，勃然变色。董昭曰："岂可以一人而阻众望？"遂上表请尊操为魏公，加九锡。荀彧叹曰："吾不想今日见此事！"操闻，深恨之，以为不助己也。建安十七年冬十月，曹操兴兵下江南，就命荀彧同行。彧已知操有杀己之心，托病止于寿春。忽曹操使人送饮食一盒至。盒上有操亲笔封记。开盒视之，并无一物。彧会其意，遂服毒而亡。年五十岁。后人有诗叹曰：

文若才华天下闻，可怜失足在权门。

后人休把留侯比，临没无颜见汉君。

其子荀恽，发哀书报曹操。操甚懊悔，命厚葬之，谥曰敬侯。

且说曹操大军至濡须，先差曹洪领三万铁甲马军，哨至江边。回报云："遥望沿江一带，旗幡无数，不知兵聚何处。"操放心不下，自领兵前进，就濡须口排开军阵。操领百余人上山坡，遥望战船，各分队伍，依次摆列。旗分五色，兵器鲜明。当中大船上青罗伞下，坐着孙权。左右文武，侍立两边。操以鞭指曰："生子当如孙仲谋！若刘景升儿子，豚犬①耳！"忽一声响动，南船一齐飞奔过来。濡须坞内又一军出，冲动曹兵。曹操军马退后便走，止喝不住。忽有千百骑赶到山边，为首马上一人，碧眼紫髯。——众人认得正是孙权。权自引一队马军来击曹操。操大惊，急回马时，东吴大将韩当、周泰，两骑马直冲将上来。操背后许褚纵马舞刀，敌住二将，曹操得脱归寨。许褚与二将战三十合方回。操回寨，重赏许褚，责骂众将：

---

① 豚(tún)犬——猪狗。豚：小猪、猪。

"临敌先退，挫吾锐气！后若如此，尽皆斩首！"是夜二更时分，忽寨外喊声大震。操急上马，见四下里火起，却被吴兵劫入大寨。杀至天明，曹兵退五十余里下寨。操心中郁闷，闲看兵书。程昱曰："丞相既知兵法，岂不知兵贵神速乎？丞相起兵，迁延日久，故孙权得以准备，夹濡须水口为坞，难于攻击。不若且退兵还许都，别作良图。"操不应。

程昱出。操伏几而卧，忽闻潮声汹涌，如万马争奔之状。操急视之，见大江中推出一轮红日，光华射目；仰望天上，又有两轮太阳对照。忽见江心那轮红日，直飞起来，坠于寨前山中，其声如雷。猛然惊觉，原来在帐中做了一梦。帐前军报道午时。曹操教备马，引五十余骑，径奔出寨，至梦中所见落日山边。正看之间，忽见一簇人马，当先一人，金盔金甲。操视之，乃孙权也。权见操至，也不慌忙，在山上勒住马，以鞭指操曰："丞相坐镇中原，富贵已极，何故贪心不足，又来侵我江南？"操答曰："汝为臣下，不尊王室。吾奉天子诏，特来讨汝！"孙权笑曰："此言岂不羞乎？天下岂不知你挟天子令诸侯？吾非不尊汉朝，正欲讨汝以正国家耳。"操大怒，叱诸将上山捉孙权。忽一声鼓响，山背后两彪军出：右边韩当、周泰，左边陈武、潘璋。四员将带三千弓弩手乱射，矢如雨发。操急引众将回走。背后四将赶来甚急。赶到半路，许褚引众虎卫军敌住，救回曹操。吴兵齐奏凯歌，回濡须去了。操还营自思："孙权非等闲人物。红日之应，久后必为帝王。"于是心中有退兵之意。又恐东吴耻笑，进退未决。两边又相拒了月余，战了数场，互相胜负。直至来年正月，春雨连绵，水港皆满，军士多在泥水之中，困苦异常。操心甚忧。当日正在寨中，与众谋士商议。或劝操收兵；或云目今春暖，正好相持，不可退归。操犹豫未定。忽报东吴有使赍书到。操启视之。书略曰：

> 孤与丞相，彼此皆汉朝臣宰。丞相不思报国安民，乃妄动干戈，残虐生灵，岂仁人之所为哉？即日春水方生，公当速去。如其不然，复有赤壁之祸矣。公宜自思焉。

书背后又批两行云："足下不死，孤不得安。"

曹操看毕，大笑曰："孙仲谋不欺我也。"重赏来使，遂下令班师，命庐江太守朱光镇守皖城，自引大军回许昌。孙权亦收军回秣陵。权与众将商议："曹操虽然北去，刘备尚在葭萌关未还。何不引拒曹操之兵，以取荆州？"张昭献计曰："且未可动兵。某有一计，使刘备不能再还荆州。”正是：孟德雄兵方退北，仲谋壮志又图南。不知张昭说出甚计来，且看下文分解。

# 第六十二回

## 取涪关杨高授首　攻雒城黄魏争功

却说张昭献计曰：“且休要动兵。若一兴师，曹操必复至。不如修书二封：一封与刘璋，言刘备结连东吴，共取西川，使刘璋心疑而攻刘备；一封与张鲁，教进兵向荆州来，着刘备首尾不能救应。我然后起兵取之，事可谐矣。”权从之，即发使二处去讫。

且说玄德在葭萌关日久，甚得民心。忽接得孔明文书，知孙夫人已回东吴。又闻曹操兴兵犯濡须，乃与庞统议曰：“曹操击孙权，操胜必将取荆州，权胜亦必取荆州矣。为之奈何？”庞统曰：“主公勿忧。有孔明在彼，料想东吴不敢犯荆州。主公可驰书去刘璋处，只推：‘曹操攻击孙权，权求救于荆州。吾与孙权唇齿之邦，不容不相援。张鲁自守之贼，决不敢来犯界。吾今欲勒兵回荆州，与孙权会同破曹操，奈兵少粮缺。望推同宗之谊，速发精兵三四万，行粮十万斛相助。请勿有误。’若得军马钱粮，却另作商议。”

玄德从之，遣人往成都。来到关前，杨怀、高沛闻知此事，遂教高沛守关，杨怀同使者入成都，见刘璋呈上书信。刘璋看毕，问杨怀为何亦同来。杨怀曰：“专为此书而来。刘备自从入川，广布恩德，以收民心，其意甚是不善。今求军马钱粮，切不可与。如若相助，是把薪助火也。”刘璋曰：“吾与玄德有兄弟之情，岂可不助？”一人出曰：“刘备枭雄，久留于蜀而不遣，是纵虎入室矣。今更助之以军马钱粮，何异与虎添翼乎？”众视其人，乃零陵烝阳人，姓刘，名巴，字子初。刘璋闻刘巴之言，犹豫未决。黄权又复苦谏。璋乃量拨老弱军四千、米一万斛，发书遣使报玄德。仍令杨怀、高沛紧守关隘。刘璋使者到葭萌关见玄德，呈上回书。玄德大怒曰：“吾为汝御敌，费力劳心。汝今积财吝赏，何以使士卒效命乎？”遂扯毁回书，大骂而起。使者逃回成都。庞统曰：“主公只以仁义为重，今日毁书发怒，前情尽弃矣。”玄德曰：“如此，当若何？”庞统曰：“某有三条计策，请主公自择而行。”

玄德问：“那三条计？”统曰：“只今便选精兵，昼夜兼道径袭成都：此为上计。杨怀、高沛乃蜀中名将，各仗强兵拒守关隘；今主公佯以回荆州为名，二将闻知，必来相送；就送行处，擒而杀之，夺了关隘，先取涪城，然后却向成都：此中计也。退还白帝，连夜回荆州，徐图进取：此为下计。若沉吟不去，将至大困。不可救矣。”玄德曰：“军师上计太促，下计太缓；中计不迟不疾，可以行之。”

于是发书致刘璋，只说曹操令部将乐进引兵至青泥镇，众将抵敌不住，吾当亲往拒之，不及面会，特书相辞。书至成都，张松听得说刘玄德欲回荆州，只道是真心，乃修书一封，欲令人送与玄德。却值亲兄广汉太守张肃到，松急藏书于袖中，与肃相陪说话。肃见松神情恍惚，心中疑惑。松取酒与肃共饮。献酬之间，忽落此书于地，被肃从人拾得。席散后，从人以书呈肃。肃开视之。书略曰：

松昨进言于皇叔，并无虚谬，何乃迟迟不发？逆取顺守，古人所贵。今大事已在掌握之中，何故欲弃此而回荆州乎？使松闻之，如有所失。书呈到日，疾速进兵。松当为内应，万勿有误！

张肃见了，大惊曰：“吾弟作灭门之事，不可不首。”连夜将书见刘璋，具言弟张松与刘备同谋，欲献西川。刘璋大怒曰：“吾平日未尝薄待他，何故欲谋反！”遂下令捉张松全家，尽斩于市。后人有诗叹曰：

一览无遗世所稀，谁知书信泄天机。
未观玄德兴王业，先向成都血染衣。

刘璋既斩张松，聚集文武商议曰：“刘备欲夺吾基业，当如之何？”黄权曰：“事不宜迟。即便差人告报各处关隘，添兵把守，不许放荆州一人一骑入关。”璋从其言，星夜驰檄各关去讫。

却说玄德提兵回涪城，先令人报上涪水关，请杨怀、高沛出关相别。杨、高二将闻报，商议曰：“玄德此回若何？”高沛曰：“玄德合死。我等各藏利刃在身，就送行处刺之，以绝吾主之患。”杨怀曰：“此计大妙。”二人只带随行二百人，出关送行，其余并留在关上。玄德大军尽发。前至涪水之上，庞统在马上谓玄德曰：“杨怀、高沛若欣然而来，可提防之；若彼不来，便起兵径取其关，不可迟缓。”正说间，忽起一阵旋风，把马前“帅”字旗吹倒。玄德问庞统曰：“此何兆也？”统曰：“此警报也：杨怀、高沛二人必有行刺之意，宜善防之。”玄德乃身披重铠，自佩宝剑防备。人报杨、高二将前来送行。玄德令军马歇定。庞统分付魏延、黄忠：“但关上来的军士，不问多少，马步军兵，一个也休放回。”二将得令而去。

却说杨怀、高沛二人身边各藏利刃，带二百军兵，牵羊送酒，直至军前。见并无准备，心中暗喜，以为中计。入至帐下，见玄德正与庞统坐于帐中。二将声喏曰：“闻皇叔远回，特具薄礼相送。”遂进酒劝玄德。玄德曰：“二将军守关不易，当先饮此杯。”二将饮酒毕，玄德曰：“吾有密事与二将军商议，闲人退避。”遂将带来二百人尽赶出中军。玄德叱曰：“左右与吾捉下二贼！”帐后刘封、关平应声而出。杨、高二人急待争斗，刘封、关平各捉住一人。玄德喝曰：“吾与汝主是同宗兄弟，汝二人何故同谋，离间亲情？”庞统叱左右搜其身畔，果然各搜出利刃一口。统便喝斩二人；玄德还犹未决，统曰：“二人本意欲杀吾主，罪不容诛。”遂叱刀斧手斩杨怀、高沛于帐前。黄忠、魏延早将二百从人，先自捉下，不曾走了一个。玄德唤入，各赐酒压惊。玄德曰：“杨怀、高沛离间吾兄弟，又藏利刃行刺，故行诛戮。尔等无罪，不必惊疑。”众各拜谢。庞统曰：“吾今即用汝等引路，带吾军取关。各有重赏。”众皆应允。是夜二百人先行，大军随后。前军至关下叫曰：“二将军有急事回，可速开关。”城上听得是自家军，即时开关。大军一拥而入，兵不血刃，得了涪关。蜀兵皆降。玄德各加重赏，遂即分兵前后守把。次日劳军，设宴于公厅。玄德酒酣，顾庞统曰：“今日之会，可为乐乎？”庞统曰：“伐人之国而以为乐，非仁者之兵也。”玄德曰：“吾闻昔日武王伐纣，作乐象功，此亦非仁者之兵欤？汝言何不合道理？可速退！”庞统大笑而起。左右亦扶玄德入后堂。睡至半夜，酒醒。左右以逐庞统之言，告知玄德。玄德大悔；次早穿衣升堂，请庞统谢罪曰：“昨日酒醉，言语触犯，幸勿挂怀。”庞统谈笑自若。玄德曰：“昨日之言，惟吾有失。”庞统曰：“君臣俱失，何独主公？”玄德亦大笑，其乐如初。

却说刘璋闻玄德杀了杨、高二将，袭了涪水关，大惊曰：“不料今日果有此事！”遂聚文武，问退兵之策。黄权曰：“可连夜遣兵屯洛县，塞住咽喉之路。刘备虽有精兵猛将，不能过也。”璋遂令刘璝、泠苞、张任、邓贤点五万大军，星夜往守雒县，以拒刘备。

四将行兵之次，刘璝曰：“吾闻锦屏山中有一异人，道号紫虚上人，知人生死贵贱。吾辈今日行军，正从锦屏山过。何不试往问之？”张任曰：

"大丈夫行兵拒敌，岂可问于山野之人乎？"瓒曰："不然。圣人云：'至诚之道，可以前知。'吾等问于高明之人，当趋吉避凶。"于是四人引五六十骑至山下，问径樵夫。樵夫指高山绝顶上，便是上人所居。四人上山至庵前，见一道童出迎。问了姓名，引入庵中。只见紫虚上人，坐于蒲墩之上。四人下拜，求问前程之事。紫虚上人曰："贫道乃山野废人，岂知休咎①？"刘瓒再三拜问，紫虚遂命道童取纸笔，写下八句言语，付与刘瓒。其文曰：

左龙右凤，飞入西川。雏凤坠地，卧龙升天。

一得一失，天数当然。见机而作，勿丧九泉②。

刘瓒又问曰："我四人气数如何？"紫虚上人曰："定数难逃，何必再问！"瓒又请问时，上人眉垂目合，恰似睡着的一般，并不答应。四人下山。刘瓒曰："仙人之言，不可不信。"张任曰："此狂叟也，听之何益。"遂上马前行。既至雒县，分调人马，守把各处隘口。刘瓒曰："雒城乃成都之保障，失此则成都难保。吾四人公议，着二人守城，二人去洛县前面，依山傍险，扎下两个寨子，勿使敌兵临城。"泠苞、邓贤曰："某愿往结寨。"刘瓒大喜，分兵二万，与泠、邓二人，离城六十里下寨。刘瓒、张任守护雒城。

却说玄德既得涪水关，与庞统商议进取雒城。人报刘璋拨四将前来，即日泠苞、邓贤领二万军离城六十里，扎下两个大寨。玄德聚众将问曰："谁敢建头功，去取二将寨栅？"老将黄忠应声出曰："老夫愿往。"玄德曰："老将军率本部人马，前至雒城，如取得泠苞、邓贤营寨，必当重赏。"

黄忠大喜，即领本部兵马，谢了要行。忽帐下一人出曰："老将军年纪高大，如何去得？小将不才愿往。"玄德视之，乃是魏延。黄忠曰："我已领下将令，你如何敢搀越？"魏延曰："老者不以筋骨为能。吾闻泠苞、邓贤乃蜀中名将，血气方刚。恐老将军近他不得，岂不误了主公大事？因此愿相替，本是好意。"黄忠大怒曰："汝说吾老，敢与我比试武艺么？"魏延曰："就主公之前，当面比试。赢得的便去，何如？"黄忠遂趋步下阶，便叫小校："将刀来！"玄德急止之曰："不可！吾今提兵取川，全仗汝二人之力。今两虎相斗，必有一伤。须误了我大事。吾与你二人劝解，休得争论。"庞统曰："汝二人不必相争。即今泠苞、邓贤下了两个营寨。今汝二人自领本

---

① 休咎——吉凶。

② 九泉——地下。和"黄泉"同义。

部军马，各打一寨。如先夺得者，便为头功。”于是分定黄忠打泠苞寨，魏延打邓贤寨。二人各领命去了。庞统曰：“此二人去，恐于路上相争。主公可自引军为后应。”玄德留庞统守城，自与刘封、关平引五千军随后进发。

却说黄忠归寨，传令来日四更造饭，五更结束，平明进兵，取左边山谷而进。魏延却暗使人探听黄忠甚时起兵。探事人回报：“来日四更造饭，五更起兵。”魏延暗喜，分付众军士二更造饭，三更起兵，平明要到邓贤寨边。军士得令，都饱餐一顿，马摘铃，人衔枚，卷旗束甲，暗地去劫寨。三更前后，离寨前进。到半路，魏延马上寻思：“只去打邓贤寨，不显能处；不如先去打泠苞寨，却将得胜兵打邓贤寨。两处功劳，都是我的。”就马上传令，教军士都投左边山路里去。天色微明，离泠苞寨不远，教军士少歇，排搠金鼓旗幡、枪刀器械。

早有伏路小军飞报入寨，泠苞已有准备了。一声炮响，三军上马，杀将出来。魏延纵马提刀，与泠苞接战。二将交马，战到三十合，川兵分两路来袭汉军。汉军走了半夜，人马力乏，抵当不住，退后便走。魏延听得背后阵脚乱，撇了泠苞，拨马回走。川兵随后赶来，汉军大败。走不到五里，山背后鼓声震地，邓贤引一彪军从山谷里截出来，大叫：“魏延快下马受降！”魏延策马飞奔，那马忽失前蹄，双足跪地，将魏延掀将下来。邓贤马奔到，挺枪来刺魏延。枪未到处，弓弦响，邓贤倒撞下马。后面泠苞方欲来救，一员大将，从山坡上跃马而来，厉声大叫：“老将黄忠在此！”舞刀直取泠苞。泠苞抵敌不住，望后便走。黄忠乘势追赶，川兵大乱。

黄忠一枝军救了魏延，杀了邓贤，直赶到寨前。泠苞回马与黄忠再战。不到十余合，后面军马拥将上来，泠苞只得弃了左寨，引败军来投右寨。只见寨中旗帜全别，泠苞大惊。兜住马看时，当头一员大将，金甲锦袍，乃是刘玄德——左边刘封，右边关平——大喝道：“寨子吾已夺下，汝欲何往？”原来玄德引兵从后接应，便乘势夺了邓贤寨子。泠苞两头无路，取山僻小径，要回雒城。行不到十里，狭路伏兵忽起，搭钩齐举，把泠苞活捉了。原来却是魏延自知罪犯，无可解释，收拾后军，令蜀兵引路，伏在这里，等个正着。用索缚了泠苞，解投玄德寨来。

却说玄德立起免死旗，但川兵倒戈卸甲者，并不许杀害，如伤者偿命；又谕众降兵曰：“汝川人皆有父母妻子，愿降者充军，不愿降者放回。”于是欢声动地。黄忠安下寨脚，径来见玄德，说魏延违了军令，可斩之。玄德急召魏延，魏延解泠苞至。玄德曰："延虽有罪，此功可赎。"令魏延谢黄忠救命之恩，今后毋得相争。魏延顿首伏罪。玄德重赏黄忠。使人押泠苞到帐下，玄德去其缚，赐酒压惊，问曰："汝肯降否？"泠苞曰："既蒙免死，如何不降？刘璝、张任与某为生死之交；若肯放某回去，当即招二人来降，就献雒城。"玄德大喜，便赐衣服鞍马，令回雒城。魏延曰："此人不可放回。若脱身一去，不复来矣。"玄德曰："吾以仁义待人，人不负我。"

却说泠苞得回洛城，见刘璝、张任，不说捉去放回，只说："被我杀了十余人，夺得马匹逃回。"刘璝忙遣人往成都求救。刘璋听知折了邓贤，大惊，慌忙聚众商议。长子刘循进曰："儿愿领兵前去守雒城。"璋曰："既吾儿肯去，当遣谁人为辅？"一人出曰："某愿往。"璋视之，乃舅氏吴懿也。璋曰："得尊舅去最好。谁可为副将？"吴懿保吴兰、雷铜二人为副将，点二万军马来到雒城。刘璝、张任接着，具言前事。吴懿曰："兵临城下，难以拒敌，汝等有何高见？"泠苞曰："此间一带，正靠涪江，江水大急；前面寨占山脚，其形最低。某乞五千军，各带锹锄前去，决涪江之水，可尽淹死刘备之兵也。"吴懿从其计，即令泠苞前往决水，吴兰、雷铜引兵接应。泠苞领命，自去准备决水器械。

却说玄德令黄忠、魏延各守一寨，自回涪城，与军师庞统商议。细作报说："东吴孙权遣人结好东川张鲁，将欲来攻葭萌关。"玄德惊曰："若葭萌关有失，截断后路，吾进退不得，当如之何？"庞统谓孟达曰："公乃蜀中人，多知地理，去守葭萌关如何？"达曰："某保一人与某同去守关，万无一失。"玄德问何人。达曰："此人曾在荆州刘表部下为中郎将，乃南郡枝江人，姓霍，名峻，字仲邈。"玄德大喜，即时遣孟达、霍峻守葭萌关去了。

庞统退归馆舍，门吏忽报："有客特来相访。"统出迎接，见其人身长八尺，形貌甚伟；头发截短，披于颈上；衣服不甚齐整。统问曰："先生何人也？"其人不答，径登堂仰卧床上。统甚疑之，再三请问。其人曰："且消停，吾当与汝说知天下大事。"统闻之愈疑，命左右进酒食。其人起而便食，并无谦逊；饮食甚多，食罢又睡。统疑惑不定，使人请法正视之，恐是细作。法正慌忙到来。统出迎接，谓正曰："有一人如此如此。"法正曰："莫非彭永言乎？"升阶视之。其人跃起曰："孝直别来无恙！"正是：只为川人逢旧识，遂令涪水息洪流。毕竟此人是谁，且看下文分解。

# 第六十三回

## 诸葛亮痛哭庞统　张翼德义释严颜

却说法正与那人相见，各抚掌而笑。庞统问之。正曰："此公乃广汉人，姓彭，名羕①，字永言，蜀中豪杰也。因直言触忤②刘璋，被璋髡钳为徒隶③，因此短发。"统乃以宾礼待之，问羕从何而来。羕曰："吾特来救汝数万人性命，见刘将军方可说。"法正忙报玄德。玄德亲自谒见，请问其故。羕曰："将军有多少军马在前寨？"玄德实告："有魏延、黄忠在彼。"羕曰："为将之道，岂可不知地理乎？前寨紧靠涪江，若决动江水，前后以兵塞之，一人无可逃也。"玄德大悟。彭羕曰："罡星④在西方，太白临于此地，当有不吉之事，切宜慎之。"玄德即拜彭羕为幕宾，使人密报魏延、黄忠，教朝暮用心巡警，以防决水。黄忠、魏延商议：二人各轮一日；如遇敌军到来，互相通报。

却说泠苞见当夜风雨大作，引了五千军，径循江边而进，安排决江。只听得后面喊声乱起，泠苞知有准备，急急回军。前面魏延引军赶来，川兵自相践踏。泠苞正奔走间，撞着魏延。交马不数合，被魏延活捉去了。比及吴兰、雷铜来接应时，又被黄忠一军杀退。魏延解泠苞到涪关。玄德责之曰："吾以仁义相待，放汝回去，何敢背我！今次难饶！"将泠苞推出斩之，重赏魏延。玄德设宴管待彭羕。忽报：荆州诸葛亮军师特遣马良奉书至此。玄德召入问之。马良礼毕曰："荆州平安，不劳主公忧念。"遂呈上军师书信。玄德拆书观之，略云：

亮夜算太乙数，今年岁次癸巳，罡星在西方；又观乾象，太白临于

---

① 彭羕(yàng)——人名。

② 触忤(wǔ)——冒犯。

③ 髡(kūn)钳为徒隶——剪发锁脖充当苦役犯。髡钳：古代一种封建刑罚，剪去头发叫髡，用铁环束住脖子叫钳。为徒隶：充当苦役犯。

④ 罡(gāng)星——星座名。

雒城之分：主将帅身上多凶少吉。切宜谨慎。

玄德看了书，便教马良先回。玄德曰："吾将回荆州，去论此事。"庞统暗思："孔明怕我取了西川，成了功，故意将此书相阻耳。"乃对玄德曰："统亦算太乙数，已知罡星在西，应主公合得西川，别不主凶事。统亦占天文，见太白临于洛城，先斩蜀将泠苞，已应凶兆矣。主公不可疑心，可急进兵。"

玄德见庞统再三催促，乃引军前进。黄忠同魏延接入寨去。庞统问法正曰："前至雒城，有多少路？"法正画地作图。玄德取张松所遗图本对之，并无差错。法正言："山北有条大路，正取洛城东门；山南有条小路，却取雒城西门：两条路皆可进兵。"庞统谓玄德曰："统令魏延为先锋，取南小路而进；主公令黄忠作先锋，从山北大路而进：并到雒城取齐。"玄德曰："吾自幼熟于弓马，多行小路。军师可从大路去取东门，吾取西门。"庞统曰："大路必有军邀拦，主公引兵当之。统取小路。"玄德曰："军师不可。吾夜梦一神人，手执铁棒击吾右臂，觉来犹自臂疼。此行莫非不佳。"庞统曰："壮士临阵，不死带伤，理之自然也。何故以梦寐之事疑心乎？"玄德曰："吾所疑者，孔明之书也。军师还守涪关，如何？"庞统大笑曰："主公被孔明所惑矣：彼不欲令统独成大功，故作此言以疑主公之心。心疑则致梦，何凶之有？统肝脑涂地，方称本心。主公再勿多言，来早准行。"当日传下号令，军士五更造饭，平明上马。黄忠、魏延领军先行。玄德再与庞统约会，忽坐下马眼生前失，把庞统掀将下来。玄德跳下马，自来笼住那马。玄德曰："军师何故乘此劣马？"庞统曰："此马乘久，不曾如此。"玄德曰："临阵眼生，误人性命。吾所骑白马，性极驯熟，军师可骑，万无一失。劣马吾自乘之。"遂与庞统更换所骑之马。庞统谢曰："深感主公厚恩，虽万死亦不能报也。"遂各上马取路而进。玄德见庞统去了，心中甚觉不快，怏怏而行。

却说洛城中吴懿、刘璝听知折了泠苞，遂与众商议。张任曰："城东南山僻有一条小路，最为要紧，某自引一军守之。诸公紧守雒城，勿得有失。"忽报汉兵分两路前来攻城。张任急引三千军，先来抄小路埋伏。见魏延兵过，张任教尽放过去，休得惊动。后见庞统军来，张任军士遥指军中大将："骑白马者必是刘备。"张任大喜，传令教如此如此。

却说庞统迤逦前进，抬头见两山逼窄，树木丛杂；又值夏末秋初，枝叶茂盛。庞统心下甚疑，勒住马问："此处是何地？"数内有新降军士，指道："此处地名落凤坡。"庞统惊曰："吾道号凤雏，此处名落凤坡，不利于吾。"令后军疾退。只听山坡前一声炮响，箭如飞蝗，只望骑白马者射来。可怜庞统竟死于乱箭之下。时年止三十六岁。后人有诗叹曰：

古岘①相连紫翠堆，士元有宅傍山隈。

儿童惯识呼鸠曲，闾巷曾闻展骥才。

预计三分平刻削，长驱万里独徘徊。

谁知天狗流星坠，不使将军衣锦回。

先是东南有童谣云：

一凤并一龙，相将到蜀中。才到半路里，凤死落坡东。

风送雨，雨随风，隆汉兴时蜀道通，蜀道通时只有龙。

当日张任射死庞统，汉军拥塞，进退不得，死者大半。前军飞报魏延。魏延忙勒兵欲回，奈山路逼窄，厮杀不得。又被张任截断归路，在高阜处用强弓硬弩射来。魏延心慌。有新降蜀兵曰："不如杀奔雒城下，取大路而进。"延从其言，当先开路，杀奔雒城来。尘埃起处，前面一军杀至，乃雒城守将吴兰、雷铜也；后面张任引兵追来：前后夹攻，把魏延围在垓心。魏延死战不能得脱。但见吴兰、雷铜后军自乱，二将急回马去救。魏延乘势赶去，当先一将，舞刀拍马，大叫："文长，吾特来救汝！"视之，乃老将黄忠也。两下夹攻，杀败吴、雷二将，直冲至雒城之下。刘璝引兵杀出，却得玄德在后当住接应。黄忠、魏延翻身便回。玄德军马比及奔到寨中，张任军马又从小路里截出。刘璝、吴兰、雷铜当先赶来。玄德守不住二寨，且战且走，奔回涪关。蜀兵得胜，迤逦追赶。玄德人困马乏，那里有心厮杀，且只顾奔走。将近涪关，张任一军追赶至紧。幸得左边刘封，右边关平，二将领三万生力军截出，杀退张任；还赶二十里，夺回战马极多。

玄德一行军马，再入涪关，问庞统消息。有落凤坡逃得性命的军士，报说："军师连人带马，被乱箭射死于坡前。"玄德闻言，望西痛哭不已，遥为招魂设祭。诸将皆哭。黄忠曰："今番折了庞统军师，张任必然来攻打涪关，如之奈何？不若差人往荆州，请诸葛军师来商议收川之计。"正说之间，人报张任引军直临城下搦战。黄忠、魏延皆要出战。玄德曰："锐气新

---

① 岘(xiàn)——小而高的山岭。

挫，宜坚守以待军师来到。”黄忠、魏延领命，只谨守城池。玄德写一封书，教关平分付：“你与我往荆州请军师去。”关平领了书，星夜往荆州来。玄德自守涪关，并不出战。

却说孔明在荆州，时当七夕佳节，大会众官夜宴，共说收川之事。只见正西上一星，其大如斗，从天坠下，流光四散。孔明失惊，掷杯于地，掩面哭曰：“哀哉！痛哉！”众官慌问其故。孔明曰：“吾前者算今年罡星在西方，不利于军师；天狗犯于吾军，太白临于洛城，已拜书主公，教谨防之。谁想今夕西方星坠，庞士元命必休矣！”言罢，大哭曰：“今吾主丧一臂矣！”众官皆惊，未信其言。孔明曰：“数日之内，必有消息。”是夕酒不尽欢而散。

数日之后，孔明与云长等正坐间，人报关平到。众官皆惊。关平入，呈上玄德书信。孔明视之，内言：“本年七月初七日，庞军师被张任在落凤坡前箭射身故。”孔明大哭，众官无不垂泪。孔明曰：“既主公在涪关进退两难之际，亮不得不去。”云长曰：“军师去，谁人保守荆州？荆州乃重地，干系①非轻。”孔明曰：“主公书中虽不明言其人，吾已知其意了。”乃将玄德书与众官看曰：“主公书中，把荆州托在吾身上，教我自量才委用。虽然如此，今教关平赍书前来，其意欲云长公当此重任。云长想桃园结义之情，可竭力保守此地。责任非轻，公宜勉之。”云长更不推辞，慨然领诺。孔明设宴，交割印绶。云长双手来接。孔明擎着印曰：“这干系都在将军身上。”云长曰：“大丈夫既领重任，除死方休。”孔明见云长说个“死”字，心中不悦；欲待不与，其言已出。孔明曰：“倘曹操引兵来到，当如之何？”云长曰：“以力拒之。”孔明又曰：“倘曹操、孙权，齐起兵来，如之奈何？”云长曰：“分兵拒之。”孔明曰：“若如此，荆州危矣。吾有八个字，将军牢记，可保守荆州。”云长问：“那八个字？”孔明曰：“北拒曹操，东和孙权。”云长曰：“军师之言，当铭肺腑。”

孔明遂与了印绶，令文官马良、伊籍、向朗、糜竺，武将糜芳、廖化、关平、周仓，一班儿辅佐云长，同守荆州。一面亲自统兵入川。先拨精兵一万，教张飞部领，取大路杀奔巴州、雒城之西，先到者为头功。又拨一枝兵，教赵云为先锋，溯江而上，会于洛城。孔明随后引简雍、蒋琬等起行。

---

①　干系——这里有责任、担子的意思。

那蒋琬字公琰，零陵湘乡人也，乃荆襄名士，现为书记。

当日孔明引兵一万五千，与张飞同日起行。张飞临行时，孔明嘱咐曰："西川豪杰甚多，不可轻敌。于路戒约三军，勿得掳掠百姓，以失民心。所到之处，并宜存恤，勿得恣逞鞭挞士卒。望将军早会雒城，不可有误。"

张飞欣然领诺，上马而去。迤逦前行，所到之处，但降者秋毫无犯。径取汉川路，前至巴郡。细作回报："巴郡太守严颜，乃蜀中名将，年纪虽高，精力未衰，善开硬弓，使大刀，有万夫不当之勇：据住城郭，不竖降旗。"张飞教离城十里下寨，差人入城去，"说与老匹夫：早早来降，饶你满城百姓性命；若不归顺，即踏平城郭，老幼不留！"

却说严颜在巴郡，闻刘璋差法正请玄德入川，拊心而叹曰："此所谓独坐穷山，引虎自卫者也！"后闻玄德据住涪关，大怒，屡欲提兵往战，又恐这条路上有兵来。当日闻知张飞兵到，便点起本部五六千人马，准备迎敌。或献计曰："张飞在当阳长坂，一声喝退曹兵百万之众。曹操亦闻风而避之，不可轻敌。今只宜深沟高垒，坚守不出。彼军无粮，不过一月，自然退去。更兼张飞性如烈火，专要鞭挞士卒；如不与战，必怒；怒则必以暴厉之气，待其军士：军心一变，乘势击之，张飞可擒也。"严颜从其言，教军士尽数上城守护。忽见一个军士，大叫："开门！"严颜教放入问之。那军士告说是张将军差来的，把张飞言语依直便说。严颜大怒，骂："匹夫怎敢无礼！吾严将军岂降贼者乎！借你口说与张飞！"唤武士把军人割下耳鼻，却放回寨。

军人回见张飞，哭告严颜如此毁骂。张飞大怒，咬牙睁目，披挂上马，引数百骑来巴郡城下搦战。城上众军百般痛骂。张飞性急，几番杀到吊桥，要过护城河，又被乱箭射回。到晚全无一个人出，张飞忍一肚气还寨。次日早晨，又引军去搦战。那严颜在城敌楼上，一箭射中张飞头盔。飞指而恨曰："若拿住你这老匹夫，我亲自食你肉！"到晚又空回。第三日，张飞引了军，沿城去骂。原来那座城子是个山城，周围都是乱山，张飞自乘马登山，下视城中。见军士尽皆披挂，分列队伍，伏在城中，只是不出；又见民夫来来往往，搬砖运石，相助守城。张飞教马军下马，步军皆坐，引他出敌，——并无动静。又骂了一日，依旧空回。张飞在寨中，自思："终日叫骂，彼只不出，如之奈何？"猛然思得一计，教众军不要前去搦战，都结束了在寨中等候；却只教三五十个军士，直去城下叫骂，引严颜军出来，便与厮杀。张飞磨拳擦掌，只等敌军来。小军连骂了三日，全然不出。张飞眉头一纵，又生一计，传令教军士四散砍打柴草，寻觅路径，不来搦战。严颜在城中，连日不见张飞动静，心中疑惑，着十数个小军，扮作张飞砍柴的军，潜地出城，杂在军内，入山中探听。

当日诸军回寨。张飞坐在寨中，顿足大骂："严颜老匹夫！枉气杀我！"只见帐前三四个人说道："将军不须心焦：这几日打探得一条小路，可以偷过巴郡。"张飞故意大叫曰："既有这个去处，何不早来说？"众应曰："这几日却才哨探得出。"张飞曰："事不宜迟，只今二更造饭，趁三更明月，拔寨都起，人衔枚，马去铃，悄悄而行。我自前面开路，汝等依次而行。"传了令便满寨告报。

探细的军听得这个消息，尽回城中来，报与严颜。颜大喜曰："我算定这匹夫忍耐不得！你偷小路过去，须是粮草辎重在后；我截住后路，你如何得过？好无谋匹夫，中我之计！"即时传令，教军士准备赴敌："今夜二更也造饭，三更出城，伏于树木丛杂去处。只等张飞过咽喉小路去了，车仗来时，只听鼓响，一齐杀出。"传了号令，看看近夜，严颜全军尽皆饱食，披挂停当，悄悄出城，四散伏住，只听鼓响；严颜自引十数裨将，下马伏于林中。约三更后，遥望见张飞亲自在前，横矛纵马，悄悄引军前进。去不得三四里，背后车仗人马，陆续进发。严颜看得分晓，一齐擂鼓，四下伏兵尽起。正来抢夺车仗，背后一声锣响，一彪军掩到，大喝："老贼休走！我等的你恰好！"严颜猛回头看时，为首一员大将，豹头环眼，燕颔虎须，使丈八矛，骑深乌马：乃是张飞。四下里锣声大震，众军杀来。严颜见了张飞，举手无措，交马战不十合，张飞卖个破绽，严颜一刀砍来，张飞闪过，撞将入去，扯住严颜勒甲绦，生擒过来，掷于地下；众军向前，用索绑缚住了。原来先过去的是假张飞。料道严颜击鼓为号，张飞却教鸣金为号：金响诸军齐到。川兵大半弃甲倒戈而降。

张飞杀到巴郡城下，后军已自入城。张飞叫休杀百姓，出榜安民。群刀手把严颜推至。飞坐于厅上，严颜不肯下跪。飞怒目咬牙大叱曰："大将到此，何为不降，而敢拒敌？"严颜全无惧色，回叱飞曰："汝等无义，侵我州郡！但有断头将军，无降将军！"飞大怒，喝左右斩来。严颜喝曰："贼匹夫！砍头便砍，何怒也？"张飞见严颜声音雄壮，面不改色，乃回嗔作喜，下阶喝退左右，亲解其缚，取衣衣之，扶在正中高坐，低头便拜曰："适来言语冒渎，幸勿见责。吾素知老将军乃豪杰之士也。”严颜感其恩义，乃降。后人有诗赞严颜曰：

白发居西蜀，清名震大邦。忠心如皎月，浩气卷长江。
宁可断头死，安能屈膝降？巴州年老将，天下更无双。

又有赞张飞诗曰：

生获严颜勇绝伦，惟凭义气服军民。
至今庙貌留巴蜀，社酒鸡豚①日日春。

张飞请问入川之计。严颜曰：“败军之将，荷蒙厚恩，无可以报，愿施犬马之劳，不须张弓只箭，径取成都。”正是：只因一将倾心后，致使连城唾手降。未知其计如何，且看下文分解。

# 第六十四回

## 孔明定计捉张任　杨阜借兵破马超

却说张飞问计于严颜，颜曰：“从此取雒城，凡守御关隘，都是老夫所管，官军皆出于掌握之中。今感将军之恩，无可以报，老夫当为前部，所到之处，尽皆唤出拜降。”张飞称谢不已。于是严颜为前部，张飞领军随后。凡到之处，尽是严颜所管，都唤出投降。有迟疑未决者，颜曰：“我尚且投降，何况汝乎？”自是望风归顺，并不曾厮杀一场。

却说孔明已将起程日期申报玄德，教都会聚雒城。玄德与众官商议：“今孔明、翼德分两路取川，会于雒城，同入成都。水陆舟车，已于七月二十日起程，此时将及待到②。今我等便可进兵。”黄忠曰：“张任每日来搦战，见城中不出，彼军懈怠，不做准备，今日夜间分兵劫寨，胜如白昼厮杀。”玄德从之，教黄忠引兵取左，魏延引兵取右，玄德取中路。当夜二更，三路军马齐发。张任果然不做准备。汉军拥入大寨，放起火来，烈焰腾

---

① 社酒鸡豚——祭祀土地神时用的酒肉。社：祭祀土地神的活动；豚：猪、小猪。
② 将及待到——快要到了。

空。蜀兵奔走，连夜直赶到雒城，城中兵接应入去。玄德还中路下寨；次日，引兵直到雒城，围住攻打。张任按兵不出。攻到第四日，玄德自提一军攻打西门，令黄忠、魏延在东门攻打，留南门、北门放军行走。原来南门一带都是山路，北门有涪水：因此不围。张任望见玄德在西门，骑马往来，指挥打城，从辰至未，人马渐渐力乏。张任教吴兰、雷铜二将引兵出北门，转东门，敌黄忠、魏延；自己却引军出南门，转西门，单迎玄德。城内尽拨民兵上城，擂鼓助喊。

却说玄德见红日平西，教后军先退。军士方回身，城上一片声喊起，南门内军马突出。张任径来军中捉玄德。玄德军中大乱。黄忠、魏延又被吴兰、雷铜敌住。两下不能相顾。玄德敌不住张任，拨马往山僻小路而走。张任从背后追来，看看赶上。玄德独自一人一马，张任引数骑赶来。玄德正望前尽力加鞭而行，忽山路一军冲来。玄德马上叫苦曰："前有伏兵，后有追兵，天亡我也！"只见来军当头一员大将，乃是张飞。原来张飞与严颜正从那条路上来，望见尘埃起，知与川兵交战。张飞当先而来，正撞着张任，便就交马。战到十余合，背后严颜引兵大进。张任火速回身。张飞直赶到城下。张任退入城，拽起吊桥。

张飞回见玄德曰："军师溯江而来，尚且未到，反被我夺了头功。"玄德曰："山路险阻，如何无军阻当，长驱大进，先到于此？"张飞曰："于路关隘四十五处，皆出老将严颜之功，因此于路并不曾费分毫之力。"遂把义释严颜之事，从头说了一遍，引严颜见玄德。玄德谢曰："若非老将军，吾弟安能到此？"即脱身上黄金锁子甲以赐之。严颜拜谢。正待安排宴饮，忽闻哨马回报："黄忠、魏延和川将吴兰、雷铜交锋，城中吴懿、刘璝又引兵助战，两下夹攻，我军抵敌不住，魏、黄二将败阵投东去了。"张飞听得，便请玄德分兵两路，杀去救援。于是张飞在左，玄德在右，杀奔前来。吴懿、刘璝见后面喊声起，慌退入城中。吴兰、雷铜只顾引兵追赶黄忠、魏延，却被玄德、张飞截住归路。黄忠、魏延又回马转攻。吴兰、雷铜料敌不住，只得将本部军马前来投降。玄德准其降，收兵近城下寨。

却说张任失了二将，心中忧虑。吴懿、刘璝曰："兵势甚危，不决一死战，如何得兵退？一面差人去成都见主公告急，一面用计敌之。"张任曰："吾来日领一军搦战，诈败，引转城北；城内再以一军冲出，截断其中：可获胜也。"吴懿曰："刘将军相辅公子守城，我引兵冲出助战。"约会已定。次日,张任引数千人马,摇旗呐喊,出城搦战。张飞上马出迎,更不打话,与张任交锋。战不十余合,张任诈败,绕城而走。张飞尽力追之。吴懿一军截住,张任引军复回,把张飞围在垓心,进退不得。正没奈何,只见一队军从江边杀出。当先一员大将,挺枪跃马,与吴懿交锋;只一合,生擒吴懿,战退敌军,救出张飞。视之,乃赵云也。飞问:“军师何在?”云曰:“军师已至。想此时已与主公相见了也。”二人擒吴懿回寨。张任自退入东门去了。

张飞、赵云回寨中,见孔明、简雍、蒋琬已在帐中。飞下马来参军师。孔明惊问曰:“如何得先到?”玄德具述义释严颜之事。孔明贺曰:“张将军能用谋,皆主公之洪福也。”赵云解吴懿见玄德。玄德曰:“汝降否?”吴懿曰:“我既被捉,如何不降?”玄德大喜,亲解其缚。孔明问:“城中有几人守城?”吴懿曰:“有刘季玉之子刘循,辅将刘璝、张任。刘璝不打紧;张任乃蜀郡人,极有胆略,不可轻敌。”孔明曰:“先捉张任,然后取雒城。”问:“城东这座桥名为何桥?”吴懿曰:“金雁桥。”孔明遂乘马至桥边,绕河看了一遍,回到寨中,唤黄忠、魏延听令曰:“离金雁桥南五六里,两岸都是芦苇蒹葭①,可以埋伏。魏延引一千枪手伏于左,单戳马上将;黄忠引一千刀手伏于右,单砍坐下马。杀散彼军,张任必投山东小路而来。张翼德引一千军伏在那里,就彼处擒之。”又唤赵云伏于金雁桥北:“待我引张任过桥,你便将桥拆断,却勒兵于桥北,遥为之势,使张任不敢望北走,退投南去,却好中计。”调遣已定,军师自去诱敌。

却说刘璋差卓膺、张翼二将,前至雒城助战。张任教张翼与刘璝守城,自与卓膺为前后二队——任为前队,膺为后队——出城退敌。孔明引一队不整不齐军,过金雁桥来,与张任对阵。孔明乘四轮车,纶巾羽扇而出,两边百余骑簇捧,遥指张任曰:“曹操以百万之众,闻吾之名,望风而走;今汝何人,敢不投降?”张任看见孔明军伍不齐,在马上冷笑曰:“人说诸葛亮用兵如神,原来有名无实!”把枪一招,大小军校齐杀过来。孔明弃了四轮车,上马退走过桥。张任从背后赶来。过了金雁桥,见玄德军在左,严颜军在右,冲杀将来。张任知是计,急回军时,桥已拆断了;欲投北去,只见赵云一军隔岸摆开,遂不敢投北,径往南绕河而走。走不到五七

---

①　芦苇蒹葭(jiān jiā)——芦苇草。蒹:芦苇草的一种;葭:初生的芦苇。

里，早到芦苇丛杂处。魏延一军从芦中忽起，都用长枪乱戳。黄忠一军伏在芦苇里，用长刀只剁马蹄。马军尽倒，皆被执缚。步军那里敢来？张任引数十骑望山路而走，正撞着张飞。张任方欲退走，张飞大喝一声，众军齐上，将张任活捉了。原来卓膺见张任中计，已投赵云军前降了，一发都到大寨。玄德赏了卓膺。张飞解张任至。孔明亦坐于帐中。玄德谓张任曰："蜀中诸将，望风而降，汝何不早投降？"张任睁目怒叫曰："忠臣岂肯事二主乎？"玄德曰："汝不识天时耳。降即免死。"任曰："今日便降，久后也不降！可速杀我！"玄德不忍杀之。张任厉声高骂。孔明命斩之以全其名。后人有诗赞曰：

烈士岂甘从二主，张君忠勇死犹生。

高明正似天边月，夜夜流光照洛城。

玄德感叹不已，令收其尸首，葬于金雁桥侧，以表其忠。

次日，令严颜、吴懿等一班蜀中降将为前部，直至雒城，大叫："早开门受降，免一城生灵受苦！"刘璝在城上大骂。严颜方待取箭射之，忽见城上一将，拔剑砍翻刘璝，开门投降。玄德军马入雒城，刘循开西门走脱，投成都去了。玄德出榜安民。杀刘璝者，乃武阳人张翼也。玄德得了雒城，重赏诸将。孔明曰："雒城已破，成都只在目前；惟恐外州郡不宁，可令张翼、吴懿引赵云抚外水江阳、犍为①等处所属州郡，令严颜、卓膺引张飞抚巴西、德阳所属州郡，就委官按治平靖②，即勒兵回成都取齐。"张飞、赵云领命，各自引兵去了。孔明问："前去有何处关隘？"蜀中降将曰："止绵竹有重兵守御；若得绵竹，成都唾手可得。"孔明便商议进兵。法正曰："雒城既破，蜀中危矣。主公欲以仁义服众，且勿进兵。某作一书上刘璋，陈说利害，璋自然降矣。"孔明曰："孝直之言最善。"便令写书遣人径往成都。

却说刘循逃回见父，说雒城已陷，刘璋慌聚众官商议。从事郑度献策曰："今刘备虽攻城夺地，然兵不甚多，士众未附，野谷是资，军无辎重。不如尽驱巴西梓潼民，过涪水以西。其仓廪野谷，尽皆烧除，深沟高垒，静以待之。彼至请战，勿许。久无所资，不过百日，彼兵自走。我乘虚击之，备

---

① 犍(qián)为——地名。

② 就委官按治平靖——完成了委任官员、审查处理、平定秩序之后。按治：审查处理；平靖：安定、平定。

可擒也。”刘璋曰：“不然。吾闻拒敌以安民，未闻动民以备敌也。此言非保全之计。”正议间，人报法正有书至。刘璋唤入。呈上书。璋拆开视之。其略曰：

昨蒙遣差结好荆州，不意主公左右不得其人，以致如此。今荆州眷念旧情，不忘族谊。主公若能幡然归顺，量不薄待。望三思裁示。

刘璋大怒，扯毁其书，大骂：“法正卖主求荣、忘恩背义之贼！”逐其使者出城。即时遣妻弟费观，提兵前去守把绵竹。费观举保南阳人姓李，名严，字正方，一同领兵。当下费观、李严点三万军来守绵竹。益州太守董和，字幼宰，南郡枝江人也，上书与刘璋，请往汉中借兵。璋曰：“张鲁与吾世仇，安肯相救？”和曰：“虽然与我有仇，刘备军在雒城，势在危急，唇亡则齿寒，若以利害说之，必然肯从。”璋乃修书遣使前赴汉中。

却说马超自兵败入羌，二载有余，结好羌兵，攻拔陇西州郡。所到之处，尽皆归降；惟冀城攻打不下。刺史韦康，累遣人求救于夏侯渊。渊不得曹操言语，未敢动兵。韦康见救兵不来，与众商议：“不如投降马超。”参军杨阜哭谏曰：“超等叛君之徒，岂可降之？”康曰：“事势至此，不降何待？”阜苦谏不从。韦康大开城门，投拜马超。超大怒曰：“汝今事急请降，非真心也！”将韦康四十余口尽斩之，不留一人。有人言：“杨阜劝韦康休降，可斩之。”超曰：“此人守义，不可斩也。”复用杨阜为参军。阜荐梁宽、赵衢二人，超尽用为军官。杨阜告马超曰：“阜妻死于临洮，乞告两个月假，归葬其妻便回。”马超从之。

杨阜过历城，来见抚彝将军姜叙。叙与阜是姑表兄弟：叙之母是阜之姑，时年已八十二。当日，杨阜入姜叙内宅，拜见其姑，哭告曰：“阜守城不能保，主亡不能死，愧无面目见姑。马超叛君，妄杀郡守，一州士民，无不恨之。今吾兄坐据历城，竟无讨贼之心，此岂人臣之理乎？”言罢，泪流出血。叙母闻言，唤姜叙入，责之曰：“韦使君遇害，亦尔之罪也。”又谓阜曰：“汝既降人，且食其禄，何故又兴心讨之？”阜曰：“吾从贼者，欲留残生，与主报冤也。”叙曰：“马超英勇，急难图之。”阜曰：“有勇无谋，易图也。吾已暗约下梁宽、赵衢。兄若肯兴兵，二人必为内应。”叙母曰：“汝不早图，更待何时？谁不有死，死于忠义，死得其所也。勿以我为念。汝若不听义山之言，吾当先死，以绝汝念。”

叙乃与统兵校尉尹奉、赵昂商议。原来赵昂之子赵月，现随马超为裨将。赵昂当日应允,归见其妻王氏曰:"吾今日与姜叙、杨阜、尹奉一处商议,欲报韦康之仇。吾想子赵月现随马超,今若兴兵,超必先杀吾子,奈何?"其妻厉声曰:"雪君父之大耻,虽丧身亦不惜,何况一子乎!君若顾子而不行,吾当先死矣!"赵昂乃决。次日一同起兵。姜叙、杨阜屯历城,尹奉、赵昂屯祁山。王氏乃尽将首饰资帛,亲自往祁山军中,赏劳军士,以励其众。

马超闻姜叙、杨阜会合尹奉、赵昂举事,大怒,即将赵月斩之;令庞德、马岱尽起军马,杀奔历城来。姜叙、杨阜引兵出。两阵圆处,杨阜、姜叙衣白袍而出,大骂曰:"叛君无义之贼!"马超大怒,冲将过来,两军混战。姜叙、杨阜如何抵得马超,大败而走。马超驱兵赶来。背后喊声起处,尹奉、赵昂杀来。超急回时,两下夹攻,首尾不能相顾。正斗间,刺斜里大队军马杀来。原来是夏侯渊得了曹操军令,正领军来破马超。超如何当得三路军马,大败奔回。走了一夜,比及天明,到得冀城叫门时,城上乱箭射下。梁宽、赵衢立在城上,大骂马超;将马超妻杨氏从城上一刀砍了,撇下尸首来;又将马超幼子三人,并至亲十余口,都从城上一刀一个,剁将下来。超气噎塞胸,几乎坠下马来。背后夏侯渊引兵追赶。超见势大,不敢恋战,与庞德、马岱杀开一条路走。前面又撞见姜叙、杨阜,杀了一阵;冲得过去,又撞着尹奉、赵昂,杀了一阵。零零落落,剩得五六十骑,连夜奔走。四更前后,走到历城下,守门者只道姜叙兵回,大开门接入。超从城南门边杀起,尽洗城中百姓。至姜叙宅,拿出老母。母全无惧色,指马超而大骂。超大怒,自取剑杀之。尹奉、赵昂全家老幼,亦尽被马超所杀。昂妻王氏因在军中,得免于难。次日,夏侯渊大军至,马超弃城杀出,望西而逃。行不得二十里,前面一军摆开,为首的是杨阜。超切齿而恨,拍马挺枪刺之。阜宗弟七人,一齐来助战。马岱、庞德敌住后军。宗弟七人,皆被马超杀死。阜身中五枪,犹然死战。后面夏侯渊大军赶来,马超遂走。只有庞德、马岱五七骑后随而去。夏侯渊自行安抚陇西诸州人民,令姜叙等各各分守,用车载杨阜赴许都,见曹操。操封阜为关内侯。阜辞曰:"阜无捍难之功,又无死难之节,于法当诛,何颜受职?"操嘉之,卒与之爵。

却说马超与庞德、马岱商议,径往汉中投张鲁。张鲁大喜,以为得马超,则西可以吞益州,东可以拒曹操,乃商议欲以女招超为婿。大将杨柏谏曰："马超妻子遭惨祸，皆超之贻害也。主公岂可以女与之？"鲁从其言，遂罢招婿之议。或以杨柏之言，告知马超。超大怒，有杀杨柏之意。杨柏知之，与兄杨松商议，亦有图马超之心。正值刘璋遣使求救于张鲁，鲁不从。忽报刘璋又遣黄权到。权先来见杨松，说："东西两川，实为唇齿；西川若破，东川亦难保矣。今若肯相救，当以二十州相酬。"松大喜，即引黄权来见张鲁，说唇齿利害，更以二十州相谢。鲁喜其利，从之。巴西阎圃谏曰："刘璋与主公世仇，今事急求救，诈许割地，不可从也。"忽阶下一人进曰："某虽不才，愿乞一旅之师，生擒刘备。务要割地以还。"正是：方看真主来西蜀，又见精兵出汉中。未知其人是谁，且看下文分解。

# 第六十五回

## 马超大战葭萌关　刘备自领益州牧

却说阎圃正劝张鲁勿助刘璋，只见马超挺身出曰："超感主公之恩，无可上报。愿领一军攻取葭萌关，生擒刘备。务要刘璋割二十州奉还主公。"张鲁大喜，先遣黄权从小路而回，随即点兵二万与马超。此时庞德卧病不能行，留于汉中。张鲁令杨柏监军。超与弟马岱选日起程。

却说玄德军马在雒城。法正所差下书人回报说："郑度劝刘璋尽烧野谷，并各处仓廪，率巴西之民，避于涪水西，深沟高垒而不战。"玄德、孔明闻之，皆大惊曰："若用此言，吾势危矣！"法正笑曰："主公勿忧。此计虽毒，刘璋必不能用也。"不一日，人传刘璋不肯迁动百姓，不从郑度之言。玄德闻之，方始宽心。孔明曰："可速进兵取绵竹。如得此处，成都易取矣。"遂遣黄忠、魏延领兵前进。费观听知玄德兵来，差李严出迎。严领三千兵出，各布阵完。黄忠出马，与李严战四五十合，不分胜败。孔明在阵中教鸣金收军。黄忠回阵，问曰："正待要擒李严，军师何故收兵？"孔明曰："吾已见李严武艺，不可力取。来日再战，汝可诈败，引入山峪，出奇兵以胜之。"黄忠领计。次日，李严再引兵来，黄忠又出战，不十合诈败，引兵便走。李严赶来，迤逦赶入山峪，猛然省悟。急待回来，前面魏延引兵摆开。孔明自在山头，唤曰："公如不降，两下已伏强弩，欲与吾庞士元报仇矣。”李严慌下马卸甲投降。军士不曾伤害一人。孔明引李严见玄德。玄德待之甚厚。严曰：“费观虽是刘益州亲戚，与某甚密，当往说之。”玄德即命李严回城招降费观。严入绵竹城，对费观赞玄德如此仁德；今若不降，必有大祸。观从其言，开门投降。玄德遂入绵竹，商议分兵取成都。忽流星马急报，言：“孟达、霍峻守葭萌关，今被东川张鲁遣马超与杨柏、马岱领兵攻打甚急，救迟则关隘休矣。”玄德大惊。孔明曰：“须是张、赵二将，方可与敌。”玄德曰：“子龙引兵在外未回。翼德已在此，可急遣之。”孔明曰：“主公且勿言，容亮激之。”

却说张飞闻马超攻关，大叫而入曰：“辞了哥哥，便去战马超也！”孔明佯作不闻，对玄德曰：“今马超侵犯关隘，无人可敌；除非往荆州取关云长来，方可与敌。”张飞曰：“军师何故小觑吾！吾曾独拒曹操百万之兵，岂愁马超一匹夫乎！”孔明曰：“翼德拒水断桥，此因曹操不知虚实耳；若知虚实，将军岂得无事？今马超之勇，天下皆知，渭桥六战，杀得曹操割须弃袍，几乎丧命，非等闲之比。云长且未必可胜。”飞曰：“我只今便去；如胜不得马超，甘当军令！”孔明曰：“既尔肯写文书，便为先锋。——请主公亲自去一遭。留亮守绵竹。待子龙来，却作商议。”魏延曰：“某亦愿往。”孔明令魏延带五百哨马先行，张飞第二，玄德后队，望葭萌关进发。魏延哨马先到关下，正遇杨柏。魏延与杨柏交战，不十合，杨柏败走。魏延要夺张飞头功，乘势赶去。前面一军摆开，为首乃是马岱。魏延只道是马超，舞刀跃马迎之。与岱战不十合，岱败走。延赶去，被岱回身一箭，中了魏延左臂。延急回马走。马岱赶到关前，只见一将喊声如雷，从关上飞奔至面前。——原来是张飞初到关上，听得关前厮杀，便来看时，正见魏延中箭，因骤马下关，救了魏延。飞喝马岱曰：“汝是何人？先通姓名，然后厮杀！”马岱曰：“吾乃西凉马岱是也。”张飞曰：“你原来不是马超，快回去！非吾对手！只令马超那厮自来，说道燕人张飞在此！”马岱大怒曰：“汝焉敢小觑我！”挺枪跃马，直取张飞。战不十合，马岱败走。张飞欲待追赶，关上一骑马到来，叫：“兄弟且休去！”飞回视之，原来是玄德到来。飞遂不赶，一同上关。玄德曰：“恐怕你性躁，故我随后赶来到此。既然胜了马岱，且歇一宵，来日战马超。”

次日天明，关下鼓声大震，马超兵到。玄德在关上看时，门旗影里，马超纵骑持枪而出；狮盔兽带，银甲白袍：一来结束非凡，二者人才出众。玄德叹曰:“人言‘锦马超’,名不虚传!”张飞便要下关。玄德急止之曰:“且休出战。先当避其锐气。”关下马超单搦张飞出马,关上张飞恨不得平吞马超,三五番皆被玄德当住。看看午后,玄德望见马超阵上人马皆倦,遂选五百骑,跟着张飞,冲下关来。马超见张飞军到,把枪望后一招,约退军有一箭之地。张飞军马一齐扎住;关上军马,陆续下来。张飞挺枪出马,大呼:“认得燕人张翼德么!”马超曰:“吾家屡世公侯,岂识村野匹夫!”张飞大怒。两马齐出,二枪并举。约战百余合,不分胜负。玄德观之,叹曰:“真虎将也!”恐张飞有失,急鸣金收军。两将各回。张飞回到阵中,略歇马片时,不用头盔,只裹包巾上马,又出阵前搦马超厮杀。超又出。两个再战。玄德恐张飞有失,自披挂下关,直至阵前;看张飞与马超又斗百余合,两个精神倍加。玄德教鸣金收军。二将分开,各回本阵。是日天色已晚,玄德谓张飞曰:“马超英勇,不可轻敌,且退上关。来日再战。”张飞杀得性起,那里肯休?大叫曰:“誓死不回!”玄德曰:“今日天晚,不可战矣。”飞曰:“多点火把,安排夜战!”马超亦换了马,再出阵前,大叫曰:“张飞!敢夜战么?”张飞性起,问玄德换了坐下马,抢出阵来,叫曰:“我捉你不得,誓不上关!”超曰:“我胜你不得,誓不回寨!”两军呐喊,点起千百火把,照耀如同白日。两将又向阵前鏖战。到二十余合,马超拨回马便走。张飞大叫曰:“走那里去!”原来马超见赢不得张飞,心生一计:诈败佯输,赚张飞赶来,暗掣铜锤在手,扭回身觑着张飞便打将来。张飞见马超走,心中也提防;比及铜锤打来时,张飞一闪,从耳朵边过去。张飞便勒回马走时,马超却又赶来。张飞带住马,拈弓搭箭,回射马超;超却闪过。二将各自回阵。玄德自于阵前叫曰:“吾以仁义待人,不施谲诈。马孟起,你收兵歇息,我不乘势赶你。”马超闻言,亲自断后,诸军渐退。玄德亦收军上关。

次日,张飞又欲下关战马超。人报军师来到。玄德接着孔明。孔明曰:“亮闻孟起世之虎将,若与翼德死战,必有一伤;故令子龙、汉升守住绵竹,我星夜来此。可用条小计,令马超归降主公。”玄德曰:“吾见马超英勇,甚爱之。如何可得?”孔明曰:“亮闻东川张鲁,欲自立为汉宁王。手下谋士杨松,极贪贿赂。主公可差人从小路径投汉中,先用金银结好杨松,后进书与张鲁云:‘吾与刘璋争西川,是与汝报仇。不可听信离间之语。事定之后,保汝为汉宁王。’令其撤回马超兵。待其来撤时,便可用计招降马超矣。”玄德大喜,即时修书,差孙乾赍金珠从小路径至汉中,先来见杨松，说知此事，送了金珠。松大喜，先引孙乾见张鲁，陈言方便。鲁曰：“玄德只是左将军，如何保得我为汉宁王？”杨松曰：“他是大汉皇叔，正合保奏。”张鲁大喜，便差人教马超罢兵。孙乾只在杨松家听回信。

不一日，使者回报：“马超言：未成功，不可退兵。”张鲁又遣人去唤，又不肯回。一连三次不至。杨松曰：“此人素无信行，不肯罢兵，其意必反。”遂使人流言云：“马超意欲夺西川，自为蜀主，与父报仇，不肯臣于汉中。”张鲁闻之，问计于杨松。松曰：“一面差人去说与马超：‘汝既欲成功，与汝一月限，要依我三件事。若依得，便有赏；否则必诛：一要取西川，二要刘璋首级，三要退荆州兵。三件事不成，可献头来。’一面教张卫点军守把关隘，防马超兵变。”鲁从之，差人到马超寨中，说这三件事。超大惊曰：“如何变得恁的①！”乃与马岱商议：“不如罢兵。”杨松又流言曰：“马超回兵，必怀异心。”于是张卫分七路军，坚守隘口，不放马超兵入。超进退不得，无计可施。孔明谓玄德曰：“今马超正在进退两难之际，亮凭三寸不烂之舌，亲往超寨，说马超来降。”玄德曰：“先生乃吾之股肱心腹，倘有疏虞，如之奈何？”孔明坚意要去。玄德再三不肯放去。

正踌躇间，忽报赵云有书荐西川一人来降。玄德召入问之。其人乃建宁俞元人也，姓李，名恢，字德昂。玄德曰：“向日闻公苦谏刘璋，今何故归我？”恢曰：“吾闻：‘良禽相木而栖，贤臣择主而事。’前谏刘益州者，以尽人臣之心；既不能用，知必败矣。今将军仁德布于蜀中，知事必成，故来归耳。”玄德曰：“先生此来，必有益于刘备。”恢曰：“今闻马超在进退两难之际。恢昔在陇西，与彼有一面之交，愿往说马超归降，若何？”孔明曰：“正欲得一人替吾一往。愿闻公之说词。”李恢于孔明耳畔陈说如此如此。孔明大喜，即时遣行。

恢行至超寨，先使人通姓名。马超曰：“吾知李恢乃辩士，今必来说我。”先唤二十刀斧手伏于帐下，嘱曰：“令汝砍，即砍为肉酱！”须臾，李恢昂然而入。马超端坐帐中不动，叱李恢曰：“汝来为何？”恢曰：“特来作说客。”超曰：“吾匣中宝剑新磨。汝试言之。其言不通，便请试剑！”恢笑曰：“将军之祸不远矣！但恐新磨之剑，不能试吾之头，将欲自试也！”超曰：

---

① 恁（nèn）的——这样。

"吾有何祸?"恢曰:"吾闻越之西子①,善毁者不能闭其美;齐之无盐②,善美者不能掩其丑;'日中则昃,月满则亏③':此天下之常理也。今将军与曹操有杀父之仇,而陇西又有切齿之恨;前不能救刘璋而退荆州之兵,后不能制杨松而见张鲁之面;目下四海难容,一身无主;若复有渭桥之败,冀城之失,何面目见天下之人乎?"超顿首谢曰:"公言极善;但超无路可行。"恢曰:"公既听吾言,帐下何故伏刀斧手?"超大惭,尽叱退。恢曰:"刘皇叔礼贤下士,吾知其必成,故舍刘璋而归之。公之尊人,昔年曾与皇叔约共讨贼,公何不背暗投明,以图上报父仇,下立功名乎?"马超大喜,即唤杨柏入,一剑斩之,将首级共恢一同上关来降玄德。玄德亲自接入,待以上宾之礼。超顿首谢曰:"今遇明主,如拨云雾而见青天!"时孙乾已回。玄德复命霍峻、孟达守关,便撤兵来取成都。赵云、黄忠接入绵竹。人报蜀将刘晙、马汉引军到。赵云曰:"某愿往擒此二人!"言讫,上马引军出。玄德在城上管待马超吃酒。未曾安席,子龙已斩二人之头,献于筵前。马超亦惊,倍加敬重。超曰:"不须主公军马厮杀,超自唤出刘璋来降。如不肯降,超自与弟马岱取成都,双手奉献。"玄德大喜。是日尽欢。

却说败兵回到益州,报刘璋。璋大惊,闭门不出。人报城北马超救兵到,刘璋方敢登城望之。见马超、马岱立于城下,大叫:"请刘季玉答话。"刘璋在城上问之。超在马上以鞭指曰:"吾本领张鲁兵来救益州,谁想张鲁听信杨松谗言,反欲害我。今已归降刘皇叔。公可纳土拜降,免致生灵受苦。如或执迷,吾先攻城矣!"刘璋惊得面如土色,气倒于城上。众官救醒。璋曰:"吾之不明,悔之何及!不若开门投降,以救满城百姓。"董和曰:"城中尚有兵三万余人;钱帛粮草,可支一年:奈何便降?"刘璋曰:"吾父子在蜀二十余年,无恩德以加百姓;攻战三年,血肉捐于草野:皆我罪也。我心何安?不如投降以安百姓。"众人闻之,皆堕泪。忽一人进曰:

---

① 越之西子——即西施,春秋时越国美女。越王勾践为报灭国之仇,从民间选出她送给吴王,越灭吴后传闻她与范蠡一起隐匿江湖。

② 齐之无盐——指钟离春,战国时齐国无盐地方的丑女。

③ 日中则昃(zè),月满则亏——太阳升到正中,就要开始偏西;月亮到了满圆,就要开始缺损。比喻事物发展到极端,就要向反面转化。昃:太阳偏西;亏:缺损。

"主公之言,正合天意。"视之,乃巴西西充国人也,姓谯,名周,字允南。此人素晓天文。璋问之,周曰:"某夜观乾象,见群星聚于蜀郡;其大星光如皓月,乃帝王之象也。况一载之前,小儿谣云:'若要吃新饭,须待先主来。'此乃预兆。不可逆天道。"黄权、刘巴闻言皆大怒,欲斩之。刘璋当住。忽报:"蜀郡太守许靖,逾城出降矣。"刘璋大哭归府。

次日,人报刘皇叔遣幕宾简雍在城下唤门。璋令开门接入。雍坐车中,傲睨自若。忽一人掣剑大喝曰:"小辈得志,傍若无人!汝敢藐视吾蜀中人物耶!"雍慌下车迎之。此人乃广汉绵竹人也,姓秦,名宓,字子敕。雍笑曰:"不识贤兄,幸勿见责。"遂同入见刘璋,具说玄德宽洪大度,并无相害之意。于是刘璋决计投降,厚待简雍。次日,亲赍印绶文籍,与简雍同车出城投降。玄德出寨迎接,握手流涕曰:"非吾不行仁义,奈势不得已也!"共入寨,交割印绶文籍,并马入城。

玄德入成都,百姓香花灯烛,迎门而接。玄德到公厅,升堂坐定。郡内诸官,皆拜于堂下;惟黄权、刘巴,闭门不出。众将忿怒,欲往杀之。玄德慌忙传令曰:"如有害此二人者,灭其三族!"玄德亲自登门,请二人出仕。二人感玄德恩礼,乃出。孔明请曰:"今西川平定,难容二主:可将刘璋送去荆州。"玄德曰:"吾方得蜀郡,未可令季玉远去。"孔明曰:"刘璋失基业者,皆因太弱耳。主公若以妇人之仁,临事不决,恐此土难以长久。"玄德从之,设一大宴,请刘璋收拾财物,佩领振威将军印绶,令将妻子良贱,尽赴南郡公安住歇,即日起行。

玄德自领益州牧。其所降文武,尽皆重赏,定拟名爵:严颜为前将军,法正为蜀郡太守,董和为掌军中郎将,许靖为左将军长史,庞义为营中司马,刘巴为左将军,黄权为右将军。其余吴懿、费观、彭羕、卓膺、李严、吴兰、雷铜、李恢、张翼、秦宓、谯周、吕义、霍峻、邓芝、杨洪、周群、费祎、费诗、孟达,文武投降官员,共六十余人,并皆擢用。诸葛亮为军师,关云长为荡寇将军、汉寿亭侯,张飞为征虏将军、新亭侯,赵云为镇远将军,黄忠为征西将军,魏延为扬武将军,马超为平西将军。孙乾、简雍、糜竺、糜芳、刘封、吴班、关平、周仓、廖化、马良、马谡、蒋琬、伊籍,及旧日荆襄一班文武官员,尽皆升赏。遣使赍黄金五百斤、白银一千斤、钱五千万、蜀锦一千匹,赐与云长。其余官将,给赏有差①。杀牛宰马,大饷士卒,开仓赈济百姓:军民大悦。

益州既定,玄德欲将成都有名田宅,分赐诸官。赵云谏曰:“益州人民,屡遭兵火,田宅皆空;今当归还百姓,令安居复业,民心方服;不宜夺之为私赏也。”玄德大喜,从其言。使诸葛军师定拟治国条例,刑法颇重。法正曰:“昔高祖约法三章②,黎民皆感其德。愿军师宽刑省法,以慰民望。”孔明曰:“君知其一,未知其二:秦用法暴虐,万民皆怨,故高祖以宽仁得之。今刘璋暗弱,德政不举,威刑不肃;君臣之道,渐以陵替③。宠之以位,位极则残;顺之以恩,恩竭则慢。所以致弊,实由于此。吾今威之以法,法行则知恩;限之以爵,爵加则知荣。恩荣并济,上下有节。为治之道,于斯著矣。”法正拜服。自此军民安堵④。四十一州地面,分兵镇抚,并皆平定。法正为蜀郡太守,凡平日一餐之德,睚眦之怨,无不报复。或告孔明曰:“孝直太横,宜稍斥之。”孔明曰:“昔主公困守荆州,北畏曹操,东惮孙权,赖孝直为之辅翼,遂翻然翱翔,不可复制。今奈何禁止孝直,使不得少行其意耶?”因竟不问。法正闻之,亦自敛戢⑤。

一日,玄德正与孔明闲叙,忽报云长遣关平来谢所赐金帛。玄德召入。平拜罢,呈上书信曰:“父亲知马超武艺过人,要入川来与之比试高低。教就禀伯父此事。”玄德大惊曰:“若云长入蜀,与孟起比试,势不两立。”孔明曰:“无妨。亮自作书回之。”玄德只恐云长性急,便教孔明写了书,发付关平星夜回荆州。平回至荆州,云长问曰:“我欲与马孟起比试,汝曾说否?”平答曰:“军师有书在此。”云长拆开视之。其书曰:

> 亮闻将军欲与孟起分别高下。以亮度之:孟起虽雄烈过人,亦乃黥布、彭越⑥之徒耳;当与翼德并驱争先,犹未及美髯公之绝伦超群也。今公受任守荆州,不为不重;倘一入川,若荆州有失,罪莫大焉。

---

① 给赏有差——按等级差别给予不同的赏赐。

② 约法三章——刘邦攻下咸阳时,为了收买民心,只定了三条法律:杀人者死,伤人及盗抵罪。把秦朝其他的苛刻的法律条文全都废止了。

③ 陵替——衰落,纲纪废弛。

④ 安堵——亦作“案堵”、“按堵”,秩序照常、没有变乱的意思。

⑤ 敛戢(jí)——收敛。戢:停止。

⑥ 黥布、彭越——两人都是汉高祖的猛将。黥布:又称英布。

惟冀明照。

云长看毕，自绰其髯笑曰："孔明知我心也。"将书遍示宾客，遂无入川之意。

却说东吴孙权，知玄德并吞西川，将刘璋逐于公安，遂召张昭、顾雍商议曰："当初刘备借我荆州时，说取了西川，便还荆州。今已得巴蜀四十一州，须用取索汉上诸郡。如其不还，即动干戈。"张昭曰："吴中方宁，不可动兵。昭有一计，使刘备将荆州双手奉还主公。"正是：西蜀方开新日月，东吴又索旧山川。未知其计如何，且看下文分解。

# 第六十六回

## 关云长单刀赴会　伏皇后为国捐生

却说孙权要索荆州。张昭献计曰："刘备所倚仗者，诸葛亮耳。其兄诸葛瑾今仕于吴，何不将瑾老小执下，使瑾入川告其弟，令劝刘备交割荆州：'如其不还，必累及我老小。'亮念同胞之情，必然应允。"权曰："诸葛瑾乃诚实君子，安忍拘其老小？"昭曰："明教知是计策，自然放心。"权从之，召诸葛瑾老小，虚监在府；一面修书，打发诸葛瑾往西川去。不数日，早到成都，先使人报知玄德。玄德问孔明曰："令兄此来为何？"孔明曰："来索荆州耳。"玄德曰："何以答之？"孔明曰："只须如此如此。"

计会已定，孔明出郭接瑾。不到私宅，径入宾馆。参拜毕，瑾放声大哭。亮曰："兄长有事但说。何故发哀？"瑾曰："吾一家老小休矣！"亮曰："莫非为不还荆州乎？因弟之故，执下兄长老小，弟心何安？兄休忧虑，弟自有计还荆州便了。"瑾大喜，即同孔明入见玄德，呈上孙权书。玄德看了，怒曰："孙权既以妹嫁我，却乘我不在荆州，竟将妹子潜地取去，情理难容！我正要大起川兵，杀下江南，报我之恨，却还想来索荆州乎！"孔明哭拜于地，曰："吴侯执下亮兄长老小，倘若不还，吾兄将全家被戮。兄死，亮岂能独生？望主公看亮之面，将荆州还了东吴，全亮兄弟之情！"玄德再三不肯，孔明只是哭求。玄德徐徐曰："既如此，看军师面，分荆州一半还之：将长沙、零陵、桂阳三郡与他。"亮曰："即蒙见允，便可写书与云长令交割三郡。”玄德曰：“子瑜到彼，须用善言求吾弟。吾弟性如烈火，吾尚惧之。切宜仔细。”

瑾求了书，辞了玄德，别了孔明，登途径到荆州。云长请入中堂，宾主相叙。瑾出玄德书曰：“皇叔许先以三郡还东吴，望将军即日交割，令瑾好回见吾主。”云长变色曰：“吾与吾兄桃园结义，誓共匡扶汉室。荆州本大汉疆土，岂得妄以尺寸与人？将在外，君命有所不受。虽吾兄有书来，我却只不还。”瑾曰：“今吴侯执下瑾老小，若不得荆州，必将被诛。望将军怜之！”云长曰：“此是吴侯谲计，如何瞒得我过！”瑾曰：“将军何太无面目？”云长执剑在手曰：“休再言！此剑上并无面目！”关平告曰：“军师面上不好看，望父亲息怒。”云长曰：“不看军师面上，教你回不得东吴！”

瑾满面羞惭，急辞下船，再往西川见孔明。孔明已自出巡去了。瑾只得再见玄德，哭告云长欲杀之事。玄德曰：“吾弟性急，极难与言。子瑜可暂回，容吾取了东川、汉中诸郡，调云长往守之，那时方得交付荆州。”瑾不得已，只得回东吴见孙权，具言前事。孙权大怒曰：“子瑜此去，反覆奔走，莫非皆是诸葛亮之计？”瑾曰：“非也。吾弟亦哭告玄德，方许将三郡先还，又无奈云长恃顽不肯。”孙权曰：“既刘备有先还三郡之言，便可差官前去长沙、零陵、桂阳三郡赴任，且看如何。”瑾曰：“主公所言极善。”权乃令瑾取回老小，一面差官往三郡赴任。不一日，三郡差去官吏，尽被逐回，告孙权曰：“关云长不肯相容，连夜赶逐回吴。迟后者便要杀。”孙权大怒，差人召鲁肃责之曰：“子敬昔为刘备作保，借吾荆州；今刘备已得西川，不肯归还，子敬岂得坐视？”肃曰：“肃已思得一计，正欲告主公。”权问：“何计？”肃曰：“今屯兵于陆口，使人请关云长赴会。若云长肯来，以善言说之；如其不从，伏下刀斧手杀之。如彼不肯来，随即进兵，与决胜负，夺取荆州便了。”孙权曰：“正合吾意。可即行之。”阚泽进曰：“不可。关云长乃世之虎将，非等闲可及。恐事不谐，反遭其害。”孙权怒曰：“若如此，荆州何日可得！”便命鲁肃速行此计。肃乃辞孙权，至陆口，召吕蒙、甘宁商议——设宴于陆口寨外临江亭上，修下请书，选帐下能言快语一人为使，登舟渡江。江口关平问了，遂引使人入荆州，叩见云长，具道鲁肃相邀赴会之意，呈上请书。云长看书毕，谓来人曰：“既子敬相请，我明日便来赴宴。汝可先回。”

使者辞去。关平曰：“鲁肃相邀，必无好意；父亲何故许之？”云长笑曰:“吾岂不知耶?此是诸葛瑾回报孙权,说吾不肯还三郡,故令鲁肃屯兵陆口,邀我赴会,便索荆州。吾若不往,道吾怯矣。吾来日独驾小舟,只用亲随十余人,单刀赴会,看鲁肃如何近我!”平谏曰:“父亲奈何以万金之躯,亲蹈虎狼之穴?恐非所以重伯父之寄托也。”云长曰:“吾于千枪万刃之中,矢石交攻之际,匹马纵横,如入无人之境;岂忧江东群鼠乎!”马良亦谏曰:“鲁肃虽有长者之风,但今事急,不容不生异心。将军不可轻往。”云长曰:“昔战国时赵人蔺相如,无缚鸡之力,于渑池会①上,觑秦国君臣如无物;况吾曾学万人敌②者乎!既已许诺,不可失信。”良曰:“纵将军去,亦当有准备。”云长曰:“只教吾儿选快船十只,藏善水军五百,于江上等候。看吾认旗起处,便过江来。”平领命自去准备。

却说使者回报鲁肃,说云长慨然应允,来日准到。肃与吕蒙商议:“此来若何?”蒙曰:“彼带军马来,某与甘宁各人领一军伏于岸侧,放炮为号,准备厮杀;如无军来,只于庭后伏刀斧手五十人,就筵间杀之。”计会已定。次日,肃令人于岸口遥望。辰时后,见江面上一只船来,梢公水手只数人,一面红旗,风中招飐,显出一个大“关”字来。船渐近岸,见云长青巾绿袍,坐于船上;傍边周仓捧着大刀;八九个关西大汉,各跨腰刀一口。鲁肃惊疑,接入庭内。叙礼毕,入席饮酒,举杯相劝,不敢仰视。云长谈笑自若。

酒至半酣,肃曰:“有一言诉与君侯,幸垂听焉:昔日令兄皇叔,使肃于吾主之前,保借荆州暂住,约于取川之后归还。今西川已得,而荆州未还,得毋失信乎?”云长曰:“此国家之事,筵间不必论之。”肃曰:“吾主只区区江东之地,而肯以荆州相借者,为念君侯等兵败远来,无以为资故也。今已得益州,则荆州自应见还;乃皇叔但肯先割三郡,而君侯又不从,恐于理上说不去。”云长曰:“乌林之役,左将军亲冒矢石,戮力破敌,岂得徒劳而无尺土相资?今足下复来索地耶?”肃曰:“不然。君侯始与皇叔同败于长坂,计穷力竭,将欲远窜,吾主矜念③皇叔身无处所,不爱土地,使有所托

---

① 渑(miǎn)池会——战国时,秦、赵互为敌国。一次,秦昭襄王约赵惠文王会于渑池,原想恃强借机侮辱赵王,却不想赵国因有蔺相如在会上奋不顾身、智勇兼施,终于没有占到便宜。

② 万人敌——指兵法,古代的军事学。

③ 矜念——同情。

足，以图后功；而皇叔愆德隳好①，已得西川，又占荆州，贪而背义，恐为天下所耻笑。惟君侯察之。”云长曰：“此皆吾兄之事，非某所宜与也②。”肃曰：“某闻君侯与皇叔桃园结义，誓同生死。皇叔即君侯也，何得推托乎？”云长未及回答，周仓在阶下厉声言曰：“天下土地，惟有德者居之。岂独是汝东吴当有耶！”云长变色而起，夺周仓所捧大刀，立于庭中，目视周仓而叱曰：“此国家之事，汝何敢多言！可速去！”仓会意，先到岸口，把红旗一招。关平船如箭发，奔过江东来。云长右手提刀，左手挽住鲁肃手，佯推醉曰：“公今请吾赴宴，莫提起荆州之事。吾今已醉，恐伤故旧之情。他日令人请公到荆州赴会，另作商议。”鲁肃魂不附体，被云长扯至江边。吕蒙、甘宁各引本部军欲出，见云长手提大刀，亲握鲁肃，恐肃被伤，遂不敢动。云长到船边，却才放手，早立于船首，与鲁肃作别。肃如痴似呆，看关公船已乘风而去。后人有诗赞关公曰：

藐视吴臣若小儿，单刀赴会敢平欺。
当年一段英雄气，尤胜相如在渑池。

云长自回荆州。鲁肃与吕蒙共议：“此计又不成，如之奈何？”蒙曰：“可即申报主公，起兵与云长决战。”肃即时使人申报孙权。权闻之大怒，商议起倾国之兵，来取荆州。忽报：“曹操又起三十万大军来也！”权大惊，且教鲁肃休惹荆州之兵，移兵向合淝、濡须，以拒曹操。

却说操将欲起程南征，参军傅干，字彦材，上书谏操。书略曰：

干闻用武则先威，用文则先德；威德相济，而后王业成。往者天下大乱，明公用武攘之，十平其九；今未承王命者，吴与蜀耳。吴有长江之险，蜀有崇山之阻，难以威胜。愚以为：且宜增修文德，按甲寝兵，息军养士，待时而动。今若举数十万之众，顿③长江之滨，倘贼凭险深藏，使我士马不得逞其能，奇变无所用其权，则天威屈矣。惟明公详察焉。

曹操览之，遂罢南征，兴设学校，延礼文士。于是侍中王粲、杜袭、卫凯、和洽四人，议欲尊曹操为“魏王”。中书令荀攸曰：“不可。丞相官至魏公，荣加九锡，位已极矣。今又进升王位，于理不可。”曹操闻之，怒曰：“此

① 愆(qiān)德隳(huī)好——损害道义，破坏交情。愆：犯过失；隳：破坏。
② 非某所宜与也——不是我所应当过问、干预的。
③ 顿——屯驻。

人欲效荀彧耶!"荀攸知之,忧愤成疾,卧病十数日而卒,亡年五十八岁。操厚葬之,遂罢"魏王"事。

一日,曹操带剑入宫,献帝正与伏后共坐。伏后见操来,慌忙起身。帝见曹操,战栗不已。操曰:"孙权、刘备各霸一方,不尊朝廷,当如之何?"帝曰:"尽在魏公裁处。"操怒曰:"陛下出此言,外人闻之,只道吾欺君也。"帝曰:"君若肯相辅则幸甚;不尔①,愿垂恩相舍。"操闻言,怒目视帝,恨恨而出。左右或奏帝曰:"近闻魏公欲自立为王,不久必将篡位。"帝与伏后大哭。后曰:"妾父伏完常有杀操之心,妾今当修书一封,密与父图之。"帝曰:"昔董承为事不密,反遭大祸;今恐又泄漏,朕与汝皆休矣!"后曰:"旦夕如坐针毡,似此为人,不如早亡!妾看宦官中之忠义可托者,莫如穆顺,当令寄此书。"乃即召穆顺入屏后,退去左右近侍。帝后大哭告顺曰:"操贼欲为'魏王',早晚必行篡夺之事。朕欲令后父伏完密图此贼,而左右之人,俱贼心腹,无可托者。欲汝将皇后密书,寄与伏完。量汝忠义,必不负朕。"顺泣曰:"臣感陛下大恩,敢不以死报!臣即请行。"后乃修书付顺。顺藏书于发中,潜出禁宫,径至伏完宅,将书呈上。完见是伏后亲笔,乃谓穆顺曰:"操贼心腹甚众,不可遽图。除非江东孙权、西川刘备,二处起兵于外,操必自往。此时却求在朝忠义之臣,一同谋之。内外夹攻,庶可有济。"顺曰:"皇丈可作书覆帝后,求密诏,暗遣人往吴、蜀二处,令约会起兵,讨贼救主。"伏完即取纸写书付顺。顺乃藏于头髻内,辞完回宫。

原来早有人报知曹操。操先于宫门等候。穆顺回遇曹操,操问:"那里去来?"顺答曰:"皇后有病,命求医去。"操曰:"召得医人何在?"顺曰:"还未召至。"操喝左右,遍搜身上,并无夹带,放行。忽然风吹落其帽。操又唤回,取帽视之,遍观无物,还帽令戴。穆顺双手倒戴其帽。操心疑,令左右搜其头发中,搜出伏完书来。操看时,书中言欲结连孙、刘为外应。操大怒,执下穆顺于密室问之,顺不肯招。操连夜点起甲兵三千,围住伏完私宅,老幼并皆拿下;搜出伏后亲笔之书,随将伏氏三族尽皆下狱。平明,使御林将军郗虑持节入宫,先收皇后玺绶。

是日,帝在外殿,见郗虑引三百甲兵直入。帝问曰:"有何事?"虑曰:"奉魏公命收皇后玺。"帝知事泄,心胆皆碎。虑至后宫,伏后方起。虑便

① 不尔——不这样、不如此。

唤管玺绶人索取玉玺而出。伏后情知事发，便于殿后椒房①内夹壁中藏躲。少顷，尚书令华歆引五百甲兵入到后殿，问宫人："伏后何在?"宫人皆推不知。歆教甲兵打开朱户，寻觅不见；料在壁中，便喝甲士破壁搜寻。歆亲自动手揪后头髻拖出。后曰："望免我一命!"歆叱曰："汝自见魏公诉去!"后披发跣足，二甲士推拥而出。原来华歆素有才名，向与邴原、管宁相友善。时人称三人为一龙：华歆为龙头，邴原为龙腹，管宁为龙尾。一日，宁与歆共种园蔬，锄地见金。宁挥锄不顾；歆拾而视之，然后掷下。又一日，宁与歆同坐观书，闻户外传呼之声，有贵人乘轩而过。宁端坐不动，歆弃书往观。宁自此鄙歆之为人，遂割席分坐，不复与之为友。后来管宁避居辽东，常戴白帽，坐卧一楼，足不履地，终身不肯仕魏；而歆乃先事孙权，后归曹操，至此乃有收捕伏皇后一事。后人有诗叹华歆曰：

华歆当日逞凶谋，破壁生将母后收。
助虐一朝添虎翼，骂名千载笑"龙头"!

又有诗赞管宁曰：

辽东传有管宁楼，人去楼空名独留。
笑杀子鱼贪富贵，岂如白帽自风流。

且说华歆将伏后拥至外殿。帝望见后，乃下殿抱后而哭。歆曰："魏公有命，可速行!"后哭谓帝曰："不能复相活耶?"帝曰："我命亦不知在何时也!"甲士拥后而去，帝捶胸大恸。见郗虑在侧，帝曰："郗公！天下宁有是事乎!"哭倒在地。郗虑令左右扶帝入宫。华歆拿伏后见操。操骂曰："吾以诚心待汝等，汝等反欲害我耶！吾不杀汝，汝必杀我!"喝左右乱棒打死。随即入宫，将伏后所生二子，皆鸩杀之。当晚将伏完、穆顺等宗族二百余口，皆斩于市。朝野之人，无不惊骇。时建安十九年十一月也。后人有诗叹曰：

曹瞒凶残世所无，伏完忠义欲何如。
可怜帝后分离处，不及民间妇与夫!

献帝自从坏了伏后，连日不食。操入曰："陛下无忧，臣无异心。臣女已与陛下为贵人，大贤大孝，宜居正宫。"献帝安敢不从？于建安二十年正月朔，就庆贺正旦之节，册立曹操女曹贵人为正宫皇后。群下莫敢有言。

---

①　椒房——后妃所住的宫室。

此时曹操威势日甚，会大臣商议收吴灭蜀之事。贾诩曰："须召夏侯惇、曹仁二人回，商议此事。"操即时发使，星夜唤回。夏侯惇未至，曹仁先到，连夜便入府中见操。操方被酒而卧，许褚仗剑立于堂门之内。曹仁欲入，被许褚当住。曹仁大怒曰："吾乃曹氏宗族，汝何敢阻当耶?"许褚曰："将军虽亲，乃外藩镇守之官；许褚虽疏，现充内侍。主公醉卧堂上，不敢放入。"仁乃不敢入。曹操闻之，叹曰："许褚真忠臣也!"不数日，夏侯惇亦至，共议征伐。惇曰："吴、蜀急未可攻，宜先取汉中张鲁，以得胜之兵取蜀，可一鼓而下也。"曹操曰："正合吾意。"遂起兵西征。正是：方逞凶谋欺弱主，又驱劲卒扫偏邦。未知后事如何，且看下文分解。

# 第六十七回

## 曹操平定汉中地　张辽威震逍遥津

却说曹操兴师西征，分兵三队：前部先锋夏侯渊、张郃；操自领诸将居中；后部曹仁、夏侯惇，押运粮草。早有细作报入汉中来。张鲁与弟张卫，商议退敌之策。卫曰："汉中最险无如阳平关；可于关之左右，依山傍林，下十余个寨栅，迎敌曹兵。兄在汉宁，多拨粮草应付。"张鲁依言，遣大将杨昂、杨任，与其弟即日起程。军马到阳平关，下寨已定。夏侯渊、张郃前军随到，闻阳平关已有准备，离关一十五里下寨。是夜，军士疲困，各自歇息。忽寨后一把火起，杨昂、杨任两路兵杀来劫寨。夏侯渊、张郃急上得马，四下里大兵拥入，曹兵大败，退见曹操。操怒曰："汝二人行军许多年，岂不知兵若远行疲困，可防劫寨？如何不作准备?"欲斩二人，以明军法。众官告免。

操次日自引兵为前队，见山势险恶，林木丛杂，不知路径，恐有伏兵，即引军回寨，谓许褚、徐晃二将曰："吾若知此处如此险恶，必不起兵来。"许褚曰："兵已至此，主公不可惮劳。"次日，操上马，只带许褚、徐晃二人，来看张卫寨栅。三匹马转过山坡，早望见张卫寨栅。操扬鞭遥指，谓二将曰："如此坚固，急切难下!"言未已，背后一声喊起，箭如雨发。杨昂、杨任分两路杀来。操大惊。许褚大呼曰："吾当敌贼！徐公明善保主公!"说罢，提刀纵马向前，力敌二将。杨昂、杨任不能当许褚之勇，回马退去，其余不敢向前。徐晃保着曹操奔过山坡，前面又一军到；看时，却是夏侯渊、张郃二将听得喊声，故引军杀来接应。于是杀退杨昂、杨任，救得曹操回寨。操重赏四将。自此两边相拒五十余日，只不交战。曹操传令退军。贾诩曰："贼势未见强弱，主公何故自退耶？"操曰："吾料贼兵每日提备，急难取胜。吾以退军为名，使贼懈而无备，然后分轻骑抄袭其后，必胜贼矣。"贾诩曰："丞相神机，不可测也。"于是令夏侯渊、张郃分兵两路，各引轻骑三千，取小路抄阳平关后。曹操一面引大军拔寨尽起。杨昂听得曹兵退，请杨任商议，欲乘势击之。杨任曰："操诡计极多，未知真实，不可追赶。"杨昂曰："公不往，吾当自去。"杨任苦谏不从。杨昂尽提五寨军马前进，只留些少军士守寨。是日，大雾迷漫，对面不相见。杨昂军至半路，不能行，且权扎住。

却说夏侯渊一军抄过山后，见重雾垂空，又闻人语马嘶，恐有伏兵，急催人马行动，大雾中误走到杨昂寨前。守寨军士，听得马蹄响，只道是杨昂兵回，开门纳之。曹军一拥而入，见是空寨，便就寨中放起火来。五寨军士，尽皆弃寨而走。比及雾散，杨任领兵来救，与夏侯渊战不数合，背后张郃兵到。杨任杀条大路，奔回南郑。杨昂待要回时，已被夏侯渊、张郃两个占了寨栅。背后曹操大队军马赶来。两下夹攻，四边无路。杨昂欲突阵而出，正撞着张郃。两个交手，被张郃杀死。败兵回投阳平关，来见张卫。原来卫知二将败走，诸营已失，半夜弃关，奔回去了。曹操遂得阳平关并诸寨。张卫、杨任回见张鲁。卫言二将失了隘口，因此守关不住。张鲁大怒，欲斩杨任。任曰："某曾谏杨昂，休追操兵。他不肯听信，故有此败。任再乞一军前去挑战，必斩曹操。如不胜，甘当军令。"张鲁取了军令状。杨任上马，引二万军离南郑下寨。

却说曹操提军将进，先令夏侯渊领五千军，往南郑路上哨探，正迎着杨任军马，两军摆开。任遣部将昌奇出马，与渊交锋；战不三合，被渊一刀斩于马下。杨任自挺枪出马，与渊战三十余合，不分胜负。渊佯败而走，任从后追来；被渊用拖刀计，斩于马下。军士大败而回。曹操知夏侯渊斩了杨任，即时进兵，直抵南郑下寨。张鲁慌聚文武商议。阎圃曰："某保一人，可敌曹操手下诸将。"鲁问是谁。圃曰："南安庞德，前随马超投主公；后马超往西川，庞德卧病不曾行，现今蒙主公恩养。何不令此人去？"

张鲁大喜，即召庞德至，厚加赏劳；点一万军马，令庞德出。离城十余里，与曹兵相对，庞德出马搦战。曹操在渭桥时，深知庞德之勇，乃嘱诸将曰："庞德乃西凉勇将，原属马超；今虽依张鲁，未称其心。吾欲得此人。汝等须皆与缓斗，使其力乏，然后擒之。"张郃先出，战了数合便退。夏侯渊也战数合退了。徐晃又战三五合也退了。临后许褚战五十余合亦退。庞德力战四将，并无惧怯。各将皆于操前夸庞德好武艺。曹操心中大喜，与众将商议："如何得此人投降？"贾诩曰："某知张鲁手下，有一谋士杨松。其人极贪贿赂。今可暗以金帛送之，使谮庞德于张鲁，便可图矣。"操曰："何由得人入南郑？"诩曰："来日交锋，诈败佯输，弃寨而走，使庞德据我寨；我却于夤夜引兵劫寨，庞德必退入城。却选一能言军士，扮作彼军，杂在阵中，便得入城。"操听其计，选一精细军校，重加赏赐，付与金掩心甲一副，令披在贴肉，外穿汉中军士号衣，先于半路上等候。次日，先拨夏侯渊、张郃两枝军，远去埋伏；却教徐晃挑战，不数合败走。庞德招军掩杀，曹兵尽退。庞德却夺了曹操寨栅，见寨中粮草极多，大喜，即时申报张鲁；一面在寨中设宴庆贺。当夜二更之后，忽然三路火起：正中是徐晃、许褚，左张郃，右夏侯渊。三路军马，齐来劫寨。庞德不及提备，只得上马冲杀出来，望城而走。背后三路兵追来。庞德急唤开城门，领兵一拥而入。

此时细作已杂到城中，径投杨松府下谒见，具说："魏公曹丞相久闻盛德，特使某送金甲为信，更有密书呈上。"松大喜，看了密书中言语，谓细作曰："上覆魏公，但请放心。某自有良策奉报。"打发来人先回，便连夜入见张鲁，说庞德受了曹操贿赂，卖此一阵。张鲁大怒，唤庞德责骂，欲斩之。阎圃苦谏。张鲁曰："你来日出战，不胜必斩！"庞德抱恨而退。次日，曹兵攻城，庞德引兵冲出。操令许褚交战。褚诈败，庞德赶来。操自乘马于山坡上唤曰："庞令明何不早降？"庞德寻思："拿住曹操，抵一千员上将！"遂飞马上坡。一声喊声，天崩地塌，连人和马，跌入陷坑内去；四壁钩索一齐上前，活捉了庞德，押上坡来。曹操下马，叱退军士，亲释其缚，问庞德肯降否。庞德寻思张鲁不仁，情愿拜降。曹操亲扶上马，共回大寨，故意教城上望见。人报张鲁，德与操并马而行。鲁益信杨松之言为实。

次日，曹操三面竖立云梯，飞炮攻打。张鲁见其势已极，与弟张卫商议。卫曰："放火尽烧仓廪府库，出奔南山，去守巴中可也。"杨松曰："不如开门投降。"张鲁犹豫不定。卫曰："只是烧了便行。"张鲁曰："我向本欲归命国家，而意未得达；今不得已而出奔，仓廪府库，国家之有，不可废也。”遂尽封锁。是夜二更，张鲁引全家老小，开南门杀出。曹操教休追赶；提兵入南郑，见鲁封闭库藏，心甚怜之。遂差人往巴中，劝使投降。张鲁欲降，张卫不肯。杨松以密书报操，便教进兵，松为内应。操得书，亲自引兵往巴中。张鲁使弟卫领兵出敌，与许褚交锋，被褚斩于马下。败军回报张鲁，鲁欲坚守。杨松曰：“今若不出，坐而待毙矣。某守城，主公当亲与决一死战。”鲁从之。阎圃谏鲁休出。鲁不听，遂引军出迎。未及交锋，后军已走。张鲁急退，背后曹兵赶来。鲁到城下，杨松闭门不开。张鲁无路可走，操从后追至，大叫：“何不早降！”鲁乃下马投拜。操大喜；念其封仓库之心，优礼相待，封鲁为镇南将军。阎圃等皆封列侯。于是汉中皆平。曹操传令各郡分设太守，置都尉，大赏士卒。惟有杨松卖主求荣，即命斩之于市曹示众。后人有诗叹曰：

妨贤卖主逞奇功，积得金银总是空。

家未荣华身受戮，令人千载笑杨松！

曹操已得东川，主簿司马懿进曰：“刘备以诈力取刘璋，蜀人尚未归心。今主公已得汉中，益州震动。可速进兵攻之，势必瓦解。智者贵于乘时，时不可失也。”曹操叹曰：“人苦不知足，既得陇，复望蜀耶？”刘晔曰：“司马仲达之言是也。若少迟缓，诸葛亮明于治国而为相，关、张等勇冠三军而为将，蜀民既定，据守关隘，不可犯矣。”操曰：“士卒远涉劳苦，且宜存恤。”遂按兵不动。

却说西川百姓，听知曹操已取东川，料必来取西川，一日之间，数遍惊恐。玄德请军师商议。孔明曰：“亮有一计，曹操自退。”玄德问何计。孔明曰：“曹操分军屯合淝，惧孙权也。今我若分江夏、长沙、桂阳三郡还吴，遣舌辩之士，陈说利害，令吴起兵袭合淝，牵动其势，操必勒兵南向矣。”玄德问：“谁可为使？”伊籍曰：“某愿往。”玄德大喜，遂作书具礼，令伊籍先到荆州，知会云长，然后入吴。到秣陵，来见孙权，先通了姓名。权召籍入。籍见权礼毕，权问曰：“汝到此何为？”籍曰：“昨承诸葛子瑜取长沙等三郡，为军师不在，有失交割，今传书送还。所有荆州南郡、零陵，本欲送还；被曹操袭取东川，使关将军无容身之地。今合淝空虚，望君侯起兵攻之，使曹操撤兵回南。吾主若取了东川，即还荆州全土。”权曰：“汝且归馆舍，容吾商议。”伊籍退出，权问计于众谋士。张昭曰：“此是刘备恐曹操取西川，故为此谋。虽然如此，可因操在汉中，乘势取合淝，亦是上计。”权从之，发付伊籍回蜀去讫，便议起兵攻操：令鲁肃收取长沙、江夏、桂阳三郡，屯兵于陆口，取吕蒙、甘宁回；又去余杭取凌统回。

不一日，吕蒙、甘宁先到。蒙献策曰：“现今曹操令庐江太守朱光，屯兵于皖城，大开稻田，纳谷于合淝，以充军实。今可先取皖城，然后攻合淝。”权曰：“此计甚合吾意。”遂教吕蒙、甘宁为先锋，蒋钦、潘璋为合后，权自引周泰、陈武、董袭、徐盛为中军。时程普、黄盖、韩当在各处镇守，都未随征。

却说军马渡江，取和州，径到皖城。皖城太守朱光，使人往合淝求救；一面固守城池，坚壁不出。权自到城下看时，城上箭如雨发，射中孙权麾盖。权回寨，问众将曰：“如何取得皖城？”董袭曰：“可差军士筑起土山攻之。”徐盛曰：“可竖云梯，造虹桥，下观城中而攻之。”吕蒙曰：“此法皆费日月而成，合淝救军一至，不可图矣。今我军初到，士气方锐，正可乘此锐气，奋力攻击。来日平明进兵，午未时便当破城。”权从之。次日五更饭毕，三军大进。城上矢石齐下。甘宁手执铁链，冒矢石而上。朱光令弓弩手齐射，甘宁拨开箭林，一链打倒朱光。吕蒙亲自擂鼓。士卒皆一拥而上，乱刀砍死朱光。余众多降，得了皖城，方才辰时。张辽引军至半路，哨马回报皖城已失。辽即回兵归合淝。

孙权入皖城，凌统亦引军到。权慰劳毕，大犒三军，重赏吕蒙、甘宁诸将，设宴庆功。吕蒙逊甘宁上坐，盛称其功劳。酒至半酣，凌统想起甘宁杀父之仇，又见吕蒙夸美之，心中大怒，瞪目直视良久，忽拔左右所佩之剑，立于筵上曰：“筵前无乐，看吾舞剑。”甘宁知其意，推开果桌起身，两手取两枝戟挟定，纵步出曰：“看我筵前使戟。”吕蒙见二人各无好意，便一手挽牌，一手提刀，立于其中曰：“二公虽能，皆不如我巧也。”说罢，舞起刀牌，将二人分于两下。早有人报知孙权。权慌跨马，直至筵前。众见权至，方各放下军器。权曰：“吾常言二人休念旧仇，今日又何如此？”凌统哭拜于地。孙权再三劝止。至次日，起兵进取合淝，三军尽发。

张辽为失了皖城，回到合淝，心中愁闷。忽曹操差薛悌①送木匣一个，上有操封，傍书云：“贼来乃发。”是日报说孙权自引十万大军，来攻合淝。

---

① 薛悌（tì）——人名。

张辽便开匣观之。内书云："若孙权至，张、李二将军出战，乐将军守城。"张辽将教帖①与李典、乐进观之。乐进曰："将军之意若何？"张辽曰："主公远征在外，吴兵以为破我必矣。今可发兵出迎，奋力与战，折其锋锐，以安众心，然后可守也。"李典素与张辽不睦，闻辽此言，默然不答。乐进见李典不语，便道："贼众我寡，难以迎敌，不如坚守。"张辽曰："公等皆是私意，不顾公事。吾今自出迎敌，决一死战。"便教左右备马。李典慨然而起曰："将军如此，典岂敢以私憾而忘公事乎？愿听指挥。"张辽大喜曰："既曼成肯相助，来日引一军于逍遥津北埋伏；待吴兵杀过来，可先断小师桥，吾与乐文谦击之。"李典领命，自去点军埋伏。

却说孙权令吕蒙、甘宁为前队，自与凌统居中，其余诸将陆续进发，望合淝杀来。吕蒙、甘宁前队兵进，正与乐进相迎。甘宁出马与乐进交锋，战不数合，乐进诈败而走。甘宁招呼吕蒙一齐引军赶去。孙权在第二队，听得前军得胜，催兵行至逍遥津北，忽闻连珠炮响，左边张辽一军杀来，右边李典一军杀来。孙权大惊，急令人唤吕蒙、甘宁回救时，张辽兵已到。凌统手下，止有三百余骑，当不得曹军势如山倒。凌统大呼曰："主公何不速渡小师桥！"言未毕，张辽引二千余骑，当先杀至。凌统翻身死战。孙权纵马上桥，桥南已折丈余，并无一片板。孙权惊得手足无措。牙将谷利大呼曰："主公可约马退后，再放马向前，跳过桥去。"孙权收回马来有三丈余远，然后纵辔加鞭，那马一跳飞过桥南。后人有诗曰：

的卢当日跳檀溪，又见吴侯败合淝。
退后着鞭驰骏骑，逍遥津上玉龙飞。

孙权跳过桥南，徐盛、董袭驾舟相迎。凌统、谷利抵住张辽。甘宁、吕蒙引军回救，却被乐进从后追来，李典又截住厮杀，吴兵折了大半。凌统所领三百余人，尽被杀死。统身中数枪，杀到桥边，桥已折断，绕河而逃。孙权在舟中望见，急令董袭棹舟接之，乃得渡回。吕蒙、甘宁皆死命逃过河南。这一阵杀得江南人人害怕；闻张辽大名，小儿也不敢夜啼。众将保护孙权回营。权乃重赏凌统、谷利，收军回濡须，整顿船只，商议水陆并进；一面差人回江南，再起人马来助战。

却说张辽闻孙权在濡须将欲兴兵进取，恐合淝兵少难以抵敌，急令薛

① 教帖——公侯、大臣的命令。这里指曹操的来书。

悌星夜往汉中，报知曹操，求请救兵。操同众官议曰："此时可收西川否？"刘晔曰："今蜀中稍定，已有提备，不可击也。不如撤兵去救合淝之急，就下江南。"操乃留夏侯渊守汉中定军山隘口，留张郃守蒙头岩等隘口。其余军兵拔寨都起，杀奔濡须坞来。正是：铁骑甫能①平陇右，旌旄又复指江南。未知胜负如何，且看下文分解。

# 第六十八回

## 甘宁百骑劫魏营　左慈掷杯戏曹操

却说孙权在濡须口收拾军马，忽报曹操自汉中领兵四十万前来救合淝。孙权与谋士计议，先拨董袭、徐盛二人领五十只大船，在濡须口埋伏；令陈武带领人马，往来江岸巡哨。张昭曰："今曹操远来，必须先挫其锐气。"权乃问帐下曰："曹操远来，谁敢当先破敌，以挫其锐气？"凌统出曰："某愿往。"权曰："带多少军去？"统曰："三千人足矣。"甘宁曰："只须百骑，便可破敌，何必三千！"凌统大怒。两个就在孙权面前争竞起来。权曰："曹军势大，不可轻敌。"乃命凌统带三千军出濡须口去哨探，遇曹兵，便与交战。凌统领命，引着三千人马，离濡须坞。尘头起处，曹兵早到。先锋张辽与凌统交锋，斗五十合，不分胜败。孙权恐凌统有失，令吕蒙接应回营。

甘宁见凌统回，即告权曰："宁今夜只带一百人马去劫曹营；若折了一人一骑，也不算功。"孙权壮之，乃调拨帐下一百精锐马兵付宁；又以酒五十瓶、羊肉五十斤，赏赐军士。甘宁回到营中，教一百人皆列坐，先将银碗斟酒，自吃两碗，乃语百人曰："今夜奉命劫寨，请诸公各满饮一觞，努力向前。"众人闻言，面面相觑。甘宁见众人有难色，乃拔剑在手，怒叱曰："我为上将，且不惜命；汝等何得迟疑！"众人见甘宁作色，皆起拜曰："愿效死力。"甘宁将酒肉与百人共饮食尽，约至二更时候，取白鹅翎一百根，插于盔上为号；都披甲上马，飞奔曹操寨边，拔开鹿角，大喊一声，杀入寨中，径

① 甫能——才能够、好容易。

奔中军来杀曹操。原来中军人马，以车仗伏路穿连，围得铁桶相似，不能得进。甘宁只将百骑，左冲右突。曹兵惊慌，正不知敌兵多少，自相扰乱。那甘宁百骑，在营内纵横驰骤，逢着便杀。各营鼓噪，举火如星，喊声大震。甘宁从寨之南门杀出，无人敢当。孙权令周泰引一枝兵来接应。甘宁将百骑回到濡须。操兵恐有埋伏，不敢追袭。后人有诗赞曰：

鼙鼓①声喧震地来，吴师到处鬼神哀！

百翎直贯曹家寨，尽说甘宁虎将才。

甘宁引百骑到寨，不折一人一骑；至营门，令百人皆击鼓吹笛，口称："万岁！"欢声大震。孙权自来迎接。甘宁下马拜伏。权扶起，携宁手曰："将军此去，足使老贼惊骇。非孤相舍，正欲观卿胆耳！"即赐绢千匹，利刀百口。宁拜受讫，遂分赏百人。权语诸将曰："孟德有张辽，孤有甘兴霸，足以相敌也。"

次日，张辽引兵搦战。凌统见甘宁有功，奋然曰："统愿敌张辽。"权许之。统遂领兵五千，离濡须。权自引甘宁临阵观战。对阵圆处，张辽出马，左有李典，右有乐进。凌统纵马提刀，出至阵前。张辽使乐进出迎。两个斗到五十合，未分胜败。曹操闻知，亲自策马到门旗下来看，见二将酣斗，乃令曹休暗放冷箭。曹休便闪在张辽背后，开弓一箭，正中凌统坐下马，那马直立起来，把凌统掀翻在地。乐进连忙持枪来刺。枪还未到，只听得弓弦响处，一箭射中乐进面门，翻身落马。两军齐出，各救一将回营，鸣金罢战。凌统回寨中拜谢孙权。权曰："放箭救你者，甘宁也。"凌统乃顿首拜宁曰："不想公能如此垂恩！"自此与甘宁结为生死之交，再不为恶。

且说曹操见乐进中箭，令自到帐中调治。次日，分兵五路来袭濡须：操自领中路；左一路张辽，二路李典；右一路徐晃，二路庞德。每路各带一万人马，杀奔江边来。时董袭、徐盛二将，在楼船上见五路军马来到，诸军各有惧色。徐盛曰："食君之禄，忠君之事，何惧哉！"遂引猛士数百人，用小船渡过江边，杀入李典军中去了。董袭在船上，令众军擂鼓呐喊助威。忽然江上猛风大作，白浪掀天，波涛汹涌。军士见大船将覆，争下脚舰逃命。董袭仗剑大喝曰："将受君命，在此防贼，怎敢弃船而去！"立斩下船军

---

① 鼙(pí)鼓——古代军队中用的小鼓。

士十余人。须臾，风急船覆，董袭竟死于江口水中。徐盛在李典军中，往来冲突。

却说陈武听得江边厮杀，引一军来，正与庞德相遇，两军混战。孙权在濡须坞中，听得曹兵杀到江边，亲自与周泰引军前来助战。正见徐盛在李典军中搅做一团厮杀，便麾军杀入接应。却被张辽、徐晃两枝军，把孙权困在垓心。曹操上高阜处看见孙权被围，急令许褚纵马持刀杀入军中，把孙权军冲作两段，彼此不能相救。

却说周泰从军中杀出，到江边，不见了孙权，勒回马，从外又杀入阵中，问本部军："主公何在？"军人以手指兵马厚处，曰："主公被围甚急！"周泰挺身杀入，寻见孙权。泰曰："主公可随泰杀出。"于是泰在前，权在后，奋力冲突。泰到江边，回头又不见孙权，乃复翻身杀入围中，又寻见孙权。权曰："弓弩齐发，不能得出，如何？"泰曰："主公在前，某在后，可以出围。"孙权乃纵马前行。周泰左右遮护，身被数枪，箭透重铠，救得孙权。到江边，吕蒙引一枝水军前来接应下船。权曰："吾亏周泰三番冲杀，得脱重围。但徐盛在垓心，如何得脱？"周泰曰："吾再救去。"遂轮枪复翻身杀入重围之中，救出徐盛。二将各带重伤。吕蒙教军士乱箭射住岸上兵，救二将下船。

却说陈武与庞德大战，后面又无应兵，被庞德赶到峪口，树林丛密；陈武再欲回身交战，被树株抓住袍袖，不能迎敌，为庞德所杀。曹操见孙权走脱了，自策马驱兵，赶到江边对射。吕蒙箭尽，正慌间，忽对江一宗船到，为首一员大将，乃是孙策女婿陆逊，自引十万兵到；一阵射退曹兵，乘势登岸追杀曹兵，复夺战马数千匹，曹兵伤者，不计其数，大败而回。

于乱军中寻见陈武尸首。孙权知陈武已亡，董袭又沉江而死，哀痛至切，令人入水中寻见董袭尸首，与陈武尸一齐厚葬之。又感周泰救护之功，设宴款之。权亲自把盏，抚其背，泪流满面，曰："卿两番相救，不惜性命，被枪数十，肤如刻画，孤亦何心不待卿以骨肉之恩、委卿以兵马之重乎！卿乃孤之功臣，孤当与卿共荣辱、同休戚也。"言罢，令周泰解衣与众将观之：皮肉肌肤，如同刀剜，盘根遍体。孙权手指其痕，一一问之。周泰具言战斗被伤之状。一处伤令吃一觥酒。是日，周泰大醉。权以青罗伞赐之，令出入张盖，以为显耀。

权在濡须，与操相拒月余，不能取胜。张昭、顾雍上言："曹操势大，不可力取；若与久战，大损士卒：不若求和安民为上。"孙权从其言，令步骘①往曹营求和，许年纳岁贡。操见江南急未可下，乃从之，令："孙权先撤人马，吾然后班师。"步骘回覆，权只留蒋钦、周泰守濡须口，尽发大兵上船回秣陵。

操留曹仁、张辽屯合淝，班师回许昌。文武众官皆议立曹操为魏王。尚书崔琰力言不可。众官曰："汝独不见荀文若乎？"琰大怒曰："时乎，时乎！会当②有变！任自为之！"有与琰不和者，告知操。操大怒，收琰下狱问之。琰虎目虬髯，只是大骂曹操欺君奸贼。廷尉白操，操令杖杀崔琰在狱中。后人有赞曰：

清河崔琰：天性坚刚；虬髯虎目，铁石心肠；

奸邪辟易③，声节显昂；忠于汉主，千古名扬！

建安二十一年夏五月，群臣表奏献帝，颂魏公曹操功德，"极天际地，伊、周莫及，宜进爵为王"。献帝即令钟繇④草诏，册立曹操为魏王。曹操假意上书三辞。诏三报不许，操乃拜命受魏王之爵，冕十二旒，乘金根车，驾六马，用天子车服銮仪，出警入跸⑤，于邺郡盖魏王宫，议立世子。操大妻丁夫人无出。妾刘氏生子曹昂，因征张绣时死于宛城。卞氏所生四子：长曰丕，次曰彰，三曰植，四曰熊。于是黜丁夫人，而立卞氏为魏王后。第三子曹植，字子建，极聪明，举笔成章，操欲立之为后嗣。长子曹丕，恐不得立，乃问计于中大夫贾诩。诩教如此如此。自是但凡操出征，诸子送行，曹植乃称述功德，发言成章；惟曹丕辞父，只是流涕而拜，左右皆感伤。于是操疑植乖巧，诚心不及丕也。丕又使人买嘱近侍，皆言丕之德。操欲立后嗣，踌躇不定，乃问贾诩曰："孤欲立后嗣，当立谁？"贾诩不答，操问其故。诩曰："正有所思，故不能即答耳。"操曰："何所思？"诩对曰："思袁本

---

① 步骘(zhì)——人名。

② 会当——该当。

③ 辟易——惊退。

④ 钟繇(yóu)——人名。

⑤ 出警入跸(bì)——出入都要警戒。警：警戒、戒备；跸：帝王出行时开路清道，禁止他人通行。

初、刘景升父子也。"操大笑，遂立长子曹丕为王世子。

冬十月，魏王宫成，差人往各处收取奇花异果，栽植后苑。有使者到吴地，见了孙权，传魏王令旨，再往温州取柑子。时孙权正尊让魏王，便令人于本城选了大柑子四十余担，星夜送往邺郡。正中途，挑担役夫疲困，歇于山脚下，见一先生，眇①一目，跛一足，头戴白藤冠，身穿青懒衣，来与脚夫作礼，言曰："你等挑担劳苦，贫道都替你挑一肩何如？"众人大喜。于是先生每担各挑五里。但是先生挑过的担儿都轻了。众皆惊疑。先生临去，与领柑子官说："贫道乃魏王乡中故人，姓左，名慈，字元放，道号乌角先生。如你到邺郡，可说左慈申意。"遂拂袖而去。

取柑人至邺郡见操，呈上柑子。操亲剖之，但只空壳，内并无肉。操大惊，问取柑人。取柑人以左慈之事对。操未肯信。门吏忽报："有一先生，自称左慈，求见大王。"操召入。取柑人曰："此正途中所见之人。"操叱之曰："汝以何妖术，摄吾佳果？"慈笑曰："岂有此事！"取柑剖之，内皆有肉，其味甚甜。但操自剖者，皆空壳。操愈惊，乃赐左慈坐而问之。慈索酒肉，操令与之，饮酒五斗不醉，肉食全羊不饱。操问曰："汝有何术，以至于此？"慈曰："贫道于西川嘉陵峨嵋山中，学道三十年，忽闻石壁中有声呼我之名；及视，不见。如此者数日。忽有天雷震碎石壁，得天书三卷，名曰《遁甲天书》。上卷名《天遁》，中卷名《地遁》，下卷名《人遁》。天遁能腾云跨风，飞升太虚；地遁能穿山透石；人遁能云游四海，藏形变身，飞剑掷刀，取人首级。大王位极人臣，何不退步，跟贫道往峨嵋山中修行？当以三卷天书相授。"操曰："我亦久思急流勇退，奈朝廷未得其人耳。"慈笑曰："益州刘玄德乃帝室之胄，何不让此位与之？不然，贫道当飞剑取汝之头也。"操大怒曰："此正是刘备细作！"喝左右拿下。慈大笑不止。操令十数狱卒，捉下拷之。狱卒着力痛打，看左慈时，却齁齁②熟睡，全无痛楚。操怒，命取大枷，铁钉钉了，铁锁锁了，送入牢中监收，令人看守。只见枷锁尽落，左慈卧于地上，并无伤损。连监禁七日，不与饮食。及看时，慈端坐于地上，面皮转红。狱卒报知曹操，操取出问之。慈曰："我数十年不食，亦不妨；日食千羊，亦能尽。"操无可奈何。

---

① 眇(miǎo)——瞎了一只眼睛。

② 齁(hōu)——鼾声。

是日，诸官皆至王宫大宴。正行酒间，左慈足穿木履，立于筵前。众官惊怪。左慈曰："大王今日水陆俱备，大宴群臣，四方异物极多，内中欠少何物，贫道愿取之。"操曰："我要龙肝作羹，汝能取否?"慈曰："有何难哉!"取墨笔于粉墙上画一条龙，以袍袖一拂，龙腹自开。左慈于龙腹中提出龙肝一副，鲜血尚流。操不信，叱之曰："汝先藏于袖中耳!"慈曰："即今天寒，草木枯死；大王要甚好花，随意所欲。"操曰："吾只要牡丹花。"慈曰："易耳。"令取大花盆放筵前，以水噀①之。顷刻发出牡丹一株，开放双花。众官大惊，邀慈同坐而食。少刻，庖人进鱼脍。慈曰："脍必松江鲈鱼者方美。"操曰："千里之隔，安能取之?"慈曰："此亦何难取!"教把钓竿来，于堂下鱼池中钓之。顷刻钓出数十尾大鲈鱼，放在殿上。操曰："吾池中原有此鱼。"慈曰："大王何相欺耶？天下鲈鱼只两腮，惟松江鲈鱼有四腮：此可辨也。"众官视之，果是四腮。慈曰："烹松江鲈鱼，须紫芽姜方可。"操曰："汝亦能取之否?"慈曰："易耳。"令取金盆一个，慈以衣覆之。须臾，得紫芽姜满盆，进上操前。操以手取之，忽盆内有书一本，题曰《孟德新书》。操取视之，一字不差。操大疑。慈取桌上玉杯，满斟佳酿进操曰："大王可饮此酒，寿有千年。"操曰："汝可先饮。"慈遂拔冠上玉簪，于杯中一画，将酒分为两半；自饮一半，将一半奉操。操叱之。慈掷杯于空中，化成一白鸠，绕殿而飞。众官仰面视之，左慈不知所往。左右忽报："左慈出宫门去了。"操曰："如此妖人，必当除之！否则必将为害。"遂命许褚引三百铁甲军追擒之。褚上马引军赶至城门，望见左慈穿木履在前，慢步而行。褚飞马追之，却只追不上。直赶到一山中，有牧羊小童，赶着一群羊而来，慈走入羊群内。褚取箭射之，慈即不见。褚尽杀群羊而回。牧羊小童守羊而哭。忽见羊头在地上作人言，唤小童曰："汝可将羊头都凑在死羊腔子上。"小童大惊，掩面而走。忽闻有人在后呼曰："不须惊走。还汝活羊。"小童回顾，见左慈已将地上死羊凑活，赶将来了。小童急欲问时，左慈已拂袖而去。其行如飞，倏忽不见。

小童归告主人，主人不敢隐讳，报知曹操。操画影图形，各处捉拿左慈。三日之内，城里城外，所捉眇一目、跛一足、白藤冠、青懒衣、穿木履先生，都一般模样者，有三四百个。哄动街市。操令众将，将猪羊血泼之，押

① 噀(xùn)——含在口中而喷出。

送城南教场。曹操亲自引甲兵五百人围住，尽皆斩之。人人颈腔内各起一道青气，到上天聚成一处，化成一个左慈，向空招白鹤一只骑坐，拍手大笑曰："土鼠随金虎，奸雄一旦休！"操令众将以弓箭射之。忽然狂风大作，走石扬沙；所斩之尸，皆跳起来，手提其头，奔上演武厅来打曹操。文官武将，掩面惊倒，各不相顾。正是：奸雄权势能倾国，道士仙机更异人。未知曹操性命如何，且看下文分解。

# 第六十九回

## 卜周易管辂知机　讨汉贼五臣死节

却说当日曹操见黑风中群尸皆起，惊倒于地。须臾风定，群尸皆不见。左右扶操回宫，惊而成疾。后人有诗赞左慈曰：

飞步凌云遍九州，独凭遁甲自遨游。

等闲施设神仙术，点悟曹瞒不转头。

曹操染病，服药无愈。适太史丞许芝，自许昌来见操。操令芝卜《易》。芝曰："大王曾闻神卜管辂①否？"操曰："颇闻其名，未知其术。汝可详言之。"芝曰："管辂字公明，平原人也。容貌粗丑，好酒疏狂。其父曾为琅琊即丘长。辂自幼便喜仰视星辰，夜不肯寐，父母不能禁止。常云：'家鸡野鹄，尚自知时，何况为人在世乎？'与邻儿共戏，辄画地为天文，分布日月星辰。及稍长，即深明《周易》，仰观风角②，数学通神，兼善相术。琅琊太守单子春闻其名，召辂相见。时有坐客百余人，皆能言之士。辂谓子春曰：'辂年少胆气未坚，先请美酒三升，饮而后言。'子春奇之，遂与酒三升。饮毕，辂问子春：'今欲与辂为对者，若府君四座之士耶？'子春曰：'吾自与卿旗鼓相当。'于是与辂讲论《易》理。辂亹亹③而谈，言言精奥。子春反覆辩难，辂对答如流。从晓至暮，酒食不行。子春及众宾客，无不叹服。于

① 管辂（lù）——三国时著名卜者。

② 风角——一种古代方术，观察风的动向来占吉凶。

③ 亹（wěi）亹——同娓娓，不疲倦的样子。

是天下号为神童。后有居民郭恩者，兄弟三人，皆得躄疾①，请辂卜之。辂曰：'卦中有君家本墓中女鬼，非君伯母即叔母也。昔饥荒之年，谋数升米之利，推之落井，以大石压破其头，孤魂痛苦，自诉于天，故君兄弟有此报。不可禳也。'郭恩等涕泣伏罪。安平太守王基，知辂神卜，延辂至家。适信都令妻，常患头风，其子又患心痛，因请辂卜之。辂曰：'此堂之西角有二死尸：一男持矛，一男持弓箭。头在壁内，脚在壁外。持矛者主刺头，故头痛；持弓箭者主刺胸腹，故心痛。'乃掘之。入地八尺，果有二棺。一棺中有矛，一棺中有角弓及箭，木俱已朽烂。辂令徙骸骨去城外十里埋之，妻与子遂无恙。馆陶令诸葛原，迁新兴太守，辂往送行。客言辂能覆射②。诸葛原不信，暗取燕卵、蜂窠、蜘蛛三物，分置三盒之中，令辂卜之。卦成，各写四句于盒上。其一曰：'含气须变，依乎宇堂；雌雄以形，羽翼舒张：此燕卵也。'其二曰：'家室倒悬，门户众多；藏精育毒，得秋乃化：此蜂窠也。其三曰：'觳觫③长足，吐丝成罗；寻网求食，利在昏夜：此蜘蛛也。'满座惊骇。乡中有老妇失牛，求卜之。辂判曰：'北溪之滨，七个宰烹；急往追寻，皮肉尚存。'老妇果往寻之：七人于茅舍后煮食，皮肉犹存。妇告本郡太守刘邠④，捕七人罪之，因问老妇曰：'汝何以知之？'妇告以管辂之神卜。刘邠不信，请辂至府，取印囊及山鸡毛藏于盒中，令卜之。辂卜其一曰：'内方外圆，五色成文；含宝守信，出则有章：此印囊也。'其二曰：'岩岩有鸟，锦体朱衣；羽翼玄黄，鸣不失晨：此山鸡毛也。'刘邠大惊，遂待为上宾。一日，出郊闲行，见一少年耕于田中，辂立道傍，观之良久，问曰：'少年高姓、贵庚？'答曰：'姓赵，名颜，年十九岁矣。敢问先生为谁？'辂曰：'吾管辂也。吾见汝眉间有死气，三日内必死。汝貌美，可惜无寿。'赵颜回家，急告其父。父闻之，赶上管辂，哭拜于地曰：'请归救吾子！'辂曰：'此乃天命也，安可禳乎？'父告曰：'老夫止有此子，望乞垂救！'赵颜亦哭求。辂见其父子情切，乃谓赵颜曰：'汝可备净酒一瓶、鹿脯一块，来日赍往南山之中，大树之下，看盘石上有二人弈棋：一人向南坐，穿白袍，其貌甚恶；一人向

① 躄(bì)疾——跛脚病。

② 覆射——射覆。古代游戏：将物件预为隐藏，供人猜度。

③ 觳觫(hú sù)——颤抖。

④ 刘邠(bīn)——人名。

北坐，穿红袍，其貌甚美。汝可乘其弈兴浓时，将酒及鹿脯跪进之。待其饮食毕，汝乃哭拜求寿，必得益算矣。——但切勿言是吾所教。'老人留辂在家。次日，赵颜携酒、脯杯盘入南山之中。约行五六里，果有二人于大松树下盘石上着棋，全然不顾。赵颜跪进酒、脯。二人贪着棋，不觉饮酒已尽。赵颜哭拜于地而求寿，二人大惊。穿红袍者曰：'此必管子之言也。吾二人既受其私，必须怜之。'穿白袍者，乃于身边取出簿籍检看，谓赵颜曰：'汝今年十九岁，当死。吾今于"十"字上添一"九"字，汝寿可至九十九。回见管辂，教再休泄漏天机；不然，必致天谴。'穿红者出笔添讫，一阵香风过处，二人化作二白鹤，冲天而去。赵颜归问管辂。辂曰：'穿红者，南斗也；穿白者，北斗也。'颜曰：'吾闻北斗九星，何止一人？'辂曰：'散而为九，合而为一也。北斗注死，南斗注生。今已添注寿算，子复何忧？'父子拜谢。自此管辂恐泄天机，更不轻为人卜。此人现在平原，大王欲知休咎，何不召之？"

操大喜，即差人往平原召辂。辂至，参拜讫，操令卜之。辂答曰："此幻术耳，何必为忧？"操心安，病乃渐可。操令卜天下之事。辂卜曰："三八纵横，黄猪遇虎；定军之南，伤折一股。"又令卜传祚修短①之数。辂卜曰："狮子宫中，以安神位；王道鼎新，子孙极贵。"操问其详。辂曰："茫茫天数，不可预知。待后自验。"操欲封辂为太史。辂曰："命薄相穷，不称此职，不敢受也。"操问其故。答曰："辂额无主骨，眼无守睛；鼻无梁柱，脚无天根；背无三甲，腹无三壬②：只可泰山治鬼，不能治生人也。"操曰："汝相吾若何？"辂曰："位极人臣，又何必相？"再三问之，辂但笑而不答。操令辂遍相文武官僚。辂曰："皆治世之臣也。"操问休咎，皆不肯尽言。后人有诗赞曰：

平原神卜管公明，能算南辰北斗星。
八卦幽微通鬼窍，六爻玄奥究天庭。
预知相法应无寿，自觉心源极有灵。
可惜当年奇异术，后人无复授遗经。

---

① 传祚修短——皇位的传递与寿命的长短。祚：帝位。

② 背无三甲，腹无三壬——这里指既无刚正不阿之骨，又无巧言谄媚之态。甲：原义是动物身上起保护作用的硬壳；壬：巧言谄媚。

操令卜东吴、西蜀二处。辂设卦云："东吴主亡一大将，西蜀有兵犯界。"操不信。忽合淝报来："东吴陆口守将鲁肃身故。"操大惊，便差人往汉中探听消息。不数日，飞报刘玄德遣张飞、马超兵屯下辨取关。操大怒，便欲自领大兵再入汉中，令管辂卜之。辂曰："大王未可妄动。来春许都必有火灾。"操见辂言累验，故不敢轻动，留居邺郡，使曹洪领兵五万，往助夏侯渊、张郃同守东川；又差夏侯惇领兵三万，于许都来往巡警，以备不虞；又教长史王必总督御林军马。主簿司马懿曰："王必嗜酒性宽，恐不堪任此职。"操曰："王必是孤披荆棘历艰难时相随之人，忠而且勤，心如铁石，最足相当。"遂委王必领御林军马屯于许都东华门外。

时有一人，姓耿，名纪，字季行，洛阳人也；旧为丞相府掾，后迁侍中少府，与司直韦晃甚厚；见曹操进封王爵，出入用天子车服，心甚不平。时建安二十三年春正月。耿纪与韦晃密议曰："操贼奸恶日甚，将来必为篡逆之事。吾等为汉臣，岂可同恶相济？"韦晃曰："吾有心腹人，姓金，名祎，乃汉相金日磾之后，素有讨操之心；更兼与王必甚厚。若得同谋，大事济矣。"耿纪曰："他既与王必交厚，岂肯与我等同谋乎？"韦晃曰："且往说之，看是如何。"于是二人同至金祎宅中。祎接入后堂，坐定。晃曰："德伟与王长史甚厚，吾二人特来告求。"祎曰："所求何事？"晃曰："吾闻魏王早晚受禅，将登大宝，公与王长史必高迁。望不相弃，曲赐提携，感德非浅！"祎拂袖而起。适从者奉茶至，便将茶泼于地上。晃佯惊曰："德伟故人，何薄情也？"祎曰："吾与汝交厚，为汝等是汉朝臣宰之后；今不思报本，欲辅造反之人，吾有何面目与汝为友！"耿纪曰："奈天数如此，不得不为耳！"祎大怒。耿纪、韦晃见祎果有忠义之心，乃以实情相告曰："吾等本欲讨贼，来求足下。前言特相试耳。"祎曰："吾累世汉臣，安能从贼！公等欲扶汉室，有何高见？"晃曰："虽有报国之心，未有讨贼之计。"祎曰："吾欲里应外合，杀了王必，夺其兵权，扶助銮舆。更结刘皇叔为外援，操贼可灭矣。"二人闻之，抚掌称善。

祎曰："我有心腹二人，与操贼有杀父之仇，现居城外，可用为羽翼。"耿纪问是何人。祎曰："太医吉平之子：长名吉邈，字文然；次名吉穆，字思然。操昔日为董承衣带诏事，曾杀其父；二子逃窜远乡，得免于难。今已潜归许都，若使相助讨贼，无有不从。"耿纪、韦晃大喜。金祎即使人密唤二吉。须臾，二人至。祎具言其事。二人感愤流泪，怨气冲天，誓杀国贼。

金祎曰："正月十五日夜间，城中大张灯火，庆赏元宵。耿少府、韦司直，你二人各领家僮，杀到王必营前；只看营中火起，分两路杀入；杀了王必，径跟我入内，请天子登五凤楼，召百官面谕讨贼。吉文然兄弟于城外杀入，放火为号，各要扬声，叫百姓诛杀国贼，截住城内救军；待天子降诏，招安已定，便进兵杀投邺郡擒曹操，即发使赍诏召刘皇叔。今日约定，至期二更举事。——勿似董承自取其祸。"五人对天说誓，歃血为盟，各自归家，整顿军马器械，临期而行。

且说耿纪、韦晃二人，各有家僮三四百，预备器械。吉邈兄弟，亦聚三百人口，只推围猎，安排已定。金祎先期来见王必，言："方今海宇稍安，魏王威震天下；今值元宵令节，不可不放灯火以示太平气象。"王必然其言，告谕城内居民，尽张灯结彩，庆赏佳节。至正月十五夜，天色晴霁，星月交辉，六街三市，竞放花灯。真个金吾不禁，玉漏无催①！王必与御林诸将，在营中饮宴。二更以后，忽闻营中呐喊，人报营后火起。王必慌忙出帐看时，只见火光乱滚；又闻喊杀连天，知是营中有变，急上马出南门，正遇耿纪，一箭射中肩膊，几乎坠马，遂望西门而走。背后有军赶来。王必着忙，弃马步行。至金祎门首，慌叩其门。原来金祎一面使人于营中放火，一面亲领家僮随后助战，只留妇女在家。时家中闻王必叩门之声，只道金祎归来。祎妻从隔门便问曰："王必那厮杀了么？"王必大惊，方悟金祎同谋，径投曹休家，报知金祎、耿纪等同谋反。休急披挂上马，引千余人在城中拒敌。城内四下火起，烧着五凤楼，帝避于深宫。曹氏心腹爪牙，死据宫门。城中但闻人叫："杀尽曹贼，以扶汉室！"

原来夏侯惇奉曹操命，巡警许昌，领三万军，离城五里屯扎；是夜，遥望见城中火起，便领大军前来，围住许都，使一枝军入城接应曹休。直混杀至天明。耿纪、韦晃等无人相助。人报金祎、二吉皆被杀死。耿纪、韦晃夺路杀出城门，正遇夏侯惇大军围住，活捉去了。手下百余人皆被杀。夏侯惇入城，救灭遗火，尽收五人老小宗族，使人飞报曹操。操传令教将耿、韦二人，及五家宗族老小，皆斩于市，并将在朝大小百官，尽行拿解邺

---

① 金吾不禁，玉漏无催——指元宵节"夜禁"开放，人们可以不受时间限制。金吾：执金吾，汉代官名，负责京城的治安；漏：古时滴水计时的器具。

郡，听候发落。夏侯惇押耿、韦二人至市曹。耿纪厉声大叫曰："曹阿瞒！吾生不能杀汝，死当作厉鬼以击贼！"刽子以刀搠其口，流血满地，大骂不绝而死。韦晃以面颊顿地曰："可恨！可恨！"咬牙皆碎而死。后人有诗赞曰：

耿纪精忠韦晃贤，各持空手欲扶天。
谁知汉祚相将尽，恨满心胸丧九泉。

夏侯惇尽杀五家老小宗族，将百官解赴邺郡。曹操于教场立红旗于左、白旗于右，下令曰："耿纪、韦晃等造反，放火焚许都，汝等亦有出救火者，亦有闭门不出者。如曾救火者，可立于红旗下；如不曾救火者，可立于白旗下。"众官自思救火者必无罪，于是多奔红旗之下。三停内只有一停立于白旗下。操教尽拿立于红旗下者。众官各言无罪。操曰："汝当时之心，非是救火，实欲助贼耳。"尽命牵出漳河边斩之，死者三百余员。其立于白旗下者，尽皆赏赐，仍令还许都。时王必已被箭疮发而死，操命厚葬之。令曹休总督御林军马，钟繇为相国，华歆为御史大夫。遂定侯爵六等十八级，关中侯爵十七级，皆金印紫绶①；又置关内外侯十六级，银印龟纽墨绶；五大夫十五级，铜印环纽墨绶。定爵封官，朝廷又换一班人物。曹操方悟管辂火灾之说，遂重赏辂。辂不受。

却说曹洪领兵到汉中，令张郃、夏侯渊各据险要。曹洪亲自进兵拒敌。时张飞自与雷铜守把巴西。马超兵至下辨，令吴兰为先锋，领军哨出，正与曹洪军相遇。吴兰欲退，牙将任夔曰："贼兵初至，若不先挫其锐气，何颜见孟起乎？"于是骤马挺枪搦曹洪战。洪自提刀跃马而出。交锋三合，斩夔于马下，乘势掩杀。吴兰大败，回见马超。超责之曰："汝不得吾令，何故轻敌致败？"吴兰曰："任夔不听吾言，故有此败。"马超曰："可紧守隘口，勿与交锋。"一面申报成都，听候行止。曹洪见马超连日不出，恐有诈谋，引军退回南郑。张郃来见曹洪，问曰："将军既已斩将，如何退兵？"洪曰："吾见马超不出，恐有别谋。且我在邺都，闻神卜管辂有言：当于此地折一员大将。吾疑此言，故不敢轻进。"张郃大笑曰："将军行兵半生，今奈何信卜者之言而惑其心哉！郃虽不才，愿以本部兵取巴西。若得巴西，蜀郡易耳。"洪曰："巴西守将张飞，非比等闲，不可轻敌。"张郃曰：

① 绶——古代官印佩带于身，佩印所穿的绳绦叫绶。

"人皆怕张飞,吾视之如小儿耳!此去必擒之!"洪曰:"倘有疏失,若何?"郃曰:"甘当军令。"洪勒了文状,张郃进兵。正是:自古骄兵多致败,从来轻敌少成功。未知胜负如何,且看下文分解。

# 第七十回

## 猛张飞智取瓦口隘　老黄忠计夺天荡山

却说张郃部兵三万,分为三寨,各傍山险:一名宕渠寨①,一名蒙头寨,一名荡石寨。当日张郃于三寨中,各分军一半,去取巴西,留一半守寨。早有探马报到巴西,说张郃引兵来了。张飞急唤雷铜商议。铜曰:"阆中②地恶山险,可以埋伏。将军引兵出战,我出奇兵相助,郃可擒矣。"张飞拨精兵五千与雷铜去讫。飞自引兵一万,离阆中三十里,与张郃兵相遇。两军摆开,张飞出马,单搦张郃。郃挺枪纵马而出。战到二十余合,郃后军忽然喊起:原来望见山背后有蜀兵旗幡,故此扰乱。张郃不敢恋战,拨马回走。张飞从后掩杀。前面雷铜又引兵杀出。两下夹攻,郃兵大败。张飞、雷铜连夜追袭,直赶到宕渠山。张郃仍旧分兵守住三寨,多置檑木炮石,坚守不战。张飞离宕渠十里下寨,次日引兵搦战。郃在山上大吹大擂饮酒,并不下山。张飞令军士大骂,郃只不出。飞只得还营。次日,雷铜又去山下搦战,郃又不出。雷铜驱军士上山,山上檑木炮石打将下来。雷铜急退。荡石、蒙头两寨兵出,杀败雷铜。次日,张飞又去搦战,张郃又不出。飞使军人百般秽骂,郃在山上亦骂。张飞寻思,无计可施。相拒五十余日,飞就在山前扎住大寨,每日饮酒;饮至大醉,坐于山前辱骂。

玄德差人犒军,见张飞终日饮酒,使者回报玄德。玄德大惊,忙来问孔明。孔明笑曰:"原来如此!军前恐无好酒;成都佳酿极多,可将五十瓮作三车装,送到军前与张将军饮。"玄德曰:"吾弟自来饮酒失事,军师何故

---

① 宕(dàng)渠寨——地名。

② 阆(làng)中——地名。

反送酒与他?”孔明笑曰:“主公与翼德做了许多年兄弟,还不知其为人耶?翼德自来刚强,然前于收川之时,义释严颜,此非勇夫所为也。今与张郃相拒五十余日,酒醉之后,便坐山前辱骂,傍若无人:此非贪杯,乃败张郃之计耳。”玄德曰:“虽然如此,未可托大①。可使魏延助之。”孔明令魏延解酒赴军前,车上各插黄旗,大书“军前公用美酒”。魏延领命,解酒到寨中,见张飞,传说主公赐酒。飞拜受讫,分付魏延、雷铜各引一枝人马,为左右翼;只看军中红旗起,便各进兵;教将酒摆列帐下,令军士大开旗鼓而饮。有细作报上山来,张郃自来山顶观望,见张飞坐于帐下饮酒,令二小卒于面前相扑②为戏。郃曰:“张飞欺我太甚!”传令今夜下山劫飞寨,令蒙头、荡石二寨,皆出为左右援。当夜张郃乘着月色微明,引军从山侧而下,径到寨前。遥望张飞大明灯烛,正在帐中饮酒。张郃当先大喊一声,山头擂鼓为助,直杀入中军。但见张飞端坐不动。张郃骤马到面前,一枪刺倒——却是一个草人。急勒马回时,帐后连珠炮起。一将当先,挡住去路,睁圆环眼,声如巨雷:乃张飞也。挺矛跃马,直取张郃。两将在火光中,战到三五十合。张郃只盼两寨来救,谁知两寨救兵,已被魏延、雷铜两将杀退,就势夺了二寨。张郃不见救兵至,正没奈何,又见山上火起,已被张飞后军夺了寨栅。张郃三寨俱失,只得奔瓦口关去了。张飞大获胜捷,报入成都。玄德大喜,方知翼德饮酒是计,只要诱张郃下山。

却说张郃退守瓦口关,三万军已折了二万,遣人问曹洪求救。洪大怒曰:“汝不听吾言,强要进兵,失了紧要隘口,却又来求救!”遂不肯发兵,使人催督张郃出战。郃心慌,只得定计,分两军去关口前山僻埋伏,分付曰:“我诈败,张飞必然赶来,汝等就截其归路。”当日张郃引军前进,正遇雷铜。战不数合,张郃败走,雷铜赶来。两军齐出,截断回路。张郃复回,刺雷铜于马下。败军回报张飞,飞自来与张郃挑战。郃又诈败,张飞不赶。郃又回战,不数合,又败走。张飞知是计,收军回寨,与魏延商议曰:“张郃用埋伏计,杀了雷铜,又要赚吾,何不将计就计?”延问曰:“如何?”飞曰:“我明日先引一军前往,汝却引精兵于后,待伏兵出,汝可分兵击之。用车十余乘,各藏柴草,塞住小路,放火烧之。吾乘势擒张郃,与雷铜报仇。”魏

① 托大——自以为有所恃而疏忽大意。

② 相扑——摔跤。

延领计。次日，张飞引兵前进。张郃兵又至，与张飞交锋。战到十合，郃又诈败。张飞引马步军赶来，郃且战且走。引张飞过山峪口，郃将后军为前，复扎住营，与飞又战，指望两彪伏兵出，要围困张飞。不想伏兵却被魏延精兵到，赶入峪口，将车辆截住山路，放火烧车，山谷草木皆着，烟迷其径，兵不得出。张飞只顾引军冲突，张郃大败，死命杀开条路，走上瓦口关，收聚败兵，坚守不出。

张飞和魏延连日攻打关隘不下。飞见不济事，把军退二十里，却和魏延引数十骑，自来两边哨探小路。忽见男女数人，各背小包，于山僻路攀藤附葛而走。飞于马上用鞭指与魏延曰："夺瓦口关，只在这几个百姓身上。"便唤军士分付："休要惊恐他，好生唤那几个百姓来。"军士连忙唤到马前。飞用好言以安其心，问其何来。百姓告曰："某等皆汉中居民，今欲还乡。听知大军厮杀，塞闭阆中官道；今过苍溪，从梓潼山桧钘川①入汉中，还家去。"飞曰："这条路取瓦口关远近若何？"百姓曰："从梓潼山小路，却是瓦口关背后。"飞大喜，带百姓入寨中，与了酒食；分付魏延："引军扣关攻打，我亲自引轻骑出梓潼山攻关后。"便令百姓引路，选轻骑五百，从小路而进。

却说张郃为救军不到，心中正闷。人报魏延在关下攻打。张郃披挂上马，却待下山，忽报："关后四五路火起，不知何处兵来。"郃自领兵来迎。旗开处，早见张飞。郃大惊，急往小路而走。马不堪行，后面张飞追赶甚急，郃弃马上山，寻径而逃，方得走脱。随行只有十余人，步行人南郑，见曹洪。洪见张郃只剩下十余人，大怒曰："吾教汝休去，汝取下文状要去；今日折尽大兵，尚不自死，还来做甚！"喝令左右推出斩之。行军司马郭淮谏曰："三军易得，一将难求。张郃虽然有罪，乃魏王所深爱者也，不可便诛。可再与五千兵径取葭萌关，牵动其各处之兵，汉中自安矣。如不成功，二罪俱罚。"曹洪从之，又与兵五千，教张郃取葭萌关。郃领命而去。

却说葭萌关守将孟达、霍峻，知张郃兵来。霍峻只要坚守；孟达定要迎敌，引军下关与张郃交锋，大败而回。霍峻急申文书到成都。玄德闻知，请军师商议。孔明聚众将于堂上，问曰："今葭萌关紧急，必须阆中取翼德，方可退张郃也。"法正曰："今翼德兵屯瓦口，镇守阆中，亦是紧要之

① 桧钘(guì jīn)川——地名。

地，不可取回。帐中诸将内选一人去破张郃。”孔明笑曰：“张郃乃魏之名将，非等闲可及。除非翼德，无人可当。”忽一人厉声而出曰：“军师何轻视众人耶！吾虽不才，愿斩张郃首级，献于麾下。”众视之，乃老将黄忠也。孔明曰：“汉升虽勇，争奈年老，恐非张郃对手。”忠听了，白发倒竖而言曰：“某虽老，两臂尚开三石之弓，浑身还有千斤之力：岂不足敌张郃匹夫耶！”孔明曰：“将军年近七十，如何不老？”忠趋步下堂，取架上大刀，轮动如飞；壁上硬弓，连拽折两张。孔明曰：“将军要去，谁为副将？”忠曰：“老将严颜，可同我去。但有疏虞，先纳下这白头。”玄德大喜，即时令严颜、黄忠去与张郃交战。赵云谏曰：“今张郃亲犯葭萌关，军师休为儿戏。若葭萌一失，益州危矣。何故以二老将当此大敌乎？”孔明曰：“汝以二人老迈，不能成事，吾料汉中必于此二人手内可得。”赵云等各各哂笑而退。

却说黄忠、严颜到关上，孟达、霍峻见了，心中亦笑孔明欠调度：“是这般紧要去处，如何只教两个老的来！”黄忠谓严颜曰：“你可见诸人动静么？他笑我二人年老，今可建奇功，以服众心。”严颜曰：“愿听将军之令。”两个商议定了。黄忠引军下关，与张郃对阵。张郃出马，见了黄忠，笑曰：“你许大年纪，犹不识羞，尚欲出战耶！”忠怒曰：“竖子欺吾年老！吾手中宝刀却不老！”遂拍马向前与郃决战。二马相交，约战二十余合，忽然背后喊声起：原来是严颜从小路抄在张郃军后。两军夹攻，张郃大败。连夜赶去，张郃兵退八九十里。黄忠、严颜收兵入寨，俱各按兵不动。曹洪听知张郃输了一阵，又欲见罪。郭淮曰：“张郃被迫，必投西蜀；今可遣将助之，就如监临，使不生外心。”曹洪从之，即遣夏侯惇之侄夏侯尚并降将韩玄之弟韩浩，二人引五千兵，前来助战。二将即时起行。到张郃寨中，问及军情，郃言：“老将黄忠，甚是英雄，更有严颜相助，不可轻敌。”韩浩曰：“我在长沙知此老贼利害。他和魏延献了城池，害吾亲兄，今既相遇，必当报仇！”遂与夏侯尚引新军离寨前进。原来黄忠连日哨探，已知路径。严颜曰：“此去有山，名天荡山，山中乃是曹操屯粮积草之地。若取得那个去处，断其粮草，汉中可得也。”忠曰：“将军之言，正合吾意。可与吾如此如此。”严颜依计，自领一枝军去了。

却说黄忠听知夏侯尚、韩浩来，遂引军马出营。韩浩在阵前，大骂黄忠：“无义老贼！”拍马挺枪，来取黄忠。夏侯尚便出夹攻。黄忠力战二将，各斗十余合，黄忠败走。二将赶二十余里，夺了黄忠寨。忠又草创一营。

次日，夏侯尚、韩浩赶来，忠又出阵，战数合，又败走。二将又赶二十余里，夺了黄忠营寨，唤张郃守后寨。郃来前寨谏曰："黄忠连退二日，于中必有诡计。"夏侯尚叱张郃曰："你如此胆怯，可知屡次战败！今再休多言，看吾二人建功！"张郃羞赧而退。次日，二将又战，黄忠又败退二十里；二将迤逦赶上。次日，二将兵出，黄忠望风而走，连败数阵，直退在关上。二将扣关下寨，黄忠坚守不出。孟达暗暗发书，申报玄德，说："黄忠连输数阵，现今退在关上。"玄德慌问孔明。孔明曰："此乃老将骄兵之计也。"赵云等不信。玄德差刘封来关上接应黄忠。忠与封相见，问刘封曰："小将军来助战何意？"封曰："父亲得知将军数败，故差某来。"忠笑曰："此老夫骄兵之计也。看今夜一阵，可尽复诸营，夺其粮食马匹。此是借寨与彼屯辎重耳。今夜留霍峻守关，孟将军可与我搬粮草夺马匹，小将军看我破敌！"

是夜二更，忠引五千军开关直下。原来夏侯尚、韩浩二将连日见关上不出，尽皆懈怠；被黄忠破寨直入，人不及甲，马不及鞍，二将各自逃命而走，军马自相践踏，死者无数。比及天明，连夺三寨。寨中丢下军器鞍马无数，尽教孟达搬运入关。黄忠催军马随后而进，刘封曰："军士力困，可以暂歇。"忠曰："不入虎穴，焉得虎子？"策马先进。士卒皆努力向前。张郃军兵，反被自家败兵冲动，都屯扎不住，望后而走；尽弃了许多寨栅，直奔至汉水傍。

张郃寻见夏侯尚、韩浩议曰："此天荡山，乃粮草之所；更接米仓山，亦屯粮之地：是汉中军士养命之源。倘若疏失，是无汉中也。当思所以保之。"夏侯尚曰："米仓山有吾叔夏侯渊分兵守护，那里正接定军山，不必忧虑。天荡山有吾兄夏侯德镇守，我等宜往投之，就保此山。"于是张郃与二将连夜投天荡山来，见夏侯德，具言前事。夏侯德曰："吾此处屯十万兵，你可引去，复取原寨。"郃曰："只宜坚守，不可妄动。"忽听山前金鼓大震，人报黄忠兵到。夏侯德大笑曰："老贼不谙兵法，只恃勇耳！"郃曰："黄忠有谋，非止勇也。"德曰："川兵远涉而来，连日疲困，更兼深入战境——此无谋也！"郃曰："亦不可轻敌，且宜坚守。"韩浩曰："愿借精兵三千击之，当无不克。"德遂分兵与浩下山。黄忠整兵来迎。刘封谏曰："日已西沉矣，军皆远来劳困，且宜暂息。"忠笑曰："不然。此天赐奇功，不取是逆天也。"言毕，鼓噪大进。韩浩引兵来战。黄忠挥刀直取浩，只一合，斩浩于马下。蜀兵大喊，杀上山来。张郃、夏侯尚急引军来迎。忽听山后大喊，火光冲天而起，上下通红。夏侯德提兵来救火时，正遇老将严颜，手起刀落，斩夏侯德于马下。原来黄忠预先使严颜引军埋伏于山僻去处，只等黄忠军到，却来放火，柴草堆上，一齐点着，烈焰飞腾，照耀山峪。严颜既斩夏侯德，从山后杀来。张郃、夏侯尚前后不能相顾，只得弃天荡山，望定军山投奔夏侯渊去了。黄忠、严颜守住天荡山，捷音飞报成都。玄德闻之，聚众将庆喜。法正曰："昔曹操降张鲁，定汉中，不因此势以图巴、蜀，乃留夏侯渊、张郃二将屯守，而自引大军北还：此失计也。今张郃新败，天荡失守，主公若乘此时，举大兵亲往征之，汉中可定也。既定汉中，然后练兵积粟，观衅伺隙，进可讨贼，退可自守。此天与之时，不可失也。"

玄德、孔明皆深然之，遂传令赵云、张飞为先锋，玄德与孔明亲自引兵十万，择日图汉中；传檄各处，严加提备。时建安二十三年，秋七月吉日。玄德大军出葭萌关下营，召黄忠、严颜到寨，厚赏之。玄德曰："人皆言将军老矣，惟军师独知将军之能。今果立奇功。但今汉中定军山，乃南郑保障，粮草积聚之所；若得定军山，阳平一路，无足忧矣。将军还敢取定军山否？"黄忠慨然应诺，便要领兵前去。孔明急止之曰："老将军虽然英勇，然夏侯渊非张郃之比也。渊深通韬略，善晓兵机，曹操倚之为西凉藩蔽：先曾屯兵长安，拒马孟起；今又屯兵汉中。操不托他人，而独托渊者，以渊有将才也。今将军虽胜张郃，未卜能胜夏侯渊。吾欲酌量着一人去荆州，替回关将军来，方可敌之。"忠奋然答曰："昔廉颇年八十，尚食斗米、肉十斤，诸侯畏其勇，不敢侵犯赵界，何况黄忠未及七十乎？军师言吾老，吾今并不用副将，只将本部兵三千人去，立斩夏侯渊首级，纳于麾下。"孔明再三不容。黄忠只是要去。孔明曰："既将军要去，吾使一人为监军同去，若何？"正是：请将须行激将法，少年不若老年人。未知其人是谁，且看下文分解。

# 第七十一回

## 占对山黄忠逸待劳　据汉水赵云寡胜众

却说孔明分付黄忠："你既要去，吾教法正助你。凡事计议而行。吾随后拨人马来接应。”黄忠应允，和法正领本部兵去了。孔明告玄德曰：“此老将不着言语激他，虽去不能成功。他今既去，须拨人马前去接应。”乃唤赵云：“将一枝人马，从小路出奇兵接应黄忠：若忠胜，不必出战；倘忠有失，即去救应。”又遣刘封、孟达：“领三千兵于山中险要去处，多立旌旗，以壮我兵之声势，令敌人惊疑。”三人各自领兵去了。又差人往下辨，授计与马超，令他如此而行。又差严颜往巴西阆中守隘，替张飞、魏延来同取汉中。

却说张郃与夏侯尚来见夏侯渊，说：“天荡山已失，折了夏侯德、韩浩。今闻刘备亲自领兵来取汉中，可速奏魏王，早发精兵猛将，前来策应。”夏侯渊便差人报知曹洪。洪星夜前到许昌，禀知曹操。操大惊，急聚文武，商议发兵救汉中。长史刘晔进曰：“汉中若失，中原震动。大王休辞劳苦，必须亲自征讨。”操自悔曰：“恨当时不用卿言，以致如此！”忙传令旨，起兵四十万亲征。时建安二十三年秋七月也。曹操兵分三路而进：前部先锋夏侯惇，操自领中军，使曹休押后，三军陆续起行。操骑白马金鞍，玉带锦衣；武士手执大红罗销金伞盖，左右金瓜银钺，镫棒戈矛，打日月龙凤旌旗；护驾龙虎官军二万五千，分为五队，每队五千，按青、黄、赤、白、黑五色，旗幡甲马，并依本色：光辉灿烂，极其雄壮。

兵出潼关，操在马上望见一簇林木，极其茂盛，问近侍曰：“此何处也？”答曰：“此名蓝田。林木之间，乃蔡邕庄也。今邕女蔡琰①，与其夫董祀居此。”原来操素与蔡邕相善。先时其女蔡琰，乃卫仲道之妻；后被北方掳去，于北地生二子，作《胡笳十八拍》，流入中原。操深怜之，使人持千金入北方赎之。左贤王惧操之势，送蔡琰还汉。操乃以琰配与董祀为妻。当日到庄前，因想起蔡邕之事，令军马先行，操引近侍百余骑，到庄门下马。时董祀出仕于外，止有蔡琰在家，琰闻操至，忙出迎接。操至堂，琰起居毕，侍立于侧。操偶见壁间悬一碑文图轴，起身观之。问于蔡琰，琰答曰：“此乃曹娥之碑也。昔和帝时，上虞有一巫者，名曹盱②，能婆娑③乐神；五月五日，醉舞舟中，堕江而死。其女年十四岁，绕江啼哭七昼夜，跳

---

① 蔡琰（yǎn）——三国时文学家，传说她曾作《胡笳十八拍》。

② 曹盱（xū）——人名。

③ 婆娑（suō）——舞蹈。

入波中；后五日，负父之尸浮于江面；里人葬之江边。上虞令度尚奏闻朝廷，表为孝女。度尚令邯郸淳作文镌碑以记其事。时邯郸淳年方十三岁，文不加点①，一挥而就，立石墓侧，时人奇之。妾父蔡邕闻而往观，时日已暮，乃于暗中以手摸碑文而读之，索笔大书八字于其背。后人镌石，并镌此八字。”操读八字云：“黄绢幼妇，外孙齑臼②。”操问琰曰：“汝解此意否？”琰曰：“虽先人遗笔，妾实不解其意。”操回顾众谋士曰：“汝等解否？”众皆不能答。于内一人出曰：“某已解其意。”操视之，乃主薄杨修也。操曰：“卿且勿言，容吾思之。”遂辞了蔡琰，引众出庄。上马行三里，忽省悟，笑谓修曰：“卿试言之。”修曰：“此隐语耳。‘黄绢’乃颜色之丝也：色傍加丝，是‘绝’字。‘幼妇’者，少女也：女傍少字，是‘妙’字。‘外孙’乃女之子也：女傍子字，是‘好’字。‘齑臼’乃受五辛之器也：受傍辛字，是‘辤③’字。总而言之，是‘绝妙好辤’四字。”操大惊曰：“正合孤意！”众皆叹羡杨修才识之敏。

不一日，军至南郑。曹洪接着，备言张郃之事。操曰：“非郃之罪，胜负乃兵家常事耳。”洪曰：“目今刘备使黄忠攻打定军山，夏侯渊知大王兵至，固守未曾出战。”操曰：“若不出战，是示懦也。”便差人持节到定军山，教夏侯渊进兵。刘晔谏曰：“渊性太刚，恐中奸计。”操乃作手书与之。使命持节到渊营，渊接入。使者出书，渊拆视之。略曰：

> 凡为将者，当以刚柔相济，不可徒恃其勇。若但任勇，则是一夫之敌耳。吾今屯大军于南郑，欲观卿之“妙才”，勿辱二字可也。

夏侯渊览毕大喜，打发使命回讫，乃与张郃商议曰：“今魏王率大兵屯于南郑，以讨刘备。吾与汝久守此地，岂能建立功业？来日吾出战，务要生擒黄忠。”张郃曰：“黄忠谋勇兼备，况有法正相助，不可轻敌。此间山路险峻，只宜坚守。”渊曰：“若他人建了功劳，吾与汝有何面目见魏王耶？汝只守山，吾去出战。”遂下令曰：“谁敢出哨诱敌？”夏侯尚曰：“吾愿往。”渊曰：“汝去出哨，与黄忠交战，只宜输，不宜赢。吾有妙计，如此如此。”尚受令，

---

① 文不加点——一挥而就，不作涂改。点：涂去字、句，不作标点。

② 齑臼(jiù)——器皿，盛五种辛味的菜用。下文的“五辛”，也叫作“五荤”：一葱、二薤、三韭、四蒜、五兴蕖。

③ 辤——“辞”字的繁体。

引三千军离定军山大寨前行。

却说黄忠与法正引兵屯于定军山口，累次挑战，夏侯渊坚守不出；欲要进攻，又恐山路危险，难以料敌，只得据守。是日，忽报山上曹兵下来搦战。黄忠恰待引军出迎，牙将陈式曰："将军休动，某愿当之。"忠大喜，遂令陈式引军一千，出山口列阵。夏侯尚兵至，遂与交锋。不数合，尚诈败而走。式赶去，行到半路，被两山上檑木炮石，打将下来，不能前进。正欲回时，背后夏侯渊引兵突出，陈式不能抵当，被夏侯渊生擒回寨。部卒多降。有败军逃得性命，回报黄忠，说陈式被擒。忠慌与法正商议，正曰："渊为人轻躁，恃勇少谋。可激劝士卒，拔寨前进，步步为营，诱渊来战而擒之：此乃反客为主之法。"忠用其谋，将应有之物，尽赏三军，欢声满谷，愿效死战。黄忠即日拔寨而进，步步为营；每营住数日，又进。渊闻之，欲出战。张郃曰："此乃反客为主之计，不可出战，战则有失。"渊不从，令夏侯尚引数千兵出战，直到黄忠寨前。忠上马提刀出迎，与夏侯尚交马，只一合，生擒夏侯尚归寨。余皆败走，回报夏侯渊。渊急使人到黄忠寨，言愿将陈式来换夏侯尚。忠约定来日阵前相换。次日，两军皆到山谷阔处，布成阵势。黄忠、夏侯渊各立马于本阵门旗之下。黄忠带着夏侯尚，夏侯渊带着陈式，各不与袍铠，只穿蔽体薄衣。一声鼓响，陈式、夏侯尚各望本阵奔回。夏侯尚比及到阵门时，被黄忠一箭，射中后心。尚带箭而回。渊大怒，骤马径取黄忠。忠正要激渊厮杀。两将交马，战到二十余合，曹营内忽然鸣金收兵。渊慌拨马而回，被忠乘势杀了一阵。渊回阵问押阵官："为何鸣金？"答曰："某见山凹中有蜀兵旗幡数处，恐是伏兵，故急招将军回。"渊信其说，遂坚守不出。

黄忠逼到定军山下，与法正商议。正以手指曰："定军山西，巍然有一座高山，四下皆是险道。此山上足可下视定军山之虚实。将军若取得此山，定军山只在掌中也。"忠仰见山头稍平，山上有些少人马。是夜二更，忠引军士鸣金击鼓，直杀上山顶。此山有夏侯渊部将杜袭守把，止有数百余人。当时见黄忠大队拥上，只得弃山而走。忠得了山顶，正与定军山相对。法正曰："将军可守在半山，某居山顶。待夏侯渊兵至，吾举白旗为号，将军却按兵勿动；待他倦怠无备，吾却举起红旗，将军便下山击之：以逸待劳，必当取胜。"忠大喜，从其计。

却说杜袭引军逃回，见夏侯渊，说黄忠夺了对山。渊大怒曰："黄忠占了对山，不容我不出战。"张郃谏曰："此乃法正之谋也。将军不可出战，只宜坚守。"渊曰："占了吾对山，观吾虚实，如何不出战？"郃苦谏不听。渊分军围住对山，大骂挑战。法正在山上举起白旗；任从夏侯渊百般辱骂，黄忠只不出战。午时以后，法正见曹兵倦怠，锐气已堕，多下马坐息，乃将红旗招展。鼓角齐鸣，喊声大震，黄忠一马当先，驰下山来，犹如天崩地塌之势。夏侯渊措手不及，被黄忠赶到麾盖之下，大喝一声，犹如雷吼。渊未及相迎，黄忠宝刀已落，连头带肩，砍为两段。后人有诗赞黄忠曰：

苍头临大敌，皓首逞神威。力趁雕弓发，风迎雪刃挥。

雄声如虎吼，骏马似龙飞。献馘①功勋重，开疆展帝畿②。

黄忠斩了夏侯渊，曹兵大溃，各自逃生。黄忠乘势去夺定军山，张郃领兵来迎。忠与陈式两下夹攻，混杀一阵，张郃败走。忽然山傍闪出一彪人马，当住去路；为首一员大将，大叫："常山赵子龙在此！"张郃大惊，引败军夺路望定军山而走。只见前面一枝兵来迎，乃杜袭也。袭曰："今定军山已被刘封、孟达夺了。"郃大惊，遂与杜袭引败兵到汉水扎营；一面令人飞报曹操。操闻渊死，放声大哭，方悟管辂所言"三八纵横"，乃建安二十四年也；"黄猪遇虎"，乃岁在己亥正月也；"定军之南"，乃定军山之南也；"伤折一股"，乃渊与操有兄弟之亲情也。操令人寻管辂时，不知何处去了。操深恨黄忠，遂亲统大军，来定军山与夏侯渊报仇，令徐晃作先锋。行到汉水，张郃、杜袭接着曹操。二将曰："今定军山已失，可将米仓山粮草移于北山寨中屯积，然后进兵。"曹操依允。

却说黄忠斩了夏侯渊首级，来葭萌关上见玄德献功。玄德大喜，加忠为征西大将军，设宴庆贺。忽牙将张著来报说："曹操自领大军二十万，来与夏侯渊报仇。目今张郃在米仓山搬运粮草，移于汉水北山脚下。"孔明曰："今操引大兵至此，恐粮草不敷，故勒兵不进；若得一人深入其境，烧其粮草，夺其辎重，则操之锐气挫矣。"黄忠曰："老夫愿当此任。"孔明曰："操非夏侯渊之比，不可轻敌。"玄德曰："夏侯渊虽是总帅，乃一勇夫耳，安及张郃？若斩得张郃，胜斩夏侯渊十倍也。"忠奋然曰："吾愿往斩之。"孔明曰："你可与赵子龙同领一枝兵去；凡事计议而行，看谁立功。"忠应允便

---

① 献馘（guó）——古代战争中割掉敌人的左耳计数献功。

② 帝畿（jī）——疆土。畿：国都及其附近的地方。

行。孔明就令张著为副将同去。云谓忠曰："今操引二十万众，分屯十营，将军在主公前要去夺粮，非小可之事。将军当用何策？"忠曰："看我先去，如何？"云曰："等我先去。"忠曰："我是主将，你是副将，如何争先？"云曰："我与你都一般为主公出力，何必计较？我二人拈阄，拈着的先去。"忠依允。当时黄忠拈着先去。云曰："既将军先去，某当相助。可约定时刻，如将军依时而还，某按兵不动；若将军过时而不还，某即引军来接应。"忠曰："公言是也。"于是二人约定午时为期。云回本寨，谓部将张翼曰："黄汉升约定明日去夺粮草，若午时不回，我当往助。吾营前临汉水，地势危险；我若去时，汝可谨守寨栅，不可轻动。"张翼应诺。

却说黄忠回到寨中，谓副将张著曰："我斩了夏侯渊，张郃丧胆；吾明日领命去劫粮草，只留五百军守营。你可助吾。今夜三更，尽皆饱食；四更离营，杀到北山脚下，先捉张郃，后劫粮草。"张著依令。当夜黄忠领人马在前，张著在后，偷过汉水，直到北山之下。东方日出，见粮积如山。有些少军士看守，见蜀兵到，尽弃而走。黄忠教马军一齐下马，取柴堆于米粮之上。正欲放火，张郃兵到，与忠混战一处。曹操闻知，急令徐晃接应。晃领兵前进，将黄忠困于垓心。张著引三百军走脱，正要回寨，忽一枝兵撞出，拦住去路；为首大将，乃是文聘；后面曹兵又至，把张著围住。

却说赵云在营中，看看等到午时，不见忠回，急忙披挂上马，引三千军向前接应；临行，谓张翼曰："汝可坚守营寨。两壁厢多设弓弩，以为准备。"翼连声应诺。云挺枪骤马直杀往前去。迎头一将拦路，乃文聘部将慕容烈也，拍马舞刀来迎赵云；被云手起一枪刺死。曹兵败走。云直杀入重围，又一枝兵截住，为首乃魏将焦炳。云喝问曰："蜀兵何在？"炳曰："已杀尽矣！"云大怒，骤马一枪，又刺死焦炳。杀散余兵，直至北山之下，见张郃、徐晃两人围住黄忠，军士被困多时。云大喝一声，挺枪骤马，杀入重围；左冲右突，如入无人之境。那枪浑身上下，若舞梨花；遍体纷纷，如飘瑞雪。张郃、徐晃心惊胆战，不敢迎敌。云救出黄忠，且战且走；所到之处，无人敢阻。操于高处望见，惊问众将曰："此将何人也？"有识者告曰："此乃常山赵子龙也。"操曰："昔日当阳长坂英雄尚在！"急传令曰："所到之处，不许轻敌。"赵云救了黄忠，杀透重围，有军士指曰："东南上围的，必是副将张著。"云不回本寨，遂望东南杀来。所到之处，但见"常山赵云"四字旗号，曾在当阳长坂知其勇者，互相传说，尽皆逃窜。云又救了张著。

曹操见云东冲西突，所向无前，莫敢迎敌，救了黄忠，又救了张著，奋然大怒，自领左右将士来赶赵云。云已杀回本寨。部将张翼接着，望见后面尘起，知是曹兵追来，即谓云曰："追兵渐近，可令军士闭上寨门，上敌楼防护。"云喝曰："休闭寨门！汝岂不知吾昔在当阳长坂时，单枪匹马，觑曹兵八十三万如草芥！今有军有将，又何惧哉！"遂拨弓弩手于寨外壕中埋伏；将营内旗枪，尽皆倒偃，金鼓不鸣。云匹马单枪，立于营门之外。

却说张郃、徐晃领兵追至蜀寨，天色已暮；见寨中偃旗息鼓，又见赵云匹马单枪，立于营外，寨门大开，二将不敢前进。正疑之间，曹操亲到，急催督众军向前。众军听令，大喊一声，杀奔营前；见赵云全然不动，曹兵翻身就回。赵云把枪一招，壕中弓弩齐发。时天色昏黑，正不知蜀兵多少。操先拨回马走。只听得后面喊声大震，鼓角齐鸣，蜀兵赶来。曹兵自相践踏，拥到汉水河边，落水死者，不知其数。赵云、黄忠、张著各引兵一枝，追杀甚急。操正奔走间，忽刘封、孟达率二枝兵，从米仓山路杀来，放火烧粮草。操弃了北山粮草，忙回南郑。徐晃、张郃扎脚不住，亦弃本寨而走。赵云占了曹寨，黄忠夺了粮草，汉水所得军器无数，大获胜捷，差人去报玄德。玄德遂同孔明前至汉水，问赵云的部卒曰："子龙如何厮杀？"军士将子龙救黄忠、拒汉水之事，细述一遍。玄德大喜，看了山前山后险峻之路，欣然谓孔明曰："子龙一身都是胆也！"后人有诗赞曰：

昔日战长坂，威风犹未减。突阵显英雄，被围施勇敢。

鬼哭与神号，天惊并地惨：常山赵子龙，一身都是胆！

于是玄德号子龙为"虎威将军"，大劳将士，欢宴至晚。

忽报曹操复遣大军从斜谷小路而进，来取汉水。玄德笑曰："操此来无能为也。我料必得汉水矣。"乃率兵于汉水之西以迎之。曹操命徐晃为先锋，前来决战。帐前一人出曰："某深知地理，愿助徐将军同去破蜀。"操视之，乃巴西宕渠人也，姓王，名平，字子均；现充牙门将军。操大喜，遂命王平为副先锋，相助徐晃。操屯兵于定军山北。徐晃、王平引军至汉水，晃令前军渡水列阵。平曰："军若渡水，倘要急退，如之奈何？"晃曰："昔韩信背水为阵，所谓致之死地而后生也。"平曰："不然。昔者韩信料敌人无谋而用此计；今将军能料赵云、黄忠之意否？"晃曰："汝可引步军拒敌，看我引马军破之。"遂令搭起浮桥，随即过河来战蜀兵。正是：魏人妄意宗韩信，蜀相那知是子房。未知胜负如何，且看下文分解。

# 第七十二回

## 诸葛亮智取汉中　曹阿瞒兵退斜谷

却说徐晃引军渡汉水，王平苦谏不听，渡过汉水扎营。黄忠、赵云告玄德曰："某等各引本部兵去迎曹兵。"玄德应允。二人引兵而行。忠谓云曰："今徐晃恃勇而来，且休与敌；待日暮兵疲，你我分兵两路击之可也。"云然之，各引一军据住寨栅。徐晃引兵从辰时搦战，直至申时，蜀兵不动。晃尽教弓弩手向前，望蜀营射去。黄忠谓赵云曰："徐晃令弓弩射者，其军必将退也：可乘时击之。"言未已，忽报曹兵后队果然退动。于是蜀营鼓声大震：黄忠领兵左出，赵云领兵右出。两下夹攻，徐晃大败，军士逼入汉水，死者无数。晃死战得脱，回营责王平曰："汝见吾军势将危，如何不救？"平曰："我若来救，此寨亦不能保。我曾谏公休去，公不肯听，以致此败。"晃大怒，欲杀王平。平当夜引本部军就营中放起火来，曹兵大乱，徐晃弃营而走。王平渡汉水来投赵云，云引见玄德。王平尽言汉水地理。玄德大喜曰："孤得王子均，取汉中无疑矣。"遂命王平为偏将军，领向导使。

却说徐晃逃回见操，说："王平反去降刘备矣！"操大怒，亲统大军来夺汉水寨栅。赵云恐孤军难立，遂退于汉水之西。两军隔水相拒。玄德与孔明来观形势。孔明见汉水上流头，有一带土山，可伏千余人；乃回到营中，唤赵云分付："汝可引五百人，皆带鼓角，伏于土山之下；或半夜，或黄昏，只听我营中炮响：炮响一番，擂鼓一番。——只不要出战。"子龙受计去了。孔明却在高山上暗窥。次日，曹兵到来搦战，蜀营中一人不出，弓弩亦都不发。曹兵自回。当夜更深，孔明见曹营灯火方息，军士歇定，遂放号炮。子龙听得，令鼓角齐鸣。曹兵惊慌，只疑劫寨。及至出营，不见一军。方才回营欲歇，号炮又响，鼓角又鸣，呐喊震地，山谷应声。曹兵彻夜不安。一连三夜，如此惊疑，操心怯，拔寨退三十里，就空阔处扎营。孔明笑曰："曹操虽知兵法，不知诡计。"遂请玄德亲渡汉水，背水结营。玄德问计，孔明曰："可如此如此。"

曹操见玄德背水下寨，心中疑惑，使人来下战书。孔明批来日决战。次日，两军会于中路五界山前，列成阵势。操出马立于门旗下，两行布列龙凤旌旗，擂鼓三通，唤玄德答话。玄德引刘封、孟达并川中诸将而出。操扬鞭大骂曰："刘备忘恩失义、反叛朝廷之贼！"玄德曰："吾乃大汉宗亲，奉诏讨贼。汝上弑母后，自立为王，僭用天子銮舆，非反而何？"操怒，命徐晃出马来战。刘封出迎。交战之时，玄德先走入阵。封敌晃不住，拨马便走。操下令："捉得刘备，便为西川之主。"大军齐呐喊杀过阵来。蜀兵望汉水而逃，尽弃营寨；马匹军器，丢满道上。曹军皆争取。操急鸣金收军。众将曰："某等正待捉刘备，大王何故收军？"操曰："吾见蜀兵背汉水安营，其可疑一也；多弃马匹军器，其可疑二也。可急退军，休取衣物。"遂下令曰："妄取一物者立斩。火速退兵。"曹兵方回头时，孔明号旗举起：玄德中军领兵便出，黄忠左边杀来，赵云右边杀来。曹兵大溃而逃。孔明连夜追赶。操传令军回南郑。只见五路火起——原来魏延、张飞得严颜代守阆中，分兵杀来，先得了南郑。操心惊，望阳平关而走。玄德大兵追至南郑褒州。安民已毕，玄德问孔明曰："曹操此来，何败之速也？"孔明曰："操平生为人多疑，虽能用兵，疑则多败。吾以疑兵胜之。"玄德曰："今操退守阳平关，其势已孤，先生将何策以退之？"孔明曰："亮已算定了。"便差张飞、魏延分兵两路去截曹操粮道，令黄忠、赵云分兵两路去放火烧山。四路军将，各引向导官军去了。

却说曹操退守阳平关，令军哨探。回报曰："今蜀兵将远近小路，尽皆塞断；砍柴去处，尽放火烧绝。——不知兵在何处。"操正疑惑间，又报张飞、魏延分兵劫粮。操问曰："谁敢敌张飞？"许褚曰："某愿往！"操令许褚引一千精兵，去阳平关路上护接粮草。解粮官接着，喜曰："若非将军到此，粮不得到阳平矣。"遂将车上的酒肉，献与许褚。褚痛饮，不觉大醉，便乘酒兴，催粮车行。解粮官曰："日已暮矣，前褒州之地，山势险恶，未可过去。"褚曰："吾有万夫之勇，岂惧他人哉！今夜乘着月色，正好使粮车行走。"许褚当先，横刀纵马，引军前进。二更已后，往褒州路上而来。行至半路，忽山凹里鼓角震天，一枝军当住。为首大将，乃张飞也，挺矛纵马，直取许褚。褚舞刀来迎，却因酒醉，敌不住张飞；战不数合，被飞一矛刺中肩膀，翻身落马；军士急忙救起，退后便走。张飞尽夺粮草车辆而回。

却说众将保着许褚,回见曹操。操令医士疗治金疮,一面亲自提兵来与蜀兵决战。玄德引军出迎。两阵对圆,玄德令刘封出马。操骂曰:"卖履小儿,常使假子拒敌!吾若唤黄须儿来,汝假子为肉泥矣!"刘封大怒,挺枪骤马,径取曹操。操令徐晃来迎,封诈败而走。操引兵追赶。蜀兵营中,四下炮响,鼓角齐鸣。操恐有伏兵,急教退军。曹兵自相践踏,死者极多。奔回阳平关,方才歇定,蜀兵赶到城下:东门放火,西门呐喊;南门放火,北门擂鼓。操大惧,弃关而走。蜀兵从后追袭。操正走之间,前面张飞引一枝兵截住,赵云引一枝兵从背后杀来,黄忠又引兵从褒州杀来。操大败。诸将保护曹操,夺路而走。方逃至斜谷界口,前面尘头忽起,一枝兵到。操曰:"此军若是伏兵,吾休矣!"及兵将近,乃操次子曹彰也。

彰字子文,少善骑射;膂力过人,能手格猛兽。操尝戒之曰:"汝不读书而好弓马,此匹夫之勇,何足贵乎?"彰曰:"大丈夫当学卫青、霍去病①,立功沙漠,长驱数十万众,纵横天下;何能作博士耶?"操尝问诸子之志。彰曰:"好为将。"操问:"为将何如?"彰曰:"披坚执锐,临难不顾,身先士卒;赏必行,罚必信。"操大笑。建安二十三年,代郡乌桓反,操令彰引兵五万讨之;临行戒之曰:"居家为父子,受事为君臣。法不徇情,尔宜深戒。"彰到代北,身先战阵,直杀至桑干,北方皆平;因闻操在阳平败阵,故来助战。操见彰至,大喜曰:"我黄须儿来,破刘备必矣!"遂勒兵复回,于斜谷界口安营。有人报玄德,言曹彰到。玄德问曰:"谁敢去战曹彰?"刘封曰:"某愿往。"孟达又说要去。玄德曰:"汝二人同去,看谁成功。"各引兵五千来迎:刘封在先,孟达在后。曹彰出马与封交战,只三合,封大败而回。孟达引兵前进,方欲交锋,只见曹兵大乱。原来马超、吴兰两军杀来,曹兵惊动。孟达引兵夹攻。马超士卒,蓄锐日久,到此耀武扬威,势不可当。曹兵败走。曹彰正遇吴兰,两个交锋,不数合,曹彰一戟刺吴兰于马下。三军混战。操收兵于斜谷界口扎住。

操屯兵日久,欲要进兵,又被马超拒守;欲收兵回,又恐被蜀兵耻笑:心中犹豫不决。适庖官进鸡汤。操见碗中有鸡肋,因而有感于怀。正沉吟间,夏侯惇入帐,禀请夜间口号。操随口曰:"鸡肋!鸡肋!"惇传令众官,都称"鸡肋"。行军主簿杨修,见传"鸡肋"二字,便教随行军士,各收拾

---

① 卫青、霍去病——汉武帝时著名将领,两人都曾多次与匈奴作战,立下战功。

行装，准备归程。有人报知夏侯惇。惇大惊，遂请杨修至帐中问曰："公何收拾行装？"修曰："以今夜号令，便知魏王不日将退兵归也：鸡肋者，食之无肉，弃之有味。今进不能胜，退恐人笑，在此无益，不如早归：来日魏王必班师矣。故先收拾行装，免得临行慌乱。"夏侯惇曰："公真知魏王肺腑也！"遂亦收拾行装。于是寨中诸将，无不准备归计。当夜曹操心乱，不能稳睡，遂手提钢斧，绕寨私行。只见夏侯惇寨内军士，各准备行装。操大惊，急回帐召惇问其故。惇曰："主簿杨德祖先知大王欲归之意。"操唤杨修问之，修以鸡肋之意对。操大怒曰："汝怎敢造言，乱我军心！"喝刀斧手推出斩之，将首级号令于辕门外。

原来杨修为人恃才放旷，数犯曹操之忌：操尝造花园一所；造成，操往观之，不置褒贬，只取笔于门上书一"活"字而去。人皆不晓其意。修曰："'门'内添'活'字，乃'阔'字也。丞相嫌园门阔耳。"于是再筑墙围，改造停当，又请操观之。操大喜，问曰："谁知吾意？"左右曰："杨修也。"操虽称美，心甚忌之。又一日，塞北送酥一盒至。操自写"一合酥"三字于盒上，置之案头。修入见之，竟取匙与众分食讫。操问其故，修答曰："盒上明书'一人一口酥'，岂敢违丞相之命乎？"操虽喜笑，而心恶之。操恐人暗中谋害己身，常分付左右："吾梦中好杀人；凡吾睡着，汝等切勿近前。"一日，昼寝帐中，落被于地，一近侍慌取覆盖。操跃起拔剑斩之，复上床睡；半晌而起，佯惊问："何人杀吾近侍？"众以实对。操痛哭，命厚葬之。人皆以为操果梦中杀人；惟修知其意，临葬时指而叹曰："丞相非在梦中，君乃在梦中耳！"操闻而愈恶之。操第三子曹植，爱修之才，常邀修谈论，终夜不息。操与众商议，欲立植为世子。曹丕知之，密请朝歌长吴质入内府商议；因恐有人知觉，乃用大簏①藏吴质于中，只说是绢匹在内，载入府中。修知其事，径来告操。操令人于丕府门伺察之。丕慌告吴质，质曰："无忧也：明日用大簏装绢再入以惑之。"丕如其言，以大簏载绢入。使者搜看簏中，果绢也，回报曹操。操因疑修谮害曹丕，愈恶之。操欲试曹丕、曹植之才干。一日，令各出邺城门；却密使人分付门吏，令勿放出。曹丕先至。门吏阻之，丕只得退回。植闻之，问于修。修曰："君奉王命而出，如有阻当者，竟斩之可也。"植然其言。及至门，门吏阻住。植叱曰："吾奉王命，谁敢阻

---

① 簏（lù）——竹箱。

当!”立斩之。于是曹操以植为能。后有人告操曰:“此乃杨修之所教也。”操大怒,因此亦不喜植。修又尝为曹植作答教十余条,但操有问,植即依条答之。操每以军国之事问植,植对答如流。操心中甚疑。后曹丕暗买植左右,偷答教来告操。操见了大怒曰:“匹夫安敢欺我耶!”此时已有杀修之心;今乃借惑乱军心之罪杀之。修死年三十四岁。后人有诗曰:

聪明杨德祖,世代继簪缨。笔下龙蛇走,胸中锦绣成。

开谈惊四座,捷对冠群英。身死因才误,非关欲退兵。

曹操既杀杨修,佯怒夏侯惇,亦欲斩之。众官告免。操乃叱退夏侯惇,下令来日进兵。次日,兵出斜谷界口,前面一军相迎,为首大将乃魏延也。操招魏延归降,延大骂。操令庞德出战。二将正斗间,曹寨内火起。人报马超劫了中后二寨。操拔剑在手曰:“诸将退后者斩!”众将努力向前。魏延诈败而走,操方麾军回战马超,自立马于高阜处,看两军争战。忽一彪军撞至面前,大叫:“魏延在此!”拈弓搭箭,射中曹操。操翻身落马。延弃弓绰刀,骤马上山坡来杀曹操。刺斜里闪出一将,大叫:“休伤吾主!”视之,乃庞德也。德奋力向前,战退魏延,保操前行。马超已退。操带伤归寨:原来被魏延射中人中,折却门牙两个,急令医士调治。方忆杨修之言,随将修尸收回厚葬,就令班师;却教庞德断后。操卧于毡车之中,左右虎贲军护卫而行。忽报斜谷山上两边火起,伏兵赶来。曹兵人人惊恐。正是:依稀昔日潼关厄,仿佛当年赤壁危。未知曹操性命如何,且看下文分解。

# 第七十三回

## 玄德进位汉中王　云长攻拔襄阳郡

却说曹操退兵至斜谷,孔明料他必弃汉中而走,故差马超等诸将,分兵十数路,不时攻劫。因此操不能久住;又被魏延射了一箭,急急班师。三军锐气堕尽。前队才行,两下火起,乃是马超伏兵追赶。曹兵人人丧胆。操令军士急行,晓夜奔走无停;直至京兆,方始安心。

且说玄德命刘封、孟达、王平等,攻取上庸诸郡。申耽等闻操已弃汉中而走，遂皆投降。玄德安民已定，大赏三军，人心大悦。于是众将皆有推尊玄德为帝之心；未敢径启，却来禀告诸葛军师。孔明曰："吾意已有定夺了。"随引法正等入见玄德，曰："今曹操专权，百姓无主；主公仁义著于天下，今已抚有两川之地，可以应天顺人，即皇帝位，名正言顺，以讨国贼。事不宜迟，便请择吉。"玄德大惊曰："军师之言差矣。刘备虽然汉之宗室，乃臣子也；若为此事，是反汉矣。"孔明曰："非也。方今天下分崩，英雄并起，各霸一方，四海才德之士，舍死亡生而事其上者，皆欲攀龙附凤，建立功名也。今主公避嫌守义，恐失众人之望。愿主公熟思之。"玄德曰："要吾僭居尊位，吾必不敢。可再商议长策。"诸将齐言曰："主公若只推却，众心解矣。"孔明曰："主公平生以义为本，未肯便称尊号。今有荆襄、两川之地，可暂为汉中王。"玄德曰："汝等虽欲尊吾为王，不得天子明诏，是僭也。"孔明曰："今宜从权，不可拘执常理。"张飞大叫曰："异姓之人，皆欲为君，何况哥哥乃汉朝宗派！莫说汉中王，就称皇帝，有何不可！"玄德叱曰："汝勿多言！"孔明曰："主公宜从权变，先进位汉中王，然后表奏天子，未为迟也。"

玄德再三推辞不过，只得依允。建安二十四年秋七月，筑坛于沔阳，方圆九里，分布五方，各设旌旗仪仗。群臣皆依次序排列。许靖、法正请玄德登坛，进冠冕玺绶讫，面南而坐，受文武官员拜贺为汉中王。子刘禅，立为王世子。封许靖为太傅，法正为尚书令；诸葛亮为军师，总理军国重事。封关羽、张飞、赵云、马超、黄忠为五虎大将；魏延为汉中太守。其余各拟功勋定爵。

玄德既为汉中王，遂修表一道，差人赍赴许都。表曰：

备以具臣之才，荷上将之任，总督三军，奉辞于外；不能扫除寇难，靖匡王室，久使陛下圣教陵迟，六合之内，否而未泰①：惟忧反侧，疢②如疾首。

曩者董卓，伪为乱阶。自是之后，群凶纵横，残剥海内。赖陛下圣

① 六合之内，否而未泰——天下处于混乱之中，没有安定下来。六合：天地四方；否：恶、乱；泰：平安。

② 疢(chèn)——病。

德威临，人臣同应，或忠义奋讨，或上天降罚，暴逆并殪①，以渐冰消。惟独曹操，久未枭除，侵擅国权，恣心极乱。臣昔与车骑将军董承，图谋讨操，机事不密，承见陷害。臣播越失据，忠义不果，遂得使操穷凶极逆：主后戮杀，皇子鸩害。虽纠合同盟，念在奋力；懦弱不武，历年未效。常恐殒没，辜负国恩；寤寐永叹，夕惕若厉②。

今臣群僚以为：在昔《虞书》③，敦叙④九族，庶明励翼⑤，帝王相传，此道不废。周监二代，并建诸姬，实赖晋、郑夹辅之力⑥。高祖龙兴，尊王子弟，大启九国，卒斩诸吕，以安大宗⑦。今操恶直丑正，实繁有徒，包藏祸心，篡盗已显。既宗室微弱，帝族无位，斟酌古式，依假权宜⑧，上臣为大司马、汉中王。

臣伏自三省：受国厚恩，荷任一方，陈力未效，所获已过，不宜复忝高位，以重罪谤。群僚见逼，迫臣以义。臣退惟寇贼不枭，国难未已，宗庙倾危，社稷将坠，诚臣忧心碎首之日。若应权通变，以宁静圣朝，虽赴水火，所不得辞。辄顺众议，拜受印玺，以崇国威。

仰惟⑨爵号，位高宠厚；俯思报效，忧深责重。惊怖惕息，如临于谷。敢不尽力输诚，奖励六师，率齐群义，应天顺时，以宁社稷。谨拜表以闻。

表到许都，曹操在邺郡闻知玄德自立汉中王，大怒曰："织席小儿，安

---

① 殪(yì)——死。

② 寤寐永叹，夕惕若厉——无论是睡着还是醒来，都在忧叹，到了夜晚，更加担心。

③ 《虞书》——《尚书》组成部分之一，相传是记载唐尧、虞舜、夏禹等事迹的书。

④ 敦叙——也作"敦序"，分别次序而亲之。

⑤ 庶明励翼——大概是让人明白奖励辅佐(的意图)。这里是举《虞书》上的道理来表明皇上应亲近本宗族的人。翼：辅佐、扶助。

⑥ 周监二代……夹辅之力——周王姓姬，周朝分西周、东周两代，晋、郑原来都是周王宗族的封国。

⑦ 高祖龙兴……以安大宗——汉高祖登基后，大封子弟，他死后吕后称制，史称"诸吕之乱"，但刘姓诸王终于能够团结一致，诛灭吕氏一族，使江山复归刘氏。龙兴：比喻王业的创立。

⑧ 依假权宜——依靠权宜之计。假：借、借助；权宜：因时因事而变通的办法。

⑨ 惟——考虑。

敢如此！吾誓灭之！”即时传令，尽起倾国之兵，赴两川与汉中王决雌雄。一人出班谏曰：“大王不可因一时之怒，亲劳车驾远征。臣有一计，不须张弓只箭，令刘备在蜀自受其祸；待其兵衰力尽，只须一将往征之，便可成功。”操视其人，乃司马懿也。操喜问曰：“仲达有何高见？”懿曰：“江东孙权，以妹嫁刘备，而又乘间窃取回去；刘备又据占荆州不还：彼此俱有切齿之恨。今可差一舌辩之士，赍书往说孙权，使兴兵取荆州；刘备必发两川之兵以救荆州。那时大王兴兵去取汉川，令刘备首尾不能相救，势必危矣。”

操大喜，即修书令满宠为使，星夜投江东来见孙权。权知满宠到，遂与谋士商议。张昭进曰：“魏与吴本无仇；前因听诸葛之说词，致两家连年征战不息，生灵遭其涂炭。今满伯宁来，必有讲和之意，可以礼接之。”权依其言，令众谋士接满宠入城相见。礼毕，权以宾礼待宠。宠呈上操书，曰：“吴、魏自来无仇，皆因刘备之故，致生衅隙。魏王差某到此，约将军攻取荆州，魏王以兵临汉川，首尾夹击。破刘之后，共分疆土，誓不相侵。”孙权览书毕，设筵相待满宠，送归馆舍安歇。

权与众谋士商议。顾雍曰：“虽是说词，其中有理。今可一面送满宠回，约会曹操，首尾相击；一面使人过江探云长动静，方可行事。”诸葛瑾曰：“某闻云长自到荆州，刘备娶与妻室，先生一子，次生一女。其女尚幼，未许字人。某愿往与主公世子求婚。若云长肯许，即与云长计议共破曹操；若云长不肯，然后助曹取荆州。”孙权用其谋，先送满宠回许都；却遣诸葛瑾为使，投荆州来。入城见云长，礼毕。云长曰：“子瑜此来何意？”瑾曰：“特来求结两家之好：吾主吴侯有一子，甚聪明；闻将军有一女，特来求亲。两家结好，并力破曹。此诚美事，请君侯思之。”云长勃然大怒曰：“吾虎女安肯嫁犬子乎！不看汝弟之面，立斩汝首！再休多言！”遂唤左右逐出。瑾抱头鼠窜，回见吴侯；不敢隐匿，遂以实告。权大怒曰：“何太无礼耶！”便唤张昭等文武官员，商议取荆州之策。步骘曰：“曹操久欲篡汉，所惧者刘备也；今遣使来令吴兴兵吞蜀，此嫁祸于吴也。”权曰：“孤亦欲取荆州久矣。”骘曰：“今曹仁现屯兵于襄阳、樊城，又无长江之险，旱路可取荆州；如何不取，却令主公动兵？只此便见其心。主公可遣使去许都见操，令曹仁旱路先起兵取荆州，云长必掣荆州之兵而取樊城。若云长一动，主公可遣一将，暗取荆州，一举可得矣。”权从其议，即时遣使过江，上书曹操，陈说此事。操大喜，发付使者先回，随遣满宠往樊城助曹仁，为参谋官，商议动兵；一面驰檄东吴，令领兵水路接应，以取荆州。

却说汉中王令魏延总督军马，守御东川。遂引百官回成都。差官起造宫庭，又置馆舍，自成都至白水，共建四百余处馆舍亭邮。广积粮草，多造军器，以图进取中原。细作人探听得曹操结连东吴，欲取荆州，即飞报入蜀。汉中王忙请孔明商议。孔明曰："某已料曹操必有此谋；然吴中谋士极多，必教操令曹仁先兴兵矣。"汉中王曰："似此如之奈何？"孔明曰："可差使命就送官诰①与云长，令先起兵取樊城，使敌军胆寒，自然瓦解矣。"汉中王大喜，即差前部司马费诗为使，赍捧诰命投荆州来。云长出郭，迎接入城。至公廨礼毕，云长问曰："汉中王封我何爵？"诗曰："五虎大将之首。"云长问："那五虎将？"诗曰："关、张、赵、马、黄是也。"云长怒曰："翼德吾弟也；孟起世代名家；子龙久随吾兄，即吾弟也：位与吾相并，可也。黄忠何等人，敢与吾同列？大丈夫终不与老卒为伍！"遂不肯受印。诗笑曰："将军差矣。昔萧何、曹参与高祖同举大事，最为亲近，而韩信乃楚之亡将也；然信位为王，居萧、曹之上，未闻萧、曹以此为怨。今汉中王虽有'五虎将'之封，而与将军有兄弟之义，视同一体。将军即汉中王，汉中王即将军也。岂与诸人等哉？将军受汉中王厚恩，当与同休戚、共祸福，不宜计较官号之高下。愿将军熟思之。"云长大悟，乃再拜曰："某之不明，非足下见教，几误大事。"即拜受印绶。

费诗方出王旨，令云长领兵取樊城。云长领命，即时便差傅士仁、糜芳二人为先锋，先引一军于荆州城外屯扎；一面设宴城中，款待费诗。饮至二更，忽报城外寨中火起。云长急披挂上马，出城看时，乃是傅士仁、糜芳饮酒，帐后遗火，烧着火炮，满营撼动，把军器粮草，尽皆烧毁。云长引兵救扑，至四更方才火灭。云长入城，召傅士仁、糜芳责之曰："吾令汝二人作先锋，不曾出师，先将许多军器粮草烧毁，火炮打死本部军人：如此误事，要你二人何用！"叱令斩之。费诗告曰："未曾出师，先斩大将，于军不利。可暂免其罪。"云长怒气不息，叱二人曰："吾不看费司马之面，必斩汝二人之首！"乃唤武士各杖四十，摘去先锋印绶，罚糜芳守南郡，傅士仁守公安；且曰："若吾得胜回来之日，稍有差池，二罪俱罚！"二人满面羞惭，喏

① 官诰（gào）——旧时皇帝赐爵或授官的诏令。

喏而去。云长便令廖化为先锋，关平为副将，自总中军，马良、伊籍为参谋，一同征进。先是，有胡华之子胡班，到荆州来投降关公；公念其旧日相救之情，甚爱之；令随费诗入川，见汉中王受爵。费诗辞别关公，带了胡班，自回蜀中去了。

且说关公是日祭了"帅"字大旗，假寐于帐中。忽见一猪，其大如牛，浑身黑色，奔入帐中，径咬云长之足。云长大怒，急拔剑斩之，声如裂帛。霎然惊觉，乃是一梦。便觉左足阴阴疼痛，心中大疑。唤关平至，以梦告之。平对曰："猪亦有龙象。龙附足，乃升腾之意，不必疑忌。"云长聚多官于帐下，告以梦兆。或言吉祥者，或言不祥者，众论不一。云长曰："吾大丈夫年近六旬，即死何憾！"正言间，蜀使至，传汉中王旨，拜云长为前将军，假节钺，都督荆襄九郡事。云长受命讫，众官拜贺曰："此足见猪龙之瑞也。"于是云长坦然不疑，遂起兵奔襄阳大路而来。

曹仁正在城中，忽报云长自领兵来。仁大惊，欲坚守不出。副将翟元曰："今魏王令将军约会东吴取荆州；今彼自来，是送死也，何故避之？"参谋满宠谏曰："吾素知云长勇而有谋，未可轻敌。不如坚守，乃为上策。"骁将夏侯存曰："此书生之言耳。岂不闻水来土掩，将至兵迎？我军以逸待劳，自可取胜。"曹仁从其言，令满宠守樊城，自领兵来迎云长。云长知曹兵来，唤关平、廖化二将，受计而往。与曹兵两阵对圆，廖化出马搦战。翟元出迎。二将战不多时，化诈败，拨马便走，翟元从后追杀，荆州兵退二十里。次日，又来搦战。夏侯存、翟元一齐出迎，荆州兵又败，又追杀二十余里。忽听得背后喊声大震，鼓角齐鸣。曹仁急命前军速回，背后关平、廖化杀来，曹兵大乱。曹仁知是中计，先掣一军飞奔襄阳；离城数里，前面绣旗招飐，云长勒马横刀，拦住去路。曹仁胆战心惊，不敢交锋，望襄阳斜路而走。云长不赶。须臾，夏侯存军至，见了云长，大怒，便与云长交锋，只一合，被云长砍死。翟元便走，被关平赶上，一刀斩之。乘势追杀，曹兵大半死于襄江之中。曹仁退守樊城。

云长得了襄阳，赏军抚民。随军司马王甫曰："将军一鼓而下襄阳，曹兵虽然丧胆，然以愚意论之：今东吴吕蒙屯兵陆口，常有吞并荆州之意；倘率兵径取荆州，如之奈何？"云长曰："吾亦念及此。汝便可提调此事：去沿江上下，或二十里，或三十里，选高阜处置一烽火台，每台用五十军守之；倘吴兵渡江，夜则明火，昼则举烟为号。吾当亲往击之。"王甫曰："糜芳、傅士仁守二隘口，恐不竭力；必须再得一人以总督荆州。”云长曰：“吾已差治中潘濬①守之，有何虑焉？”甫曰：“潘濬平生多忌而好利，不可任用。可差军前都督粮料官赵累代之。赵累为人忠诚廉直。若用此人，万无一失。”云长曰：“吾素知潘濬为人。今既差定，不必更改。赵累现掌粮料，亦是重事。汝勿多疑，只与我筑烽火台去。”王甫快快拜辞而行。云长令关平准备船只渡襄江，攻打樊城。

却说曹仁折了二将，退守樊城，谓满宠曰：“不听公言，兵败将亡，失却襄阳，如之奈何？”宠曰：“云长虎将，足智多谋，不可轻敌，只宜坚守。”正言间，人报云长渡江而来，攻打樊城。仁大惊。宠曰：“只宜坚守。”部将吕常奋然曰：“某乞兵数千，愿当来军于襄江之内。”宠谏曰：“不可。”吕常怒曰：“据汝等文官之言，只宜坚守，何能退敌？岂不闻兵法云：‘军半渡可击。’今云长军半渡襄江，何不击之？若兵临城下，将至壕边，急难抵当矣。”仁即与兵二千，令吕常出樊城迎战。吕常来至江口，只见前面绣旗开处，云长横刀出马。吕常却欲来迎，后面众军见云长神威凛凛，不战先走，吕常喝止不住。云长混杀过来，曹兵大败，马步军折其大半，残败军奔入樊城。曹仁急差人求救。使命星夜至长安，将书呈上曹操，言：“云长破了襄阳，现围樊城甚急。望拨大将前来救援。”曹操指班部内一人而言曰：“汝可去解樊城之围。”其人应声而出。众视之，乃于禁也。禁曰：“某求一将作先锋，领兵同去。”操又问众人曰：“谁敢作先锋？”一人奋然出曰：“某愿施犬马之劳，生擒关某，献于麾下。”操观之大喜。正是：未见东吴来伺隙②，先看北魏又添兵。未知此人是谁，且看下文分解。

# 第七十四回

## 庞令明抬榇决死战　关云长放水淹七军

却说曹操欲使于禁赴樊城救援，问众将谁敢作先锋。一人应声愿往。

---

① 潘濬(jùn)——人名。

② 伺隙——乘机行事。

操视之，乃庞德也。操大喜曰："关某威震华夏，未逢对手；今遇令明，真劲敌也。"遂加于禁为征南将军，加庞德为征西都先锋，大起七军，前往樊城。这七军，皆北方强壮之士。两员领军将校：一名董衡，一名董超；当日引各头目参拜于禁。董衡曰："今将军提七枝重兵，去解樊城之厄，期在必胜；乃用庞德为先锋，岂不误事？"禁惊问其故。衡曰："庞德原系马超手下副将，不得已而降魏；今其故主在蜀，职居五虎上将；况其亲兄庞柔亦在西川为官：今使他为先锋，是泼油救火也。将军何不启知魏王，别换一人去？"

禁闻此语，遂连夜入府启知曹操。操省悟，即唤庞德至阶下，令纳下先锋印。德大惊曰："某正欲与大王出力，何故不肯见用？"操曰："孤本无猜疑；但今马超现在西川，汝兄庞柔亦在西川，俱佐刘备：孤纵不疑，奈众口何？"庞德闻之，免冠顿首，流血满面而告曰："某自汉中投降大王，每感厚恩，虽肝脑涂地，不能补报；大王何疑于德也？德昔在故乡时，与兄同居，嫂甚不贤，德乘醉杀之；兄恨德入骨髓，誓不相见，恩已断矣。故主马超，有勇无谋，兵败地亡，孤身入川，今与德各事其主，旧义已绝。德感大王恩遇，安敢萌异志？惟大王察之。"操乃扶起庞德，抚慰曰："孤素知卿忠义，前言特以安众人之心耳。卿可努力建功。卿不负孤，孤亦必不负卿也。"

德拜谢回家，令匠人造一木榇①。次日，请诸友赴席，列榇于堂。众亲友见之，皆惊问曰："将军出师，何用此不祥之物？"德举杯谓亲友曰："吾受魏王厚恩，誓以死报。今去樊城与关某决战，我若不能杀彼，必为彼所杀；即不为彼所杀，我亦当自杀：故先备此榇，以示无空回之理。"众皆嗟叹。德唤其妻李氏与其子庞会出，谓其妻曰："吾今为先锋，义当效死疆场。我若死，汝好生看养吾儿；吾儿有异相，长大必当与吾报仇也。"妻子痛哭送别，德令扶榇而行。临行，谓部将曰："吾今去与关某死战，我若被关某所杀，汝等即取吾尸置此榇中；我若杀了关某，吾亦即取其首，置此榇内，回献魏王。"部将五百人皆曰："将军如此忠勇，某等敢不竭力相助！"于是引军前进。有人将此言报知曹操。操喜曰："庞德忠勇如此，孤何忧焉！"贾诩曰："庞德恃血气之勇，欲与关某决死战，臣窃虑之。"操然其言，急令人传旨戒庞德曰："关某智勇双全，切不可轻敌。可取则取，不可取则宜谨

---

① 木榇(chèn)——棺材。

守。”庞德闻命,谓众将曰:“大王何重视关某也?吾料此去,当挫关某三十年之声价。”禁曰:“魏王之言,不可不从。”德奋然趱军前至樊城,耀武扬威,鸣锣击鼓。

却说关公正坐帐中,忽探马飞报:“曹操差于禁为将,领七枝精壮兵到来。前部先锋庞德,军前抬一木榇,口出不逊之言,誓欲与将军决一死战。兵离城止三十里矣。”关公闻言,勃然变色,美髯飘动,大怒曰:“天下英雄,闻吾之名,无不畏服;庞德竖子,何敢藐视吾耶!关平一面攻打樊城,吾自去斩此匹夫,以雪吾恨!”平曰:“父亲不可以泰山之重,与顽石争高下。辱子愿代父去战庞德。”关公曰:“汝试一往,吾随后便来接应。”关平出帐,提刀上马,领兵来迎庞德。两阵对圆,魏营一面皂旗上大书“南安庞德”四个白字。庞德青袍银铠,钢刀白马,立于阵前;背后五百军兵紧随,步卒数人肩抬木榇而出。关平大骂庞德:“背主之贼!”庞德问部卒曰:“此何人也?”或答曰:“此关公义子关平也。”德叫曰:“吾奉魏王旨,来取汝父之首!汝乃疥癞小儿①,吾不杀汝!快唤汝父来!”平大怒,纵马舞刀,来取庞德。德横刀来迎。战三十合,不分胜负,两家各歇。

早有人报知关公。公大怒,令廖化去攻樊城,自己亲来迎敌庞德。关平接着,言与庞德交战,不分胜负。关公随即横刀出马,大叫曰:“关云长在此,庞德何不早来受死!”鼓声响处,庞德出马曰:“吾奉魏王旨,特来取汝首!恐汝不信,备榇在此。汝若怕死,早下马受降!”关公大骂曰:“量汝一匹夫,亦何能为!可惜我青龙刀斩汝鼠贼!”纵马舞刀,来取庞德。德轮刀来迎。二将战有百余合,精神倍长。两军各看得痴呆了。魏军恐庞德有失,急令鸣金收军。关平恐父年老,亦急鸣金。二将各退。庞德归寨,对众曰:“人言关公英雄,今日方信也。”正言间,于禁至。相见毕,禁曰:“闻将军战关公,百合之上,未得便宜,何不且退军避之?”德奋然曰:“魏王命将军为大将,何太弱也?吾来日与关某共决一死,誓不退避!”禁不敢阻而回。

却说关公回寨,谓关平曰:“庞德刀法惯熟,真吾敌手。”平曰:“俗云:

---

① 疥(jiè)癞小儿——微不足道的小人物。疥:疥疮;癞:黄癣。两种都是皮肤病,这里是用来作轻蔑人的比喻。

'初生之犊①不惧虎。'父亲纵然斩了此人,只是西羌一小卒耳;倘有疏虞,非所以重伯父之托也。"关公曰:"吾不杀此人,何以雪恨?吾意已决,再勿多言!"次日,上马引兵前进。庞德亦引兵来迎。两阵对圆,二将齐出,更不打话,出马交锋。斗至五十余合,庞德拨回马,拖刀而走。关公随后追赶。关平恐有疏失,亦随后赶去。关公口中大骂:"庞贼!欲使拖刀计,吾岂惧汝?"原来庞德虚作拖刀势,却把刀就鞍鞒挂住,偷拽雕弓,搭上箭,射将来。关平眼快,见庞德拽弓,大叫:"贼将休放冷箭!"关公急睁眼看时,弓弦响处,箭早到来;躲闪不及,正中左臂。关平马到,救父回营。庞德勒回马轮刀赶来,忽听得本营锣声大震。德恐后军有失,急勒马回。原来于禁见庞德射中关公,恐他成了大功,灭禁威风,故鸣金收军。庞德回马,问:"何故鸣金?"于禁曰:"魏王有戒:关公智勇双全。他虽中箭,只恐有诈,故鸣金收军。"德曰:"若不收军,吾已斩了此人也。"禁曰:"紧行无好步,当缓图之。"庞德不知于禁之意,只懊悔不已。

却说关公回营,拔了箭头。幸得箭射不深,用金疮药敷之。关公痛恨庞德,谓众将曰:"吾誓报此一箭之仇!"众将对曰:"将军且暂安息几日,然后与战未迟。"次日,人报庞德引军搦战。关公就要出战。众将劝住。庞德令小军毁骂。关平把住隘口,分付众将休报知关公。庞德搦战十余日,无人出迎,乃与于禁商议曰:"眼见关公箭疮举发,不能动止;不若乘此机会,统七军一拥杀入寨中,可救樊城之围。"于禁恐庞德成功,只把魏王戒旨相推,不肯动兵。庞德累欲动兵,于禁只不允,乃移七军转过山口,离樊城北十里,依山下寨,禁自领兵截断大路,令庞德屯兵于谷后,使德不能进兵成功。

却说关平见关公箭疮已合,甚是喜悦。忽听得于禁移七军于樊城之北下寨,未知其谋,即报知关公。公遂上马,引数骑上高阜处望之,见樊城城上旗号不整,军士慌乱;城北十里山谷之内,屯着军马;又见襄江水势甚急。看了半晌,唤向导官问曰:"樊城北十里山谷,是何地名?"对曰:"罾口川②也。"关公喜曰:"于禁必为我擒矣。"将士问曰:"将军何以知之?"关公曰:"'鱼'入'罾口',岂能久乎?"诸将未信。公回本寨。时值八月秋天,骤

---

① 犊(dú)——小牛。

② 罾(zēng)口川——地名。

雨数日。公令人预备船筏，收拾水具。关平问曰："陆地相持，何用水具？"公曰："非汝所知也。——于禁七军不屯于广易之地，而聚于罾口川险隘之处；方今秋雨连绵，襄江之水必然泛涨；吾已差人堰住各处水口，待水发时，乘高就船，放水一淹，樊城、罾口川之兵皆为鱼鳖矣。"关平拜服。

却说魏军屯于罾口川，连日大雨不止，督将成何来见于禁曰："大军屯于川口，地势甚低；虽有土山，离营稍远。即今秋雨连绵，军士艰辛。近有人报说荆州兵移于高阜处，又于汉水口预备战筏；倘江水泛涨，我军危矣，宜早为计。"于禁叱曰："匹夫惑吾军心耶！再有多言者斩之！"成何羞惭而退，却来见庞德，说此事。德曰："汝所见甚当。于将军不肯移兵，吾明日自移军屯于他处。"

计议方定，是夜风雨大作。庞德坐于帐中，只听得万马争奔，征鼙震地。德大惊，急出帐上马看时，四面八方，大水骤至；七军乱窜，随波逐浪者，不计其数。平地水深丈余，于禁、庞德与诸将各登小山避水。比及平明，关公及众将皆摇旗鼓噪，乘大船而来。于禁见四下无路，左右止有五六十人，料不能逃，口称"愿降"。关公令尽去衣甲，拘收入船，然后来擒庞德。时庞德并二董及成何，与步卒五百人，皆无衣甲，立在堤上。见关公来，庞德全无惧怯，奋然前来接战。关公将船四面围定，军士一齐放箭，射死魏兵大半。董衡、董超见势已危，乃告庞德曰："军士折伤大半，四下无路，不如投降。"庞德大怒曰："吾受魏王厚恩，岂肯屈节于人！"遂亲斩董衡、董超于前，厉声曰："再说降者，以此二人为例！"于是众皆奋力御敌。自平明战至日中，勇力倍增。关公催四面急攻，矢石如雨。德令军士用短兵接战。德回顾成何曰："吾闻'勇将不怯死以苟免，壮士不毁节而求生'。今日乃我死日也。汝可努力死战。"成何依令向前，被关公一箭射落水中。众军皆降，止有庞德一人力战。正遇荆州数十人，驾小船近堤来，德提刀飞身一跃，早上小船，立杀十余人，余皆弃船赴水逃命。庞德一手提刀，一手使短棹，欲向樊城而走。只见上流头，一将撑大筏而至，将小船撞翻，庞德落于水中。船上那将跳下水去，生擒庞德上船。众视之，擒庞德者，乃周仓也。仓素知水性，又在荆州住了数年，愈加惯熟；更兼力大，因此擒了庞德。于禁所领七军，皆死于水中。其会水者料无去路，亦皆投降。后人有诗曰：

夜半征鼙响震天，襄樊平地作深渊。

关公神算谁能及，华夏威名万古传。

关公回到高阜去处，升帐而坐。群刀手押过于禁来。禁拜伏于地，乞哀请命。关公曰："汝怎敢抗吾？"禁曰："上命差遣，身不由己。望君侯怜悯，誓以死报。"公绰髯笑曰："吾杀汝，犹杀狗彘耳，空污刀斧！"令人缚送荆州大牢内监候："待吾回，别作区处。"发落去讫。关公又令押过庞德。德睁眉怒目，立而不跪，关公曰："汝兄现在汉中；汝故主马超，亦在蜀中为大将，汝如何不早降？"德大怒曰："吾宁死于刀下，岂降汝耶！"骂不绝口。公大怒，喝令刀斧手推出斩之。德引颈受刑。关公怜而葬之。于是乘水势未退，复上战船，引大小将校来攻樊城。

却说樊城周围，白浪滔天，水势益甚，城垣渐渐浸塌，男女担土搬砖，填塞不住。曹军众将，无不丧胆，慌忙来告曹仁曰："今日之危，非力可救；可趁敌军未至，乘舟夜走，虽然失城，尚可全身。"仁从其言。方欲备船出走，满宠谏曰："不可。山水骤至，岂能长存？不旬日即当自退。关公虽未攻城，已遣别将在郏下①。其所以不敢轻进者，虑吾军袭其后也。今若弃城而去，黄河以南，非国家之有矣。愿将军固守此城，以为保障。"仁拱手称谢曰："非伯宁之教，几误大事。"乃骑白马上城，聚众将发誓曰："吾受魏王命，保守此城；但有言弃城而去者斩！"诸将皆曰："某等愿以死据守！"仁大喜，就城上设弓弩数百，军士昼夜防护，不敢懈怠。老幼居民，担土石填塞城垣。旬日之内，水势渐退。

关公自擒魏将于禁等，威震天下，无不惊骇。忽次子关兴来寨内省亲。公就令兴赍诸官立功文书去成都见汉中王，各求升迁。兴拜辞父亲，径投成都去讫。

却说关公分兵一半，直抵郏下。公自领兵四面攻打樊城。当日关公自到北门，立马扬鞭，指而问曰："汝等鼠辈，不早来降，更待何时？"正言间，曹仁在敌楼上，见关公身上止披掩心甲，斜袒着绿袍，乃急招五百弓弩手，一齐放箭。公急勒马回时，右臂上中一弩箭，翻身落马。正是：水里七军方丧胆，城中一箭忽伤身。未知关公性命如何，且看下文分解。

---

① 郏(jiá)——地名。

# 第七十五回

## 关云长刮骨疗毒　吕子明白衣渡江

却说曹仁见关公落马，即引兵冲出城来；被关平一阵杀回，救关公归寨，拔出臂箭。原来箭头有药，毒已入骨，右臂青肿，不能运动。关平慌与众将商议曰："父亲若损此臂，安能出敌？不如暂回荆州调理。"于是与众将入帐见关公。公问曰："汝等来有何事？"众对曰："某等因见君侯右臂损伤，恐临敌致怒，冲突不便。众议可暂班师回荆州调理。"公怒曰："吾取樊城，只在目前；取了樊城，即当长驱大进，径到许都，剿灭操贼，以安汉室。岂可因小疮而误大事？汝等敢慢吾军心耶！"平等默然而退。

众将见公不肯退兵，疮又不痊，只得四方访问名医。忽一日，有人从江东驾小舟而来，直至寨前。小校引见关平。平视其人：方巾阔服，臂挽青囊；自言姓名："乃沛国谯郡人，姓华，名佗，字元化。因闻关将军乃天下英雄，今中毒箭，特来医治。"平曰："莫非昔日医东吴周泰者乎？"佗曰："然。"平大喜，即与众将同引华佗入帐见关公。时关公本是臂疼，恐慢军心，无可消遣，正与马良弈棋；闻有医者至，即召入。礼毕，赐坐。茶罢，佗请臂视之。公袒下衣袍，伸臂令佗看视。佗曰："此乃弩箭所伤，其中有乌头①之药，直透入骨；若不早治，此臂无用矣。"公曰："用何物治之？"佗曰："某自有治法。——但恐君侯惧耳。"公笑曰："吾视死如归，有何惧哉？"佗曰："当于静处立一标柱，上钉大环，请君侯将臂穿于环中，以绳系之，然后以被蒙其首。吾用尖刀割开皮肉，直至于骨，刮去骨上箭毒，用药敷之，以线缝其口，方可无事。——但恐君侯惧耳。"公笑曰："如此，容易！何用柱环？"令设酒席相待。

公饮数杯酒毕，一面仍与马良弈棋，伸臂令佗割之。佗取尖刀在手，令一小校捧一大盆于臂下接血。佗曰："某便下手。君侯勿惊。"公曰："任汝医治。吾岂比世间俗子，惧痛者耶！"佗乃下刀，割开皮肉，直至于骨，骨

① 乌头——多年生草本植物，其根、茎、叶都有毒。

上已青；佗用刀刮骨，悉悉有声。帐上帐下见者，皆掩面失色。公饮酒食肉，谈笑弈棋，全无痛苦之色。

须臾，血流盈盆。佗刮尽其毒，敷上药，以线缝之。公大笑而起，谓众将曰："此臂伸舒如故，并无痛矣。先生真神医也！"佗曰："某为医一生，未尝见此。君侯真天神也！"后人有诗曰：

治病须分内外科，世间妙艺苦无多。

神威罕及惟关将，圣手能医说华佗。

关公箭疮既愈，设席款谢华佗。佗曰："君侯箭疮虽治，然须爱护。切勿怒气伤触。过百日后，平复如旧矣。"关公以金百两酬之。佗曰："某闻君侯高义，特来医治，岂望报乎！"坚辞不受，留药一帖，以敷疮口，辞别而去。

却说关公擒了于禁，斩了庞德，威名大震，华夏皆惊。探马报到许都，曹操大惊，聚文武商议曰："某素知云长智勇盖世，今据荆襄，如虎生翼。于禁被擒，庞德被斩，魏兵挫锐；倘彼率兵直至许都，如之奈何？孤欲迁都以避之。"司马懿谏曰："不可。于禁等被水所淹，非战之故；于国家大计，本无所损。今孙、刘失好，云长得志，孙权必不喜；大王可遣使去东吴陈说利害，令孙权暗暗起兵蹑①云长之后，许事平之日，割江南之地以封孙权：则樊城之危自解矣。"主簿蒋济曰："仲达之言是也。今可即发使往东吴，不必迁都动众。"操依允，遂不迁都；因叹谓诸将曰："于禁从孤三十年，何期临危反不如庞德也！今一面遣使致书东吴，一面必得一大将以当云长之锐。"言未毕，阶下一将应声而出曰："某愿往。"操视之，乃徐晃也。操大喜，遂拨精兵五万，令徐晃为将，吕建副之，克日起兵，前到阳陵坡驻扎；看东南有应，然后征进。

却说孙权接得曹操书信，览毕，欣然应允，即修书发付使者先回，乃聚文武商议。张昭曰："近闻云长擒于禁，斩庞德，威震华夏，操欲迁都以避其锋。今樊城危急，遣使求救，事定之后，恐有反覆。"权未及发言，忽报："吕蒙乘小舟自陆口来，有事面禀。"权召入问之，蒙曰："今云长提兵围樊城，可乘其远出，袭取荆州。"权曰："孤欲北取徐州，如何？"蒙曰："今操远在河北，未暇东顾，徐州守兵无多，往自可克；然其地势利于陆战，不利水战，纵然得之，亦难保守。不如先取荆州，全据长江，别作良图。"权曰："孤

---

① 蹑(niè)——跟踪、追随。

本欲取荆州,前言特以试卿耳。卿可速为孤图之。孤当随后便起兵也。"

吕蒙辞了孙权,回至陆口,早有哨马报说:"沿江上下,或二十里,或三十里,高阜处各有烽火台。"又闻荆州军马整肃,预有准备,蒙大惊曰:"若如此,急难图也。我一时在吴侯面前劝取荆州,今却如何处置?"寻思无计,乃托病不出,使人回报孙权。权闻吕蒙患病,心甚怏怏。陆逊进言曰:"吕子明之病,乃诈耳,非真病也。"权曰:"伯言既知其诈,可往视之。"陆逊领命,星夜至陆口寨中,来见吕蒙,果然面无病色。逊曰:"某奉吴侯命,敬探子明贵恙。"蒙曰:"贱躯偶病,何劳探问。"逊曰:"吴侯以重任付公,公不乘时而动,空怀郁结,何也?"蒙目视陆逊,良久不语。逊又曰:"愚有小方,能治将军之疾,未审可用否?"蒙乃屏退左右而问曰:"伯言良方,乞早赐教。"逊笑曰:"子明之疾,不过因荆州兵马整肃,沿江有烽火台之备耳。予有一计,令沿江守吏,不能举火;荆州之兵,束手归降,可乎?"蒙惊谢曰:"伯言之语,如见我肺腑。愿闻良策。"陆逊曰:"云长倚恃英雄,自料无敌,所虑者惟将军耳。将军乘此机会,托疾辞职,以陆口之任让之他人,使他人卑辞赞美关公,以骄其心,彼必尽撤荆州之兵,以向樊城。若荆州无备,用一旅之师,别出奇计以袭之,则荆州在掌握之中矣。"蒙大喜曰:"真良策也!"

由是吕蒙托病不起,上书辞职。陆逊回见孙权,具言前计。孙权乃召吕蒙还建业养病。蒙至,入见权,权问曰:"陆口之任,昔周公瑾荐鲁子敬以自代,后子敬又荐卿自代:今卿亦须荐一才望兼隆者,代卿为妙。"蒙曰:"若用望重之人,云长必然提备。陆逊意思深长,而未有远名,非云长所忌;若即用以代臣之任,必有所济。"权大喜,即日拜陆逊为偏将军、右都督,代蒙守陆口。逊谢曰:"某年幼无学,恐不堪重任。"权曰:"子明保卿,必不差错。卿毋得推辞。"逊乃拜受印绶,连夜往陆口;交割马步水三军已毕,即修书一封,具名马、异锦、酒礼等物,遣使赍赴樊城见关公。

时公正将息箭疮,按兵不动。忽报:"江东陆口守将吕蒙病危,孙权取回调理,近拜陆逊为将,代吕蒙守陆口。今逊差人赍书具礼,特来拜见。"关公召入,指来使而言曰:"仲谋见识短浅,用此孺子为将!"来使伏地告曰:"陆将军呈书备礼:一来与君侯作贺,二来求两家和好。幸乞笑留。"公拆书视之,书词极其卑谨。关公览毕,仰面大笑,令左右收了礼物,发付使者回去。使者回见陆逊曰:"关公欣喜,无复有忧江东之意。"

逊大喜，密遣人探得关公果然撤荆州大半兵赴樊城听调，只待箭疮痊可，便欲进兵。逊察知备细，即差人星夜报知孙权。孙权召吕蒙商议曰："今云长果撤荆州之兵，攻取樊城，便可设计袭取荆州。卿与吾弟孙皎同引大军前去，何如？"孙皎字叔明，乃孙权叔父孙静之次子也。蒙曰："主公若以蒙可用则独用蒙；若以叔明可用则独用叔明。岂不闻昔日周瑜、程普为左右都督，事虽决于瑜，然普自以旧臣而居瑜下，颇不相睦；后因见瑜之才，方始敬服？今蒙之才不及瑜，而叔明之亲胜于普，恐未必能相济也。"

权大悟，遂拜吕蒙为大都督，总制江东诸路军马；令孙皎在后接应粮草。蒙拜谢，点兵三万，快船八十余只，选会水者扮作商人，皆穿白衣，在船上摇橹，却将精兵伏于𦪇𦫄①船中。次调韩当、蒋钦、朱然、潘璋、周泰、徐盛、丁奉等七员大将，相继而进。其余皆随吴侯为合后救应。一面遣使致书曹操，令进兵以袭云长之后；一面先传报陆逊，然后发白衣人，驾快船往浔阳江去。昼夜趱行，直抵北岸。江边烽火台上守台军盘问时，吴人答曰："我等皆是客商；因江中阻风，到此一避。"随将财物送与守台军士。军士信之，遂任其停泊江边。约至二更，𦪇𦫄中精兵齐出，将烽火台上官军缚倒，暗号一声，八十余船精兵俱起，将紧要去处墩台之军，尽行捉入船中，不曾走了一个。于是长驱大进，径取荆州，无人知觉。将至荆州，吕蒙将沿江墩台所获官军，用好言抚慰，各各重赏，令赚开城门，纵火为号。众军领命，吕蒙便教前导。比及半夜，到城下叫门。门吏认得是荆州之兵，开了城门。众军一声喊起，就城门里放起号火。吴兵齐入，袭了荆州。吕蒙便传令军中："如有妄杀一人，妄取民间一物者，定按军法。"原任官吏，并依旧职。将关公家属另养别宅，不许闲人搅扰。一面遣人申报孙权。

一日大雨，蒙上马引数骑点看四门。忽见一人取民间箬笠②以盖铠甲，蒙喝左右执下问之，乃蒙之乡人也。蒙曰："汝虽系我同乡，但吾号令已出，汝故犯之，当按军法。"其人泣告曰："某恐雨湿官铠，故取遮盖，非为私用。乞将军念同乡之情！"蒙曰："吾固知汝为覆官铠，然终是不应取民间之物。"叱左右推下斩之。枭首传示毕，然后收其尸首，泣而葬之。自是

---

① 𦪇𦫄(gōu lù)——吴地的一种大船。

② 箬(ruò)笠——用箬竹编织成的帽子，用来遮挡雨雪、阳光。

三军震肃。

不一日，孙权领众至。吕蒙出郭迎接入衙。权慰劳毕，仍命潘濬为治中，掌荆州事；监内放出于禁，遣归曹操；安民赏军，设宴庆贺。权谓吕蒙曰："今荆州已得，但公安傅士仁、南郡糜芳，此二处如何收复？"言未毕，忽一人出曰："不须张弓只箭，某凭三寸不烂之舌，说公安傅士仁来降，可乎？"众视之，乃虞翻也。权曰："仲翔有何良策，可使傅士仁归降？"翻曰："某自幼与士仁交厚；今若以利害说之，彼必归矣。"权大喜，遂令虞翻领五百军，径奔公安来。

却说傅士仁听知荆州有失，急令闭城坚守。虞翻至，见城门紧闭，遂写书拴于箭上，射入城中。军士拾得，献与傅士仁。士仁拆书视之，乃招降之意。览毕，想起"关公去日恨吾之意，不如早降"。即令大开城门，请虞翻入城。二人礼毕，各诉旧情。翻说吴侯宽洪大度，礼贤下士；士仁大喜，即同虞翻赍印绶来荆州投降。孙权大悦，仍令去守公安。吕蒙密谓权曰："今云长未获，留士仁于公安，久必有变；不若使往南郡招糜芳归降。"权乃召傅士仁谓曰："糜芳与卿交厚，卿可招来归降，孤自当有重赏。"傅士仁慨然领诺，遂引十余骑，径投南郡招安糜芳。正是：今日公安无守志，从前王甫是良言。未知此去如何，且看下文分解。

# 第七十六回

## 徐公明大战沔水　关云长败走麦城

却说糜芳闻荆州有失，正无计可施。忽报公安守将傅士仁至，芳忙接入城，问其事故。士仁曰："吾非不忠。势危力困，不能支持，我今已降东吴。——将军亦不如早降。"芳曰："吾等受汉中王厚恩，安忍背之？"士仁曰："关公去日，痛恨吾二人；倘一日得胜而回，必无轻恕。公细察之。"芳曰："吾兄弟久事汉中王，岂可一朝相背？"正犹豫间，忽报关公遣使至，接入厅上。使者曰："关公军中缺粮，特来南郡、公安二处取白米十万石，令二将军星夜解去军前交割。如迟立斩。"芳大惊，顾谓傅士仁曰："今荆州已被东吴所取，此粮怎得过去？"士仁厉声曰："不必多疑！"遂拔剑斩来使于堂上。芳惊曰:“公如何斩之?”士仁曰:“关公此意,正要斩我二人。我等安可束手受死?公今不早降东吴,必被关公所杀。”正说间,忽报吕蒙引兵杀至城下。芳大惊,乃同傅士仁出城投降。蒙大喜,引见孙权。权重赏二人。安民已毕,大犒三军。

时曹操在许都,正与众谋士议荆州之事,忽报东吴遣使奉书至。操召入,使者呈上书信。操拆视之,书中具言吴兵将袭荆州,求操夹攻云长;且嘱:“勿泄漏,使云长有备也。”操与众谋士商议,主簿董昭曰:“今樊城被困,引颈望救,不如令人将书射入樊城,以宽军心;且使关公知东吴将袭荆州。彼恐荆州有失,必速退兵,却令徐晃乘势掩杀,可获全功。”操从其谋,一面差人催徐晃急战;一面亲统大兵,径往洛阳之南阳陵坡驻扎,以救曹仁。

却说徐晃正坐帐中,忽报魏王使至。晃接入问之,使曰:“今魏王引兵,已过洛阳;令将军急战关公,以解樊城之困。”正说间,探马报说:“关平屯兵在偃城,廖化屯兵在四冢:前后一十二个寨栅,连络不绝。”晃即差副将徐商、吕建假着徐晃旗号,前赴偃城与关平交战。晃却自引精兵五百,循沔水去袭偃城之后。

且说关平闻徐晃自引兵至,遂提本部兵迎敌。两阵对圆,关平出马,与徐商交锋,只三合,商大败而走;吕建出战,五六合亦败走。平乘胜追杀二十余里,忽报城中火起。平知中计,急勒兵回救偃城。正遇一彪军摆开,徐晃立马在门旗下,高叫曰:“关平贤侄,好不知死!汝荆州已被东吴夺了,犹然在此狂为!”平大怒,纵马轮刀,直取徐晃;不三四合,三军喊叫,偃城中火光大起。平不敢恋战,杀条大路,径奔四冢寨来。廖化接着。化曰:“人言荆州已被吕蒙袭了,军心惊慌,如之奈何?”平曰:“此必讹言也。军士再言者斩之。”忽流星马到,报说正北第一屯被徐晃领兵攻打。平曰:“若第一屯有失,诸营岂得安宁?此间皆靠沔水,贼兵不敢到此。吾与汝同去救第一屯。”廖化唤部将分付曰:“汝等坚守营寨,如有贼到,即便举火。”部将曰:“四冢寨鹿角十重,虽飞鸟亦不能入,何虑贼兵!”于是关平、廖化尽起四冢寨精兵,奔至第一屯住扎。关平看见魏兵屯于浅山之上,谓廖化曰:“徐晃屯兵,不得地利,今夜可引兵劫寨。”化曰:“将军可分兵一半前去,某当谨守本寨。”

是夜,关平引一枝兵杀入魏寨,不见一人。平知是计,火速退时,左边徐商，右边吕建，两下夹攻。平大败回营，魏兵乘势追杀前来，四面围住。关平、廖化支持不住，弃了第一屯，径投四冢寨来。早望见寨中火起。急到寨前，只见皆是魏兵旗号。关平等退兵，忙奔樊城大路而走。前面一军拦住，为首大将，乃是徐晃也。平、化二人奋力死战，夺路而走，回到大寨，来见关公曰："今徐晃夺了偃城等处；又兼曹操自引大军，分三路来救樊城；多有人言荆州已被吕蒙袭了。"关公喝曰："此敌人讹言，以乱我军心耳！东吴吕蒙病危，孺子陆逊代之，不足为虑！"

言未毕，忽报徐晃兵至。公令备马。平谏曰："父体未痊，不可与敌。"公曰："徐晃与吾有旧，深知其能；若彼不退，吾先斩之，以警魏将。"遂披挂提刀上马，奋然而出。魏军见之，无不惊惧。公勒马问曰："徐公明安在？"魏营门旗开处，徐晃出马，欠身而言曰："自别君侯，倏忽数载，不想君侯须发已苍白矣！忆昔壮年相从，多蒙教诲，感谢不忘。今君侯英风震于华夏，使故人闻之，不胜叹羡！兹幸得一见，深慰渴怀。"公曰："吾与公明交契深厚，非比他人；今何故数穷①吾儿耶？"晃回顾众将，厉声大叫曰："若取得云长首级者，重赏千金！"公惊曰："公明何出此言？"晃曰："今日乃国家之事，某不敢以私废公。"言讫，挥大斧直取关公。公大怒，亦挥刀迎之。战八十余合，公虽武艺绝伦，终是右臂少力。关平恐公有失，火急鸣金，公拨马回寨。忽闻四下里喊声大震。原来是樊城曹仁闻曹操救兵至，引军杀出城来，与徐晃会合，两下夹攻，荆州兵大乱。关公上马，引众将急奔襄江上流头。背后魏兵追至。关公急渡过襄江，望襄阳而奔。忽流星马到，报说："荆州已被吕蒙所夺，家眷被陷。"关公大惊，不敢奔襄阳，提兵投公安来。探马又报："公安傅士仁已降东吴了。"关公大怒。忽催粮人到，报说："公安傅士仁往南郡，杀了使命，招糜芳都降东吴去了。"

关公闻言，怒气冲塞，疮口迸裂，昏绝于地。众将救醒，公顾谓司马王甫曰："悔不听足下之言，今日果有此事！"因问："沿江上下，何不举火？"探马答曰："吕蒙使水手尽穿白衣，扮作客商渡江，将精兵伏于艨艟之中，先擒了守台士卒，因此不得举火。"公跌足叹曰："吾中奸贼之谋矣！有何面目见兄长耶！"管粮都督赵累曰："今事急矣，可一面差人往成都求救，一面从旱路去取荆州。"关公依言，差马良、伊籍赍文三道，星夜赴成都求救；一

---

① 数(shuò)穷——屡次窘逼。

面引兵来取荆州，自领前队先行，留廖化、关平断后。

却说樊城围解，曹仁引众将来见曹操，泣拜请罪。操曰："此乃天数，非汝等之罪也。"操重赏三军，亲至四冢寨周围阅视，顾谓众将曰："荆州兵围堑鹿角数重，徐公明深入其中，竟获全功。孤用兵三十余年，未敢长驱径入敌围。公明真胆识兼优者也！"众皆叹服。操班师还于摩陂驻扎。徐晃兵至，操亲出寨迎之，见晃军皆按队伍而行，并无差乱。操大喜曰："徐将军真有周亚夫①之风矣！"遂封徐晃为平南将军，同夏侯尚守襄阳，以遏关公之师。操因荆州未定，就屯兵于摩陂，以候消息。

却说关公在荆州路上，进退无路，谓赵累曰："目今前有吴兵，后有魏兵，吾在其中，救兵不至，如之奈何？"累曰："昔吕蒙在陆口时，尝致书君侯，两家约好，共诛操贼，今却助操而袭我：是背盟也。君侯暂驻军于此，可差人遗书吕蒙责之，看彼如何对答。"关公从其言，遂修书遣使赴荆州来。

却说吕蒙在荆州，传下号令：凡荆州诸郡，有随关公出征将士之家，不许吴兵搅扰，按月给与粮米；有患病者，遣医治疗。将士之家，感其恩惠，安堵②不动。忽报关公使至，吕蒙出郭迎接入城，以宾礼相待。使者呈书与蒙。蒙看毕，谓来使曰："蒙昔日与关将军结好，乃一己之私见；今日之事，乃上命差遣，不得自主。烦使者回报将军，善言致意。"遂设宴款待，送归馆驿安歇。于是随征将士之家，皆来问信；有附家书者，有口传音信者，皆言家门无恙，衣食不缺。

使者辞别吕蒙，蒙亲送出城。使者回见关公，具道吕蒙之语，并说："荆州城中，君侯宝眷并诸将家属，俱各无恙，供给不缺。"公大怒曰："此奸贼之计也！我生不能杀此贼，死必杀之，以雪吾恨！"喝退使者。使者出寨，众将皆来探问家中之事；使者具言各家安好，吕蒙极其恩恤，并将书信传送各将。各将欣喜，皆无战心。

关公率兵取荆州，军行之次，将士多有逃回荆州者。关公愈加恨怒，

---

① 周亚夫——西汉名将。据说他治军严整，驻军细柳防备匈奴时，连皇帝的前驱都不轻易放入营地，见皇帝时仍带武器，只作揖不下拜，汉文帝对他大加赞叹。

② 安堵——亦作"按堵"、"案堵"，安居、不受骚扰的意思。

遂催军前进。忽然喊声大震，一彪军拦住，为首大将，乃蒋钦也，勒马挺枪大叫曰："云长何不早降！"关公骂曰："吾乃汉将，岂降贼乎！"拍马舞刀，直取蒋钦。不三合，钦败走。关公提刀追杀二十余里，喊声忽起，左边山谷中韩当领军冲出，右边山谷中周泰引军冲出，蒋钦回马复战，三路夹攻。关公急撤军回走。行无数里，只见南山冈上人烟聚集，一面白旗招飐，上写"荆州土人"四字，众人都叫："本处人速速投降！"关公大怒，欲上冈杀之。山崦内又有两军撞出：左边丁奉，右边徐盛；并合蒋钦等三路军马，喊声震地，鼓角喧天，将关公困在垓心。手下将士，渐渐消疏。比及杀到黄昏，关公遥望四山之上，皆是荆州土兵，呼兄唤弟，觅子寻爷，喊声不住。军心尽变，皆应声而去。关公止喝不住，部从止有三百余人。杀至三更，正东上喊声连天，乃是关平、廖化分两路兵杀入重围，救出关公。关平告曰："军心乱矣，必得城池暂屯，以待援兵。麦城虽小，足可屯扎。"关公从之，催促残军前至麦城，分兵紧守四门，聚将士商议。赵累曰："此处相近上庸，现有刘封、孟达在彼把守，可速差人往求救兵。若得这枝军马接济，以待川兵大至，军心自安矣。"

正议间，忽报吴兵已至，将城四面围定。公问曰："谁敢突围而出，往上庸求救？"廖化曰："某愿往。"关平曰："我护送汝出重围。"关公即修书付廖化藏于身畔，饱食上马，开门出城。正遇吴将丁奉截住。被关平奋力冲杀，奉败走，廖化乘势杀出重围，投上庸去了。关平入城，坚守不出。

且说刘封、孟达自取上庸，太守申耽率众归降，因此汉中王加刘封为副将军，与孟达同守上庸。当日探知关公兵败，二人正议间，忽报廖化至。封令请入问之。化曰："关公兵败，现困于麦城，被围至急。蜀中援兵，不能旦夕即至。特命某突围而出，来此求救。望二将军速起上庸之兵，以救此危。倘稍迟延，公必陷矣。"封曰："将军且歇，容某计议。"

化乃至馆驿安歇，专候发兵。刘封谓孟达曰："叔父被困，如之奈何？"达曰："东吴兵精将勇；且荆州九郡，俱已属彼，止有麦城，乃弹丸之地；又闻曹操亲督大军四五十万，屯于摩陂：量我等山城之众，安能敌得两家之强兵？不可轻敌。"封曰："吾亦知之。奈关公是吾叔父，安忍坐视而不救乎？"达笑曰："将军以关公为叔，恐关公未必以将军为侄也。某闻汉中王初嗣将军之时，关公即不悦。后汉中王登位之后，欲立后嗣，问于孔明，孔明曰：'此家事也，问关、张可矣。'汉中王遂遣人至荆州问关公，关公以将军乃螟蛉之子，不可僭立，劝汉中王远置将军于上庸山城之地，以杜后患。此事人人知之，将军岂反不知耶？何今日犹沾沾以叔侄之义，而欲冒险轻动乎？"封曰："君言虽是，但以何词却之？"达曰："但言山城初附，民心未定，不敢造次兴兵，恐失所守。"封从其言。次日，请廖化至，言："此山城初附之所，未能分兵相救。"化大惊，以头叩地曰："若如此，则关公休矣！"达曰："我今即往，一杯之水，安能救一车薪之火乎？将军速回，静候蜀兵至可也。"化大恸告求，刘封、孟达皆拂袖而入。廖化知事不谐，寻思须告汉中王求救，遂上马大骂出城，望成都而走。

却说关公在麦城盼望上庸兵到，却不见动静；手下止有五六百人，多半带伤；城中无粮，甚是苦楚。忽报城下一人教休放箭，有话来见君侯。公令放入，问之，乃诸葛瑾也。礼毕茶罢，瑾曰："今奉吴侯命，特来劝谕将军。自古道：'识时务者为俊杰。'今将军所统汉上九郡，皆已属他人矣；止有孤城一区，内无粮草，外无救兵，危在旦夕。将军何不从瑾之言，归顺吴侯，复镇荆襄，可以保全家眷。幸君侯熟思之。"关公正色而言曰："吾乃解良一武夫，蒙吾主以手足相待，安肯背义投敌国乎？城若破，有死而已。玉可碎而不可改其白，竹可焚而不可毁其节：身虽殒，名可垂于竹帛也。汝勿多言，速请出城，吾欲与孙权决一死战！"瑾曰："吴侯欲与君侯结秦、晋之好，同力破曹，共扶汉室，别无他意。君侯何执迷如是？"言未毕，关平拔剑而前，欲斩诸葛瑾。公止之曰："彼弟孔明在蜀，佐汝伯父，今若杀彼，伤其兄弟之情也。"遂令左右逐出诸葛瑾。瑾满面羞惭，上马出城，回见吴侯曰："关公心如铁石，不可说也。"孙权曰："真忠臣也！似此如之奈何？"吕范曰："某请卜其休咎。"权即令卜之。范揲蓍成象①，乃"地水师卦"②，更有玄武临应，主敌人远奔。权问吕蒙曰："卦主敌人远奔，卿以何策擒之？"蒙笑曰："卦象正合某之机也。关公虽有冲天之翼，飞不出吾罗网矣！"正是：龙游沟壑遭虾戏，凤入牢笼被鸟欺。毕竟吕蒙之计若何，且看下文分解。

---

① 揲蓍成象——用手抽点蓍草使它构成一定的形象。揲：用手抽点成批或成束物品的数目；蓍：蓍草，古人常用来占卜。

② 地水师卦——《师》是《易经》中的一个卦名，由坎（☵）下坤（☷）上组成，《易经》把坤代表地，坎代表水，所以叫"地水师卦"。

# 第七十七回

## 玉泉山关公显圣 洛阳城曹操感神

却说孙权求计于吕蒙，蒙曰："吾料关某兵少，必不从大路而逃，麦城正北有险峻小路，必从此路而去。可令朱然引精兵五千，伏于麦城之北二十里；彼军至，不可与敌，只可随后掩杀。彼军定无战心，必奔临沮。却令潘璋引精兵五百，伏于临沮山僻小路，关某可擒矣。今遣将士各门攻打，只空北门，待其出走。"权闻计，令吕范再卜之。卦成，范告曰："此卦主敌人投西北而走，今夜亥时必然就擒。"权大喜，遂令朱然、潘璋领两枝精兵，各依军令埋伏去讫。

且说关公在麦城，计点马步军兵，止剩三百余人；粮草又尽。是夜，城外吴兵招唤各军姓名，越城而去者甚多。救兵又不见到。心中无计，谓王甫曰："吾悔昔日不用公言！今日危急，将复何如？"甫哭告曰："今日之事，虽子牙复生，亦无计可施也。"赵累曰："上庸救兵不至，乃刘封、孟达按兵不动之故。何不弃此孤城，奔入西川，再整兵来，以图恢复？"公曰："吾亦欲如此。"遂上城观之。见北门外敌军不多，因问本城居民："此去往北，地势若何？"答曰："此去皆是山僻小路，可通西川。"公曰："今夜可走此路。"王甫谏曰："小路有埋伏，可走大路。"公曰："虽有埋伏，吾何惧哉！"即下令：马步官军，严整装束，准备出城。甫哭曰："君侯于路，小心保重！某与部卒百余人，死据此城；城虽破，身不降也！专望君侯速来救援！"

公亦与泣别。遂留周仓与王甫同守麦城，关公自与关平、赵累引残卒二百余人，突出北门。关公横刀前进，行至初更以后，约走二十余里，只见山凹处，金鼓齐鸣，喊声大震，一彪军到，为首大将朱然，骤马挺枪叫曰："云长休走！趁早投降，免得一死！"公大怒，拍马轮刀来战。朱然便走，公乘势追杀。一棒鼓响，四下伏兵皆起。公不敢战，望临沮小路而走，朱然率兵掩杀。关公所随之兵，渐渐稀少。走不得四五里，前面喊声又震，火光大起，潘璋骤马舞刀杀来。公大怒，轮刀相迎；只三合，潘璋败走。公不敢恋战，急望山路而走。背后关平赶来，报说赵累已死于乱军中。关公不胜悲惶，遂令关平断后，公自在前开路，随行止剩得十余人。行至决石，两下是山，山边皆芦苇败草，树木丛杂。时已五更将尽。正走之间，一声喊起，两下伏兵尽出，长钩套索，一齐并举，先把关公坐下马绊倒。关公翻身落马，被潘璋部将马忠所获。关平知父被擒，火速来救；背后潘璋、朱然率兵齐至，把关平四下围住。平孤身独战，力尽亦被执。至天明，孙权闻关公父子已被擒获，大喜，聚众将于帐中。

少时，马忠簇拥关公至前。权曰："孤久慕将军盛德，欲结秦、晋之好，何相弃耶？公平昔自以为天下无敌，今日何由被吾所擒？将军今日还服孙权否？"关公厉声骂曰："碧眼小儿，紫髯鼠辈！吾与刘皇叔桃园结义，誓扶汉室，岂与汝叛汉之贼为伍耶！我今误中奸计，有死而已，何必多言！"权回顾众官曰："云长世之豪杰，孤深爱之。今欲以礼相待，劝使归降，何如？"主簿左咸曰："不可。昔曹操得此人时，封侯赐爵，三日一小宴，五日一大宴，上马一提金，下马一提银：如此恩礼，毕竟留之不住，听其斩关杀将而去，致使今日反为所逼，几欲迁都以避其锋。今主公既已擒之，若不即除，恐贻后患。"孙权沉吟半晌，曰："斯言是也。"遂命推出。于是关公父子皆遇害。时建安二十四年冬十二月也。关公亡年五十八岁。后人有诗叹曰：

汉末才无敌，云长独出群；神威能奋武，儒雅更知文。
天日心如镜，《春秋》义薄云。昭然垂万古，不止冠三分。

又有诗曰：

人杰惟追古解良，士民争拜汉云长。
桃园一日兄和弟，俎豆①千秋帝与王。
气挟风雷无匹敌，志垂日月有光芒。
至今庙貌盈天下，古木寒鸦几夕阳。

关公既殁②，坐下赤兔马被马忠所获，献与孙权。权即赐马忠骑坐。其马数日不食草料而死。

却说王甫在麦城中，骨颤肉惊，乃问周仓曰："昨夜梦见主公浑身血

---

① 俎(zǔ)豆——俎和豆都是古代祭祀用的器具，这里指关羽和刘备、张飞的桃园结义为千古传颂。

② 殁(mò)——死。

污，立于前；急问之，忽然惊觉。不知主何吉凶？”正说间，忽报吴兵在城下，将关公父子首级招安。王甫、周仓大惊，急登城视之，果关公父子首级也。王甫大叫一声，堕城而死。周仓自刎而亡。于是麦城亦属东吴。

却说关公一魂不散，荡荡悠悠，直至一处：乃荆门州当阳县一座山，名为玉泉山。山上有一老僧，法名普净，原是汜水关镇国寺中长老；后因云游天下，来到此处，见山明水秀，就此结草为庵，每日坐禅参道；身边只有一小行者，化饭度日。是夜月白风清，三更已后，普净正在庵中默坐，忽闻空中有人大呼曰：“还我头来！”普净仰面谛视，只见空中一人，骑赤兔马，提青龙刀，左有一白面将军、右有一黑脸虬髯之人相随，一齐按落云头，至玉泉山顶。普净认得是关公，遂以手中麈尾①击其户曰：“云长安在？”关公英魂顿悟，即下马乘风落于庵前，叉手问曰：“吾师何人？愿求法号。”普净曰：“老僧普净，昔日汜水关前镇国寺中，曾与君侯相会，今日岂遂忘之耶？”公曰：“向蒙相救，铭感不忘。今某已遇祸而死，愿求清诲，指点迷途。”普净曰：“昔非今是，一切休论；后果前因，彼此不爽②。今将军为吕蒙所害，大呼‘还我头来’，然则颜良、文丑、五关六将等众人之头，又将向谁索耶？”于是关公恍然大悟，稽首皈依③而去。后往往于玉泉山显圣护民，乡人感其德，就于山顶上建庙，四时致祭。后人题一联于其庙云：

赤面秉赤心，骑赤兔追风，驰驱时无忘赤帝。

青灯观青史，仗青龙偃月，隐微处不愧青天。

却说孙权既害了关公，遂尽收荆襄之地，赏犒三军，设宴大会诸将庆功；置吕蒙于上位，顾谓众将曰：“孤久不得荆州，今唾手而得，皆子明之功也。”蒙再三逊谢。权曰：“昔周郎雄略过人，破曹操于赤壁，不幸早夭。鲁子敬代之，子敬初见孤时，便及帝王大略，此一快也；曹操东下，诸人皆劝孤降，子敬独劝孤召公瑾逆而击之，此二快也；惟劝吾借荆州与刘备，是其一短。今子明设计定谋，立取荆州，胜子敬、周郎多矣！”

于是亲酌酒赐吕蒙。吕蒙接酒欲饮，忽然掷杯于地，一手揪住孙权，

---

① 麈（zhǔ）尾——用麈尾做的拂尘。麈：古书上指鹿一类的动物。

② 不爽——不违背。爽：违背。

③ 稽（qǐ）首皈（guī）依——诚心诚意归向佛门。稽首：古代一种礼节，跪下，拱手至地，头也至地；皈依：佛教用语，身心归向于佛的意思。

厉声大骂曰："碧眼小儿！紫髯鼠辈！还识我否？"众将大惊，急救时，蒙推倒孙权，大步前进，坐于孙权位上，两眉倒竖，双眼圆睁，大喝曰："我自破黄巾以来，纵横天下三十余年，今被汝一旦以奸计图我，我生不能啖汝之肉，死当追吕贼之魂！——我乃汉寿亭侯关云长也。"权大惊，慌忙率大小将士，皆下拜。只见吕蒙倒于地上，七窍流血而死。众将见之，无不恐惧。权将吕蒙尸首，具棺安葬，赠南郡太守、孱陵侯；命其子吕霸袭爵。孙权自此感关公之事，惊讶不已。

忽报张昭自建业而来。权召入问之。昭曰："今主公损了关公父子，江东祸不远矣！此人与刘备桃园结义之时，誓同生死。今刘备已有两川之兵；更兼诸葛亮之谋，张、黄、马、赵之勇。备若知云长父子遇害，必起倾国之兵，奋力报仇，恐东吴难与敌也。"权闻之大惊，跌足曰："孤失计较也！似此如之奈何？"昭曰："主公勿忧。某有一计，令西蜀之兵不犯东吴，荆州如磐石之安。"权问何计。昭曰："今曹操拥百万之众，虎视华夏，刘备急欲报仇，必与操约和，若二处连兵而来，东吴危矣。不如先遣人将关公首级，转送与曹操，明教刘备知是操之所使，必痛恨于操，西蜀之兵，不向吴而向魏矣。吾乃观其胜负，于中取事，此为上策。"

权从其言，随遣使者以木匣盛关公首级，星夜送与曹操。时操从摩陂班师回洛阳，闻东吴送关公首级至，喜曰："云长已死，吾夜眠贴席矣。"阶下一人出曰："此乃东吴移祸之计也。"操视之，乃主簿司马懿也。操问其故，懿曰："昔刘、关、张三人桃园结义之时，誓同生死。今东吴害了关公，惧其复仇，故将首级献与大王，使刘备迁怒大王，不攻吴而攻魏，他却于中乘便而图事耳。"操曰："仲达之言是也。孤以何策解之？"懿曰："此事极易。大王可将关公首级，刻一香木之躯以配之，葬以大臣之礼；刘备知之，必深恨孙权，尽力南征。我却观其胜负：蜀胜则击吴，吴胜则击蜀——二处若得一处，那一处亦不久也。"操大喜，从其计，遂召吴使入。呈上木匣，操开匣视之，见关公面如平日。操笑曰："云长公别来无恙！"言未讫，只见关公口开目动，须发皆张，操惊倒。众官急救，良久方醒，顾谓众官曰："关将军真天神也！"吴使又将关公显圣附体、骂孙权追吕蒙之事告操。操愈加恐惧，遂设牲醴祭祀，刻沉香木为躯，以王侯之礼，葬于洛阳南门外，令大小官员送殡，操自拜祭，赠为荆王，差官守墓；即遣吴使回江东去讫。

却说汉中王自东川回成都，法正奏曰："王上先夫人去世；孙夫人又南归，未必再来。人伦之道，不可废也，必纳王妃，以襄①内政。”汉中王从之。法正复奏曰：“吴懿有一妹，美而且贤。尝闻有相者，相此女后必大贵。先曾许刘焉之子刘瑁，瑁早夭。其女至今寡居，大王可纳之为妃。”汉中王曰：“刘瑁与我同宗，于理不可。”法正曰：“论其亲疏，何异晋文之与怀嬴②乎？”汉中王乃依允，遂纳吴氏为王妃。——后生二子：长刘永，字公寿；次刘理，字奉孝。

且说东西两川，民安国富，田禾大成。忽有人自荆州来，言东吴求婚于关公，关公力拒之。孔明曰：“荆州危矣！可使人替关公回。”正商议间，荆州捷报使命，络绎而至。不一日，关兴到，具言水淹七军之事。忽又报马到来，报说关公于江边多设墩台，提防甚密，万无一失。因此玄德放心。

忽一日，玄德自觉浑身肉颤，行坐不安；至夜，不能宁睡，起坐内室，秉烛看书，觉神思昏迷，伏几而卧；就室中起一阵冷风，灯灭复明，抬头见一人立于灯下。玄德问曰：“汝何人，夤夜至吾内室？”其人不答。玄德疑怪，自起视之，乃是关公，于灯影下往来躲避。玄德曰：“贤弟别来无恙！夜深至此，必有大故。吾与汝情同骨肉，因何回避？”关公泣告曰：“愿兄起兵，以雪弟恨！”言讫，冷风骤起，关公不见。玄德忽然惊觉，乃是一梦，时正三鼓。玄德大疑，急出前殿，使人请孔明来。孔明入见，玄德细言梦警。孔明曰：“此乃王上心思关公，故有此梦。何必多疑？”玄德再三疑虑，孔明以善言解之。

孔明辞出，至中门外，迎见许靖。靖曰：“某才赴军师府下报一机密，听知军师入宫，特来至此。”孔明曰：“有何机密？”靖曰：“某适闻外人传说，东吴吕蒙已袭荆州，关公已遇害！故特来密报军师。”孔明曰：“吾夜观天象，见将星落于荆楚之地，已知云长必然被祸；但恐王上忧虑，故未敢言。”二人正说之间，忽然殿内转出一人，扯住孔明衣袖而言曰：“如此凶信，公何瞒我！”孔明视之，乃玄德也。孔明、许靖奏曰：“适来所言，皆传闻之事，未足深信。愿王上宽怀，勿生忧虑。”玄德曰：“孤与云长，誓同生死；彼若有失，孤岂能独生耶？”

---

① 襄——成。

② 晋文之与怀嬴——怀嬴：春秋时秦穆公的女儿，她先嫁给晋怀公子圉为妻，后来又改嫁给了晋怀公的伯父晋文公重耳。

孔明、许靖正劝解之间，忽近侍奏曰："马良、伊籍至。"玄德急召入问之。二人具说荆州已失，关公兵败求救，呈上表章。未及拆观，侍臣又奏荆州廖化至。玄德急召入。化哭拜于地，细奏刘封、孟达不发救兵之事。玄德大惊曰："若如此，吾弟休矣！"孔明曰："刘封、孟达如此无礼，罪不容诛！王上宽心，亮亲提一旅之师，去救荆襄之急。"玄德泣曰："云长有失，孤断不独生！孤来日自提一军去救云长！"遂一面差人赴阆中报知翼德，一面差人会集人马。未及天明，一连数次，报说关公夜走临沮，为吴将所获，义不屈节，父子归神。玄德听罢，大叫一声，昏绝于地。正是：为念当年同誓死，忍教今日独捐生！未知玄德性命如何，且看下文分解。

# 第七十八回

## 治风疾神医身死　传遗命奸雄数终

却说汉中王闻关公父子遇害，哭倒于地，众文武急救，半晌方醒，扶入内殿。孔明劝曰："王上少忧。自古道死生有命；关公平日刚而自矜，故今日有此祸。王上且宜保养尊体，徐图报仇。"玄德曰："孤与关、张二弟桃园结义时，誓同生死。今云长已亡，孤岂能独享富贵乎！"言未已，只见关兴号恸而来。玄德见了，大叫一声，又哭绝于地。众官救醒。一日哭绝三五次，三日水浆不进，只是痛哭；泪湿衣襟，斑斑成血。孔明与众官再三劝解。玄德曰："孤与东吴，誓不同日月也！"孔明曰："闻东吴将关公首级献与曹操，操以王侯礼祭葬之。"玄德曰："此何意也？"孔明曰："此是东吴欲移祸于曹操，操知其谋，故以厚礼葬关公，令王上归怨于吴也。"玄德曰："吾今即提兵问罪于吴，以雪吾恨！"孔明谏曰："不可。方今吴欲令我伐魏，魏亦欲令我伐吴：各怀谲计，伺隙而乘。王上只宜按兵不动，且与关公发丧。待吴、魏不和，乘时而伐之，可也。"众官又再三劝谏，玄德方才进膳，传旨川中大小将士，尽皆挂孝。汉中王亲出南门招魂祭奠，号哭终日。

却说曹操在洛阳，自葬关公后，每夜合眼便见关公。操甚惊惧，问于众官。众官曰："洛阳行宫旧殿多妖，可造新殿居之。"操曰："吾欲起一殿，名建始殿。恨无良工。"贾诩曰："洛阳良工有苏越者，最有巧思。"操召入，令画图像。苏越画成九间大殿,前后廊庑①楼阁,呈与操。操视之曰:“汝画甚合孤意,但恐无栋梁之材。”苏越曰:“此去离城三十里,有一潭,名跃龙潭;前有一祠,名跃龙祠。祠傍有一株大梨树,高十余丈,堪作建始殿之梁。”

操大喜,即令人工到彼砍伐。次日,回报此树锯解不开,斧砍不入,不能斩伐。操不信,自领数百骑,直至跃龙祠前下马,仰观那树,亭亭如华盖,直侵云汉②,并无曲节。操命砍之,乡老数人前来谏曰:“此树已数百年矣,常有神人居其上,恐未可伐。”操大怒曰:“吾平生游历,普天之下,四十余年,上至天子,下及庶人,无不惧孤;是何妖神,敢违孤意!”言讫,拔所佩剑亲自砍之:铮然有声,血溅满身。操愕然大惊,掷剑上马,回至宫内。是夜二更,操睡卧不安,坐于殿中,隐几③而寐。忽见一人披发仗剑,身穿皂衣,直至面前,指操喝曰:“吾乃梨树之神也。汝盖建始殿,意欲篡逆,却来伐吾神木!吾知汝数尽,特来杀汝!”操大惊,急呼:“武士安在?”皂衣人仗剑砍操。操大叫一声,忽然惊觉,头脑疼痛不可忍。急传旨遍求良医治疗,不能痊可。众官皆忧。

华歆入奏曰:“大王知有神医华佗否?”操曰:“即江东医周泰者乎?”歆曰:“是也。”操曰:“虽闻其名,未知其术。”歆曰:“华佗字元化,沛国谯郡人也。其医术之妙,世所罕有,但有患者,或用药,或用针,或用灸,随手而愈。若患五脏六腑之疾,药不能效者,以麻肺汤饮之,令病者如醉死,却用尖刀剖开其腹,以药汤洗其脏腑,病人略无疼痛。洗毕,然后以药线缝口,用药敷之;或一月,或二十日,即平复矣:其神妙如此!一日,佗行于道上,闻一人呻吟之声。佗曰:‘此饮食不下之病。’问之果然。佗令取蒜齑汁三升饮之,吐蛇一条,长二三尺,饮食即下。广陵太守陈登,心中烦懑,面赤,不能饮食,求佗医治。佗以药饮之,吐虫三升,皆赤头,首尾动摇。登问其故,佗曰:‘此因多食鱼腥,故有此毒。今日虽可,三年之后,必将复发,不可救也。’后陈登果三年而死。又有一人眉间生一瘤,痒不可当,令佗视之。佗曰:‘内有飞物。’人皆笑之。佗以刀割开,一黄雀飞去,病者即愈。

① 庑(wǔ)——正房对面和两侧的小房子。

② 云汉——天河。

③ 隐(yìn)几——倚着几案。隐:倚、靠;几:古代一种矮脚桌。

有一人被犬咬足指，随长肉二块，一痛一痒，俱不可忍。佗曰：'痛者内有针十个，痒者内有黑白棋子二枚。'人皆不信。佗以刀割开，果应其言。此人真扁鹊、仓公①之流也！现居金城，离此不远，大王何不召之？"

操即差人星夜请华佗入内，令诊脉视疾。佗曰："大王头脑疼痛，因患风而起。病根在脑袋中，风涎不能出，枉服汤药，不可治疗。某有一法：先饮麻肺汤，然后用利斧砍开脑袋，取出风涎，方可除根。"操大怒曰："汝要杀孤耶！"佗曰："大王曾闻关公中毒箭，伤其右臂，某刮骨疗毒，关公略无惧色；今大王小可之疾，何多疑焉？"操曰："臂痛可刮，脑袋安可砍开？汝必与关公情熟，乘此机会，欲报仇耳！"呼左右拿下狱中，拷问其情。贾诩谏曰："似此良医，世罕其匹，未可废也。"操叱曰："此人欲乘机害我，正与吉平无异！"急令追拷。

华佗在狱，有一狱卒，姓吴，人皆称为"吴押狱"。此人每日以酒食供奉华佗。佗感其恩，乃告曰："我今将死，恨有《青囊书》未传于世。感公厚意，无可为报；我修一书，公可遣人送与我家，取《青囊书》来赠公，以继吾术。"吴押狱大喜曰："我若得此书，弃了此役，医治天下病人，以传先生之德。"佗即修书付吴押狱。吴押狱直至金城，问佗之妻取了《青囊书》；回至狱中，付与华佗检看毕，佗即将书赠与吴押狱。吴押狱持回家中藏之。旬日之后，华佗竟死于狱中。吴押狱买棺殡殓讫，脱了差役回家，欲取《青囊书》看习，只见其妻正将书在那里焚烧。吴押狱大惊，连忙抢夺，全卷已被烧毁，只剩得一两叶。吴押狱怒骂其妻。妻曰："纵然学得与华佗一般神妙，只落得死于牢中，要他何用！"吴押狱嗟叹而止。因此《青囊书》不曾传于世，所传者止阉鸡猪等小法，乃烧剩一两叶中所载也。后人有诗叹曰：

华佗仙术比长桑，神识如窥垣一方。
惆怅人亡书亦绝，后人无复见《青囊》！

却说曹操自杀华佗之后，病势愈重，又忧吴、蜀之事。正虑间，近臣忽奏东吴遣使上书。操取书拆视之，略曰：

臣孙权久知天命已归王上，伏望早正大位，遣将剿灭刘备，扫平两川，臣即率群下纳土归降矣。

---

① 扁鹊、仓公——二人都是名医。扁鹊：姓秦，名越人，春秋时人；仓公：姓淳于，名意，西汉人。

操观毕大笑，出示群臣曰："是儿欲使吾居炉火上①耶！"侍中陈群等奏曰："汉室久已衰微，殿下功德巍巍，生灵仰望。今孙权称臣归命，此天人之应，异气齐声。殿下宜应天顺人，早正大位。"操笑曰："吾事汉多年，虽有功德及民，然位至于王，名爵已极，何敢更有他望？苟天命在孤，孤为周文王矣。"司马懿曰："今孙权既称臣归附，王上可封官赐爵，令拒刘备。"操从之，表封孙权为骠骑将军②、南昌侯，领荆州牧。即日遣使赍诰敕赴东吴去讫。

操病势转加。忽一夜梦三马同槽而食，及晓，问贾诩曰："孤向日曾梦三马同槽，疑是马腾父子为祸；今腾已死，昨宵复梦三马同槽。主何吉凶？"诩曰："禄马，吉兆也。禄马归于曹，王上何必疑乎？"操因此不疑。后人有诗曰：

三马同槽事可疑，不知已植晋根基。
曹瞒空有奸雄略，岂识朝中司马师？

是夜，操卧寝室，至三更，觉头目昏眩，乃起，伏几而卧。忽闻殿中声如裂帛，操惊视之，忽见伏皇后、董贵人、二皇子，并伏完、董承等二十余人，浑身血污，立于愁云之内，隐隐闻索命之声。操急拔剑望空砍去，忽然一声响亮，震塌殿宇西南一角。操惊倒于地，近侍救出，迁于别宫养病。次夜，又闻殿外男女哭声不绝。至晓，操召群臣入曰："孤在戎马之中，三十余年，未尝信怪异之事。今日为何如此？"群臣奏曰："大王当命道士设醮修禳。"操叹曰："圣人云：'获罪于天，无所祷也。'孤天命已尽，安可救乎？"遂不允设醮。

次日，觉气冲上焦③，目不见物，急召夏侯惇商议。惇至殿门前，忽见伏皇后、董贵人、二皇子、伏完、董承等，立在阴云之中。惇大惊昏倒，左右扶出，自此得病。操召曹洪、陈群、贾诩、司马懿等，同至卧榻前，嘱以后

---

① 是儿欲使吾居炉火上——这小子要把我往炉火上放。是儿：这小子；居炉火上：汉代属"火德"，居火上就是取代汉朝，自己做皇上，这里还有另外一层的含义，就是曹操一旦做皇上，将会招致更多人的反对，无异于要把自己放在炉火上"烧烤"。

② 骠(piào)骑将军——汉代将军名号，"位在三司，品秩同大将军"。

③ 上焦——中医病理术语，指胃的上口到舌头的下部，包括心、肺、食管等，主要功能是呼吸、血液循环等。

事。曹洪等顿首曰："大王善保玉体，不日定当霍然①。"操曰："孤纵横天下三十余年，群雄皆灭，止有江东孙权，西蜀刘备，未曾剿除。孤今病危，不能再与卿等相叙，特以家事相托。孤长子曹昂，刘氏所生，不幸早年殁于宛城；今卞氏生四子：丕、彰、植、熊。孤平生所爱第三子植，为人虚华少诚实，嗜酒放纵，因此不立。次子曹彰，勇而无谋；四子曹熊，多病难保。惟长子曹丕，笃厚恭谨，可继我业。卿等宜辅佐之。"

曹洪等涕泣领命而出。操令近侍取平日所藏名香，分赐诸侍妾，且嘱曰："吾死之后，汝等须勤习女工，多造丝履，卖之可以得钱自给。"又命诸妾多居于铜雀台中，每日设祭，必令女伎奏乐上食。又遗命于彰德府讲武城外，设立疑冢七十二："勿令后人知吾葬处，恐为人所发掘故也。"嘱毕，长叹一声，泪如雨下。须臾，气绝而死。寿六十六岁。时建安二十五年春正月也。后人有《邺中歌》一篇，叹曹操云：

邺则邺城水漳水，定有异人从此起：
雄谋韵事与文心，君臣兄弟而父子；
英雄未有俗胸中，出没岂随人眼底？
功首罪魁非两人，遗臭流芳本一身；
文章有神霸有气，岂能苟尔化为群？
横流筑台距太行，气与理势相低昂；
安有斯人不作逆，小不为霸大不王？
霸王降作儿女鸣，无可奈何中不平；
向帐明知非有益，分香未可谓无情。
呜呼！古人作事无巨细，寂莫豪华皆有意；
书生轻议冢中人，冢中笑尔书生气！

却说曹操身亡，文武百官尽皆举哀；一面遣人赴世子曹丕、鄢陵侯曹彰、临淄侯曹植、萧怀侯曹熊处报丧。众官用金棺银椁将操入殓，星夜举灵榇赴邺郡来。曹丕闻知父丧，放声痛哭，率大小官员出城十里，伏道迎榇入城，停于偏殿。官僚挂孝，聚哭于殿上。忽一人挺身而出曰："请世子息哀，且议大事。"众视之，乃中庶子司马孚也。孚曰："魏王既薨，天下震动；当早立嗣王，以安众心。何但哭泣耶？"群臣曰："世子宜嗣位，但未得

① 霍然——很快的样子，这里指病症突然痊愈。

天子诏命，岂可造次而行？”兵部尚书陈矫曰：“王薨于外，爱子私立，彼此生变，则社稷危矣。”遂拔剑割下袍袖，厉声曰：“即今日便请世子嗣位。众官有异议者，以此袍为例！”百官悚惧。忽报华歆自许昌飞马而至，众皆大惊。须臾华歆入，众问其来意，歆曰：“今魏王薨逝，天下震动，何不早请世子嗣位？”众官曰：“正因不及候诏命，方议欲以王后卞氏慈旨立世子为王。”歆曰：“吾已于汉帝处索得诏命在此。”众皆踊跃称贺。歆于怀中取出诏命开读。原来华歆谄事魏，故草此诏，威逼献帝降之；帝只得听从，故下诏即封曹丕为魏王、丞相、冀州牧。丕即日登位，受大小官僚拜舞起居。

正宴会庆贺间，忽报鄢陵侯曹彰，自长安领十万大军来到。丕大惊，遂问群臣曰：“黄须小弟，平日性刚，深通武艺。今提兵远来，必与孤争王位也。如之奈何？”忽阶下一人应声出曰：“臣请往见鄢陵侯，以片言折之①。”众皆曰：“非大夫莫能解此祸也。”正是：试看曹氏丕彰事，几作袁家谭尚争。未知此人是谁，且看下文分解。

# 第七十九回

## 兄逼弟曹植赋诗　侄陷叔刘封伏法

却说曹丕闻曹彰提兵而来，惊问众官；一人挺身而出，愿往折服之。众视其人，乃谏议大夫贾逵也。曹丕大喜，即命贾逵前往。逵领命出城，迎见曹彰。彰问曰：“先王玺绶安在？”逵正色而言曰：“家有长子，国有储君②。先王玺绶，非君侯之所宜问也。”彰默然无语，乃与贾逵同入城。至宫门前，逵问曰：“君侯此来，欲奔丧耶？欲争位耶？”彰曰：“吾来奔丧，别无异心。”逵曰：“既无异心，何故带兵入城？”彰即时叱退左右将士，只身入内，拜见曹丕。兄弟二人，相抱大哭。曹彰将本部军马尽交与曹丕。丕令彰回鄢陵自守，彰拜辞而去。

于是曹丕安居王位，改建安二十五年为延康元年；封贾诩为太尉，华

---

① 片言折之——用一句话去说服他。折：折服。

② 储君——太子。

歆为相国，王朗为御史大夫；大小官僚，尽皆升赏。谥曹操曰武王，葬于邺郡高陵，令于禁董治①陵事。禁奉命到彼，只见陵屋中白粉壁上，图画关云长水淹七军擒获于禁之事：画云长俨然上坐，庞德愤怒不屈，于禁拜伏于地，哀求乞命之状。原来曹丕以于禁兵败被擒，不能死节，既降敌而复归，心鄙其为人，故先令人图画陵屋粉壁，故意使之往见以愧之。当下于禁见此画像，又羞又恼，气愤成病，不久而死。后人有诗叹曰：

三十年来说旧交，可怜临难不忠曹。
知人未向心中识，画虎今从骨里描。

却说华歆奏曹丕曰："鄢陵侯已交割军马，赴本国去了；临淄侯植，萧怀侯熊，二人竟不来奔丧，理当问罪。"丕从之，即分遣二使往二处问罪。不一日，萧怀使者回报："萧怀侯曹熊惧罪，自缢身死。"丕令厚葬之，追赠萧怀王。又过了一日，临淄使者回报，说："临淄侯日与丁仪、丁廙②兄弟二人酣饮，悖慢③无礼：闻使命至，临淄侯端坐不动；丁仪骂曰：'昔者先王本欲立吾主为世子，被谗臣所阻；今王丧未远，便问罪于骨肉，何也？'丁廙又曰：'据吾主聪明冠世，自当承嗣大位，今反不得立。汝那庙堂之臣，何不识人才若此！'临淄侯因怒，叱武士将臣乱棒打出。"

丕闻之，大怒，即令许褚领虎卫军三千，火速至临淄擒曹植等一干人来。褚奉命，引军至临淄城。守将拦阻，褚立斩之，直入城中，无一人敢当锋锐，径到府堂。只见曹植与丁仪、丁廙等尽皆醉倒。褚皆缚之，载于车上，并将府下大小属官，尽行拿解邺郡，听候曹丕发落。丕下令，先将丁仪、丁廙等尽行诛戮。丁仪字正礼，丁廙字敬礼，沛郡人，乃一时文士；及其被杀，人多惜之。

却说曹丕之母卞氏，听得曹熊缢死，心甚悲伤；忽又闻曹植被擒，其党丁仪等已杀，大惊。急出殿，召曹丕相见。丕见母出殿，慌来拜谒。卞氏哭谓丕曰："汝弟植平生嗜酒疏狂，盖因自恃胸中之才，故尔放纵。汝可念同胞之情，存其性命。吾至九泉亦瞑目也。"丕曰："儿亦深爱其才，安肯害他？今正欲戒其性耳。母亲勿忧。"

---

① 董治——监督处理。董：监督。
② 丁廙(yì)——人名。
③ 悖(bèi)慢——违背常理，怠慢来使。

卞氏洒泪而入。丕出偏殿，召曹植入见。华歆问曰："适来莫非太后劝殿下勿杀子建乎？"丕曰："然。"歆曰："子建怀才抱智，终非池中物；若不早除，必为后患。"丕曰："母命不可违。"歆曰："人皆言子建出口成章，臣未深信。主上可召入，以才试之。若不能，即杀之；若果能，则贬之，以绝天下文人之口。"丕从之。须臾，曹植入见，惶恐伏拜请罪。丕曰："吾与汝情虽兄弟，义属君臣，汝安敢恃才蔑礼？昔先君在日，汝常以文章夸示于人，吾深疑汝必用他人代笔。吾今限汝行七步吟诗一首。若果能，则免一死；若不能，则从重治罪，决不姑恕！"植曰："愿乞题目。"时殿上悬一水墨画，画着两只牛，斗于土墙之下，一牛坠井而亡。丕指画曰："即以此画为题。诗中不许犯着'二牛斗墙下，一牛坠井死'字样。"植行七步，其诗已成。诗曰：

两肉齐道行，头上带凹骨。相遇块山下，欻起相搪突①。

二敌不俱刚，一肉卧土窟。非是力不如，盛气不泄毕。

曹丕及群臣皆惊。丕又曰："七步成章，吾犹以为迟。汝能应声而作诗一首否？"植曰："愿即命题。"丕曰："吾与汝乃兄弟也。以此为题。亦不许犯着'兄弟'字样。"植略不思索，即口占一首曰：

煮豆燃豆萁②，豆在釜中泣。

本是同根生，相煎何太急！

曹丕闻之，潸然泪下。其母卞氏，从殿后出曰："兄何逼弟之甚耶？"丕慌忙离坐告曰："国法不可废耳。"于是贬曹植为安乡侯。植拜辞上马而去。

曹丕自继位之后，法令一新，威逼汉帝，甚于其父。早有细作报入成都。汉中王闻之，大惊，即与文武商议曰："曹操已死，曹丕继位，威逼天子，更甚于操。东吴孙权，拱手称臣。孤欲先伐东吴，以报云长之仇；次讨中原，以除乱贼。"言未毕，廖化出班，哭拜于地曰："关公父子遇害，实刘封、孟达之罪。乞诛此二贼。"玄德便欲遣人擒之。孔明谏曰："不可。且宜缓图之，急则生变矣。可升此二人为郡守，分调开去，然后可擒。"

玄德从之，遂遣使升刘封去守绵竹。原来彭羕与孟达甚厚，听知此事，急回家作书，遣心腹人驰报孟达。使者方出南门外，被马超巡视军捉

---

① 欻（xū）起相搪突——突然而起争斗。欻：忽然；搪突：冒犯、冲突。

② 豆萁（qí）——豆秸。

获，解见马超。超审知此事，即往见彭羕。羕接入，置酒相待。酒至数巡，超以言挑之曰："昔汉中王待公甚厚，今何渐薄也？"羕因酒醉，恨骂曰："老革①荒悖，吾必有以报之！"超又探曰："某亦怀怨心久矣。"羕曰："公起本部军，结连孟达为外合，某领川兵为内应，大事可图也。"超曰："先生之言甚当。来日再议。"超辞了彭羕，即将人与书解见汉中王，细言其事。玄德大怒，即令擒彭羕下狱，拷问其情。羕在狱中，悔之无及。玄德问孔明曰："彭羕有谋反之意，当何以治之？"孔明曰："羕虽狂士，然留之久必生祸。"于是玄德赐彭羕死于狱。

羕既死，有人报知孟达。达大惊，举止失措。忽使命至，调刘封回守绵竹去讫。孟达慌请上庸、房陵都尉申耽、申仪弟兄二人商议曰："我与法孝直同有功于汉中王；今孝直已死，而汉中王忘我前功，乃欲见害，为之奈何？"耽曰："某有一计，使汉中王不能加害于公。"达大喜，急问何计。耽曰："吾弟兄欲投魏久矣；公可作一表，辞了汉中王，投魏王曹丕，丕必重用。吾二人亦随后来降也。"达猛然省悟，即写表一通，付与来使；当晚引五十余骑投魏去了。使命持表回成都，奏汉中王，言孟达投魏之事。先主大怒。览其表曰：

臣达伏惟殿下：将建伊、吕之业，追桓、文之功，大事草创，假势吴、楚，是以有为之士，望风归顺。臣委质以来，愆戾②山积；臣犹自知，况于君乎？今王朝英俊鳞集，臣内无辅佐之器，外无将领之才，列次功臣，诚足自愧！

臣闻范蠡③识微，浮于五湖；舅犯④谢罪，逡巡河上。夫际会之间，请命乞身，何哉？欲洁去就之分也。况臣卑鄙，无元功巨勋，自系于时，

---

① 老革——老兵，这里是轻蔑刘备的话。革：兵革。

② 愆(qiān)戾(lì)——过失、罪过。愆：过失、罪咎；戾：罪、罪过。

③ 范蠡——春秋时楚国人，曾辅佐越王勾践灭吴，他洞察勾践的微妙心思，知道他"不可与共乐"，于是离去，变姓名，泛舟五湖。

④ 舅犯——即晋文公的母舅狐偃，字子犯，他跟随晋文公流亡在外十九年，回国的路上，将要渡黄河的时候，他恐怕晋文公忘了他的功劳而专记过失，便向晋文公作出谢罪告别的姿态。

窃慕前贤，早思远耻。昔申生①至孝，见疑于亲；子胥②至忠，见诛于君；蒙恬③拓境而被大刑，乐毅破齐而遭谗佞。臣每读其书，未尝不感慨流涕；而亲当其事，益用伤悼！

迩者荆州覆败，大臣失节，百无一还。惟臣寻事，自致房陵、上庸，而复乞身自放于外。伏想殿下圣恩感悟，愍④臣之心，悼臣之举。臣诚小人，不能始终。知而为之，敢谓非罪？臣每闻"交绝无恶声，去臣无怨辞"，臣过奉教于君子，愿君王勉之。臣不胜惶恐之至！

玄德看毕，大怒曰："匹夫叛吾，安敢以文辞相戏耶！"即欲起兵擒之。孔明曰："可就遣刘封进兵，令二虎相并；刘封或有功，或败绩，必归成都，就而除之，可绝两害。"玄德从之，遂遣使到绵竹，传谕刘封。封受命，率兵来擒孟达。

却说曹丕正聚文武议事，忽近臣奏曰："蜀将孟达来降。"丕召入问曰："汝此来，莫非诈降乎？"达曰："臣为不救关公之危，汉中王欲杀臣，因此惧罪来降，别无他意。"曹丕尚未准信，忽报刘封引五万兵来取襄阳，单搦孟达厮杀。丕曰："汝既是真心，便可去襄阳取刘封首级来，孤方准信。"达曰："臣以利害说之，不必动兵，令刘封亦来降也。"丕大喜，遂加孟达为散骑常侍、建武将军、平阳亭侯，领新城太守，去守襄阳、樊城。原来夏侯尚、徐晃已先在襄阳，正将收取上庸诸部。孟达到了襄阳，与二将礼毕，探得刘封离城五十里下寨。达即修书一封，使人赍赴蜀寨招降刘封。刘封览书大怒曰："此贼误吾叔侄之义，又间吾父子之亲，使吾为不忠不孝之人也！"遂扯碎来书，斩其使。次日，引军前来搦战。

孟达知刘封扯书斩使，勃然大怒，亦领兵出迎。两阵对圆，封立马于门旗下，以刀指骂曰："背国反贼，安敢乱言！"孟达曰："汝死已临头上，还自执迷不省！"封大怒，拍马轮刀，直奔孟达。战不三合，达败走，封乘虚追

---

① 申生——春秋时晋献公之太子。献公宠骊姬，欲立其子奚齐，使申生居曲沃，骊姬常说他的坏话。申生终于自杀。

② 子胥——春秋时楚国人，姓伍，名员，字子胥。他辅佐吴王夫差大破越国，后被谗自杀。

③ 蒙恬——秦朝大将，他防备匈奴有功，后被赵高所害，自杀身亡。

④ 愍(mǐn)——怜悯、哀怜。

杀二十余里，一声喊起，伏兵尽出，左边夏侯尚杀来，右边徐晃杀来，孟达回身复战。三军夹攻，刘封大败而走，连夜奔回上庸，背后魏兵赶来。刘封到城下叫门，城上乱箭射下。申耽在敌楼上叫曰："吾已降了魏也！"封大怒，欲要攻城，背后追军将至。封立脚不住，只得望房陵而奔，见城上已尽插魏旗。申仪在敌楼上将旗一飐，城后一彪军出，旗上大书"右将军徐晃"。封抵敌不住，急望西川而走。晃乘势追杀。刘封部下只剩得百余骑，到了成都，入见汉中王，哭拜于地，细奏前事。玄德怒曰："辱子有何面目复来见吾！"封曰："叔父之难，非儿不救，因孟达谏阻故耳。"玄德转怒曰："汝须食人食、穿人衣，非土木偶人！安可听谗贼所阻！"命左右推出斩之。汉中王既斩刘封，后闻孟达招之、毁书斩使之事，心中颇悔；又哀痛关公，以致染病。因此按兵不动。

且说魏王曹丕，自即王位，将文武官僚，尽皆升赏；遂统甲兵三十万，南巡沛国谯县，大飨先茔。乡中父老，扬尘遮道，奉觞进酒，效汉高祖还沛之事。人报大将军夏侯惇病危，丕即还邺郡。时惇已卒，丕为挂孝，以厚礼殡葬。

是岁八月间，报称石邑县凤凰来仪，临淄城麒麟出现，黄龙现于邺郡。于是中郎将李伏、太史丞许芝商议：种种瑞征，乃魏当代汉之兆，可安排受禅之礼，令汉帝将天下让于魏王。遂同华歆、王朗、辛毗、贾诩、刘廙、刘晔、陈矫、陈群、桓阶等一班文武官僚，四十余人，直入内殿，来奏汉献帝，请禅位于魏王曹丕。正是：魏家社稷今将建，汉代江山忽已移。未知献帝如何回答，且看下文分解。

# 第八十回

## 曹丕废帝篡炎刘　汉王正位续大统

却说华歆等一班文武，入见献帝。歆奏曰："伏睹魏王，自登位以来，德布四方，仁及万物，越古超今，虽唐、虞无以过此。群臣会议，言汉祚已终，望陛下效尧、舜之道，以山川社稷，禅与魏王：上合天心，下合民意，则陛下安享清闲之福，祖宗幸甚！生灵幸甚！臣等议定，特来奏请。"帝闻奏大惊，半晌无言，觑百官而哭曰："朕想高祖提三尺剑，斩蛇起义，平秦灭楚，创造基业，世统相传，四百年矣。朕虽不才，初无过恶，安忍将祖宗大业，等闲弃了？汝百官再从公计议。"

华歆引李伏、许芝近前奏曰："陛下若不信，可问此二人。"李伏奏曰："自魏王即位以来，麒麟降生，凤凰来仪，黄龙出现，嘉禾蔚生，甘露下降：此是上天示瑞，魏当代汉之象也。"许芝又奏曰："臣等职掌司天，夜观乾象，见炎汉气数已终，陛下帝星隐匿不明；魏国乾象，极天际地，言之难尽。更兼上应图谶，其谶曰：'鬼在边，委相连；当代汉，无可言。言在东，午在西；两日并光上下移。'以此论之，陛下可早禅位。'鬼在边'，'委相连'，是'魏'字也；'言在东，午在西'，乃'许'字也；'两日并光上下移'，乃'昌'字也：此是魏在许昌应受汉禅也。愿陛下察之。"帝曰："祥瑞图谶，皆虚妄之事；奈何以虚妄之事，而遽欲朕舍祖宗之基业乎？"王朗奏曰："自古以来，有兴必有废，有盛必有衰，岂有不亡之国、不败之家乎？汉室相传四百余年，延至陛下，气数已尽，宜早退避，不可迟疑；迟则生变矣。"帝大哭，入后殿去了。百官哂笑而退。

次日，官僚又集于大殿，令宦官入请献帝。帝忧惧不敢出。曹后曰："百官请陛下设朝，陛下何故推阻？"帝泣曰："汝兄欲篡位，令百官相逼，朕故不出。"曹后大怒曰："吾兄奈何为此乱逆之事耶！"言未已，只见曹洪、曹休带剑而入，请帝出殿。曹后大骂曰："俱是汝等乱贼，希图富贵，共造逆谋！吾父功盖寰区，威震天下，然且不敢篡窃神器①。今吾兄嗣位未几，辄思篡汉，皇天必不祚尔！"言罢，痛哭入宫。左右侍者皆歔欷流涕。

曹洪、曹休力请献帝出殿。帝被逼不过，只得更衣出前殿。华歆奏曰："陛下可依臣等昨日之议，免遭大祸。"帝痛哭曰："卿等皆食汉禄久矣；中间多有汉朝功臣子孙，何忍作此不臣之事？"歆曰："陛下若不从众议，恐旦夕萧墙祸起②，非臣等不忠于陛下也。"帝曰："谁敢弑朕耶？"歆厉声曰："天下之人，皆知陛下无人君之福，以致四方大乱！若非魏王在朝，弑陛下者，何止一人？陛下尚不知恩报德，直欲令天下人共伐陛下耶？"帝大惊，拂袖而起。王朗以目视华歆。歆纵步向前，扯住龙袍，变色而言曰："许与

① 神器——指帝位。

② 萧墙祸起——祸乱起于宫廷内部。萧墙：君臣相见处所设的屏风、照壁。

不许，早发一言！”帝战栗不能答。曹洪、曹休拔剑大呼曰：“符宝郎①何在？”祖弼应声出曰：“符宝郎在此！”曹洪索要玉玺。祖弼叱曰：“玉玺乃天子之宝，安得擅索！”洪喝令武士推出斩之。祖弼大骂不绝口而死。后人有诗赞曰：

奸宄②专权汉室亡，诈称禅位效虞唐。

满朝百辟③皆尊魏，仅见忠臣符宝郎。

帝颤栗不已。只见阶下披甲持戈数百余人，皆是魏兵。帝泣谓群臣曰：“朕愿将天下禅于魏王，幸留残喘，以终天年。”贾诩曰：“魏王必不负陛下。陛下可急降诏，以安众心。”帝只得令陈群草禅国之诏，令华歆赍捧诏玺，引百官直至魏王宫献纳。曹丕大喜。开读诏曰：

朕在位三十二年，遭天下荡覆，幸赖祖宗之灵，危而复存。然今仰瞻天象，俯察民心，炎精之数既终，行运在乎曹氏。是以前王既树神武之迹，今王又光耀明德，以应其期。历数昭明，信可知矣。夫大道之行，天下为公；唐尧不私于厥子，而名播于无穷，朕窃慕焉。今其追踵尧典，禅位于丞相魏王。王其毋辞！

曹丕听毕，便欲受诏。司马懿谏曰：“不可。虽然诏玺已至，殿下宜且上表谦辞，以绝天下之谤。”丕从之，令王朗作表，自称德薄，请别求大贤以嗣天位。帝览表，心甚惊疑，谓群臣曰：“魏王谦逊，如之奈何？”华歆曰：“昔魏武王受王爵之时，三辞而诏不许，然后受之。今陛下可再降诏，魏王自当允从。”

帝不得已，又令桓阶草诏，遣高庙使张音，持节奉玺至魏王宫。曹丕开读诏曰：

咨尔魏王，上书谦让。朕窃为汉道陵迟，为日已久；幸赖武王操，德膺符运，奋扬神武，芟除凶暴，清定区夏。今王丕缵承④前绪，至德光昭，声教被四海，仁风扇八区；天之历数，实在尔躬。昔虞舜有大功二十，而

---

① 符宝郎——掌管皇帝玉玺及虎符、竹符的官名。
② 奸宄(guǐ)——坏人。
③ 百辟——泛指朝中大官。
④ 缵(zuǎn)承——继承。

放勋①禅以天下；大禹有疏导之绩，而重华②禅以帝位。汉承尧运，有传圣之义，加顺灵祇，绍天明命，使行御史大夫张音，持节奉皇帝玺绶。王其受之！

曹丕接诏欣喜，谓贾诩曰："虽二次有诏，然终恐天下后世，不免篡窃之名也。"诩曰："此事极易：可再命张音赍回玺绶，却教华歆令汉帝筑一坛，名受禅坛；择吉日良辰，集大小公卿，尽到坛下，令天子亲奉玺绶，禅天下与王，便可以释群疑而绝众议矣。"

丕大喜，即令张音赍回玺绶，仍作表谦辞。音回奏献帝。帝问群臣曰："魏王又让，其意若何？"华歆奏曰："陛下可筑一坛，名曰'受禅坛'，集公卿庶民，明白禅位；则陛下子子孙孙，必蒙魏恩矣。"帝从之，乃遣太常院官，卜地于繁阳，筑起三层高坛，择于十月庚午日寅时禅让。

至期，献帝请魏王曹丕登坛受禅，坛下集大小官僚四百余员，御林虎贲禁军三十余万，帝亲捧玉玺奉曹丕。丕受之。坛下群臣跪听册曰：

咨尔魏王！昔者唐尧禅位于虞舜，舜亦以命禹：天命不于常，惟归有德。汉道陵迟，世失其序；降及朕躬，大乱滋昏，群凶恣逆，宇内颠覆。赖武王神武，拯兹难于四方，惟清区夏，以保绥我宗庙；岂予一人获乂③，俾九服实受其赐④。今王钦承前绪，光于乃德；恢文武之大业，昭尔考⑤之弘烈。皇灵降瑞，人神告徵；诞惟亮采，师锡朕命⑥。佥曰⑦：尔度克协于虞舜，用率我唐典⑧，敬逊尔位。於戏！"天之历数在尔躬"，君其

---

① 放勋——唐尧的名字。相传因虞舜有功，唐尧就把帝位禅让给了他。

② 重华——虞舜的名字。

③ 获乂（yì）——获得安定。

④ 俾九服实受其赐——使天下都实实在在地感受到他的恩惠。九服：本指京畿以外的九等地区，后泛指藩属，这里有"天下"的意思。

⑤ 尔考——你死去的父亲。

⑥ 诞惟亮采，师锡（cì）朕命——谨希望您能明鉴，遵从我的命令，接受禅让。诞：句首语气词；师：效法、遵从；锡：通"赐"，赐给。

⑦ 佥（qiān）曰——众人都说。

⑧ 尔度克协于虞舜，用率我唐典——你的度量能够比同于虞舜，应遵循唐虞时的制度。度：度量；克：能够；率：遵循。

祇①顺大礼，飨万国以肃承天命！

读册已毕，魏王曹丕即受八般大礼，登了帝位。贾诩引大小官僚朝于坛下。改延康元年为黄初元年。国号大魏。丕即传旨，大赦天下。谥父曹操为太祖武皇帝。华歆奏曰："天无二日，民无二王。汉帝既禅天下，理宜退就藩服。乞降明旨，安置刘氏于何地？"言讫，扶献帝跪于坛下听旨。丕降旨封帝为山阳公，即日便行。华歆按剑指帝，厉声而言曰："立一帝，废一帝，古之常道！今上仁慈，不忍加害，封汝为山阳公。今日便行，非宣召不许入朝！"献帝含泪拜谢，上马而去。坛下军民人等见之，伤感不已。丕谓群臣曰："舜、禹之事，朕知之矣！"群臣皆呼万岁。后人观此受禅坛，有诗叹曰：

两汉经营事颇难，一朝失却旧江山。
黄初欲学唐虞事，司马将来作样看。

百官请曹丕答谢天地。丕方下拜，忽然坛前卷起一阵怪风，飞砂走石，急如骤雨，对面不见；坛上火烛，尽皆吹灭。丕惊倒于坛上，百官急救下坛，半晌方醒。侍臣扶入宫中，数日不能设朝。后病稍可，方出殿受群臣朝贺。封华歆为司徒，王朗为司空；大小官僚，一一升赏。丕疾未痊，疑许昌宫室多妖，乃自许昌幸洛阳，大建宫室。

早有人到成都，报说曹丕自立为大魏皇帝，于洛阳盖造宫殿；且传言汉帝已遇害。汉中王闻知，痛哭终日，下令百官挂孝，遥望设祭，上尊谥曰"孝愍皇帝"。玄德因此忧虑，致染成疾，不能理事，政务皆托与孔明。孔明与太傅许靖、光禄大夫谯周商议，言天下不可一日无君，欲尊汉中王为帝。谯周曰："近有祥风庆云之瑞；成都西北角有黄气数十丈，冲霄而起；帝星见于毕、胃、昴之分，煌煌如月：此正应汉中王当即帝位，以继汉统，更复何疑？"

于是孔明与许靖，引大小官僚上表，请汉中王即皇帝位。汉中王览表，大惊曰："卿等欲陷孤为不忠不义之人耶？"孔明奏曰："非也。曹丕篡汉自立，王上乃汉室苗裔，理合继统以延汉祀。"汉中王勃然变色曰："孤岂效逆贼所为！"拂袖而起，入于后宫。众官皆散。三日后，孔明又引众官入朝，请汉中王出。众皆拜伏于前。许靖奏曰："今汉天子已被曹丕所弑，王

① 祇（zhī）——恭敬。

上不即帝位，兴师讨逆，不得为忠义也。今天下无不欲王上为君，为孝愍皇帝雪恨。若不从臣等所议，是失民望矣。"汉中王曰："孤虽是景帝之孙，并未有德泽以布于民；今一旦自立为帝，与篡窃何异！"孔明苦劝数次，汉中王坚执不从。孔明乃设一计，谓众官曰如此如此。于是孔明托病不出。

汉中王闻孔明病笃，亲到府中，直入卧榻边，问曰："军师所感何疾？"孔明答曰："忧心如焚，命不久矣！"汉中王曰："军师所忧何事？"连问数次，孔明只推病重，瞑目不答。汉中王再三请问。孔明喟然叹曰："臣自出茅庐，得遇大王，相随至今，言听计从；今幸大王有两川之地，不负臣夙昔之言。目今曹丕篡位，汉祀将斩，文武官僚，咸欲奉大王为帝，灭魏兴刘，共图功名；不想大王坚执不肯，众官皆有怨心，不久必尽散矣。若文武皆散，吴、魏来攻，两川难保。臣安得不忧乎？"汉中王曰："吾非推阻，恐天下人议论耳。"孔明曰："圣人云：'名不正，则言不顺。'今大王名正言顺，有何可议？岂不闻天与弗取，反受其咎？"汉中王曰："待军师病可，行之未迟。"孔明听罢，从榻上跃然而起，将屏风一击，外面文武众官皆入，拜伏于地曰："王上既允，便请择日以行大礼。"汉中王视之，乃是太傅许靖、安汉将军糜竺、青衣侯向举、阳泉侯刘豹、别驾赵祚、治中杨洪、议曹杜琼、从事张爽、太常卿赖恭、光禄卿黄权、祭酒何宗、学士尹默、司业谯周、大司马殷纯、偏将军张裔、少府王谋、昭文博士伊籍、从事郎秦宓等众也。

汉中王惊曰："陷孤于不义，皆卿等也！"孔明曰："王上既允所请，便可筑坛择吉，恭行大礼。"即时送汉中王还宫，一面令博士许慈、谏议郎孟光掌礼，筑坛于成都武担之南。诸事齐备，多官整设銮驾，迎请汉中王登坛致祭。谯周在坛上，高声朗读祭文曰：

惟建安二十六年四月丙午朔，越十二日丁巳，皇帝备，敢昭告于皇天后土：汉有天下，历数无疆。曩者，王莽篡盗，光武皇帝震怒致诛，社稷复存。今曹操阻兵残忍，戮杀主后，罪恶滔天；操子丕，载肆凶逆，窃据神器。群下将士，以为汉祀堕废，备宜延之，嗣武二祖，躬行天罚。备惧无德忝①帝位，询于庶民，外及遐荒君长②，佥曰：天命不可以不答，祖

① 忝(tiǎn)——辱。

② 遐荒君长——荒远之地的老人。

业不可以久替，四海不可以无主。率土式望①，在备一人。备畏天明命，又惧高、光之业，将坠于地，谨择吉日，登坛告祭，受皇帝玺绶，抚临四方。惟神飨祚汉家，永绥历服！

读罢祭文，孔明率众官恭上玉玺。汉中王受了，捧于坛上，再三推辞曰："备无才德，请择有才德者受之。"孔明奏曰："王上平定四海，功德昭于天下，况是大汉宗派，宜即正位。已祭告天神，复何让焉！"文武各官，皆呼万岁。拜舞礼毕，改元章武元年。立妃吴氏为皇后，长子刘禅为太子；封次子刘永为鲁王，三子刘理为梁王；封诸葛亮为丞相，许靖为司徒；大小官僚，一一升赏。大赦天下。两川军民，无不欣跃。

次日设朝，文武官僚拜毕，列为两班。先主降诏曰："朕自桃园与关、张结义，誓同生死。不幸二弟云长，被东吴孙权所害；若不报仇，是负盟也。朕欲起倾国之兵，剪伐东吴，生擒逆贼，以雪此恨！"言未毕，班内一人，拜伏于阶下，谏曰："不可。"先主视之，乃虎威将军赵云也。正是：君王未及行天讨，臣下曾闻进直言。未知子龙所谏若何，且看下文分解。

# 第八十一回

## 急兄仇张飞遇害　雪弟恨先主兴兵

却说先主欲起兵东征，赵云谏曰："国贼乃曹操，非孙权也。今曹丕篡汉，神人共怒。陛下可早图关中，屯兵渭河上流，以讨凶逆，则关东义士，必裹粮策马以迎王师；若舍魏以伐吴，兵势一交，岂能骤解。愿陛下察之。"先主曰："孙权害了朕弟；又兼傅士仁、糜芳、潘璋、马忠皆有切齿之仇：啖其肉而灭其族，方雪朕恨！卿何阻耶？"云曰："汉贼之仇，公也；兄弟之仇，私也。愿以天下为重。"先主答曰："朕不为弟报仇，虽有万里江山，何足为贵？"遂不听赵云之谏，下令起兵伐吴；且发使往五溪，借番兵五万，共相策应；一面差使往阆中，迁张飞为车骑将军，领司隶校尉，封西乡侯，兼阆中牧。使命赍诏而去。

---

① 率土式望——天下敬望。式：通"轼"，古代的一种敬礼。

却说张飞在阆中，闻知关公被东吴所害，旦夕号泣，血湿衣襟。诸将以酒解劝，酒醉，怒气愈加。帐上帐下，但有犯者即鞭挞之；多有鞭死者。每日望南切齿睁目怒恨，放声痛哭不已。忽报使至，慌忙接入，开读诏旨。飞受爵望北拜毕，设酒款待来使。飞曰："吾兄被害，仇深似海；庙堂之臣，何不早奏兴兵？"使者曰："多有劝先灭魏而后伐吴者。"飞怒曰："是何言也！昔我三人桃园结义，誓同生死；今不幸二兄半途而逝，吾安得独享富贵耶！吾当面见天子，愿为前部先锋，挂孝伐吴，生擒逆贼，祭告二兄，以践前盟！"言讫，就同使命望成都而来。

却说先主每日自下教场操演军马，克日兴师，御驾亲征。于是公卿都至丞相府中见孔明，曰："今天子初临大位，亲统军伍，非所以重社稷也。丞相秉钧衡之职，何不规谏？"孔明曰："吾苦谏数次，只是不听。今日公等随我入教场谏去。"当下孔明引百官来奏先主曰："陛下初登宝位，若欲北讨汉贼，以伸大义于天下，方可亲统六师；若只欲伐吴，命一上将统军伐之可也，何必亲劳圣驾？"先主见孔明苦谏，心中稍回。忽报张飞到来，先主急召入。飞至演武厅拜伏于地，抱先主足而哭。先主亦哭。飞曰："陛下今日为君，早忘了桃园之誓！二兄之仇，如何不报？"先主曰："多官谏阻，未敢轻举。"飞曰："他人岂知昔日之盟？若陛下不去，臣舍此躯与二兄报仇！若不能报时，臣宁死不见陛下也！"先主曰："朕与卿同往：卿提本部兵自阆州而出，朕统精兵会于江州，共伐东吴，以雪此恨！"飞临行，先主嘱曰："朕素知卿酒后暴怒，鞭挞健儿，而复令在左右：此取祸之道也。今后务宜宽容，不可如前。"飞拜辞而去。

次日，先主整兵要行。学士秦宓奏曰："陛下舍万乘之躯，而徇小义，古人所不取也。愿陛下思之。"先主曰："云长与朕，犹一体也。大义尚在，岂可忘耶？"宓伏地不起曰："陛下不从臣言，诚恐有失。"先主大怒曰："朕欲兴兵，尔何出此不利之言！"叱武士推出斩之。宓面不改色，回顾先主而笑曰："臣死无恨，但可惜新创之业，又将颠覆耳！"众官皆为秦宓告免。先主曰："暂且囚下，待朕报仇回时发落。"孔明闻知，即上表救秦宓。其略曰：

臣亮等切以吴贼逞奸诡之计，致荆州有覆亡之祸；陨将星于斗牛，折天柱于楚地：此情哀痛，诚不可忘。但念迁汉鼎者，罪由曹操；移刘祚者，过非孙权。窃谓魏贼若除，则吴自宾服。愿陛下纳秦宓金石之言，以养士卒之力，别作良图，则社稷幸甚！天下幸甚！

先主看毕，掷表于地曰："朕意已决，无得再谏！"遂命丞相诸葛亮保太子守两川；骠骑将军马超并弟马岱，助镇北将军魏延守汉中，以当魏兵；虎威将军赵云为后应，兼督粮草；黄权、程畿为参谋；马良、陈震掌理文书；黄忠为前部先锋；冯习、张南为副将；傅彤、张翼为中军护尉；赵融、廖淳为合后。川将数百员，并五溪番将等，共兵七十五万，择定章武元年七月丙寅日出师。

却说张飞回到阆中，下令军中：限三日内制办白旗白甲，三军挂孝伐吴。次日，帐下两员末将范疆、张达，入帐告曰："白旗白甲，一时无措，须宽限方可。"飞大怒曰："吾急欲报仇，恨不明日便到逆贼之境，汝安敢违我将令！"叱武士缚于树上，各鞭背五十。鞭毕，以手指之曰："来日俱要完备！若违了限，即杀汝二人示众！"打得二人满口出血。回到营中商议，范疆曰："今日受了刑责，着我等如何办得？其人性暴如火，倘来日不完，你我皆被杀矣！"张达曰："比如他杀我，不如我杀他。"疆曰："怎奈不得近前。"达曰："我两个若不当死，则他醉于床上；若是当死，则他不醉。"二人商议停当。

却说张飞在帐中，神思昏乱，动止恍惚，乃问部将曰："吾今心惊肉颤，坐卧不安，此何意也？"部将答曰："此是君侯思念关公，以致如此。"飞令人将酒来，与部将同饮，不觉大醉，卧于帐中。范、张二贼，探知消息，初更时分，各藏短刀，密入帐中，诈言欲禀机密重事，直至床前。原来张飞每睡不合眼；当夜寝于帐中，二贼见他须竖目张，本不敢动手。因闻鼻息如雷，方敢近前，以短刀刺入飞腹。飞大叫一声而亡。时年五十五岁。后人有诗叹曰：

安喜曾闻鞭督邮，黄巾扫尽佐炎刘。
虎牢关上声先震，长坂桥边水逆流。
义释严颜安蜀境，智欺张郃定中州。
伐吴未克身先死，秋草长遗阆地愁。

却说二贼当夜割了张飞首级，便引数十人连夜投东吴去了。次日，军中闻知，起兵追之不及。时有张飞部将吴班，向自荆州来见先主，先主用为牙门将，使佐张飞守阆中。当下吴班先发表章，奏知天子；然后令长子张苞具棺椁盛贮，令弟张绍守阆中，苞自来报先主。时先主已择期出师。

大小官僚，皆随孔明送十里方回。孔明回至成都，怏怏不乐，顾谓众官曰："法孝直若在，必能制主上东行也。"

却说先主是夜心惊肉颤，寝卧不安。出帐仰观天文，见西北一星，其大如斗，忽然坠地。先主大疑，连夜令人求问孔明。孔明回奏曰："合损一上将。三日之内，必有惊报。"先主因此按兵不动。忽侍臣奏曰："阆中张车骑部将吴班，差人赍表至。"先主顿足曰："噫！三弟休矣！"及至览表，果报张飞凶信。先主放声大哭，昏绝于地。众官救醒。次日，人报一队军马骤风而至。先主出营观之。良久，见一员小将，白袍银铠，滚鞍下马，伏地而哭，乃张苞也。苞曰："范疆、张达杀了臣父，将首级投吴去了！"先主哀痛至甚，饮食不进。群臣苦谏曰："陛下方欲为二弟报仇，何可先自摧残龙体？"先主方才进膳；遂谓张苞曰："卿与吴班，敢引本部军作先锋，为卿父报仇否？"苞曰："为国为父，万死不辞！"先主正欲遣苞起兵，又报一彪军风拥而至。先主令侍臣探之。须臾，侍臣引一小将军，白袍银铠，入营伏地而哭。先主视之，乃关兴也。先主见了关兴，想起关公，又放声大哭。众官苦劝。先主曰："朕想布衣时，与关、张结义，誓同生死；今朕为天子，正欲与两弟同享富贵，不幸俱死于非命！见此二侄，能不断肠！"言讫又哭。

众官曰："二小将军且退。容圣上将息龙体。"侍臣奏曰："陛下年过六旬，不宜过于哀痛。"先主曰："二弟俱亡，朕安忍独生！"言讫，以头顿地而哭。多官商议曰："今天子如此烦恼，将何解劝？"马良曰："主上亲统大兵伐吴，终日号泣，于军不利。"陈震曰："吾闻成都青城山之西，有一隐者，姓李，名意。世人传说此老已三百余岁，能知人之生死吉凶，乃当世之神仙也。何不奏知天子，召此老来，问他吉凶，胜如吾等之言。"遂入奏先主。先主从之，即遣陈震赍诏，往青城山宣召。震星夜到了青城，令乡人引入山谷深处，遥望仙庄，清云隐隐，瑞气非凡。忽见一小童来迎曰："来者莫非陈孝起乎？"震大惊曰："仙童如何知我姓字？"童子曰："吾师昨者有言：'今日必有皇帝诏命至；使者必是陈孝起。'"震曰："真神仙也！人言信不诬矣！"遂与小童同入仙庄，拜见李意，宣天子诏命。李意推老不行。震曰："天子急欲见仙翁一面，幸勿吝鹤驾。"再三敦请，李意方行。既至御营，入见先主。先主见李意鹤发童颜，碧眼方瞳，灼灼有光，身如古柏之状，知是异人，优礼相待。李意曰："老夫乃荒山村叟，无学无识。辱陛下宣召，不知有何见谕？"先主曰："朕与关、张二弟结生死之交，三十余年矣。

今二弟被害，亲统大军报仇，未知休咎如何。久闻仙翁通晓玄机，望乞赐教。"李意曰："此乃天数，非老夫所知也。"先主再三求问，意乃索纸笔画兵马器械四十余张，画毕便一一扯碎。又画一大人仰卧于地上，傍边一人掘土埋之，上写一大"白"字，遂稽首而去。先主不悦，谓群臣曰："此狂叟也！不足为信。"即以火焚之，便催军前进。

张苞入奏曰："吴班军马已至。小臣乞为先锋。"先主壮其志，即取先锋印赐张苞。苞方欲挂印，又一少年将奋然出曰："留下印与我！"视之，乃关兴也。苞曰："我已奉诏矣。"兴曰："汝有何能，敢当此任？"苞曰："我自幼习学武艺，箭无虚发。"先主曰："朕正要观贤侄武艺，以定优劣。"苞令军士于百步之外，立一面旗，旗上画一红心。苞拈弓取箭，连射三箭，皆中红心。众皆称善。关兴挽弓在手曰："射中红心何足为奇？"正言间，忽值头上一行雁过。兴指曰："吾射这飞雁第三只。"一箭射去，那只雁应弦而落。文武官僚，齐声喝采。苞大怒，飞身上马，手挺父所使丈八点钢矛，大叫曰："你敢与我比试武艺否？"兴亦上马，绰家传大砍刀纵马而出曰："偏你能使矛！吾岂不能使刀！"

二将方欲交锋，先主喝曰："二子休得无礼！"兴、苞二人慌忙下马，各弃兵器，拜伏请罪。先主曰："朕自涿郡与卿等之父结异姓之交，亲如骨肉；今汝二人亦是昆仲之分，正当同心协力，共报父仇；奈何自相争竞，失其大义！父丧未远而犹如此，况日后乎？"二人再拜伏罪。先主问曰："卿二人谁年长？"苞曰："臣长关兴一岁。"先主即命兴拜苞为兄。二人就帐前折箭为誓，永相救护。先主下诏使吴班为先锋，令张苞、关兴护驾。水陆并进，船骑双行，浩浩荡荡，杀奔吴国来。

却说范疆、张达将张飞首级，投献吴侯，细告前事。孙权听罢，收了二人，乃谓百官曰："今刘玄德即了帝位，统精兵七十余万，御驾亲征，其势甚大，如之奈何？"百官尽皆失色，面面相觑。诸葛瑾出曰："某食君侯之禄久矣，无可报效，愿舍残生，去见蜀主，以利害说之，使两国相和，共讨曹丕之罪。"权大喜，即遣诸葛瑾为使，来说先主罢兵。正是：两国相争通使命，一言解难赖行人。未知诸葛瑾此去如何，且看下文分解。

# 第八十二回

## 孙权降魏受九锡　先主征吴赏六军

却说章武元年秋八月，先主起大军至夔关，驾屯白帝城。前队军马已出川口。近臣奏曰："吴使诸葛瑾至。"先主传旨教休放入。黄权奏曰："瑾弟在蜀为相，必有事而来。陛下何故绝之？当召入，看他言语。可从则从；如不可，则就借彼口说与孙权，令知问罪有名也。"先主从之，召瑾入城。瑾拜伏于地。先主问曰："子瑜远来，有何事故？"瑾曰："臣弟久事陛下，臣故不避斧钺，特来奏荆州之事。前者，关公在荆州时，吴侯数次求亲，关公不允。后关公取襄阳，曹操屡次致书吴侯，使袭荆州；吴侯本不肯许，因吕蒙与关公不睦，故擅自兴兵，误成大事。今吴侯悔之不及。此乃吕蒙之罪，非吴侯之过也。今吕蒙已死，冤仇已息。孙夫人一向思归。今吴侯令臣为使，愿送归夫人，缚还降将，并将荆州仍旧交还，永结盟好，共灭曹丕，以正篡逆之罪。"先主怒曰："汝东吴害了朕弟，今日敢以巧言来说乎！"瑾曰："臣请以轻重大小之事，与陛下论之：陛下乃汉朝皇叔，今汉帝已被曹丕篡夺，不思剿除；却为异姓之亲，而屈万乘之尊：是舍大义而就小义也。中原乃海内之地，两都皆大汉创业之方，陛下不取，而但争荆州：是弃重而取轻也。天下皆知陛下即位，必兴汉室，恢复山河；今陛下置魏不问，反欲伐吴：窃为陛下不取。"先主大怒曰："杀吾弟之仇，不共戴天！欲朕罢兵，除死方休！不看丞相之面，先斩汝首！今且放汝回去，说与孙权：洗颈就戮！"诸葛瑾见先主不听，只得自回江南。

却说张昭见孙权曰："诸葛子瑜知蜀兵势大，故假以请和为辞，欲背吴入蜀。此去必不回矣。"权曰："孤与子瑜，有生死不易之盟；孤不负子瑜，子瑜亦不负孤。昔子瑜在柴桑时，孔明来吴，孤欲使子瑜留之。子瑜曰：'弟已事玄德，义无二心；弟之不留，犹瑾之不往。'其言足贯神明。今日岂肯降蜀乎？孤与子瑜可谓神交，非外言所得间也。"正言间，忽报诸葛瑾回。权曰："孤言若何？"张昭满面羞惭而退。瑾见孙权，言先主不肯通和之意。权大惊曰："若如此，则江南危矣！"阶下一人进曰："某有一计，可解此危。”视之，乃中大夫赵咨也。权曰：“德度有何良策？”咨曰：“主公可作一表，某愿为使，往见魏帝曹丕，陈说利害，使袭汉中，则蜀兵自危矣。”权曰：“此计最善。但卿此去，休失了东吴气象。”咨曰：“若有些小差失，即投江而死，安有面目见江南人物乎！”

权大喜，即写表称臣，令赵咨为使。星夜到了许都，先见太尉贾诩等，并大小官僚。次日早朝，贾诩出班奏曰：“东吴遣中大夫赵咨上表。”曹丕笑曰：“此欲退蜀兵故也。”即令召入。咨拜伏于丹墀。丕览表毕，遂问咨曰：“吴侯乃何如主也？”咨曰：“聪明、仁智、雄略之主也。”丕笑曰：“卿褒奖毋乃太甚？”咨曰：“臣非过誉也。吴侯纳鲁肃于凡品，是其聪也；拔吕蒙于行阵，是其明也；获于禁而不害，是其仁也；取荆州兵不血刃，是其智也；据三江虎视天下，是其雄也；屈身于陛下，是其略也：以此论之，岂不为聪明、仁智、雄略之主乎？”丕又问曰：“吴主颇知学乎？”咨曰：“吴主浮江万艘，带甲百万，任贤使能，志存经略；少有余闲，博览书传，历观史籍，采其大旨，不效书生寻章摘句而已。”丕曰：“朕欲伐吴，可乎？”咨曰：“大国有征伐之兵，小国有御备之策。”丕曰：“吴畏魏乎？”咨曰：“带甲百万，江汉为池①，何畏之有？”丕曰：“东吴如大夫者几人？”咨曰：“聪明特达者八九十人；如臣之辈，车载斗量，不可胜数。”丕叹曰：“‘使于四方，不辱君命’，卿可以当之矣。”

于是即降诏，命太常卿邢贞赍册封孙权为吴王，加九锡。赵咨谢恩出城。大夫刘晔谏曰：“今孙权惧蜀兵之势，故来请降。以臣愚见：蜀、吴交兵，乃天亡之也；今若遣上将提数万之兵，渡江袭之，蜀攻其外，魏攻其内，吴国之亡，不出旬日。吴亡则蜀孤矣。陛下何不早图之？”丕曰：“孙权既以礼服朕，朕若攻之，是沮天下欲降者之心；不若纳之为是。”刘晔又曰：“孙权虽有雄才，乃残汉骠骑将军、南昌侯之职。官轻则势微，尚有畏中原之心；若加以王位，则去陛下一阶耳②。今陛下信其诈降，崇其位号以封殖之，是与虎添翼也。”丕曰：“不然。朕不助吴，亦不助蜀。待看吴、蜀交兵，若灭一国，止存一国，那时除之，有何难哉？朕意已决，卿勿复言。”遂命太常卿邢贞同赵咨捧执册锡，径至东吴。

---

① 池——城池，护城河。这里是比喻的话。

② 去陛下一阶耳——与皇上只差一级了。

却说孙权聚集百官，商议御蜀兵之策。忽报："魏帝封主公为王，礼当远接。"顾雍谏曰："主公宜自称上将军、九州伯之位，不当受魏帝封爵。"权曰："当日沛公受项羽之封①，盖因时也；何故却之？"遂率百官出城迎接。邢贞自恃上国天使，入门不下车。张昭大怒，厉声曰："礼无不敬，法无不肃，而君敢自尊大，岂以江南无方寸之刃耶？"邢贞慌忙下车，与孙权相见，并车入城。忽车后一人放声哭曰："吾等不能奋身舍命，为主并魏吞蜀，乃令主公受人封爵，不亦辱乎！"众视之，乃徐盛也。邢贞闻之，叹曰："江东将相如此，终非久在人下者也！"

却说孙权受了封爵，众文武官僚拜贺已毕，命收拾美玉明珠等物，遣人赍进谢恩。早有细作报说："蜀主引本国大兵，及蛮王沙摩柯番兵数万，又有洞溪汉将杜路、刘宁二枝兵，水陆并进，声势震天。水路军已出巫口，旱路军已到秭归。"时孙权虽登王位，奈魏主不肯接应，乃问文武曰："蜀兵势大，当复如何？"众皆默然。权叹曰："周郎之后有鲁肃；鲁肃之后有吕蒙；今吕蒙已亡，无人与孤分忧也！"言未毕，忽班部中一少年将，奋然而出，伏地奏曰："臣虽年幼，颇习兵书。愿乞数万之兵，以破蜀兵。"权视之，乃孙桓也。桓字叔武，其父名河，本姓俞氏，孙策爱之，赐姓孙，因此亦系吴王宗族；河生四子，桓居其长，弓马熟娴，常从吴王征讨，累立奇功，官授武卫都尉；时年二十五岁。权曰："汝有何策胜之？"桓曰："臣有大将二员：一名李异，一名谢旌，俱有万夫不当之勇。乞数万之众，往擒刘备。"权曰："侄虽英勇，争奈年幼；必得一人相助，方可。"虎威将军朱然出曰："臣愿与小将军同擒刘备。"权许之，遂点水陆军五万，封孙桓为左都督，朱然为右都督，即日起兵。哨马探得蜀兵已至宜都下寨，孙桓引二万五千军马，屯于宜都界口，前后分作三营，以拒蜀兵。

却说蜀将吴班领先锋之印，自出川以来，所到之处，望风而降，兵不血刃，直到宜都；探知孙桓在彼下寨，飞奏先主。时先主已到秭归，闻奏怒曰："量此小儿，安敢与朕抗耶！"关兴奏曰："既孙权令此子为将，不劳陛下遣大将，臣愿往擒之。"先主曰："朕正欲观汝壮气。"即命关兴前往。兴拜辞欲行，张苞出曰："既关兴前去讨贼，臣愿同行。"先主曰："二侄同行甚

---

① 沛公受项羽之封——刘邦、项羽共同灭秦后，刘邦当时因势力不及项羽，曾接受项羽所给的"汉王"封号。

妙；但须谨慎，不可造次。”

二人拜辞先主，会合先锋，一同进兵，列成阵势。孙桓听知蜀兵大至，合寨多起。两阵对圆，桓领李异、谢旌立马于门旗之下，见蜀营中，拥出二员大将，皆银盔银铠，白马白旗：上首张苞挺丈八点钢矛，下首关兴横着大砍刀。苞大骂曰：“孙桓竖子！死在临时，尚敢抗拒天兵乎！”桓亦骂曰：“汝父已作无头之鬼；今汝又来讨死，好生不智！”张苞大怒，挺枪直取孙桓。桓背后谢旌，骤马来迎。两将战有三十余合，旌败走，苞乘胜赶来。李异见谢旌败了，慌忙拍马轮蘸金斧接战。张苞与战二十余合，不分胜负。吴军中裨将谭雄，见张苞英勇，李异不能胜，却放一冷箭，正射中张苞所骑之马。那马负痛奔回本阵，未到门旗边，扑地便倒，将张苞掀在地上。李异急向前轮起大斧，望张苞脑袋便砍。忽一道红光闪处，李异头早落地。——原来关兴见张苞马回，正待接应，忽见张苞马倒，李异赶来，兴大喝一声，劈李异于马下，救了张苞。乘势掩杀，孙桓大败。各自鸣金收军。

次日，孙桓又引军来。张苞、关兴齐出。关兴立马于阵前，单搦孙桓交锋。桓大怒，拍马轮刀，与关兴战三十余合，气力不加，大败回阵。二小将追杀入营，吴班引着张南、冯习驱兵掩杀。张苞奋勇当先，杀入吴军，正遇谢旌，被苞一矛刺死。吴军四散奔走。蜀将得胜收兵，只不见了关兴。张苞大惊曰：“安国有失，吾不独生！”言讫，绰枪上马。寻不数里，只见关兴左手提刀，右手活挟一将。苞问曰：“此是何人？”兴笑答曰：“吾在乱军中，正遇仇人，故生擒来。”苞视之，乃昨日放冷箭的谭雄也。苞大喜，同回本营，斩首沥血，祭了死马。遂写表差人赴先主处报捷。

孙桓折了李异、谢旌、谭雄等许多将士，力穷势孤，不能抵敌，即差人回吴求救。蜀将张南、冯习谓吴班曰：“目今吴兵势败，正好乘虚劫寨。”班曰：“孙桓虽然折了许多将士，朱然水军现今结营江上，未曾损折。今日若去劫寨，倘水军上岸，断我归路，如之奈何？”南曰：“此事至易：可教关、张二将军，各引五千军伏于山谷中；如朱然来救，左右两军齐出夹攻，必然取胜。”班曰：“不如先使小卒诈作降兵，却将劫寨事告与朱然；然见火起，必来救应，却令伏兵击之，则大事济矣。”冯习等大喜，遂依计而行。

却说朱然听知孙桓损兵折将，正欲来救，忽伏路军引几个小卒上船投降。然问之，小卒曰：“我等是冯习帐下士卒，因赏罚不明，特来投降，就报机密。”然曰：“所报何事？”小卒曰：“今晚冯习乘虚要劫孙将军营寨，约定举火为号。"朱然听毕，即使人报知孙桓。报事人行至半途，被关兴杀了。朱然一面商议，欲引兵去救应孙桓。部将崔禹曰："小卒之言，未可深信。倘有疏虞，水陆二军尽皆休矣。将军只宜稳守水寨，某愿替将军一行。"然从之，遂令崔禹引一万军前去。是夜，冯习、张南、吴班分兵三路，直杀入孙桓寨中，四面火起，吴兵大乱，寻路奔走。

且说崔禹正行之间，忽见火起，急催兵前进。刚才转过山来，忽山谷中鼓声大震：左边关兴，右边张苞，两路夹攻。崔禹大惊，方欲奔走，正遇张苞；交马只一合，被苞生擒而回。朱然听知危急，将船往下水退五六十里去了。孙桓引败军逃走，问部将曰："前去何处城坚粮广？"部将曰："此去正北彝陵城，可以屯兵。"桓引败军急望彝陵而走。方进得城，吴班等追至，将城四面围定。关兴、张苞等解崔禹到秭归来。先主大喜，传旨将崔禹斩却，大赏三军。自此威风震动，江南诸将无不胆寒。

却说孙桓令人求救于吴王，吴王大惊，即召文武商议曰："今孙桓受困于彝陵，朱然大败于江中：蜀兵势大，如之奈何？"张昭奏曰："今诸将虽多物故①，然尚有十余人，何虑于刘备？可命韩当为正将，周泰为副将，潘璋为先锋，凌统为合后，甘宁为救应，起兵十万拒之。"权依所奏，即命诸将速行。此时甘宁已患痢疾，带病从征。

却说先主从巫峡建平起，直接彝陵界分，七百余里，连结四十余寨；见关兴、张苞屡立大功，叹曰："昔日从朕诸将，皆老迈无用矣；复有二侄如此英雄，朕何虑孙权乎！"正言间，忽报韩当、周泰领兵来到。先主方欲遣将迎敌，近臣奏曰："老将黄忠，引五六人投东吴去了。"先主笑曰："黄汉升非反叛之人也；因朕失口误言老者无用，彼必不服老，故奋力去相持矣。"即召关兴、张苞曰："黄汉升此去必然有失。贤侄休辞劳苦，可去相助。略有微功，便可令回，勿使有失。"二小将拜辞先主，引本部军来助黄忠。正是：老臣素矢忠君志，年少能成报国功。未知黄忠此去如何，且看下文分解。

---

① 物故——死亡。

# 第八十三回

## 战猇亭先主得仇人　守江口书生拜大将

却说章武二年春正月，武威后将军黄忠随先主伐吴；忽闻先主言老将无用，即提刀上马，引亲随五六人，径到彝陵营中。吴班与张南、冯习接入，问曰："老将军此来，有何事故?"忠曰："吾自长沙跟天子到今，多负勤劳。今虽七旬有余，尚食肉十斤，臂开二石之弓，能乘千里之马，未足为老。昨日主上言吾等老迈无用，故来此与东吴交锋，看吾斩将，老也不老!"

正言间，忽报吴兵前部已到，哨马临营。忠奋然而起，出帐上马。冯习等劝曰："老将军且休轻进。"忠不听，纵马而去。吴班令冯习引兵助战。忠在吴军阵前，勒马横刀，单搦先锋潘璋交战。璋引部将史迹出马。迹欺忠年老，挺枪出战；斗不三合，被忠一刀斩于马下。潘璋大怒，挥关公使的青龙刀，来战黄忠。交马数合，不分胜负。忠奋力恶战，璋料敌不过，拨马便走。忠乘势追杀，全胜而回。路逢关兴、张苞。兴曰："我等奉圣旨来助老将军；既已立了功，速请回营。"忠不听。

次日，潘璋又来搦战。黄忠奋然上马。兴、苞二人要助战，忠不从；吴班要助战，忠亦不从；只自引五千军出迎。战不数合，璋拖刀便走。忠纵马追之，厉声大叫曰："贼将休走！吾今为关公报仇!"追至三十余里，四面喊声大震，伏兵齐出：右边周泰，左边韩当，前有潘璋，后有凌统，把黄忠困在垓心。忽然狂风大起，忠急退时，山坡上马忠引一军出，一箭射中黄忠肩窝，险些儿落马。吴兵见忠中箭，一齐来攻。忽后面喊声大起，两路军杀来，吴兵溃散，救出黄忠——乃关兴、张苞也。二小将保送黄忠径到御前营中。忠年老血衰，箭疮痛裂，病甚沉重。先主御驾自来看视，抚其背曰："令老将军中伤，朕之过也!"忠曰："臣乃一武夫耳，幸遇陛下。臣今年七十有五，寿亦足矣。望陛下善保龙体，以图中原!"言讫，不省人事。是夜殒于御营。后人有诗叹曰：

老将说黄忠，收川立大功。重披金锁甲，双挽铁胎弓。

胆气惊河北，威名镇蜀中。临亡头似雪，犹自显英雄。

先主见黄忠气绝，哀伤不已，敕具棺椁，葬于成都。先主叹曰：“五虎大将，已亡三人。朕尚不能复仇，深可痛哉！”乃引御林军直至猇亭①，大会诸将，分军八路，水陆俱进。水路令黄权领兵，先主自率大军于旱路进发：时章武二年二月中旬也。

韩当、周泰听知先主御驾来征，引兵出迎。两阵对圆，韩当、周泰出马，只见蜀营门旗开处，先主自出，黄罗销金伞盖，左右白旄黄钺，金银旌节，前后围绕。当大叫曰：“陛下今为蜀主，何自轻出？倘有疏虞，悔之何及！”先主遥指骂曰：“汝等吴狗，伤朕手足，誓不与立于天地之间！”当回顾众将曰：“谁敢冲突蜀兵？”部将夏恂，挺枪出马。先主背后张苞挺丈八矛，纵马而出，大喝一声，直取夏恂。恂见苞声若巨雷，心中惊惧；恰待要走，周泰弟周平见恂抵敌不住，挥刀纵马而来。关兴见了，跃马提刀来迎。张苞大喝一声，一矛刺中夏恂，倒撞下马。周平大惊，措手不及，被关兴一刀斩了。二小将便取韩当、周泰。韩、周二人，慌退入阵。先主视之，叹曰：“虎父无犬子也！”用御鞭一指，蜀兵一齐掩杀过去，吴兵大败。那八路兵，势如泉涌，杀的那吴军尸横遍野，血流成河。

却说甘宁正在船中养病，听知蜀兵大至，火急上马，正遇一彪蛮兵，人皆披发跣足，皆使弓弩长枪，搪牌刀斧；为首乃是番王沙摩柯，生得面如噀血，碧眼突出，使一个铁蒺藜骨朵②，腰带两张弓，威风抖擞。甘宁见其势大，不敢交锋，拨马而走；被沙摩柯一箭射中头颅。宁带箭而走，到于富池口，坐于大树之下而死。树上群鸦数百，围绕其尸。吴王闻之，哀痛不已，具礼厚葬，立庙祭祀。后人有诗叹曰：

吴郡甘兴霸，长江锦幔舟。酬君重知己，报友化仇雠③。

劫寨将轻骑，驱兵饮巨瓯。神鸦能显圣，香火永千秋。

却说先主乘势追杀，遂得猇亭。吴兵四散逃走。先主收兵，只不见关兴。先主慌令张苞等四面跟寻。原来关兴杀入吴阵，正遇仇人潘璋，骤马

---

① 猇(xiāo)亭——地名。

② 铁蒺藜骨朵——古代兵器，用铁或硬木做成，一头是柄，一头长圆形，上面附有铁刺。

③ 雠(chóu)——通“仇”。

追之。璋大惊，奔入山谷内，不知所往。兴寻思只在山里，往来寻觅不见。看看天晚，迷踪失路。幸得星月有光，追至山僻之间，时已二更，到一庄上，下马叩门。一老者出问何人。兴曰："吾是战将，迷路到此，求一饭充饥。"老人引入，兴见堂内点着明烛，中堂绘画关公神像。兴大哭而拜。老人问曰："将军何故哭拜？"兴曰："此吾父也。"老人闻言，即便下拜。兴曰："何故供养吾父？"老人答曰："此间皆是尊神地方。在生之日，家家侍奉，何况今日为神乎？老夫只望蜀兵早早报仇。今将军到此，百姓有福矣。"遂置酒食待之，卸鞍喂马。

三更已后，忽门外又一人击户。老人出而问之，乃吴将潘璋亦来投宿。恰入草堂，关兴见了，按剑大喝曰："歹贼休走！"璋回身便出。忽门外一人，面如重枣，丹凤眼，卧蚕眉，飘三缕美髯，绿袍金铠，按剑而入。璋见是关公显圣，大叫一声，神魂惊散；欲待转身，早被关兴手起剑落，斩于地上，取心沥血，就关公神像前祭祀。兴得了父亲的青龙偃月刀，却将潘璋首级，擐于马项之下，辞了老人，就骑了潘璋的马，望本营而来。老人自将潘璋之尸拖出烧化。

且说关兴行无数里，忽听得人言马嘶，一彪军来到；为首一将，乃潘璋部将马忠也。忠见兴杀了主将潘璋，将首级擐于马项之下，青龙刀又被兴得了，勃然大怒，纵马来取关兴。兴见马忠是害父仇人，气冲牛斗，举青龙刀望忠便砍。忠部下三百军并力上前，一声喊起，将关兴围在垓心。兴力孤势危。忽见西北上一彪军杀来，乃是张苞。马忠见救兵到来，慌忙引军自退。关兴、张苞一处赶来。赶不数里，前面糜芳、傅士仁引兵来寻马忠。两军相合，混战一处。苞、兴二人兵少，慌忙撤退，回至猇亭，来见先主，献上首级，具言此事。先主惊异，赏犒三军。

却说马忠回见韩当、周泰，收聚败军，各分头守把。军士中伤者不计其数。马忠引傅士仁、糜芳于江渚屯扎。当夜三更，军士皆哭声不止。糜芳暗听之，有一伙军言曰："我等皆是荆州之兵，被吕蒙诡计送了主公性命，今刘皇叔御驾亲征，东吴早晚休矣。所恨者，糜芳、傅士仁也。我等何不杀此二贼，去蜀营投降？功劳不小。"又一伙军言曰："不要性急，等个空儿，便就下手。"

糜芳听毕，大惊，遂与傅士仁商议曰："军心变动，我二人性命难保。今蜀主所恨者马忠耳；何不杀了他，将首级去献蜀主，告称：'我等不得已而降吴，今知御驾前来，特地诣营请罪。'"仁曰："不可。去必有祸。"芳曰："蜀主宽仁厚德；目今阿斗太子是我外甥，彼但念我国戚之情，必不肯加害。"二人计较已定，先备了马。三更时分，入帐刺杀马忠，将首级割了，二人带数十骑，径投猇亭而来。伏路军人先引见张南、冯习，具说其事。次日，到御营中来见先主，献上马忠首级，哭告于前曰："臣等实无反心；被吕蒙诡计，称言关公已亡，赚开城门，臣等不得已而降。今闻圣驾前来，特杀此贼，以雪陛下之恨。伏乞陛下恕臣等之罪。"先主大怒曰："朕自离成都许多时，你两个如何不来请罪？今日势危，故来巧言，欲全性命！朕若饶你，至九泉之下，有何面目见关公乎！"言讫，令关兴在御营中，设关公灵位。先主亲捧马忠首级，诣前祭祀。又令关兴将糜芳、傅士仁剥去衣服，跪于灵前，亲自用刀剐之，以祭关公。忽张苞上帐哭拜于前曰："二伯父仇人皆已诛戮；臣父冤仇，何日可报？"先主曰："贤侄勿忧。朕当削平江南，杀尽吴狗，务擒二贼，与汝亲自醢①之，以祭汝父。"苞泣谢而退。

此时先主威声大震，江南之人尽皆胆裂，日夜号哭。韩当、周泰大惊，急奏吴王，具言糜芳、傅士仁杀了马忠，去归蜀帝，亦被蜀帝杀了。孙权心怯，遂聚文武商议。步骘奏曰："蜀主所恨者，乃吕蒙、潘璋、马忠、糜芳、傅士仁也。今此数人皆亡，独有范疆、张达二人，现在东吴。何不擒此二人，并张飞首级，遣使送还，交与荆州，送归夫人，上表求和，再会前情，共图灭魏，则蜀兵自退矣。"权从其言，遂具沉香木匣，盛贮飞首，绑缚范疆、张达，囚于槛车之内，令程秉为使，赍国书，望猇亭而来。

却说先主欲发兵前进。忽近臣奏曰："东吴遣使送张车骑之首，并囚范疆、张达二贼至。"先主两手加额②曰："此天之所赐，亦由三弟之灵也！"即令张苞设飞灵位。先主见张飞首级在匣中面不改色，放声大哭。张苞自仗利刀，将范疆、张达万剐凌迟，祭父之灵。

祭毕，先主怒气不息，定要灭吴。马良奏曰："仇人尽戮，其恨可雪矣。吴大夫程秉到此，欲还荆州，送回夫人，永结盟好，共图灭魏，伏候圣旨。"先主怒曰："朕切齿仇人，乃孙权也。今若与之连和，是负二弟当日之盟矣。今先灭吴，次灭魏。"便欲斩来使，以绝吴情。多官苦告方免。程秉抱

---

① 醢(hǎi)——剁成肉酱。

② 两手加额——古人表示庆幸时的一种手式：举起双手放在额部。

头鼠窜，回奏吴主曰："蜀不从讲和，誓欲先灭东吴，然后伐魏。众臣苦谏不听，如之奈何？"

权大惊，举止失措。阚泽出班奏曰："现有擎天之柱，如何不用耶？"权急问何人。泽曰："昔日东吴大事，全任周郎；后鲁子敬代之；子敬亡后，决于吕子明；今子明虽丧，现有陆伯言在荆州。此人名虽儒生，实有雄才大略，以臣论之，不在周郎之下；前破关公，其谋皆出于伯言。主上若能用之，破蜀必矣。如或有失，臣愿与同罪。"权曰："非德润之言，孤几误大事。"张昭曰："陆逊乃一书生耳，非刘备敌手；恐不可用。"顾雍亦曰："陆逊年幼望轻，恐诸公不服；若不服则生祸乱，必误大事。"步骘亦曰："逊才堪治郡耳；若托以大事，非其宜也。"阚泽大呼曰："若不用陆伯言，则东吴休矣！臣愿以全家保之！"权曰："孤亦素知陆伯言乃奇才也！孤意已决，卿等勿言。"

于是命召陆逊。逊本名陆议，后改名逊，字伯言，乃吴郡吴人也；汉城门校尉陆纡之孙，九江都尉陆骏之子；身长八尺，面如美玉；官领镇西将军。当下奉召而至，参拜毕，权曰："今蜀兵临境，孤特命卿总督军马，以破刘备。"逊曰："江东文武，皆大王故旧之臣；臣年幼无才，安能制之？"权曰："阚德润以全家保卿，孤亦素知卿才。今拜卿为大都督，卿勿推辞。"逊曰："倘文武不服，何如？"权取所佩剑与之曰："如有不听号令者，先斩后奏。"逊曰："荷蒙重托，敢不拜命；但乞大王于来日会聚众官，然后赐臣。"阚泽曰："古之命将，必筑坛会众，赐白旄黄钺、印绶兵符，然后威行令肃。今大王宜遵此礼，择日筑坛，拜伯言为大都督，假节钺，则众人自无不服矣。"权从之，命人连夜筑坛完备，大会百官，请陆逊登坛，拜为大都督、右护军镇西将军，进封娄侯，赐以宝剑印绶，令掌六郡八十一州兼荆楚诸路军马。吴王嘱之曰："阃以内，孤主之；阃以外，将军制之①。"

逊领命下坛，令徐盛、丁奉为护卫，即日出师；一面调诸路军马，水陆并进。文书到猇亭，韩当、周泰大惊曰："主上如何以一书生总兵耶？"比及逊至，众皆不服。逊升帐议事，众人勉强参贺。逊曰："主上命吾为大将，督军破蜀。军有常法，公等各宜遵守。违者王法无亲，勿致后悔。"众皆默

---

① 阃(kǔn)以外，将军制之——京城以外所有的疆土，由你控制。阃：城门的门限。这里是指孙权将不干扰陆逊的指挥权。

然。周泰曰："目今安东将军孙桓，乃主上之侄，现困于彝陵城中，内无粮草，外无救兵；请都督早施良策，救出孙桓，以安主上之心。"逊曰："吾素知孙安东深得军心，必能坚守，不必救之。待吾破蜀后，彼自出矣。"众皆暗笑而退。韩当谓周泰曰："命此孺子为将，东吴休矣！公见彼所行乎？"泰曰："吾聊以言试之，早无一计，安能破蜀也？"

次日，陆逊传下号令，教诸将各处关防，牢守隘口，不许轻敌。众皆笑其懦，不肯坚守。次日，陆逊升帐唤诸将曰："吾钦承王命，总督诸军，昨已三令五申，令汝等各处坚守；俱不遵吾令，何也？"韩当曰："吾自从孙将军平定江南，经数百战；其余诸将，或从讨逆将军，或从当今大王，皆披坚执锐、出生入死之士。今主上命公为大都督，令退蜀兵，宜早定计，调拨军马，分头征进，以图大事；乃只令坚守勿战，岂欲待天自杀贼耶？吾非贪生怕死之人，奈何使吾等堕其锐气？"于是帐下诸将，皆应声而言曰："韩将军之言是也。吾等情愿决一死战！"陆逊听毕，掣剑在手，厉声曰："仆虽一介书生，今蒙主上托以重任者，以吾有尺寸可取①，能忍辱负重故也。汝等只各守隘口，牢把险要，不许妄动。如违令者皆斩！"众皆愤愤而退。

却说先主自猇亭布列军马，直至川口，接连七百里，前后四十营寨，昼则旌旗蔽日，夜则火光耀天。忽细作报说："东吴用陆逊为大都督，总制军马。逊令诸将各守险要不出。"先主问曰："陆逊何如人也？"马良奏曰："逊虽东吴一书生，然年幼多才，深有谋略；前袭荆州，皆系此人之诡计。"先主大怒曰："竖子诡计，损朕二弟，今当擒之！"便传令进兵。马良谏曰："陆逊之才，不亚周郎，未可轻敌。"先主曰："朕用兵老矣，岂反不如一黄口孺子耶！"遂亲领前军，攻打诸处关津隘口。

韩当见先主兵来，差人报知陆逊。逊恐韩当妄动，急飞马自来观看，正见韩当立马于山上；远望蜀兵，漫山遍野而来，军中隐隐有黄罗盖伞。韩当接着陆逊，并马而观。当指曰："军中必有刘备，吾欲击之。"逊曰："刘备举兵东下，连胜十余阵，锐气正盛；今只乘高守险，不可轻出，出则不利。但宜奖励将士，广布守御之策，以观其变。今彼驰骋于平原广野之间，正自得志；我坚守不出，彼求战不得，必移屯于山林树木间。吾当以奇计胜之。"

---

① 尺寸可取——承认有些小的长处。这里是自谦的说法。

韩当口虽应诺，心中只是不服。先主使前队搦战，辱骂百端。逊令塞耳休听，不许出迎，亲自遍历诸关隘口，抚慰将士，皆令坚守。先主见吴军不出，心中焦躁。马良曰："陆逊深有谋略。今陛下远来攻战，自春历夏；彼之不出，欲待我军之变也。愿陛下察之。"先主曰："彼有何谋？但怯敌耳。向者数败，今安敢再出！"先锋冯习奏曰："即今天气炎热，军屯于赤火之中，取水深为不便。"先主遂命各营，皆移于山林茂盛之地，近溪傍涧；待过夏到秋，并力进兵。冯习遂奉旨，将诸寨皆移于林木阴密之处。马良奏曰："我军若动，倘吴兵骤至，如之奈何？"先主曰："朕令吴班引万余弱兵，近吴寨平地屯住；朕亲选八千精兵，伏于山谷之中。若陆逊知朕移营，必乘势来击，却令吴班诈败；逊若追来，朕引兵突出，断其归路，小子可擒矣。"文武皆贺曰："陛下神机妙算，诸臣不及也！"

马良曰："近闻诸葛丞相在东川点看各处隘口，恐魏兵入寇。陛下何不将各营移居之地，画成图本，问于丞相？"先主曰："朕亦颇知兵法，何必又问丞相？"良曰："古云：'兼听则明，偏听则蔽。'望陛下察之。"先主曰："卿可自去各营，画成四至八道图本，亲到东川去问丞相。如有不便，可急来报知。"马良领命而去。于是先主移兵于林木阴密处避暑。早有细作报知韩当、周泰。二人听得此事，大喜，来见陆逊曰："目今蜀兵四十余营，皆移于山林密处，依溪傍涧，就水歇凉。都督可乘虚击之。"正是：蜀主有谋能设伏，吴兵好勇定遭擒。未知陆逊可听其言否，且看下文分解。

# 第八十四回

## 陆逊营烧七百里　孔明巧布八阵图

却说韩当、周泰探知先主移营就凉，急来报知陆逊。逊大喜，遂引兵自来观看动静；只见平地一屯，不满万余人，大半皆是老弱之众，大书"先锋吴班"旗号。周泰曰："吾视此等兵如儿戏耳。愿同韩将军分两路击之。如其不胜，甘当军令。"陆逊看了良久，以鞭指曰："前面山谷中，隐隐有杀气起；其下必有伏兵，故于平地设此弱兵，以诱我耳。诸公切不可出。"众将听了，皆以为懦。

次日，吴班引兵到关前搦战，耀武扬威，辱骂不绝；多有解衣卸甲，赤身裸体，或睡或坐。徐盛、丁奉入帐禀陆逊曰："蜀兵欺我太甚！某等愿出击之！"逊笑曰："公等但恃血气之勇，未知孙、吴妙法。此彼诱敌之计也：三日后必见其诈矣。"徐盛曰："三日后，彼移营已安，安能击之乎？"逊曰："吾正欲令彼移营也。"诸将哂笑而退。过三日后，会诸将于关上观望，见吴班兵已退去。逊指曰："杀气起矣。刘备必从山谷中出也。"言未毕，只见蜀兵皆全装惯束，拥先主而过。吴兵见了，尽皆胆裂。逊曰："吾之不听诸公击班者，正为此也。今伏兵已出，旬日之内，必破蜀矣。"诸将皆曰："破蜀当在初时；今连营五六百里，相守经七八月，其诸要害，皆已固守，安能破乎？"逊曰："诸公不知兵法。备乃世之枭雄，更多智谋，其兵始集，法度精专；今守之久矣，不得我便，兵疲意阻，取之正在今日。"诸将方才叹服。后人有诗赞曰：

虎帐谈兵按《六韬》，安排香饵钓鲸鳌。
三分自是多英俊，又显江南陆逊高。

却说陆逊已定了破蜀之策，遂修笺遣使奏闻孙权，言指日可以破蜀之意。权览毕，大喜曰："江东复有此异人，孤何忧战！诸将皆上书言其懦，孤独不信。今观其言，果非懦也。"于是大起吴兵来接应。

却说先主于猇亭尽驱水军，顺流而下，沿江屯扎水寨，深入吴境。黄权谏曰："水军沿江而下，进则易，退则难。臣愿为前驱。陛下宜在后阵，庶万无一失。"先主曰："吴贼胆落，朕长驱大进，有何碍乎？"众官苦谏，先主不从。遂分兵两路：命黄权督江北之兵，以防魏寇；先主自督江南诸军，夹江分立营寨，以图进取。细作探知，连夜报知魏主，言"蜀兵伐吴，树栅连营，纵横七百余里，分四十余屯，皆傍山林下寨；今黄权督兵在江北岸，每日出哨百余里，不知何意"。

魏主闻之，仰面笑曰："刘备将败矣！"群臣请问其故。魏主曰："刘玄德不晓兵法：岂有连营七百里，而可以拒敌者乎？包原隰险阻屯兵者①，此兵法之大忌也。玄德必败于东吴陆逊之手。旬日之内，消息必至矣。"群

---

① 包原隰(xí)险阻屯兵者大军铺开驻扎在地形过于复杂的大片地方的做法。包：通"苞"，草木丛生的地方；原：高平之处；隰：低湿的地方；险阻：地势险要的处所。

臣犹未信，皆请拨兵备之。魏主曰："陆逊若胜，必尽举吴兵去取西川；吴兵远去，国中空虚，朕虚托以兵助战，令三路一齐进兵，东吴唾手可取也。"众皆拜服。魏主下令，使曹仁督一军出濡须，曹休督一军出洞口，曹真督一军出南郡，"三路军马会合日期，暗袭东吴。朕随后自来接应"。调遣已定。

不说魏兵袭吴。且说马良至川，入见孔明，呈上图本而言曰："今移营夹江，横占七百里，下四十余屯，皆依溪傍涧、林木茂盛之处。皇上令良将图本来与丞相观之。"孔明看讫，拍案叫苦曰："是何人教主上如此下寨？可斩此人！"马良曰："皆主上自为，非他人之谋。"孔明叹曰："汉朝气数休矣！"良问其故。孔明曰："包原隰险阻而结营，此兵家之大忌。倘彼用火攻，何以解救？又，岂有连营七百里而可拒敌乎？祸不远矣！陆逊拒守不出，正为此也。汝当速去见天子，改屯诸营，不可如此。"良曰："倘今吴兵已胜，如之奈何？"孔明曰："陆逊不敢来追，成都可保无虞。"良曰："逊何故不追？"孔明曰："恐魏兵袭其后也。主上若有失，当投白帝城避之。吾入川时，已伏下十万兵在鱼腹浦矣。"良大惊曰："某于鱼腹浦往来数次，未尝见一卒，丞相何作此诈语？"孔明曰："后来必见，不劳多问。"马良求了表章，火速投御营来。孔明自回成都，调拨军马救应。

却说陆逊见蜀兵懈怠，不复提防，升帐聚大小将士听令曰："吾自受命以来，未尝出战。今观蜀兵，足知动静，故欲先取江南岸一营。谁敢去取？"言未毕，韩当、周泰、凌统等应声而出曰："某等愿往。"逊教皆退不用，独唤阶下末将淳于丹曰："吾与汝五千军，去取江南第四营：蜀将傅彤所守。今晚就要成功。吾自提兵接应。"淳于丹引兵去了，又唤徐盛、丁奉曰："汝等各领兵三千，屯于寨外五里。如淳于丹败回，有兵赶来，当出救之，却不可追去。"二将自引军去了。

却说淳于丹于黄昏时分，领兵前进，到蜀寨时，已三更之后。丹令众军鼓噪而入。蜀营内傅彤引军杀出，挺枪直取淳于丹；丹敌不住，拨马便回。忽然喊声大震，一彪军拦住去路：为首大将赵融。丹夺路而走，折兵大半。正走之间，山后一彪蛮兵拦住：为首番将沙摩柯。丹死战得脱，背后三路军赶来。比及离营五里，吴军徐盛、丁奉二人两下杀来，蜀兵退去，救了淳于丹回营。丹带箭入见陆逊请罪。逊曰："非汝之过也。——吾欲试敌人之虚实耳。破蜀之计，吾已定矣。"徐盛、丁奉曰："蜀兵势大，难以破之，空自损兵折将耳。”逊笑曰：“吾这条计，但瞒不过诸葛亮耳。天幸此人不在，使我成大功也。”

遂集大小将士听令：使朱然于水路进兵，来日午后东南风大作，用船装载茅草，依计而行；韩当引一军攻江北岸，周泰引一军攻江南岸，每人手执茅草一把，内藏硫黄焰硝，各带火种，各执枪刀，一齐而上，但到蜀营，顺风举火；蜀兵四十屯，只烧二十屯，每间一屯烧一屯。各军预带干粮，不许暂退，昼夜追袭，只擒了刘备方止。众将听了军令，各受计而去。

却说先主正在御营寻思破吴之计，忽见帐前中军旗幡，无风自倒。乃问程畿曰：“此为何兆？”畿曰：“今夜莫非吴兵来劫营？”先主曰：“昨夜杀尽，安敢再来？”畿曰：“倘是陆逊试敌，奈何？”正言间，人报山上远远望见吴兵尽沿山望东去了。先主曰：“此是疑兵。”令众休动，命关兴、张苞各引五百骑出巡。黄昏时分，关兴回奏曰：“江北营中火起。”先主急令关兴往江北，张苞往江南，探看虚实：“倘吴兵到时，可急回报。”

二将领命去了。初更时分，东南风骤起。只见御营左屯火发。方欲救时，御营右屯又火起。风紧火急，树木皆着，喊声大震。两屯军马齐出，奔离御营中，御营军自相践踏，死者不知其数。后面吴兵杀到，又不知多少军马。先主急上马，奔冯习营时，习营中火光连天而起。江南、江北，照耀如同白日。冯习慌上马引数十骑而走，正逢吴将徐盛军到，敌住厮杀。先主见了，拨马投西便走。徐盛舍了冯习，引兵追来。先主正慌，前面又一军拦住，乃是吴将丁奉，两下夹攻。先主大惊，四面无路。忽然喊声大震，一彪军杀入重围，乃是张苞，救了先主，引御林军奔走。正行之间，前面一军又到，乃蜀将傅彤也，合兵一处而行。背后吴兵追至。先主前到一山，名马鞍山。张苞、傅彤请先主上的山时，山下喊声又起：陆逊大队人马，将马鞍山围住。张苞、傅彤死据山口。先主遥望遍野火光不绝，死尸重叠，塞江而下。

次日，吴兵又四下放火烧山，军士乱窜，先主惊慌。忽然火光中一将引数骑杀上山来，视之，乃关兴也。兴伏地请曰：“四下火光逼近，不可久停。陛下速奔白帝城，再收军马可也。”先主曰：“谁敢断后？”傅彤奏曰：“臣愿以死当之！”当日黄昏，关兴在前，张苞在中，留傅彤断后，保着先主，杀下山来。吴兵见先主奔走，皆要争功，各引大军，遮天盖地，往西追赶。先主令军士尽脱袍铠，塞道而焚，以断后军。正奔走间，喊声大震，吴将朱然引一军从江岸边杀来，截住去路。先主叫曰："朕死于此矣！"关兴、张苞纵马冲突，被乱箭射回，各带重伤，不能杀出。背后喊声又起，陆逊引大军从山谷中杀来。

先主正慌急之间，此时天色已微明，只见前面喊声震天，朱然军纷纷落涧，滚滚投岩：一彪军杀入，前来救驾。先主大喜，视之，乃常山赵子龙也。时赵云在川中江州，闻吴、蜀交兵，遂引军出；忽见东南一带火光冲天，云心惊，远远探视，不想先主被困，云奋勇冲杀而来。陆逊闻是赵云，急令军退。云正杀之间，忽遇朱然，便与交锋；不一合，一枪刺朱然于马下，杀散吴兵，救出先主，望白帝城而走。先主曰："朕虽得脱，诸将士将奈何？"云曰："敌军在后，不可久迟。陛下且入白帝城歇息，臣再引兵去救应诸将。"此时先主仅存百余人入白帝城。后人有诗赞陆逊曰：

持矛举火破连营，玄德穷奔白帝城。

一旦威名惊蜀魏，吴王宁不敬书生。

却说傅彤断后，被吴军八面围住。丁奉大叫曰："川兵死者无数，降者极多，汝主刘备已被擒获。今汝力穷势孤，何不早降？"傅彤叱曰："吾乃汉将，安肯降吴狗乎！"挺枪纵马，率蜀军奋力死战，不下百余合，往来冲突，不能得脱。彤长叹曰："吾今休矣！"言讫，口中吐血，死于吴军之中。后人赞傅彤诗曰：

彝陵吴蜀大交兵，陆逊施谋用火焚。

至死犹然骂吴狗，傅彤不愧汉将军。

蜀祭酒程畿，匹马奔至江边，招呼水军赴敌，吴兵随后追来，水军四散奔逃。畿部将叫曰："吴兵至矣！程祭酒快走罢！"畿怒曰："吾自从主上出军，未尝赴敌而逃！"言未毕，吴兵骤至，四下无路，畿拔剑自刎。后人有诗赞曰：

慷慨蜀中程祭酒，身留一剑答君王。

临危不改平生志，博得声名万古香。

时吴班、张南久围彝陵城，忽冯习到，言蜀兵败，遂引军来救先主，孙桓方才得脱。张、冯二将正行之间，前面吴兵杀来，背后孙桓从彝陵城杀出，两下夹攻。张南、冯习奋力冲突，不能得脱，死于乱军之中。后人有诗赞曰：

冯习忠无二，张南义少双。沙场甘战死，史册共流芳。

吴班杀出重围，又遇吴兵追赶；幸得赵云接着，救回白帝城去了。时有蛮王沙摩柯，匹马奔走，正逢周泰，战二十余合，被泰所杀。蜀将杜路、刘宁尽皆降吴。蜀营一应粮草器仗，尺寸不存。蜀将川兵，降者无数。时孙夫人在吴，闻猇亭兵败，讹传先主死于军中，遂驱车至江边，望西遥哭，投江而死。后人立庙江滨，号曰枭姬祠。尚论者作诗叹之曰：

先主兵归白帝城，夫人闻难独捐生。

至今江畔遗碑在，犹著千秋烈女名。

却说陆逊大获全功，引得胜之兵，往西追袭。前离夔关不远，逊在马上看见前面临山傍江，一阵杀气，冲天而起；遂勒马回顾众将曰："前面必有埋伏，三军不可轻进。"即倒退十余里，于地势空阔处，排成阵势，以御敌军；即差哨马前去探视。回报并无军屯在此，逊不信，下马登高望之，杀气复起。逊再令人仔细探视。哨马回报，前面并无一人一骑。逊见日将西沉，杀气越加，心中犹豫，令心腹人再往探看。回报江边止有乱石八九十堆，并无人马。逊大疑，令寻土人问之。须臾，有数人到。逊问曰："何人将乱石作堆？如何乱石堆中有杀气冲起？"土人曰："此处地名鱼腹浦。诸葛亮入川之时，驱兵到此，取石排成阵势于沙滩之上。自此常常有气如云，从内而起。"

陆逊听罢，上马引数十骑来看石阵，立马于山坡之上，但见四面八方，皆有门有户。逊笑曰："此乃惑人之术耳，有何益焉！"遂引数骑下山坡来，直入石阵观看。部将曰："日暮矣，请都督早回。"逊方欲出阵，忽然狂风大作，一霎时，飞沙走石，遮天盖地。但见怪石嵯峨①，槎丫②似剑；横沙立土，重叠如山；江声浪涌，有如剑鼓之声。逊大惊曰："吾中诸葛之计也！"急欲回时，无路可出。正惊疑间，忽见一老人立于马前，笑曰："将军欲出此阵乎？"逊曰："愿长者引出。"老人策杖徐徐而行，径出石阵，并无所碍，送至山坡之上。逊问曰："长者何人？"老人答曰："老夫乃诸葛孔明之岳父黄承彦也。昔小婿入川之时，于此布下石阵，名八阵图。反复八门，按遁甲休、生、伤、杜、景、死、惊、开。每日每时，变化无端，可比十万精兵。临去之时，曾分付老夫道：'后有东吴大将迷于阵中，莫要引他出来。'老人适

① 嵯(cuó)峨——本义指山势高峻，这里指怪石之大。

② 槎丫——本意是指树枝歧出，这里形容怪石的形状。

于山岩之上，见将军从'死门'而入，料想不识此阵，必为所迷。老夫平生好善，不忍将军陷没于此，故特自'生门'引出也。"逊曰："公曾学此阵法否?"黄承彦曰："变化无穷，不能学也。"逊慌忙下马拜谢而回。后杜工部有诗曰：

功盖三分国，名成八阵图。江流石不转，遗恨失吞吴。

陆逊回寨，叹曰："孔明真卧龙也！吾不能及！"于是下令班师。左右曰："刘备兵败势穷，困守一城，正好乘势击之；今见石阵而退，何也?"逊曰："吾非惧石阵而退；吾料魏主曹丕，其奸诈与父无异，今知吾追赶蜀兵，必乘虚来袭。吾若深入西川，急难退矣。"遂令一将断后，逊率大军而回。退兵未及二日，三处人来飞报："魏兵曹仁出濡须，曹休出洞口，曹真出南郡：三路兵马数十万，星夜至境，未知何意。"逊笑曰："不出吾之所料。吾已令兵拒之矣。"正是：雄心方欲吞西蜀，胜算还须御北朝。未知如何退兵，且看下文分解。

# 第八十五回

## 刘先主遗诏托孤儿　诸葛亮安居平五路

却说章武二年夏六月，东吴陆逊大破蜀兵于猇亭彝陵之地；先主奔回白帝城，赵云引兵据守。忽马良至，见大军已败，懊悔不及，将孔明之言，奏知先主。先主叹曰："朕早听丞相之言，不致今日之败！今有何面目复回成都见群臣乎！"遂传旨就白帝城住扎，将馆驿改为永安宫。人报冯习、张南、傅彤、程畿、沙摩柯等皆殁于王事，先主伤感不已。又近臣奏称："黄权引江北之兵，降魏去了。陛下可将彼家属送有司问罪。"先主曰："黄权被吴兵隔断在江北岸，欲归无路，不得已而降魏：是朕负权，非权负朕也。何必罪其家属?"仍给禄米以养之。

却说黄权降魏，诸将引见曹丕。丕曰："卿今降朕，欲追慕于陈、韩①

① 陈、韩——即陈平、韩信。两人原是项羽部下，后投奔刘邦，帮助刘邦攻灭项羽。

耶?”权泣而奏曰:“臣受蜀帝之恩,殊遇甚厚,令臣督诸军于江北,被陆逊绝断。臣归蜀无路,降吴不可,故来投陛下。败军之将,免死为幸,安敢追慕于古人耶!”丕大喜,遂拜黄权为镇南将军。权坚辞不受。忽近臣奏曰:“有细作人自蜀中来,说蜀主将黄权家属尽皆诛戮。”权曰:“臣与蜀主,推诚相信,知臣本心,必不肯杀臣之家小也。”丕然之。后人有诗责黄权曰:

降吴不可却降曹,忠义安能事两朝?
堪叹黄权惜一死,紫阳书法不轻饶。

曹丕问贾诩曰:“朕欲一统天下,先取蜀乎?先取吴乎?”诩曰:“刘备雄才,更兼诸葛亮善能治国;东吴孙权,能识虚实,陆逊现屯兵于险要,隔江泛湖,皆难卒谋。以臣观之,诸将之中,皆无孙权、刘备敌手。虽以陛下天威临之,亦未见万全之势也。只可持守,以待二国之变。”丕曰:“朕已遣三路大兵伐吴,安有不胜之理?”尚书刘晔曰:“近东吴陆逊,新破蜀兵七十万,上下齐心,更有江湖之阻,不可卒制;陆逊多谋,必有准备。”丕曰:“卿前劝朕伐吴,今又谏阻,何也?”晔曰:“时有不同也。昔东吴累败于蜀,其势顿挫,故可击耳;今既获全胜,锐气百倍,未可攻也。”丕曰:“朕意已决,卿勿复言。”遂引御林军亲往接应三路兵马。早有哨马报说东吴已有准备:令吕范引兵拒住曹休,诸葛瑾引兵在南郡拒住曹真,朱桓引兵当住濡须以拒曹仁。刘晔曰:“既有准备,去恐无益。”丕不从,引兵而去。

却说吴将朱桓,年方二十七岁,极有胆略,孙权甚爱之;时督军于濡须,闻曹仁引大军去取羡溪,桓遂尽拨军守把羡溪去了,止留五千骑守城。忽报曹仁令大将常雕同诸葛虔、王双,引五万精兵飞奔濡须城来,众军皆有惧色。桓按剑而言曰:“胜负在将,不在兵之多寡。兵法云:客兵倍而主兵半者,主兵尚能胜于客兵。今曹仁千里跋涉,人马疲困。吾与汝等,共据高城,南临大江,北背山险,以逸待劳,以主制客:此乃百战百胜之势。虽曹丕自来,尚不足忧,况仁等耶!”于是传令,教众军偃旗息鼓,只作无人守把之状。

且说魏将先锋常雕,领精兵来取濡须城,遥望城上并无军马。雕催军急进,离城不远,一声炮响,旌旗齐竖。朱桓横刀飞马而出,直取常雕。战不三合,被桓一刀斩常雕于马下。吴兵乘势冲杀一阵,魏兵大败,死者无数。朱桓大胜,得了无数旌旗军器战马。曹仁领兵随后到来,却被吴兵从羡溪杀出。曹仁大败而退,回见魏主,细奏大败之事。丕大惊。正议之间，忽探马报："曹真、夏侯尚围了南郡，被陆逊伏兵于内，诸葛瑾伏兵于外，内外夹攻，因此大败。"言未毕，忽探马又报："曹休亦被吕范杀败。"丕听知三路兵败，乃喟然叹曰："朕不听贾诩、刘晔之言，果有此败！"时值夏天，大疫流行，马步军十死六七，遂引军回洛阳。吴、魏自此不和。

却说先主在永安宫，染病不起，渐渐沉重。至章武三年夏四月，先主自知病入四肢，又哭关、张二弟，其病愈深；两目昏花，厌见侍从之人，乃叱退左右，独卧于龙榻之上。忽然阴风骤起，将灯吹摇，灭而复明。只见灯影之下，二人侍立。先主怒曰："朕心绪不宁，教汝等且退，何故又来！"叱之不退。先主起而视之，上首乃云长，下首乃翼德也。先主大惊曰："二弟原来尚在？"云长曰："臣等非人，乃鬼也。上帝以臣二人平生不失信义，皆敕命为神。哥哥与兄弟聚会不远矣。"先主扯定大哭。忽然惊觉，二弟不见。即唤从人问之，时正三更。先主叹曰："朕不久于人世矣！"遂遣使往成都，请丞相诸葛亮、尚书令李严等，星夜来永安宫，听受遗命。孔明等与先主次子鲁王刘永、梁王刘理，来永安宫见帝，留太子刘禅守成都。

且说孔明到永安宫，见先主病危，慌忙拜伏于龙榻之下。先主传旨，请孔明坐于龙榻之侧，抚其背曰："朕自得丞相，幸成帝业；何期智识浅陋，不纳丞相之言，自取其败。悔恨成疾，死在旦夕。嗣子孱弱，不得不以大事相托。"言讫，泪流满面。孔明亦涕泣曰："愿陛下善保龙体，以副①天下之望！"先主以目遍视，只见马良之弟马谡在傍，先主令且退。谡退出，先主谓孔明曰："丞相观马谡之才何如？"孔明曰："此人亦当世之英才也。"先主曰："不然。朕观此人，言过其实，不可大用。丞相宜深察之。"分付毕，传旨召诸臣入殿，取纸笔写了遗诏，递与孔明而叹曰："朕不读书，粗知大略。圣人云：'鸟之将死，其鸣也哀；人之将死，其言也善。'朕本待与卿等同灭曹贼，共扶汉室；不幸中道而别。烦丞相将诏付与太子禅，令勿以为常言。凡事更望丞相教之！"孔明等泣拜于地曰："愿陛下将息龙体！臣等尽施犬马之劳，以报陛下知遇之恩也。"先主命内侍扶起孔明，一手掩泪，一手执其手，曰："朕今死矣，有心腹之言相告！"孔明曰："有何圣谕？"先主泣曰："君才十倍曹丕，必能安邦定国，终定大事。若嗣子可辅，则辅之；如其不才，君可自为成都之主。"孔明听毕，汗流遍体，手足失措，泣拜于地

---

①　副——符合。

曰:“臣安敢不竭股肱之力,尽忠贞之节,继之以死乎!”言讫,叩头流血。先主又请孔明坐于榻上,唤鲁王刘永、梁王刘理近前,分付曰:“尔等皆记朕言:朕亡之后,尔兄弟三人,皆以父事丞相,不可怠慢。”言罢,遂命二王同拜孔明。二王拜毕,孔明曰:“臣虽肝脑涂地,安能报知遇之恩也!”

先主谓众官曰:“朕已托孤于丞相,令嗣子以父事之。卿等俱不可怠慢,以负朕望。”又嘱赵云曰:“朕与卿于患难之中,相从到今,不想于此地分别。卿可想朕故交,早晚看觑①吾子,勿负朕言。”云泣拜曰:“臣敢不效犬马之劳!”先主又谓众官曰:“卿等众官,朕不能一一分嘱,愿皆自爱。”言毕,驾崩,寿六十三岁。时章武三年夏四月二十四日也。后杜工部有诗叹曰:

蜀主窥吴向三峡,崩年亦在永安宫。
翠华想像空山外,玉殿虚无野寺中。
古庙杉松巢水鹤,岁时伏腊②走村翁。
武侯祠屋长邻近,一体君臣祭祀同。

先主驾崩,文武官僚,无不哀痛。孔明率众官奉梓宫③还成都。太子刘禅出城迎接灵柩,安于正殿之内。举哀行礼毕,开读遗诏。诏曰:

朕初得疾,但下痢耳;后转生杂病,殆不自济。朕闻“人年五十,不称夭寿”。今朕年六十有余,死复何恨?——但以卿兄弟为念耳。勉之!勉之!勿以恶小而为之,勿以善小而不为。惟贤惟德,可以服人;卿父德薄,不足效也。卿与丞相从事,事之如父,勿怠!勿忘!卿兄弟更求闻达。至嘱!至嘱!

群臣读诏已毕。孔明曰:“国不可一日无君;请立嗣君,以承汉统。”乃立太子禅即皇帝位,改元建兴。加诸葛亮为武乡侯,领益州牧。葬先主于惠陵,谥曰昭烈皇帝。尊皇后吴氏为皇太后;谥甘夫人为昭烈皇后,糜夫人亦追谥为皇后。升赏群臣,大赦天下。

早有魏军探知此事,报入中原。近臣奏知魏主。曹丕大喜曰:“刘备已亡,朕无忧矣。何不乘其国中无主,起兵伐之?”贾诩谏曰:“刘备虽亡,

① 看觑(qù)——看顾、照料。
② 伏腊——古代两种祭祀的名称。伏:夏天的伏日;腊:冬天的腊日。
③ 梓宫——皇帝的尸柩。

必托孤于诸葛亮。亮感备知遇之恩，必倾心竭力，扶持嗣主。陛下不可仓卒伐之。”正言间，忽一人从班部中奋然而出曰：“不乘此时进兵，更待何时？”众视之，乃司马懿也。丕大喜，遂问计于懿。懿曰：“若只起中国之兵，急难取胜。须用五路大兵，四面夹攻，令诸葛亮首尾不能救应，然后可图。”

丕问何五路，懿曰：“可修书一封，差使往辽东鲜卑国，见国王轲比能，赂以金帛，令起辽西羌兵十万，先从旱路取西平关：此一路也。再修书遣使赍官诰赏赐，直入南蛮，见蛮王孟获，令起兵十万，攻打益州、永昌、牂牁①、越嶲②四郡，以击西川之南：此二路也。再遣使入吴修好，许以割地，令孙权起兵十万，攻两川峡口，径取涪城：此三路也。又可差使至降将孟达处，起上庸兵十万，西攻汉中：此四路也。然后命大将军曹真为大都督，提兵十万，由京兆径出阳平关取西川：此五路也。——共大兵五十万，五路并进，诸葛亮便有吕望之才，安能当此乎？”丕大喜，随即密遣能言官四员为使前去；又命曹真为大都督，领兵十万，径取阳平关。此时张辽等一班旧将，皆封列侯，俱在冀、徐、青及合淝等处，据守关津隘口，故不复调用。

却说蜀汉后主刘禅，自即位以来，旧臣多有病亡者，不能细说。凡一应朝廷选法、钱粮、词讼等事，皆听诸葛丞相裁处。时后主未立皇后，孔明与群臣上言曰：“故车骑将军张飞之女甚贤，年十七岁，可纳为正宫皇后。”后主即纳之。

建兴元年秋八月，忽有边报说：“魏调五路大兵，来取西川：第一路，曹真为大都督，起兵十万，取阳平关；第二路，乃反将孟达，起上庸兵十万，犯汉中；第三路，乃东吴孙权，起精兵十万，取峡口入川；第四路，乃蛮王孟获，起蛮兵十万，犯益州四郡；第五路，乃番王轲比能，起羌兵十万，犯西平关。——此五路军马，甚是利害。已先报知丞相，丞相不知为何，数日不出视事。”后主听罢大惊，即差近侍赍旨，宣召孔明入朝。使命去了半日，回报：“丞相府下人言，丞相染病不出。”后主转慌；次日，又命黄门侍郎董允、谏议大夫杜琼，去丞相卧榻前，告此大事。董、杜二人到丞相府前，皆

① 牂牁（zāng kē）——郡名，在今贵州境内。
② 越嶲（suǐ）——郡名，辖境在今四川、云南之间。

不得入。杜琼曰："先帝托孤于丞相，今主上初登宝位，被曹丕五路兵犯境，军情至急，丞相何故推病不出？"良久，门吏传丞相令，言："病体稍可，明早出都堂议事。"董、杜二人叹息而回。次日，多官又来丞相府前伺候。从早至晚，又不见出。多官惶惶，只得散去。杜琼入奏后主曰："请陛下圣驾，亲往丞相府问计。"后主即引多官入宫，启奏皇太后。太后大惊曰："丞相何故如此？有负先帝委托之意也！我当自往。"董允奏曰："娘娘未可轻往。臣料丞相必有高明之见。且待主上先往。如果怠慢，请娘娘于太庙中，召丞相问之未迟。"太后依奏。

次日，后主车驾亲至相府。门吏见驾到，慌忙拜伏于地而迎。后主问曰："丞相在何处？"门吏曰："不知在何处。只有丞相钧旨，教挡住百官，勿得辄入。"后主乃下车步行，独进第三重门，见孔明独倚竹杖，在小池边观鱼。后主在后立久，乃徐徐而言曰："丞相安乐否？"孔明回顾，见是后主，慌忙弃杖，拜伏于地曰："臣该万死！"后主扶起，问曰："今曹丕分兵五路，犯境甚急，相父①缘何不肯出府视事？"孔明大笑，扶后主入内室坐定，奏曰："五路兵至，臣安得不知？臣非观鱼，有所思也。"后主曰："如之奈何？"孔明曰："羌王轲比能，蛮王孟获，反将孟达，魏将曹真：此四路兵，臣已皆退去了也。止有孙权这一路兵，臣已有退之之计，但须一能言之人为使。因未得其人，故熟思之。陛下何必忧乎？"

后主听罢，又惊又喜，曰："相父果有鬼神不测之机也！愿闻退兵之策。"孔明曰："先帝以陛下付托与臣，臣安敢旦夕怠慢。成都众官，皆不晓兵法之妙——贵在使人不测，岂可泄漏于人？老臣先知西番国王轲比能，引兵犯西平关；臣料马超积祖西川人氏，素得羌人之心，羌人以超为神威天将军，臣已先遣一人，星夜驰檄，令马超紧守西平关，伏四路奇兵，每日交换，以兵拒之：此一路不必忧矣。又南蛮孟获，兵犯四郡，臣亦飞檄遣魏延领一军左出右入，右出左入，为疑兵之计；蛮兵惟凭勇力，其心多疑，若见疑兵，必不敢进：此一路又不足忧矣。又知孟达引兵出汉中；达与李严曾结生死之交；臣回成都时，留李严守永安宫，臣已作一书，只做李严亲笔，令人送与孟达；达必然推病不出，以慢军心：此一路又不足忧矣。又知曹真引兵犯阳平关；此地险峻，可以保守，臣已调赵云引一军守把关隘，并

---

① 相父——因诸葛亮是丞相，刘备又嘱刘禅要"事之如父"，故后主有此称呼。

不出战；曹真若见我军不出，不久自退矣。——此四路兵俱不足忧。臣尚恐不能全保，又密调关兴、张苞二将，各引兵三万，屯于紧要之处，为各路救应。此数处调遣之事，皆不曾经由成都，故无人知觉。只有东吴这一路兵，未必便动：如见四路兵胜，川中危急，必来相攻；若四路不济，安肯动乎？臣料孙权想曹丕三路侵吴之怨，必不肯从其言。虽然如此，须用一舌辩之士，径往东吴，以利害说之，则先退东吴；其四路之兵，何足忧乎？但未得说吴之人，臣故踌躇。何劳陛下圣驾来临？”后主曰：“太后亦欲来见相父。今朕闻相父之言，如梦初觉，复何忧哉！”

孔明与后主共饮数杯，送后主出府。众官皆环立于门外，见后主面有喜色。后主别了孔明，上御车回朝。众皆疑惑不定。孔明见众官中，一人仰天而笑，面亦有喜色。孔明视之，乃义阳新野人，姓邓，名芝，字伯苗，现为户部尚书；汉司马邓禹之后。孔明暗令人留住邓芝。多官皆散，孔明请芝到书院中，问芝曰：“今蜀、魏、吴鼎分三国，欲讨二国，一统中兴，当先伐何国？”芝曰：“以愚意论之：魏虽汉贼，其势甚大，急难摇动，当徐徐缓图；今主上初登宝位，民心未安，当与东吴连合，结为唇齿，一洗先帝旧怨，此乃长久之计也。未审丞相钧意若何？”孔明大笑曰：“吾思之久矣，奈未得其人。——今日方得也！”芝曰：“丞相欲其人何为？”孔明曰：“吾欲使人往结东吴。公既能明此意，必能不辱君命。使乎之任①，非公不可。”芝曰：“愚才疏智浅，恐不堪当此任。”孔明曰：“吾来日奏知天子，便请伯苗一行，切勿推辞。”芝应允而退。至次日，孔明奏准后主，差邓芝往说东吴。芝拜辞，望东吴而来。正是：吴人方见干戈息，蜀使还将玉帛②通。未知邓芝此去若何，且看下文分解。

---

① 使乎之任——最恰当的使者人选。春秋时，孔子很欣赏卫国大夫蘧伯玉派来的使者话说得得体，便赞叹说“使乎，使乎！”意思是：真是个好使者啊！

② 玉帛——表示和平、友好，与干戈（战争）一词相对。古代两国和好通使时常用玉器、织物当礼品。

# 第八十六回

## 难张温秦宓逞天辩 破曹丕徐盛用火攻

却说东吴陆逊，自退魏兵之后，吴王拜逊为辅国将军、江陵侯、领荆州牧，自此军权皆归于逊。张昭、顾雍启奏吴王，请自改元。权从之，遂改为黄武元年。忽报魏主遣使至，权召入。使命陈说："蜀前使人求救于魏，魏一时不明，故发兵应之；今已大悔，欲起四路兵取川，东吴可来接应。若得蜀土，各分一半。"

权闻言，不能决，乃问于张昭、顾雍等。昭曰："陆伯言极有高见，可问之。"权即召陆逊至。逊奏曰："曹丕坐镇中原，急不可图；今若不从，必为仇矣。臣料魏与吴皆无诸葛亮之敌手。今且勉强应允，整军预备，只探听四路如何。若四路兵胜，川中危急，诸葛亮首尾不能救，主上则发兵以应之，先取成都，深为上策；如四路兵败，别作商议。"权从之，乃谓魏使曰："军需未办，择日便当起程。"使者拜辞而去。权令人探得西番兵出西平关，见了马超，不战自退；南蛮孟获起兵攻四郡，皆被魏延用疑兵计杀退回洞去了；上庸孟达兵至半路，忽然染病不能行；曹真兵出阳平关，赵子龙拒住各处险道，果然"一将守关，万夫莫开"。曹真屯兵于斜谷道，不能取胜而回。

孙权知了此信，乃谓文武曰："陆伯言真神算也。孤若妄动，又结怨于西蜀矣。"忽报西蜀遣邓芝到。张昭曰："此又是诸葛亮退兵之计，遣邓芝为说客也。"权曰："当何以答之？"昭曰："先于殿前立一大鼎，贮油数百斤，下用炭烧。待其油沸，可选身长面大武士一千人，各执刀在手，从宫门前直摆至殿上，却唤芝入见。休等此人开言下说词，责以郦食其说齐故事①，效此例烹之，看其人如何对答。"

---

① 郦食(yì)其(jī)说(shuì)齐故事——楚汉相争时，郦食其作为刘邦的使者劝说齐王田广归顺于汉，齐王接受了他的劝说，解除了战备，刘邦的大将韩信却乘机袭击了齐，齐王认为被郦出卖，就把他烹死。

权从其言，遂立油鼎，命武士立于左右，各执军器，召邓芝入。芝整衣冠而入。行至宫门前，只见两行武士，威风凛凛，各持钢刀、大斧、长戟、短剑，直列至殿上。芝晓其意，并无惧色，昂然而行。至殿前，又见鼎镬内热油正沸。左右武士以目视之，芝但微微而笑。近臣引至帘前，邓芝长揖不拜。权令卷起珠帘，大喝曰："何不拜！"芝昂然而答曰："上国天使，不拜小邦之主。"权大怒曰："汝不自料，欲掉三寸之舌，效郦生说齐乎！可速入油鼎！"芝大笑曰："人皆言东吴多贤，谁想惧一儒生！"权转怒曰："孤何惧尔一匹夫耶？"芝曰："既不惧邓伯苗，何愁来说汝等也？"权曰："尔欲为诸葛亮作说客，来说孤绝魏向蜀，是否？"芝曰："吾乃蜀中一儒生，特为吴国利害而来。乃设兵陈鼎，以拒一使，何其局量①之不能容物耶！"

权闻言惶愧，即叱退武士，命芝上殿，赐坐而问曰："吴、魏之利害若何？愿先生教我。"芝曰："大王欲与蜀和，还是欲与魏和？"权曰："孤正欲与蜀主讲和；但恐蜀主年轻识浅，不能全始全终耳。"芝曰："大王乃命世之英豪，诸葛亮亦一时之俊杰；蜀有山川之险，吴有三江之固：若二国连和，共为唇齿，进则可以兼吞天下，退则可以鼎足而立。今大王若委质②称臣于魏，魏必望大王朝觐，求太子以为内侍；如其不从，则兴兵来攻，蜀亦顺流而进取：如此则江南之地，不复为大王有矣。若大王以愚言为不然，愚将就死于大王之前，以绝说客之名也。"言讫，撩衣下殿，望油鼎中便跳。权急命止之，请入后殿，以上宾之礼相待。权曰："先生之言，正合孤意。"孤今欲与蜀主连和，先生肯为我介绍乎？"芝曰："适欲烹小臣者，乃大王也；今欲使小臣者，亦大王也：大王犹自狐疑未定，安能取信于人？"权曰："孤意已决，先生勿疑。"

于是吴王留住邓芝，集多官问曰："孤掌江南八十一州，更有荆楚之地，反不如西蜀偏僻之处也：蜀有邓芝，不辱其主；吴并无一人入蜀，以达孤意。"忽一人出班奏曰："臣愿为使。"众视之，乃吴郡吴人，姓张，名温，字惠恕，现为中郎将。权曰："恐卿到蜀见诸葛亮，不能达孤之情。"温曰："孔明亦人耳，臣何畏彼哉？"权大喜，重赏张温，使同邓芝入川通好。

---

① 局量——度量、器量。

② 委质——古代臣下向君主献礼，表示献身。质：通"贽"，初次拜见长辈时所送的礼物。

却说孔明自邓芝去后，奏后主曰："邓芝此去，其事必成。吴地多贤，定有人来答礼。陛下当礼貌之，令彼回吴，以通盟好。吴若通和，魏必不敢加兵于蜀矣。吴、魏宁靖，臣当征南，平定蛮方，然后图魏。魏削则东吴亦不能久存，可以复一统之基业也。"后主然之。

忽报东吴遣张温与邓芝入川答礼。后主聚文武于丹墀，令邓芝、张温入。温自以为得志，昂然上殿，见后主施礼。后主赐锦墩，坐于殿左，设御宴待之。后主但敬礼而已。宴罢，百官送张温到馆舍。次日，孔明设宴相待。孔明谓张温曰："先帝在日，与吴不睦，今已晏驾。当今主上，深慕吴王，欲捐旧忿，永结盟好，并力破魏。望大夫善言回奏。"张温领诺。酒至半酣，张温喜笑自若，颇有傲慢之意。

次日，后主将金帛赐与张温，设宴于城南邮亭之上，命众官相送。孔明殷勤劝酒。正饮酒间，忽一人乘醉而入，昂然长揖，入席就坐。温怪之，乃问孔明曰："此何人也？"孔明答曰："姓秦，名宓，字子敕，现为益州学士。"温笑曰："名称学士，未知胸中曾'学事'否？"宓正色而言曰："蜀中三尺小童，尚皆就学，何况于我？"温曰："且说公何所学？"宓对曰："上至天文，下至地理，三教九流，诸子百家，无所不通；古今兴废，圣贤经传，无所不览。"温笑曰："公既出大言，请即以天为问：天有头乎？"宓曰："有头。"温曰："头在何方？"宓曰："在西方。《诗》云：'乃眷西顾①。'以此推之，头在西方也。"温又问："天有耳乎？"宓答曰："天处高而听卑。《诗》云：'鹤鸣九皋②，声闻于天。'无耳何能听？"温又问："天有足乎？"宓曰："有足。《诗》云：'天步艰难。'无足何能步？"温又问："天有姓乎？"宓曰："岂得无姓！"温曰："何姓？"宓答曰："姓刘。"温曰："何以知之？"宓曰："天子姓刘，以故知之。"温又问曰："日生于东乎？"宓对曰："虽生于东，而没于西。"

此时秦宓语言清朗，答问如流，满座皆惊。张温无语。宓乃问曰："先生东吴名士，既以天事下问，必能深明天之理。昔混沌既分，阴阳剖判③；轻清者上浮而为天，重浊者下凝而为地；至共工氏战败，头触不周山，天柱

---

① 乃眷西顾——回头向西看。眷：回顾的样子。

② 鹤鸣九皋（gāo）——仙鹤在深泽中鸣叫。九皋：深泽。

③ 剖判——开辟。

折，地维缺①：天倾西北，地陷东南。天既轻清而上浮，何以倾其西北乎？又未知轻清之外，还是何物？愿先生教我。”张温无言可对，乃避席而谢曰：“不意蜀中多出俊杰！恰闻讲论，使仆顿开茅塞。”孔明恐温羞愧，故以善言解之曰：“席间问难，皆戏谈耳。足下深知安邦定国之道，何在唇齿之戏哉！”温拜谢。孔明又令邓芝入吴答礼，就与张温同行。张、邓二人拜辞孔明，望东吴而来。

却说吴王见张温入蜀未还，乃聚文武商议。忽近臣奏曰：“蜀遣邓芝同张温入国答礼。”权召入。张温拜于殿前，备称后主、孔明之德，愿求永结盟好，特遣邓尚书又来答礼。权大喜，乃设宴待之。权问邓芝曰：“若吴、蜀二国同心灭魏，得天下太平，二主分治，岂不乐乎？”芝答曰：“天无二日，民无二王。如灭魏之后，未识天命所归何人。但为君者，各修其德；为臣者，各尽其忠：则战争方息耳。”权大笑曰：“君之诚款，乃如是耶！”遂厚赠邓芝还蜀。自此吴、蜀通好。

却说魏国细作人探知此事，火速报入中原。魏主曹丕听知，大怒曰：“吴、蜀连和，必有图中原之意也。不若朕先伐之。”于是大集文武，商议起兵伐吴。此时大司马曹仁、太尉贾诩已亡。侍中辛毗出班奏曰：“中原之地，土阔民稀，而欲用兵，未见其利。今日之计，莫若养兵屯田十年，足食足兵，然后用之，则吴、蜀方可破也。”丕怒曰：“此迂儒之论也！今吴、蜀连和，早晚必来侵境，何暇等待十年！”即传旨起兵伐吴。司马懿奏曰：“吴有长江之险，非船莫渡。陛下必御驾亲征，可选大小战船，从蔡、颍而入淮，取寿春，至广陵，渡江口，径取南徐：此为上策。”丕从之。于是日夜并工，造龙舟十只，长二十余丈，可容二千余人；收拾战船三千余只。魏黄初五年秋八月，会聚大小将士，令曹真为前部，张辽、张郃、文聘、徐晃等为大将先行，许褚、吕虔为中军护卫，曹休为合后，刘晔、蒋济为参谋官。前后水陆军马三十余万，克日起兵。封司马懿为尚书仆射，留在许昌，凡国政大事，并皆听懿决断。

不说魏兵起程。却说东吴细作探知此事，报入吴国。近臣慌奏吴王曰：“今魏王曹丕，亲自乘驾龙舟，提水陆大军三十余万，从蔡、颍出淮，必

① 共工氏战败……地维缺——古代神话：共工氏和颛顼争为帝，一怒之下，头触不周山，于是撑天之柱被撞断了，大地也因此缺了一角。

取广陵渡江，来下江南。甚为利害。”孙权大惊，即聚文武商议。顾雍曰：“今主上既与西蜀连和，可修书与诸葛孔明，令起兵出汉中，以分其势；一面遣一大将，屯兵南徐以拒之。”权曰：“非陆伯言不可当此大任。”雍曰：“陆伯言镇守荆州，不可轻动。”权曰：“孤非不知，奈眼前无替力之人。”言未尽，一人从班部内应声而出曰：“臣虽不才，愿统一军以当魏兵。若曹丕亲渡大江，臣必生擒，以献殿下；若不渡江，亦杀魏兵大半，令魏兵不敢正视东吴。”权视之，乃徐盛也。权大喜曰：“如得卿守江南一带，孤何忧哉！”遂封徐盛为安东将军，总镇都督建业、南徐军马。盛谢恩，领命而退；即传令教众官军多置器械，多设旌旗，以为守护江岸之计。

忽一人挺身出曰：“今日大王以重任委托将军，欲破魏兵以擒曹丕，将军何不早发军马渡江，于淮南之地迎敌？直待曹丕兵至，恐无及矣。”盛视之，乃吴王侄孙韶也。韶字公礼，官授扬威将军，曾在广陵守御；年幼负气①，极有胆勇。盛曰：“曹丕势大，更有名将为先锋，不可渡江迎敌。待彼船皆集于北岸，吾自有计破之。”韶曰：“吾手下自有三千军马，更兼深知广陵路势，吾愿自去江北，与曹丕决一死战。如不胜，甘当军令。”盛不从。韶坚执要去。盛只是不肯，韶再三要行。盛怒曰：“汝如此不听号令，吾安能制诸将乎？”叱武士推出斩之。刀斧手拥孙韶出辕门之外，立起皂旗。韶部将飞报孙权。权听知，急上马来救。武士恰待行刑，孙权早到，喝散刀斧手，救了孙韶。韶哭奏曰：“臣往年在广陵，深知地利；不就那里与曹丕厮杀，直待他下了长江，东吴指日休矣！”权径入营来。徐盛迎接入帐，奏曰：“大王命臣为都督，提兵拒魏；今扬威将军孙韶，不遵军法，违令当斩，大王何故赦之？”权曰：“韶倚血气之壮，误犯军法，万希宽恕。”盛曰：“法非臣所立，亦非大王所立，乃国家之典刑也。若以亲而免之，何以令众乎？”权曰：“韶犯法，本应任将军处治；奈此子虽本姓俞氏，然孤兄甚爱之，赐姓孙；于孤颇有劳绩。今若杀之，负兄义矣。”盛曰：“且看大王之面，寄下死罪。”权令孙韶拜谢。韶不肯拜，厉声而言曰：“据吾之见，只是引军去破曹丕！便死也不服你的见识！”徐盛变色。权叱退孙韶，谓徐盛曰：“便无此子，何损于兵？今后勿再用之。”言讫自回。是夜，人报徐盛说：“孙韶引本部三千精兵，潜地过江去了。”盛恐有失，于吴王面上不好看，乃唤丁

---

① 负气——意气很盛。

奉授以密计，引三千兵渡江接应。

却说魏主驾龙舟至广陵，前部曹真已领兵列于大江之岸。曹丕问曰："江岸有多少兵？"真曰："隔岸远望，并不见一人，亦无旌旗营寨。"丕曰："此必诡计也。朕自往观其虚实。"于是大开江道，放龙舟直至大江，泊于江岸。船上建龙凤日月五色旌旗，仪銮簇拥，光耀射目。曹丕端坐舟中，遥望江南，不见一人，回顾刘晔、蒋济曰："可渡江否？"晔曰："兵法实实虚虚。彼见大军至，如何不作整备？陛下未可造次。且待三五日，看其动静，然后发先锋渡江以探之。"丕曰："卿言正合朕意。"

是日天晚，宿于江中。当夜月黑，军士皆执灯火，明耀天地，恰如白昼。遥望江南，并不见半点儿火光。丕问左右曰："此何故也？"近臣奏曰："想闻陛下天兵来到，故望风逃窜耳。"丕暗笑。及至天晓，大雾迷漫，对面不见。须臾风起，雾散云收，望见江南一带皆是连城：城楼上枪刀耀日，遍城尽插旌旗号带。顷刻数次人来报："南徐沿江一带，直至石头城，一连数百里，城郭舟车，连绵不绝，一夜成就。"曹丕大惊。原来徐盛束缚芦苇为人，尽穿青衣，执旌旗，立于假城疑楼之上。魏兵见城上许多人马，如何不胆寒？丕叹曰："魏虽有武士千群，无所用之。江南人物如此，未可图也！"

正惊讶间，忽然狂风大作，白浪滔天，江水溅湿龙袍，大船将覆。曹真慌令文聘撑小舟急来救驾。龙舟上人立站不住。文聘跳上龙舟，负丕下得小舟，奔入河港。忽流星马报道："赵云引兵出阳平关，径取长安。"丕听得，大惊失色，便教回军。众军各自奔走。背后吴兵追至。丕传旨教尽弃御用之物而走。龙舟将次入淮，忽然鼓角齐鸣，喊声大震，刺斜里一彪军杀到：为首大将，乃孙韶也。魏兵不能抵当，折其大半，淹死者无数。诸将奋力救出魏主。魏主渡淮河，行不三十里，淮河中一带芦苇，预灌鱼油，尽皆火着；顺风而下，风势甚急，火焰漫空，绝住龙舟。丕大惊，急下小船傍岸时，龙舟上早已火着。丕慌忙上马。岸上一彪军杀来：为首一将，乃丁奉也。张辽急拍马来迎，被奉一箭射中其腰，却得徐晃救了，同保魏主而走，折军无数。背后孙韶、丁奉夺得马匹、车仗、船只、器械，不计其数。魏兵大败而回。吴将徐盛全获大功，吴王重加赏赐。张辽回到许昌，箭疮迸裂而亡，曹丕厚葬之，不在话下。

却说赵云引兵杀出阳平关之次，忽报丞相有文书到，说益州耆帅①雍闿结连蛮王孟获，起十万蛮兵，侵掠四郡；因此宣云回军，令马超坚守阳平关，丞相欲自南征。赵云乃急收兵而回。此时孔明在成都整饬军马，亲自南征。正是：方见东吴敌北魏，又看西蜀战南蛮。未知胜负如何，且看下文分解。

# 第八十七回

## 征南寇丞相大兴师　抗天兵蛮王初受执

却说诸葛丞相在于成都，事无大小，皆亲自从公决断。两川之民，忻②乐太平，夜不闭户，路不拾遗。又幸连年大熟，老幼鼓腹讴歌，凡遇差徭，争先早办：因此军需器械应用之物，无不完备；米满仓廒，财盈府库。

建兴三年，益州飞报："蛮王孟获，大起蛮兵十万，犯境侵掠。建宁太守雍闿，乃汉朝什方侯雍齿之后，今结连孟获造反。牂牁郡太守朱褒、越巂郡太守高定，二人献了城。止有永昌太守王伉③不肯反。现今雍闿、朱褒、高定三人部下人马，皆与孟获为向导官，攻打永昌郡。今王伉与功曹吕凯，会集百姓，死守此城，其势甚急。"孔明乃入朝奏后主曰："臣观南蛮不服，实国家之大患也。臣当自领大军，前去征讨。"后主曰："东有孙权，北有曹丕，今相父弃朕而去，倘吴、魏来攻，如之奈何？"孔明曰："东吴方与我国讲和，料无异心；若有异心，李严在白帝城，此人可当陆逊也。曹丕新败，锐气已丧，未能远图；且有马超守把汉中诸处关口，不必忧也。臣又留关兴、张苞等分两军为救应，保陛下万无一失。今臣先去扫荡蛮方，然后北伐，以图中原，报先帝三顾之恩，托孤之重。"后主曰："朕年幼无知，惟相父斟酌行之。"言未毕，班部内一人出曰："不可！不可！"众视之，乃南阳人

① 耆(qí)帅——老帅。
② 忻——通"欣"。
③ 王伉(kàng)——人名。

也，姓王，名连，字文仪，现为谏议大夫。连谏曰："南方不毛之地①，瘴疫之乡；丞相秉钧衡之重任，而自远征，非所宜也。且雍闿等乃疥癣之疾，丞相只须遣一大将讨之，必然成功。"孔明曰："南蛮之地，离国甚远，人多不习王化，收伏甚难，吾当亲去征之。可刚可柔，别有斟酌，非可容易②托人。"

王连再三苦劝，孔明不从。是日，孔明辞了后主，令蒋琬为参军，费祎为长史，董厥、樊建二人为掾史；赵云、魏延为大将，总督军马；王平、张翼为副将；并川将数十员：共起川兵五十万，前望益州进发。忽有关公第三子关索，入军来见孔明曰："自荆州失陷，逃难在鲍家庄养病。每要赴川见先帝报仇，疮痕未合，不能起行。近已安痊，打探得东吴仇人已皆诛戮，径来西川见帝，恰在途中遇见征南之兵，特来投见。"孔明闻之，嗟讶不已；一面遣人申报朝廷，就令关索为前部先锋，一同征南。大队人马，各依队伍而行。饥餐渴饮，夜住晓行；所经之处，秋毫无犯。

却说雍闿听知孔明自统大军而来，即与高定、朱褒商议，分兵三路：高定取中路，雍闿在左，朱褒在右；三路各引兵五六万迎敌。于是高定令鄂焕为前部先锋。焕身长九尺，面貌丑恶，使一枝方天戟，有万夫不当之勇；领本部兵，离了大寨，来迎蜀兵。

却说孔明统大军已到益州界分。前部先锋魏延，副将张翼、王平，才入界口，正遇鄂焕军马。两阵对圆，魏延出马大骂曰："反贼早早受降！"鄂焕拍马与魏延交锋。战不数合，延诈败走，焕随后赶来。走不数里，喊声大震。张翼、王平两路军杀来，绝其后路。延复回，三员将并力拒战，生擒鄂焕。解到大寨，入见孔明。孔明令去其缚，以酒食待之。问曰："汝是何人部将？"焕曰："某是高定部将。"孔明曰："吾知高定乃忠义之士，今为雍闿所惑，以致如此。吾今放汝回去，令高太守早早归降，免遭大祸。"鄂焕拜谢而去，回见高定，说孔明之德。定亦感激不已。次日，雍闿至寨。礼毕，闿曰："如何得鄂焕回也？"定曰："诸葛亮以义放之。"闿曰："此乃诸葛亮反间之计：欲令我两人不和，故施此谋也。"定半信不信，心中犹豫。忽报蜀将搦战，闿自引三万兵出迎。战不数合，闿拨马便走。延率兵大进，

① 不毛之地——不长庄稼的土地或地带。形容土地贫瘠、荒凉。
② 容易——随便、轻率。

追杀二十余里。次日，雍闿又起兵来迎。孔明一连三日不出。至第四日，雍闿、高定分兵两路，来取蜀寨。

却说孔明令魏延两路伺候；果然雍闿、高定两路兵来，被伏兵杀伤大半，生擒者无数，都解到大寨来。雍闿的人，囚在一边；高定的人，囚在一边。却令军士谣说："但是高定的人免死，雍闿的人尽杀。"众军皆闻此言。少时，孔明令取雍闿的人到帐前，问曰："汝等皆是何人部从？"众伪曰："高定部下人也。"孔明教皆免其死，与酒食赏劳，令人送出界首，纵放回寨。孔明又唤高定的人问之。众皆告曰："吾等实是高定部下军士。"孔明亦皆免其死，赐以酒食；却扬言曰："雍闿今日使人投降，要献汝主并朱褒首级以为功劳，吾甚不忍。汝等既是高定部下军，吾放汝等回去，再不可背反。若再擒来，决不轻恕。"

众皆拜谢而去；回到本寨，入见高定，说知此事。定乃密遣人去雍闿寨中探听，却有一般放回的人，言说孔明之德；因此雍闿部军，多有归顺高定之心。虽然如此，高定心中不稳，又令一人来孔明寨中探听虚实。被伏路军捉来见孔明。孔明故意认做雍闿的人，唤入帐中问曰："汝元帅既约下献高定、朱褒二人首级，因何误了日期？汝这厮不精细，如何做得细作！"军士含糊答应。孔明以酒食赐之，修密书一封，付军士曰："汝持此书付雍闿，教他早早下手，休得误事。"细作拜谢而去，回见高定，呈上孔明之书，说雍闿如此如此。定看书毕，大怒曰："吾以真心待之，彼反欲害吾，情理难容！"便唤鄂焕商议。焕曰："孔明乃仁人，背之不祥。我等谋反作恶，皆雍闿之故；不如杀闿以投孔明。"定曰："如何下手？"焕曰："可设一席，令人去请雍闿。彼若无异心，必坦然而来；若其不来，必有异心。我主可攻其前，某伏于寨后小路候之：闿可擒矣。"高定从其言，设席请雍闿。闿果疑前日放回军士之言，惧而不来。是夜高定引兵杀投雍闿寨中。原来有孔明放回免死的人，皆想高定之德，乘时助战。雍闿军不战自乱。闿上马望山路而走。行不二里，鼓声响处，一彪军出，乃鄂焕也：挺方天戟，骤马当先。雍闿措手不及，被焕一戟刺于马下，就枭其首级。闿部下军士皆降高定。定引两部军来降孔明，献雍闿首级于帐下。孔明高坐于帐上，喝令左右推转高定，斩首报来。定曰："某感丞相大恩，今将雍闿首级来降，何故斩也？"孔明大笑曰："汝来诈降。敢瞒吾耶！"定曰："丞相何以知吾诈降？"孔明于匣中取出一缄，与高定曰："朱褒已使人密献降书，说你与雍闿结生死之交，岂肯一旦便杀此人？吾故知汝诈也。”定叫屈曰：“朱褒乃反间之计也。丞相切不可信！”孔明曰：“吾亦难凭一面之词。汝若捉得朱褒，方表真心。”定曰：“丞相休疑。某去擒朱褒来见丞相，若何？”孔明曰：“若如此，吾疑心方息也。”

高定即引部将鄂焕并本部兵，杀奔朱褒营来。比及离寨约有十里，山后一彪军到，乃朱褒也。褒见高定军来，慌忙与高定答话。定大骂曰：“汝如何写书与诸葛丞相处，使反间之计害吾耶？”褒目瞪口呆，不能回答。忽然鄂焕于马后转过，一戟刺朱褒于马下。定厉声而言曰：“如不顺者皆戮之！”于是众军一齐拜降。定引两部军来见孔明，献朱褒首级于帐下。孔明大笑曰：“吾故使汝杀此二贼，以表忠心。”遂命高定为益州太守，总摄三郡；令鄂焕为牙将。三路军马已平。

于是永昌太守王伉出城迎接孔明。孔明入城已毕，问曰：“谁与公守此城，以保无虞？”伉曰：“某今日得此郡无危者，皆赖永昌不韦人，姓吕，名凯，字季平。皆此人之力。”孔明遂请吕凯至。凯入见，礼毕。孔明曰：“久闻公乃永昌高士，多亏公保守此城。今欲平蛮方，公有何高见？”吕凯遂取一图，呈与孔明曰：“某自历仕以来，知南人欲反久矣，故密遣人入其境，察看可屯兵交战之处，画成一图，名曰《平蛮指掌图》。今敢献与明公。明公试观之，可为征蛮之一助也。”孔明大喜，就用吕凯为行军教授，兼向导官。于是孔明提兵大进，深入南蛮之境。

正行军之次，忽报天子差使命至。孔明请入中军，但见一人素袍白衣而进，乃马谡也。——为兄马良新亡，因此挂孝。——谡曰：“奉主上敕命，赐众军酒帛。”孔明接诏已毕，依命一一给散，遂留马谡在帐叙话。孔明问曰：“吾奉天子诏，削平蛮方；久闻幼常高见，望乞赐教。”谡曰：“愚有片言，望丞相察之：南蛮恃其地远山险，不服久矣；虽今日破之，明日复叛。丞相大军到彼，必然平服；但班师之日，必用北伐曹丕；蛮兵若知内虚，其反必速。夫用兵之道：‘攻心为上，攻城为下；心战为上，兵战为下。’愿丞相但服其心足矣。”孔明叹曰：“幼常足知吾肺腑也！”于是孔明遂令马谡为参军，即统大兵前进。

却说蛮王孟获，听知孔明智破雍闿等，遂聚三洞元帅商议：第一洞乃金环三结元帅，第二洞乃董荼那元帅，第三洞乃阿会喃元帅。三洞元帅入见孟获，获曰：“今诸葛丞相领大军来侵我境界，不得不并力敌之。汝三人可分兵三路而进。如得胜者，便为洞主。”于是分金环三结取中路，董荼那取左路，阿会喃取右路：各引五万蛮兵，依令而行。

却说孔明正在寨中议事，忽哨马飞报，说三洞元帅分兵三路到来。孔明听毕，即唤赵云、魏延至，却都不分付；更唤王平、马忠至，嘱之曰：“今蛮兵三路而来，吾欲令子龙、文长去；此二人不识地理，未敢用之。王平可往左路迎敌，马忠可往右路迎敌。吾却使子龙、文长随后接应。今日整顿军马，来日平明进发。”二人听令而去。又唤张嶷、张翼分付曰：“汝二人同领一军，往中路迎敌。今日整点军马，来日与王平、马忠约会而进。——吾欲令子龙、文长去取，奈二人不识地理，故未敢用之。”张嶷、张翼听令去了。

赵云、魏延见孔明不用，各有愠色。孔明曰：“吾非不用汝二人，但恐以中年涉险，为蛮人所算，失其锐气耳。”赵云曰：“倘我等识地理，若何？”孔明曰：“汝二人只宜小心，休得妄动。”二人怏怏而退。赵云请魏延到自己寨内商议曰：“吾二人为先锋，却说不识地理而不肯用。今用此后辈，吾等岂不羞乎？”延曰：“吾二人只今就上马，亲去探之；捉住土人，便教引进，以敌蛮兵，大事可成。”云从之，遂上马径取中路而来。方行不数里，远远望见尘头大起。二人上山坡看时，果见数十骑蛮兵，纵马而来。二人两路冲出。蛮兵见了，大惊而走。赵云、魏延各生擒几人，回到本寨，以酒食待之，却细问其故。蛮兵告曰：“前面是金环三结元帅大寨，正在山口。寨边东西两路，却通五溪洞并董荼那、阿会喃各寨之后。”

赵云、魏延听知此话，遂点精兵五千，教擒来蛮兵引路。比及起军时，已是二更天气；月明星朗，趁着月色而行。刚到金环三结大寨之时，约有四更，蛮兵方起造饭，准备天明厮杀。忽然赵云、魏延两路杀入，蛮兵大乱。赵云直杀入中军，正逢金环三结元帅；交马只一合，被云一枪刺落马下，就枭其首级。余军溃散。魏延便分兵一半，望东路抄董荼那寨来。赵云分兵一半，望西路抄阿会喃寨来。比及杀到蛮兵大寨之时，天已平明。

先说魏延杀奔董荼那寨来：董荼那听知寨后有军杀至，便引兵出寨拒敌。忽然寨前门一声喊起，蛮兵大乱。原来王平军马早已到了。两下夹攻，蛮兵大败。董荼那夺路走脱，魏延追赶不上。

却说赵云引兵杀到阿会喃寨后之时，马忠已杀至寨前。两下夹攻，蛮兵大败，阿会喃乘乱走脱。各自收军，回见孔明。孔明问曰：“三洞蛮兵，走了两洞之主；金环三结元帅首级安在？”赵云将首级献功。众皆言曰：“董荼那、阿会喃皆弃马越岭而去，因此赶他不上。”孔明大笑曰：“二人吾已擒下了。”赵、魏二人并诸将皆不信。少顷，张嶷解董荼那到，张翼解阿会喃到。众皆惊讶。孔明曰：“吾观吕凯图本，已知他各人下的寨子，故以言激子龙、文长之锐气，故教深入重地，先破金环三结，随即分兵左右寨后抄出，以王平、马忠应之。非子龙、文长不可当此任也。吾料董荼那、阿会喃必从便径往山路而走，故遣张嶷、张翼以伏兵待之，令关索以兵接应，擒此二人。”诸将皆拜伏曰：“丞相机算，神鬼莫测！”

孔明令押过董荼那、阿会喃至帐下，尽去其缚，以酒食衣服赐之，令各自归洞，勿得助恶。二人泣拜，各投小路而去。孔明谓诸将曰：“来日孟获必然亲自引兵厮杀，便可就此擒之。”乃唤赵云、魏延至，付与计策，各引五千兵去了。又唤王平、关索同引一军，授计而去。孔明分拨已毕，坐于帐上待之。

却说蛮王孟获在帐中正坐，忽哨马报来，说三洞元帅，俱被孔明捉将去了；部下之兵，各自溃散。获大怒，遂起蛮兵迤逦进发，正遇王平军马。两阵对圆，王平出马横刀望之：只见门旗开处，数百南蛮骑将两势摆开。中间孟获出马：头顶嵌宝紫金冠，身披缨络红锦袍，腰系碾玉狮子带，脚穿鹰嘴抹绿靴，骑一匹卷毛赤兔马，悬两口松纹镶宝剑，昂然观望，回顾左右蛮将曰：“人每说诸葛亮善能用兵；今观此阵，旌旗杂乱，队伍交错；刀枪器械，无一可能胜吾者：始知前日之言谬也。早知如此，吾反多时矣。谁敢去擒蜀将，以振军威？”言未尽，一将应声而出，名唤忙牙长；使一口截头大刀，骑一匹黄骠马，来取王平。二将交锋，战不数合，王平便走。孟获驱兵大进，迤逦追赶。关索略战又走，约退二十余里。孟获正追杀之间，忽然喊声大起，左有张嶷，右有张翼，两路兵杀出，截断归路。王平、关索复兵杀回。前后夹攻，蛮兵大败。孟获引部将死战得脱，望锦带山而逃。背后三路兵追杀将来。获正奔走之间，前面喊声大起，一彪军拦住：为首大将乃常山赵子龙也。获见了大惊，慌忙奔锦带山小路而走。子龙冲杀一阵，蛮兵大败，生擒者无数。孟获止与数十骑奔入山谷之中，背后追兵至近，前面路狭，马不能行，乃弃了马匹，爬山越岭而逃。忽然山谷中一声鼓响，乃是魏延受了孔明计策，引五百步军，伏于此处。孟获抵敌不住，被魏延生擒活捉了。从骑皆降。

魏延解孟获到大寨来见孔明。孔明早已杀牛宰羊,设宴在寨;却教帐中排开七重围子手①,刀枪剑戟,灿若霜雪;又执御赐黄金钺斧,曲柄伞盖,前后羽葆②鼓吹,左右排开御林军,布列得十分严整。孔明端坐于帐上,只见蛮兵纷纷攘攘,解到无数。孔明唤到帐中,尽去其缚,抚谕曰:"汝等皆是好百姓,不幸被孟获所拘,今受惊唬。吾想汝等父母、兄弟、妻子必倚门而望;若听知阵败,定然割肚牵肠,眼中流血。吾今尽放汝等回去,以安各人父母、兄弟、妻子之心。"言讫,各赐酒食米粮而遣之。蛮兵深感其恩,泣拜而去。孔明教唤武士押过孟获来。不移时,前推后拥,缚至帐前。获跪于帐下。孔明曰:"先帝待汝不薄,汝何敢背反?"获曰:"两川之地,皆是他人所占土地,汝主倚强夺之,自称为帝。吾世居此处,汝等无礼,侵我土地:何为反耶?"孔明曰:"吾今擒汝,汝心服否?"获曰:"山僻路狭,误遭汝手,如何肯服!"孔明曰:"汝既不服,吾放汝去,若何?"获曰:"汝放我回去,再整军马,共决雌雄;若能再擒吾,吾方服也。"孔明即令去其缚,与衣服穿了,赐以酒食,给与鞍马,差人送出路,径望本寨而去。正是:寇入掌中还放去,人居化外未能降。未知再来交战若何,且看下文分解。

# 第八十八回

## 渡泸水再缚番王　识诈降三擒孟获

却说孔明放了孟获,众将上帐问曰:"孟获乃南蛮渠魁③,今幸被擒,南方便定;丞相何故放之?"孔明笑曰:"吾擒此人,如囊中取物耳。直须降伏其心,自然平矣。"诸将闻言,皆未肯信。

当日孟获行至泸水,正遇手下败残的蛮兵,皆来寻探。众兵见了孟

① 围子手——"围宿军"的俗称。元代早期,皇城还没有筑立,朝会时用军士围护,叫围宿军。这里是元代俗语在小说中的体现。

② 羽葆——即羽盖,古时用鸟羽装饰的车盖。

③ 渠魁——敌方首领。

获，且惊且喜，拜问曰："大王如何能勾回来？"获曰："蜀人监我在帐中，被我杀死十余人，乘夜黑而走；正行间，逢着一哨马军，亦被我杀之，夺了此马：因此得脱。"众皆大喜，拥孟获渡了泸水，下住寨栅，会集各洞酋长，陆续招聚原放回的蛮兵，约有十余万骑。此时董荼那、阿会喃已在洞中。孟获使人去请，二人惧怕，只得也引洞兵来。获传令曰："吾已知诸葛亮之计矣，不可与战，战则中他诡计。彼川兵远来劳苦，况即日天炎，彼兵岂能久住？吾等有此泸水之险，将船筏尽拘在南岸，一带皆筑土城，深沟高垒，看诸葛亮如何施谋！"众酋长从其计，尽拘船筏于南岸，一带筑起土城；有依山傍崖之地，高竖敌楼；楼上多设弓弩炮石，准备久处之计。粮草皆是各洞供运。孟获以为万全之策，坦然不忧。

却说孔明提兵大进，前军已至泸水，哨马飞报说："泸水之内，并无船筏；又兼水势甚急，隔岸一带筑起土城，皆有蛮兵守把。"时值五月，天气炎热，南方之地，分外炎酷，军马衣甲，皆穿不得。孔明自至泸水边观毕，回到本寨，聚诸将至帐中，传令曰："今孟获兵屯泸水之南，深沟高垒，以拒我兵；吾既提兵至此，如何空回？汝等各各引兵，依山傍树，拣林木茂盛之处，与我将息人马。"乃遣吕凯离泸水百里，拣阴凉之地，分作四个寨子；使王平、张嶷、张翼、关索各守一寨，内外皆搭草棚，遮盖马匹，将士乘凉，以避暑气。参军蒋琬看了，入问孔明曰："某看吕凯所造之寨甚不好，正犯昔日先帝败于东吴时之地势矣。倘蛮兵偷渡泸水，前来劫寨，若用火攻，如何解救？"孔明笑曰："公勿多疑，吾自有妙算。"蒋琬等皆不晓其意。

忽报蜀中差马岱解暑药并粮米到。孔明令入。岱参拜毕，一面将米、药分派四寨。孔明问曰："汝将带多少军来？"马岱曰："有三千军。"孔明曰："吾军累战疲困，欲用汝军，未知肯向前否？"岱曰："皆是朝廷军马，何分彼我？丞相要用，虽死不辞。"孔明曰："今孟获拒住泸水，无路可渡。吾欲先断其粮道，令彼军自乱。"岱曰："如何断得？"孔明曰："离此一百五十里，泸水下流沙口，此处水慢，可以扎筏而渡。汝提本部三千军渡水，直入蛮洞，先断其粮，然后会合董荼那、阿会喃两个洞主，便为内应。不可有误。"

马岱欣然去了，领兵前到沙口，驱兵渡水；因见水浅，大半不下筏，只裸衣而过，半渡皆倒；急救傍岸，口鼻出血而死。马岱大惊，连夜回告孔明，孔明随唤向导土人问之。土人曰："目今炎天，毒聚泸水，日间甚热，毒气正发：有人渡水，必中其毒；或饮此水，其人必死。若要渡时，须待夜静水冷，毒气不起，饱食渡之，方可无事。”孔明遂令土人引路，又选精壮军五六百，随着马岱，来到泸水沙口，扎起木筏，半夜渡水，果然无事。岱领着二千壮军，令土人引路，径取蛮洞运粮总路口夹山峪而来。那夹山峪，两下是山，中间一条路，止容一人一马而过。马岱占了夹山峪，分拨军士，立起寨栅。洞蛮不知，正解粮到，被岱前后截住，夺粮百余车。蛮人报入孟获大寨中。

此时孟获在寨中，终日饮酒取乐，不理军务，谓众酋长曰：“吾若与诸葛亮对敌，必中奸计。今靠此泸水之险，深沟高垒以待之；蜀人受不过酷热，必然退走。那时吾与汝等随后击之，便可擒诸葛亮也。”言讫，呵呵大笑。忽然班内一酋长曰：“沙口水浅，倘蜀兵透漏过来，深为利害；当分军守把。”获笑曰：“汝是本处土人，如何不知？吾正要蜀兵来渡此水，渡则必死于水中矣。”酋长又曰：“倘有土人说与夜渡之法，当复何如？”获曰：“不必多疑。吾境内之人，安肯助敌人耶？”正言之间，忽报蜀兵不知多少，暗渡泸水，绝断了夹山粮道，打着“平北将军马岱”旗号。获笑曰：“量此小辈，何足道哉！”即遣副将忙牙长，引三千兵投夹山峪来。

却说马岱望见蛮兵已到，遂将二千军摆在山前。两阵对圆，忙牙长出马，与马岱交锋；只一合，被岱一刀，斩于马下。蛮兵大败走回，来见孟获，细言其事。获唤诸将问曰：“谁敢去敌马岱？”言未毕，董荼那出曰：“某愿往。”孟获大喜，遂与三千兵而去。获又恐有人再渡泸水，即遣阿会喃，引三千兵，去守把沙口。

却说董荼那引蛮兵到了夹山峪下寨，马岱引兵来迎。部内军有认得是董荼那，说与马岱如此如此。岱纵马向前大骂曰：“无义背恩之徒！吾丞相饶汝性命，今又背反，岂不自羞！”董荼那满面惭愧，无言可答，不战而退。马岱掩杀一阵而回。董荼那回见孟获曰：“马岱英雄，抵敌不住。”获大怒曰：“吾知汝原受诸葛亮之恩，今故不战而退——正是卖阵之计！”喝教推出斩了。众酋长再三哀告，方才免死，叱武士将董荼那打了一百大棍，放归本寨。诸多酋长皆来告董荼那曰：“我等虽居蛮方，未尝敢犯中国；中国亦不曾侵我。今因孟获势力相逼，不得已而造反。想孔明神机莫测，曹操、孙权尚自惧之，何况我等蛮方乎？况我等皆受其活命之恩，无可为报。今欲舍一死命，杀孟获去投孔明，以免洞中百姓涂炭之苦。”董荼那曰："未知汝等心下若何？"内有原蒙孔明放回的人，一齐同声应曰："愿往！"于是董荼那手执钢刀，引百余人，直奔大寨而来，时孟获大醉于帐中。董荼那引众人持刀而入，帐下有两将侍立。董荼那以刀指曰："汝等亦受诸葛丞相活命之恩，宜当报效。"二将曰："不须将军下手，某当生擒孟获，去献丞相。"于是一齐入帐，将孟获执缚已定，押到泸水边，驾船直过北岸，先使人报知孔明。

却说孔明已有细作探知此事，于是密传号令，教各寨将士，整顿军器，方教为首酋长解孟获入来，其余皆回本寨听候。董荼那先入中军见孔明，细说其事。孔明重加赏劳，用好言抚慰，遣董荼那引众酋长去了，然后令刀斧手推孟获入。孔明笑曰："汝前者有言：'但再擒得，便肯降服。'今日如何？"获曰："此非汝之能也；乃吾手下之人自相残害，以致如此。如何肯服！"孔明曰："吾今再放汝去，若何？"孟获曰："吾虽蛮人，颇知兵法；若丞相端的肯放吾回洞中，吾当率兵再决胜负。若丞相这番再擒得我，那时倾心吐胆归降，并不敢改移也。"孔明曰："这番生擒，如又不服，必无轻恕。"令左右去其绳索，仍前赐以酒食，列坐于帐上。孔明曰："吾自出茅庐，战无不胜，攻无不取。汝蛮邦之人，何为不服？"获默然不答。

孔明酒后，唤孟获同上马出寨，观看诸营寨栅所屯粮草、所积军器。孔明指谓孟获曰："汝不降吾，真愚人也。吾有如此之精兵猛将、粮草兵器，汝安能胜吾哉？汝若早降，吾当奏闻天子，令汝不失王位，子子孙孙，永镇蛮邦。意下若何？"获曰："某虽肯降，怎奈洞中之人未肯心服。若丞相肯放回去，就当招安本部人马，同心合胆，方可归顺。"孔明忻然，又与孟获回到大寨。饮酒至晚，获辞去；孔明亲自送至泸水边，以船送获归寨。

孟获来到本寨，先伏刀斧手于帐下，差心腹人到董荼那、阿会喃寨中，只推孔明有使命至，将二人赚到大寨帐下，尽皆杀之，弃尸于涧。孟获随即遣亲信之人，守把隘口，自引军出了夹山峪，要与马岱交战，却并不见一人；及问土人，皆言昨夜尽搬粮草复渡泸水，归大寨去了。获再回洞中，与亲弟孟优商议曰："如今诸葛亮之虚实，吾已尽知，汝可去如此如此。"

孟优领了兄计，引百余蛮兵，搬载金珠、宝贝、象牙、犀角之类，渡了泸水，径投孔明大寨而来；方才过了河时，前面鼓角齐鸣，一彪军摆开：为首大将乃马岱也。孟优大惊。岱问了来情，令在外厢，差人来报孔明。孔明正在帐中与马谡、吕凯、蒋琬、费祎等共议平蛮之事，忽帐下一人，报称孟获差弟孟优来进宝贝。孔明回顾马谡曰："汝知其来意否?"谡曰："不敢明言。容某暗写于纸上,呈与丞相,看合钧意否?"孔明从之。马谡写讫,呈与孔明。孔明看毕,抚掌大笑曰："擒孟获之计,吾已差派下也。汝之所见,正与吾同。"遂唤赵云入,向耳畔分付如此如此;又唤魏延入,亦低言分付;又唤王平、马忠、关索入,亦密密地分付。

各人受了计策,皆依令而去,方召孟优入帐。优再拜于帐下曰："家兄孟获,感丞相活命之恩,无可奉献,辄具金珠宝贝若干,权为赏军之资。续后别有进贡天子礼物。"孔明曰："汝兄今在何处?"优曰："为感丞相天恩,径往银坑山中收拾宝物去了,少时便回来也。"孔明曰："汝带多少人来?"优曰："不敢多带。只是随行百余人,皆运货物者。"孔明尽教入帐看时,皆是青眼黑面,黄发紫须,耳带金环,鬅头①跣足,身长力大之士。孔明就令随席而坐,教诸将劝酒,殷勤相待。

却说孟获在帐中专望回音,忽报有二人回了;唤入问之,具说："诸葛亮受了礼物大喜,将随行之人,皆唤入帐中,杀牛宰羊,设宴相待。二大王令某密报大王:今夜二更,里应外合,以成大事。"

孟获听知甚喜,即点起三万蛮兵,分为三队。获唤各洞酋长分付曰："各军尽带火具。今晚到了蜀寨时,放火为号。吾当自取中军,以擒诸葛亮。"诸多蛮将,受了计策,黄昏左侧,各渡泸水而来。孟获带领心腹蛮将百余人,径投孔明大寨,于路并无一军阻当。前至寨门,获率众将骤马而入,——乃是空寨,并不见一人。获撞入中军,只见帐中灯烛荧煌,孟优并番兵尽皆醉倒。原来孟优被孔明教马谡、吕凯二人管待,令乐人搬做杂剧,殷勤劝酒,酒内下药,尽皆昏倒,浑如醉死之人。孟获入帐问之,内有醒者,但指口而已。获知中计,急救了孟优等一干人;却待奔回中队,前面喊声大震,火光骤起,蛮兵各自逃窜。一彪军杀到,乃是蜀将王平。获大惊,急奔左队时,火光冲天,一彪军杀到,为首蜀将乃是魏延。获慌忙望右队而来,只见火光又起,又一彪军杀到,为首蜀将乃是赵云。三路军夹攻将来,四下无路。孟获弃了军士,匹马望泸水而逃。正见泸水上数十个蛮兵,驾一小舟,获慌令近岸。人马方才下船,一声号起,将孟获缚住。原来马岱受了计策,引本部兵扮作蛮兵,撑船在此,诱擒孟获。

---

①　鬅(péng)头——即"蓬头",头发散乱。

于是孔明招安蛮兵，降者无数。孔明一一抚慰，并不加害。就教救灭了余火。须臾，马岱擒孟获至；赵云擒孟优至；魏延、马忠、王平、关索擒诸洞酋长至。孔明指孟获而笑曰："汝先令汝弟以礼诈降，如何瞒得过吾！今番又被我擒，汝可服否？"获曰："此乃吾弟贪口腹之故，误中汝毒，因此失了大事。吾若自来，弟以兵应之，必然成功。此乃天败，非吾之不能也，如何肯服！"孔明曰："今已三次，如何不服？"孟获低头无语。孔明笑曰："吾再放汝回去。"孟获曰："丞相若肯放吾兄弟回去，收拾家下亲丁，和丞相大战一场，那时擒得，方才死心塌地而降。"孔明曰："再若擒住，必不轻恕。汝可小心在意，勤攻韬略之书，再整亲信之士，早用良策，勿生后悔。"遂令武士去其绳索，放起孟获，并孟优及各洞酋长，一齐都放。孟获等拜谢去了。此时蜀兵已渡泸水。孟获等过了泸水，只见岸口陈兵列将，旗帜纷纷。获到营前，马岱高坐，以剑指之曰："这番拿住，必无轻放！"孟获到了自己寨时，赵云早已袭了此寨，布列兵马。云坐于大旗下，按剑而言曰："丞相如此相待，休忘大恩！"获喏喏连声而去。将出界口山坡，魏延引一千精兵，摆在坡上，勒马厉声而言曰："吾今已深入巢穴，夺汝险要；汝尚自愚迷，抗拒大军！这回拿住，碎尸万段，决不轻饶！"孟获等抱头鼠窜，望本洞而去。后人有诗赞曰：

五月驱兵入不毛，月明泸水瘴烟高。
誓将雄略酬三顾，岂惮征蛮七纵劳。

却说孔明渡了泸水，下寨已毕，大赏三军，聚众将于帐下曰："孟获第二番擒来，吾令遍观各营虚实，正欲令其来劫营也。吾知孟获颇晓兵法，吾以兵马粮草炫耀，实令孟获看吾破绽，必用火攻。彼令其弟诈降，欲为内应耳。吾三番擒之而不杀，诚欲服其心，不欲灭其类也。吾今明告汝等。——勿得辞劳，可用心报国。"众将拜伏曰："丞相智、仁、勇三者足备，虽子牙、张良不能及也。"孔明曰："吾今安敢望古人耶？皆赖汝等之力，共成功业耳。"帐下诸将听得孔明之言，尽皆喜悦。

却说孟获受了三擒之气，忿忿归到银坑洞中，即差心腹人赍金珠宝贝，往八番九十三甸等处，并蛮方部落，借使牌刀獠丁军健①数十万，克日

① 牌刀獠丁军健——指武器和兵士。獠丁：相貌凶恶的壮丁；军健：强壮有力的士兵。

齐备，各队人马，云堆雾拥，俱听孟获调用。伏路军探知其事，来报孔明。孔明笑曰：“吾正欲令蛮兵皆至，见吾之能也。”遂上小车而行。正是：若非洞主威风猛，怎显军师手段高！未知胜负如何，且看下文分解。

# 第八十九回

## 武乡侯四番用计　南蛮王五次遭擒

却说孔明自驾小车，引数百骑前来探路。前有一河，名曰西洱河，水势虽慢，并无一只船筏。孔明令伐木为筏而渡，其木到水皆沉。孔明遂问吕凯，凯曰：“闻西洱河上流有一山，其山多竹，大者数围。可令人伐之，于河上搭起竹桥，以渡军马。”孔明即调三万人入山，伐竹数十万根，顺水放下，于河面狭处，搭起竹桥，阔十余丈。乃调大军于河北岸一字儿下寨，便以河为壕堑，以浮桥为门，垒土为城；过桥南岸，一字下三个大营，以待蛮兵。

却说孟获引数十万蛮兵，恨怒而来。将近西洱河，孟获引前部一万刀牌獠丁，直扣前寨搦战。孔明头戴纶巾，身披鹤氅，手执羽扇，乘驷马车，左右众将簇拥而出。孔明见孟获身穿犀皮甲，头顶朱红盔，左手挽牌，右手执刀，骑赤毛牛，口中辱骂；手下万余洞丁，各舞刀牌，往来冲突。孔明急令退回本寨，四面紧闭，不许出战。蛮兵皆裸衣赤身，直到寨门前叫骂。诸将大怒，皆来禀孔明曰：“某等情愿出寨决一死战！”孔明不许。诸将再三欲战，孔明止曰：“蛮方之人，不遵王化，今此一来，狂恶正盛，不可迎也；且宜坚守数日，待其猖獗少懈，吾自有妙计破之。”

于是蜀兵坚守数日。孔明在高阜处探之，窥见蛮兵已多懈怠，乃聚诸将曰：“汝等敢出战否？”众将欣然要出。孔明先唤赵云、魏延入帐，向耳畔低言，分付如此如此。二人受了计策先进。却唤王平、马忠入帐，受计去了。又唤马岱分付曰：“吾今弃此三寨，退过河北；吾军一退，汝可便拆浮桥，移于下流，却渡赵云、魏延军马过河来接应。”岱受计而去。又唤张翼曰：“吾军退去，寨中多设灯火。孟获知之，必来追赶，汝却断其后。”张翼受计而退。孔明只教关索护车。众军退去，寨中多设灯火。蛮兵望见，不敢冲突。

次日平明，孟获引大队蛮兵径到蜀寨之时，只见三个大寨，皆无人马，于内弃下粮草车仗数百余辆。孟优曰："诸葛弃寨而走，莫非有计否?"孟获曰："吾料诸葛亮弃辎重而去，必因国中有紧急之事：若非吴侵，定是魏伐。故虚张灯火以为疑兵，弃车仗而去也。可速追之，不可错过。"于是孟获自驱前部，直到西洱河边。望见河北岸上，寨中旗帜整齐如故，灿若云锦；沿河一带，又设锦城。蛮兵哨见，皆不敢进。获谓优曰："此是诸葛亮惧吾追赶，故就河北岸少住，不二日必走矣。"遂将蛮兵屯于河岸；又使人去山上砍竹为筏，以备渡河；却将敢战之兵，皆移于寨前面。——却不知蜀兵早已入自己之境。

是日，狂风大起。四壁厢火明鼓响，蜀兵杀到。蛮兵獠丁，自相冲突。孟获大惊，急引宗族洞丁杀开条路，径奔旧寨。忽一彪军从寨中杀出，乃是赵云。获慌忙回西洱河，望山僻处而走。又一彪军杀出，乃是马岱。孟获只剩得数十个败残兵，望山谷中而逃。见南、北、西三处尘头火光，因此不敢前进，只得望东奔走。方才转过山口，见一大林之前，数十从人，引一辆小车；车上端坐孔明，呵呵大笑曰："蛮王孟获！天败至此，吾已等候多时也！"获大怒，回顾左右曰："吾遭此人诡计，受辱三次；今幸得这里相遇。汝等奋力前去，连人带车砍为粉碎！"数骑蛮兵，猛力向前。孟获当先呐喊，抢到大林之前，趷踏①一声，踏了陷坑，一齐塌倒。大林之内，转出魏延，引数百军来，一个个拖出，用索缚定。孔明先到寨中，招安蛮兵，并诸甸酋长洞丁——此时大半皆归本乡去了——除死伤外，其余尽皆归降。孔明以酒肉相待，以好言抚慰，尽令放回。蛮兵皆感叹而去。少顷，张翼解孟优至。孔明诲之曰："汝兄愚迷，汝当谏之。今被吾擒了四番，有何面目再见人耶！"孟优羞惭满面，伏地告求免死。孔明曰："吾杀汝不在今日。吾且饶汝性命，劝谕汝兄。"令武士解其绳索，放起孟优。优泣拜而去。

不一时，魏延解孟获至。孔明大怒曰："你今番又被吾擒了，有何理说!"获曰："吾今误中诡计，死不瞑目!"孔明叱武士推出斩之。获全无惧色，回顾孔明曰："若敢再放吾回去，必然报四番之恨!"孔明大笑，令左右去其缚，赐酒压惊，就坐于帐中。孔明问曰："吾今四次以礼相待，汝尚然

---

① 趷(gē)踏——象声词，形容声音。

不服，何也？”获曰：“吾虽是化外之人，不似丞相专施诡计，吾如何肯服？”孔明曰：“吾再放汝回去，复能战乎？”获曰：“丞相若再拿住吾，吾那时倾心降服，尽献本洞之物犒军，誓不反乱。”

孔明即笑而遣之。获忻然拜谢而去。于是聚得诸洞壮丁数千人，望南迤逦而行。早望见尘头起处，一队兵到，乃是兄弟孟优，重整残兵，来与兄报仇。兄弟二人，抱头相哭，诉说前事。优曰：“我兵屡败，蜀兵屡胜，难以抵当。只可就山阴洞中，退避不出。蜀兵受不过暑气，自然退矣。”获问曰：“何处可避？”优曰：“此去西南有一洞，名曰秃龙洞。洞主朵思大王，与弟甚厚，可投之。”于是孟获先教孟优到秃龙洞，见了朵思大王。朵思慌引洞兵出迎。孟获入洞，礼毕，诉说前事。朵思曰：“大王宽心。若蜀兵到来，令他一人一骑不得还乡，与诸葛亮皆死于此处！”获大喜，问计于朵思。朵思曰：“此洞中止有两条路：东北上一路，就是大王所来之路，地势平坦，土厚水甜，人马可行；若以木石垒断洞口，虽有百万之众，不能进也。西北上有一条路，山险岭恶，道路窄狭；其中虽有小路，多藏毒蛇恶蝎；黄昏时分，烟瘴大起，直至巳、午时方收，惟未、申、酉三时①，可以往来；水不可饮，人马难行。此处更有四个毒泉：一名哑泉，其水颇甜，人若饮之，则不能言，不过旬日必死；二曰灭泉，此水与汤无异，人若沐浴，则皮肉皆烂，见骨必死；三曰黑泉，其水微清，人若溅之在身，则手足皆黑而死；四曰柔泉，其水如冰，人若饮之，咽喉无暖气，身躯软弱如绵而死。此处虫鸟皆无，惟有汉伏波将军曾到；自此以后，更无一人到此。今垒断东北大路，令大王稳居敝洞，若蜀兵见东路截断，必从西路而入；于路无水，若见此四泉，定然饮水：虽百万之众，皆无归矣。——何用刀兵耶！”孟获大喜，以手加额曰：“今日方有容身之地！”又望北指曰：“任诸葛神机妙算，难以施设！四泉之水，足以报败兵之恨也！”自此，孟获、孟优终日与朵思大王筵宴。

却说孔明连日不见孟获兵出，遂传号令教大军离西洱河，望南进发。此时正当六月炎天，其热如火。有后人咏南方苦热诗曰：

山泽欲焦枯，火光覆太虚。不知天地外，暑气更何如！

又有诗曰：

---

① 未、申、酉三时——分别是下午一点到三点、三点到五点、五点到七点。

赤帝①施权柄，阴云不敢生。云蒸孤鹤喘，海热巨鳌惊。

忍舍溪边坐？慵抛竹里行。如何沙塞客②，擐甲复长征！

孔明统领大军，正行之际，忽哨马飞报："孟获退往秃龙洞中不出，将洞口要路垒断，内有兵把守；山恶岭峻，不能前进。"孔明请吕凯问之，凯曰："某曾闻此洞有条路，实不知详细。"蒋琬曰："孟获四次遭擒，既已丧胆，安敢再出？况今天气炎热，军马疲乏，征之无益；不如班师回国。"孔明曰："若如此，正中孟获之计也。吾军一退，彼必乘势追之。今已到此，安有复回之理！"遂令王平领数百军为前部；却教新降蛮兵引路，寻西北小径而入。前到一泉，人马皆渴，争饮此水。王平探有此路，回报孔明。比及到大寨之时，皆不能言，但指口而已。

孔明大惊，知是中毒，遂自驾小车，引数十人前来看时，见一潭清水，深不见底，水气凛凛，军不敢试。孔明下车，登高望之，四壁峰岭，鸟雀不闻，心中大疑。忽望见远远山冈之上，有一古庙。孔明攀藤附葛而到，见一石屋之中，塑一将军端坐，旁有石碑，乃汉伏波将军马援之庙：因平蛮到此，土人立庙祀之。孔明再拜曰："亮受先帝托孤之重，今承圣旨，到此平蛮；欲待蛮方既平，然后伐魏吞吴，重安汉室。今军士不识地理，误饮毒水，不能出声。万望尊神，念本朝恩义，通灵显圣，护佑三军！"

祈祷已毕，出庙寻土人问之。隐隐望见对山一老叟扶杖而来，形容甚异。孔明请老叟入庙，礼毕，对坐于石上。孔明问曰："丈者高姓？"老叟曰："老夫久闻大国丞相隆名，幸得拜见。蛮方之人，多蒙丞相活命，皆感恩不浅。"孔明问泉水之故，老叟答曰："军所饮水，乃哑泉之水也，饮之难言，数日而死。此泉之外，又有三泉：东南有一泉，其水至冷，人若饮之，咽喉无暖气，身躯软弱而死，名曰柔泉；正南有一泉，人若溅之在身，手足皆黑而死，名曰黑泉；西南有一泉，沸如热汤，人若浴之，皮肉尽脱而死，名曰灭泉。敝处有此四泉，毒气所聚，无药可治。又烟瘴甚起，惟未、申、酉三个时辰可往来；余者时辰，皆瘴气密布，触之即死。"

孔明曰："如此则蛮方不可平矣。蛮方不平，安能并吞吴、魏，再兴汉室？有负先帝托孤之重，生不如死也！"老叟曰："丞相勿忧。老夫指引一

---

① 赤帝——掌管太阳的神祇。

② 沙塞客——沙漠边塞处的旅客，这里指蜀兵。

处，可以解之。”孔明曰：“老丈有何高见，望乞指教。”老叟曰：“此去正西数里，有一山谷，入内行二十里，有一溪名曰万安溪。上有一高士，号为万安隐者；此人不出溪有数十余年矣。其草庵后有一泉，名安乐泉。人若中毒，汲其水饮之即愈。有人或生疥癞，或感瘴气，于万安溪内浴之，自然无事。更兼庵前有一等草，名曰薤叶芸香①。人若口含一叶，则瘴气不染。丞相可速往求之。”孔明拜谢，问曰：“承丈者如此活命之德，感刻不胜。愿闻高姓？”老叟入庙曰：“吾乃本处山神，奉伏波将军之命，特来指引。”言讫，喝开庙后石壁而入。孔明惊讶不已，再拜庙神，寻旧路上车，回到大寨。

次日，孔明备信香②、礼物，引王平及众哑军，连夜望山神所言去处，迤逦而进。入山谷小径，约行二十余里，但见长松大柏，茂竹奇花，环绕一庄；篱落之中，有数间茅屋，闻得馨香喷鼻。孔明大喜，到庄前扣户，有一小童出。孔明方欲通姓名，早有一人，竹冠草履，白袍皂绦，碧眼黄发，忻然出曰：“来者莫非汉丞相否？”孔明笑曰：“高士何以知之？”隐者曰：“久闻丞相大纛③南征，安得不知！”遂邀孔明入草堂。礼毕，分宾主坐定。孔明告曰：“亮受昭烈皇帝托孤之重，今承嗣君圣旨，领大军至此，欲服蛮邦，使归王化。不期孟获潜入洞中，军士误饮哑泉之水。夜来蒙伏波将军显圣，言高士有药泉，可以治之。望乞矜念，赐神水以救众兵残生。”隐者曰：“量老夫山野废人，何劳丞相枉驾。此泉就在庵后。”教取来饮。

于是童子引王平等一起哑军，来到溪边，汲水饮之；随即吐出恶涎，便能言语。童子又引众军到万安溪中沐浴。隐者于庵中进柏子茶、松花菜，以待孔明。隐者告曰：“此间蛮洞多毒蛇恶蝎，柳花飘入溪泉之间，水不可饮；但掘地为泉，汲水饮之方可。”孔明求薤叶芸香，隐者令众军尽意采取：“各人口含一叶，自然瘴气不侵。”孔明拜求隐者姓名。隐者笑曰：“某乃孟获之兄孟节是也。”孔明愕然。隐者又曰：“丞相休疑，容伸片言：某一父母所生三人：长即老夫孟节，次孟获，又次孟优。父母皆亡。二弟强恶，不归

---

① 薤（xiè）叶芸香——草名。

② 信香——祭神用的香。古人迷信，认为虔诚地烧香，香烟就可以作为信使，传到神的面前，使神知道烧香人的愿望。

③ 大纛（dào）——大旗，这里指大军。纛：古代军队里的大旗。

王化。某屡谏不从，故更名改姓，隐居于此。今辱弟造反，又劳丞相深入不毛之地，如此生受①，孟节合该万死，故先于丞相之前请罪。"孔明叹曰："方信盗跖、下惠②之事，今亦有之。"遂与孟节曰："吾申奏天子，立公为王，可乎？"节曰："为嫌功名而逃于此，岂复有贪富贵之意！"孔明乃具金帛赠之。孟节坚辞不受。孔明嗟叹不已，拜别而回。后人有诗曰：

高士幽栖独闭关，武侯曾此破诸蛮。

至今古木无人境，犹有寒烟锁旧山。

孔明回到大寨之中，令军士掘地取水。掘下二十余丈，并无滴水；凡掘十余处，皆是如此。军心惊慌。孔明夜半焚香告天曰："臣亮不才，仰承大汉之福，受命平蛮。今途中乏水，军马枯渴。倘上天不绝大汉，即赐甘泉！若气运已终，臣亮等愿死于此处！"是夜祝罢，平明视之，皆得满井甘泉。后人有诗曰：

为国平蛮统大兵，心存正道合神明。

耿恭拜井甘泉出，诸葛虔诚水夜生。

孔明军马既得甘泉，遂安然由小径直入秃龙洞前下寨。

蛮兵探知，来报孟获曰："蜀兵不染瘴疫之气，又无枯渴之患，诸泉皆不应。"朵思大王闻知不信，自与孟获来高山望之。只见蜀兵安然无事，大桶小担，搬运水浆，饮马造饭。朵思见之，毛发耸然，回顾孟获曰："此乃神兵也！"获曰："吾兄弟二人与蜀兵决一死战，就殒于军前，安肯束手受缚！"朵思曰："若大王兵败，吾妻子亦休矣。当杀牛宰马，大赏洞丁，不避水火，直冲蜀寨，方可得胜。"

于是大赏蛮兵。正欲起程，忽报洞后迤西银冶洞二十一洞主杨锋引三万兵来助战。孟获大喜曰："邻兵助我，我必胜矣！"即与朵思大王出洞迎接。杨锋引兵入曰："吾有精兵三万，皆披铁甲，能飞山越岭，足以敌蜀兵百万；我有五子，皆武艺足备，愿助大王。"锋令五子入拜，皆彪躯虎体，威风抖擞。孟获大喜，遂设席相待杨锋父子。酒至半酣，锋曰："军中少乐，吾随军有蛮姑，善舞刀牌，以助一笑。"获忻然从之。须臾，数十蛮姑，

① 生受——道谢语，犹如说难为、有劳、对不住。

② 盗跖(zhí)、下惠——春秋时人，二人是兄弟，但为人却完全不同：柳下惠以贤慧著称，盗跖却一直被视为大盗。

皆披发跣足，从帐外舞跳而入，群蛮拍手以歌和之。杨锋令二子把盏。二子举杯诣孟获、孟优前。二人接杯，方欲饮酒，锋大喝一声，二子早将孟获、孟优执下座来。朵思大王却待要走，已被杨锋擒了。蛮姑横截于帐上，谁敢近前。获曰："兔死狐悲，物伤其类。吾与汝皆是各洞之主，往日无冤，何故害我？"锋曰："吾兄弟子侄皆感诸葛丞相活命之恩，无可以报。今汝反叛，何不擒献！"

于是各洞蛮兵，皆走回本乡。杨锋将孟获、孟优、朵思等解赴孔明寨来。孔明令入，杨锋等拜于帐下曰："某等子侄皆感丞相恩德，故擒孟获、孟优等呈献。"孔明重赏之，令驱孟获入。孔明笑曰："汝今番心服乎？"获曰："非汝之能，乃吾洞中之人，自相残害，以致如此。要杀便杀，只是不服！"孔明曰："汝赚吾入无水之地，更以哑泉、灭泉、黑泉、柔泉如此之毒，吾军无恙，岂非天意乎？汝何如此执迷？"获又曰："吾祖居银坑山中，有三江之险，重关之固。汝若就彼擒之，吾当子子孙孙，倾心服事。"孔明曰："吾再放汝回去，重整兵马，与吾共决胜负；如那时擒住，汝再不服，当灭九族。"叱左右去其缚，放起孟获。获再拜而去。孔明又将孟优并朵思大王皆释其缚，赐酒食压惊。二人悚惧，不敢正视。孔明令鞍马送回。正是：深临险地非容易，更展奇谋岂偶然！未知孟获整兵再来，胜负如何，且看下文分解。

# 第九十回

## 驱巨兽六破蛮兵　烧藤甲七擒孟获

却说孔明放了孟获等一干人，杨锋父子皆封官爵，重赏洞兵。杨锋等拜谢而去。孟获等连夜奔回银坑洞。那洞外有三江：乃是泸水、甘南水、西城水。三路水会合，故为三江。其洞北近平坦三百余里，多产万物。洞西二百里，有盐井。西南二百里，直抵泸、甘。正南三百里，乃是梁都洞，洞中有山，环抱其洞；山上出银矿，故名为银坑山。山中置宫殿楼台，以为蛮王巢穴。其中建一祖庙，名曰"家鬼"。四时杀牛宰马享祭，名为"卜鬼"。每年常以蜀人并外乡之人祭之。若人患病，不肯服药，只祷师巫，名为“药鬼”。其处无刑法，但犯罪即斩。有女长成，却于溪中沐浴，男女自相混淆，任其自配，父母不禁，名为“学艺”。年岁雨水均调，则种稻谷；倘若不熟，杀蛇为羹，煮象为饭。每方隅①之中，上户号曰“洞主”，次曰“酋长”。每月初一、十五两日，皆在三江城中买卖，转易货物。其风俗如此。

却说孟获在洞中，聚集宗党千余人，谓之曰：“吾屡受辱于蜀兵，立誓欲报之。汝等有何高见？”言未毕，一人应曰：“吾举一人，可破诸葛亮。”众视之，乃孟获妻弟，现为八番部长，名曰带来洞主。获大喜，急问何人。带来洞主曰：“此去西南八纳洞，洞主木鹿大王，深通法术：出则骑象，能呼风唤雨，常有虎豹豺狼、毒蛇恶蝎跟随。手下更有三万神兵，甚是英勇。大王可修书具礼，某亲往求之。此人若允，何惧蜀兵哉！”获忻然，令国舅赍书而去。却令朵思大王守把三江城，以为前面屏障。

却说孔明提兵直至三江城，遥望见此城三面傍江，一面通旱；即遣魏延、赵云同领一军，于旱路打城。军到城下时，城上弓弩齐发：原来洞中之人，多习弓弩，一弩齐发十矢，箭头上皆用毒药；但有中箭者，皮肉皆烂，见五脏而死。赵云、魏延不能取胜，回见孔明，言药箭之事。孔明自乘小车，到军前看了虚实，回到寨中，令军退数里下寨。蛮兵望见蜀兵远退，皆大笑作贺，只疑蜀兵惧怯而退，因此夜间安心稳睡，不去哨探。

却说孔明约军退后，即闭寨不出。一连五日，并无号令。黄昏左侧，忽起微风。孔明传令曰：“每军要衣襟一幅，限一更时分应点。无者立斩。”诸将皆不知其意，众军依令预备。初更时分，又传令曰：“每军衣襟一幅，包土一包。无者立斩。”众军亦不知其意，只得依令预备。孔明又传令曰：“诸军包土，俱在三江城下交割。先到者有赏。”众军闻令，皆包净土，飞奔城下。孔明令积土为蹬道②，先上城者为头功。于是蜀兵十余万，并降兵万余，将所包之土，一齐弃于城下。一霎时，积土成山，接连城上。一声暗号，蜀兵皆上城。蛮兵急放弩时，大半早被执下，余者弃城而走。朵思大王死于乱军之中。蜀将督军分路剿杀。孔明取了三江城，所得珍宝，皆赏三军。败残蛮兵逃回见孟获说：“朵思大王身死，失了三江城。”获大惊。

---

① 方隅——四方和四隅，引申指国家的边疆。

② 蹬道——有阶踏的坡道。

正虑之间，人报蜀兵已渡江，现在本洞前下寨。孟获甚是慌张。忽然屏风后一人大笑而出曰："既为男子，何无智也？我虽是一妇人，愿与你出战。"获视之，乃妻祝融夫人也。夫人世居南蛮，乃祝融氏①之后；善使飞刀，百发百中。孟获起身称谢。夫人忻然上马，引宗党猛将数百员、生力洞兵五万，出银坑宫阙，来与蜀兵对敌。方才转过洞口，一彪军拦住：为首蜀将，乃是张嶷。蛮兵见之，却早两路摆开。祝融夫人背插五口飞刀，手挺丈八长标，坐下卷毛赤兔马。张嶷见之，暗暗称奇。二人骤马交锋。战不数合，夫人拨马便走。张嶷赶去，空中一把飞刀落下。嶷急用手隔，正中左臂，翻身落马。蛮兵发一声喊，将张嶷执缚去了。马忠听得张嶷被执，急出救时，早被蛮兵困住。望见祝融夫人挺标勒马而立，忠忿怒向前去战，坐下马绊倒，亦被擒了。都解入洞中来见孟获。获设席庆贺。夫人叱刀斧手推出张嶷、马忠要斩。获止曰："诸葛亮放吾五次，今番若杀彼将，是不义也。且囚在洞中，待擒住诸葛亮，杀之未迟。"夫人从其言，笑饮作乐。

却说败残兵来见孔明，告知其事。孔明即唤马岱、赵云、魏延三人受计，各自领军前去。次日，蛮兵报入洞中，说赵云搦战。祝融夫人即上马出迎。二人战不数合，云拨马便走。夫人恐有埋伏，勒兵而回。魏延又引军来搦战，夫人纵马相迎。正交锋紧急，延诈败而逃，夫人只不赶。次日，赵云又引军来搦战，夫人领洞兵出迎。二人战不数合，云诈败而走，夫人按标不赶。欲收兵回洞时，魏延引军齐声辱骂，夫人急挺标来取魏延。延拨马便走。夫人忿怒赶来，延骤马奔入山僻小路。忽然背后一声响亮，延回头视之，夫人仰鞍落马：原来马岱埋伏在此，用绊马索绊倒。就里擒缚，解投大寨而来。蛮将洞兵皆来救时，赵云一阵杀散。孔明端坐于帐上，马岱解祝融夫人到，孔明急令武士去其缚，请在别帐赐酒压惊，遣使往告孟获，欲送夫人换张嶷、马忠二将。

孟获允诺，即放出张嶷、马忠，还了孔明。孔明遂送夫人入洞。孟获接入，又喜又恼。忽报八纳洞主到。孟获出洞迎接，见其人骑着白象，身穿金珠缨络，腰悬两口大刀，领着一班喂养虎豹豺狼之士，簇拥而入。获再拜哀告，诉说前事。木鹿大王许以报仇。获大喜，设宴相待。次日，木

① 祝融氏——传说中的远古帝王之一。

鹿大王引本洞兵带猛兽而出。赵云、魏延听知蛮兵出，遂将军马布成阵势。二将并辔立于阵前视之，只见蛮兵旗帜器械皆别：人多不穿衣甲，尽裸身赤体，面目丑陋；身带四把尖刀；军中不鸣鼓角，但筛金为号；木鹿大王腰挂两把宝刀，手执蒂钟，身骑白象，从大旗中而出。赵云见了，谓魏延曰："我等上阵一生，未尝见如此人物。"二人正沉吟之际，只见木鹿大王口中不知念甚咒语，手摇蒂钟。忽然狂风大作，飞砂走石，如同骤雨；一声画角响，虎豹豺狼，毒蛇猛兽，乘风而出，张牙舞爪，冲将过来。蜀兵如何抵当，往后便退。蛮兵随后追杀，直赶到三江界路方回。赵云、魏延收聚败兵，来孔明帐前请罪，细说此事。

孔明笑曰："非汝二人之罪。吾未出茅庐之时，先知南蛮有驱虎豹之法。吾在蜀中已办下破此阵之物也：随军有二十辆车，俱封记在此。今日且用一半；留下一半，后有别用。"遂令左右取了十辆红油柜车到帐下，留十辆黑油柜车在后。众皆不知其意。孔明将柜打开，皆是木刻彩画巨兽，俱用五色绒线为毛衣，钢铁为牙爪，一个可骑坐十人。孔明选了精壮军士一千余人，领了一百，口内装烟火之物，藏在军中。次日，孔明驱兵大进，布于洞口。蛮兵探知，入洞报与蛮王。木鹿大王自谓无敌，即与孟获引洞兵而出。孔明纶巾羽扇，身衣道袍，端坐于车上。孟获指曰："车上坐的便是诸葛亮！若擒住此人，大事定矣！"木鹿大王口中念咒，手摇蒂钟。顷刻之间，狂风大作，猛兽突出。孔明将羽扇一摇，其风便回吹彼阵中去了，蜀阵中假兽拥出。蛮洞真兽见蜀阵巨兽口吐火焰，鼻出黑烟，身摇铜铃，张牙舞爪而来，诸恶兽不敢前进，皆奔回蛮洞，反将蛮兵冲倒无数。孔明驱兵大进，鼓角齐鸣，望前追杀。木鹿大王死于乱军之中。洞内孟获宗党，皆弃宫阙，扒山越岭而走。孔明大军占了银坑洞。

次日，孔明正要分兵缉擒孟获，忽报："蛮王孟获妻弟带来洞主，因劝孟获归降，获不从，今将孟获并祝融夫人及宗党数百余人尽皆擒来，献与丞相。"孔明听知，即唤张嶷、马忠，分付如此如此。二将受了计，引二千精壮兵，伏于两廊。孔明即令守门将，俱放进来。带来洞主引刀斧手解孟获等数百人，拜于殿下。孔明大喝曰："与吾擒下！"两廊壮兵齐出，二人捉一人，尽被执缚。孔明大笑曰："量汝些小诡计，如何瞒得过我！汝见二次俱是本洞人擒汝来降，吾不加害；汝只道吾深信，故来诈降，欲就洞中杀吾！"喝令武士搜其身畔，果然各带利刀。孔明问孟获曰："汝原说在汝家擒住，方始心服；今日如何？”获曰：“此是我等自来送死，非汝之能也。吾心未服。”孔明曰：“吾擒住六番，尚然不服，欲待何时耶？”获曰：“汝第七次擒住，吾方倾心归服，誓不反矣。”孔明曰：“巢穴已破，吾何虑哉！”令武士尽去其缚，叱之曰：“这番擒住，再若支吾，必不轻恕！”孟获等抱头鼠窜而去。

却说败残蛮兵有千余人，大半中伤而逃，正遇蛮王孟获。获收了败兵，心中稍喜，却与带来洞主商议曰：“吾今洞府已被蜀兵所占，今投何地安身？”带来洞主曰：“止有一国可以破蜀。”获喜曰：“何处可去？”带来洞主曰：“此去东南七百里，有一国，名乌戈国。国主兀突骨，身长丈二，不食五谷，以生蛇恶兽为饭；身有鳞甲，刀箭不能侵。其手下军士，俱穿藤甲；其藤生于山涧之中，盘于石壁之上；国人采取，浸于油中，半年方取出晒之；晒干复浸，凡十余遍，却才造成铠甲；穿在身上，渡江不沉，经水不湿，刀箭皆不能入：因此号为藤甲军。今大王可往求之。若得彼相助，擒诸葛亮如利刀破竹也。”孟获大喜，遂投乌戈国，来见兀突骨。其洞无宇舍，皆居土穴之内。孟获入洞，再拜哀告前事。兀突骨曰：“吾起本洞之兵，与汝报仇。”获欣然拜谢。于是兀突骨唤两个领兵俘长：一名土安，一名奚泥，起三万兵，皆穿藤甲，离乌戈国望东北而来。行至一江，名桃花水，两岸有桃树，历年落叶于水中，若别国人饮之尽死，惟乌戈国人饮之，倍添精神。兀突骨兵至桃花渡口下寨，以待蜀兵。

却说孔明令蛮人哨探孟获消息，回报曰：“孟获请乌戈国主，引三万藤甲军，现屯于桃花渡口。孟获又在各番聚集蛮兵，并力拒战。”孔明听说，提兵大进，直至桃花渡口。隔岸望见蛮兵，不类人形，甚是丑恶；又问土人，言说即日桃叶正落，水不可饮。孔明退五里下寨，留魏延守寨。

次日，乌戈国主引一彪藤甲军过河来，金鼓大震。魏延引兵出迎。蛮兵卷地而至。蜀兵以弩箭射到藤甲之上，皆不能透，俱落于地；刀砍枪刺，亦不能入。蛮兵皆使利刀钢叉，蜀兵如何抵当，尽皆败走。蛮兵不赶而回。魏延复回，赶到桃花渡口，只见蛮兵带甲渡水而去；内有困乏者，将甲脱下，放在水面，以身坐其上而渡。魏延急回大寨，来禀孔明，细言其事。孔明请吕凯并土人问之。凯曰：“某素闻南蛮中有一乌戈国，无人伦①者也。更有藤甲护身，急切难伤。又有桃叶恶水，本国人饮之，反添精神；别

---

① 伦——伦比、匹敌。

国人饮之即死:如此蛮方,纵使全胜,有何益焉?不如班师早回。"孔明笑曰:"吾非容易到此,岂可便去!吾明日自有平蛮之策。"于是令赵云助魏延守寨,且休轻出。

次日,孔明令土人引路,自乘小车到桃花渡口北岸山僻去处,遍观地理。山险岭峻之处,车不能行,孔明弃车步行。忽到一山,望见一谷,形如长蛇,皆光峭石壁,并无树木,中间一条大路。孔明问土人曰:"此谷何名?"土人答曰:"此处名为盘蛇谷。出谷则三江城大路,谷前名塔郎甸。"孔明大喜曰:"此乃天赐吾成功于此也!"遂回旧路,上车归寨,唤马岱分付曰:"与汝黑油柜车十辆,须用竹竿千条,柜内之物,如此如此。可将本部兵去把住盘蛇谷两头,依法而行。与汝半月限,一切完备。至期如此施设。倘有走漏,定按军法。"马岱受计而去。又唤赵云分付曰:"汝去盘蛇谷后,三江大路口如此守把。所用之物,克日完备。"赵云受计而去。又唤魏延分付曰:"汝可引本部兵去桃花渡口下寨。如蛮兵渡水来敌,汝便弃了寨,望白旗处而走。限半个月内,须要连输十五阵,弃七个寨栅。若输十四阵,也休来见我。"魏延领命,心中不乐,怏怏而去。孔明又唤张翼另引一军,依所指之处,筑立寨栅去了;却令张嶷、马忠引本洞所降千人,如此行之。各人都依计而行。

却说孟获与乌戈国主兀突骨曰:"诸葛亮多有巧计,只是埋伏。今后交战,分付三军:但见山谷之中,林木多处,不可轻进。"兀突骨曰:"大王说得有理。吾已知道中国人多行诡计。今后依此言行之。吾在前面厮杀,汝在背后教道。"两人商议已定。忽报蜀兵在桃花渡口北岸立起营寨。兀突骨即差二俘长引藤甲军渡了河,来与蜀兵交战。不数合,魏延败走。蛮兵恐有埋伏,不赶自回。次日,魏延又去立了营寨。蛮兵哨得,又引众军渡过河来战。延出迎之。不数合,延败走。蛮兵追杀十余里,见四下并无动静,便在蜀寨中屯住。次日,二俘长请兀突骨到寨,说知此事。兀突骨即引兵大进,将魏延追一阵。蜀兵皆弃甲抛戈而走,只见前有白旗。延引败兵,急奔到白旗处,早有一寨,就寨中屯住。兀突骨驱兵追至,魏延引兵弃寨而走。蛮兵得了蜀寨。次日,又望前追杀。魏延回兵交战,不三合又败,只看白旗处而走,又有一寨,延就寨屯住。次日,蛮兵又至。延略战又走。蛮兵占了蜀寨。

话休絮烦,魏延且战且走,已败十五阵,连弃七个营寨。蛮兵大进追杀。兀突骨自在军前破敌，于路但见林木茂盛之处，便不敢进；却使人远望，果见树阴之中，旌旗招飐。兀突骨谓孟获曰："果不出大王所料。"孟获大笑曰："诸葛亮今番被吾识破！大王连日胜了他十五阵，夺了七个营寨，蜀兵望风而走。诸葛亮已是计穷；只此一进，大事定矣！"兀突骨大喜，遂不以蜀兵为念。至第十六日，魏延引败残兵，来与藤甲军对敌。兀突骨骑象当先，头戴日月狼须帽，身披金珠缨络，两肋下露出生鳞甲，眼目中微有光芒，手指魏延大骂。延拨马便走。后面蛮兵大进。魏延引兵转过了盘蛇谷，望白旗而走。兀突骨统引兵众，随后追杀。兀突骨望见山上并无草木，料无埋伏，放心追杀。赶到谷中，见数十辆黑油柜车在当路。蛮兵报曰："此是蜀兵运粮道路，因大王兵至，撇下粮车而走。"兀突骨大喜，催兵追赶。将出谷口，不见蜀兵，只见横木乱石滚下，垒断谷口。兀突骨令兵开路而进，忽见前面大小车辆，装载干柴，尽皆火起。兀突骨忙教退兵，只闻后军发喊，报说谷口已被干柴垒断，车中原来皆是火药，一齐烧着。兀突骨见无草木，心尚不慌，令寻路而走。只见山上两边乱丢火把，火把到处，地中药线皆着，就地飞起铁炮。满谷中火光乱舞，但逢藤甲，无有不着。将兀突骨并三万藤甲军，烧得互相拥抱，死于盘蛇谷中。孔明在山上往下看时，只见蛮兵被火烧得伸拳舒腿，大半被铁炮打得头脸粉碎，皆死于谷中，臭不可闻。孔明垂泪而叹曰："吾虽有功于社稷，必损寿矣！"左右将士，无不感叹。

却说孟获在寨中，正望蛮兵回报。忽然千余人笑拜于寨前，言说："乌戈国兵与蜀兵大战，将诸葛亮围在盘蛇谷中了。特请大王前去接应。我等皆是本洞之人，不得已而降蜀；今知大王前到，特来助战。"孟获大喜，即引宗党并所聚番人，连夜上马；就令蛮兵引路。方到盘蛇谷时，只见火光甚起，臭气难闻。获知中计，急退兵时，左边张嶷，右边马忠，两路军杀出。获方欲抵敌，一声喊起，蛮兵中大半皆是蜀兵，将蛮王宗党并聚集的番人，尽皆擒了。孟获匹马杀出重围，望山径而走。

正走之间，见山凹里一簇人马，拥出一辆小车；车中端坐一人，纶巾羽扇，身衣道袍，乃孔明也。孔明大喝曰："反贼孟获！今番如何？"获急回马走。旁边闪过一将，拦住去路，乃是马岱。孟获措手不及，被马岱生擒活捉了。此时王平、张翼已引一军赶到蛮寨中，将祝融夫人并一应老小皆活捉而来。

孔明归到寨中，升帐而坐，谓众将曰："吾今此计，不得已而用之，大损阴德。我料敌人必算吾于林木多处埋伏，吾却空设旌旗，实无兵马，疑其心也。吾令魏文长连输十五阵者，坚其心也。吾见盘蛇谷止一条路，两壁厢皆是光石，并无树木，下面都是沙土，因令马岱将黑油柜安排于谷中，车中油柜内，皆是预先造下的火炮，名曰'地雷'，一炮中藏九炮，三十步埋之，中用竹竿通节，以引药线；才一发动，山损石裂。吾又令赵子龙预备草车，安排于谷口。又于山上准备大木乱石。却令魏延赚兀突骨并藤甲军入谷，放出魏延，即断其路，随后焚之。吾闻：'利于水者必不利于火。'藤甲虽刀箭不能入，乃油浸之物，见火必着。蛮兵如此顽皮，非火攻安能取胜？——使乌戈国之人不留种类者，是吾之大罪也！"众将拜伏曰："丞相天机，鬼神莫测也！"孔明令押过孟获来。孟获跪于帐下。孔明令去其缚，教且在别帐与酒食压惊。孔明唤管酒食官至坐榻前，如此如此，分付而去。

却说孟获与祝融夫人并孟优、带来洞主、一切宗党在别帐饮酒。忽一人入帐谓孟获曰："丞相面羞，不欲与公相见。特令我来放公回去，再招人马来决胜负。公今可速去。"孟获垂泪言曰："七擒七纵，自古未尝有也。吾虽化外之人，颇知礼义，直如此无羞耻乎？"遂同兄弟、妻子、宗党人等，皆匍匐跪于帐下，肉袒①谢罪曰："丞相天威，南人不复反矣！"孔明曰："公今服乎？"获泣谢曰："某子子孙孙皆感覆载生成之恩，安得不服！"孔明乃请孟获上帐，设宴庆贺，就令永为洞主。所夺之地，尽皆退还。孟获宗党乃诸蛮兵，无不感戴，皆欣然跳跃而去。后人有诗赞孔明曰：

羽扇纶巾拥碧幢②，七擒妙策制蛮王。
至今溪洞传威德，为选高原立庙堂。

长史费祎入谏曰："今丞相亲提士卒，深入不毛，收服蛮方；目今蛮王既已归服，何不置官吏，与孟获一同守之？"孔明曰："如此有三不易：留外人则当留兵，兵无所食，一不易也；蛮人伤破，父兄死亡，留外人而不留兵，必成祸患，二不易也；蛮人累有废杀之罪，自有嫌疑，留外人终不相信，三

---

① 肉袒——把上衣脱掉一部分，露出身体，表示请罪，愿意受刑。这里有诚心降服的意思。

② 碧幢(chuáng)——青绿色车帘。这里是代指诸葛亮所乘的小车。

不易也。今吾不留人，不运粮，与相安于无事而已。”众人尽服。于是蛮方皆感孔明恩德，乃为孔明立生祠，四时享祭，皆呼之为“慈父”；各送珍珠金宝、丹漆药材、耕牛战马，以资军用，誓不再反。南方已定。

却说孔明犒军已毕，班师回蜀，令魏延引本部兵为前锋。延引兵方至泸水，忽然阴云四合，水面上一阵狂风骤起，飞沙走石，军不能进。延退兵回报孔明。孔明遂请孟获问之。正是：塞外蛮人方贴服，水边鬼卒又猖狂。未知孟获所言若何，且看下文分解。

# 第九十一回

## 祭泸水汉相班师　伐中原武侯上表

却说孔明班师回国，孟获率引大小洞主酋长及诸部落，罗拜①相送。前军至泸水，时值九月秋天，忽然阴云布合，狂风骤起；兵不能渡，回报孔明。孔明遂问孟获，获曰：“此水原有猖神作祸，往来者必须祭之。”孔明曰：“用何物祭享？”获曰：“旧时国中因猖神作祸，用七七四十九颗人头并黑牛白羊祭之，自然风恬浪静，更兼连年丰稔。”孔明曰：“吾今事已平定，安可妄杀一人？”遂自到泸水岸边观看。果见阴风大起，波涛汹涌，人马皆惊。孔明甚疑，即寻土人问之。土人告说：“自丞相经过之后，夜夜只闻得水边鬼哭神号。自黄昏直至天晓，哭声不绝。瘴烟之内，阴鬼无数。因此作祸，无人敢渡。”孔明曰：“此乃我之罪愆也。前者马岱引蜀兵千余，皆死于水中；更兼杀死南人，尽弃此处。狂魂怨鬼，不能解释，以致如此。吾今晚当亲自往祭。”土人曰：“须依旧例，杀四十九颗人头为祭，则怨鬼自散也。”孔明曰：“本为人死而成怨鬼，岂可又杀生人耶？吾自有主意。”唤行厨宰杀牛马；和面为剂，塑成人头，内以牛羊等肉代之，名曰“馒头”。当夜于泸水岸上，设香案，铺祭物，列灯四十九盏，扬幡招魂；将馒头等物，陈设于地。三更时分，孔明金冠鹤氅，亲自临祭，令董厥读祭文。其文曰：

---

① 罗拜——四面围绕着下拜。

维大汉建兴三年秋九月一日，武乡侯、领益州牧、丞相诸葛亮，谨陈祭仪，享于故殁王事蜀中将校及南人亡者阴魂曰：

我大汉皇帝，威胜五霸，明继三王。昨自远方侵境，异俗起兵；纵虿尾①以兴妖，恣狼心而逞乱。我奉王命，问罪遐荒；大举貔貅②，悉除蝼蚁；雄军云集，狂寇冰消；才闻破竹之声，便是失猿之势。但士卒儿郎，尽是九州豪杰；官僚将校，皆为四海英雄：习武从戎，投明事主，莫不同申三令，共展七擒；齐坚奉国之诚，并效忠君之志。何期汝等偶失兵机，缘落奸计：或为流矢所中，魂掩泉台③；或为刀剑所伤，魄归长夜。生则有勇，死则成名。今凯歌欲还，献俘④将及。汝等英灵尚在，祈祷必闻：随我旌旗，逐我部曲，同回上国，各认本乡，受骨肉之蒸尝，领家人之祭祀；莫作他乡之鬼，徒为异域之魂。我当奏之天子，使汝等各家尽沾恩露，年给衣粮，月赐廪禄。用兹酬答，以慰汝心。至于本境土神，南方亡鬼，血食有常，凭依不远；生者既凛天威，死者亦归王化，想宜宁帖⑤，毋致号啕。聊表丹诚，敬陈祭祀。呜呼，哀哉！伏惟尚飨！

读毕祭文，孔明放声大哭，极其痛切，情动三军，无不下泪。孟获等众，尽皆哭泣。只见愁云怨雾之中，隐隐有数千鬼魂，皆随风而散。于是孔明令左右将祭物尽弃于泸水之中。

次日，孔明引大军俱到泸水南岸，但见云收雾散，风静浪平。蜀兵安然尽渡泸水，果然"鞭敲金镫响，人唱凯歌还"。行到永昌，孔明留王伉、吕凯守四郡；发付孟获领众自回，嘱其勤政驭下，善抚居民，勿失农务。孟获涕泣拜别而去。孔明自引大军回成都。后主排銮驾出郭三十里迎接，下辇立于道傍，以候孔明。孔明慌下车伏道而言曰："臣不能速平南方，使主上怀忧，臣之罪也。"后主扶起孔明，并车而回，设太平筵会，重赏三军。自此远邦进贡来朝者二百余处。孔明奏准后主，将殁于王事者之家，一一优

① 虿(chài)尾——虿：蝎子一类的虫子，其尾有毒。虿尾常比喻害人的人。

② 貔貅(pí xiū)——本来是古书上所说的一种猛兽，这里比喻勇猛的军队。

③ 泉台——阴间。下文的"魄归长夜"，长夜：也是代指阴间，因为人们观念中阴间总是黑暗阴冷的，所以有此代指。

④ 献俘——古代军礼之一，战胜归来，以所获俘虏献于宗庙社稷。

⑤ 宁帖——亦写作"宁贴"，平安舒贴。

恤。人心欢悦,朝野清平。

却说魏主曹丕,在位七年,即蜀汉建兴四年也。丕先纳夫人甄氏,即袁绍次子袁熙之妇,前破邺城时所得。后生一子,名睿,字元仲,自幼聪明,丕甚爱之。后丕又纳安平广宗人郭永之女为贵妃,甚有颜色;其父尝曰:“吾女乃女中之王也。”故号为“女王”。自丕纳为贵妃,因甄夫人失宠,郭贵妃欲谋为后,却与幸臣张韬商议。时丕有疾,韬乃诈称于甄夫人宫中掘得桐木偶人,上书天子年月日时,为魇镇①之事。丕大怒,遂将甄夫人赐死,立郭贵妃为后。因无出②,养曹睿为己子。虽甚爱之,不立为嗣。睿年至十五岁,弓马熟娴。当年春二月,丕带睿出猎。行于山坞之间,赶出子母二鹿,丕一箭射倒母鹿,回观小鹿驰于曹睿马前。丕大呼曰:“吾儿何不射之?”睿在马上泣告曰:“陛下已杀其母,臣安忍复杀其子也。”丕闻之,掷弓于地曰:“吾儿真仁德之主也!”于是遂封睿为平原王。

夏五月,丕感寒疾,医治不痊,乃召中军大将军曹真、镇军大将军陈群、抚军大将军司马懿三人入寝宫。丕唤曹睿至,指谓曹真等曰:“今朕病已沉重,不能复生。此子年幼,卿等三人可善辅之,勿负朕心。”三人皆告曰:“陛下何出此言?臣等愿竭力以事陛下,至千秋万岁。”丕曰:“今年许昌城门无故自崩,乃不祥之兆,朕故自知必死也。”正言间,内侍奏征东大将军曹休入宫问安。丕召入谓曰:“卿等皆国家柱石之臣也,若能同心辅朕之子,朕死亦瞑目矣!”言讫,堕泪而薨。时年四十岁,在位七年。于是曹真、陈群、司马懿、曹休等,一面举哀,一面拥立曹睿为大魏皇帝。谥父丕为文皇帝,谥母甄氏为文昭皇后。封钟繇为太傅,曹真为大将军,曹休为大司马,华歆为太尉,王朗为司徒,陈群为司空,司马懿为骠骑大将军。其余文武官僚,各各封赠。大赦天下。时雍、凉二州缺人守把,司马懿上表乞守西凉等处。曹睿从之,遂封懿提督雍、凉等处兵马。领诏去讫。

早有细作飞报入川。孔明大惊曰:“曹丕已死,孺子曹睿即位,余皆不足虑:司马懿深有谋略,今督雍、凉兵马,倘训练成时,必为蜀中之大患。不如先起兵伐之。”参军马谡曰:“今丞相平南方回,军马疲敝,只宜存恤,

---

① 魇(yǎn)镇——迷信做法:用木制假人代替某一真人,诅咒假人,会在真人身上生效。

② 无出——没有生育孩子。

岂可复远征？某有一计，使司马懿自死于曹睿之手，未知丞相钧意允否？”孔明问是何计，马谡曰：“司马懿虽是魏国大臣，曹睿素怀疑忌。何不密遣人往洛阳、邺郡等处，布散流言，道此人欲反；更作司马懿告示天下榜文，遍贴诸处：使曹睿心疑，必然杀此人也。”孔明从之，即遣人密行此计去了。

却说邺城门上，忽一日见贴下告示一道。守门者揭了，来奏曹睿。睿观之，其文曰：

> 骠骑大将军总领雍、凉等处兵马事司马懿，谨以信义布告天下：昔太祖武皇帝，创立基业，本欲立陈思王子建为社稷主；不幸奸谗交集，岁久潜龙。皇孙曹睿，素无德行，妄自居尊，有负太祖之遗意。今吾应天顺人，克日兴师，以慰万民之望。告示到日，各宜归命新君。如不顺者，当灭九族！先此告闻，想宜知悉。

曹睿览毕，大惊失色，急问群臣。大尉华歆奏曰：“司马懿上表乞守雍、凉，正为此也。先时太祖武皇帝尝谓臣曰：‘司马懿鹰视狼顾，不可付以兵权；久必为国家大祸。’今日反情已萌，可速诛之。”王朗奏曰：“司马懿深明韬略，善晓兵机，素有大志；若不早除，久必为祸。”睿乃降旨，欲兴兵御驾亲征。忽班部中闪出大将军曹真奏曰：“不可。文皇帝托孤于臣等数人，是知司马仲达无异志也。今事未知真假，遽尔加兵，乃逼之反耳。或者蜀、吴奸细行反间之计，使我君臣自乱，彼却乘虚而击，未可知也。陛下幸察之。”睿曰：“司马懿若果谋反，将奈何？”真曰：“如陛下心疑，可仿汉高伪游云梦之计①，御驾幸安邑，司马懿必然来迎。观其动静，就车前擒之，可也。”睿从之，遂命曹真监国，亲自领御林军十万，径到安邑。

司马懿不知其故，欲令天子知其威严，乃整兵马，率甲士数万来迎。近臣奏曰：“司马懿果率兵十余万，前来抗拒，实有反心矣。”睿慌命曹休先领兵迎之。司马懿见兵马前来，只疑车驾亲至，伏道而迎。曹休出曰：“仲达受先帝托孤之重，何故反耶？”懿大惊失色，汗流遍体，乃问其故。休备言前事。懿曰：“此吴、蜀奸细反间之计，欲使我君臣自相残害，彼却乘虚而袭。某当自见天子辨之。”遂急退了军马，至睿车前俯伏泣奏曰：“臣受先帝托孤之重，安敢有异心？必是吴、蜀之奸计。臣请提一旅之师，先破

---

① 汉高伪游云梦之计——汉高祖刘邦因怀疑楚王韩信谋反，用了陈平计策，假装到云梦去巡游，骗韩信迎接，因而逮住韩信。

蜀，后伐吴，报先帝与陛下，以明臣心。”睿疑虑未决。华歆奏曰：“不可付之兵权。可即罢归田里。”睿依言，将司马懿削职回乡，命曹休总督雍、凉军马。曹睿驾回洛阳。

却说细作探知此事，报入川中。孔明闻之大喜曰：“吾欲伐魏久矣，奈有司马懿总雍、凉之兵。今既中计遭贬，吾有何忧！”次日，后主早朝，大会官僚，孔明出班，上《出师表》一道。表曰：

臣亮言：先帝创业未半，而中道崩殂①；今天下三分，益州罢敝②，此诚危急存亡之秋也。然侍卫之臣，不懈于内；忠志之士，忘身于外者：盖追先帝之殊遇，欲报之于陛下也。诚宜开张圣听，以光先帝遗德，恢弘③志士之气；不宜妄自菲薄，引喻④失义，以塞忠谏之路也。宫中府中⑤，俱为一体；陟罚臧否⑥，不宜异同。若有作奸犯科，及为忠善者，宜付有司⑦，论其刑赏，以昭陛下平明⑧之治；不宜偏私，使内外异法也。侍中、侍郎郭攸之、费祎、董允等，此皆良实⑨，志虑忠纯，是以先帝简拔⑩以遗陛下。愚以为宫中之事，事无大小，悉以咨之，然后施行，必得裨补阙漏，有所广益。将军向宠，性行淑均，晓畅军事，试用之于昔日，先帝称之曰能，是以众议举宠以为督。愚以为营中之事，事无大小，悉以咨之，必能使行阵和穆，优劣得所也。亲贤臣，远小人，此先汉所以兴隆也；亲小人，远贤臣，此后汉所以倾颓也。先帝在时，每与臣论此事，未尝不叹息痛恨于桓、灵也！侍中、尚书、长史、参军，此悉贞亮死节之臣⑪也，愿

---

① 崩殂(cú)——死亡。

② 罢(pí)敝——疲劳乏力。

③ 恢弘——发扬。

④ 引喻——引用相类似的例证以说明事理。

⑤ 宫中府中——宫中：皇宫；府中：丞相府。

⑥ 陟罚臧否(pǐ)——升降官吏、评论人物。陟：升；臧：善；否：恶。

⑦ 有司——有关部门。

⑧ 平明——公平英明。

⑨ 良实——忠良笃实。

⑩ 简拔——选拔。

⑪ 侍中，尚书……贞亮死节之臣——侍中指郭攸之、费祎、董允，尚书指陈震，长史指张裔，参军指蒋琬。贞亮死节之臣：坚贞忠直、能以死报国的臣子。

陛下亲之、信之，则汉室之隆，可计日而待也。

臣本布衣，躬耕南阳，苟全性命于乱世，不求闻达于诸侯。先帝不以臣卑鄙①，猥自枉屈②，三顾臣于草庐之中，谘臣以当世之事，由是感激，遂许先帝以驱驰。后值倾覆，受任于败军之际，奉命于危难之间：尔来二十有一年矣。先帝知臣谨慎，故临崩寄臣以大事也。受命以来，夙夜忧虑，恐付托不效，以伤先帝之明；故五月渡泸，深入不毛。今南方已定，甲兵已足，当奖帅三军，北定中原，庶竭驽钝③，攘除奸凶，兴复汉室，还于旧都：此臣所以报先帝而忠陛下之职分也。至于斟酌损益④，进尽忠言，则攸之、祎、允之任也。愿陛下托臣以讨贼兴复之效，不效则治臣之罪，以告先帝之灵；若无兴复之言，则责攸之、祎、允等之咎，以彰其慢。陛下亦宜自谋，以谘诹善道⑤，察纳雅言，深追先帝遗诏。臣不胜受恩感激！今当远离，临表涕泣，不知所云。

后主览表曰："相父南征，远涉艰难；方始回都，坐未安席；今又欲北征，恐劳神思。"孔明曰："臣受先帝托孤之重，夙夜未尝有怠。今南方已平，可无内顾之忧；不就此时讨贼，恢复中原，更待何日？"忽班部中太史谯周出奏曰："臣夜观天象，北方旺气正盛，星曜倍明，未可图也。"乃顾孔明曰："丞相深明天文，何故强为？"孔明曰："天道变易不常，岂可拘执？吾今且驻军马于汉中，观其动静而后行。"谯周苦谏不从。于是孔明乃留郭攸之、董允、费祎等为侍中，总摄宫中之事。又留向宠为大将，总督御林军马；蒋琬为参军；张裔为长史，掌丞相府事；杜琼为谏议大夫；杜微、杨洪为尚书；孟光、来敏为祭酒；尹默、李譔⑥为博士；郤正、费诗为秘书；谯周为太史。内外文武官僚一百余员，同理蜀中之事。

---

① 卑鄙——这里指地位卑微。

② 猥(wěi)自枉屈——亲自屈尊就卑。

③ 庶竭驽钝——自谦之辞：竭尽我平庸的才能。驽：下等的马；驽钝：喻才能平庸。

④ 损益——得失。

⑤ 谘诹(zōu)善道——询问好的策略。谘诹：询问。

⑥ 李譔(zhuàn)——人名。

孔明受诏归府，唤诸将听令：前督部——镇北将军、领丞相司马、凉州刺史、都亭侯魏延；前军都督——领扶风太守张翼；牙门将——裨将军王平；后军领兵使——安汉将军、领建宁太守李恢，副将——定远将军、领汉中太守吕义；兼管运粮左军领兵使——平北将军、陈仓侯马岱，副将——飞卫将军廖化；右军领兵使——奋威将军、博阳亭侯马忠，抚戎将军、关内侯张嶷；行中军师——车骑大将军、都乡侯刘琰；中监军——扬武将军邓芝；中参军——安远将军马谡；前将军——都亭侯袁綝；左将军——高阳侯吴懿；右将军——玄都侯高翔；后将军——安乐侯吴班；领长史——绥军将军杨仪；前将军——征南将军刘巴；前护军——偏将军、汉城亭侯许允；左护军——笃信中郎将丁咸；右护军——偏将军刘敏；后护军——典军中郎将官雝；行参军——昭武中郎将胡济；行参军——谏议将军阎晏；行参军——偏将军爨习①；行参军——裨将军杜义，武略中郎将杜祺，绥戎都尉盛勃；从事——武略中郎将樊岐；典军书记——樊建；丞相令史——董厥；帐前左护卫使——龙骧将军关兴；右护卫使——虎翼将军张苞。——以上一应官员，都随着平北大都督、丞相、武乡侯、领益州牧、知内外事诸葛亮。分拨已定，又檄李严等守川口以拒东吴。选定建兴五年春三月丙寅日，出师伐魏。忽帐下一老将，厉声而进曰："我虽年迈，尚有廉颇之勇，马援之雄。此二古人皆不服老，何故不用我耶？"众视之，乃赵云也。孔明曰："吾自平南回都，马孟起病故，吾甚惜之，以为折一臂也。今将军年纪已高，倘稍有参差，动摇一世英名，减却蜀中锐气。"云厉声曰："吾自随先帝以来，临阵不退，遇敌则先。大丈夫得死于疆场者，幸也，吾何恨焉？愿为前部先锋！"孔明再三苦劝不住。云曰："如不教我为先锋，就撞死于阶下！"孔明曰："将军既要为先锋，须得一人同去——"言未尽，一人应曰："某虽不才，愿助老将军先引一军前去破敌。"孔明视之，乃邓芝也。孔明大喜，即拨精兵五千、副将十员，随赵云、邓芝去讫。孔明出师，后主引百官送于北门外十里。孔明辞了后主，旌旗蔽野，戈戟如林，率军望汉中迤逦进发。

却说边庭探知此事，报入洛阳。是日曹睿设朝，近臣奏曰："边官报称：诸葛亮率领大兵三十余万，出屯汉中，令赵云、邓芝为前部先锋，引兵

---

① 爨(cuàn)习——人名。

入境。"睿大惊，问群臣曰："谁可为将，以退蜀兵？"忽一人应声而出曰："臣父死于汉中，切齿之恨，未尝得报。今蜀兵犯境，臣愿引本部猛将，更乞陛下赐关西之兵，前往破蜀：上为国家效力，下报父仇，臣万死不恨！"众视之，乃夏侯渊之子夏侯楙①也。楙字子休；其性最急，又最吝；自幼嗣与夏侯惇为子。后夏侯渊为黄忠所斩，曹操怜之，以女清河公主招楙为驸马，因此朝中钦敬。虽掌兵权，未尝临阵。当时自请出征，曹睿即命为大都督，调关西诸路军马前去迎敌。司徒王朗谏曰："不可。夏侯驸马素不曾经战，今付以大任，非其所宜。更兼诸葛亮足智多谋，深通韬略，不可轻敌。"夏侯楙叱曰："司徒莫非结连诸葛亮，欲为内应耶？吾自幼从父学习韬略，深通兵法。汝何欺我年幼？吾若不生擒诸葛亮，誓不回见天子！"王朗等皆不敢言。夏侯楙辞了魏主，星夜到长安，调关西诸路军马二十余万，来敌孔明。正是：欲秉白旄麾将士，却教黄吻②掌兵权。未知胜负如何，且看下文分解。

# 第九十二回

## 赵子龙力斩五将　诸葛亮智取三城

却说孔明率兵前至沔阳，经过马超坟墓，乃令其弟马岱挂孝，孔明亲自祭之。祭毕，回到寨中，商议进兵。忽哨马报道："魏主曹睿遣驸马夏侯楙，调关中诸路军马，前来拒敌。"魏延上帐献策曰："夏侯楙乃膏粱子弟③，懦弱无谋。延愿得精兵五千，取路出褒中，循秦岭以东，当子午谷而投北，不过十日，可到长安。夏侯楙若闻某骤至，必然弃城望横门邸阁而走。某却从东方而来，丞相可大驱士马，自斜谷而进：如此行之，则咸阳以西，一举可定也。"孔明笑曰："此非万全之计也。汝欺中原无好人物，倘有人进言，于山僻中以兵截杀，非惟五千人受害，亦大伤锐气。决不可用。"魏延

---

① 夏侯楙(mào)——人名。

② 黄吻——黄嘴小儿，指夏侯楙。

③ 膏粱子弟——过惯骄奢生活的富家子弟。膏：肥肉；粱：精粮。

又曰:“丞相兵从大路进发,彼必尽起关中之兵,于路迎敌,则旷日持久,何时而得中原?”孔明曰:“吾从陇右取平坦大路,依法进兵,何忧不胜!”遂不用魏延之计。魏延怏怏不悦。孔明差人令赵云进兵。

却说夏侯楙在长安聚集诸路军马。时有西凉大将韩德,善使开山大斧,有万夫不当之勇,引西羌诸路兵八万到来;见了夏侯楙,楙重赏之,就遣为先锋。德有四子,皆精通武艺,弓马过人:长子韩瑛,次子韩瑶,三子韩琼,四子韩琪。韩德带四子并西羌兵八万,取路至凤鸣山,正遇蜀兵。两阵对圆。韩德出马,四子列于两边。德厉声大骂曰:“反国之贼,安敢犯吾境界!”赵云大怒,挺枪纵马,单搦韩德交战。长子韩瑛,跃马来迎;战不三合,被赵云一枪刺死于马下。次子韩瑶见之,纵马挥刀来战。赵云施逞旧日虎威,抖擞精神迎战。瑶抵敌不住。三子韩琼,急挺方天戟骤马前来夹攻。云全然不惧,枪法不乱。四子韩琪,见二兄战云不下,也纵马抡两口日月刀而来,围住赵云。云在中央独战三将。少时,韩琪中枪落马,韩阵中偏将急出救去。云拖枪便走。韩琼按戟,急取弓箭射之,连放三箭,皆被云用枪拨落。琼大怒,仍绰方天戟纵马赶来;却被云一箭射中面门,落马而死。韩瑶纵马举宝刀便砍赵云。云弃枪于地,闪过宝刀,生擒韩瑶归阵,复纵马取枪杀过阵来。韩德见四子皆丧于赵云之手,肝胆皆裂,先走入阵去。西凉兵素知赵云之名,今见其英勇如昔,谁敢交锋?赵云马到处,阵阵倒退。赵云匹马单枪,往来冲突,如入无人之境。后人有诗赞曰:

忆昔常山赵子龙,年登七十建奇功。
独诛四将来冲阵,犹似当阳救主雄。

邓芝见赵云大胜,率蜀兵掩杀,西凉兵大败而走。韩德险被赵云擒住,弃甲步行而逃。云与邓芝收军回寨。芝贺曰:“将军寿已七旬,英勇如昨。今日阵前力斩四将,世所罕有!”云曰:“丞相以吾年迈,不肯见用,吾故聊以自表耳。”遂差人解韩瑶,申报捷书,以达孔明。

却说韩德引败军回见夏侯楙,哭告其事。楙自统兵来迎赵云。探马报入蜀寨,说夏侯楙引兵到。云上马绰枪,引千余军,就凤鸣山前摆成阵势。当日,夏侯楙戴金盔,坐白马,手提大砍刀,立在门旗之下。见赵云跃马挺枪,往来驰骋,楙欲自战。韩德曰:“杀吾四子之仇,如何不报!”纵马轮开山大斧,直取赵云。云奋怒挺枪来迎;战不三合,枪起处,刺死韩德于马下,急拨马直取夏侯楙。楙慌忙闪入本阵。邓芝驱兵掩杀,魏兵又折一阵，退十余里下寨。楙连夜与众将商议曰："吾久闻赵云之名，未尝见面；今日年老，英雄尚在，方信当阳长坂之事。似此无人可敌，如之奈何？"参军程武，乃程昱之子也，进言曰："某料赵云有勇无谋，不足为虑。来日都督再引兵出，先伏两军于左右；都督临阵先退，诱赵云到伏兵处；都督却登山指挥四面军马，重叠围住，云可擒矣。"楙从其言，遂遣董禧引三万军伏于左，薛则引三万军伏于右。二人埋伏已定。

次日，夏侯楙复整金鼓旗幡，率兵而进。赵云、邓芝出迎。芝在马上谓赵云曰："昨夜魏兵大败而走，今日复来，必有诈也。老将军防之。"子龙曰："量此乳臭小儿，何足道哉！吾今日必当擒之！"便跃马而出。魏将潘遂出迎，战不三合，拨马便走。赵云赶去，魏阵中八员将一齐来迎。放过夏侯楙先走，八将陆续奔走。赵云乘势追杀，邓芝引兵继进。赵云深入重地，只听得四面喊声大震。邓芝急收军退回，左有董禧，右有薛则，两路兵杀到。邓芝兵少，不能解救。赵云被困在垓心，东冲西突，魏兵越厚。时云手下止有千余人，杀到山坡之下，只见夏侯楙在山上指挥三军。赵云投东则望东指，投西则望西指，因此赵云不能突围，乃引兵杀上山来。半山中檑木炮石打将下来，不能上山。赵云从辰时杀至酉时，不得脱走，只得下马少歇，且待月明再战。却才卸甲而坐，月光方出，忽四下火光冲天，鼓声大震，矢石如雨，魏兵杀到，皆叫曰："赵云早降！"云急上马迎敌。四面军马渐渐逼近，八方弩箭交射甚急，人马皆不能向前。云仰天叹曰："吾不服老，死于此地矣！"忽东北角上喊声大起，魏兵纷纷乱窜，一彪军杀到，为首大将持丈八点钢矛，马项下挂一颗人头。云视之，乃张苞也。苞见了赵云，言曰："丞相恐老将军有失，特遣某引五千兵接应。闻老将军被困，故杀透重围。正遇魏将薛则拦路，被某杀之。"云大喜，即与张苞杀出西北角来。只见魏兵弃戈奔走，一彪军从外呐喊杀入，为首大将提偃月青龙刀，手挽人头。云视之，乃关兴也。兴曰："奉丞相之命，恐老将军有失，特引五千兵前来接应。却才阵上逢着魏将董禧，被吾一刀斩之，枭首在此。丞相随后便到也。"云曰："二将军已建奇功，何不趁今日擒住夏侯楙，以定大事？"张苞闻言，遂引兵去了。兴曰："我也干功去。"遂亦引兵去了。云回顾左右曰："他两个是吾子侄辈，尚且争先干功；吾乃国家上将，朝廷旧臣，反不如此小儿耶？吾当舍老命以报先帝之恩！"于是引兵来捉夏侯楙。当夜三路兵夹攻，大破魏军一阵。邓芝引兵接应，杀得尸横遍野，血流成河。

夏侯楙乃无谋之人，更兼年幼，不曾经战，见军大乱，遂引帐下骁将百余人，望南安郡而走。众军因见无主，尽皆逃窜。兴、苞二将闻夏侯楙望南安郡去了，连夜赶来。楙走入城中，令紧闭城门，驱兵守御。兴、苞二人赶到，将城围住；赵云随后也到：三面攻打。少时，邓芝亦引兵到。一连围了十日，攻打不下。忽报丞相留后军住沔阳，左军屯阳平，右军屯石城，自引中军来到。赵云、邓芝、关兴、张苞皆来拜问孔明，说连日攻城不下。

孔明遂乘小车亲到城边周围看了一遍，回寨升帐而坐。众将环立听令。孔明曰："此郡壕深城峻，不易攻也。吾正事不在此城，汝等如只久攻，倘魏兵分道而出，以取汉中，吾军危矣。"邓芝曰："夏侯楙乃魏之驸马，若擒此人，胜斩百将。今困于此，岂可弃之而去？"孔明曰："吾自有计。——此处西连天水郡，北抵安定郡：二处太守，不知何人？"探卒答曰："天水太守马遵，安定太守崔谅。"孔明大喜，乃唤魏延受计，如此如此；又唤关兴、张苞受计，如此如此；又唤心腹军士二人受计，如此行之。各将领命，引兵而去。孔明却在南安城外，令军运柴草堆于城下，口称烧城。魏兵闻知，皆大笑不惧。

却说安定太守崔谅，在城中闻蜀兵围了南安，困住夏侯楙，十分慌惧，即点军马约共四千，守住城池。忽见一人自正南而来，口称有机密事。崔谅唤入问之，答曰："某是夏侯都督帐下心腹将裴绪。今奉都督将令，特来求救于天水、安定二郡。南安甚急，每日城上纵火为号，专望二郡救兵，并不见到；因复差某杀出重围，来此告急。可星夜起兵为外应。都督若见二郡兵到，却开城门接应也。"谅曰："有都督文书否？"绪贴肉取出，汗已湿透；略教一视，急令手下换了乏马，便出城望天水而去。不二日，又有报马到，告天水太守已起兵救援南安去了，教安定早早接应。崔谅与府官商议。多官曰："若不去救，失了南安，送了夏侯驸马，皆我两郡之罪也：只得救之。"谅即点起人马，离城而去，只留文官守城。崔谅提兵向南安大路进发，遥望见火光冲天，催兵星夜前进。离南安尚有五十余里，忽闻前后喊声大震，哨马报道："前面关兴截住去路，背后张苞杀来！"安定之兵，四下逃窜。谅大惊，乃领手下百余人，往小路死战得脱，奔回安定。方到城壕边，城上乱箭射下来。蜀将魏延在城上叫曰："吾已取了城也！何不早降？"原来魏延扮作安定军，夤夜赚开城门，蜀兵尽入，因此得了安定。

崔谅慌投天水郡来。行不到一程，前面一彪军摆开。大旗之下，一人纶巾羽扇，道袍鹤氅，端坐于车上。谅视之，乃孔明也，急拨回马走。关兴、张苞两路兵追到，只叫："早降！"崔谅见四面皆是蜀兵，不得已遂降，同归大寨。孔明以上宾相待。孔明曰："南安太守与足下交厚否？"谅曰："此人乃杨阜之族弟杨陵也；与某邻郡，交契甚厚。"孔明曰："今欲烦足下入城，说杨陵擒夏侯楙，可乎？"谅曰："丞相若令某去，可暂退军马，容某入城说之。"孔明从其言，即时传令，教四面军马各退二十里下寨。崔谅匹马到城边叫开城门，入到府中，与杨陵礼毕，细言其事。陵曰："我等受魏主大恩，安忍背之？可将计就计而行。"遂引崔谅到夏侯楙处，备细说知。楙曰："当用何计？"杨陵曰："只推某献城门，赚蜀兵入，却就城中杀之。"

崔谅依计而行，出城见孔明，说："杨陵献城门，放大军入城，以擒夏侯楙。杨陵本欲自捉，因手下勇士不多，未敢轻动。"孔明曰："此事至易：今有足下原降兵百余人，于内暗藏蜀将扮作安定军马，带入城去，先伏于夏侯楙府下；却暗约杨陵，待半夜之时，献开城门，里应外合。"崔谅暗思："若不带蜀将去，恐孔明生疑，且带入去，就内先斩之，举火为号，赚孔明入来，杀之可也。"因此应允。孔明嘱曰："吾遣亲信将关兴、张苞随足下先去，只推救军杀入城中，以安夏侯楙之心；但举火，吾当亲入城去擒之。"时值黄昏，关兴、张苞受了孔明密计，披挂上马，各执兵器，杂在安定军中，随崔谅来到南安城下。杨陵在城上撑起悬空板，倚定护心栏，问曰："何处军马？"崔谅曰："安定救军来到。"谅先射一号箭上城，箭上带着密书曰："今诸葛亮先遣二将，伏于城中，要里应外合；且不可惊动，恐泄漏计策。待入府中图之。"杨陵将书见了夏侯楙，细言其事。楙曰："既然诸葛亮中计，可教刀斧手百余人，伏于府中。如二将随崔太守到府下马，闭门斩之；却于城上举火，赚诸葛亮入城。伏兵齐出，亮可擒矣。"安排已毕，杨陵回到城上言曰："既是安定军马，可放入城。"关兴跟崔谅先行，张苞在后。杨陵下城，在门边迎接。兴手起刀落，斩杨陵于马下。崔谅大惊，急拨马奔到吊桥边，张苞大喝曰："贼子休走！汝等诡计，如何瞒得丞相耶！"手起一枪，刺崔谅于马下。关兴早到城上，放起火来。四面蜀兵齐入。夏侯楙措手不及，开南门并力杀出。一彪军拦住，为首大将，乃是王平；交马只一合，生擒夏侯楙于马上，余皆杀死。

孔明入南安，招谕军民，秋毫无犯。众将各各献功。孔明将夏侯楙囚于车中。邓芝问曰："丞相何故知崔谅诈也？"孔明曰："吾已知此人无降心，故意使入城。彼必尽情告与夏侯楙，欲将计就计而行。吾见来情，足知其诈，复使二将同去，以稳其心。此人若有真心，必然阻当；彼忻然同去者，恐吾疑也。他意中度二将同去，赚入城内杀之未迟；又令吾军有托，放心而进。吾已暗嘱二将，就城门下图之。城内必无准备，吾军随后便到：此出其不意也。”众将拜服。孔明曰：“赚崔谅者，吾使心腹人诈作魏将裴绪也。吾又去赚天水郡，至今未到，不知何故。今可乘势取之。”乃留吴懿守南安，刘琰守安定，替出魏延军马去取天水郡。

却说天水郡太守马遵，听知夏侯楙困在南安城中，乃聚文武官商议。功曹梁绪、主簿尹赏、主记梁虔等曰：“夏侯驸马乃金枝玉叶，倘有疏虞，难逃坐视之罪。太守何不尽起本部兵以救之？”马遵正疑虑间，忽报夏侯驸马差心腹将裴绪到。绪入府，取公文付马遵，说：“都督求安定、天水两郡之兵，星夜救应。”言讫，匆匆而去。次日又有报马到，称说：“安定兵已先去了，教太守火急前来会合。”马遵正欲起兵，忽一人自外而入曰：“太守中诸葛亮之计矣！”众视之，乃天水冀人也，姓姜名维，字伯约。父名冏，昔日曾为天水郡功曹，因羌人乱，没于王事。维自幼博览群书，兵法武艺，无所不通；奉母至孝，郡人敬之；后为中郎将，就参本郡军事。当日姜维谓马遵曰：“近闻诸葛亮杀败夏侯楙，困于南安，水泄不通，安得有人自重围之中而出？又且裴绪乃无名下将，从不曾见；况安定报马，又无公文：以此察之，此人乃蜀将诈称魏将。赚得太守出城，料城中无备，必然暗伏一军于左近，乘虚而取天水也。”马遵大悟曰：“非伯约之言，则误中奸计矣！”维笑曰：“太守放心。某有一计，可擒诸葛亮，解南安之危。”正是：运筹又遇强中手，斗智还逢意外人。未知其计如何，且看下文分解。

# 第九十三回

## 姜伯约归降孔明　武乡侯骂死王朗

却说姜维献计于马遵曰：“诸葛亮必伏兵于郡后，赚我兵出城，乘虚袭我。某愿请精兵三千，伏于要路。太守随后发兵出城，不可远去，止行三十里便回；但看火起为号，前后夹攻，可获大胜。如诸葛亮自来，必为某所擒矣。”遵用其计，付精兵与姜维去讫，然后自与梁虔引兵出城等候；只留梁绪、尹赏守城。原来孔明果遣赵云引一军埋伏于山僻之中，只待天水人马离城，便乘虚袭之。当日细作回报赵云，说天水太守马遵，起兵出城，只留文官守城。赵云大喜，又令人报与张翼、高翔，教于要路截杀马遵。——此二处兵亦是孔明预先埋伏。

却说赵云引五千兵，径投天水郡城下，高叫曰：“吾乃常山赵子龙也！汝知中计，早献城池，免遭诛戮！”城上梁绪大笑曰：“汝中吾姜伯约之计，尚然不知耶？”云恰待攻城，忽然喊声大震，四面火光冲天。当先一员少年将军，挺枪跃马而言曰：“汝见天水姜伯约乎！”云挺枪直取姜维。战不数合，维精神倍长。云大惊，暗忖曰：“谁想此处有这般人物！”正战时，两路军夹攻来，乃是马遵、梁虔引军杀回。赵云首尾不能相顾，冲开条路，引败兵奔走，姜维赶来。亏得张翼、高翔两路军杀出，接应回去。赵云归见孔明，说中了敌人之计。孔明惊问曰：“此是何人，识吾玄机？”有南安人告曰：“此人姓姜，名维，字伯约，天水冀人也；事母至孝，文武双全，智勇足备，真当世之英杰也。”赵云又夸奖姜维枪法，与他人大不同。孔明曰：“吾今欲取天水，不想有此人。”遂起大军前来。

却说姜维回见马遵曰：“赵云败去，孔明必然自来。彼料我军必在城中。今可将本部军马，分为四枝：某引一军伏于城东，如彼兵到则截之。太守与梁虔、尹赏各引一军城外埋伏。梁绪率百姓在城上守御。”分拨已定。

却说孔明因虑姜维，自为前部，望天水郡进发。将到城边，孔明传令曰：“凡攻城池，以初到之日，激励三军，鼓噪直上。若迟延日久，锐气尽隳，急难破矣。”于是大军径到城下。因见城上旗帜整齐，未敢轻攻。候至半夜，忽然四下火光冲天，喊声震地，正不知何处兵来。只见城上亦鼓噪呐喊相应，蜀兵乱窜。孔明急上马，有关兴、张苞二将保护，杀出重围。回头看时，正东上军马，一带火光，势若长蛇。孔明令关兴探视，回报曰：“此姜维兵也。”孔明叹曰：“兵不在多，在人之调遣耳。此人真将才也！”收兵归寨，思之良久，乃唤安定人问曰：“姜维之母，现在何处？”答曰：“维母今居冀县。”孔明唤魏延分付曰：“汝可引一军，虚张声势，诈取冀县。若姜维到，可放入城。”又问：“此地何处紧要？”安定人曰：“天水钱粮，皆在上邽①；若打破上邽，则粮道自绝矣。”孔明大喜，教赵云引一军去攻上邽。孔明离城三十里下寨。早有人报入天水郡，说蜀兵分为三路：一军守此郡，一军取上邽，一军取冀城。姜维闻之，哀告马遵曰：“维母现在冀城，恐母有失。维乞一军往救此城，兼保老母。”马遵从之，遂令姜维引三千军去保冀城；梁虔引三千军去保上邽。

却说姜维引兵至冀城，前面一彪军摆开，为首蜀将，乃是魏延。二将交锋数合，延诈败奔走。维入城闭门，率兵守护，拜见老母，并不出战。赵云亦放过梁虔入上邽城去了。孔明乃令人去南安郡，取夏侯楙至帐下。孔明曰：“汝惧死乎？”楙慌拜伏乞命。孔明曰：“目今天水姜维现守冀城，使人持书来说：‘但得驸马在，我愿归降。’吾今饶汝性命，汝肯招安姜维否？”楙曰：“情愿招安。”孔明乃与衣服鞍马，不令人跟随，放之自去。楙得脱出寨，欲寻路而走，奈不知路径。正行之间，逢数人奔走。楙问之，答曰：“我等是冀县百姓；今被姜维献了城池，归降诸葛亮，蜀将魏延纵火劫财，我等因此弃家奔走，投上邽去也。”楙又问曰：“今守天水城是谁？”土人曰：“天水城中乃马太守也。”楙闻之，纵马望天水而行。又见百姓携男抱女远来，所说皆同。楙至天水城下叫门，城上人认得是夏侯惇，慌忙开门迎接。马遵惊拜问之。楙细言姜维之事；又将百姓所言说了。遵叹曰：“不想姜维反投蜀矣！”梁绪曰：“彼意欲救都督，故以此言虚降。”楙曰：“今维已降，何为虚也？”正踌躇间，时已初更，蜀兵又来攻城。火光中见姜维在城下挺枪勒马，大叫曰：“请夏侯都督答话！”夏侯惇与马遵等皆到城上，见姜维耀武扬威大叫曰：“我为都督而降，都督何背前言？”楙曰：“汝受魏恩，何故降蜀？有何前言耶？”维应曰：“汝写书教我降蜀，何出此言？汝要脱身，却将我陷了！我今降蜀，加为上将，安有还魏之理？”言讫，驱兵打城，至晓方退。——原来夜间装姜维者，乃孔明之计，令部卒形貌相似者，假扮姜维攻城，因火光之中，不辨真伪。

孔明却引兵来攻冀城。城中粮少，军食不敷。姜维在城上，见蜀军大车小辆，搬运粮草，入魏延寨中去了。维引三千兵出城，径来劫粮。蜀兵尽弃了粮车，寻路而走。姜维夺得粮车，欲要入城，忽然一彪军拦住，为首

① 上邽（guī）——地名。

蜀将张翼也。二将交锋，战不数合，王平引一军又到，两下夹攻。维力穷抵敌不住，夺路归城；城上早插蜀兵旗号：原来已被魏延袭了。维杀条路奔天水城，手下尚有十余骑；又遇张苞杀了一阵，维止剩得匹马单枪，来到天水城下叫门。城上军见是姜维，慌报马遵。遵曰："此是姜维来赚我城门也。"令城上乱箭射下。姜维回顾蜀兵至近，遂飞奔上邽城来。城上梁虔见了姜维，大骂曰："反国之贼，安敢来赚我城池！吾已知汝降蜀矣！"遂乱箭射下。姜维不能分说，仰天长叹，两眼泪流，拨马望长安而走。行不数里，前至一派大树茂林之处，一声喊起，数千兵拥出：为首蜀将关兴，截住去路。维人困马乏，不能抵当，勒回马便走。忽然一辆小车从山坡中转出。其人头戴纶巾，身披鹤氅，手摇羽扇，乃孔明也。孔明唤姜维曰："伯约此时何尚不降？"维寻思良久，前有孔明，后有关兴，又无去路，只得下马投降。孔明慌忙下车而迎，执维手曰："吾自出茅庐以来，遍求贤者，欲传授平生之学，恨未得其人。今遇伯约，吾愿足矣。"维大喜拜谢。

孔明遂同姜维回寨，升帐商议取天水、上邽之计。维曰："天水城中尹赏、梁绪，与某至厚；当写密书二封，射入城中，使其内乱，城可得矣。"孔明从之。姜维写了二封密书，拴在箭上，纵马直至城下，射入城中。小校拾得，呈与马遵。遵大疑，与夏侯楙商议曰："梁绪、尹赏与姜维结连，欲为内应，都督宜早决之。"楙曰："可杀二人。"尹赏知此消息，乃谓梁绪曰："不如纳城降蜀，以图进用。"是夜，夏侯楙数次使人请梁、尹二人说话。二人料知事急，遂披挂上马，各执兵器，引本部军大开城门，放蜀兵入。夏侯楙、马遵惊慌，引数百人出西门，弃城投羌胡城而去。梁绪、尹赏迎接孔明入城。安民已毕，孔明问取上邽之计。梁绪曰："此城乃某亲弟梁虔守之，愿招来降。"孔明大喜。绪当日到上邽唤梁虔出城来降孔明。孔明重加赏劳，就令梁绪为天水太守，尹赏为冀城令，梁虔为上邽令。孔明分拨已毕，整兵进发。诸将问曰："丞相何不去擒夏侯楙？"孔明曰："吾放夏侯楙，如放一鸭耳。今得伯约，得一凤也！"

孔明自得三城之后，威声大震，远近州郡，望风归降。孔明整顿军马，尽提汉中之兵，前出祁山，兵临渭水之西。细作报入洛阳。

时魏主曹睿太和元年，升殿设朝。近臣奏曰："夏侯驸马已失三郡，逃窜羌中去了。今蜀兵已到祁山，前军临渭水之西，乞早发兵破敌。"睿大惊，乃问群臣曰："谁可为朕退蜀兵耶？"司徒王朗出班奏曰："臣观先帝每用大将军曹真，所到必克；今陛下何不拜为大都督，以退蜀兵？"睿准奏，乃宣曹真曰："先帝托孤与卿，今蜀兵入寇中原，卿安忍坐视乎？"真奏曰："臣才疏智浅，不称其职。"王朗曰："将军乃社稷之臣，不可固辞。老臣虽驽钝，愿随将军一往。"真又奏曰："臣受大恩，安敢推辞？但乞一人为副将。"睿曰："卿自举之。"真乃保太原阳曲人，姓郭，名淮，字伯济，官封射亭侯，领雍州刺史。睿从之，遂拜曹真为大都督，赐节钺；命郭淮为副都督，王朗为军师。——朗时年已七十六岁矣。——选拨东西二京军马二十万与曹真。真命宗弟曹遵为先锋，又命荡寇将军朱赞为副先锋。当年十一月出师，魏主曹睿亲自送出西门之外方回。

曹真领大军来到长安，过渭河之西下寨。真与王朗、郭淮共议退兵之策。朗曰："来日可严整队伍，大展旌旗。老夫自出，只用一席话，管教诸葛亮拱手而降，蜀兵不战自退。"真大喜，是夜传令：来日四更造饭，平明务要队伍整齐，人马威仪，旌旗鼓角，各按次序。当时使人先下战书。次日，两军相迎，列成阵势于祁山之前。蜀军见魏兵甚是雄壮，与夏侯楙大不相同。

三军鼓角已罢，司徒王朗乘马而出。上首乃都督曹真，下首乃副都督郭淮；两个先锋压住阵角。探子马出军前，大叫曰："请对阵主将答话！"只见蜀兵门旗开处，关兴、张苞分左右而出，立马于两边；次后一队队骁将分列；门旗影下，中央一辆四轮车，孔明端坐车中，纶巾羽扇，素衣皂绦，飘然而出。孔明举目见魏阵前三个麾盖，旗上大书姓名：中央白髯老者，乃军师、司徒王朗。孔明暗忖曰："王朗必下说词，吾当随机应之。"遂教推车出阵外，令护军小校传曰："汉丞相与司徒会话。"王朗纵马而出。孔明于车上拱手，朗在马上欠身答礼。朗曰："久闻公之大名，今幸一会。公既知天命、识时务，何故兴无名之兵？"孔明曰："吾奉诏讨贼，何谓无名？"朗曰："天数有变，神器更易，而归有德之人，此自然之理也。曩自桓、灵以来，黄巾倡乱，天下争横。降至初平、建安之岁，董卓造逆，傕、汜继虐；袁术僭号于寿春，袁绍称雄于邺土；刘表占据荆州，吕布虎吞徐郡：盗贼蜂起，奸雄鹰扬，社稷有累卵之危，生灵有倒悬之急。我太祖武皇帝，扫清六合，席卷八荒；万姓倾心，四方仰德：非以权势取之，实天命所归也。世祖文帝，神文圣武，以膺大统，应天合人，法尧禅舜，处中国以临万邦，岂非天心人意乎？今公蕴大才、抱大器，自欲比于管、乐，何乃强欲逆天理、背人情而行事耶？岂不闻古人云：'顺天者昌，逆天者亡。'今我大魏带甲百万，良将千员。谅腐草之萤光，怎及天心之皓月？公可倒戈卸甲，以礼来降，不失封侯之位。国安民乐，岂不美哉！"

孔明在车上大笑曰："吾以为汉朝大老元臣，必有高论，岂期出此鄙言！吾有一言，诸军静听：昔日桓、灵之世，汉统陵替，宦官酿祸；国乱岁凶，四方扰攘。黄巾之后，董卓、傕、汜等接踵而起，迁劫汉帝，残暴生灵。因庙堂之上，朽木为官，殿陛之间，禽兽食禄；狼心狗行之辈，滚滚当道，奴颜婢膝之徒，纷纷秉政。以致社稷丘墟，苍生涂炭。吾素知汝所行：世居东海之滨，初举孝廉入仕；理合匡君辅国，安汉兴刘；何期反助逆贼，同谋篡位！罪恶深重，天地不容！天下之人，愿食汝肉！今幸天意不绝炎汉，昭烈皇帝继统西川。吾今奉嗣君之旨，兴师讨贼。汝既为谄谀之臣，只可潜身缩首，苟图衣食；安敢在行伍之前，妄称天数耶！皓首匹夫！苍髯老贼！汝即日将归于九泉之下，何面目见二十四帝乎！老贼速退！可教反臣与吾共决胜负！"

王朗听罢，气满胸膛，大叫一声，撞死于马下。后人有诗赞孔明曰：

兵马出西秦，雄才敌万人。
轻摇三寸舌，骂死老奸臣。

孔明以扇指曹真曰："吾不逼汝。汝可整顿军马，来日决战。"言讫回车。于是两军皆退。曹真将王朗尸首，用棺木盛贮，送回长安去了。副都督郭淮曰："诸葛亮料吾军中治丧，今夜必来劫寨。可分兵四路：两路兵从山僻小路，乘虚去劫蜀寨；两路兵伏于本寨外，左右击之。"曹真大喜曰："此计与吾相合。"遂传令唤曹遵、朱赞两个先锋分付曰："汝二人各引一万军，抄出祁山之后。但见蜀兵望吾寨而来，汝可进兵去劫蜀寨。如蜀兵不动，便撤兵回，不可轻进。"二人受计，引兵而去。真谓淮曰："我两个各引一枝军，伏于寨外，寨中虚堆柴草，只留数人。如蜀兵到，放火为号。"诸将皆分左右，各自准备去了。

却说孔明归帐，先唤赵云、魏延听令。孔明曰："汝二人各引本部军去劫魏寨。"魏延进曰："曹真深明兵法，必料我乘丧劫寨。他岂不提防？"孔明笑曰："吾正欲曹真知吾去劫寨也。彼必伏兵在祁山之后，待我兵过去，却来袭我寨；吾故令汝二人，引兵前去，过山脚后路，远下营寨，任魏兵来劫吾寨。汝看火起为号，分兵两路：文长拒住山口；子龙引兵杀回，必遇魏兵,却放彼走回,汝乘势攻之,彼必自相掩杀。可获全胜。"二将引兵受计而去。又唤关兴、张苞分付曰:"汝二人各引一军,伏于祁山要路;放过魏兵,却从魏兵来路,杀奔魏寨而去。"二人引兵受计去了。又令马岱、王平、张翼、张嶷四将,伏于寨外,四面迎击魏兵。孔明乃虚立寨栅,居中堆起柴草,以备火号;自引诸将退于寨后,以观动静。

却说魏先锋曹遵、朱赞黄昏离寨,迤逦前进。二更左侧,遥望山前隐隐有军行动。曹遵自思曰:"郭都督真神机妙算!"遂催兵急进。到蜀寨时,将及三更。曹遵先杀入寨,却是空寨,并无一人。料知中计,急撤军回。寨中火起。朱赞兵到,自相掩杀,人马大乱。曹遵与朱赞交马,方知自相践踏。急合兵时,忽四面喊声大震,王平、马岱、张嶷、张翼杀到。曹、朱二人引心腹军百余骑,望大路奔走。忽然鼓角齐鸣,一彪军截住去路,为首大将乃常山赵子龙也,大叫曰:"贼将那里去?早早受死!"曹、朱二人夺路而走。忽喊声又起,魏延又引一彪军杀到。曹、朱二人大败,夺路奔回本寨。守寨军士,只道蜀兵来劫寨,慌忙放起号火。左边曹真杀至,右边郭淮杀至,自相掩杀。背后三路蜀兵杀到:中央魏延,左边关兴,右边张苞,大杀一阵。魏兵败走十余里,魏将死者极多。孔明全获大胜,方始收兵。曹真、郭淮收拾败军回寨,商议曰:"今魏兵势孤,蜀兵势大,将何策以退之?"淮曰:"胜负乃兵家常事,不足为忧。某有一计,使蜀兵首尾不能相顾,定然自走矣。"正是:可怜魏将难成事,欲向西方索救兵。未知其计如何,且看下文分解。

# 第九十四回

## 诸葛亮乘雪破羌兵　司马懿克日擒孟达

却说郭淮谓曹真曰:"西羌之人,自太祖时连年入贡,文皇帝亦有恩惠加之;我等今可据住险阻,遣人从小路直入羌中求救,许以和亲,羌人必起兵袭蜀兵之后。吾却以大兵击之,首尾夹攻,岂不大胜?"真从之,即遣人星夜驰书赴羌。

却说西羌国王彻里吉,自曹操时年年入贡;手下有一文一武:文乃雅丹丞相，武乃越吉元帅。时魏使赍金珠并书到国，先来见雅丹丞相，送了礼物，具言求救之意。雅丹引见国王，呈上书礼。彻里吉览了书，与众商议。雅丹曰："我与魏国素相往来，今曹都督求救，且许和亲，理合依允。"彻里吉从其言，即命雅丹与越吉元帅起羌兵一十五万，皆惯使弓弩、枪刀、蒺藜、飞锤等器；又有战车，用铁叶裹钉，装载粮食军器什物：或用骆驼驾车，或用骡马驾车，号为"铁车兵"。二人辞了国王，领兵直扣西平关。守关蜀将韩祯，急差人赍文报知孔明。

孔明闻报，问众将曰："谁敢去退羌兵？"张苞、关兴应曰："某等愿往。"孔明曰："汝二人要去，奈路途不熟。"遂唤马岱曰："汝素知羌人之性，久居彼处，可作向导。"便起精兵五万，与兴、苞二人同往。兴、苞等引兵而去。行有数日，早遇羌兵。关兴先引百余骑登山坡看时，只见羌兵把铁车首尾相连，随处结寨；车上遍排兵器，就似城池一般。兴睹之良久，无破敌之策，回寨与张苞、马岱商议。岱曰："且待来日见阵，观看虚实，另作计议。"次早，分兵三路：关兴在中，张苞在左，马岱在右，三路兵齐进。羌兵阵里，越吉元帅手挽铁锤，腰悬宝雕弓，跃马奋勇而出。关兴招三路兵径进。忽见羌兵分在两边，中央放出铁车，如潮涌一般，弓弩一齐骤发。蜀兵大败，马岱、张苞两军先退；关兴一军，被羌兵一裹，直围入西北角上去了。

兴在垓心，左冲右突，不能得脱；铁车密围，就如城池。蜀兵你我不能相顾。兴望山谷中寻路而走。看看天晚，但见一簇皂旗，蜂拥而来，一员羌将，手提铁锤大叫曰："小将休走！吾乃越吉元帅也！"关兴急走到前面，尽力纵马加鞭，正遇断涧，只得回马来战越吉。兴终是胆寒，抵敌不住，望涧中而逃；被越吉赶到，一铁锤打来，兴急闪过，正中马胯。那马望涧中便倒，兴落于水中。忽听得一声响处，背后越吉连人带马，平白地倒下水来。兴就水中挣起看时，只见岸上一员大将，杀退羌兵。兴提刀待砍越吉，吉跃水而走。关兴得了越吉马，牵到岸上，整顿鞍辔，绰刀上马。只见那员将，尚在前面追杀羌兵。兴自思此人救我性命，当与相见，遂拍马赶来。看看至近，只见云雾之中，隐隐有一大将，面如重枣，眉若卧蚕，绿袍金铠，提青龙刀，骑赤兔马，手绰美髯——分明认得是父亲关公。兴大惊。忽见关公以手望东南指曰："吾儿可速望此路去。吾当护汝归寨。"言讫不见。关兴望东南急走。至半夜，忽一彪军到，乃张苞也，问兴曰："你曾见二伯父否？"兴曰："你何由知之？"苞曰："我被铁车军追急，忽见伯父自空而下，惊退羌兵，指曰：'汝从这条路去救吾儿。'因此引军径来寻你。"关兴亦说前事，共相嗟异。二人同归寨内。马岱接着，对二人说："此军无计可退。我守住寨栅，你二人去禀丞相，用计破之。"于是兴、苞二人，星夜来见孔明，备说此事。

孔明随命赵云、魏延各引一军埋伏去讫；然后点三万军，带了姜维、张翼、关兴、张苞，亲自来到马岱寨中歇定。次日上高阜处观看，见铁车连络不绝，人马纵横，往来驰骤。孔明曰："此不难破也。"唤马岱、张翼分付如此如此。二人去了，乃唤姜维曰："伯约知破车之法否？"维曰："羌人惟恃一勇力，岂知妙计乎？"孔明笑曰："汝知吾心也。今彤云密布，朔风紧急，天将降雪，吾计可施矣。"便令关兴、张苞二人引兵埋伏去讫；令姜维领兵出战：但有铁车兵来，退后便走；寨口虚立旌旗，不设军马。准备已定。

是时十二月终，果然天降大雪。姜维引军出，越吉引铁车兵来。姜维即退走。羌兵赶到寨前，姜维从寨后而去。羌兵直到寨外观看，听得寨内鼓琴之声，四壁皆空竖旌旗，急回报越吉。越吉心疑，未敢轻进。雅丹丞相曰："此诸葛亮诡计，虚设疑兵耳。可以攻之。"越吉引兵至寨前，但见孔明携琴上车，引数骑入寨，望后而走。羌兵抢入寨栅，直赶过山口，见小车隐隐转入林中去了。雅丹谓越吉曰："这等兵虽有埋伏，不足为惧。"遂引大兵追赶。又见姜维兵俱在雪地之中奔走。越吉大怒，催兵急追。山路被雪漫盖，一望平坦。正赶之间，忽报蜀兵自山后而出。雅丹曰："纵有些小伏兵，何足惧哉！"只顾催趱兵马，往前进发。忽然一声响，如山崩地陷，羌兵俱落于坑堑之中；背后铁车正行得紧溜，急难收止，并拥而来，自相践踏。后兵急要回时，左边关兴，右边张苞，两军冲出，万弩齐发；背后姜维、马岱、张翼三路兵又杀到。铁车兵大乱。越吉元帅望后面山谷中而逃，正逢关兴；交马只一合，被兴举刀大喝一声，砍死于马下。雅丹丞相早被马岱活捉，解投大寨来。羌兵四散逃窜。孔明升帐，马岱押过雅丹来。孔明叱武士去其缚，赐酒压惊，用好言抚慰。雅丹深感其德。孔明曰："吾主乃大汉皇帝，今命吾讨贼，尔如何反助逆？吾今放汝回去，说与汝主：吾国与尔乃邻邦，永结盟好，勿听反贼之言。"遂将所获羌兵及车马器械，尽给还雅丹，俱放回国。众皆拜谢而去。孔明引三军连夜投祁山大寨而来，命关兴、张苞引军先行；一面差人赍表奏报捷音。

却说曹真连日望羌人消息，忽有伏路军来报说："蜀兵拔寨收拾起程。”郭淮大喜曰：“此因羌兵攻击，故尔退去。”遂分两路追赶。前面蜀兵乱走，魏兵随后追袭。先锋曹遵正赶之间，忽然鼓声大震，一彪军闪出，为首大将乃魏延也，大叫曰：“反贼休走！”曹遵大惊，拍马交锋；不三合，被魏延一刀斩于马下。副先锋朱赞引兵追赶，忽然一彪军闪出，为首大将乃赵云也。朱赞措手不及，被云一枪刺死。曹真、郭淮见两路先锋有失，欲收兵回；背后喊声大震，鼓角齐鸣：关兴、张苞两路兵杀出，围了曹真、郭淮，痛杀一阵。曹、郭二人，引败兵冲路走脱。蜀兵全胜，直追到渭水，夺了魏寨。曹真折了两个先锋，哀伤不已；只得写本申朝，乞拨援兵。

却说魏主曹睿设朝，近臣奏曰：“大都督曹真，数败于蜀，折了两个先锋，羌兵又折了无数，其势甚急。今上表求救，请陛下裁处。”睿大惊，急问退军之策。华歆奏曰：“须是陛下御驾亲征，大会诸侯，人皆用命，方可退也。不然，长安有失，关中危矣！”太傅钟繇奏曰：“凡为将者，智过于人，则能制人。孙子云：‘知彼知己，百战百胜。’臣量曹真虽久用兵，非诸葛亮对手。臣以全家良贱，保举一人，可退蜀兵。未知圣意准否？”睿曰：“卿乃大老元臣，有何贤士，可退蜀兵，早召来与朕分忧。”钟繇奏曰：“向者，诸葛亮欲兴师犯境，但惧此人，故散流言，使陛下疑而去之，方敢长驱大进。今若复用之，则亮自退矣。”睿问何人。繇曰：“骠骑大将军司马懿也。”睿叹曰：“此事朕亦悔之。今仲达现在何地？”繇曰：“近闻仲达在宛城闲住。”睿即降诏，遣使持节，复司马懿官职，加为平西都督，就起南阳诸路军马，前赴长安。睿御驾亲征，令司马懿克日到彼聚会。使命星夜望宛城去了。

却说孔明自出师以来，累获全胜，心中甚喜；正在祁山寨中，会聚议事，忽报镇守永安宫李严令子李丰来见。孔明只道东吴犯境，心甚惊疑，唤入帐中问之。丰曰：“特来报喜。”孔明曰：“有何喜？”丰曰：“昔日孟达降魏，乃不得已也。彼时曹丕爱其才，时以骏马金珠赐之，曾同辇出入，封为散骑常侍，领新城太守，镇守上庸、金城等处，委以西南之任。自丕死后，曹睿即位，朝中多人嫉妒，孟达日夜不安，常谓诸将曰：‘我本蜀将，势逼于此。’今累差心腹人，持书来见家父，教早晚代禀丞相：前者五路下川之时，曾有此意；今在新城，听知丞相伐魏，欲起金城、新城、上庸三处军马，就彼举事，径取洛阳；丞相取长安，两京大定矣。今某引来人并累次书信呈上。”孔明大喜，厚赏李丰等。忽细作人报说：“魏主曹睿，一面驾幸长安；一面诏司马懿复职，加为平西都督，起本处之兵，于长安聚会。”孔明大惊。

参军马谡曰："量曹睿何足道！若来长安，可就而擒之。丞相何故惊讶？"孔明曰："吾岂惧曹睿耶？所患者惟司马懿一人而已。今孟达欲举大事，若遇司马懿，事必败矣。达非司马懿对手，必被所擒。孟达若死，中原不易得也。"马谡曰："何不急修书，令孟达提防？"孔明从之，即修书令来人星夜回报孟达。

却说孟达在新城，专望心腹人回报。一日，心腹人到来，将孔明回书呈上。孟达拆封视之。书略曰：

近得书，足知公忠义之心，不忘故旧，吾甚喜慰。若成大事，则公汉朝中兴第一功臣也。然极宜谨密，不可轻易托人。慎之！戒之！近闻曹睿复诏司马懿起宛、洛之兵，若闻公举事，必先至矣。须万全提备，勿视为等闲也。

孟达览毕，笑曰："人言孔明心多，今观此事可知矣。"乃具回书，令心腹人来答孔明。孔明唤入帐中。其人呈上回书。孔明拆封视之。书曰：

适承钧教，安敢少怠。窃谓司马懿之事，不必惧也：宛城离洛阳约八百里，至新城一千二百里。若司马懿闻达举事，须表奏魏主：往复一月间事，达城池已固，诸将与三军皆在深险之地。司马懿即来，达何惧哉？丞相宽怀，惟听捷报！

孔明看毕，掷书于地而顿足曰："孟达必死于司马懿之手矣！"马谡问曰："丞相何谓也？"孔明曰："兵法云：'攻其不备，出其不意。'岂容料在一月之期？曹睿既委任司马懿，逢寇即除，何待奏闻？若知孟达反，不须十日，兵必到矣，安能措手①耶？"众将皆服。孔明急令来人回报曰："若未举事，切莫教同事者知之；知则必败。"其人拜辞，归新城去了。

却说司马懿在宛城闲住，闻知魏兵累败于蜀，乃仰天长叹。懿长子司马师，字子元；次子司马昭，字子尚：二人素有大志，通晓兵书。当日侍立于侧，见懿长叹，乃问曰："父亲何为长叹？"懿曰："汝辈岂知大事耶？"司马师曰："莫非叹魏主不用乎？"司马昭笑曰："早晚必来宣召父亲也。"言未已，忽报天使持节至。懿听诏毕，遂调宛城诸路军马。忽又报金城太守申仪家人，有机密事求见。懿唤入密室问之，其人细说孟达欲反之事。更有孟达心腹人李辅并达外甥邓贤，随状出首。司马懿听毕，以手加额曰："此

---

①　措手——应付。

乃皇上齐天之洪福也！诸葛亮兵在祁山，杀得内外人皆胆落；今天子不得已而幸长安，若旦夕不用吾时，孟达一举，两京休矣！此贼必通谋诸葛亮，吾先擒之，诸葛亮定然心寒，自退兵也。”长子司马师曰：“父亲可急写表申奏天子。”懿曰：“若等圣旨，往复一月之间，事无及矣。”即传令教人马起程，一日要行二日之路，如迟立斩；一面令参军梁畿赍檄星夜去新城，教孟达等准备征进，使其不疑。梁畿先行，懿随后发兵。行了二日，山坡下转出一军，乃是右将军徐晃。晃下马见懿，说：“天子驾到长安，亲拒蜀兵，今都督何往？”懿低言曰：“今孟达造反，吾去擒之耳。”晃曰：“某愿为先锋。”懿大喜，合兵一处。徐晃为前部，懿在中军，二子押后。又行了二日，前军哨马捉住孟达心腹人，搜出孔明回书，来见司马懿。懿曰：“吾不杀汝，汝从头细说。”其人只得将孔明、孟达往复之事，一一告说。懿看了孔明回书，大惊曰：“世间能者所见皆同。吾机先被孔明识破。幸得天子有福，获此消息：孟达今无能为矣。”遂星夜催军前行。

却说孟达在新城，约下金城太守申仪、上庸太守申耽，克日举事。耽、仪二人佯许之，每日调练军马，只待魏兵到，便为内应；却报孟达言：军器粮草，俱未完备，不敢约期起事。达信之不疑。忽报参军梁畿来到，孟达迎入城中。畿传司马懿将令曰：“司马都督今奉天子诏，起诸路军以退蜀兵。太守可集本部军马听候调遣。”达问曰：“都督何日起程？”畿曰：“此时约离宛城，望长安去了。”达暗喜曰：“吾大事成矣！”遂设宴待了梁畿，送出城外，即报申耽、申仪知道，明日举事，换上大汉旗号，发诸路军马，径取洛阳。忽报：“城外尘土冲天，不知何处兵来。”孟达登城视之，只见一彪军，打着“右将军徐晃”旗号，飞奔城下。达大惊，急扯起吊桥。徐晃坐下马收拾不住，直来到壕边，高叫曰：“反贼孟达，早早受降！”达大怒，急开弓射之，正中徐晃头额，魏将救去。城上乱箭射下，魏兵方退。孟达恰待开门追赶，四面旌旗蔽日，司马懿兵到。达仰天长叹曰：“果不出孔明所料也！”于是闭门坚守。

却说徐晃被孟达射中头额，众军救到寨中，取了箭头，令医调治；当晚身死，时年五十九岁。司马懿令人扶柩还洛阳安葬。次日，孟达登城遍视，只见魏兵四面围得铁桶相似。达行坐不安，惊疑未定，忽见两路兵自外杀来，旗上大书“申耽”、“申仪”。孟达只道是救军到，忙引本部兵大开城门杀出。耽、仪大叫曰：“反贼休走！早早受死！”达见事变，拨马望城中便走，城上乱箭射下。李辅、邓贤二人在城上大骂曰："吾等已献了城也！"达夺路而走，申耽赶来。达人困马乏，措手不及，被申耽一枪刺于马下，枭其首级。余军皆降。李辅、邓贤大开城门，迎接司马懿入城。抚民劳军已毕，遂遣人奏知魏主曹睿。睿大喜，教将孟达首级去洛阳城市示众；加申耽、申仪官职，就随司马懿征进；命李辅、邓贤守新城、上庸。

却说司马懿引兵到长安城外下寨。懿入城来见魏主。睿大喜曰："朕一时不明，误中反间之计，悔之无及。今达造反，非卿等制之，两京休矣！"懿奏曰："臣闻申仪密告反情，意欲表奏陛下，恐往复迟滞，故不待圣旨，星夜而去。若待奏闻，则中诸葛亮之计也。"言罢，将孔明回孟达密书奉上。睿看毕，大喜曰："卿之学识，过于孙、吴矣！"赐金钺斧一对，后遇机密重事，不必奏闻，便宜行事。就令司马懿出关破蜀。懿奏曰："臣举一大将，可为先锋。"睿曰："卿举何人？"懿曰："右将军张郃，可当此任。"睿笑曰："朕正欲用之。"遂命张郃为前部先锋，随司马懿离长安来破蜀兵。正是：既有谋臣能用智，又求猛将助施威。未知胜负如何，且看下文分解。

# 第九十五回

## 马谡拒谏失街亭　武侯弹琴退仲达

却说魏主曹睿令张郃为先锋，与司马懿一同征进；一面令辛毗、孙礼二人领兵五万，往助曹真。二人奉诏而去。且说司马懿引二十万军，出关下寨，请先锋张郃至帐下曰："诸葛亮平生谨慎，未敢造次行事。若是吾用兵，先从子午谷径取长安，早得多时矣。他非无谋，但怕有失，不肯弄险。今必出军斜谷，来取郿城。若取郿城，必分兵两路，一军取箕谷矣。吾已发檄文，令子丹拒守郿城，若兵来不可出战；令孙礼、辛毗截住箕谷道口，若兵来则出奇兵击之。"郃曰："今将军当于何处进兵？"懿曰："吾素知秦岭之西，有一条路，地名街亭；傍有一城，名列柳城：此二处皆是汉中咽喉。诸葛亮欺子丹无备，定从此进。吾与汝径取街亭，望阳平关不远矣。亮若知吾断其街亭要路，绝其粮道，则陇西一境，不能安守，必然连夜奔回汉中去也。彼若回动，吾提兵于小路击之，可得全胜；若不归时，吾却将诸处小路，尽皆垒断，俱以兵守之。一月无粮，蜀兵皆饿死，亮必被吾擒矣。”张郃大悟，拜伏于地曰：“都督神算也！”懿曰：“虽然如此，诸葛亮不比孟达。将军为先锋，不可轻进。当传与诸将：循山西路，远远哨探。如无伏兵，方可前进。若是怠忽，必中诸葛亮之计。”张郃受计引军而行。

却说孔明在祁山寨中，忽报新城探细人来到。孔明急唤入问之，细作告曰：“司马懿倍道而行，八日已到新城，孟达措手不及；又被申耽、申仪、李辅、邓贤为内应：孟达被乱军所杀。今司马懿撤兵到长安，见了魏主，同张郃引兵出关，来拒我师也。”孔明大惊曰：“孟达做事不密，死固当然。今司马懿出关，必取街亭，断吾咽喉之路。”便问：“谁敢引兵去守街亭？”言未毕，参军马谡曰：“某愿往。”孔明曰：“街亭虽小，干系甚重：倘街亭有失，吾大军皆休矣。汝虽深通谋略，此地奈无城郭，又无险阻，守之极难。”谡曰：“某自幼熟读兵书，颇知兵法。岂一街亭不能守耶？”孔明曰：“司马懿非等闲之辈；更有先锋张郃，乃魏之名将：恐汝不能敌之。”谡曰：“休道司马懿、张郃，便是曹睿亲来，有何惧哉！若有差失，乞斩全家。”孔明曰：“军中无戏言。”谡曰：“愿立军令状。”孔明从之。谡遂写了军令状呈上。孔明曰：“吾与汝二万五千精兵，再拨一员上将，相助你去。”即唤王平分付曰：“吾素知汝平生谨慎，故特以此重任相托。汝可小心谨守此地：下寨必当要道之处，使贼兵急切不能偷过。安营既毕，便画四至八道地理形状图本来我看。凡事商议停当而行，不可轻易。如所守无危，则是取长安第一功也。戒之！戒之！”二人拜辞引兵而去。

孔明寻思，恐二人有失，又唤高翔曰：“街亭东北上有一城，名列柳城，乃山僻小路，此可以屯兵扎寨。与汝一万兵，去此城屯扎。但街亭危，可引兵救之。”高翔引兵而去。孔明又思：高翔非张郃对手，必得一员大将，屯兵于街亭之右，方可防之，遂唤魏延引本部兵去街亭之后屯扎。延曰：“某为前部，理合当先破敌，何故置某于安闲之地？”孔明曰：“前锋破敌，乃偏裨之事耳。今令汝接应街亭，当阳平关冲要道路，总守汉中咽喉：此乃大任也，何为安闲乎？汝勿以等闲视之，失吾大事。切宜小心在意！”魏延大喜，引兵而去。孔明恰才心安，乃唤赵云、邓芝分付曰：“今司马懿出兵，与旧日不同。汝二人各引一军出箕谷，以为疑兵。如逢魏兵，或战、或不战，以惊其心。吾自统大军，由斜谷径取郿城；若得郿城，长安可破矣。”二人受命而去。孔明令姜维作先锋，兵出斜谷。

却说马谡、王平二人兵到街亭，看了地势。马谡笑曰："丞相何故多心也？量此山僻之处，魏兵如何敢来！"王平曰："虽然魏兵不敢来，可就此五路总口下寨；却令军士伐木为栅，以图久计。"谡曰："当道岂是下寨之地？此处侧边一山，四面皆不相连，且树木极广，此乃天赐之险也：可就山上屯军。"平曰："参军差矣。若屯兵当道，筑起城垣，贼兵总有十万，不能偷过；今若弃此要路，屯兵于山上，倘魏兵骤至，四面围定，将何策保之？"谡大笑曰："汝真女子之见！兵法云：'凭高视下，势如劈竹。'若魏兵到来，吾教他片甲不回！"平曰："吾累随丞相经阵，每到之处，丞相尽意指教。今观此山，乃绝地也：若魏兵断我汲水之道，军士不战自乱矣。"谡曰："汝莫乱道！孙子云：'置之死地而后生。'若魏兵绝我汲水之道，蜀兵岂不死战？以一可当百也。吾素读兵书，丞相诸事尚问于我，汝奈何相阻耶！"平曰："若参军欲在山上下寨，可分兵与我，自于山西下一小寨，为掎角之势。倘魏兵至，可以相应。"马谡不从。忽然山中居民，成群结队，飞奔而来，报说魏兵已到。王平欲辞去。马谡曰："汝既不听吾令，与汝五千兵自去下寨。待吾破了魏兵，到丞相面前须分不得功！"王平引兵离山十里下寨，画成图本，星夜差人去禀孔明，具说马谡自于山上下寨。

却说司马懿在城中，令次子司马昭去探前路：若街亭有兵守御，即当按兵不行。司马昭奉令探了一遍，回见父曰："街亭有兵守把。"懿叹曰："诸葛亮真乃神人，吾不如也！"昭笑曰："父亲何故自堕志气耶？——男①料街亭易取。"懿问曰："汝安敢出此大言？"昭曰："男亲自哨见，当道并无寨栅，军皆屯于山上，故知可破也。"懿大喜曰："若兵果在山上，乃天使吾成功矣！"遂更换衣服，引百余骑亲自来看。是夜天晴月朗，直至山下，周围巡哨了一遍，方回。马谡在山上见之，大笑曰："彼若有命，不来围山！"传令与诸将："倘兵来，只见山顶上红旗招动，即四面皆下。"

却说司马懿回到寨中，使人打听是何将引兵守街亭。回报曰："乃马良之弟马谡也。"懿笑曰："徒有虚名，乃庸才耳！孔明用如此人物，如何不误事！"又问："街亭左右别有军否？"探马报曰："离山十里有王平安营。"懿乃命张郃引一军，当住王平来路。又令申耽、申仪引两路兵围山，先断了汲水道路；待蜀兵自乱，然后乘势击之。当夜调度已定。次日天明，张郃

① 男——司马昭在父亲面前自称。

引兵先往背后去了。司马懿大驱军马，一拥而进，把山四面围定。马谡在山上看时，只见魏兵漫山遍野，旌旗队伍，甚是严整。蜀兵见之，尽皆丧胆，不敢下山。马谡将红旗招动，军将你我相推，无一人敢动。谡大怒，自杀二将。众军惊惧，只得努力下山来冲魏兵。魏兵端然不动。蜀兵又退上山去。马谡见事不谐，教军紧守寨门，只等外应。

却说王平见魏兵到，引军杀来，正遇张郃；战有数十余合，平力穷势孤，只得退去。魏兵自辰时困至戌时①，山上无水，军不得食，寨中大乱。嚷到半夜时分，山南蜀兵大开寨门，下山降魏。马谡禁止不住。司马懿又令人于沿山放火，山上蜀兵愈乱。马谡料守不住，只得驱残兵杀下山西逃奔。司马懿放条大路，让过马谡。背后张郃引兵追来。赶到三十余里，前面鼓角齐鸣，一彪军出，放过马谡，拦住张郃；视之，乃魏延也。延挥刀纵马，直取张郃。郃回军便走。延驱兵赶来，复夺街亭。赶到五十余里，一声喊起，两边伏兵齐出：左边司马懿，右边司马昭，却抄在魏延背后，把延困在垓心。张郃复来，三路兵合在一处。魏延左冲右突，不得脱身，折兵大半。正危急间，忽一彪军杀入，乃王平也。延大喜曰："吾得生矣！"二将合兵一处，大杀一阵，魏兵方退。二将慌忙奔回寨时，营中皆是魏兵旌旗。申耽、申仪从营中杀出。王平、魏延径奔列柳城，来投高翔。此时高翔闻知街亭有失，尽起列柳城之兵，前来救应，正遇延、平二人，诉说前事。高翔曰："不如今晚去劫魏寨，再复街亭。"当时三人在山坡下商议已定。待天色将晚，兵分三路。魏延引兵先进，径到街亭，不见一人，心中大疑，未敢轻进，且伏在路口等候。忽见高翔兵到，二人共说魏兵不知在何处。正没理会，又不见王平兵到。忽然一声炮响，火光冲天，鼓声震地：魏兵齐出，把魏延、高翔围在垓心。二人往来冲突，不得脱身。忽听得山坡后喊声若雷，一彪军杀入，乃是王平，救了高、魏二人，径奔列柳城来。比及奔到城下时，城边早有一军杀到，旗上大书"魏都督郭淮"字样。原来郭淮与曹真商议，恐司马懿得了全功，乃分淮来取街亭；闻知司马懿、张郃成了此功，遂引兵径袭列柳城。正遇三将，大杀一阵。蜀兵伤者极多。魏延恐阳平关有失，慌与王平、高翔望阳平关来。

却说郭淮收了军马，乃谓左右曰："吾虽不得街亭，却取了列柳城，亦

---

① 自辰时困至戌时——辰时：上午七点至九点；戌时：晚上七点到九点。

是大功。”引兵径到城下叫门，只见城上一声炮响，旗帜皆竖，当头一面大旗，上书“平西都督司马懿”。懿撑起悬空板，倚定护心木栏杆，大笑曰：“郭伯济来何迟也？”淮大惊曰：“仲达神机，吾不及也！”遂入城。相见已毕，懿曰：“今街亭已失，诸葛亮必走。公可速与子丹星夜追之。”郭淮从其言，出城而去。懿唤张郃曰：“子丹、伯济，恐吾全获大功，故来取此城池。吾非独欲成功，乃侥幸而已。吾料魏延、王平、马谡、高翔等辈，必先去据阳平关。吾若去取此关，诸葛亮必随后掩杀，中其计矣。兵法云：‘归师勿掩，穷寇莫追。’汝可从小路抄箕谷退兵。吾自引兵当斜谷之兵。若彼败走，不可相拒，只宜中途截住；蜀兵辎重，可尽得也。”张郃受计，引兵一半去了。懿下令：“竟取斜谷，由西城而进。——西城虽山僻小县，乃蜀兵屯粮之所，又南安、天水、安定三郡总路。——若得此城，三郡可复矣。”于是司马懿留申耽、申仪守列柳城，自领大军望斜谷进发。

却说孔明自令马谡等守街亭去后，犹豫不定。忽报王平使人送图本至。孔明唤入，左右呈上图本。孔明就文几上拆开视之，拍案大惊曰：“马谡无知，坑陷吾军矣！”左右问曰：“丞相何故失惊？”孔明曰：“吾观此图本，失却要路，占山为寨。倘魏兵大至，四面围合，断汲水道路，不须二日，军自乱矣。若街亭有失，吾等安归？”长史杨仪进曰：“某虽不才，愿替马幼常回。”孔明将安营之法，一一分付与杨仪。正待要行，忽报马到来，说：“街亭、列柳城，尽皆失了！”孔明跌足长叹曰：“大事去矣！——此吾之过也！”急唤关兴、张苞分付曰：“汝二人各引三千精兵，投武功山小路而行。如遇魏兵，不可大击，只鼓噪呐喊，为疑兵惊之。彼当自走，亦不可追。待军退尽，便投阳平关去。”又令张翼先引军去修理剑阁，以备归路。又密传号令，教大军暗暗收拾行装，以备起程。又令马岱、姜维断后，先伏于山谷中，待诸军退尽，方始收兵。又差心腹人，分路报与天水、南安、安定三郡官吏军民，皆入汉中。又遣心腹人到冀县搬取姜维老母，送入汉中。

孔明分拨已定，先引五千兵退去西城县搬运粮草。忽然十余次飞马报到，说：“司马懿引大军十五万，望西城蜂拥而来！”时孔明身边别无大将，只有一班文官，所引五千军，已分一半先运粮草去了，只剩二千五百军在城中。众官听得这个消息，尽皆失色。孔明登城望之，果然尘土冲天，魏兵分两路望西城县杀来。孔明传令，教“将旌旗尽皆隐匿；诸军各守城铺①，如有妄行出入，及高言大语者，斩之！大开四门，每一门用二十军士，扮作百姓，洒扫街道。如魏兵到时，不可擅动，吾自有计”。孔明乃披鹤氅，戴纶巾，引二小童携琴一张，于城上敌楼前，凭栏而坐，焚香操琴。

却说司马懿前军哨到城下，见了如此模样，皆不敢进，急报与司马懿。懿笑而不信，遂止住三军，自飞马远远望之。果见孔明坐于城楼之上，笑容可掬，焚香操琴。左有一童子，手捧宝剑；右有一童子，手执麈尾。城门内外，有二十余百姓，低头洒扫，傍若无人。懿看毕大疑，便到中军，教后军作前军，前军作后军，望北山路而退。次子司马昭曰：“莫非诸葛亮无军，故作此态？父亲何故便退兵？”懿曰：“亮平生谨慎，不曾弄险。今大开城门，必有埋伏。我兵若进，中其计也。汝辈岂知？宜速退。”于是两路兵尽皆退去。孔明见魏军远去，抚掌而笑。众官无不骇然，乃问孔明曰：“司马懿乃魏之名将，今统十五万精兵到此，见了丞相，便速退去，何也？”孔明曰：“此人料吾生平谨慎，必不弄险；见如此模样，疑有伏兵，所以退去。吾非行险，盖因不得已而用之。此人必引军投山北小路去也。吾已令兴、苞二人在彼等候。”众皆惊服曰：“丞相之机，神鬼莫测。若某等之见，必弃城而走矣。”孔明曰：“吾兵止有二千五百，若弃城而走，必不能远遁。得不为司马懿所擒乎？”后人有诗赞曰：

瑶琴三尺胜雄师，诸葛西城退敌时。

十五万人回马处，土人指点到今疑。

言讫，拍手大笑，曰：“吾若为司马懿，必不便退也。”遂下令，教西城百姓，随军入汉中；司马懿必将复来。于是孔明离西城望汉中而走。天水、安定、南安三郡官吏军民，陆续而来。

却说司马懿望武功山小路而走。忽然山坡后喊杀连天，鼓声震地。懿回顾二子曰：“吾若不走，必中诸葛亮之计矣。”只见大路上一军杀来，旗上大书“右护卫使虎翼将军张苞”。魏兵皆弃甲抛戈而走。行不到一程，山谷中喊声震地，鼓角喧天，前面一杆大旗，上书“左护卫使龙骧将军关兴”。山谷应声，不知蜀兵多少；更兼魏军心疑，不敢久停，只得尽弃辎重

---

①　城铺——城上巡哨的岗棚。

而去。兴、苞二人皆遵将令，不敢追袭，多得军器粮草而归。司马懿见山谷中皆有蜀兵，不敢出大路，遂回街亭。此时曹真听知孔明退兵，急引兵追赶。山背后一声炮响，蜀兵漫山遍野而来：为首大将，乃是姜维、马岱。真大惊，急退军时，先锋陈造已被马岱所斩。真引兵鼠窜而还。蜀兵连夜皆奔回汉中。

却说赵云、邓芝伏兵于箕谷道中。闻孔明传令回军，云谓芝曰："魏军知吾兵退，必然来追。吾先引一军伏于其后，公却引兵打吾旗号，徐徐而退。吾一步步自有护送也。"

却说郭淮提兵再回箕谷道中，唤先锋苏颙①分付曰："蜀将赵云，英勇无敌。汝可小心提防。彼军若退，必有计也。"苏颙欣然曰：'都督若肯接应，某当生擒赵云。"遂引前部三千兵，奔入箕谷。看看赶上蜀兵，只见山坡后闪出红旗白字，上书"赵云"。苏颙急收兵退走。行不到数里，喊声大震，一彪军撞出；为首大将，挺枪跃马，大喝曰："汝识赵子龙否！"苏颙大惊曰："如何这里又有赵云？"措手不及，被云一枪刺死于马下。余军溃散。云迤逦前进，背后又一军到，乃郭淮部将万政也。云见魏兵追急，乃勒马挺枪，立于路口，待来将交锋。——蜀兵已去三十余里。——万政认得是赵云，不敢前进。云等得天色黄昏，方才拨回马缓缓而进。郭淮兵到，万政言赵云英勇如旧，因此不敢近前。淮传令教军急赶，政令数百骑壮士赶来。行至一大林，忽听得背后大喝一声曰："赵子龙在此！"惊得魏兵落马者百余人，余者皆越岭而去。万政勉强来敌，被云一箭射中盔缨，惊跌于涧中。云以枪指之曰："吾饶汝性命回去！快教郭淮赶来！"万政脱命而回。云护送车仗人马，望汉中而去，沿途并无遗失。曹真、郭淮复夺三郡，以为己功。

却说司马懿分兵而进。此时蜀兵尽回汉中去了，懿引一军复到西城，因问遗下居民及山僻隐者，皆言孔明止有二千五百军在城中，又无武将，只有几个文官，别无埋伏。武功山小民告曰："关兴、张苞只各有三千军，转山呐喊，鼓噪惊追，又无别军，并不敢厮杀。"懿悔之不及，仰天叹曰："吾不如孔明也！"遂安抚了诸处官民，引兵径还长安，朝见魏主。睿曰："今日

---

① 苏颙(yóng)——人名。

复得陇西诸郡，皆卿之功也。”懿奏曰：“今蜀兵皆在汉中，未尽剿灭。臣乞大兵并力收川，以报陛下。”睿大喜，令懿即便兴兵。忽班内一人出奏曰：“臣有一计，足可定蜀降吴。”正是：蜀中将相方归国，魏地君臣又逞谋。未知献计者是谁，且看下文分解。

# 第九十六回

## 孔明挥泪斩马谡　周鲂断发赚曹休

却说献计者，乃尚书孙资也。曹睿问曰：“卿有何妙计？”资奏曰：“昔太祖武皇帝收张鲁时，危而后济；常对群臣曰：‘南郑之地，真为天狱①。’中斜谷道为五百里石穴，非用武之地。今若尽起天下之兵伐蜀，则东吴又将入寇。不如以现在之兵，分命大将据守险要，养精蓄锐。不过数年，中国日盛，吴、蜀二国必自相残害：那时图之，岂非胜算？乞陛下裁之。”睿乃问司马懿曰：“此论若何？”懿奏曰：“孙尚书所言极当。”睿从之，命懿分拨诸将守把险要，留郭淮、张郃守长安。大赏三军，驾回洛阳。

却说孔明回到汉中，计点军士，只少赵云、邓芝，心中甚忧；乃令关兴、张苞，各引一军接应。二人正欲起身，忽报赵云、邓芝到来，并不曾折一人一骑；辎重等器，亦无遗失。孔明大喜，亲引诸将出迎。赵云慌忙下马伏地曰：“败军之将，何劳丞相远接？”孔明急扶起，执手而言曰：“是吾不识贤愚，以致如此！——各处兵将败损，惟子龙不折一人一骑，何也？”邓芝告曰：“某引兵先行，子龙独自断后，斩将立功，敌人惊怕，因此军资什物，不曾遗弃。”孔明曰：“真将军也！”遂取金五十斤以赠赵云，又取绢一万匹赏云部卒。云辞曰：“三军无尺寸之功，某等俱各有罪；若反受赏，乃丞相赏罚不明也。且请寄库，候今冬赐与诸军未迟。”孔明叹曰：“先帝在日，常称子龙之德，今果如此！”乃倍加钦敬。

忽报马谡、王平、魏延、高翔至。孔明先唤王平入帐，责之曰：“吾令汝同马谡守街亭，汝何不谏之，致使失事？”平曰：“某再三相劝，要在当道筑

---

① 天狱——天然的牢狱。形容地势险恶。

土城，安营守把。参军大怒不从，某因此自引五千军离山十里下寨。魏兵骤至，把山四面围合，某引兵冲杀十余次，皆不能入。次日土崩瓦解，降者无数。某孤军难立，故投魏文长求救。半途又被魏兵困在山谷之中，某奋死杀出。比及归寨，早被魏兵占了。及投列柳城时，路逢高翔，遂分兵三路去劫魏寨，指望克复街亭。因见街亭并无伏路军，以此心疑。登高望之，只见魏延、高翔被魏兵围住，某即杀入重围，救出二将，就同参军并在一处。某恐失却阳平关，因此急来回守——非某之不谏也。丞相不信，可问各部将校。"孔明喝退，又唤马谡入帐。谡自缚跪于帐前。孔明变色曰："汝自幼饱读兵书，熟谙战法。吾累次丁宁告戒：街亭是吾根本。汝以全家之命，领此重任。汝若早听王平之言，岂有此祸？今败军折将，失地陷城，皆汝之过也！若不明正军律，何以服众？汝今犯法，休得怨吾。汝死之后，汝之家小，吾按月给与禄粮，汝不必挂心。"叱左右推出斩之。谡泣曰："丞相视某如子，某以丞相为父。某之死罪，实已难逃；愿丞相思舜帝殛鲧用禹①之义，某虽死亦无恨于九泉！"言讫大哭。孔明挥泪曰："吾与汝义同兄弟，汝之子即吾之子也，不必多嘱。"左右推出马谡于辕门之外，将斩。参军蒋琬自成都至，见武士欲斩马谡，大惊，高叫："留人！"入见孔明曰："昔楚杀得臣而文公喜②。今天下未定，而戮智谋之臣，岂不可惜乎？"孔明流涕而答曰："昔孙武所以能制胜于天下者，用法明也。今四方分争，兵戈方始，若复废法，何以讨贼耶？合当斩之。"须臾，武士献马谡首级于阶下。孔明大哭不已。蒋琬问曰："今幼常得罪，既正军法，丞相何故哭耶？"孔明曰："吾非为马谡而哭。吾想先帝在白帝城临危之时，曾嘱吾曰：'马谡言过其实，不可大用。'今果应此言。乃深恨己之不明，追思先帝之言，因此痛哭耳！"大小将士，无不流涕。马谡亡年三十九岁，时建兴六年夏五月也。后人有诗曰：

> 失守街亭罪不轻，堪嗟马谡枉谈兵。
> 辕门斩首严军法，拭泪犹思先帝明。

---

① 舜帝殛(jí)鲧(gǔn)用禹——舜帝令鲧治水，鲧用土湮法，结果失败。舜杀死了鲧，又用鲧的儿子禹去治水，终成大功。

② 楚杀得臣而文公喜——得臣：即成得臣，楚国大将，由于对晋战争失利，回国后被迫自杀。晋文公听到了这个消息，大为高兴。

却说孔明斩了马谡，将首级遍示各营已毕，用线缝在尸上，具棺葬之，自修祭文享祀；将谡家小加意抚恤，按月给与禄米。于是孔明自作表文，令蒋琬申奏后主，请自贬丞相之职。琬回成都，入见后主，进上孔明表章。后主拆视之。表曰：

臣本庸才，叨窃非据①，亲秉旄钺，以励三军。不能训章明法，临事而惧，至有街亭违命之阙，箕谷不戒之失。咎皆在臣，授任无方。臣明不知人，恤事多暗。《春秋》责帅，臣职是当。请自贬三等，以督厥咎②。臣不胜惭愧，俯伏待命！

后主览毕曰："胜负兵家常事，丞相何出此言？"侍中费祎奏曰："臣闻治国者，必以奉法为重。法若不行，何以服人？丞相败绩，自行贬降，正其宜也。"后主从之，乃诏贬孔明为右将军，行丞相事，照旧总督军马，就命费祎赍诏到汉中。孔明受诏贬降讫，祎恐孔明羞赧，乃贺曰："蜀中之民，知丞相初拔四县，深以为喜。"孔明变色曰："是何言也！得而复失，与不得同。公以此贺我，实足使我愧赧耳。"祎又曰："近闻丞相得姜维，天子甚喜。"孔明怒曰："兵败师还，不曾夺得寸土，此吾之大罪也。量得一姜维，于魏何损？"祎又曰："丞相现统雄师数十万，可再伐魏乎？"孔明曰："昔大军屯于祁山、箕谷之时，我兵多于贼兵，而不能破贼，反为贼所破：此病不在兵之多寡，在主将耳。今欲减兵省将，明罚思过，转变通之道于将来；如其不然，虽兵多何用？自今以后，诸人有远虑于国者，但勤攻吾之阙，责吾之短，则事可定，贼可灭，功可翘足而待矣。"费祎诸将皆服其论。费祎自回成都。孔明在汉中，惜军爱民，励兵讲武，置造攻城渡水之器，聚积粮草，预备战筏，以为后图。细作探知，报入洛阳。

魏主曹睿闻知，即召司马懿商议收川之策。懿曰："蜀未可攻也。方今天道亢炎，蜀兵必不出；若我军深入其地，彼守其险要，急切难下。"睿曰："倘蜀兵再来入寇，如之奈何？"懿曰："臣已算定今番诸葛亮必效韩信

---

① 叨窃非据——完全没有根据地得到了不当得到的职位。叨窃：不当得而得。

② 以督厥咎——以此来责罚这个过失。督：责罚；厥咎：以上过失。厥在这里是指示代词。

暗度陈仓①之计。臣举一人往陈仓道口，筑城守御，万无一失：此人身长九尺，猿臂善射，深有谋略。若诸葛亮入寇，此人足可当之。”睿大喜，问曰：“此何人也?”懿奏曰：“乃太原人，姓郝，名昭，字伯道，现为杂号将军，镇守河西。”

睿从之，加郝昭为镇西将军，命守把陈仓道口，遣使持诏去讫。忽报扬州司马大都督曹休上表，说东吴鄱阳太守周鲂，愿以郡来降，密遣人陈言七事，说东吴可破，乞早发兵取之。睿就御床上展开，与司马懿同观。懿奏曰：“此言极有理，吴当灭矣！臣愿引一军往助曹休。”忽班中一人进曰：“吴人之言，反覆不一，未可深信。周鲂智谋之士，必不肯降。此特诱兵之诡计也。”众视之，乃建威将军贾逵也。懿曰：“此言亦不可不听，机会亦不可错失。”魏主曰：“仲达可与贾逵同助曹休。”二人领命去讫。于是曹休引大军径取皖城；贾逵引前将军满宠、东莞太守胡质，径取阳城，直向东关；司马懿引本部军径取江陵。

却说吴主孙权，在武昌东关，会多官商议曰：“今有鄱阳太守周鲂密表，奏称魏扬州都督曹休，有入寇之意。今鲂诈施诡计，暗陈七事，引诱魏兵深入重地，可设伏兵擒之。今魏兵分三路而来，诸卿有何高见?”顾雍进曰：“此大任非陆伯言不敢当也。”权大喜，乃召陆逊，封为辅国大将军、平北都元帅，统御林大兵，摄行王事：授以白旄黄钺，文武百官，皆听约束。权亲自与逊执鞭。逊领命谢恩毕，乃保二人为左右都督，分兵以迎三道。权问何人，逊曰：“奋威将军朱桓，绥南将军全琮，二人可为辅佐。”权从之，即命朱桓为左都督，全琮为右都督。于是陆逊总率江南八十一州并荆湖之众七十余万，令朱桓在左，全琮在右，逊自居中，三路进兵。朱桓献策曰：“曹休以亲见任，非智勇之将也。今听周鲂诱言，深入重地，元帅以兵击之，曹休必败。败后必走两条路：左乃夹石，右乃挂车。此二条路，皆山僻小径，最为险峻。某愿与全子璜各引一军，伏于山险，先以柴木大石塞断其路，曹休可擒矣。若擒了曹休，便长驱直进，唾手而得寿春，以窥许、洛，此万世一时也。”逊曰：“此非善策，吾自有妙用。”于是朱桓怀不平而

① 暗度陈仓——刘邦将进兵攻打项羽时，韩信设计：假装去修理栈道，转移对方注意力，暗中却将兵马偷过陈仓。

退。逊令诸葛瑾等拒守江陵，以敌司马懿。诸路俱各调拨停当。

却说曹休兵临皖城，周鲂来迎，径到曹休帐下。休问曰："近得足下之书，所陈七事，深为有理，奏闻天子，故起大军三路进发。若得江东之地，足下之功不小。有人言足下多谋，诚恐所言不实。——吾料足下必不欺我。"周鲂大哭，急掣从人所佩剑欲自刎。休急止之。鲂仗剑而言曰："吾所陈七事，恨不能吐出心肝。今反生疑，必有吴人使反间之计也。若听其言，吾必死矣。吾之忠心，惟天可表！"言讫，又欲自刎。曹休大惊，慌忙抱住曰："吾戏言耳，足下何故如此！"鲂乃用剑割发掷于地曰："吾以忠心待公，公以吾为戏，吾割父母所遗之发，以表此心！"曹休乃深信之，设宴相待。席罢，周鲂辞去。忽报建威将军贾逵来见，休令入，问曰："汝此来何为？"逵曰："某料东吴之兵，必尽屯于皖城。都督不可轻进，待某两下夹攻，贼兵可破矣。"休怒曰："汝欲夺吾功耶？"逵曰："又闻周鲂截发为誓，此乃诈也，——昔要离断臂，刺杀庆忌①。——未可深信。"休大怒曰："吾正欲进兵，汝何出此言以慢军心！"叱左右推出斩之。众将告曰："未及进兵，先斩大将，于军不利。且乞暂免。"休从之，将贾逵兵留在寨中调用，自引一军来取东关。时周鲂听知贾逵削去兵权，暗喜曰："曹休若用贾逵之言，则东吴败矣！今天使我成功也！"即遣人密到皖城，报知陆逊。逊唤诸将听令曰："前面石亭，虽是山路，足可埋伏。早先去占石亭阔处，布成阵势，以待魏军。"遂令徐盛为先锋，引兵前进。

却说曹休命周鲂引兵而进，正行间，休问曰："前至何处？"鲂曰："前面石亭也，堪以屯兵。"休从之，遂率大军并车仗等器，尽赴石亭驻扎。次日，哨马报道："前面吴兵不知多少，据住山口。"休大惊曰："周鲂言无兵，为何有准备？"急寻鲂问之。人报周鲂引数十人，不知何处去了。休大悔曰："吾中贼之计矣！——虽然如此，亦不足惧！"遂令大将张普为先锋，引数千兵来与吴兵交战。两阵对圆，张普出马骂曰："贼将早降！"徐盛出马相迎。战无数合，普抵敌不住，勒马收兵，回见曹休，言徐盛勇不可当。休曰："吾当以奇兵胜之。"——就令张普引二万军伏于石亭之南，又令薛乔

① 要离断臂，刺杀庆忌——要离：春秋时吴国人，为了替吴公子光刺杀吴王僚的儿子庆忌，自断其臂，诈称为公子光所伤，终于骗得了庆忌的信任，后来果然刺杀了庆忌。

引二万军伏于石亭之北——“明日吾自引一千兵搦战，却佯输诈败，诱到北山之前，放炮为号，三面夹攻，必获大胜。”二将受计，各引二万军到晚埋伏去了。

却说陆逊唤朱桓、全琮分付曰：“汝二人各引三万军，从石亭山路抄到曹休寨后，放火为号；吾亲率大军从中路而进：可擒曹休也。”当日黄昏，二将受计引兵而进。二更时分，朱桓引一军正抄到魏寨后，迎着张普伏兵。普不知是吴兵，径来问时，被朱桓一刀斩于马下。魏兵便走。桓令后军放火。全琮引一军抄到魏寨后，正撞在薛乔阵里，就那里大杀一阵。薛乔败走，魏兵大损，奔回本寨。后面朱桓、全琮两路杀来。曹休寨中大乱，自相冲击。休慌上马，望夹石道奔走。徐盛引大队军马，从正路杀来。魏兵死者不可胜数，逃命者尽弃衣甲。曹休大惊，在夹石道中，奋力奔走。忽见一彪军从小路冲出，为首大将，乃贾逵也。休惊慌少息，自愧曰：“吾不用公言，果遭此败！”逵曰：“都督可速出此道：若被吴兵以木石寨断，吾等皆危矣！”于是曹休骤马而行，贾逵断后。逵于林木盛茂处，及险峻小径，多设旌旗以为疑兵。及至徐盛赶到，见山坡下闪出旗角，疑有埋伏，不敢追赶，收兵而回。——因此救了曹休。司马懿听知休败，亦引兵退去。

却说陆逊正望捷音，须臾，徐盛、朱桓、全琮皆到。所得车仗、牛马、驴骡、军资、器械，不计其数，降兵数万余人。逊大喜，即同太守周鲂并诸将班师还吴。吴主孙权，领文武官僚出武昌城迎接，以御盖覆逊而入。诸将尽皆升赏。权见周鲂无发，慰劳曰：“卿断发成此大事，功名当书于竹帛也。”即封周鲂为关内侯；大设筵会，劳军庆贺。陆逊奏曰：“今曹休大败，魏已丧胆；可修国书，遣使入川，教诸葛亮进兵攻之。”权从其言，遂遣使赍书入川去。正是：只因东国能施计，致令西川又动兵。未知孔明再来伐魏，胜负如何，且看下文分解。

# 第九十七回

## 讨魏国武侯再上表　破曹兵姜维诈献书

却说蜀汉建兴六年秋九月，魏都督曹休被东吴陆逊大破于石亭，车仗马匹，军资器械，并皆罄尽。休惶恐之甚，气忧成病，到洛阳，疽发背而死。魏主曹睿敕令厚葬。司马懿引兵还，众将接入问曰："曹都督兵败，即元帅之干系，何故急回耶?"懿曰："吾料诸葛亮知吾兵败，必乘虚来取长安。倘陇西紧急，何人救之？吾故回耳。"众皆以为惧怯，哂笑而退。

却说东吴遣使致书蜀中，请兵伐魏，并言大破曹休之事：一者显自己威风，二者通和会之好。后主大喜，令人持书至汉中，报知孔明。时孔明兵强马壮，粮草丰足，所用之物，一切完备，正要出师。听知此信，即设宴大会诸将，计议出师。忽一阵大风，自东北角上而起，把庭前松树吹折。众皆大惊。孔明就占一课，曰："此风主损一大将！"诸将未信。正饮酒间，忽报镇南将军赵云长子赵统、次子赵广，来见丞相。孔明大惊，掷杯于地曰："子龙休矣！"二子入见，拜哭曰："某父昨夜三更病重而死。"孔明跌足而哭曰："子龙身故，国家损一栋梁，吾去一臂也！"众将无不挥涕。孔明令二子入成都面君报丧。后主闻云死，放声大哭曰："朕昔年幼，非子龙则死于乱军之中矣！"即下诏追赠大将军，谥封顺平侯，敕葬于成都锦屏山之东；建立庙堂，四时享祭。后人有诗曰：

常山有虎将，智勇匹关张。汉水功勋在，当阳姓字彰。

两番扶幼主，一念答先皇。青史书忠烈，应流百世芳。

却说后主思念赵云昔日之功，祭葬甚厚；封赵统为虎贲中郎，赵广为牙门将，就令守坟。二人辞谢而去。忽近臣奏曰："诸葛丞相将军马分拨已定，即日将出师伐魏。"后主问在朝诸臣，诸臣多言未可轻动。后主疑虑未决。忽奏丞相令杨仪赍出师表至。后主宣入，仪呈上表章。后主就御案上拆视，其表曰：

先帝虑汉、贼不两立，王业不偏安，故托臣以讨贼也。以先帝之明，量臣之才，故知臣伐贼，才弱敌强也。然不伐贼，王业亦亡。惟坐而待亡，孰与①伐之？是故托臣而弗疑也。臣受命之日，寝不安席，食不甘味；思惟北征，宜先入南；故五月渡泸，深入不毛，并日而食。——臣非不自惜也，顾王业不可偏安于蜀都，故冒危难以奉②先帝之遗意。而议

① 孰与——何如。意思是不若、还不如。

② 奉——尊奉。

者谓为非计。今贼适①疲于西,又务于东,兵法"乘劳":此进趋之时也。谨陈其事如左②:

高帝明并日月,谋臣渊深,然涉险被创,危然后安③;今陛下未及高帝,谋臣不如良、平,而欲以长策④取胜,坐定天下:此臣之未解一也。刘繇、王朗,各据州郡,论安言计,动引圣人,群疑满腹,众难塞胸⑤;今岁不战,明年不征,使孙权坐大,遂并江东:此臣之未解二也。曹操智计,殊绝于人,其用兵也,仿佛孙、吴,然困于南阳,险于乌巢,危于祁连,逼于黎阳,几败北山,殆⑥死潼关,然后伪定⑦一时耳;况臣才弱,而欲以不危而定之:此臣之未解三也。曹操五攻昌霸不下,四越巢湖不成,任用李服而李服图之,委任夏侯而夏侯败亡,先帝每称操为能,犹有此失;况臣驽下,何能必胜:此臣之未解四也。自臣到汉中,中间期年耳,然丧赵云、阳群、马玉、阎芝、丁立、白寿、刘郃、邓铜等,及曲长屯将七十余人,突将无前,賨⑧、叟、青羌,散骑武骑一千余人,此皆数十年之内,所纠合四方之精锐,非一州之所有;若复数年,则损三分之二也。——当何以图敌:此臣之未解五也。今民穷兵疲,而事不可息;事不可息,则住与行,劳费正等⑨;而不及⑩今图之,欲以一州之地,与贼持久:此臣之未解六也。

夫难平者,事也。昔先帝败军于楚,当此之时,曹操拊手⑪,谓天下

---

① 适——副词,恰好的意思。
② 如左——如下。
③ 然涉险被创,危然后安——然而仍要历经危险,身受创伤,才获得平安。
④ 长策——长久之计。
⑤ 群疑满腹,众难塞胸——指对人满腹怀疑,不肯任用,遇事举棋不定,不敢实行。
⑥ 殆——几乎。
⑦ 伪定——虚假的安定。
⑧ 賨(cóng)——秦至南北朝,巴人亦称"賨人"。
⑨ 事不可息,则住与行,劳费正等——既然事情不可以停止,那么停在原地不动或主动进攻,人民的辛劳和国家的开支是完全一样的。
⑩ 及——趁着。
⑪ 拊手——拍手称快。拊:拍。

已定。——然后先帝东连吴、越，西取巴、蜀，举兵北征，夏侯授首：此操之失计，而汉事将成也。——然后吴更违盟，关羽毁败，秭归蹉跌，曹丕称帝：凡事如是，难可逆见。臣鞠躬尽瘁，死而后已；至于成败利钝，非臣之明所能逆睹也。

后主览表甚喜，即敕令孔明出师。孔明受命，起三十万精兵，令魏延总督前部先锋，径奔陈仓道口而来。

早有细作报入洛阳。司马懿奏知魏主，大会文武商议。大将军曹真出班奏曰："臣昨守陇西，功微罪大，不胜惶恐。今乞引大军往擒诸葛亮。臣近得一员大将，使六十斤大刀，骑千里征驼马，开两石铁胎弓，暗藏三个流星锤，百发百中，有万夫不当之勇，乃陇西狄道人，姓王，名双，字子全。臣保此人为先锋。"睿大喜，便召王双上殿。视之，身长九尺，面黑睛黄，熊腰虎背。睿笑曰："朕得此大将，有何虑哉！"遂赐锦袍金甲，封为虎威将军、前部大先锋。曹真为大都督。真谢恩出朝，遂引十五万精兵，会合郭淮、张郃，分道守把隘口。

却说蜀兵前队哨至陈仓，回报孔明，说："陈仓口已筑起一城，内有大将郝昭守把，深沟高垒，遍排鹿角，十分谨严；不如弃了此城，从太白岭鸟道出祁山甚便。"孔明曰："陈仓正北是街亭；必得此城，方可进兵。"命魏延引兵到城下，四面攻之。连日不能破。魏延复来告孔明，说城难打。孔明大怒，欲斩魏延。忽帐下一人告曰："某虽无才，随丞相多年，未尝报效。愿去陈仓城中，说郝昭来降，不用张弓只箭。"众视之，乃部曲靳祥也。孔明曰："汝用何言以说之？"祥曰："郝昭与某，同是陇西人氏，自幼交契。某今到彼，以利害说之，必来降矣。"孔明即令前去。靳祥骤马径到城下，叫曰："郝伯道故人靳祥来见。"城上人报知郝昭。昭令开门放入，登城相见。昭问曰："故人因何到此？"祥曰："吾在西蜀孔明帐下，参赞军机，待以上宾之礼。特令某来见公，有言相告。"昭勃然变色曰："诸葛亮乃我国仇敌也！吾事魏，汝事蜀：各事其主，昔时为昆仲，今时为仇敌！汝再不必多言，便请出城！"靳祥又欲开言，郝昭已出敌楼上了。魏军急催上马，赶出城外。祥回头视之，见昭倚定护心木栏杆。祥勒马以鞭指之曰："伯道贤弟，何太情薄耶？"昭曰："魏国法度，兄所知也。吾受国恩，但有死而已，兄不必下说词。早回见诸葛亮，教快来攻城：吾不惧也！"祥回告孔明曰："郝昭未等某开言，便先阻却。"孔明曰："汝可再去见他，以利害说之。"祥又到城下，请郝昭相见。昭出到敌楼上。祥勒马高叫曰："伯道贤弟，听吾忠言：汝据守一孤城，怎拒数十万之众？今不早降，后悔无及！且不顺大汉而事奸魏，抑何不知天命、不辨清浊乎？愿伯道思之。"郝昭大怒，拈弓搭箭，指靳祥而喝曰："吾前言已定，汝不必再言！可速退！——吾不射汝！"

靳祥回见孔明，具言郝昭如此光景。孔明大怒曰："匹夫无礼太甚！岂欺吾无攻城之具耶？"随叫土人问曰："陈仓城中，有多少人马？"土人告曰："虽不知的数，约有三千人。"孔明笑曰："量此小城，安能御我！休等他救兵到，火速攻之！"于是军中起百乘云梯，一乘上可立十数人，周围用木板遮护。军士各把短梯软索，听军中擂鼓，一齐上城。郝昭在敌楼上，望见蜀兵装起云梯，四面而来，即令三千军各执火箭，分布四面；待云梯近城，一齐射之。孔明只道城中无备，故大造云梯，令三军鼓噪呐喊而进；不期城上火箭齐发，云梯尽着，梯上军士多被烧死。城上矢石如雨，蜀兵皆退。孔明大怒曰："汝烧吾云梯，吾却用'冲车'之法！"于是连夜安排下冲车。次日，又四面鼓噪呐喊而进。郝昭急命运石凿眼，用葛绳穿定飞打，冲车皆被打折。孔明又令人运土填城壕，教廖化引三千锹䦆军，从夜间掘地道，暗入城去。郝昭又于城中掘重壕横截之。如此昼夜相攻，二十余日，无计可破。孔明正在营中忧闷，忽报："东边救兵到了，旗上书'魏先锋大将王双'。"孔明问曰："谁可迎之？"魏延出曰："某愿往。"孔明曰："汝乃先锋大将，未可轻出。"又问："谁敢迎之？"裨将谢雄应声而出。孔明与三千军去了。孔明又问曰："谁敢再去？"裨将龚起应声要去。孔明亦与三千兵去了。孔明恐城内郝昭引兵冲出，乃把人马退二十里下寨。

却说谢雄引军前行，正遇王双；战不三合，被双一刀劈死。蜀兵败走，双随后赶来。龚起接着，交马只三合，亦被双所斩。败兵回报孔明。孔明大惊，忙令廖化、王平、张嶷三人出迎。两阵对圆，张嶷出马，王平、廖化压住阵角。王双纵马来与张嶷交马，数合不分胜负。双诈败便走，嶷随后赶去。王平见张嶷中计，忙叫曰："休赶！"嶷急回马时，王双流星锤早到，正中其背。嶷伏鞍而走，双回马赶来。王平、廖化截住，救得张嶷回阵。王双驱兵大杀一阵，蜀兵折伤甚多。嶷吐血数口，回见孔明，说："王双英雄无敌；如今将二万兵就陈仓城外下寨，四围立起排栅，筑起重城，深挖壕堑，守御甚严。"孔明见折二将，张嶷又被打伤，即唤姜维曰："陈仓道口这条路不可行。别求何策？"维曰："陈仓城池坚固，郝昭守御甚密，又得王双相助，实不可取。不若令一大将，依山傍水，下寨固守；再令良将守把要道，以防街亭之攻；却统大军去袭祁山，某却如此如此用计，可捉曹真也。”孔明从其言，即令王平、李恢，引二枝兵守街亭小路；魏延引一军守陈仓口。马岱为先锋，关兴、张苞为前后救应使，从小径出斜谷望祁山进发。

却说曹真因思前番被司马懿夺了功劳，因此到洛阳分调郭淮、孙礼东西守把；又听得陈仓告急，已令王双去救。闻知王双斩将立功，大喜，乃令中护军大将费耀，权摄前部总督，诸将各自守把隘口。忽报山谷中捉得细作来见。曹真令押入，跪于帐前。其人告曰：“小人不是奸细，有机密来见都督，误被伏路军捉来，乞退左右。”真乃教去其缚，左右暂退。其人曰：“小人乃姜伯约心腹人也。蒙本官遣送密书。”真曰：“书安在？”其人于贴肉衣内取出呈上。真拆视曰：

罪将姜维百拜，书呈大都督曹麾下：维念世食魏禄，忝守边城；叨窃厚恩，无门补报。昨日误遭诸葛亮之计，陷身于巅崖之中。思念旧国，何日忘之！今幸蜀兵西出，诸葛亮甚不相疑。赖都督亲提大兵而来：如遇敌人，可以诈败；维当在后，以举火为号，先烧蜀人粮草，却以大兵翻身掩之，则诸葛亮可擒也。非敢立功报国，实欲自赎前罪。倘蒙照察，速赐来命。

曹真看毕，大喜曰：“天使吾成功也！”遂重赏来人，便令回报，依期会合。真唤费耀商议曰：“今姜维暗献密书，令吾如此如此。”耀曰：“诸葛亮多谋，姜维智广，或者是诸葛亮所使，恐其中有诈。”真曰：“他原是魏人，不得已而降蜀，又何疑乎？”耀曰：“都督不可轻去，只守定本寨。某愿引一军接应姜维。如成功，尽归都督；倘有奸计，某自支当。”真大喜，遂令费耀引五万兵，望斜谷而进。行了两三程，屯下军马，令人哨探。当日申时分，回报：“斜谷道中，有蜀兵来也。”耀忙催兵进。蜀兵未及交战先退。耀引兵追之，蜀兵又来。方欲对阵，蜀兵又退：如此者三次，俄延至次日申时分。魏军一日一夜，不曾敢歇，只恐蜀兵攻击。方欲屯军造饭，忽然四面喊声大震，鼓角齐鸣，蜀兵漫山遍野而来。门旗开处，闪出一辆四轮车，孔明端坐其中，令人请魏军主将答话。耀纵马而出，遥见孔明，心中暗喜，回顾左右曰：“如蜀兵掩至，便退后走。若见山后火起，却回身杀去，自有兵来相应。”分付毕，跃马出呼曰：“前者败将，今何敢又来！”孔明曰：“唤汝曹真来答话！”耀骂曰：“曹都督乃金枝玉叶，安肯与反贼相见耶！”孔明大怒，把羽扇一招，左有马岱，右有张嶷，两路兵冲出。魏兵便退。行不到三十里，望见蜀兵背后火起，喊声不绝。费耀只道号火，便回身杀来。蜀兵齐退。耀提刀在前，只望喊处追赶。将次近火，山路中鼓角喧天，喊声震地，两军杀出：左有关兴，右有张苞。山上矢石如雨，往下射来。魏兵大败。费耀知是中计，急退军望山谷中而走，人马困乏。背后关兴引生力军赶来，魏兵自相践踏及落涧身死者，不知其数。耀逃命而走，正遇山坡口一彪军，乃是姜维。耀大骂曰："反贼无信！吾不幸误中汝奸计也！"维笑曰："吾欲擒曹真，误赚汝矣！速下马受降！"耀骤马夺路，望山谷中而走。忽见谷口火光冲天，背后追兵又至。耀自刎身死，余众尽降。孔明连夜驱兵，直出祁山前下寨，收住军马，重赏姜维。维曰："某恨不得杀曹真也！"孔明亦曰："可惜大计小用矣。"

却说曹真听知折了费耀，悔之不及，遂与郭淮商议退兵之策。于是孙礼、辛毗星夜具表申奏魏主，言蜀兵又出祁山，曹真损兵折将，势甚危急。睿大惊，即召司马懿入内曰："曹真损兵折将，蜀兵又出祁山。卿有何策，可以退之？"懿曰："臣已有退诸葛亮之计。不用魏军扬武耀威，蜀兵自然走矣。"正是：已见子丹无胜术，全凭仲达有良谋。未知其计如何，且看下文分解。

# 第九十八回

## 追汉军王双受诛　袭陈仓武侯取胜

却说司马懿奏曰："臣尝奏陛下，言孔明必出陈仓，故以郝昭守之，今果然矣。彼若从陈仓入寇，运粮甚便。今幸有郝昭、王双守把，不敢从此路运粮。其余小道，搬运艰难。臣算蜀兵行粮止有一月，利在急战。我军只宜久守。陛下可降诏，令曹真坚守诸路关隘，不要出战。不须一月，蜀兵自走。那时乘虚而击之，诸葛亮可擒也。"睿欣然曰："卿既有先见之明，何不自引一军以袭之？"懿曰："臣非惜身重命，实欲存下此兵，以防东吴陆逊耳。孙权不久必将僭号称尊；如称尊号，恐陛下伐之，定先入寇也：臣故欲以兵待之。"正言间，忽近臣奏曰："曹都督奏报军情。"懿曰："陛下可即令人告戒曹真：凡追赶蜀兵，必须观其虚实，不可深入重地，以中诸葛亮之计。”睿即时下诏，遣太常卿韩暨①持节告戒曹真：“切不可战，务在谨守；只待蜀兵退去，方才击之。”司马懿送韩暨于城外，嘱之曰：“吾以此功让与子丹；公见子丹，休言是吾所陈之意，只道天子降诏，教保守为上。追赶之人，大要仔细，勿遣性急气躁者追之。”暨辞去。

却说曹真正升帐议事，忽报天子遣太常卿韩暨持节至。真出寨接入，受诏已毕，退与郭淮、孙礼计议。淮笑曰：“此乃司马仲达之见也。”真曰：“此见若何？”淮曰：“此言深识诸葛亮用兵之法。久后能御蜀兵者，必仲达也。”真曰：“倘蜀兵不退，又将如何？”淮曰：“可密令人去教王双，引兵于小路巡哨，彼自不敢运粮。待其粮尽兵退，乘势追击，可获全胜。”孙礼曰：“某去祁山虚妆做运粮兵，车上尽装干柴茅草，以硫黄焰硝灌之，却教人虚报陇西运粮到。若蜀人无粮，必然来抢。待入其中，放火烧车，外以伏兵应之，可胜矣。”真喜曰：“此计大妙！”即令孙礼引兵依计而行。又遣人教王双引兵于小路上巡哨，郭淮引兵提调箕谷、街亭，令诸路军马守把险要。真又令张辽子张虎为先锋，乐进子乐綝为副先锋，同守头营，不许出战。

却说孔明在祁山寨中，每日令人挑战，魏兵坚守不出。孔明唤姜维等商议曰：“魏兵坚守不出，是料吾军中无粮也。今陈仓转运不通，其余小路盘涉艰难，吾算随军粮草，不敷一月用度，如之奈何？”正踌躇间，忽报：“陇西魏军运粮数千车于祁山之西，运粮官乃孙礼也。”孔明曰：“其人如何？”有魏人告曰：“此人曾随魏主出猎于大石山，忽惊起一猛虎，直奔御前，孙礼下马拔剑斩之。从此封为上将军。——乃曹真心腹人也。”孔明笑曰：“此是魏将料吾乏粮，故用此计：车上装载者，必是茅草引火之物。吾平生专用火攻，彼乃欲以此计诱我耶？彼若知吾军去劫粮车，必来劫吾寨矣。可将计就计而行。”遂唤马岱分付曰：“汝引三千军径到魏兵屯粮之所，不可入营，但于上风头放火。若烧着车仗，魏兵必来围吾寨。”又差马忠、张嶷各引五千兵在外围住，内外夹攻。三人受计去了。又唤关兴、张苞分付曰：“魏兵头营接连四通之路。今晚若西山火起，魏兵必来劫吾营。汝二人却伏于魏寨左右，只等他兵出寨，汝二人便可劫之。”又唤吴班、吴懿分付曰：“汝二人各引一军伏于营外。如魏兵到，可截其归路。”孔明分拨已

① 韩暨(jì)——人名。

毕，自在祁山上凭高而坐。魏兵探知蜀兵要来劫粮，慌忙报与孙礼。礼令人飞报曹真。真遣人去头营分付张虎、乐綝："看今夜山西火起，蜀兵必来救应。可以出军，如此如此。"二将受计，令人登楼专看号火。

却说孙礼把军伏于山西，只待蜀兵到。是夜二更，马岱引三千兵来，人皆衔枚，马尽勒口，径到山西。见许多车仗，重重叠叠，攒绕成营，车仗虚插旌旗。正值西南风起，岱令军士径去营南放火，车仗尽着，火光冲天。孙礼只道蜀兵到魏寨内放号火，急引兵一齐掩至。背后鼓角喧天，两路兵杀来：乃是马忠、张嶷，把魏军围在垓心。孙礼大惊。又听得魏军中喊声起，一彪军从火光边杀来，乃是马岱。内外夹攻，魏兵大败。火紧风急，人马乱窜，死者无数。孙礼引中伤军，突烟冒火而走。

却说张虎在营中，望见火光，大开寨门，与乐綝尽引人马，杀奔蜀寨来，——寨中却不见一人。急收军回时，吴班、吴懿两路兵杀出，断其归路。张、乐二将急冲出重围，奔回本寨，只见土城之上，箭如飞蝗，——原来却被关兴、张苞袭了营寨。魏兵大败，皆投曹真寨来。方欲入寨，只见一彪败军飞奔而来，乃是孙礼；遂同入寨见真，各言中计之事。真听知，谨守大寨，更不出战。蜀兵得胜，回见孔明。

孔明令人密授计与魏延，一面教拔寨齐起。杨仪曰："今已大胜，挫尽魏兵锐气，何故反欲收军？"孔明曰："吾兵无粮，利在急战。今彼坚守不出，吾受其病矣。彼今虽暂时兵败，中原必有添益；若以轻骑袭吾粮道，那时要归不能。今乘魏兵新败，不敢正视蜀兵，便可出其不意，乘机退去。所忧者但魏延一军，在陈仓道口拒住王双，急不能脱身；吾已令人授以密计，教斩王双，使魏人不敢来追。只今后队先行。"当夜，孔明只留金鼓守在寨中打更。一夜兵已尽退，只落空营。

却说曹真正在寨中忧闷，忽报左将军张郃领军到。郃下马入帐，谓真曰："某奉圣旨，特来听调。"真曰："曾别仲达否？"郃曰："仲达分付云：'吾军胜，蜀兵必不便去；若吾军败，蜀兵必即去矣。'今吾军失利之后，都督曾往哨探蜀兵消息否？"真曰："未也。"于是即令人往探之，果是虚营，只插着数十面旌旗，兵已去了二日也。曹真懊悔无及。

且说魏延受了密计，当夜二更拔寨，急回汉中。早有细作报知王双。双大驱军马，并力追赶。追到二十余里，看看赶上，见魏延旗号在前，双大叫曰："魏延休走！"蜀兵更不回头。双拍马赶来。背后魏兵叫曰："城外寨中火起，恐中敌人奸计。”双急勒马回时，只见一片火光冲天，慌令退军。行到山坡左侧，忽一骑马从林中骤出，大喝曰：“魏延在此！”王双大惊，措手不及，被延一刀砍于马下。魏兵疑有埋伏，四散逃走。延手下止有三十骑人马，望汉中缓缓而行。后人有诗赞曰：

孔明妙算胜孙庞，耿若长星照一方。

进退行兵神莫测，陈仓道口斩王双。

原来魏延受了孔明密计：先教存下三十骑，伏于王双营边；只待王双起兵赶时，却去他营中放火；待他回寨，出其不意，突出斩之。魏延斩了王双，引兵回到汉中见孔明，交割了人马。孔明设宴大会，不在话下。

且说张郃追蜀兵不上，回到寨中。忽有陈仓城郝昭差人申报，言王双被斩。曹真闻知，伤感不已，因此忧成疾病，遂回洛阳；命郭淮、孙礼、张郃守长安诸道。

却说吴王孙权设朝，有细作人报说：“蜀诸葛丞相出兵两次，魏都督曹真兵损将亡。”于是群臣皆劝吴王兴师伐魏，以图中原。权犹疑未决。张昭奏曰：“近闻武昌东山，凤凰来仪；大江之中，黄龙屡现。主公德配唐、虞，明并文、武：可即皇帝位，然后兴兵。”多官皆应曰：“子布之言是也。”遂选定夏四月丙寅日，筑坛于武昌南郊。是日，群臣请权登坛即皇帝位，改黄武八年为黄龙元年。谥父孙坚为武烈皇帝，母吴氏为武烈皇后，兄孙策为长沙桓王。立子孙登为皇太子。命诸葛瑾长子诸葛恪①为太子左辅，张昭次子张休为太子右弼。

恪字元逊，身长七尺，极聪明，善应对。权甚爱之。年六岁时，值东吴筵会，恪随父在座。权见诸葛瑾面长，乃令人牵一驴来，用粉笔书其面曰：“诸葛子瑜。”众皆大笑。恪趋至前，取粉笔添二字于其下曰：“诸葛子瑜之驴。”满座之人，无不惊讶。权大喜，遂将驴赐之。又一日，大宴官僚，权命恪把盏。巡至张昭面前，昭不饮，曰：“此非养老之礼也。”权谓恪曰：“汝能强子布饮乎？”恪领命，乃谓昭曰：“昔姜尚父年九十，秉旄仗钺，未尝言老。今临阵之日，先生在后；饮酒之日，先生在前：何谓不养老也？”昭无言可答，只得强饮。权因此爱之，故命辅太子。张昭佐吴王，位列三公之上，故以其子张休为太子右弼。又以顾雍为丞相，陆逊为上将军，辅

---

①　诸葛恪(kè)——人名。

太子守武昌。权复还建业。群臣共议伐魏之策。张昭奏曰："陛下初登宝位，未可动兵。只宜修文偃武，增设学校，以安民心；遣使入川，与蜀同盟，共分天下，缓缓图之。"

权从其言，即令使命星夜入川，来见后主。礼毕，细奏其事。后主闻知，遂与群臣商议。众议皆谓孙权僭逆，宜绝其盟好。蒋琬曰："可令人问于丞相。"后主即遣使到汉中问孔明。孔明曰："可令人赍礼物入吴作贺，乞遣陆逊兴师伐魏。魏必命司马懿拒之。懿若南拒东吴，我再出祁山，长安可图也。"后主依言，遂令太尉陈震，将名马、玉带、金珠、宝贝，入吴作贺。震至东吴，见了孙权，呈上国书。权大喜，设宴相待，打发回蜀。权召陆逊入，告以西蜀约会兴兵伐魏之事。逊曰："此乃孔明惧司马懿之谋也。既与同盟，不得不从。今却虚作起兵之势，遥与西蜀为应。待孔明攻魏急，吾可乘虚取中原也。"即时下令，教荆襄各处都要训练人马，择日兴师。

却说陈震回到汉中，报知孔明。孔明尚忧陈仓不可轻进，先令人去哨探。回报说："陈仓城中郝昭病重。"孔明曰："大事成矣。"遂唤魏延、姜维分付曰："汝二人领五千兵，星夜直奔陈仓城下；如见火起，并力攻城。"二人俱未深信，又来告曰："何日可行？"孔明曰："三日都要完备；不须辞我，即便起行。"二人受计去了。又唤关兴、张苞至，附耳低言，如此如此。二人各受密计而去。

且说郭淮闻郝昭病重，乃与张郃商议曰："郝昭病重，你可速去替他。我自写表申奏朝廷，别行定夺。"张郃引着三千兵，急来替郝昭。时郝昭病危，当夜正呻吟之间，忽报蜀军到城下了。昭急令人上城守把。时各门上火起，城中大乱。昭听知惊死。蜀兵一拥入城。

却说魏延、姜维领兵到陈仓城下看时，并不见一面旗号，又无打更之人。二人惊疑，不敢攻城。忽听得城上一声炮响，四面旗帜齐竖。只见一人纶巾羽扇，鹤氅道袍，大叫曰："汝二人来的迟了！"二人视之，乃孔明也。二人慌忙下马，拜伏于地曰："丞相真神计也！"孔明令放入城，谓二人曰："吾打探得郝昭病重，吾令汝三日内领兵取城，此乃稳众人之心也。吾却令关兴、张苞，只推点军，暗出汉中。吾即藏于军中，星夜倍道径到城下，使彼不能调兵。吾早有细作在城内放火、发喊相助，令魏兵惊疑不定。兵无主将，必自乱矣。吾因而取之，易如反掌。兵法云：'出其不意，攻其无备。'正谓此也。"魏延、姜维拜伏。孔明怜郝昭之死，令彼妻小扶灵柩回魏,以表其忠。

孔明谓魏延、姜维曰:“汝二人且莫卸甲,可引兵去袭散关。把关之人,若知兵到,必然惊走。若稍迟便有魏兵至关,即难攻矣。”魏延、姜维受命,引兵径到散关。把关之人,果然尽走。二人上关才要卸甲,遥见关外尘头大起,魏兵到来。二人相谓曰:“丞相神算,不可测度!”急登楼视之,乃魏将张郃也。二人乃分兵守住险道。张郃见蜀兵把住要路,遂令退军。魏延随后追杀一阵,魏兵死者无数,张郃大败而去。延回到关上,令人报知孔明。孔明先自领兵,出陈仓斜谷,取了建威。后面蜀兵陆续进发。后主又命大将陈式来助。孔明驱大兵复出祁山。安下营寨,孔明聚众言曰:“吾二次出祁山,不得其利;今又到此,吾料魏人必依旧战之地,与吾相敌。彼意疑我取雍、郿二处,必以兵拒守;吾观阴平、武都二郡,与汉连接,若得此城,亦可分魏兵之势。何人敢取之?”姜维曰:“某愿往。”王平应曰:“某亦愿往。”孔明大喜,遂令姜维引兵一万取武都,王平引兵一万取阴平。二人领兵去了。

再说张郃回到长安,见郭淮、孙礼,说:“陈仓已失,郝昭已亡,散关亦被蜀兵夺了。今孔明复出祁山,分道进兵。”淮大惊曰:“若如此,必取雍、郿矣!”乃留张郃守长安,令孙礼保雍城。淮自引兵星夜来郿城守御,一面上表入洛阳告急。

却说魏主曹睿设朝,近臣奏曰:“陈仓城已失,郝昭已亡,诸葛亮又出祁山,散关亦被蜀兵夺了。”睿大惊。忽又奏满宠等有表,说:“东吴孙权僭称帝号,与蜀同盟。今遣陆逊在武昌训练人马,听候调用。只在旦夕,必入寇矣。”睿闻知两处危急,举止失措,甚是惊慌。此时曹真病未痊,即召司马懿商议。懿奏曰:“以臣愚意所料,东吴必不举兵。”睿曰:“卿何以知之?”懿曰:“孔明尝思报猇亭之仇,非不欲吞吴也,只恐中原乘虚击彼,故暂与东吴结盟。陆逊亦知其意,故假作兴兵之势以应之,实是坐观成败耳。陛下不必防吴,只须防蜀。”睿曰:“卿真高见!”遂封懿为大都督,总摄陇西诸路军马,令近臣取曹真总兵将印来。懿曰:“臣自去取之。”遂辞帝出朝,径到曹真府下,先令人入府报知,懿方进见。问病毕,懿曰:“东吴、西蜀会合,兴兵入寇,今孔明又出祁山下寨,明公知之乎?”真惊讶曰:“吾家人知我病重,不令我知。似此国家危急,何不拜仲达为都督,以退蜀兵耶?”懿曰:“某才薄智浅,不称其职。”真曰:“取印与仲达。”懿曰:“都督少虑。某愿助一臂之力，——只不敢受此印也。”真跃起曰：“如仲达不领此任，中国必危矣！吾当抱病见帝以保之！”懿曰：“天子已有恩命，但懿不敢受耳。”真大喜曰：“仲达今领此任，可退蜀兵。”懿见真再三让印，遂受之，入内辞了魏主，引兵往长安来与孔明决战。正是：旧帅印为新帅取，两路兵惟一路来。未知胜负如何，且看下文分解。

# 第九十九回

## 诸葛亮大破魏兵　司马懿入寇西蜀

蜀汉建兴七年夏四月，孔明兵在祁山，分作三寨，专候魏兵。

却说司马懿引兵到长安，张郃接见，备言前事。懿令郃为先锋，戴陵为副将，引十万兵到祁山，于渭水之南下寨。郭淮、孙礼入寨参见。懿问曰：“汝等曾与蜀兵对阵否？”二人答曰：“未也。”懿曰：“蜀兵千里而来，利在速战；今来此不战，必有谋也。陇西诸路，曾有信息否？”淮曰：“已有细作探得各郡十分用心，日夜提防，并无他事。只有武都、阴平二处，未曾回报。”懿曰：“吾自差人与孔明交战。汝二人急从小路去救二郡，却掩在蜀兵之后，彼必自乱矣。”二人受计，引兵五千，从陇西小路来救武都、阴平，就袭蜀兵之后。郭淮于路谓孙礼曰：“仲达比孔明如何？”礼曰：“孔明胜仲达多矣。”淮曰：“孔明虽胜，此一计足显仲达有过人之智。蜀兵如正攻两郡，我等从后抄到，彼岂不自乱乎？”正言间，忽哨马来报：“阴平已被王平打破了。武都已被姜维打破了。前离蜀兵不远。”礼曰：“蜀兵既已打破了城池，如何陈兵于外？必有诈也。不如速退。”郭淮从之。——方传令教军退时，忽然一声炮响，山背后闪出一枝军马来，旗上大书“汉丞相诸葛亮”，中央一辆四轮车，孔明端坐于上；左有关兴，右有张苞。孙、郭二人见之，大惊。孔明大笑曰：“郭淮、孙礼休走！司马懿之计，安能瞒得过吾？他每日令人在前交战，却教汝等袭吾军后。武都、阴平吾已取了。汝二人不早来降，欲驱兵与吾决战耶？”郭淮、孙礼听毕，大慌。忽然背后喊杀连天，王平、姜维引兵从后杀来。兴、苞二将又引军从前面杀来。两下夹攻，魏兵大败。郭、孙二人弃马爬山而走。张苞望见，骤马赶来；不期连人带马，跌入涧内。后军急忙救起，头已跌破。孔明令人送回成都养病。

却说郭、孙二人走脱，回见司马懿曰："武都、阴平二郡已失。孔明伏于要路，前后攻杀，因此大败，弃马步行，方得逃回。"懿曰："非汝等之罪，孔明智在吾先。可再引兵守把雍、郿二城，切勿出战。吾自有破敌之策。"二人拜辞而去。懿又唤张郃、戴陵分付曰："今孔明得了武都、阴平，必然抚百姓以安民心，不在营中矣。汝二人各引一万精兵，今夜起身，抄在蜀兵营后，一齐奋勇杀将过来；吾却引军在前布阵，只待蜀兵势乱，吾大驱士马，攻杀进去：两军并力，可夺蜀寨也。若得此地山势，破敌何难？"二人受计引兵而去。戴陵在左，张郃在右，各取小路进发，深入蜀兵之后。三更时分，来到大路，两军相遇，合兵一处，却从蜀兵背后杀来。行不到三十里，前军不行。张、戴二人自纵马视之，只见数百辆草车横截去路。郃曰："此必有准备。可急取路而回。"才传令退军，只见满山火光齐明，鼓角大震，伏兵四下皆出，把二人围住。孔明在祁山上大叫曰："戴陵、张郃可听吾言：司马懿料吾往武都、阴平抚民，不在营中，故令汝二人来劫吾寨，却中吾之计也。汝二人乃无名下将，吾不杀害，下马早降！"郃大怒，指孔明而骂曰："汝乃山野村夫，侵吾大国境界，如何敢发此言！吾若捉住汝时，碎尸万段！"言讫，纵马挺枪，杀上山来。山上矢石如雨。郃不能上山，乃拍马舞枪，冲出重围，无人敢当。蜀兵困戴陵在垓心。郃杀出旧路，不见戴陵，即奋勇翻身又杀入重围，救出戴陵而回。孔明在山上，见郃在万军之中，往来冲突，英勇倍加，乃谓左右曰："尝闻张翼德大战张郃，人皆惊惧。吾今日见之，方知其勇也。若留下此人，必为蜀中之害。吾当除之。"遂收军还营。

却说司马懿引兵布成阵势，只待蜀兵乱动，一齐攻之。忽见张郃、戴陵狼狈而来，告曰："孔明先如此提防，因此大败而归。"懿大惊曰："孔明真神人也！——不如且退。"即传令教大军尽回本寨，坚守不出。

且说孔明大胜，所得器械、马匹，不计其数，乃引大军回寨。每日令魏延挑战，魏兵不出。一连半月，不曾交兵。孔明正在帐中思虑，忽报天子遣侍中费祎赍诏至。孔明接入营中，焚香礼毕，开诏读曰：

街亭之役，咎由马谡；而君引愆①，深自贬抑，重违君意，听顺所守。

---

① 引愆——归罪于自己。愆：过失。

前年耀师，馘斩王双；今岁爰征，郭淮遁走；降集氐、羌，复兴二郡；威震凶暴，功勋显然。方今天下骚扰，元恶未枭，君受大任，干国之重，而久自抑损，非所以光扬洪烈矣。今复君丞相，君其勿辞！

孔明听诏毕，谓费祎曰："吾国事未成，安可复丞相之职？"坚辞不受。祎曰："丞相若不受职，拂了天子之意，又冷淡了将士之心。宜且权受。"孔明方才拜受。祎辞去。

孔明见司马懿不出，思得一计，传令教各处皆拔寨而起。当有细作报知司马懿，说孔明退兵了。懿曰："孔明必有大谋，不可轻动。"张郃曰："此必因粮尽而回，如何不追？"懿曰："吾料孔明上年大收，今又麦熟，粮草丰足；虽然转运艰难，亦可支吾半载，安肯便走？彼见吾连日不战，故作此计引诱。可令人远远哨之。"军士探知，回报说："孔明离此三十里下寨。"懿曰："吾料孔明果不走。且坚守寨栅，不可轻进。"住了旬日，绝无音信，并不见蜀将来战。懿再令人哨探，回报说："蜀兵已起营去了。"懿未信，乃更换衣服，杂在军中，亲自来看，果见蜀兵又退三十里下寨。懿回营谓张郃曰："此乃孔明之计也，不可追赶。"又住了旬日，再令人哨探。回报说："蜀兵又退三十里下寨。"郃曰："孔明用缓兵之计，渐退汉中，都督何故怀疑，不早追之？郃愿往决一战！"懿曰："孔明诡计极多，倘有差失，丧我军之锐气。不可轻进。"郃曰："某去若败，甘当军令。"懿曰："既汝要去，可分兵两枝：汝引一枝先行，须要奋力死战；吾随后接应，以防伏兵。汝次日先进，到半途驻扎，后日交战，使兵力不乏。"遂分兵已毕。次日，张郃、戴陵引副将数十员、精兵三万，奋勇先进，到半路下寨。司马懿留下许多军马守寨，只引五千精兵，随后进发。

原来孔明密令人哨探，见魏兵半路而歇。是夜，孔明唤众将商议曰："今魏兵来追，必然死战，汝等须以一当十，吾以伏兵截其后：非智勇之将，不可当此任。"言毕，以目视魏延。延低头不语。王平出曰："某愿当之。"孔明曰："若有失，如何？"平曰："愿当军令。"孔明叹曰："王平肯舍身亲冒矢石，真忠臣也！虽然如此，奈魏兵分两枝前后而来，断吾伏兵在中；平纵然智勇，只可当一头，岂可分身两处？须再得一将同去为妙。怎奈军中再无舍死当先之人！"言未毕，一将出曰："某愿往！"孔明视之，乃张翼也。孔明曰："张郃乃魏之名将，有万夫不当之勇，汝非敌手。"翼曰："若有失事，愿献首于帐下。"孔明曰："汝既敢去，可与王平各引一万精兵伏于山谷中；

只待魏兵赶上，任他过尽，汝等却引伏兵从后掩杀。若司马懿随后赶来，却分兵两头：张翼引一军当住后队，王平引一军截其前队。两军须要死战。——吾自有别计相助。”二人受计引兵而去。孔明又唤姜维、廖化分付曰：“与汝二人一个锦囊，引三千精兵，偃旗息鼓，伏于前山之上。如见魏兵围住王平、张翼，十分危急，不必去救，只开锦囊看视，自有解危之策。”二人受计引兵而去。又令吴班、吴懿、马忠、张嶷四将，附耳分付曰：“如来日魏兵到，锐气正盛，不可便迎，且战且走。只看关兴引兵来掠阵之时，汝等便回军赶杀，吾自有兵接应。”四将受计引兵而去。又唤关兴分付曰：“汝引五千精兵，伏于山谷；只看山上红旗飐动，却引兵杀出。”兴受计引兵而去。

却说张郃、戴陵领兵前来，骤如风雨。马忠、张嶷、吴懿、吴班四将接着，出马交锋。张郃大怒，驱兵追杀。蜀兵且战且走。魏兵追赶约有二十余里，时值六月天气，十分炎热，人马汗如泼水。走到五十里外，魏兵尽皆气喘。孔明在山上把红旗一招，关兴引兵杀出。马忠等四将，一齐引兵掩杀回来。张郃、戴陵死战不退。忽然喊声大震，两路军杀出，乃王平、张翼也。各奋勇追杀，截其后路。郃大叫众将曰：“汝等到此，不决一死战，更待何时！”魏兵奋力冲突，不得脱身。忽然背后鼓角喧天，司马懿自领精兵杀到。懿指挥众将，把王平、张翼围在垓心。翼大呼曰：“丞相真神人也！计已算定，必有良谋。吾等当决一死战！”即分兵两路：平引一军截住张郃、戴陵，翼引一军力当司马懿。两头死战，叫杀连天。姜维、廖化在山上探望，见魏兵势大，蜀兵力危，渐渐抵当不住。维谓化曰：“如此危急，可开锦囊看计。”二人拆开视之，内书云：“若司马懿兵来围王平、张翼至急，汝二人可分兵两枝，竟袭司马懿之营；懿必急退，汝可乘乱攻之。营虽不得，可获全胜。”二人大喜，即分兵两路，径袭司马懿营中而去。

原来司马懿亦恐中孔明之计，沿途不住的令人传报。懿正催战间，忽流星马飞报，言蜀兵两路竟取大寨去了。懿大惊失色，乃谓众将曰：“吾料孔明有计，汝等不信，勉强追来，却误了大事！”即提兵急回。军心惶惶乱走。张翼随后掩杀，魏兵大败。张郃、戴陵见势孤，亦望山僻小路而走，蜀兵大胜。背后关兴引兵接应诸路。司马懿大败一阵，奔入寨时，蜀兵已自回去。懿收聚败军，责骂诸将曰：“汝等不知兵法，只凭血气之勇，强欲出战，致有此败。今后切不许妄动，再有不遵，决正军法！”众皆羞惭而退。

这一阵，魏军死者极多，遗弃马匹器械无数。

却说孔明收得胜军马入寨，又欲起兵进取。忽报有人自成都来，说张苞身死。孔明闻知，放声大哭，口中吐血，昏绝于地。众人救醒。孔明自此得病卧床不起。诸将无不感激。后人有诗叹曰：

悍勇张苞欲建功，可怜天不助英雄！

武侯泪向西风洒，为念无人佐鞠躬。

旬日之后，孔明唤董厥、樊建等入帐分付曰："吾自觉昏沉，不能理事；不如且回汉中养病，再作良图。汝等切勿走泄：司马懿若知，必来攻击。"遂传号令，教当夜暗暗拔寨，皆回汉中。孔明去了五日，懿方得知，乃长叹曰："孔明真有神出鬼没之计，吾不能及也！"于是司马懿留诸将在寨中，分兵守把各处隘口；懿自班师回。

却说孔明将大军屯于汉中，自回成都养病；文武官僚出城迎接，送入丞相府中，后主御驾自来问病，命御医调治，日渐痊可。

建兴八年秋七月，魏都督曹真病可，乃上表说："蜀兵数次侵界，屡犯中原，若不剿除，必为后患。今时值秋凉，人马安闲，正当征伐。臣愿与司马懿同领大军，径入汉中，殄灭奸党，以清边境。"魏主大喜，问侍中刘晔曰："子丹劝朕伐蜀，若何？"晔奏曰："大将军之言是也。今若不剿除，后必为大患。陛下便可行之。"睿点头。晔出内回家，有众大臣相探，问曰："闻天子与公计议兴兵伐蜀，此事如何？"晔应曰："无此事也。蜀有山川之险，非可易图；空费军马之劳，于国无益。"众官皆默然而出。杨暨入内奏曰："昨闻刘晔劝陛下伐蜀；今日与众臣议，又言不可伐：是欺陛下也。陛下何不召而问之？"睿即召刘晔入内问曰："卿劝朕伐蜀；今又言不可，何也？"晔曰："臣细详之，蜀不可伐。"睿大笑。少时，杨暨出内。晔奏曰："臣昨日劝陛下伐蜀，乃国之大事，岂可妄泄于人？夫兵者，诡道也：事未发，切宜秘之。"睿大悟曰："卿言是也。"自此愈加敬重。旬日内，司马懿入朝，魏主将曹真表奏之事，逐一言之。懿奏曰："臣料东吴未敢动兵，今日正可乘此去伐蜀。"睿即拜曹真为大司马、征西大都督，司马懿为大将军、征西副都督，刘晔为军师。三人拜辞魏主，引四十万大兵，前行至长安，径奔剑阁，来取汉中。其余郭淮、孙礼等，各取路而行。

汉中人报入成都。此时孔明病好多时，每日操练人马，习学八阵之法，尽皆精熟，欲取中原；听得这个消息，遂唤张嶷、王平分付曰："汝二人先引一千兵去守陈仓古道，以当魏兵；吾却提大兵便来接应。”二人告曰：“人报魏军四十万，诈称八十万，声势甚大，如何只与一千兵去守隘口？倘魏兵大至，何以拒之？”孔明曰：“吾欲多与，恐士卒辛苦耳。”嶷与平面面相觑，皆不敢去。孔明曰：“若有疏失，非汝等之罪。不必多言，可疾去。”二人又哀告曰：“丞相欲杀某二人，就此请杀，只不敢去。”孔明笑曰：“何其愚也！吾令汝等去，自有主见：吾昨夜仰观天文，见毕星躔①于太阴之分，此月内必有大雨淋漓；魏兵虽有四十万，安敢深入山险之地？因此不用多军，决不受害。吾将大军皆在汉中安居一月，待魏兵退，那时以大兵掩之：以逸待劳，吾十万之众可胜魏兵四十万也。”二人听毕，方大喜，拜辞而去。孔明随统大军出汉中，传令教各处隘口，预备干柴草料细粮，俱够一月人马支用，以防秋雨；将大军宽限一月，先给衣食，伺候出征。

却说曹真、司马懿同领大军，径到陈仓城内，不见一间房屋；寻土人问之，皆言孔明回时放火烧毁。曹真便要从陈仓道进发。懿曰：“不可轻进。我夜观天文，见毕星躔于太阴之分，此月内必有大雨；若深入重地，常胜则可，倘有疏虞，人马受苦，要退则难。且宜在城中搭起窝铺②住扎，以防阴雨。”真从其言。未及半月，天雨大降，淋漓不止。陈仓城外，平地水深三尺，军器尽湿，人不得睡，昼夜不安。大雨连降三十日，马无草料，死者无数，军士怨声不绝。传入洛阳，魏主设坛，求晴不得。黄门侍郎王肃上疏曰：

前志有之：“千里馈粮，士有饥色；樵苏后爨，师不宿饱③。”此谓平途之行军者也。又况于深入险阻，凿路而前，则其为劳，必相百也。今又加之以霖雨，山坂④峻滑，众逼而不展，粮远而难继：实行军之大忌也。闻曹真发已逾月，而行方半谷，治道功大，战士悉作：是彼偏得以逸待劳，乃兵家之所惮也。言之前代，则武王伐纣，出关而复还；论之近事，则武、文征权，临江而不济：岂非顺天知时，通于权变者哉？愿陛下念水

---

① 躔（chán）——日月星辰运行的度次。

② 窝铺——临时住宿的草棚。

③ 樵苏后爨，师不宿饱——现打柴草，然后烧饭，士兵就不能吃饱饭睡觉。樵：砍柴；苏：打草；爨：烧火做饭。

④ 山坂（bǎn）——山路。坂：山坡。

雨艰剧之故，休息士卒；后日有衅，乘时用之。所谓“悦以犯难，民忘其死”者也。

魏主览表，正在犹豫，杨阜、华歆亦上疏谏。魏主即下诏，遣使诏曹真、司马懿还朝。

却说曹真与司马懿商议曰：“今连阴三十日，军无战心，各有思归之意，如何禁止？”懿曰：“不如且回。”真曰：“倘孔明追来，怎生退之？”懿曰：“先伏两军断后，方可回兵。”正议间，忽使命来召。二人遂将大军前队作后队，后队作前队，徐徐而退。

却说孔明计算一月秋雨将尽，天尚未晴，自提一军屯于城固，又传令教大军会于赤坡驻扎。孔明升帐唤众将言曰：“吾料魏兵必走，魏主必下诏来取曹真、司马懿兵回。吾若追之，必有准备；不如任他且去，再作良图。”忽王平令人报来，说魏兵已回。孔明分付来人，传与王平：“不可追袭。吾自有破魏兵之策。”正是：魏兵纵使能埋伏，汉相原来不肯追。未知孔明怎生破魏，且看下文分解。

# 第一百回

## 汉兵劫寨破曹真　武侯斗阵辱仲达

却说众将闻孔明不追魏兵，俱入帐告曰：“魏兵苦雨，不能屯扎，因此回去，正好乘势追之。丞相如何不追？”孔明曰：“司马懿善能用兵，今军退必有埋伏。吾若追之，正中其计。不如纵他远去，吾却分兵径出斜谷而取祁山，使魏人不提防也。”众将曰：“取长安之地，别有路途；丞相只取祁山，何也？”孔明曰：“祁山乃长安之首也：陇西诸郡，倘有兵来，必经由此地；更兼前临渭滨，后靠斜谷，左出右入，可以伏兵，乃用武之地。吾故欲先取此，得地利也。”众将皆拜服。孔明令魏延、张嶷、杜琼、陈式出箕谷；马岱、王平、张翼、马忠出斜谷：俱会于祁山。调拨已定，孔明自提大军，令关兴、廖化为先锋，随后进发。

却说曹真、司马懿二人，在后监督人马，令一军入陈仓古道探视，回报说蜀兵不来。又行旬日，后面埋伏众将皆回，说蜀兵全无音耗。真曰："连绵秋雨，栈道断绝，蜀人岂知吾等退军耶？"懿曰："蜀兵随后出矣。"真曰："何以知之？"懿曰："连日晴明，蜀兵不赶，料吾有伏兵也，故纵我兵远去；待我兵过尽，他却夺祁山矣。"曹真不信。懿曰："子丹如何不信？吾料孔明必从两谷而来。吾与子丹各守一谷口，十日为期。若无蜀兵来，我面涂红粉，身穿女衣，来营中伏罪。"真曰："若有蜀兵来，我愿将天子所赐玉带一条、御马一匹与你。"即分兵两路：真引兵屯于祁山之西，斜谷口；懿引军屯于祁山之东，箕谷口。各下寨已毕。懿先引一枝兵伏于山谷中；其余军马，各于要路安营。懿更换衣装，杂在众军之内，遍观各营。忽到一营，有一偏将仰天而怨曰："大雨淋了许多时，不肯回去；今又在这里顿住，强要赌赛，却不苦了官军！"懿闻言，归寨升帐，聚众将皆到帐下，挨出那将来。懿叱之曰："朝廷养军千日，用在一时。汝安敢出怨言，以慢军心！"其人不招。懿叫出同伴之人对证，那将不能抵赖。懿曰："吾非赌赛；欲胜蜀兵，令汝各人有功回朝。汝乃妄出怨言，自取罪戾！"喝令武士推出斩之。须臾，献首帐下。众将悚然。懿曰："汝等诸将皆要尽心以防蜀兵。听吾中军炮响，四面皆进。"众将受令而退。

却说魏延、张嶷、陈式、杜琼四将，引二万兵，取箕谷而进。正行之间，忽报参谋邓芝到来。四将问其故，芝曰："丞相有令：如出箕谷，提防魏兵埋伏，不可轻进。"陈式曰："丞相用兵何多疑耶？吾料魏兵连遭大雨，衣甲皆毁，必然急归；安得又有埋伏？今吾兵倍道而进，可获大胜，如何又教休进？"芝曰："丞相计无不中，谋无不成，汝安敢违令？"式笑曰："丞相若果多谋，不致街亭之失！"魏延想起孔明向日不听其计，亦笑曰："丞相若听吾言，径出子午谷，此时休说长安，连洛阳皆得矣！今执定要出祁山，有何益耶？既令进兵，今又教休进，何其号令不明！"式曰："吾自有五千兵，径出箕谷，先到祁山下寨，看丞相羞也不羞！"芝再三阻当，式只不听，径自引五千兵出箕谷去了。邓芝只得飞报孔明。

却说陈式引兵行不数里，忽听的一声炮响，四面伏兵皆出。式急退时，魏兵塞满谷口，围得铁桶相似。式左冲右突，不能得脱。忽闻喊声大震，一彪军杀入，乃是魏延。救了陈式，回到谷中，五千兵只乘得四五百带伤人马。背后魏兵赶来，却得杜琼、张嶷引兵接应，魏兵方退。陈、魏二人方信孔明先见如神，懊悔不及。

且说邓芝回见孔明，言魏延、陈式如此无礼。孔明笑曰："魏延素有反相，吾知彼常有不平之意；因怜其勇而用之。——久后必生患害。"正言间，忽流星马报到，说陈式折了四千余人，止有四五百带伤人马，屯在谷中。孔明令邓芝再来箕谷抚慰陈式，防其生变；一面唤马岱、王平分付曰："斜谷若有魏兵守把，汝二人引本部军越山岭，夜行昼伏，速出祁山之左，举火为号。"又唤马忠、张翼分付曰："汝等亦从山僻小路，昼伏夜行，径出祁山之右，举火为号，与马岱、王平会合，共劫曹真营寨。吾自从谷中三面攻之，魏兵可破也。"四人领命分头引兵去了。孔明又唤关兴、廖化分付曰：如此如此。二人受了密计，引兵而去。孔明自领精兵倍道而行。正行间，又唤吴班、吴懿授与密计，亦引兵先行。

却说曹真心中不信蜀兵来，以此怠慢，纵令军士歇息；只等十日无事，要羞司马懿。不觉守了七日，忽有人报谷中有些小蜀兵出来。真令副将秦良引五千兵哨探，不许纵令蜀兵近界。秦良领命，引兵刚到谷口，哨见蜀兵退去。良急引兵赶来，行到五六十里，不见蜀兵，心下疑惑，教军士下马歇息。忽哨马报说："前面有蜀兵埋伏。"良上马看时，只见山中尘土大起，急令军士提防。不一时，四壁厢喊声大震：前面吴班、吴懿引兵杀出，背后关兴、廖化引兵杀来。左右是山，皆无走路。山上蜀兵大叫："下马投降者免死！"魏兵大半多降。秦良死战，被廖化一刀斩于马下。孔明把降兵拘于后军，却将魏兵衣甲与蜀兵五千人穿了，扮作魏兵，令关兴、廖化、吴班、吴懿四将引着，径奔曹真寨来；先令报马入寨说："只有些小蜀兵，尽赶去了。"真大喜。忽报司马都督差心腹人至。真唤入问之。其人告曰："今都督用埋伏计，杀蜀兵四千余人。司马都督致意将军，教休将赌赛为念，务要用心提备。"真曰："吾这里并无一个蜀兵。"遂打发来人回去。忽又报秦良引兵回来了。真自出帐迎之。比及到寨，人报前后两把火起。真急回寨后看时，关兴、廖化、吴班、吴懿四将，指麾蜀军，就营前杀将进来；马岱、王平从后面杀来；马忠、张翼亦引兵杀到。魏军措手不及，各自逃生。众将保曹真望东而走，背后蜀兵赶来。曹真正奔走，忽然喊声大震，一彪军杀到。真胆战心惊，视之，乃司马懿也。懿大战一场，蜀兵方退。真得脱，羞惭无地。懿曰："诸葛亮夺了祁山地势，吾等不可久居此处；宜去渭滨安营，再作良图。"真曰："仲达何以知吾遭此大败也？"懿曰："见来人报称子丹说并无一个蜀兵，吾料孔明暗来劫寨，因此知之，故相接应。今果中计。切莫言赌赛之事，只同心报国。”曹真甚是惶恐，气成疾病，卧床不起。兵屯渭滨，懿恐军心有乱，不敢教真引兵。

却说孔明大驱士马，复出祁山。劳军已毕，魏延、陈式、杜琼、张嶷入帐拜伏请罪。孔明曰：“是谁失陷了军来？”延曰：“陈式不听号令，潜入谷口，以此大败。”式曰：“此事魏延教我行来。”孔明曰：“他倒救你，你反攀他！将令已违，不必巧说！”即叱武士推出陈式斩之。须臾，悬首于帐前，以示诸将。——此时孔明不杀魏延，欲留之以为后用也。孔明既斩了陈式，正议进兵，忽有细作报说曹真卧病不起，现在营中治疗。孔明大喜，谓诸将曰：“若曹真病轻，必便回长安。今魏兵不退，必为病重，故留于军中，以安众人之心。吾写下一书，教秦良的降兵持与曹真，真若见之，必然死矣！”遂唤降兵至帐下，问曰：“汝等皆是魏军，父母妻子多在中原，不宜久居蜀中。今放汝等回家，若何？”众军泣泪拜谢。孔明曰：“曹子丹与吾有约；吾有一书，汝等带回，送与子丹，必有重赏。”魏军领了书，奔回本寨，将孔明书呈与曹真。真扶病而起，拆封视之。其书曰：

> 汉丞相、武乡侯诸葛亮，致书于大司马曹子丹之前：窃谓夫为将者，能去能就，能柔能刚；能进能退，能弱能强。不动如山岳，难测如阴阳；无穷如天地，充实如太仓；浩渺如四海，眩曜如三光。预知天文之旱涝，先识地理之平康；察阵势之期会，揣敌人之短长。嗟尔无学后辈，上逆穹苍；助篡国之反贼，称帝号于洛阳；走残兵于斜谷，遭霖雨于陈仓；水陆困乏，人马猖狂；抛盈郊之戈甲，弃满地之刀枪；都督心崩而胆裂，将军鼠窜而狼忙！无面见关中之父老，何颜入相府之厅堂！史官秉笔而记录，百姓众口而传扬：仲达闻阵而惕惕，子丹望风而遑遑！吾军兵强而马壮，大将虎奋以龙骧；扫秦川为平壤，荡魏国作丘荒！

曹真看毕，恨气填胸；至晚，死于军中。司马懿用兵车装载，差人送赴洛阳安葬。魏主闻知曹真已死，即下诏催司马懿出战。懿提大军来与孔明交锋，隔日先下战书。

孔明谓诸将曰：“曹真必死矣。”遂批回“来日交锋”，使者去了。孔明当夜教姜维受了密计：如此而行；又唤关兴分付：如此如此。次日，孔明尽起祁山之兵前到渭滨：一边是河，一边是山，中央平川旷野，好片战场！两军相迎，以弓箭射住阵角。三通鼓罢，魏阵中门旗开处，司马懿出马，众将随后而出。只见孔明端坐于四轮车上，手摇羽扇。懿曰：“吾主上法尧禅舜，相传二帝，坐镇中原，容汝蜀、吴二国者，乃吾主宽慈仁厚，恐伤百姓也。汝乃南阳一耕夫，不识天数，强要相侵，理宜殄灭！如省心改过，宜即早回，各守疆界，以成鼎足之势，免致生灵涂炭，汝等皆得全生！”孔明笑曰：“吾受先帝托孤之重，安肯不倾心竭力以讨贼乎！汝曹氏不久为汉所灭。汝祖父皆为汉臣，世食汉禄，不思报效，反助篡逆，岂不自耻？”懿羞渐满面曰：“吾与汝决一雌雄！汝若能胜，吾誓不为大将！汝若败时，早归故里，吾并不加害。”

孔明曰：“汝欲斗将？斗兵？斗阵法？”懿曰：“先斗阵法。”孔明曰：“先布阵我看。”懿入中军帐下，手执黄旗招飐，左右军动，排成一阵。复上马出阵，问曰：“汝识吾阵否？”孔明笑曰：“吾军中末将，亦能布之。——此乃‘混元一气阵’也。”懿曰：“汝布阵我看。”孔明入阵，把羽扇一摇，复出阵前，问曰：“汝识我阵否？”懿曰：“量此‘八卦阵’，如何不识！”孔明曰：“识便识了，敢打我阵否？”懿曰：“既识之，如何不敢打！”孔明曰：“汝只管打来。”司马懿回到本阵中，唤戴陵、张虎、乐綝三将，分付曰：“今孔明所布之阵，按休、生、伤、杜、景、死、惊、开八门。汝三人可从正东‘生门’打入，往西南‘休门’杀出，复从正北‘开门’杀入：此阵可破。汝等小心在意！”于是戴陵在中，张虎在前，乐綝在后，各引三十骑，从生门打入。两军呐喊相助。三人杀入蜀阵，只见阵如连城，冲突不出。三人慌引骑转过阵脚，往西南冲去，却被蜀兵射住，冲突不出。阵中重重叠叠，都有门户，那里分东西南北？三将不能相顾，只管乱撞，但见愁云漠漠，惨雾蒙蒙。喊声起处，魏军一个个皆被缚了，送到中军。孔明坐于帐中，左右将张虎、戴陵、乐綝并九十个军，皆缚在帐下。孔明笑曰：“吾纵然捉得汝等，何足为奇！吾放汝等回见司马懿，教他再读兵书，重观战策，那时来决雌雄，未为迟也。汝等性命既饶，当留下军器战马。”遂将众人衣服脱了，以墨涂面，步行出阵。司马懿见之大怒，回顾诸将曰：“如此挫败锐气，有何面目回见中原大臣耶！”即指挥三军，奋死掠阵。懿自拔剑在手，引百余骁将，催督冲杀。两军恰才相会，忽然阵后鼓角齐鸣，喊声大震，一彪军从西南上杀来，乃关兴也。懿分后军当之，复催军向前厮杀。忽然魏兵大乱：原来姜维引一彪军悄地杀来，蜀兵三路夹攻。懿大惊，急忙退军。蜀兵周围杀到，懿引三军望南死命冲出。魏兵十伤六七。司马懿退在渭滨南岸下寨，坚守不出。

孔明收得胜之兵，回到祁山时，永安城李严遣都尉苟安解送粮米，至军中交割。苟安好酒，于路怠慢，违限十日。孔明大怒曰："吾军中专以粮为大事，误了三日，便该处斩！汝今误了十日，有何理说？"喝令推出斩之。长史杨仪曰："苟安乃李严用人，又兼钱粮多出于西川，若杀此人，后无人敢送粮也。"孔明乃叱武士去其缚，杖八十放之。苟安被责，心中怀恨，连夜引亲随五六骑，径奔魏寨投降。懿唤入，苟安拜告前事。懿曰："虽然如此，孔明多谋，汝言难信。汝能为我干一件大功，吾那时奏准天子，保汝为上将。"安曰："但有甚事，即当效力。"懿曰："汝可回成都布散流言，说孔明有怨上之意，早晚欲称为帝，使汝主召回孔明：即是汝之功矣。"苟安允诺，径回成都，见了宦官，布散流言，说孔明自倚大功，早晚必将篡国。宦官闻知大惊，即入内奏帝，细言前事。后主惊讶曰："似此如之奈何？"宦官曰："可诏还成都，削其兵权，免生叛逆。"后主下诏，宣孔明班师回朝。蒋琬出班奏曰："丞相自出师以来，累建大功，何故宣回？"后主曰："朕有机密事，必须与丞相面议。"即遣使赍诏星夜宣孔明回。使命径到祁山大寨，孔明接入，受诏已毕，仰天叹曰："主上年幼，必有佞臣在侧！吾正欲建功，何故取回？我如不回，是欺主矣。若奉命而退，日后再难得此机会也。"姜维问曰："若大军退，司马懿乘势掩杀，当复如何？"孔明曰："吾今退军，可分五路而退。今日先退此营，假如营内一千兵，却掘二千灶，明日掘三千灶，后日掘四千灶：每日退军，添灶而行。"杨仪曰："昔孙膑擒庞涓，用添兵减灶之法而取胜；今丞相退兵，何故增灶？"孔明曰："司马懿善能用兵，知吾兵退，必然追赶；心中疑吾有伏兵，定于旧营内数灶；见每日增灶，兵又不知退与不退，则疑而不敢追。吾徐徐而退，自无损兵之患。"遂传令退军。

却说司马懿料苟安行计停当，只待蜀兵退时，一齐掩杀。正踌躇间，忽报蜀寨空虚，人马皆去。懿因孔明多谋，不敢轻追，自引百余骑前来蜀营内踏看，教军士数灶，仍回本寨；次日，又教军士赶到那个营内，查点灶数。回报说："这营内之灶，比前又增一分。"司马懿谓诸将曰："吾料孔明多谋，今果添兵增灶，吾若追之，必中其计；不如且退，再作良图。"于是回军不追。孔明不折一人，望成都而去。次后，川口土人来报司马懿，说孔明退兵之时，未见添兵，只见增灶。懿仰天长叹曰："孔明效虞诩①之法，瞒

① 虞诩（xǔ）——东汉武都太守。羌兵曾在陈仓、崤谷拦截虞诩，虞诩用每天增灶的计策，迷惑对方，使之不敢追击。

过吾也！其谋略吾不如之！”遂引大军还洛阳。正是：棋逢敌手难相胜，将遇良才不敢骄。未知孔明退回成都，竟是如何，且看下文分解。

# 第一百一回

## 出陇上诸葛妆神 奔剑阁张郃中计

却说孔明用减兵添灶之法，退兵到汉中；司马懿恐有埋伏，不敢追赶，亦收兵回长安去了，因此蜀兵不曾折了一人。孔明大赏三军已毕，回到成都，入见后主，奏曰：“老臣出了祁山，欲取长安，忽承陛下降诏召回，不知有何大事？”后主无言可对；良久，乃曰：“朕久不见丞相之面，心甚思慕，故特诏回，一无他事。”孔明曰：“此非陛下本心，必有奸臣谗谮，言臣有异志也。”后主闻言，默然无语。孔明曰：“老臣受先帝厚恩，誓以死报。今若内有奸邪，臣安能讨贼乎？”后主曰：“朕因过听①宦官之言，一时召回丞相。今日茅塞方开，悔之不及矣！”孔明遂唤众宦官究问，方知是苟安流言；急令人捕之，已投魏国去了。孔明将妄奏的宦官诛戮，余皆废出宫外；又深责蒋琬、费祎等不能觉察奸邪，规谏天子。二人唯唯服罪。孔明拜辞后主，复到汉中，一面发檄令李严应付粮草，仍运赴军前；一面再议出师。杨仪曰：“前数兴兵，军力罢敝，粮又不继；今不如分兵两班，以三个月为期：且如二十万之兵，只领十万出祁山，住了三个月，却教这十万替回，循环相转。若此则兵力不乏，然后徐徐而进，中原可图矣。”孔明曰：“此言正合我意。吾伐中原，非一朝一夕之事，正当为此长久之计。”遂下令，分兵两班，限一百日为期，循环相转，违限者按军法处治。

建兴九年春二月，孔明复出师伐魏。时魏太和五年也。魏主曹睿知孔明又伐中原，急召司马懿商议。懿曰：“今子丹已亡，臣愿竭一人之力，剿除寇贼，以报陛下。”睿大喜，设宴待之。次日，人报蜀兵寇急。睿即命司马懿出师御敌，亲排銮驾送出城外。懿辞了魏主，径到长安，大会诸路人马，计议破蜀兵之策。张郃曰：“吾愿引一军去守雍、郿，以拒蜀兵。”懿

① 过听——误听。

曰："吾前军不能独当孔明之众，而又分兵为前后，非胜算也。不如留兵守上邽，余众悉往祁山。公肯为先锋否?"郃大喜曰："吾素怀忠义，欲尽心报国，惜未遇知己；今都督肯委重任，虽万死不辞!"于是司马懿令张郃为先锋，总督大军。又令郭淮守陇西诸郡，其余众将各分道而进。前军哨马报说："孔明率大军望祁山进发，前部先锋王平、张嶷，径出陈仓，过剑阁，由散关望斜谷而来。"司马懿谓张郃曰："今孔明长驱大进，必将割陇西小麦，以资军粮。汝可结营守祁山，吾与郭淮巡略天水诸郡，以防蜀兵割麦。"郃领诺，遂引四万兵守祁山。懿引大军望陇西而去。

却说孔明兵至祁山，安营已毕，见渭滨有魏军提备，乃谓诸将曰："此必是司马懿也。即今营中乏粮，屡遣人催并李严运米应付，却只是不到。吾料陇上麦熟，可密引兵割之。"于是留王平、张嶷、吴班、吴懿四将守祁山营，孔明自引姜维、魏延等诸将，前到卤城。卤城太守素知孔明，慌忙开城出降。孔明抚慰毕，问曰："此时何处麦熟?"太守告曰："陇上麦已熟。"孔明乃留张翼、马忠守卤城，自引诸将并三军望陇上而来。前军回报说："司马懿引兵在此。"孔明惊曰："此人预知吾来割麦也!"即沐浴更衣，推过一般三辆四轮车来，车上皆要一样装饰。——此车乃孔明在蜀中预先造下的。当下令姜维引一千军护车，五百军擂鼓，伏在上邽之后；马岱在左，魏延在右，亦各引一千军护车，五百军擂鼓。每一辆车，用二十四人，皂衣跣足，披发仗剑，手执七星皂幡，在左右推车。三人各受计，引兵推车而去。孔明又令三万军皆执镰刀、驮绳，伺候割麦。却选二十四个精壮之士，各穿皂衣，披发跣足，仗剑簇拥四轮车，为推车使者。令关兴结束做天蓬①模样，手执七星皂幡，步行于车前。孔明端坐于上，望魏营而来。

哨探军见之大惊，不知是人是鬼，火速报知司马懿。懿自出营视之，只见孔明簪冠鹤氅，手摇羽扇，端坐于四轮车上；左右二十四人，披发仗剑；前面一人，手执皂幡，隐隐似天神一般。懿曰："这个又是孔明作怪也!"遂拨二千人马分付曰："汝等疾去，连车带人，尽情都捉来!"魏兵领命，一齐追赶。孔明见魏兵赶来，便教回车，遥望蜀营缓缓而行。魏兵皆骤马追赶，但见阴风习习，冷雾漫漫。尽力赶了一程，追之不上。各人大惊，都勒住马言曰："奇怪！我等急急赶了三十里，只见在前，追之不上。

---

① 天蓬——古代神怪传说中的天神。

如之奈何?”孔明见兵不来,又令推车过来,朝着魏兵歇下。魏兵犹豫良久,又放马赶来。孔明复回车慢慢而行。魏兵又赶了二十里,只见在前,不曾赶上,尽皆痴呆。孔明教回过车,朝着魏军,推车倒行。魏兵又欲追赶。后面司马懿自引一军到,传令曰:“孔明善会八门遁甲,能驱六丁六甲之神。此乃六甲天书内‘缩地’①之法也。众军不可追之。”众军方勒马回时,左势下战鼓大震,一彪军杀来。懿急令兵拒之,只见蜀兵队里二十四人,披发仗剑,皂衣跣足,拥出一辆四轮车;车上端坐孔明,簪冠鹤氅,手摇羽扇。懿大惊曰:“方才那个车上坐着孔明,赶了五十里,追之不上;如何这里又有孔明?怪哉!怪哉!”言未毕,右势下战鼓又鸣,一彪军杀来,四轮车上亦坐着一个孔明,左右亦有二十四人,皂衣跣足,披发仗剑,拥车而来。懿心中大疑,回顾诸将曰:“此必神兵也!”众军心下大乱,不敢交战,各自奔走。

正行之际,忽然鼓声大震,又一彪军杀来:当先一辆四轮车,孔明端坐于上,左右前后推车使者,同前一般。魏兵无不骇然。司马懿不知是人是鬼,又不知多少蜀兵,十分惊惧,急急引兵奔入上邽,闭门不出。此时孔明早令三万精兵将陇上小麦割尽,运赴卤城打晒去了。司马懿在上邽城中,三日不敢出城。后见蜀兵退去,方敢令军出哨;于路捉得一蜀兵,来见司马懿。懿问之,其人告曰:“某乃割麦之人,因走失马匹,被捉前来。”懿曰:“前者是何神兵?”答曰:“三路伏兵,皆不是孔明,乃姜维、马岱、魏延也。——每一路只有一千军护车,五百军擂鼓。——只是先来诱阵的车上乃孔明也。”懿仰天长叹曰:“孔明有神出鬼没之机!”忽报副都督郭淮入见。懿接入,礼毕,淮曰:“吾闻蜀兵不多,现在卤城打麦,可以击之。”懿细言前事。淮笑曰:“只瞒过一时;今已识破,何足道哉!吾引一军攻其后,公引一军攻其前,卤城可破,孔明可擒矣。”懿从之,遂分兵两路而来。

却说孔明引军在卤城打晒小麦,忽唤诸将听令曰:“今夜敌人必来攻城。吾料卤城东西麦田之内,足可伏兵;谁敢为我一往?”姜维、魏延、马忠、马岱四将出曰:“某等愿往。”孔明大喜,乃命姜维、魏延各引二千兵,伏在东南、西北两处;马岱、马忠各引二千兵,伏在西南、东北两处:“只听炮

---

① 缩地——缩地术。古代传说:东汉人费长房有仙术,一天之内能和千里之外几个地方的人见面。

响，四角一齐杀来。”四将受计，引兵去了。孔明自引百余人，各带火炮出城，伏在麦田之内等候。

却说司马懿引兵径到卤城下，日已昏黑，乃谓诸将曰：“若白日进兵，城中必有准备；今可乘夜晚攻之。此处城低壕浅，可便打破。”遂屯兵城外。一更时分，郭淮亦引兵到。两下合兵，一声鼓响，把卤城围得铁桶相似。城上万弩齐发，矢石如雨，魏兵不敢前进。忽然魏军中信炮连声，三军大惊，又不知何处兵来。淮令人去麦田搜时，四角上火光冲天，喊声大震，四路蜀兵，一齐杀至；卤城四门大开，城内兵杀出：里应外合，大杀了一阵，魏兵死者无数。司马懿引败兵奋死突出重围，占住了山头；郭淮亦引败兵奔到山后扎住。孔明入城，令四将于四角下安营。郭淮告司马懿曰：“今与蜀兵相持许久，无策可退；目下又被杀了一阵，折伤三千余人；若不早图，日后难退矣。”懿曰：“当复如何？”淮曰：“可发檄文调雍、凉人马并力剿杀。吾愿引军袭剑阁，截其归路，使彼粮草不通，三军慌乱：那时乘势击之，敌可灭矣。”懿从之，即发檄文星夜往雍、凉调拨人马。不一日，大将孙礼引雍、凉诸郡人马到。懿即令孙礼约会郭淮去袭剑阁。

却说孔明在卤城相拒日久，不见魏兵出战，乃唤姜维、马岱入城听令曰：“今魏兵守住山险，不与我战：一者料吾麦尽无粮；二者令兵去袭剑阁，断吾粮道也。汝二人各引一万军先去守住险要，魏兵见有准备，自然退去。”二人引兵去了。长史杨仪入帐告曰：“向者丞相令大兵一百日一换，今已限足，汉中兵已出川口，前路公文已到，只待会兵交换：现存八万军，内四万该与换班。”孔明曰：“既有令，便教速行。”众军闻知，各各收拾起程。忽报孙礼引雍、凉人马二十万来助战，去袭剑阁，司马懿自引兵来攻卤城了。蜀兵无不惊骇。杨仪入告孔明曰：“魏兵来得甚急，丞相可将换班军且留下退敌，待新来兵到，然后换之。”孔明曰：“不可。吾用兵命将，以信为本；既有令在先，岂可失信？且蜀兵应去者，皆准备归计，其父母妻子倚扉而望；吾今便有大难，决不留他。”即传令教应去之兵，当日便行。众军闻之，皆大呼曰：“丞相如此施恩于众，我等愿且不回，各舍一命，大杀魏兵，以报丞相！”孔明曰：“尔等该还家，岂可复留于此？”众军皆要出战，不愿回家。孔明曰：“汝等既要与我出战，可出城安营，待魏兵到，莫待他息喘，便急攻之：此以逸待劳之法也。”众兵领命，各执兵器，欢喜出城，列阵而待。

却说西凉人马倍道而来，走的人马困乏；方欲下营歇息，被蜀兵一拥而进，人人奋勇，将锐兵骁①，雍、凉兵抵敌不住，望后便退。蜀兵奋力追杀，杀得那雍、凉兵尸横遍野，血流成渠。孔明出城，收聚得胜之兵，入城赏劳。忽报永安李严有书告急。孔明大惊，拆封视之。书云：

近闻东吴令人入洛阳，与魏连和；魏令吴取蜀，幸吴尚未起兵。今严探知消息，伏望丞相，早作良图。

孔明览毕，甚是惊疑，乃聚诸将曰："若东吴兴兵寇蜀，吾须索②速回也。"即传令，教祁山大寨人马，且退回西川："司马懿知吾屯军在此，必不敢追赶。"于是王平、张嶷、吴班、吴懿，分兵两路，徐徐退入西川去了。

张郃见蜀兵退去，恐有计策，不敢来追，乃引兵往见司马懿曰："今蜀兵退去，不知何意?"懿曰："孔明诡计极多，不可轻动。不如坚守，待他粮尽，自然退去。"大将魏平出曰："蜀兵拔祁山之营而退，正可乘势追之，都督按兵不动，畏蜀如虎，奈天下笑何?"懿坚执不从。

却说孔明知祁山兵已回，遂令杨仪、马忠入帐，授以密计，令先引一万弓弩手，去剑阁木门道，两下埋伏；若魏兵追到，听吾炮响，急滚下木石，先截其去路，两头一齐射之。二人引兵去了。又唤魏延、关兴引兵断后，城上四面遍插旌旗，城内乱堆柴草，虚放烟火。大兵尽望木门道而去。

魏营巡哨军来报司马懿曰："蜀兵大队已退，但不知城中还有多少兵。"懿自往视之，见城上插旗，城中烟起，笑曰："此乃空城也。"令人探之，果是空城。懿大喜曰："孔明已退，谁敢追之?"先锋张郃曰："吾愿往。"懿阻曰："公性急躁，不可去。"郃曰："都督出关之时，命吾为先锋；今日正是立功之际，却不用吾，何也?"懿曰："蜀兵退去，险阻处必有埋伏，须十分仔细，方可追之。"郃曰："吾已知得，不必挂虑。"懿曰："公自欲去，莫要追悔。"郃曰："大丈夫舍身报国，虽万死无恨。"懿曰："公既坚执要去，可引五千兵先行；却教魏平引二万马步兵后行，以防埋伏。吾却引三千兵随后策应。"张郃领命，引兵火速望前追赶。行到三十余里，忽然背后一声喊起，树林内闪出一彪军，为首大将，横刀勒马大叫曰："贼将引兵那里去!"郃回头视之，乃魏延也。郃大怒，回马交锋。不十合，延诈败而走。郃又追赶

① 将锐兵骁(xiāo)——指将、士都很勇猛。骁：勇猛、矫健。

② 须索——必须。

三十余里，勒马回顾，全无伏兵，又策马前追。方转过山坡，忽喊声大起，一彪军闪出，为首大将，乃关兴也，横刀勒马大叫曰："张郃休赶！有吾在此！"郃就拍马交锋。不十合，兴拨马便走。郃随后追之。赶到一密林内，郃心疑，令人四下哨探，并无伏兵；于是放心又赶。不想魏延却抄在前面；郃又与战十余合，延又败走。郃奋怒追来，又被关兴抄在前面，截住去路。郃大怒，拍马交锋，战有十合，——蜀兵尽弃衣甲什物等件，塞满道路，魏军皆下马争取。延、兴二将，轮流交战，张郃奋勇追赶。看看天晚，赶到木门道口，魏延拨回马，高声大骂曰："张郃逆贼！吾不与汝相拒，汝只顾赶来，吾今与汝决一死战！"郃十分忿怒，挺枪骤马，直取魏延。延挥刀来迎。战不十合，延大败，尽弃衣甲、头盔，匹马引败兵望木门道中而走。张郃杀得性起，又见魏延大败而逃，乃骤马赶来。此时天色昏黑，一声炮响，山上火光冲天，大石乱柴滚将下来，阻截去路。郃大惊曰："我中计矣！"急回马时，背后已被木石塞满了归路，中间只有一段空地，两边皆是峭壁，郃进退无路。忽一声梆子响，两下万弩齐发，将张郃并百余个部将，皆射死于木门道中。后人有诗曰：

伏弩齐飞万点星，木门道上射雄兵。

至今剑阁行人过，犹说军师旧日名。

却说张郃已死，随后魏兵追到，见塞了道路，已知张郃中计。众军勒回马急退。忽听得山头上大叫曰："诸葛丞相在此！"众军仰视，只见孔明立于火光之中，指众军而言曰："吾今日围猎，欲射一'马'，误中一'獐'。汝各人安心而去；上覆仲达：早晚必为吾所擒矣。"魏兵回见司马懿，细告前事。懿悲伤不已，仰天叹曰："张隽乂身死，吾之过也！"乃收兵回洛阳。魏主闻张郃死，挥泪叹息，令人收其尸，厚葬之。

却说孔明入汉中，欲归成都见后主。都护李严妄奏后主曰："臣已办备军粮，行将运赴丞相军前，不知丞相何故忽然班师。"后主闻奏，即命尚书费祎入汉中见孔明，问班师之故。祎至汉中，宣后主之意。孔明大惊曰："李严发书告急，说东吴将兴兵寇川，因此回师。"费祎曰："李严奏称军粮已办，丞相无故回师，天子因此命某来问耳。"孔明大怒，令人访察：乃是李严因军粮不济，怕丞相见罪，故发书取回，却又妄奏天子，遮饰己过。孔明大怒曰："匹夫为一己之故，废国家大事！"令人召至，欲斩之。费祎劝曰："丞相念先帝托孤之意，姑且宽恕。"孔明从之。费祎即具表启奏后主。

后主览表，勃然大怒，叱武士推李严出斩之。参军蒋琬出班奏曰："李严乃先帝托孤之臣，乞望恩宽恕。"后主从之，即谪为庶人，徙于梓潼郡闲住。

孔明回到成都，用李严子李丰为长史；积草屯粮，讲阵论武，整治军器，存恤将士：三年然后出征。两川人民军士，皆仰其恩德。光阴荏苒，不觉三年：时建兴十二年春二月。孔明入朝奏曰："臣今存恤军士，已经三年。粮草丰足，军器完备，人马雄壮，可以伐魏。今番若不扫清奸党，恢复中原，誓不见陛下也！"后主曰："方今已成鼎足之势，吴、魏不曾入寇，相父何不安享太平？"孔明曰："臣受先帝知遇之恩，梦寐之间，未尝不设伐魏之策。竭力尽忠，为陛下克复中原，重兴汉室：臣之愿也。"言未毕，班部中一人出曰："丞相不可兴兵。"众视之，乃谯周也。正是：武侯尽瘁惟忧国，太史知机又论天。未知谯周有何议论，且看下文分解。

# 第一百二回

## 司马懿占北原渭桥　诸葛亮造木牛流马

却说谯周官居太史，颇明天文；见孔明又欲出师，乃奏后主曰："臣今职掌司天台，但有祸福，不可不奏：近有群鸟数万，自南飞来，投于汉水而死，此不祥之兆；臣又观天象，见奎星躔于太白之分，盛气在北，不利伐魏；又成都人民，皆闻柏树夜哭：有此数般灾异，丞相只宜谨守，不可妄动。"孔明曰："吾受先帝托孤之重，当竭力讨贼，岂可以虚妄之灾氛，而废国家大事耶！"遂命有司设太牢祭于昭烈之庙，涕泣拜告曰："臣亮五出祁山，未得寸土，负罪非轻！今臣复统全师，再出祁山，誓竭力尽心，剿灭汉贼，恢复中原，鞠躬尽瘁，死而后已！"祭毕，拜辞后主，星夜至汉中，聚集诸将，商议出师。忽报关兴病亡。孔明放声大哭，昏倒于地，半晌方苏。众将再三劝解，孔明叹曰："可怜忠义之人，天不与以寿！我今番出师，又少一员大将也！"后人有诗叹曰：

生死人常理，蜉蝣①一样空。但存忠孝节，何必寿乔松②。

孔明引蜀兵三十四万，分五路而进，令姜维、魏延为先锋，皆出祁山取齐；令李恢先运粮草于斜谷道口伺候。

却说魏国因旧岁有青龙自摩坡井内而出，改为青龙元年；此时乃青龙二年春二月也。近臣奏曰："边官飞报蜀兵三十余万，分五路复出祁山。"魏主曹睿大惊，急召司马懿至，谓曰："蜀人三年不曾入寇；今诸葛亮又出祁山，如之奈何？"懿奏曰："臣夜观天象，见中原旺气正盛，奎星犯太白，不利于西川。今孔明自负才智，逆天而行，乃自取败亡也。臣托陛下洪福，当往破之。——但愿保四人同去。"睿曰："卿保何人？"懿曰："夏侯渊有四子：长名霸，字仲权；次名威，字季权；三名惠，字稚权；四名和，字义权。霸、威二人，弓马熟娴；惠、和二人，谙知韬略：此四人常欲为父报仇。臣今保夏侯霸、夏侯威为左右先锋，夏侯惠、夏侯和为行军司马，共赞③军机，以退蜀兵。"睿曰："向者夏侯楙驸马违误军机，失陷了许多人马，至今羞惭不回。今此四人，亦与楙同否？"懿曰："此四人非夏侯楙所可比也。"睿乃从其请，即命司马懿为大都督，凡将士悉听量才委用，各处兵马皆听调遣。懿受命，辞朝出城。睿又以手诏赐懿曰：

卿到渭滨，宜坚壁固守，勿与交锋。蜀兵不得志，必诈退诱敌，卿慎勿追。待彼粮尽，必将自走，然后乘虚攻之，则取胜不难，亦免军马疲劳之苦：计莫善于此也。

司马懿顿首受诏，即日到长安，聚集各处军马共四十万，皆来渭滨下寨；又拨五万军，于渭水上搭起九座浮桥，令先锋夏侯霸、夏侯威过渭水安营；又于大营之后东原，筑起一城，以防不虞。懿正与众将商议间，忽报郭淮、孙礼来见。懿迎入，礼毕，淮曰："今蜀兵现在祁山，倘跨渭登原，接连北山，阻绝陇道，大可虞也。"懿曰："所言甚善。公可就总督陇西军马，据北原下寨，深沟高垒，按兵休动；只待彼兵粮尽，方可攻之。"郭淮、孙礼领命，引兵下寨去了。

却说孔明复出祁山，下五个大寨，按左、右、中、前、后；自斜谷直至剑

---

① 蜉蝣——一种昆虫，生存期极短。

② 乔松——高大的松树。乔：高。

③ 赞——辅助、辅佐。

阁，一连又下十四个大寨，分屯军马，以为久计。每日令人巡哨。忽报郭淮、孙礼领陇西之兵，于北原下寨。孔明谓诸将曰："魏兵于北原安营者，惧吾取此路，阻绝陇道也。吾今虚攻北原，却暗取渭滨。令人扎木筏百余只，上载草把，选惯熟水手五千人驾之。我夤夜只攻北原，司马懿必引兵来救。彼若少败，我把后军先渡过岸去，然后把前军下于筏中，休要上岸，顺水取浮桥放火烧断，以攻其后。吾自引一军去取前营之门。若得渭水之南，则进兵不难矣。"诸将遵令而行。早有巡哨军飞报司马懿。懿唤诸将议曰："孔明如此设施，其中有计：彼以取北原为名，顺水来烧浮桥，乱吾后，却攻吾前也。"即传令与夏侯霸、夏侯威曰："若听得北原发喊，便提兵于渭水南山之中，待蜀兵至击之。"又令张虎、乐綝，引二千弓弩手伏于渭水浮桥北岸："若蜀兵乘木筏顺水而来，可一齐射之，休令近桥。"又传令郭淮、孙礼曰："孔明来北原暗渡渭水，汝新立之营，人马不多，可尽伏于半路。若蜀兵于午后渡水，黄昏时分，必来攻汝。汝诈败而走，蜀兵必追。汝等皆以弓弩射之。吾水陆并进。若蜀兵大至，只看吾指挥而击之。"各处下令已毕，又令二子司马师、司马昭，引兵救应前营。懿自引一军救北原。

却说孔明令魏延、马岱引兵渡渭水攻北原；令吴班、吴懿引木筏兵去烧浮桥；令王平、张嶷为前队，姜维、马忠为中队，廖化、张翼为后队：兵分三路，去攻渭水旱营。是日午时，人马离大寨，尽渡渭水，列成阵势，缓缓而行。却说魏延、马岱将近北原，天色已昏。孙礼哨见，便弃营而走。魏延知有准备，急退军时，四下喊声大震：左有司马懿，右有郭淮，两路兵杀来。魏延、马岱奋力杀出，蜀兵多半落于水中，余众奔逃无路。幸得吴懿兵杀来，救了败兵过岸拒住。吴班分一半兵撑筏顺水来烧浮桥，却被张虎、乐綝在岸上乱箭射住。吴班中箭，落水而死。余军跳水逃命，木筏尽被魏兵夺去。此时王平、张嶷，不知北原兵败，直奔到魏营，已有二更天气，只听得喊声四起。王平谓张嶷曰："军马攻打北原，未知胜负。渭南之寨，现在面前，如何不见一个魏兵？莫非司马懿知道了，先作准备也？我等且看浮桥火起，方可进兵。"二人勒住军马，忽背后一骑马来报，说："丞相教军马急回。北原兵、浮桥兵，俱失了。"王平、张嶷大惊，急退军时，却被魏兵抄在背后，一声炮响，一齐杀来，火光冲天。王平、张嶷引兵相迎，两军混战一场。平、嶷二人奋力杀出，蜀兵折伤大半。孔明回到祁山大寨，收聚败兵，约折了万余人，心中忧闷。

忽报费祎自成都来见丞相。孔明请入。费祎礼毕，孔明曰："吾有一书，正欲烦公去东吴投递，不知肯去否？"祎曰："丞相之命，岂敢推辞？"孔明即修书付费祎去了。祎持书径到建业，入见吴主孙权，呈上孔明之书。权拆视之，书略曰：

> 汉室不幸，王纲失纪，曹贼篡逆，蔓延及今。亮受昭烈皇帝寄托之重，敢不竭力尽忠：今大兵已会于祁山，狂寇将亡于渭水。伏望陛下念同盟之义，命将北征，共取中原，同分天下。书不尽言，万希圣听！

权览毕，大喜，乃谓费祎曰："朕久欲兴兵，未得会合孔明。今既有书到，即日朕自亲征，入居巢门，取魏新城；再令陆逊、诸葛瑾等屯兵于江夏、沔口取襄阳；孙韶、张承等出兵广陵取淮阳等处：三处一齐进军，共三十万，克日兴师。"费祎拜谢曰："诚如此，则中原不日自破矣！"权设宴款待费祎。饮宴间，权问曰："丞相军前，用谁当先破敌？"祎曰："魏延为首。"权笑曰："此人勇有余，而心不正。若一朝无孔明，彼必为祸。——孔明岂未知耶？"祎曰："陛下之言极当！臣今归去，即当以此言告孔明。"遂拜辞孙权，回到祁山，见了孔明，具言吴主起大兵三十万，御驾亲征，兵分三路而进。孔明又问曰："吴主别有所言否？"费祎将论魏延之语告之。孔明叹曰："真聪明之主也！吾非不知此人。——为惜其勇，故用之耳。"祎曰："丞相早宜区处。"孔明曰："吾自有法。"祎辞别孔明，自回成都。

孔明正与诸将商议征进，忽报有魏将来投降。孔明唤入问之，答曰："某乃魏国偏将军郑文也。近与秦朗同领人马，听司马懿调用。不料懿徇私偏向，加秦朗为前将军，而视文如草芥，因此不平，特来投降丞相。愿赐收录。"言未已，人报秦朗引兵在寨外，单搦郑文交战。孔明曰："此人武艺比汝若何？"郑文曰："某当立斩之。"孔明曰："汝若先杀秦朗，吾方不疑。"郑文欣然上马出营，与秦朗交锋。孔明亲自出营视之。只见秦朗挺枪大骂曰："反贼盗我战马来此，可早早还我！"言讫，直取郑文。文拍马舞刀相迎，只一合，斩秦朗于马下。魏军各自逃走。郑文提首级入营。孔明回到帐中坐定，唤郑文至，勃然大怒，叱左右："推出斩之！"郑文曰："小将无罪！"孔明曰："吾向识秦朗；汝今斩者，并非秦朗。——安敢欺我！"文拜告曰："此实秦朗之弟秦明也。"孔明笑曰："司马懿令汝来诈降，于中取事，却如何瞒得我过！若不实说，必然斩汝！"郑文只得诉告其实是诈降，泣求免死。孔明曰:“汝既求生,可修书一封,教司马懿自来劫营,吾便饶汝性命。若捉住司马懿,便是汝之功,还当重用。”郑文只得写了一书,呈与孔明。孔明令将郑文监下。樊建问曰:“丞相何以知此人诈降?”孔明曰:“司马懿不轻用人。若加秦朗为前将军,必武艺高强;今与郑文交马只一合,便为文所杀,必不是秦朗也。以故知其诈。”众皆拜服。

孔明选一舌辩军士,附耳分付如此如此。军士领命,持书径来魏寨,求见司马懿。懿唤入,拆书看毕,问曰:“汝何人也?”答曰:“某乃中原人,流落蜀中:郑文与某同乡。今孔明因郑文有功,用为先锋。郑文特托某来献书,约于明日晚间,举火为号,望乞都督尽提大军前来劫寨,郑文在内为应。”司马懿反覆诘问,又将来书仔细检看,果然是实;即赐军士酒食,分付曰:“本日二更为期,我自来劫寨。大事若成,必重用汝。”军士拜别,回到本寨告知孔明。孔明仗剑步罡,祷祝已毕,唤王平、张嶷分付如此如此;又唤马忠、马岱分付如此如此;又唤魏延分付如此如此。孔明自引数十人,坐于高山之上,指挥众军。

却说司马懿见了郑文之书,便欲引二子提大兵来劫蜀寨。长子司马师谏曰:“父亲何故据片纸而亲入重地?倘有疏虞,如之奈何?不如令别将先去,父亲为后应可也。”懿从之,遂令秦朗引一万兵,去劫蜀寨,懿自引兵接应。是夜初更,风清月朗;将及二更时分,忽然阴云四合,黑气漫空,对面不见。懿大喜曰:“天使我成功也!”于是人尽衔枚,马皆勒口,长驱大进。秦朗当先,引一万兵直杀入蜀寨中,并不见一人。朗知中计,忙叫退兵。四下火把齐明,喊声震地:左有王平、张嶷,右有马岱、马忠,两路兵杀来。秦朗死战,不能得出。背后司马懿见蜀寨火光冲天,喊声不绝,又不知魏兵胜负,只顾催兵接应,望火光中杀来。忽然一声喊起,鼓角喧天,火炮震地:左有魏延,右有姜维,两路杀出。魏兵大败,十伤八九,四散逃奔。此时秦朗所引一万兵,都被蜀兵围住,箭如飞蝗。秦朗死于乱军之中。司马懿引败兵奔入本寨。

三更以后,天复清朗。孔明在山头上鸣金收军。原来二更时阴云暗黑,乃孔明用遁甲之法;后收兵已了,天复清朗,乃孔明驱六丁六甲扫荡浮云也。

当下孔明得胜回寨,命将郑文斩了,再议取渭南之策。每日令兵搦战,魏军只不出迎。孔明自乘小车,来祁山前、渭水东西,踏看地理。忽到一谷口，见其形如葫芦之状，内中可容千余人；两山又合一谷，可容四五百人；背后两山环抱，只可通一人一骑。孔明看了，心中大喜，问向导官曰："此处是何地名？"答曰："此名上方谷，又号葫芦谷。"孔明回到帐中，唤裨将杜睿、胡忠二人，附耳授以密计。令唤集随军匠作一千余人，入葫芦谷中，制造"木牛""流马"应用；又令马岱领五百兵守住谷口。孔明嘱马岱曰："匠作人等，不许放出；外人不许放入。吾还不时自来点视。捉司马懿之计，只在此举。切不可走漏消息。"马岱受命而去。杜睿等二人在谷中监督匠作，依法制造。孔明每日往来指示。

忽一日，长史杨仪入告曰："即今粮米皆在剑阁，人夫牛马，搬运不便，如之奈何？"孔明笑曰："吾已运谋多时也。前者所积木料，并西川收买下的大木，教人制造'木牛''流马'，搬运粮米，甚是便利。牛马皆不水食，可以昼夜转运不绝也。"众皆惊曰："自古及今，未闻有'木牛''流马'之事。不知丞相有何妙法，造此奇物？"孔明曰："吾已令人依法制造，尚未完备。吾今先将造木牛流马之法，尺寸方圆，长短阔狭，开写明白，汝等视之。"众大喜。孔明即手书一纸，付众观看。众将环绕而视。造木牛之法云：

方腹曲头，一脚四足；头入领中，舌着于腹。载多而行少：独行者数十里，群行者二十里。曲者为牛头，双者为牛脚，横者为牛领，转者为牛足，覆者为牛背，方者为牛腹，垂者为牛舌，曲者为牛肋，刻者为牛齿，立者为牛角，细者为牛鞅，摄者为牛鞦轴①。牛仰双辕，人行六尺，牛行四步。每牛载十人所食一月之粮，人不大劳，牛不饮食。

造流马之法云：

肋长三尺五寸，广三寸，厚二寸二分：左右同。前轴孔分墨去头四寸，径中二寸。前脚孔分墨二寸，去前轴孔四寸五分，广一寸。前杠孔去前脚孔分墨二寸七分，孔长二寸，广一寸。后轴孔去前杠分墨一尺五分，大小与前同。后脚孔分墨去后轴孔三寸五分，大小与前同。后杠孔去后脚孔分墨二寸七分，后载克去后杠孔分墨四寸五分。前杠长一尺八寸，广二寸，厚一寸五分。后杠与等。板方囊二枚，厚八分，长二尺七寸，高一尺六寸五分，广一尺六寸：每枚受米二斛三斗。从上杠孔去肋下七寸：前后同。

---

① 摄者为牛鞦（qiū）轴——牵引物是套在木牛后面的横轴。摄：拉、拽；鞦：通"鞧"，是套车时拴在驾辕牲口屁股周围的皮带、帆布带等。

上杠孔去下杠孔分墨一尺三寸，孔长一寸五分，广七分；八孔同。前后四脚广二寸，厚一寸五分。形制如象，靬①长四寸，径面四寸三分。孔径中三脚杠，长二尺一寸，广一寸五分，厚一寸四分，同杠耳。

众将看了一遍，皆拜伏曰："丞相真神人也！"过了数日，木牛流马皆造完备，宛然如活者一般；上山下岭，各尽其便。众军见之，无不欣喜。孔明令右将军高翔，引一千兵驾着木牛流马，自剑阁直抵祁山大寨，往来搬运粮草，供给蜀兵之用。后人有诗赞曰：

剑关险峻驱流马，斜谷崎岖驾木牛。
后世若能行此法，输将安得使人愁？

却说司马懿正忧闷间，忽哨马报说："蜀兵用木牛流马转运粮草。人不大劳，牛马不食。"懿大惊曰："吾所以坚守不出者，为彼粮草不能接济，欲待其自毙耳。今用此法，必为久远之计，不思退矣。——如之奈何？"急唤张虎、乐綝二人分付曰："汝二人各引五百军，从斜谷小路抄出；待蜀兵驱过木牛流马，任他过尽，一齐杀出；不可多抢，只抢三五匹便回。"二人依令，各引五百军，扮作蜀兵，夜间偷过小路，伏在谷中，果见高翔引兵驱木牛流马而来。将次过尽，两边一齐鼓噪杀出。蜀兵措手不及，弃下数匹，张虎、乐綝欢喜，驱回本寨。司马懿看了，果然进退如活的一般，乃大喜曰："汝会用此法，难道我不会用！"便令巧匠百余人，当面拆开，分付依其尺寸长短厚薄之法，一样制造木牛流马。不消半月，造成二千余只，与孔明所造者一般法则，亦能奔走。遂令镇远将军岑威，引一千军驱驾木牛流马，去陇西搬运粮草，往来不绝。魏营军将，无不欢喜。

却说高翔回见孔明，说魏兵抢夺木牛流马各五六匹去了。孔明笑曰："吾正要他抢去。——我只费了几匹木牛流马，却不久便得军中许多资助也。"诸将问曰："丞相何以知之？"孔明曰："司马懿见了木牛流马，必然仿我法度，一样制造。那时我又有计策。"数日后，人报魏兵也会造木牛流马，往陇西搬运粮草。孔明大喜曰："不出吾之算也。"便唤王平分付曰："汝引一千兵，扮作魏人，星夜偷过北原，只说是巡粮军，径到运粮之所，将护粮之人尽皆杀散；却驱木牛流马而回，径奔过北原来；此处必有魏兵追赶，汝便将木牛流马口内舌头扭转，牛马就不能行动，汝等竟弃之而走。

① 靬（qián）——干的皮革。

背后魏兵赶到，牵拽不动，扛抬不去。吾再有兵到，汝却回身再将牛马舌扭过来，长驱大行。——魏兵必疑为怪也！”王平受计引兵而去。

孔明又唤张嶷分付曰：“汝引五百军，都扮作六丁六甲神兵，鬼头兽身，用五彩涂面，装作种种怪异之状；一手执绣旗，一手仗宝剑；身挂葫芦，内藏烟火之物，伏于山傍。待木牛流马到时，放起烟火，一齐拥出，驱牛马而行。魏人见之，必疑是神鬼，不敢来追赶。”张嶷受计引兵而去。孔明又唤魏延、姜维分付曰：“汝二人同引一万兵，去北原寨口接应木牛流马，以防交战。”又唤廖化、张翼分付曰：“汝二人引五千兵，去断司马懿来路。”又唤马忠、马岱分付曰：“汝二人引二千兵去渭南搦战。”六人各各遵令而去。

且说魏将岑威引军驱木牛流马，装载粮米，正行之间，忽报前面有兵巡粮。岑威令人哨探，果是魏兵，遂放心前进。两军合在一处。忽然喊声大震，蜀兵就本队里杀起，大呼：“蜀中大将王平在此！”魏兵措手不及，被蜀兵杀死大半。岑威引败兵抵敌，被王平一刀斩了，余皆溃散。王平引兵尽驱木牛流马而回。败兵飞奔报入北原寨内。郭淮闻军粮被劫，疾忙引军来救。王平令兵扭转木牛流马舌头，皆弃于道上，且战且走。郭淮教且莫追，只驱回木牛流马。众军一齐驱赶，却那里驱得动？郭淮心中疑惑，正无奈何，忽鼓角喧天，喊声四起，两路兵杀来，乃魏延、姜维也。王平复引兵杀回。三路夹攻，郭淮大败而走。王平令军士将牛马舌头，重复扭转，驱赶而行。郭淮望见，方欲回兵再追，只见山后烟云突起，一队神兵拥出，一个个手执旗剑，怪异之状，驱驾木牛流马如风拥而去。郭淮大惊曰：“此必神助也！”众军见了，无不惊畏，不敢追赶。

却说司马懿闻北原兵败，急自引军来救。方到半路，忽一声炮响，两路兵自险峻处杀出，喊声震地。旗上大书“汉将张翼廖化”。司马懿见了大惊。魏军着慌，各自逃窜。正是：路逢神将粮遭劫，身遇奇兵命又危。未知司马懿怎地抵敌，且看下文分解。

# 第一百三回

## 上方谷司马受困　五丈原诸葛禳星

却说司马懿被张翼、廖化一阵杀败，匹马单枪，望密林间而走。张翼收住后军，廖化当先追赶。看看赶上，懿着慌，绕树而转。化一刀砍去，正砍在树上；及拔出刀时，懿已走出林外。廖化随后赶出，却不知去向，但见树林之东，落下金盔一个。廖化取盔捎在马上，一直望东追赶。——原来司马懿把金盔弃于林东，却反向西走去了。廖化追了一程，不见踪迹，奔出谷口，遇见姜维，同回寨见孔明。张嶷早驱木牛流马到寨，交割已毕，获粮万余石。廖化献上金盔，录为头功。魏延心中不悦，口出怨言。——孔明只做不知。

且说司马懿逃回寨中，心甚恼闷。忽使命赍诏至，言东吴三路入寇，朝廷正议命将抵敌，令懿等坚守勿战。懿受命已毕，深沟高垒，坚守不出。

却说曹睿闻孙权分兵三路而来，亦起兵三路迎之：令刘劭①引兵救江夏，田豫引兵救襄阳，睿自与满宠率大军救合淝。满宠先引一军至巢湖口，望见东岸战船无数，旌旗整肃。宠入军中奏魏主曰："吴人必轻我远来，未曾提备；今夜可乘虚劫其水寨，必得全胜。"魏主曰："汝言正合朕意。"即令骁将张球领五千兵，各带火具，从湖口攻之；满宠引兵五千，从东岸攻之。是夜二更时分，张球、满宠各引军悄悄望湖口进发；将近水寨，一齐呐喊杀入。吴兵慌乱，不战而走；被魏军四下举火，烧毁战船、粮草、器具不计其数。诸葛瑾率败兵逃走沔口。魏兵大胜而回。次日，哨军报知陆逊。逊集诸将议曰："吾当作表申奏主上，请撤新城之围，以兵断魏军归路，吾率众攻其前：彼首尾不敌，一鼓可破也。"众服其言。陆逊即具表，遣一小校密地赍往新城。小校领命，赍着表文，行至渡口，不期被魏军伏路的捉住，解赴军中见魏主曹睿。睿搜出陆逊表文，览毕，叹曰："东吴陆逊

---

① 刘劭(shào)——人名。

真妙算也！”遂命将吴卒监下，令刘劭谨防孙权后兵。

却说诸葛瑾大败一阵，又值暑天，人马多生疾病；乃修书一封，令人转达陆逊，议欲撤兵还国。逊看书毕，谓来人曰：“拜上将军：吾自有主意。”使者回报诸葛瑾。瑾问：“陆将军作何举动？”使者曰：“但见陆将军催督众人于营外种豆菽，自与诸将在辕门射戏。”瑾大惊，亲自往陆逊营中，与逊相见，问曰：“今曹睿亲来，兵势甚盛，都督何以御之？”逊曰：“吾前遣人奉表于主上，不料为敌人所获。机谋既泄，彼必知备；与战无益，不如且退。已差人奉表约主上缓缓退兵矣。”瑾曰：“都督既有此意，即宜速退，何又迟延？”逊曰：“吾军欲退，当徐徐而动。今若便退，魏人必乘势追赶：此取败之道也。足下宜先督船只诈为拒敌之意，吾悉以人马向襄阳而进，为疑敌之计，然后徐徐退归江东，魏兵自不敢近耳。”瑾依其计，辞逊归本营，整顿船只，预备起行。陆逊整肃部伍，张扬声势，望襄阳进发。早有细作报知魏主，说吴兵已动，须用提防。魏将闻之，皆要出战。魏主素知陆逊之才，谕众将曰：“陆逊有谋，莫非用诱敌之计？不可轻进。”众将乃止。数日后，哨卒报来：“东吴三路兵马皆退矣。”魏主未信，再令人探之，回报果然尽退。魏主曰：“陆逊用兵，不亚孙、吴。——东南未可平也。”因敕诸将，各守险要，自引大军屯合淝，以伺其变。

却说孔明在祁山，欲为久驻之计，乃令蜀兵与魏民相杂种田：军一分，民二分，并不侵犯，魏民皆安心乐业。司马师入告其父曰：“蜀兵劫去我许多粮米，今又令蜀兵与我民相杂屯田于渭滨，以为久计：似此真为国家大患。父亲何不与孔明约期大战一场，以决雌雄？”懿曰：“吾奉旨坚守，不可轻动。”正议间，忽报魏延将着元帅前日所失金盔，前来骂战。众将忿怒，俱欲出战。懿笑曰：“圣人云：‘小不忍则乱大谋。’但坚守为上。”诸将依令不出。魏延辱骂良久方回。孔明见司马懿不肯出战，乃密令马岱造成木栅，营中掘下深堑，多积干柴引火之物；周围山上，多用柴草虚搭窝铺，内外皆伏地雷。置备停当，孔明附耳嘱之曰：“可将葫芦谷后路塞断，暗伏兵于谷中。若司马懿追到，任他入谷，便将地雷干柴一齐放起火来。”又令军士昼举七星号带于谷口，夜设七盏明灯于山上，以为暗号。马岱受计引兵而去。孔明又唤魏延分付曰：“汝可引五百兵去魏寨讨战，务要诱司马懿出战。不可取胜，只可诈败。懿必追赶，汝却望七星旗处而入；若是夜间，则望七盏灯处而走。只要引得司马懿入葫芦谷内，吾自有擒之之计。”魏延受计，引兵而去。孔明又唤高翔分付曰："汝将木牛流马或二三十为一群，或四五十为一群，各装米粮，于山路往来行走。如魏兵抢去，便是汝之功。"高翔领计，驱驾木牛流马去了。孔明将祁山兵一一调去，只推屯田；分付："如别兵来战，只许诈败；若司马懿自来，方并力只攻渭南，断其归路。"孔明分拨已毕，自引一军近上方谷下营。

且说夏侯惠、夏侯和二人入寨告司马懿曰："今蜀兵四散结营，各处屯田，以为久计；若不趁此时除之，纵令安居日久，深根固蒂，难以摇动。"懿曰："此必又是孔明之计。"二人曰："都督若如此疑虑，寇敌何时得灭？我兄弟二人，当奋力决一死战，以报国恩。"懿曰："既如此，汝二人可分头出战。"遂令夏侯惠、夏侯和，各引五千兵去讫。懿坐待回音。

却说夏侯惠、夏侯和二人分兵两路，正行之间，忽见蜀兵驱木牛流马而来。二人一齐杀将过去，蜀兵大败奔走，木牛流马尽被魏兵抢获，解送司马懿营中。次日又劫掳得人马百余，亦解赴大寨。懿将解到蜀兵，诘审虚实。蜀兵告曰："孔明只料都督坚守不出，尽命我等四散屯田，以为久计。——不想却被擒获。"懿即将蜀兵尽皆放回。夏侯和曰："何不杀之？"懿曰："量此小卒，杀之无益。放归本寨，令说魏将宽厚仁慈，释彼战心：此吕蒙取荆州之计也。"遂传令今后凡有擒到蜀兵，俱当善遣之。——仍重赏有功将吏。诸将皆听令而去。

却说孔明令高翔佯作运粮，驱驾木牛流马，往来于上方谷内；夏侯惠等不时截杀，半月之间，连胜数阵。司马懿见蜀兵屡败，心中欢喜。一日，又擒到蜀兵数十人。懿唤至帐下问曰："孔明今在何处？"众告曰："诸葛丞相不在祁山，在上方谷西十里下营安住。今每日运粮屯于上方谷。"懿备细问了，即将众人放去；乃唤诸将分付曰："孔明今不在祁山，在上方谷安营。汝等于明日，可一齐并力攻取祁山大寨。吾自引兵来接应。"众将领命，各各准备出战。司马师曰："父亲何故反欲攻其后？"懿曰："祁山乃蜀人之根本，若见我兵攻之，各营必尽来救；我却取上方谷烧其粮草，使彼首尾不接：必大败也。"司马师拜服。懿即发兵起行，令张虎、乐綝各引五千兵，在后救应。

且说孔明正在山上，望见魏兵或三五千一行，或一二千一行，队伍纷纷，前后顾盼，料必来取祁山大寨，乃密传令众将："若司马懿自来，汝等便往劫魏寨，夺了渭南。"众将各各听令。

却说魏兵皆奔祁山寨来，蜀兵四下一齐呐喊奔走，虚作救应之势。司马懿见蜀兵都去救祁山寨，便引二子并中军护卫人马，杀奔上方谷来。魏延在谷口，只盼司马懿到来；忽见一枝魏兵杀到，延纵马向前视之，正是司马懿。延大喝曰："司马懿休走！"舞刀相迎。懿挺枪接战。不上三合，延拨回马便走，懿随后赶来。延只望七星旗处而走。懿见魏延只一人，军马又少，放心追之；令司马师在左，司马昭在右，懿自居中，一齐攻杀将来。魏延引五百兵皆退入谷中去。懿追到谷口，先令人入谷中哨探。回报谷内并无伏兵，山上皆是草房。懿曰："此必是积粮之所也。"遂大驱士马，尽入谷中。懿忽见草房上尽是干柴，前面魏延已不见了。懿心疑，谓二子曰："倘有兵截断谷口，如之奈何？"言未已，只听得喊声大震，山上一齐丢下火把来，烧断谷口。魏兵奔逃无路。山上火箭射下，地雷一齐突出，草房内干柴都着，刮刮杂杂①，火势冲天。司马懿惊得手足无措，乃下马抱二子大哭曰："我父子三人皆死于此处矣！"正哭之间，忽然狂风大作，黑气漫空，一声霹雳响处，骤雨倾盆。满谷之火，尽皆浇灭：地雷不震，火器无功。司马懿大喜曰："不就此时杀出，更待何时！"即引兵奋力冲杀。张虎、乐綝亦各引兵杀来接应。马岱军少，不敢追赶。司马懿父子与张虎、乐綝合兵一处，同归渭南大寨，——不想寨栅已被蜀兵夺了。郭淮、孙礼正在浮桥上与蜀兵接战。司马懿等引兵杀到，蜀兵退去。懿烧断浮桥，据住北岸。

且说魏兵在祁山攻打蜀寨，听知司马懿大败，失了渭南营寨，军心慌乱；急退时，四面蜀兵冲杀将来，魏兵大败，十伤八九，死者无数，余众奔过渭北逃生。孔明在山上见魏延诱司马懿入谷，一霎时火光大起，心中甚喜，以为司马懿此番必死。不期天降大雨，火不能着，哨马报说司马懿父子俱逃去了。孔明叹曰："谋事在人，成事在天。不可强也！"后人有诗叹曰：

谷口风狂烈焰飘，何期骤雨降青霄。

武侯妙计如能就，安得山河属晋朝！

却说司马懿在渭北寨内传令曰："渭南寨栅，今已失了。诸将如再言出战者斩。"众将听令，据守不出。郭淮入告曰："近日孔明引兵巡哨，必将

---

① 刮刮杂杂——象声词，指枯柴燃烧的声音。

择地安营。”懿曰：“孔明若出武功，依山而东，我等皆危矣；若出渭南，西止五丈原，方无事也。”令人探之，回报果屯五丈原。司马懿以手加额曰：“大魏皇帝之洪福也！”遂令诸将：“坚守勿出，彼久必自变。”

且说孔明自引一军屯于五丈原，累令人搦战，魏兵只不出。孔明乃取巾帼①并妇人缟素之服，盛于大盒之内，修书一封，遣人送至魏寨。诸将不敢隐蔽，引来使入见司马懿。懿对众启盒视之，内有巾帼妇人之衣，并书一封。懿拆视其书，略曰：

仲达既为大将，统领中原之众，不思披坚执锐，以决雌雄，乃甘窟守土巢，谨避刀箭，与妇人又何异哉！今遣人送巾帼素衣至，如不出战，可再拜而受之。倘耻心未泯，犹有男子胸襟，早与批回，依期赴敌。

司马懿看毕，心中大怒，——乃佯笑曰：“孔明视我为妇人耶！”即受之，令重待来使。懿问曰：“孔明寝食及事之烦简若何？”使者曰：“丞相夙兴夜寐②，罚二十以上皆亲览焉。所啖之食，日不过数升。”懿顾谓诸将曰：“孔明食少事烦，其能久乎？”使者辞去，回到五丈原，见了孔明，具说：“司马懿受了巾帼女衣，看了书札，并不嗔怒，只问丞相寝食及事之烦简，绝不提起军旅之事。某如此应对，彼言：‘食少事烦，岂能长久？’”孔明叹曰：“彼深知我也！”主簿杨颙谏曰：“某见丞相常自校簿书，窃以为不必。夫为治有体，上下不可相侵。譬之治家之道，必使仆执耕，婢典爨③，私业无旷，所求皆足，其家主从容自在，高枕饮食而已。若皆身亲其事，将形疲神困，终无一成。岂其智之不如婢仆哉？失为家主之道也。是故古人称：坐而论道，谓之三公；作而行之，谓之士大夫。昔丙吉忧牛喘，而不问横道死人④；陈平不知钱谷之数⑤，曰：‘自有主者。’今丞相亲理细事，汗流终日，

---

① 巾帼——妇女头巾。

② 夙兴夜寐——早起晚睡。

③ 典爨——专管烧火做饭。典：主管。

④ 丙吉忧牛喘，而不问横道死人——丙吉：西汉丞相，他春天而行，看见路上躺着死伤的人，不问；看见牛喘，却很关心。有人问他原因，他说：“这时候天气还不太热，牛不应喘。惟恐天时不正，影响年成。这是丞相职务所在，我当关注。”

⑤ 陈平不知钱谷之数——陈平：西汉丞相。皇帝问他全国一年判决多少案件，收多少钱粮？他说：“可问主管部门，丞相只主管群臣，不管这些事。”

岂不劳乎？——司马懿之言，真至言也。”孔明泣曰：“吾非不知。但受先帝托孤之重，惟恐他人不似我尽心也！”众皆垂泪。自此孔明自觉神思不宁。诸将因此未敢进兵。

却说魏将皆知孔明以巾帼女衣辱司马懿，懿受之不战。众将不忿①，入帐告曰：“我等皆大国名将，安忍受蜀人如此之辱！即请出战，以决雌雄。”懿曰：“吾非不敢出战，而甘心受辱也。奈天子明诏，令坚守勿动。今若轻出，有违君命矣。”众将俱忿怒不平。懿曰：“汝等既要出战，待我奏准天子，同力赴敌，何如？”众皆允诺。懿乃写表遣使，直至合淝军前，奏闻魏主曹睿。睿拆表览之。表略曰：

> 臣才薄任重，伏蒙明旨，令臣坚守不战，以待蜀人之自敝；奈今诸葛亮遗臣以巾帼，待臣如妇人，耻辱至甚！臣谨先达圣聪②：旦夕将效死一战，以报朝廷之恩，以雪三军之耻。臣不胜激切之至！

睿览讫，乃谓多官曰：“司马懿坚守不出，今何故又上表求战？”卫尉辛毗曰：“司马懿本无战心，必因诸葛亮耻辱，众将忿怒之故，特上此表，欲更乞明旨，以遏诸将之心耳。”睿然其言，即令辛毗持节至渭北寨传谕，令勿出战。司马懿接诏入帐，辛毗宣谕曰：“如再有敢言出战者，即以违旨论。”众将只得奉诏。懿暗谓辛毗曰：“公真知我心也！”于是令军中传说：魏主命辛毗持节，传谕司马懿勿得出战。蜀将闻知此事，报与孔明。孔明笑曰：“此乃司马懿安三军之法也。”姜维曰：“丞相何以知之？”孔明曰：“彼本无战心；所以请战者，以示武于众耳。岂不闻：‘将在外，君命有所不受。’安有千里而请战者乎？此乃司马懿因将士忿怒，故借曹睿之意，以制众人。今又播传此言，欲懈我军心也。”

正论间，忽报费祎到。孔明请入问之，祎曰：“魏主曹睿闻东吴三路进兵，乃自引大军至合淝，令满宠、田豫、刘劭分兵三路迎敌。满宠设计尽烧东吴粮草战具，吴兵多病。陆逊上表于吴王，约会前后夹攻，不意赍表人中途被魏兵所获，因此机关泄漏，吴兵无功而退。”孔明听知此信，长叹一声，不觉昏倒于地；众将急救，半晌方苏。孔明叹曰：“吾心昏乱，旧病复发，恐不能生矣！”是夜，孔明扶病出帐，仰观天文，十分惊慌；入帐谓姜维

---

① 不忿——不平。

② 先达圣聪——提前让圣明的皇上知道。

曰："吾命在旦夕矣！"维曰："丞相何出此言？"孔明曰："吾见三台星中，客星倍明，主星幽隐，相辅列曜，其光昏暗：天象如此，吾命可知！"维曰："天象虽则如此，丞相何不用祈禳之法挽回之？"孔明曰："吾素谙祈禳之法，但未知天意若何。汝可引甲士四十九人，各执皂旗，穿皂衣，环绕帐外；我自于帐中祈禳北斗。若七日内主灯不灭，吾寿可增一纪；如灯灭，吾必死矣。闲杂人等，休教放入。凡一应需用之物，只令二小童搬运。"姜维领命，自去准备。时值八月中秋，是夜银河耿耿，玉露零零，旌旗不动，刁斗①无声。姜维在帐外引四十九人守护。孔明自于帐中设香花祭物，地上分布七盏大灯，外布四十九盏小灯，内安本命灯一盏。孔明拜祝曰："亮生于乱世，甘老林泉；承昭烈皇帝三顾之恩，托孤之重，不敢不竭犬马之劳，誓讨国贼。不意将星欲坠，阳寿将终。谨书尺素，上告穹苍：伏望天慈，俯垂鉴听，曲延臣算②，使得上报君恩，下救民命，克复旧物③，永延汉祀。非敢妄祈，实由情切。"拜祝毕，就帐中俯伏待旦。次日，扶病理事，吐血不止。——日则计议军机，夜则步罡踏斗。

却说司马懿在营中坚守，忽一夜仰观天文，大喜，谓夏侯霸曰："吾见将星失位，孔明必然有病，不久便死。你可引一千军去五丈原哨探。若蜀人攘乱，不出接战，孔明必然患病矣。吾当乘势击之。"霸引兵而去。孔明在帐中祈禳已及六夜，见主灯明亮，心中甚喜。姜维入帐，正见孔明披发仗剑，踏罡步斗，压镇将星。忽听得寨外呐喊，方欲令人出问，魏延飞步入告曰："魏兵至矣！"延脚步急，竟将主灯扑灭。孔明弃剑而叹曰："死生有命，不可得而禳也！"魏延惶恐，伏地请罪；姜维忿怒，拔剑欲杀魏延。正是：万事不由人做主，一心难与命争衡。未知魏延性命如何，且看下文分解。

---

① 刁斗——古代军中用的铜锅，白天用来烧饭，夜晚用来敲打巡更。

② 曲延臣算——请求通融一下，改变原来"注定"的寿命，延长我的年龄。

③ 克复旧物——恢复旧时典章文物，这里指恢复汉朝统治权。

# 第一百四回

## 陨大星汉丞相归天　见木像魏都督丧胆

却说姜维见魏延踏灭了灯，心中忿怒，拔剑欲杀之。孔明止之曰："此吾命当绝，非文长之过也。"维乃收剑。孔明吐血数口，卧倒床上，谓魏延曰："此是司马懿料吾有病，故令人来探视虚实。汝可急出迎敌。"魏延领命，出帐上马，引兵杀出寨来。夏侯霸见了魏延，慌忙引军退走。延追赶二十余里方回。孔明令魏延自回本寨把守。

姜维入帐，直至孔明榻前问安。孔明曰："吾本欲竭忠尽力，恢复中原，重兴汉室；奈天意如此，吾旦夕将死。吾平生所学，已著书二十四篇，计十万四千一百一十二字，内有八务、七戒、六恐、五惧之法。吾遍观诸将，无人可授，独汝可传我书。切勿轻忽！"维哭拜而受。孔明又曰："吾有'连弩'之法，不曾用得。其法矢长八寸，一弩可发十矢，皆画成图本。汝可依法造用。"维亦拜受。孔明又曰："蜀中诸道，皆不必多忧；惟阴平之地，切须仔细。此地虽险峻，久必有失。"又唤马岱入帐，附耳低言，授以密计；嘱曰："我死之后，汝可依计行之。"岱领计而出。少顷，杨仪入。孔明唤至榻前，授与一锦囊，密嘱曰："我死，魏延必反；待其反时，汝与临阵，方开此囊。那时自有斩魏延之人也。"孔明一一调度已毕，便昏然而倒，至晚方苏，便连夜表奏后主。后主闻奏大惊，急命尚书李福，星夜至军中问安，兼询后事。李福领命，趱程赴五丈原，入见孔明，传后主之命，问安毕。孔明流涕曰："吾不幸中道丧亡，虚废国家大事，得罪于天下。我死后，公等宜竭忠辅主。国家旧制，不可改易；吾所用之人，亦不可轻废。吾兵法皆授与姜维，他自能继吾之志，为国家出力。吾命已在旦夕，当即有遗表上奏天子也。"李福领了言语，匆匆辞去。

孔明强支病体，令左右扶上小车，出寨遍观各营；自觉秋风吹面，彻骨生寒，乃长叹曰："再不能临阵讨贼矣！悠悠苍天，曷此其极①！"叹息良久。

① 曷(hé)此其极——难道此时就是我的终日。曷：岂、难道。

回到帐中，病转沉重，乃唤杨仪分付曰："王平、廖化、张嶷、张翼、吴懿等，皆忠义之士，久经战阵，多负勤劳，堪可委用。我死之后，凡事俱依旧法而行。缓缓退兵，不可急骤。汝深通谋略，不必多嘱。姜伯约智勇足备，可以断后。"杨仪泣拜受命。孔明令取文房四宝，于卧榻上手书遗表，以达后主。表略曰：

伏闻生死有常，难逃定数；死之将至，愿尽愚忠：臣亮赋性愚拙，遭时艰难，分符拥节①，专掌钧衡，兴师北伐，未获成功；何期病入膏肓，命垂旦夕，不及终事陛下，饮恨无穷！伏愿陛下：清心寡欲，约己爱民；达孝道于先皇，布仁恩于宇下；提拔幽隐，以进贤良；屏斥奸邪，以厚风俗。臣家成都，有桑八百株，薄田十五顷，子弟衣食，自有余饶。至于臣在外任，别无调度，随身衣食，悉仰于官②，不别治生③，以长尺寸。臣死之日，不使内有余帛，外有赢财，以负陛下也。

孔明写毕，又嘱杨仪曰："吾死之后，不可发丧。可作一大龛④，将吾尸坐于龛中；以米七粒，放吾口内；脚下用明灯一盏；军中安静如常，切勿举哀：则将星不坠。吾阴魂更自起镇之。司马懿见将星不坠，必然惊疑。吾军可令后寨先行，然后一营一营缓缓而退。若司马懿来追，汝可布成阵势，回旗返鼓。等他来到，却将我先时所雕木像，安于车上，推出军前，令大小将士，分列左右。懿见之必惊走矣。"杨仪一一领诺。是夜，孔明令人扶出，仰观北斗，遥指一星曰："此吾之将星也。"众视之，见其色昏暗，摇摇欲坠。孔明以剑指之，口中念咒。咒毕急回帐时，不省人事。众将正慌乱间，忽尚书李福又至；见孔明昏绝，口不能言，乃大哭曰："我误国家之大事也！"须臾，孔明复醒，开目遍视，见李福立于榻前。孔明曰："吾已知公复来之意。"福谢曰："福奉天子命，问丞相百年后，谁可任大事者。适因匆遽，失于谘请，故复来耳。"孔明曰："吾死之后，可任大事者：蒋公琰其宜也。"福曰："公琰之后，谁可继之？"孔明曰："费文伟可继之。"福又问："文伟之后，谁当继者？"孔明不答。众将近前视之，已薨矣。时建兴十二年秋八月二

① 分(fèn)符拥节——拥有的职责。分：名分、职分；符、节：官职的凭证。

② 悉仰于官——都依靠官俸。仰：依赖、依靠。

③ 不别治生——不谋别的生路。

④ 龛(kān)——供奉神佛像的柜子。

十三日也，寿五十四岁。后杜工部有诗叹曰：

长星昨夜坠前营，讣报先生此日倾。
虎帐不闻施号令，麟台惟显著勋名。
空余门下三千客，辜负胸中十万兵。
好看绿阴清昼里，于今无复雅歌声！

白乐天亦有诗曰：

先生晦迹卧山林，三顾那逢圣主寻。
鱼到南阳方得水，龙飞天汉便为霖。
托孤既尽殷勤礼，报国还倾忠义心。
前后出师遗表在，令人一览泪沾襟。

初，蜀长水校尉廖立，自谓才名宜为孔明之副，尝以职位闲散，怏怏不平，怨谤无已。于是孔明废之为庶人，徙之汶山。及闻孔明亡，乃垂泣曰："吾终为左衽①矣！"李严闻之，亦大哭病死。——盖严尝望孔明复收己，得自补前过；度孔明死后，人不能用之故也。后元微之有赞孔明诗曰：

拨乱扶危主，殷勤受托孤。英才过管乐，妙策胜孙吴。
凛凛《出师表》，堂堂八阵图。如公全盛德，应叹古今无！

是夜，天愁地惨，月色无光，孔明奄然归天。姜维、杨仪遵孔明遗命，不敢举哀，依法成殓，安置龛中，令心腹将卒三百人守护；随传密令，使魏延断后，各处营寨一一退去。

却说司马懿夜观天文，见一大星，赤色，光芒有角，自东北方流于西南方，坠于蜀营内，三投再起，隐隐有声。懿惊喜曰："孔明死矣！"即传令起大兵追之。方出寨门，忽又疑虑曰："孔明善会六丁六甲之法，今见我久不出战，故以此术诈死，诱我出耳。今若追之，必中其计。"遂复勒马回寨不出，只令夏侯霸暗引数十骑，往五丈原山僻哨探消息。

却说魏延在本寨中，夜作一梦，梦见头上忽生二角，醒来甚是疑异。次日，行军司马赵直至，延请入问曰："久知足下深明《易》理。——吾夜梦头生二角，不知主何吉凶？烦足下为我决之。"赵直想了半晌，答曰："此大吉之兆：麒麟头上有角，苍龙头上有角，乃变化飞腾之象也。"延大喜曰：

---

① 左衽（rèn）——古时，中原人的衣襟向右掩，少数民族多向左掩。这里的"左衽"代指终身不被朝廷收用，只能流落在偏远的少数民族之中。

“如应公言，当有重谢！”直辞去，行不数里，正遇尚书费祎。祎问何来。直曰：“适至魏文长营中，文长梦头生角，令我决其吉凶。此本非吉兆，但恐直言见怪，因以麒麟苍龙解之。”祎曰：“足下何以知非吉兆？”直曰：“角之字形，乃‘刀’下‘用’也。今头上用刀，其凶甚矣！”祎曰：“君且勿泄漏。”直别去。费祎至魏延寨中，屏退左右，告曰：“昨夜三更，丞相已辞世矣。临终再三嘱付，令将军断后以当司马懿，缓缓而退，不可发丧。今兵符在此，便可起兵。”延曰：“何人代理丞相之大事？”祎曰：“丞相一应大事，尽托与杨仪；用兵密法，皆授与姜伯约。此兵符乃杨仪之令也。”延曰：“丞相虽亡，吾今现在。杨仪不过一长史，安能当此大任？他只宜扶柩入川安葬。我自率大兵攻司马懿，务要成功。岂可因丞相一人而废国家大事耶？”祎曰：“丞相遗令，教且暂退，不可有违。”延怒曰：“丞相当时若依我计，取长安久矣！吾今官任前将军、征西大将军、南郑侯，安肯与长史断后！”祎曰：“将军之言虽是，然不可轻动，令敌人耻笑。待吾往见杨仪，以利害说之，令彼将兵权让与将军，何如？”延依其言。

祎辞延出营，急到大寨见杨仪，具述魏延之语。仪曰：“丞相临终，曾密嘱我曰：‘魏延必有异志。’今我以兵符往，实欲探其心耳。今果应丞相之言。吾自令伯约断后可也。”于是杨仪领兵扶柩先行，令姜维断后；依孔明遗令，徐徐而退。魏延在寨中，不见费祎来回覆，心中疑惑，乃令马岱引十数骑往探消息。回报曰：“后军乃姜维总督，前军大半退入谷中去了。”延大怒曰：“竖儒安敢欺我！我必杀之！”因顾谓岱曰：“公肯相助否？”岱曰：“某亦素恨杨仪，今愿助将军攻之。”延大喜，即拔寨引本部兵望南而行。

却说夏侯霸引军至五丈原看时，不见一人，急回报司马懿曰：“蜀兵已尽退矣。”懿跌足曰：“孔明真死矣！可速追之！”夏侯霸曰：“都督不可轻追。当令偏将先往。”懿曰：“此番须吾自行。”遂引兵同二子一齐杀奔五丈原来；呐喊摇旗，杀入蜀寨时，果无一人。懿顾二子曰：“汝急催兵赶来，吾先引军前进。”于是司马师、司马昭在后催军；懿自引军当先，追到山脚下，望见蜀兵不远，乃奋力追赶。忽然山后一声炮响，喊声大震，只见蜀兵俱回旗返鼓，树影中飘出中军大旗，上书一行大字曰：“汉丞相武乡侯诸葛亮。”懿大惊失色。定睛看时，只见中军数十员上将，拥出一辆四轮车来；车上端坐孔明：纶巾羽扇，鹤氅皂绦。懿大惊曰：“孔明尚在！吾轻入重地，堕其计矣！”急勒回马便走。背后姜维大叫：“贼将休走！你中了我丞相之计也！”魏兵魂飞魄散，弃甲丢盔，抛戈撇戟，各逃性命，自相践踏，死者无数。司马懿奔走了五十余里，背后两员魏将赶上，扯住马嚼环叫曰：“都督勿惊。”懿用手摸头曰：“我有头否？”二将曰：“都督休怕，蜀兵去远了。”懿喘息半晌，神色方定；睁目视之，乃夏侯霸、夏侯惠也；乃徐徐按辔，与二将寻小路奔归本寨，使众将引兵四散哨探。

过了两日，乡民奔告曰：“蜀兵退入谷中之时，哀声震地，军中扬起白旗：孔明果然死了，止留姜维引一千兵断后。——前日车上之孔明，乃木人也。”懿叹曰：“吾能料其生，不能料其死也！”因此蜀中人谚曰：“死诸葛能走生仲达①。”后人有诗叹曰：

长星半夜落天枢，奔走还疑亮未殂。

关外至今人冷笑，头颅犹问有和无！

司马懿知孔明死信已确，乃复引兵追赶。行到赤岸坡，见蜀兵已去远，乃引还，顾谓众将曰：“孔明已死，我等皆高枕无忧矣！”遂班师回。一路上见孔明安营下寨之处，前后左右，整整有法，懿叹曰：“此天下奇才也！”于是引兵回长安，分调众将，各守隘口。懿自回洛阳面君去了。

却说杨仪、姜维排成阵势，缓缓退入栈阁道口，然后更衣发丧，扬幡举哀。蜀军皆撞跌而哭，至有哭死者。蜀兵前队正回到栈阁道口，忽见前面火光冲天，喊声震地，一彪军拦路。众将大惊，急报杨仪。正是：已见魏营诸将去，不知蜀地甚兵来。未知来者是何处军马，且看下文分解。

# 第一百五回

## 武侯预伏锦囊计　魏主拆取承露盘

却说杨仪闻报前路有兵拦截，忙令人哨探。回报说魏延烧绝栈道，引兵拦路。仪大惊曰：“丞相在日，料此人久后必反，谁想今日果然如此！今

---

① 能走生仲达——能把活仲达（司马懿）吓跑。走：使之逃跑。

断吾归路，当复如何？”费祎曰：“此人必先捏奏①天子，诬吾等造反，故烧绝栈道，阻遏归路。吾等亦当表奏天子，陈魏延反情，然后图之。”姜维曰：“此间有一小径，名槎山，虽崎岖险峻，可以抄出栈道之后。”一面写表奏闻天子，一面将人马望槎山小道进发。

且说后主在成都，寝食不安，动止不宁；夜作一梦，梦见成都锦屏山崩倒；遂惊觉，坐而待旦，聚集文武，入朝圆梦。谯周曰：“臣昨夜仰观天文，见一星，赤色，光芒有角，自东北落于西南，主丞相有大凶之事。今陛下梦山崩，正应此兆。”后主愈加惊怖。忽报李福到，后主急召入问之。福顿首泣奏丞相已亡；将丞相临终言语，细述一遍。后主闻言大哭曰：“天丧我也！”哭倒于龙床之上。侍臣扶入后宫。吴太后闻之，亦放声大哭不已。多官无不哀恸，百姓人人涕泣。后主连日伤感，不能设朝。忽报魏延表奏杨仪造反，群臣大骇，入宫启奏后主。——时吴太后亦在宫中。——后主闻奏大惊，命近臣读魏延表。其略曰：

征西大将军、南郑侯臣魏延，诚惶诚恐，顿首上言：杨仪自总兵权，率众造反，劫丞相灵柩，欲引敌人入境。臣先烧绝栈道，以兵守御。谨此奏闻。

读毕，后主曰：“魏延乃勇将，足可拒杨仪等众，何故烧绝栈道？”吴太后曰：“尝闻先帝有言：孔明识魏延脑后有反骨，每欲斩之；因怜其勇，故姑留用。今彼奏杨仪等造反，未可轻信。杨仪乃文人，丞相委以长史之任，必其人可用。今日若听此一面之词，杨仪等必投魏矣。此事当深虑远议，不可造次。”众官正商议间，忽报：长史杨仪有紧急表到。近臣拆表读曰：

长史、绥军将军臣杨仪，诚惶诚恐，顿首谨表：丞相临终，将大事委于臣，照依旧制，不敢变更，使魏延断后，姜维次之。今魏延不遵丞相遗语，自提本部人马，先入汉中，放火烧断栈道，劫丞相灵车，谋为不轨。变起仓卒，谨飞章奏闻。

太后听毕，问：“卿等所见若何？”蒋琬奏曰：“以臣愚见：杨仪为人虽禀性过急，不能容物，至于筹度粮草，参赞军机，与丞相办事多时，今丞相临

---

① 捏奏——虚奏。以虚假的内容奏报。捏：虚构、假造。

终，委以大事，决非背反之人。魏延平日恃功务高，人皆下之①；仪独不假借②，延心怀恨；今见仪总兵，心中不服，故烧栈道，断其归路，又诬奏而图陷害。臣愿将全家良贱，保杨仪不反。——实不敢保魏延。”董允亦奏曰：“魏延自恃功高，常有不平之心，口出怨言。向所以不即反者，惧丞相耳。今丞相新亡，乘机为乱，势所必然。若③杨仪，才干敏达，为丞相所任用，必不背反。”后主曰：“若魏延果反，当用何策御之？”蒋琬曰：“丞相素疑此人，必有遗计授与杨仪。若仪无恃，安能退入谷口乎？延必中计矣。陛下宽心。”不多时，魏延又表至，告称杨仪背反。正览表之间，杨仪又表到，奏称魏延背反。二人接连具表，各陈是非。忽报费祎到。后主召入，祎细奏魏延反情。后主曰：“若如此，且令董允假节释劝④，用好言抚慰。”允奉诏而去。

却说魏延烧断栈道，屯兵南谷，把住隘口，自以为得计；不想杨仪、姜维星夜引兵抄到南谷之后。仪恐汉中有失，令先锋何平引三千兵先行。仪同姜维等引兵扶柩望汉中而来。

且说何平引兵径到南谷之后，擂鼓呐喊。哨马飞报魏延，说杨仪令先锋何平引兵自槎山小路抄来搦战。延大怒，急披挂上马，提刀引兵来迎。两阵对圆，何平出马大骂曰：“反贼魏延安在？”延亦骂曰：“汝助杨仪造反，何敢骂我！”平叱曰：“丞相新亡，骨肉未寒，汝焉敢造反！”乃扬鞭指川兵曰：“汝等军士，皆是西川之人，川中多有父母妻子，兄弟亲朋；丞相在日，不曾薄待汝等，今不可助反贼，宜各回家乡，听候赏赐。”众军闻言，大喊一声，散去大半。延大怒，挥刀纵马，直取何平。平挺枪来迎。战不数合，平诈败而走，延随后赶来。众军弓弩齐发，延拨马而回。见众军纷纷溃散，延转怒，拍马赶上，杀了数人，却只止遏不住；只有马岱所领三百人不动。延谓岱曰：“公真心助我，事成之后，决不相负。”遂与马岱追杀何平。平引兵飞奔而去。魏延收聚残军，与马岱商议曰：“我等投魏，若何？”岱曰：“将军之言，不智甚也。大丈夫何不自图霸业，乃轻屈膝于人耶？吾观将军智

---

① 人皆下之——人人都让着他，由他占先。

② 假借——宽假、宽容。

③ 若——相当于“至于”。

④ 假节释劝——凭借符节解释劝阻。意思是代表皇上去劝解。

勇足备，两川之士，谁敢抵敌？吾誓同将军先取汉中，随后进攻西川。”

延大喜，遂同马岱引兵直取南郑。姜维在南郑城上，见魏延、马岱耀武扬威，蜂拥而来。维急令拽起吊桥。延、岱二人大叫：“早降！”姜维令人请杨仪商议曰：“魏延勇猛，更兼马岱相助，虽然军少，何计退之？”仪曰：“丞相临终，遗一锦囊，嘱曰：‘若魏延造反，临阵对敌之时，方可开拆，便有斩魏延之计。’今当取出一看。”遂出锦囊拆封看时，题曰：“待与魏延对敌，马上方许拆开。”维大喜曰：“既丞相有戒约，长史可收执。吾先引兵出城，列为阵势，公可便来。”姜维披挂上马，绰枪在手，引三千军，开了城门，一齐冲出，鼓声大震，排成阵势。维挺枪立马于门旗之下，高声大骂曰：“反贼魏延！丞相不曾亏你，今日如何背反？”延横刀勒马而言曰：“伯约，不干你事。只教杨仪来！”仪在门旗影里，拆开锦囊视之，如此如此。仪大喜，轻骑而出，立马阵前，手指魏延而笑曰：“丞相在日，知汝久后必反，教我提备，今果应其言。汝敢在马上连叫三声‘谁敢杀我’，便是真大丈夫，吾就献汉中城池与汝。”延大笑曰：“杨仪匹夫听着！若孔明在日，吾尚惧他三分；他今已亡，天下谁敢敌我？休道连叫三声，便叫三万声，亦有何难！”遂提刀按辔，于马上大叫曰：“谁敢杀我？”一声未毕，脑后一人厉声而应曰：“吾敢杀汝！”手起刀落，斩魏延于马下。众皆骇然。斩魏延者，乃马岱也。原来孔明临终之时，授马岱以密计，只待魏延喊叫时，便出其不意斩之；当日，杨仪读罢锦囊计策，已知伏下马岱在彼，故依计而行，果然杀了魏延。后人有诗曰：

诸葛先机识魏延，已知日后反西川。
锦囊遗计人难料，却见成功在马前。

却说董允未及到南郑，马岱已斩了魏延，与姜维合兵一处。杨仪具表星夜奏闻后主。后主降旨曰：“既已名正其罪，仍念前功，赐棺椁葬之。”杨仪等扶孔明灵柩到成都，后主引文武官僚，尽皆挂孝，出城二十里迎接。后主放声大哭。上至公卿大夫，下及山林百姓，男女老幼，无不痛哭，哀声震地。后主命扶柩入城，停于丞相府中。其子诸葛瞻守孝居丧。

后主还朝，杨仪自缚请罪。后主令近臣去其缚曰：“若非卿能依丞相遗教，灵柩何日得归，魏延如何得灭。大事保全，皆卿之力也。”遂加杨仪为中军师。马岱有讨逆之功，即以魏延之爵爵之。仪呈上孔明遗表。后主览毕，大哭，降旨卜地安葬。费祎奏曰：“丞相临终，命葬于定军山，不用墙垣砖石，亦不用一切祭物。”后主从之。择本年十月吉日，后主自送灵柩至定军山安葬。后主降诏致祭，谥号忠武侯；令建庙于沔阳，四时享祭。后杜工部有诗曰：

丞相祠堂何处寻，锦官城外柏森森。
映阶碧草自春色，隔叶黄鹂空好音。
三顾频烦天下计，两朝开济老臣心。
出师未捷身先死，长使英雄泪满襟！

又杜工部诗曰：

诸葛大名垂宇宙，宗臣遗像肃清高。
三分割据纡筹策，万古云霄一羽毛。
伯仲之间见伊吕，指挥若定失萧曹。
运移汉祚终难复，志决身歼军务劳。

却说后主回到成都，忽近臣奏曰：“边庭报来，东吴令全琮引兵数万，屯于巴丘界口，未知何意。”后主惊曰：“丞相新亡，东吴负盟侵界，如之奈何？”蒋琬奏曰：“臣敢保王平、张嶷引兵数万屯于永安，以防不测。陛下再命一人去东吴报丧，以探其动静。”后主曰：“须得一舌辩之士为使。”一人应声而出曰：“微臣愿往。”众视之，乃南阳安众人，姓宗，名预，字德艳，官任参军、右中郎将。后主大喜，即命宗预往东吴报丧，兼探虚实。

宗预领命，径到金陵，入见吴主孙权。礼毕，只见左右人皆着素衣。权作色而言曰：“吴、蜀已为一家，卿主何故而增白帝之守也？”预曰：“臣以为东益巴丘之戍，西增白帝之守，皆事势宜然，俱不足以相问也。”权笑曰：“卿不亚于邓芝。”乃谓宗预曰：“朕闻诸葛丞相归天，每日流涕，令官僚尽皆挂孝。朕恐魏人乘丧取蜀，故增巴丘守兵万人，以为救援，别无他意也。”预顿首拜谢。权曰：“朕既许以同盟，安有背义之理？”预曰：“天子因丞相新亡，特命臣来报丧。”权遂取金铍箭①一枝折之，设誓曰：“朕若负前盟，子孙绝灭！”又命使赍香帛奠仪，入川致祭。

宗预拜辞吴主，同吴使还成都，入见后主，奏曰：“吴主因丞相新亡，亦自流涕，令群臣皆挂孝。其益兵巴丘者，恐魏人乘虚而入，别无异心。今折箭为誓，并不背盟。”后主大喜，重赏宗预，厚待吴使去讫。遂依孔明遗

① 铍(pī)箭——箭的一种：箭头较薄而阔，箭杆较长。

言，加蒋琬为丞相、大将军，录尚书事；加费祎为尚书令，同理丞相事；加吴懿为车骑将军，假节督汉中；姜维为辅汉将军、平襄侯，总督诸处人马，同吴懿出屯汉中，以防魏兵。其余将校，各依旧职。

杨仪自以为年宦①先于蒋琬，而位出琬下；且自恃功高，未有重赏，口出怨言，谓费祎曰："昔日丞相初亡，吾若将全师投魏，宁当寂寞如此耶！"费祎乃将此言具表密奏后主。后主大怒，命将杨仪下狱勘问，欲斩之。蒋琬奏曰："仪虽有罪，但日前随丞相多立功劳，未可斩也，当废为庶人。"后主从之，遂贬杨仪赴汉嘉郡为民。仪羞惭自刎而死。

蜀汉建兴十三年，魏主曹睿青龙三年，吴主孙权嘉禾四年，三国各不兴兵。单说魏主封司马懿为太尉，总督军马，安镇诸边。懿拜谢回洛阳去讫。魏主在许昌，大兴土木，建盖宫殿；又于洛阳造朝阳殿、太极殿，筑总章观，俱高十丈；又立崇华殿、青霄阁、凤凰楼、九龙池，命博士马钧监造，极其华丽：雕梁画栋，碧瓦金砖，光辉耀日。选天下巧匠三万余人，民夫三十余万，不分昼夜而造。民力疲困，怨声不绝。

睿又降旨起土木于芳林园，使公卿皆负土树木于其中。司徒董寻上表切谏曰：

伏自建安以来，野战死亡，或门殚户尽；虽有存者，遗孤老弱。若今宫室狭小，欲广大之，犹宜随时，不妨农务。——况作无益之物乎？陛下既尊群臣，显以冠冕，被以文绣，载以华舆，所以异于小人也。——今又使负木担土，沾体涂足，毁国之光，以崇无益：甚无谓也。孔子云："君使臣以礼，臣事君以忠。"无忠无礼，国何以立？臣知言出必死，而自比于牛之一毛，生既无益，死亦何损。秉笔流涕，心与世辞。臣有八子，臣死之后，累陛下矣。不胜战栗待命之至！

睿览表怒曰："董寻不怕死耶！"左右奏请斩之。睿曰："此人素有忠义，今且废为庶人。再有妄言者必斩！"时有太子舍人张茂，字彦材，亦上表切谏，睿命斩之。即日召马钧问曰："朕建高台峻阁，欲与神仙往来，以求长生不老之方。"钧奏曰："汉朝二十四帝，惟武帝享国最久，寿算极高，盖因服天上日精月华之气也：尝于长安宫中，建柏梁台；台上立一铜人，手

① 年宦——做官的时间、资历。

捧一盘,名曰‘承露盘’,接三更北斗所降沆瀣之水①——其名曰‘天浆’,又曰‘甘露’。取此水用美玉为屑,调和服之,可以返老还童。”睿大喜曰:“汝今可引人夫星夜至长安,拆取铜人,移置芳林园中。”

钧领命,引一万人至长安,令周围搭起木架,上柏梁台去。不移时间,五千人连绳引索,旋环而上。那柏梁台高二十丈,铜柱圆十围。马钧教先拆铜人。多人并力拆下铜人来,只见铜人眼中潸然泪下。众皆大惊。忽然台边一阵狂风起处,飞砂走石,急若骤雨;一声响亮,就如天崩地裂:台倾柱倒,压死千余人。钧取铜人及金盘回洛阳,入见魏主,献上铜人、承露盘。魏主问曰:“铜柱安在?”钧奏曰:“柱重百万斤,不能运至。”睿令将铜柱打碎,运来洛阳,铸成两个铜人,号为“翁仲”②,列于司马门外;又铸铜龙凤两个:龙高四丈,凤高三丈余,立在殿前。又于上林苑中,种奇花异木,蓄养珍禽怪兽。少傅杨阜上表谏曰:

臣闻尧尚茅茨③,而万国安居;禹卑宫室,而天下乐业;及至殷、周,或堂崇三尺,度以九筵耳④。古之圣帝明王,未有极宫室之高丽,以凋敝百姓之财力者也。桀作璇室、象廊,纣为倾宫、鹿台,以丧其社稷;楚灵以筑章华而身受其祸;秦始皇作阿房而殃及其子,天下叛之,二世而灭:夫不度万民之力,以从耳目之欲,未有不亡者也。陛下当以尧、舜、禹、汤、文、武为法则,以桀、纣、楚、秦为深诫。——而乃自暇自逸,惟宫台是饰,必有危亡之祸矣。君作元首,臣为股肱,存亡一体,得失同之。臣虽驽怯,敢忘诤臣之义?言不切至,不足以感寤陛下。谨叩棺沐浴,伏俟重诛。

表上,睿不省,只催督马钧建造高台,安置铜人、承露盘。又降旨广选天下美女,入芳林园中。众官纷纷上表谏诤,睿俱不听。

却说曹睿之后毛氏,乃河内人也;先年睿为平原王时,最相恩爱;及即

---

① 沆瀣(hàng xiè)之水——由夜间雾气凝结而成的水,即露水。

② 翁仲——高大的铜像或石像。翁仲:原是秦朝人,全名阮翁仲,他身长一丈三尺,秦始皇命他守边界,匈奴人很怕他,他死后,秦始皇为他铸了一座铜像,后来,他的名字就成了高大铜像或石像的代称。

③ 茅茨(cí)——用茅草或芦苇盖的屋子。

④ 堂崇三尺,度以九筵——堂屋高三尺,地面宽度能铺九张席子。崇:高;筵:竹制的垫席。

帝位，立为后；后睿因宠郭夫人，毛后失宠。郭夫人美而慧，睿甚嬖①之，每日取乐，月余不出宫闼。是岁春三月，芳林园中百花争放，睿同郭夫人到园中赏玩饮酒。郭夫人曰："何不请皇后同乐？"睿曰："若彼在，朕涓滴不能下咽也。"遂传谕宫娥，不许令毛后知道。毛后见睿月余不入正宫，是日引十余宫人，来翠花楼上消遣，只听的乐声嘹亮，乃问曰："何处奏乐？"一宫官启曰："乃圣上与郭夫人于御花园中赏花饮酒。"毛后闻之，心中烦恼，回宫安歇。次日，毛皇后乘小车出宫游玩，正迎见睿于曲廊之间，乃笑曰："陛下昨游北园，其乐不浅也！"睿大怒，即命擒昨日侍奉诸人到，叱曰："昨游北园，朕禁左右不许使毛后知道，何得又宣露！"喝令宫官将诸侍奉人尽斩之。毛后大惊，回车至宫，睿即降诏赐毛皇后死，立郭夫人为皇后。朝臣莫敢谏者。忽一日，幽州刺史毌丘俭②上表，报称辽东公孙渊造反，自号为燕王，改元绍汉元年，建宫殿，立官职，兴兵入寇，摇动北方。睿大惊，即聚文武官僚，商议起兵退渊之策。正是：才将土木劳中国，又见干戈起外方。未知何以御之，且看下文分解。

# 第一百六回

## 公孙渊兵败死襄平　司马懿诈病赚曹爽

却说公孙渊乃辽东公孙度之孙，公孙康之子也。建安十二年，曹操追袁尚，未到辽东，康斩尚首级献操，操封康为襄平侯；后康死，有二子：长曰晃，次曰渊，皆幼；康弟公孙恭继职。曹丕时封恭为车骑将军、襄平侯。太和二年，渊长大，文武兼备，性刚好斗，夺其叔公孙恭之位，曹睿封渊为扬烈将军、辽东太守。后孙权遣张弥、许晏赍金珠珍玉赴辽东，封渊为燕王。渊惧中原，乃斩张、许二人，送首与曹睿。睿封渊为大司马、乐浪公。渊心不足，与众商议，自号为燕王，改元绍汉元年。副将贾范谏曰："中原待主公以上公之爵，不为卑贱；今若背反，实为不顺。更兼司马懿善能用兵，西

---

① 嬖(bì)——宠爱。

② 毌(guàn)丘俭——人名。

蜀诸葛武侯且不能取胜，何况主公乎？”渊大怒，叱左右缚贾范，将斩之。参军伦直谏曰：“贾范之言是也。圣人云：‘国家将亡，必有妖孽。’今国中屡见怪异之事：近有犬戴巾帻，身披红衣，上屋作人行；又城南乡民造饭，饭甑①之中，忽有一小儿蒸死于内；襄平北市中，地忽陷一穴，涌出一块肉，周围数尺，头面眼耳口鼻都具，独无手足，刀箭不能伤，不知何物，卜者占之曰：‘有形不成，有口无声；国家亡灭，故现其形。’——有此三者，皆不祥之兆也。主公宜避凶就吉，不可轻举妄动。”渊勃然大怒，叱武士绑伦直并贾范同斩于市。令大将军卑衍为元帅，杨祚为先锋，起辽兵十五万，杀奔中原来。

边官报知魏主曹睿。睿大惊，乃召司马懿入朝计议。懿奏曰：“臣部下马步官军四万，足可破贼。”睿曰：“卿兵少路远，恐难收复。”懿曰：“兵不在多，在能设奇用智耳。臣托陛下洪福，必擒公孙渊以献陛下。”睿曰：“卿料公孙渊作何举动？”懿曰：“渊若弃城预走，是上计也；守辽东拒大军，是中计也；坐守襄平，是为下计，——必被臣所擒矣。”睿曰：“此去往复几时？”懿曰：“四千里之地，往百日，攻百日，还百日，休息六十日，大约一年足矣。”睿曰：“倘吴、蜀入寇，如之奈何？”懿曰：“臣已定下守御之策，陛下勿忧。”睿大喜，即命司马懿兴师征讨公孙渊。懿辞朝出城，令胡遵为先锋，引前部兵先到辽东下寨。哨马飞报公孙渊。渊令卑衍、杨祚分八万兵屯于辽隧，围堑二十余里，环绕鹿角，甚是严密。胡遵令人报知司马懿。懿笑曰：“贼不与我战，欲老我兵耳②。我料贼众大半在此，其巢穴空虚，不若弃却此处，径奔襄平；贼必往救，却于中途击之，必获全功。”于是勒兵从小路向襄平进发。

却说卑衍与杨祚商议曰：“若魏兵来攻，休与交战。彼千里而来，粮草不继，难以持久，粮尽必退；待他退时，然后出奇兵击之，司马懿可擒也。昔司马懿与蜀兵相拒，坚守渭南，孔明竟卒于军中：今日正与此理相同。”二人正商议间，忽报：“魏兵往南去了。”卑衍大惊曰：“彼知吾襄平军少，去袭老营也。若襄平有失，我等守此处无益矣。”遂拔寨随后而起。早有探马飞报司马懿。懿笑曰：“中吾计矣！”乃令夏侯霸、夏侯威，各引一军伏于

---

① 甑（zèng）——古代做饭用的一种陶器。

② 欲老我兵耳——想要使我军懈怠罢了。老：指士卒因久驻不战而疲沓松懈。

辽水之滨:"如辽兵到,两下齐出。"二人受计而往。早望见卑衍、杨祚引兵前来。一声炮响,两边鼓噪摇旗:左有夏侯霸,右有夏侯威,一齐杀出。卑、杨二人,无心恋战,夺路而走;奔至首山,正逢公孙渊兵到,合兵一处,回马再与魏兵交战。卑衍出马骂曰:"贼将休使诡计! 汝敢出战否?"夏侯霸纵马挥刀来迎。战不数合,被夏侯霸一刀斩卑衍于马下,辽兵大乱。霸驱兵掩杀,公孙渊引败兵奔入襄平城去,闭门坚守不出。魏兵四面围合。

时值秋雨连绵,一月不止,平地水深三尺,运粮船自辽河口直至襄平城下。魏兵皆在水中,行坐不安。左都督裴景入帐告曰:"雨水不住,营中泥泞,军不可停,请移于前面山上。"懿怒曰:"捉公孙渊只在旦夕,安可移营? 如有再言移营者斩!"裴景喏喏而退。少顷,右都督仇连又来告曰:"军士苦水,乞太尉移营高处。"懿大怒曰:"吾军令已发,汝何敢故违!"即命推出斩之,悬首于辕门外。于是军心震慑。

懿令南寨人马暂退二十里,纵城内军民出城樵采柴薪,牧放牛马。司马陈群问曰:"前太尉攻上庸之时,兵分八路,八日赶至城下,遂生擒孟达而成大功;今带甲四万,数千里而来,不令攻打城池,却使久居泥泞之中,又纵贼众樵牧。某实不知太尉是何主意?"懿笑曰:"公不知兵法耶? 昔孟达粮多兵少,我粮少兵多,故不可不速战;出其不意,突然攻之,方可取胜。今辽兵多,我兵少,贼饥我饱,何必力攻? 正当任彼自走,然后乘机击之。我今放开一条路,不绝彼之樵牧,是容彼自走也。"陈群拜服。

于是司马懿遣人赴洛阳催粮。魏主曹睿设朝,群臣皆奏曰:"近日秋雨连绵,一月不止,人马疲劳,可召回司马懿,权且罢兵。"睿曰:"司马太尉善能用兵,临危制变,多有良谋,捉公孙渊计日而待。卿等何必忧也?"遂不听群臣之谏,使人运粮解至司马懿军前。懿在寨中,又过数日,雨止天晴。是夜,懿出帐外,仰观天文,忽见一星,其大如斗,流光数丈,自首山东北,坠于襄平东南。各营将士,无不惊骇。懿见之大喜,乃谓众将曰:"五日之后,星落处必斩公孙渊矣。——来日可并力攻城。"

众将得令,次日侵晨,引兵四面围合,筑土山,掘地道,立炮架,装云梯,日夜攻打不息,箭如急雨,射入城去。公孙渊在城中粮尽,皆宰牛马为食。人人怨恨,各无守心,欲斩渊首,献城归降。渊闻之,甚是惊忧,慌令相国王建、御史大夫柳甫,往魏寨请降。二人自城上系下,来告司马懿曰:

"请太尉退二十里，我君臣自来投降。"懿大怒曰："公孙渊何不自来？殊为无理！"叱武士推出斩之，将首级付与从人。从人回报，公孙渊大惊，又遣侍中卫演来到魏营。司马懿升帐，聚众将立于两边。演膝行而进，跪于帐下，告曰："愿太尉息雷霆之怒。克日先送世子公孙修为质当，然后君臣自缚来降。"懿曰："军事大要有五：能战当战，不能战当守，不能守当走，不能走当降，不能降当死耳！——何必送子为质当？"叱卫演回报公孙渊。演抱头鼠窜而去，归告公孙渊。渊大惊，乃与子公孙修密议停当，选下一千人马，当夜二更时分，开了南门，往东南而走。渊见无人，心中暗喜。行不到十里，忽听得山上一声炮响，鼓角齐鸣：一枝兵拦住，中央乃司马懿也；左有司马师，右有司马昭，二人大叫曰："反贼休走！"渊大惊，急拨马寻路欲走。早有胡遵兵到；左有夏侯霸、夏侯威，右有张虎、乐綝：四面围得铁桶相似。公孙渊父子，只得下马纳降。懿在马上顾诸将曰："吾前夜丙寅日，见大星落于此处，今夜壬申日应矣。"众将称贺曰："太尉真神机也！"懿传令斩之。公孙渊父子对面受戮。司马懿遂勒兵来取襄平。未及到城下时，胡遵早引兵入城。城中人民焚香拜迎，魏兵尽皆入城。懿坐于衙上，将公孙渊宗族，并同谋官僚人等，俱杀之，计首级七十余颗。出榜安民。人告懿曰："贾范、伦直苦谏渊不可反叛，俱被渊所杀。"懿遂封其墓而荣其子孙。就将库内财物，赏劳三军，班师回洛阳。

却说魏主在宫中，夜至三更，忽然一阵阴风，吹灭灯光，只见毛皇后引数十个宫人哭至座前索命。睿因此得病。病渐沉重，命侍中光禄大夫刘放、孙资，掌枢密院一切事务；又召文帝子燕王曹宇为大将军，佐太子曹芳摄政。宇为人恭俭温和，未肯当此大任，坚辞不受。睿召刘放、孙资问曰："宗族之内，何人可任？"二人久得曹真之惠，乃保奏曰："惟曹子丹之子曹爽可也。"睿从之。二人又奏曰："欲用曹爽，当遣燕王归国。"睿然其言。二人遂请睿降诏，赍出谕燕王曰："有天子手诏，命燕王归国，限即日就行；若无诏不许入朝。"燕王涕泣而去。遂封曹爽为大将军，总摄朝政。睿病渐危，急令使持节诏司马懿还朝。懿受命，径到许昌，入见魏主。睿曰："朕惟恐不得见卿；今日得见，死无恨矣。"懿顿首奏曰："臣在途中，闻陛下圣体不安，恨不肋生两翼，飞至阙下。今日得睹龙颜，臣之幸也。"睿宣太子曹芳，大将军曹爽，侍中刘放、孙资等，皆至御榻之前。睿执司马懿之手曰："昔刘玄德在白帝城病危，以幼子刘禅托孤于诸葛孔明，孔明因此竭尽忠诚，至死方休：偏邦尚然如此，何况大国乎？朕幼子曹芳，年才八岁，不堪掌理社稷。幸太尉及宗兄元勋旧臣，竭力相辅，无负朕心！”又唤芳曰：“仲达与朕一体，尔宜敬礼之。”遂命懿携芳近前。芳抱懿颈不放。睿曰：“太尉勿忘幼子今日相恋之情！”言讫，潸然泪下。懿顿首流涕。魏主昏沉，口不能言，只以手指太子，须臾而卒；在位十三年，寿三十六岁，时魏景初三年春正月下旬也。

当下司马懿、曹爽，扶太子曹芳即皇帝位。芳字兰卿，乃睿乞养之子，秘在宫中，人莫知其所由来。于是曹芳谥睿为明帝，葬于高平陵；尊郭皇后为皇太后；改元正始元年。司马懿与曹爽辅政。爽事懿甚谨，一应大事，必先启知。爽字昭伯，自幼出入宫中；明帝见爽谨慎，甚是爱敬。爽门下有客五百人，内有五人以浮华相尚：一是何晏，字平叔；一是邓飏，字玄茂，乃邓禹之后；一是李胜，字公昭；一是丁谧，字彦靖；一是毕轨，字昭先。又有大司农桓范字元则，颇有智谋，人多称为“智囊”。——此数人皆爽所信任。何晏告爽曰：“主公大权，不可委托他人，恐生后患。”爽曰：“司马公与我同受先帝托孤之命，安忍背之？”晏曰：“昔日先公与仲达破蜀兵之时，累受此人之气，因而致死。——主公如何不察也？”爽猛然省悟，遂与多官计议停当，入奏魏主曹芳曰：“司马懿功高德重，可加为太傅。”芳从之，自是兵权皆归于爽。爽命弟曹羲为中领军，曹训为武卫将军，曹彦为散骑常侍，各引三千御林军，任其出入禁宫。又用何晏、邓飏、丁谧为尚书，毕轨为司隶校尉，李胜为河南尹：此五人日夜与爽议事。于是曹爽门下宾客日盛。司马懿推病不出，二子亦皆退职闲居。爽每日与何晏等饮酒作乐：凡用衣服器皿，与朝廷无异；各处进贡玩好珍奇之物，先取上等者入己，然后进宫；佳人美女，充满府院。——黄门张当，谄事曹爽，私选先帝侍妾七八人，送入府中；爽又选善歌舞良家子女三四十人，为家乐。又建重楼画阁，造金银器皿，用巧匠数百人，昼夜工作。

却说何晏闻平原管辂明数术，请与论《易》。时邓飏在座，问辂曰：“君自谓善《易》，而语不及《易》中词义，何也？”辂曰：“夫善《易》者，不言《易》也。”晏笑而赞之曰：“可谓要言不烦。”因谓辂曰：“试为我卜一卦：可至三公否?”又问:“连梦青蝇数十,来集鼻上,此是何兆?”辂曰:“元、恺辅舜①,周公佐周,皆以和惠谦恭,享有多福。今君侯位尊势重,而怀德者鲜,畏威者众,殆非小心求福之道。且鼻者,山也;山高而不危,所以长守贵也。今青蝇臭②恶而集焉。位峻者颠,可不惧乎?愿君侯裒多益寡③,非礼勿履:然后三公可至,青蝇可驱也。”邓飏怒曰:“此老生之常谈耳!”辂曰:“老生者见不生,常谈者见不谈。”遂拂袖而去。二人大笑曰:“真狂士也!”辂到家,与舅言之。舅大惊曰:“何、邓二人,威权甚重,汝奈何犯之?”辂曰:“吾与死人语,何所畏耶!”舅问其故。辂曰:“邓飏行步,筋不束骨,脉不制肉,起立倾倚,若无手足:此为‘鬼躁’之相。何晏视候④,魂不守宅,血不华色,精爽烟浮,容若槁木:此为‘鬼幽’之相。二人早晚必有杀身之祸,何足畏也!”其舅大骂辂为狂子而去。

却说曹爽尝与何晏、邓飏等畋猎。其弟曹羲谏曰:“兄威权太甚,而好出外游猎,倘为人所算,悔之无及。”爽叱曰:“兵权在吾手中,何惧之有!”司农桓范亦谏,不听。时魏主曹芳,改正始十年为嘉平元年。曹爽一向专权,不知仲达虚实,适魏主除李胜为荆州刺史,即令李胜往辞仲达,就探消息。胜径到太傅府中,早有门吏报入。司马懿谓二子曰:“此乃曹爽使来探吾病之虚实也。”乃去冠散发,上床拥被而坐,又令二婢扶策,方请李胜入府。胜至床前拜曰:“一向不见太傅,谁想如此病重。今天子命某为荆州刺史,特来拜辞。”懿佯答曰:“并州近朔方,好为之备。”胜曰:“除荆州刺史,非‘并州’也。”懿笑曰:“你方从并州来?”胜曰:“汉上荆州耳。”懿大笑曰:“你从荆州来也!”胜曰:“太傅如何病得这等了?”左右曰:“太傅耳聋。”胜曰:“乞纸笔一用。”左右取纸笔与胜。胜写毕,呈上。懿看之,笑曰:“吾病的耳聋了。此去保重。”言讫,以手指口。侍婢进汤,懿将口就之,汤流满襟,乃作哽噎之声曰:“吾今衰老病笃,死在旦夕矣。二子不肖,望君教

---

① 元、恺辅舜——元:八元;恺:八恺。历史传说:高辛氏有才子八人,称“八元”;高阳氏有才子八人,称“八恺”,他们都得到舜的重用,辅助舜把政事治理得很好。

② 臭(xiù)——嗅、闻。

③ 裒(póu)多益寡——多接受别人的意见,补助自己的不足。语出《易经·谦卦》。

④ 视候——外表征候。

之。君若见大将军，千万看觑二子！”言讫，倒在床上，声嘶气喘。李胜拜辞仲达，回见曹爽，细言其事。爽大喜曰：“此老若死，吾无忧矣！”

司马懿见李胜去了，遂起身谓二子曰：“李胜此去，回报消息，曹爽必不忌我矣。只待他出城畋猎之时，方可图之。”不一日，曹爽请魏主曹芳去谒高平陵，祭祀先帝。大小官僚，皆随驾出城。爽引三弟，并心腹人何晏等，及御林军护驾正行，司农桓范叩马谏曰：“主公总典禁兵，不宜兄弟皆出。倘城中有变，如之奈何？”爽以鞭指而叱之曰：“谁敢为变！再勿乱言！”当日，司马懿见爽出城，心中大喜，即起旧日手下破敌之人，并家将数十，引二子上马，径来谋杀曹爽。正是：闭户忽然有起色，驱兵自此逞雄风。未知曹爽性命如何，且看下文分解。

# 第一百七回

## 魏主政归司马氏　姜维兵败牛头山

却说司马懿闻曹爽同弟曹羲、曹训、曹彦并心腹何晏、邓飏、丁谧、毕轨、李胜等及御林军，随魏主曹芳，出城谒明帝墓，就去畋猎。懿大喜，即到省中，令司徒高柔，假以节钺行大将军事，先据曹爽营；又令太仆王观行中领军事，据曹羲营。懿引旧官入后宫奏郭太后，言爽背先帝托孤之恩，奸邪乱国，其罪当废。郭太后大惊曰：“天子在外，如之奈何？”懿曰：“臣有奏天子之表，诛奸臣之计。太后勿忧。”太后惧怕，只得从之。懿急令太尉蒋济、尚书令司马孚，一同写表，遣黄门赍出城外，径至帝前申奏。懿自引大军据武库。早有人报知曹爽家。其妻刘氏急出厅前，唤守府官问曰：“今主公在外，仲达起兵何意？”守门将潘举曰：“夫人勿惊，我去问来。”乃引弓弩手数十人，登门楼望之。正见司马懿引兵过府前，举令人乱箭射下，懿不得过。偏将孙谦在后止之曰：“太傅为国家大事，休得放箭。”连止三次，举方不射。司马昭护父司马懿而过，引兵出城屯于洛河，守住浮桥。

且说曹爽手下司马鲁芝，见城中事变，来与参军辛敞商议曰：“今仲达如此变乱，将如之何？”敞曰：“可引本部兵出城去见天子。”芝然其言。敞急入后堂。其姊辛宪英见之，问曰：“汝有何事，慌速如此？”敞告曰：“天子在外，太傅闭了城门，必将谋逆。”宪英曰：“司马公未必谋逆，特欲杀曹将军耳。”敞惊曰：“此事未知如何？”宪英曰：“曹将军非司马公之对手，必然败矣。”敞曰：“今鲁司马教我同去，未知可去否？”宪英曰：“职守，人之大义也。凡人在难，犹或恤之；执鞭而弃其事，不祥莫大焉①。”敞从其言，乃与鲁芝引数十骑，斩关夺门而出。人报知司马懿。懿恐桓范亦走，急令人召之。范与其子商议。其子曰：“车驾在外，不如南出。”范从其言，乃上马至平昌门，城门已闭，把门将乃桓范旧吏司蕃也。范袖中取出一竹板曰：“太后有诏，可即开门。”司蕃曰：“请诏验之。”范叱曰：“汝是吾故吏，何敢如此！”蕃只得开门放出。范出的城外，唤司蕃曰：“太傅造反，汝可速随我去。”蕃大惊，追之不及。人报知司马懿。懿大惊曰：“‘智囊’泄矣！如之奈何？”蒋济曰：“驽马恋栈豆②，必不能用也。”懿乃召许允、陈泰，曰：“汝去见曹爽，说太傅别无他事，只是削汝兄弟兵权而已。”许、陈二人去了。又召殿中校尉尹大目至；令蒋济作书，与目持去见爽。懿分付曰：“汝与爽厚，可领此任。汝见爽，说吾与蒋济指洛水为誓，只因兵权之事，别无他意。”尹大目依令而去。

却说曹爽正飞鹰走犬之际，忽报城内有变，太傅有表。爽大惊，几乎落马。黄门官捧表跪于天子之前。爽接表拆封，令近臣读之。表略曰：

> 征西大都督、太傅臣司马懿，诚惶诚恐，顿首谨表：臣昔从辽东还，先帝诏陛下与秦王及臣等，升御床，把臣臂，深以后事为念。今大将军曹爽，背弃顾命，败乱国典；内则僭拟，外专威权；以黄门张当为都监，专共交关；看察至尊，候伺神器；离间二宫，伤害骨肉；天下汹汹，人怀危惧：此非先帝诏陛下及嘱臣之本意也。
>
> 臣虽朽迈，敢忘往言？太尉臣济、尚书令臣孚等，皆以爽为有无君之心，兄弟不宜典兵宿卫，奏永宁宫；皇太后令，敕臣如奏施行。臣辄敕主者及黄门令，罢爽、羲、训吏兵，以侯就第，不得逗留，以稽车驾；敢有稽留，便以军法从事。臣辄力疾将兵，屯于洛水浮桥，伺察非常。谨此

① 凡人在难……不祥莫大焉——看到一般的人在难中，都还会生起怜悯之情；现在，你在人家的手下做事，遇到危难，反而丢弃职守，这是最不祥的事了。

② 驽马恋栈豆——劣马只惦着马棚里的饲料。这里比喻无能的人只贪图安逸，缺乏远大的志向和谋略。

上闻，伏干圣听。

魏主曹芳听毕，乃唤曹爽曰："太傅之言若此，卿如何裁处？"爽手足失措，回顾二弟曰："为之奈何？"羲曰："劣弟亦曾谏兄，兄执迷不听，致有今日。司马懿谲诈无比，孔明尚不能胜，况我兄弟乎？不如自缚见之，以免一死。"言未毕，参军辛敞、司马鲁芝到。爽问之。二人告曰："城中把得铁桶相似，太傅引兵屯于洛水浮桥，势将不可复归。宜早定大计。"正言间，司农桓范骤马而至，谓爽曰："太傅已变，将军何不请天子幸许都，调外兵以讨司马懿耶？"爽曰："吾等全家皆在城中，岂可投他处求援？"范曰："匹夫临难，尚欲望活！今主公身随天子，号令天下，谁敢不应？岂可自投死地乎？"爽闻言不决，惟流涕而已。范又曰："此去许都，不过中宿。城中粮草，足支数载。今主公别营兵马，近在阙南，呼之即至。大司马之印，某将在此①。主公可急行，迟则休矣！"爽曰："多官勿太催逼，待吾细细思之。"少顷，侍中许允、尚书陈泰至。二人告曰："太傅只为将军权重，不过要削去兵权，别无他意。将军可早归城中。"爽默然不语。又只见殿中校尉尹大目到。目曰："太傅指洛水为誓，并无他意。有蒋太尉书在此。将军可削去兵权，早归相府。"爽信为良言。桓范又告曰："事急矣，休听外言而就死地！"

是夜，曹爽意不能决，乃拔剑在手，嗟叹寻思；自黄昏直流泪到晓，终是狐疑不定。桓范入帐催之曰："主公思虑一昼夜，何尚不能决？"爽掷剑而叹曰："我不起兵，情愿弃官，但为富家翁足矣！"范大哭，出帐曰："曹子丹以智谋自矜！——今兄弟三人，真豚犊耳！"痛哭不已。许允、陈泰令爽先纳印绶与司马懿。爽令将印送去，主簿杨综扯住印绶而哭曰："主公今日舍兵权自缚去降，不免东市受戮也！"爽曰："太傅必不失信于我。"于是曹爽将印绶与许、陈二人，先赍与司马懿。众军见无将印，尽皆四散。爽手下只有数骑官僚。到浮桥时，懿传令，教曹爽兄弟三人，且回私宅；余皆发监，听候敕旨。爽等入城时，并无一人侍从。桓范至浮桥边，懿在马上以鞭指之曰："桓大夫何故如此？"范低头不语，入城而去。

于是司马懿请驾拔营入洛阳。曹爽兄弟三人回家之后，懿用大锁锁门，令居民八百人围守其宅。曹爽心中忧闷。羲谓爽曰："今家中乏粮，兄

---

① 某将在此——我携带在这里。将：携带。

可作书与太傅借粮。如肯以粮借我，必无相害之心。”爽乃作书令人持去。司马懿览毕，遂遣人送粮一百斛，运至曹爽府内。爽大喜曰：“司马公本无害我之心也！”遂不以为忧。原来司马懿先将黄门张当捉下狱中问罪。当曰：“非我一人，更有何晏、邓飏、李胜、毕轨、丁谧等五人，同谋篡逆。”懿取了张当供词，却捉何晏等勘问明白：皆称三月间欲反。懿用长枷钉了。城门守将司蕃告称：“桓范矫诏出城，口称太傅谋反。”懿曰：“诬人反情，抵罪反坐。”亦将桓范等皆下狱，然后押曹爽兄弟三人并一干人犯，皆斩于市曹，灭其三族；其家产财物，尽抄入库。

时有曹爽从弟文叔之妻，乃夏侯令女也：早寡而无子，其父欲改嫁之，女截耳自誓。及爽被诛，其父复将嫁之，女又断去其鼻。其家惊惶，谓之曰：“人生世间，如轻尘栖弱草，何至自苦如此？且夫家又被司马氏诛戮已尽，守此欲谁为哉？”女泣曰：“吾闻‘仁者不以盛衰改节，义者不以存亡易心’。曹氏盛时，尚欲保终；况今灭亡，何忍弃之？——此禽兽之行，吾岂为乎！”懿闻而贤之，听使乞子以养，为曹氏后。后人有诗曰：

弱草微尘尽达观，夏侯有女义如山。

丈夫不及裙钗节，自顾须眉亦汗颜。

却说司马懿斩了曹爽，太尉蒋济曰：“尚有鲁芝、辛敞斩关夺门而出，杨综夺印不与，皆不可纵。”懿曰：“彼各为其主，乃义人也。”遂复各人旧职。辛敞叹曰：“吾若不问于姊，失大义矣！”后人有诗赞辛宪英曰：

为臣食禄当思报，事主临危合尽忠。

辛氏宪英曾劝弟，故令千载颂高风。

司马懿饶了辛敞等，仍出榜晓谕：但有曹爽门下一应人等，尽皆免死；有官者照旧复职。军民各守家业，内外安堵。何、邓二人死于非命，果应管辂之言。后人有诗赞管辂曰：

传得圣贤真妙诀，平原管辂相通神。

“鬼幽”“鬼躁”分何邓，未丧先知是死人。

却说魏主曹芳封司马懿为丞相，加九锡。懿固辞不肯受。芳不准，令父子三人同领国事。懿忽然想起：“曹爽全家虽诛，尚有夏侯玄守备雍州等处，系爽亲族，倘骤然作乱，如何提备？——必当处置。”即下诏遣使往雍州，取征西将军夏侯玄赴洛阳议事。玄叔夏侯霸听知大惊，便引本部三千兵造反。有镇守雍州刺史郭淮，听知夏侯霸反，即率本部兵来，与夏侯霸交战。淮出马大骂曰:"汝既是大魏皇族,天子又不曾亏汝,何故背反?"霸亦骂曰:"吾祖父于国家多建勤劳,今司马懿何等匹夫,灭吾兄曹爽宗族,又来取我,早晚必思篡位。吾仗义讨贼,何反之有?"淮大怒,挺枪骤马,直取夏侯霸。霸挥刀纵马来迎。战不十合,淮败走,霸随后赶来。忽听的后军呐喊,霸急回马时,陈泰引兵杀来。郭淮复回,两路夹攻。霸大败而走,折兵大半;寻思无计,遂投汉中来降后主。

有人报与姜维,维心不信,令人体访①得实,方教入城。霸拜见毕,哭告前事。维曰:"昔微子去周,成万古之名:公能匡扶汉室,无愧古人也。"遂设宴相待。维就席问曰:"今司马懿父子掌握重权,有窥我国之志否?"霸曰:"老贼方图谋逆,未暇及外。——但魏国新有二人,正在妙龄之际,若使领兵马,实吴、蜀之大患也。"维问:"二人是谁?"霸告曰:"一人现为秘书郎,乃颍川长社人,姓钟,名会,字士季,太傅钟繇之子,幼有胆智。繇尝率二子见文帝,——会时年七岁,其兄毓年八岁——毓见帝惶惧,汗流满面。帝问毓曰:'卿何以汗?'毓对曰:'战战惶惶,汗出如浆。'帝问会曰:'卿何以不汗?'会对曰:'战战栗栗,汗不敢出。'帝独奇之。及稍长,喜读兵书,深明韬略;司马懿与蒋济皆奇其才。一人现为掾吏,乃义阳人也,姓邓,名艾,字士载,幼年失父,素有大志,但见高山大泽,辄窥度指画,何处可以屯兵,何处可以积粮,何处可以埋伏。人皆笑之,独司马懿奇其才,遂令参赞军机。艾为人口吃,每奏事必称'艾……艾……'懿戏谓曰:'卿称艾艾,当有几艾?'艾应声曰:'"凤兮凤兮",故是一凤。'其资性敏捷,大抵如此。此二人深可畏也。"维笑曰:"量此孺子,何足道哉!"

于是姜维引夏侯霸至成都,入见后主。维奏曰:"司马懿谋杀曹爽,又来赚夏侯霸,霸因此投降。目今司马懿父子专权,曹芳懦弱,魏国将危。臣在汉中有年,兵精粮足;臣愿领王师,即以霸为向导官,克服中原,重兴汉室,以报陛下之恩,以终丞相之志。"尚书令费祎谏曰:"近者,蒋琬、董允皆相继而亡,内治无人。伯约只宜待时,不宜轻动。"维曰:"不然。人生如白驹过隙②,似此迁延岁月,何日恢复中原乎?"祎又曰:"孙子云:'知彼知

① 体访——仔细察访。

② 人生如白驹过隙——人的一生像强壮的白马跨越裂缝一样短暂。语出《庄子》:"人生如白驹过隙,忽然而已。"

己，百战百胜。’我等皆不如丞相远甚，丞相尚不能恢复中原，何况我等？”维曰：“吾久居陇上，深知羌人之心；今若结羌人为援，虽未能克复中原，自陇而西，可断而有也。”后主曰：“卿既欲伐魏，可尽忠竭力，勿堕锐气，以负朕命。”于是姜维领敕辞朝，同夏侯霸径到汉中，计议起兵。维曰：“可先遣使去羌人处通盟，然后出西平，近雍州。先筑二城于麴山①之下，令兵守之，以为掎角之势。我等尽发粮草于川口，依丞相旧制，次第进兵。”是年秋八月，先差蜀将句安、李歆同引一万五千兵，往麴山前连筑二城：句安守东城，李歆守西城。

早有细作报与雍州刺史郭淮。淮一面申报洛阳，一面遣副将陈泰引兵五万，来与蜀兵交战。句安、李歆各引一军出迎；因兵少不能抵敌，退入城中。泰令兵四面围住攻打，又以兵断其汉中粮道。句安、李歆城中粮缺。郭淮自引兵亦到，看了地势，忻然而喜；回到寨中，乃与陈泰计议曰：“此城山势高阜，必然水少，须出城取水；若断其上流，蜀兵皆渴死矣。”遂令军士掘土堰断上流。城中果然无水。李歆引兵出城取水，雍州兵围困甚急。歆死战不能出，只得退入城去。句安城中亦无水，乃会了李歆，引兵出城，并在一处；大战良久，又败入城去。军士枯渴。安与歆曰：“姜都督之兵，至今未到，不知何故。”歆曰：“我当舍命杀出求救。”遂引数十骑，开了城门，杀将出来。雍州兵四面围合，歆奋死冲突，方才得脱；只落得独自一人，身带重伤，余皆没于乱军之中。是夜北风大起，阴云布合，天降大雪，因此城内蜀兵分粮化雪而食。

却说李歆撞出重围，从西山小路行了两日，正迎着姜维人马。歆下马伏地告曰：“麴山二城，皆被魏兵围困，绝了水道。幸得天降大雪，因此化雪度日。甚是危急。”维曰：“吾非来迟，为聚羌兵未到，因此误了。”遂令人送李歆入川养病。维问夏侯霸曰：“羌兵未到，魏兵围困麴山甚急，将军有何高见？”霸曰：“若等羌兵到，麴山二城皆陷矣。吾料雍州兵，必尽来麴山攻打，雍州城定然空虚。将军可引兵径往牛头山，抄在雍州之后：郭淮、陈泰必回救雍州，则麴山之围自解矣。”维大喜曰：“此计最善！”于是姜维引兵望牛头山而去。

却说陈泰见李歆杀出城去了，乃谓郭淮曰：“李歆若告急于姜维，姜维

---

① 麴(qū)山——山名。

料吾大兵皆在麴山，必抄牛头山袭吾之后。将军可引一军去取洮水，断绝蜀兵粮道；吾分兵一半，径往牛头山击之。彼若知粮道已绝，必然自走矣。”郭淮从之，遂引一军暗取洮水。陈泰引一军径往牛头山来。

却说姜维兵至牛头山，忽听的前军发喊，报说魏兵截住去路。维慌忙自到军前视之。陈泰大喝曰：“汝欲袭吾雍州！吾已等候多时了！”维大怒，挺枪纵马，直取陈泰。泰挥刀而迎。战不三合，泰败走，维挥兵掩杀。雍州兵退回，占住山头。维收兵就牛头山下寨。维每日令兵搦战，不分胜负。夏侯霸谓姜维曰：“此处不是久停之所。连日交战，不分胜负，乃诱兵之计耳，必有异谋。不如暂退，再作良图。”正言间，忽报郭淮引一军取洮水，断了粮道。维大惊，急令夏侯霸先退，维自断后。陈泰分兵五路赶来。维独拒五路总口，战住魏兵。泰勒兵上山，矢石如雨。维急退到洮水之时，郭淮引兵杀来。维引兵往来冲突。魏兵阻其去路，密如铁桶。维奋死杀出，折兵大半，飞奔上阳平关来。前面又一军杀到；为首一员大将，纵马横刀而出。——那人生得圆面大耳，方口厚唇，左目下生个黑瘤，瘤上生数十根黑毛，乃司马懿长子骠骑将军司马师也。维大怒曰：“孺子焉敢阻吾归路！”拍马挺枪，直来刺师。师挥刀相迎。只三合，杀败了司马师，维脱身径奔阳平关来。城上人开门放入姜维。司马师也来抢关，两边伏弩齐发，一弩发十矢，乃武侯临终时所遗“连弩”之法也。正是：难支此日三军败，独赖当年十矢传。未知司马师性命如何，且看下文分解。

# 第一百八回

## 丁奉雪中奋短兵　孙峻席间施密计

却说姜维正走，遇着司马师引兵拦截。原来姜维取雍州之时，郭淮飞报入朝，魏主与司马懿商议停当，懿遣长子司马师引兵五万，前来雍州助战；师听知郭淮敌退蜀兵，师料蜀兵势弱，就来半路击之。直赶到阳平关，却被姜维用武侯所传连弩法，于两边暗伏连弩百余张，一弩发十矢，皆是药箭，两边弩箭齐发，前军连人带马射死不知其数。司马师于乱军之中，逃命而回。

却说麴山城中蜀将句安，见援兵不至，乃开门降魏。姜维折兵数万，领败兵回汉中屯扎。司马师自还洛阳。至嘉平三年秋八月，司马懿染病，渐渐沉重，乃唤二子至榻前嘱曰："吾事魏历年，官授太傅，人臣之位极矣；人皆疑吾有异志，吾尝怀恐惧。吾死之后，汝二人善理国政，慎之！慎之！"言讫而亡。长子司马师，次子司马昭，二人申奏魏主曹芳。芳厚加祭葬，优锡赠谥；封师为大将军，总领尚书机密大事，昭为骠骑上将军。

却说吴主孙权，先有太子孙登，乃徐夫人所生，于吴赤乌四年身亡，遂立次子孙和为太子，乃琅琊王夫人所生。和因与全公主不睦，被公主所谮，权废之，和忧恨而死，又立三子孙亮为太子，乃潘夫人所生。此时陆逊、诸葛瑾皆亡，一应大小事务，皆归于诸葛恪。太元元年秋八月初一日，忽起大风，江海涌涛，平地水深八尺。吴主先陵所种松柏，尽皆拔起，直飞到建业城南门外，倒插于道上。权因此受惊成病。至次年四月内，病势沉重，乃召太傅诸葛恪、大司马吕岱至榻前，嘱以后事。嘱讫而薨。在位二十四年，寿七十一岁，乃蜀汉延熙十五年也。后人有诗曰：

紫髯碧眼号英雄，能使臣僚肯尽忠。
二十四年兴大业，龙盘虎踞在江东。

孙权既亡，诸葛恪立孙亮为帝，大赦天下，改元建兴元年；谥权曰大皇帝，葬于蒋陵。早有细作探知其事，报入洛阳。司马师闻孙权已死，遂议起兵伐吴。尚书傅嘏①曰："吴有长江之险，先帝屡次征伐，皆不遂意；不如各守边疆，乃为上策。"师曰："天道三十年一变，岂得常为鼎峙乎？吾欲伐吴。"昭曰："今孙权新亡，孙亮幼懦，其隙正可乘也。"遂令征南大将军王昶引兵十万攻南郡，征东将军胡遵引兵十万攻东兴，镇南都督毌丘俭引兵十万攻武昌：三路进发。又遣弟司马昭为大都督，总领三路军马。是年冬十二月，司马昭兵至东吴边界，屯住人马，唤王昶②、胡遵、毌丘俭到帐中计议曰："东吴最紧要处，惟东兴郡也。今他筑起大堤，左右又筑两城，以防巢湖后面攻击，诸公须要仔细。"遂令王昶、毌丘俭各引一万兵，列在左右："且勿进发；待取了东兴郡，那时一齐进兵。"昶、俭二人受令而去。昭又令胡遵为先锋，总领三路兵前去："先搭浮桥，取东兴大堤；若夺得左右二城，

---

①　傅嘏（gǔ）——人名。
②　王昶（chǎng）——人名。

便是大功。”遵领兵来搭浮桥。

却说吴太傅诸葛恪，听知魏兵三路而来，聚众商议。平北将军丁奉曰：“东兴乃东吴紧要处所，若有失，则南郡、武昌危矣。”恪曰：“此论正合吾意。公可就引三千水兵从江中去，吾随后令吕据、唐咨、留赞各引一万马步兵，分三路来接应。但听连珠炮响，一齐进兵。——吾自引大兵后至。”丁奉得令，即引三千水兵，分作三十只船，望东兴而来。

却说胡遵渡过浮桥，屯军于堤上，差桓嘉、韩综攻打二城。左城中乃吴将全端守把，右城中乃吴将留略守把。此二城高峻坚固，急切攻打不下。全、留二人见魏兵势大，不敢出战，死守城池。胡遵在徐塘下寨。时值严寒，天降大雪，胡遵与众将设席高会。忽报水上有三十只战船来到。遵出寨视之，见船将次傍岸，每船上约有百人。遂还帐中，谓诸将曰：“不过三千人耳，何足惧哉！”只令部将哨探，仍前饮酒。丁奉将船一字儿抛在水上，乃谓部将曰：“大丈夫立功名，取富贵，正在今日！”遂令众军脱去衣甲，卸了头盔，不用长枪大戟，止带短刀。魏兵见之大笑，更不准备。忽然连珠炮响了三声，丁奉扯刀当先，一跃上岸。众军皆拔短刀，随奉上岸，砍入魏寨，魏兵措手不及。韩综急拔帐前大戟迎之，早被丁奉抢入怀内，手起刀落，砍翻在地。桓嘉从左边转出，忙绰枪刺丁奉，被奉挟住枪杆。嘉弃枪而走，奉一刀飞去，正中左肩，嘉望后便倒。奉赶上，就以枪刺之。三千吴兵，在魏寨中左冲右突。胡遵急上马夺路而走。魏兵齐奔上浮桥，浮桥已断，大半落水而死；杀倒在雪地者，不知其数。车仗马匹军器，皆被吴兵所获。司马昭、王昶、毋丘俭听知东兴兵败，亦勒兵而退。

却说诸葛恪引兵至东兴，收兵赏劳了毕，乃聚诸将曰：“司马昭兵败北归，正好乘势进取中原。”遂一面遣人赍书入蜀，求姜维进兵攻其北，许以平分天下；一面起大兵二十万，来伐中原。临行时，忽见一道白气，从地而起，遮断三军，对面不见。蒋延曰：“此气乃白虹也，主丧兵之兆。太傅只可回朝，不可伐魏。”恪大怒曰：“汝安敢出不利之言，以慢吾军心！”叱武士斩之。众皆告免，恪乃贬蒋延为庶人，仍催兵前进。丁奉曰：“魏以新城为总隘口，若先取得此城，司马师破胆矣。”恪大喜，即趱兵直至新城。守城牙门将军张特，见吴兵大至，闭门坚守。恪令兵四面围定。早有流星马报入洛阳。主簿虞松告司马师曰：“今诸葛恪困新城，且未可与战。吴兵远来，人多粮少，粮尽自走矣。待其将走，然后击之，必得全胜。——但恐蜀兵犯境，不可不防。”师然其言，遂令司马昭引一军助郭淮防姜维；毌丘俭、胡遵拒住吴兵。

却说诸葛恪连月攻打新城不下，下令众将：“并力攻城，怠慢者立斩。”于是诸将奋力攻打，城东北角将陷。张特在城中定下一计：乃令一舌辩之士，赍捧册籍，赴吴寨见诸葛恪，告曰：“魏国之法：若敌人困城，守城将坚守一百日，而无救兵至，然后出城降敌者，家族不坐罪。今将军围城已九十余日；望乞再容数日，某主将尽率军民出城投降。——今先具册籍呈上。”恪深信之，收了军马，遂不攻城。原来张特用缓兵之计，哄退吴兵，遂拆城中房屋，于破城处修补完备，乃登城大骂曰：“吾城中尚有半年之粮，岂肯降吴狗耶！尽战无妨！”恪大怒，催兵打城。城上乱箭射下。恪额上正中一箭，翻身落马。诸将救起还寨，金疮举发。众军皆无战心；又因天气亢炎，军士多病。恪金疮稍可，欲催兵攻城。营吏告曰：“人人皆病，安能战乎？”恪大怒曰：“再说病者斩之！”众军闻知，逃者无数。忽报都督蔡林引本部军投魏去了。恪大惊，自乘马遍视各营，果见军士面色黄肿，各带病容。遂勒兵还吴。早有细作报知毌丘俭。俭尽起大兵，随后掩杀。吴兵大败而归。恪甚羞惭，托病不朝。吴主孙亮自幸其宅问安，文武官僚皆来拜见。恪恐人议论，先搜求众官将过失，轻则发遣边方，重则斩首示众。于是内外官僚，无不悚惧。又令心腹将张约、朱恩管御林军，以为牙爪。

却说孙峻字子远，乃孙坚弟孙静曾孙、孙恭之子也；孙权存日，甚爱之，命掌御林军马。今闻诸葛恪令张约、朱恩二人掌御林军，夺其权，心中大怒。太常卿滕胤，素与诸葛恪有隙，乃乘间说峻曰：“诸葛恪专权恣虐，杀害公卿，将有不臣之心。公系宗室，何不早图之？”峻曰：“我有是心久矣；今当即奏天子，请旨诛之。”

于是孙峻、滕胤入见吴主孙亮，密奏其事。亮曰：“朕见此人，亦甚恐怖；常欲除之，未得其便。今卿等果有忠义，可密图之。”胤曰：“陛下可设席召恪，暗伏武士于壁衣中，掷杯为号，就席间杀之，以绝后患。”亮从之。

却说诸葛恪自兵败回朝，托病居家，心神恍惚。一日，偶出中堂，忽见一人穿麻挂孝而入。恪叱问之，其人大惊无措。恪令拿下拷问，其人告曰：“某因新丧父亲，入城请僧追荐；初见是寺院而入，却不想是太傅之府。——却怎生来到此处也？”恪大怒，召守门军士问之。军士告曰：“某等数十人，皆荷戈把门，未尝暂离，并不见一人入来。”恪大怒，尽数斩之。是夜，恪睡卧不安，忽听得正堂中声响如霹雳。恪自出视之，见中梁折为两段。恪惊归寝室，忽然一阵阴风起处，见所杀披麻人与守门军士数十人，各提头索命。恪惊倒在地，良久方苏。次早洗面，闻水甚血臭。恪叱侍婢，连换数十盆，皆臭无异。恪正惊疑间，忽报天子有使至，宣太傅赴宴。恪令安排车仗。方欲出府，有黄犬衔住衣服，嘤嘤作声，如哭之状。恪怒曰：“犬戏我也！”叱左右逐去之，遂乘车出府。行不数步，见车前一道白虹，自地而起，如白练冲天而去。恪甚惊怪。心腹将张约进车前密告曰：“今日宫中设宴，未知好歹，主公不可轻入。”恪听罢，便令回车。行不到十余步，孙峻、腾胤乘马至车前曰：“太傅何故便回？”恪曰：“吾忽然腹痛，不可见天子。”胤曰：“朝廷为太傅军回，不曾面叙，故特设宴相召，兼议大事。太傅虽感贵恙，还当勉强一行。”恪从其言，遂同孙峻、滕胤入宫，——张约亦随入。恪见吴主孙亮，施礼毕，就席而坐。亮命进酒，恪心疑，辞曰：“病躯不胜杯酌。”孙峻曰：“太傅府中常服药酒，可取饮乎？”恪曰：“可也。”遂令从人回府取自制药酒到，恪方才放心饮之。酒至数巡，吴主孙亮托事先起。孙峻下殿，脱了长服，着短衣，内披环甲，手提利刃，上殿大呼曰：“天子有诏诛逆贼！”诸葛恪大惊，掷杯于地，欲拔剑迎之，头已落地。张约见峻斩恪，挥刀来迎。峻急闪过，刀尖伤其左指。峻转身一刀，砍中张约右臂。武士一齐拥出，砍倒张约，剁为肉泥。孙峻一面令武士收恪家眷，一面令人将张约并诸葛恪尸首，用芦席包裹，以小车载出，弃于城南门外石子岗乱冢坑内。

却说诸葛恪之妻正在房中心神恍惚，动止不宁，忽一婢女入房。恪妻问曰：“汝遍身如何血臭？”其婢忽然反目切齿，飞身跳跃，头撞屋梁，口中大叫：“吾乃诸葛恪也！被奸贼孙峻谋杀！”恪合家老幼，惊惶号哭。不一时，军马至，围住府第，将恪全家老幼，俱缚至市曹斩首。时吴建兴二年冬十月也。昔诸葛瑾存日，见恪聪明尽显于外，叹曰：“此子非保家之主也！”又魏光禄大夫张缉，曾对司马师曰：“诸葛恪不久死矣。”师问其故，缉曰：“威震其主，何能久乎？”至此果中其言。却说孙峻杀了诸葛恪，吴主孙亮封峻为丞相、大将军、富春侯，总督中外诸军事。自此权柄尽归孙峻矣。

且说姜维在成都，接得诸葛恪书，欲求相助伐魏。遂入朝，奏准后主，复起大兵，北伐中原。正是：一度兴师未奏绩，两番讨贼欲成功。未知胜负如何，且看下文分解。

# 第一百九回

## 困司马汉将奇谋　废曹芳魏家果报

蜀汉延熙十六年秋，将军姜维起兵二十万，令廖化、张翼为左右先锋，夏侯霸为参谋，张嶷为运粮使，大兵出阳平关伐魏。维与夏侯霸商议曰："向取雍州，不克而还；今若再出，必又有准备。公有何高见？"霸曰："陇上诸郡，只有南安钱粮最广；若先取之，足可为本。向者不克而还，盖因羌兵不至。今可先遣人会羌人于陇右，然后进兵出石营，从董亭直取南安。"维大喜曰："公言甚妙！"遂遣郤正为使，赍金珠蜀锦入羌，结好羌王。羌王迷当，得了礼物，便起兵五万，令羌将俄何烧戈为大先锋，引兵南安来。

魏左将军郭淮闻报，飞奏洛阳。司马师问诸将曰："谁敢去敌蜀兵？"辅国将军徐质曰："某愿往。"师素知徐质英勇过人，心中大喜，即令徐质为先锋，令司马昭为大都督，领兵望陇西进发。军至董亭，正遇姜维，两军列成阵势。徐质使开山大斧，出马挑战。蜀阵中廖化出迎。战不数合，化拖刀败回。张翼纵马挺枪而迎，战不数合，又败入阵。徐质驱兵掩杀，蜀兵大败，退三十余里。司马昭亦收兵回，各自下寨。

姜维与夏侯霸商议曰："徐质勇甚，当以何策擒之？"霸曰："来日诈败，以埋伏之计胜之。"维曰："司马昭乃仲达之子，岂不知兵法？若见地势掩映①必不肯追，吾见魏兵累次断吾粮道，今却用此计诱之，可斩徐质矣。"遂唤廖化分付如此如此，又唤张翼分付如此如此：二人领兵去了。一面令军士于路撒下铁蒺藜，寨外多排鹿角，示以久计。

徐质连日引兵搦战，蜀兵不出。哨马报司马昭说："蜀兵在铁笼山后，用木牛流马搬运粮草，以为久计，只待羌兵策应。"昭唤徐质曰："昔日所以胜蜀者，因断彼粮道也。今蜀兵在铁笼山后运粮，汝今夜引兵五千，断其粮道，蜀兵自退矣。"徐质领令，初更时分，引兵望铁笼山来，果见蜀兵二百

---

① 掩映——本义是遮掩，这里形容地势复杂。

余人，驱百余头木牛流马，装载粮草而行。魏兵一声喊起，徐质当先拦住。蜀兵尽弃粮草而走。质分兵一半，押送粮草回寨；自引兵一半追来。追不到十里，前面车仗横截去路。质令军士下马拆开车仗，只见两边忽然火起。质急勒马回走，后面山僻窄狭处，亦有车仗截路，火光迸起。质等冒烟突火，纵马而出。一声炮响，两路军杀来：左有廖化，右有张翼，大杀一阵，魏兵大败。徐质奋死只身而走，人困马乏。

正奔走间，前面一枝兵杀到，乃姜维也。质大惊无措，被维一枪刺倒坐下马，徐质跌下马来，被众军乱刀砍死。质所分一半押粮兵，亦被夏侯霸所擒，尽降其众。霸将魏兵衣甲马匹，令蜀兵穿了，就令骑坐，打着魏军旗号，从小路径奔回魏寨来。魏军见本部兵回，开门放入，蜀兵就寨中杀起。司马昭大惊，慌忙上马走时，前面廖化杀来。昭不能前进，急退时，姜维引兵从小路杀到。昭四下无路，只得勒兵上铁笼山据守。原来此山只有一条路，四下皆险峻难上；其上惟有一泉，止够百人之饮，——此时昭手下有六千人，被姜维绝其路口，山上泉水不敷，人马枯渴。昭仰天长叹曰："吾死于此地矣！"后人有诗曰：

妙算姜维不等闲，魏师受困铁笼间；
庞涓始入马陵道①，项羽初围九里山②。

主簿王韬曰："昔日耿恭受困，拜井而得甘泉：将军何不效之？"昭从其言，遂上山顶泉边，再拜而祝曰："昭奉诏来退蜀兵，若昭合死，令甘泉枯竭，昭自当刎颈，教部军尽降；如寿禄未终，愿苍天早赐甘泉，以活众命！"祝毕，泉水涌出，取之不竭，因此人马不死。

却说姜维在山下困住魏兵，谓众将曰："昔日丞相在上方谷，不曾捉住司马懿，吾深为恨；今司马昭必被吾擒矣。"

却说郭淮听知司马昭困于铁笼山上，欲提兵来。陈泰曰："姜维会合羌兵，欲先取南安。今羌兵已到，将军若撤兵去救，羌兵必乘虚袭我后也。可先令人诈降羌人，于中取事；若退了此兵，方可救铁笼之围。"郭淮从之，遂令陈泰引五千兵，径到羌王寨内，解甲而入，泣拜曰："郭淮妄自尊大，常

---

① 庞涓始入马陵道——庞涓：战国时魏将。他曾与孙膑同师学兵法，后陷害孙膑。在一次与齐兵交战时，他被孙膑诱入马陵道，兵败自杀。

② 项羽初围九里山——九里山：又名"九嶷山"，韩信进攻项羽，由此进军。

有杀泰之心，故来投降。郭淮军中虚实，某俱知之。只今夜愿引一军前去劫寨，便可成功。如兵到魏寨，自有内应。”迷当大喜，遂令俄何烧戈同陈泰来劫魏寨。俄何烧戈教泰降兵在后，令泰引羌兵为前部。是夜二更，竟到魏寨，寨门大开。陈泰一骑马先入。俄何烧戈骤马挺枪入寨之时，只叫得一声苦，连人带马，跌在陷坑里。陈泰兵从后面杀来，郭淮从左边杀来，羌兵大乱，自相践踏，死者无数，生者尽降。俄何烧戈自刎而死。郭淮、陈泰引兵直杀到羌人寨中，迷当大王急出帐上马时，被魏兵生擒活捉，来见郭淮。淮慌下马，亲去其缚，用好言抚慰曰：“朝廷素以公为忠义，今何故助蜀人也？”迷当惭愧伏罪。淮乃说迷当曰：“公今为前部，去解铁笼山之围，退了蜀兵，吾奏准天子，自有厚赐。”

迷当从之，遂引羌兵在前，魏兵在后，径奔铁笼山。时值三更，先令人报知姜维。维大喜，教请入相见。魏兵多半杂在羌人部内；行到蜀寨前，维令大兵皆在寨外屯扎，迷当引百余人到中军帐前。姜维、夏侯霸二人出迎。魏将不等迷当开言，就从背后杀将起来。维大惊，急上马而走。羌、魏之兵，一齐杀入。蜀兵四分五落，各自逃生。维手无器械，腰间止有一副弓箭，走得慌忙，箭皆落了，只有空壶。维望山中而走，背后郭淮引兵赶来；见维手无寸铁，乃骤马挺枪追之。看看至近，维虚拽弓弦，连响十余次。淮连躲数番，不见箭到，知维无箭，乃挂住钢枪，拈弓搭箭射之。维急闪过，顺手接了，就扣在弓弦上；待淮追近，望面门上尽力射去，淮应弦落马。维勒回马来杀郭淮，魏军骤至。维下手不及，只掣得淮枪而去。魏兵不敢追赶，急救淮归寨，拔出箭头，血流不止而死。司马昭下山引兵追赶，半途而回。夏侯霸随后逃至，与姜维一齐奔走。维折了许多人马，一路收扎不住，自回汉中。虽然兵败，却射死郭淮，杀死徐质，挫动魏国之威，将功补罪。

却说司马昭犒劳羌兵，发遣回国去讫，班师还洛阳，与兄司马师专制朝权，群臣莫敢不服。魏主曹芳每见师入朝，战栗不已，如针刺背。一日，芳设朝，见师带剑上殿，慌忙下榻迎之。师笑曰：“岂有君迎臣之礼也，请陛下稳便。”须臾，群臣奏事，司马师俱自剖断，并不启奏魏主。少时朝退，师昂然下殿，乘车出内，前遮后拥，不下数千人马。芳退入后殿，顾左右止有三人：乃太常夏侯玄，中书令李丰，光禄大夫张缉——缉乃张皇后之父，曹芳之皇丈也。芳叱退近侍，同三人至密室商议。芳执张缉之手而哭曰：

"司马师视朕如小儿，觑百官如草芥，社稷早晚必归此人矣！"言讫大哭。李丰奏曰："陛下勿忧。臣虽不才，愿以陛下之明诏，聚四方之英杰，以剿此贼。"夏侯玄奏曰："臣叔夏侯霸降蜀，因惧司马兄弟谋害故耳；今若剿除此贼，臣叔必回也。臣乃国家旧戚，安敢坐视奸贼乱国，愿同奉诏讨之。"芳曰："但恐不能耳。"三人哭奏曰："臣等誓当同心灭贼，以报陛下！"芳脱下龙凤汗衫，咬破指尖，写了血诏，授与张缉，乃嘱曰："朕祖武皇帝诛董承，盖为机事不密也。卿等须谨细，勿泄于外。"丰曰："陛下何出此不利之言？臣等非董承之辈，司马师安比武祖也？陛下勿疑。"三人辞出，至东华门左侧，正见司马师带剑而来，从者数百人，皆持兵器。三人立于道傍。师问曰："汝三人退朝何迟？"李丰曰："圣上在内廷观书，我三人侍读故耳。"师曰："所看何书？"丰曰："乃夏、商、周三代之书也。"师曰："上见此书，问何故事？"丰曰："天子所问伊尹扶商、周公摄政之事，我等皆奏曰：'今司马大将军，即伊尹、周公也。'"师冷笑曰："汝等岂将吾比伊尹、周公！其心实指吾为王莽、董卓！"三人皆曰："我等皆将军门下之人，安敢如此？"师大怒曰："汝等乃口谀①之人！适间与天子在密室中所哭何事？"三人曰："实无此状。"师叱曰："汝三人泪眼尚红，如何抵赖！"夏侯玄知事已泄，乃厉声大骂曰："吾等所哭者，为汝威震其主，将谋篡逆耳！"师大怒，叱武士捉夏侯玄。玄揎拳裸袖，径击司马师，却被武士擒住。师令将各人搜检，于张缉身畔搜出一龙凤汗衫，上有血字。左右呈与司马师。师视之，乃密诏也。诏曰：

司马师弟兄，共持大权，将图篡逆。所以诏制②，皆非朕意。各部官兵将士，可同仗忠义，讨灭贼臣，匡扶社稷。功成之日，重加爵赏。

司马师看毕，勃然大怒曰："原来汝等正欲谋害吾兄弟！情理难容！"遂令将三人腰斩于市，灭其三族。三人骂不绝口。比临东市中，牙齿尽被打落，各人含糊数骂而死。师直入后宫。魏主曹芳正与张皇后商议此事。皇后曰："内廷耳目甚多，倘事泄露，必累妾矣！"

正言间，忽见师入，皇后大惊。师按剑谓芳曰："臣父立陛下为君，功

---

① 口谀——当面吹捧、表里不一。

② 所以诏制——以我的名义所颁布的命令。诏、制：帝王的命令，"命为制，令为诏。"

德不在周公之下;臣事陛下,亦与伊尹何别乎?今反以恩为仇,以功为过,欲与二三小臣,谋害臣兄弟,何也?"芳曰:"朕无此心。"师袖中取出汗衫,掷之于地曰:"此谁人所作耶!"芳魂飞天外,魄散九霄,战栗而答曰:"此皆为他人所逼故也。朕岂敢兴此心?"师曰:"妄诬大臣造反,当加何罪?"芳跪告曰:"朕合有罪,望大将军恕之!"师曰:"陛下请起。——国法未可废也。"乃指张皇后曰:"此是张缉之女,理当除之!"芳大哭求免,师不从,叱左右将张后捉出,至东华门内,用白练绞死。后人有诗曰:

当年伏后出宫门,跣足哀号别至尊。

司马今朝依此例,天教还报在儿孙。

次日,司马师大会群臣曰:"今主上荒淫无道,亵①近娼优,听信谗言,闭塞贤路:其罪甚于汉之昌邑②,不能主天下。吾谨按伊尹、霍光之法,别立新君,以保社稷,以安天下,如何?"众皆应曰:"大将军行伊、霍之事,所谓应天顺人,谁敢违命。"师遂同多官入永宁宫,奏闻太后。太后曰:"大将军欲立何人为君?"师曰:"臣观彭城王曹据,聪明仁孝,可以为天下之主。"太后曰:"彭城王乃老身之叔,今立为君,我何以当之?今有高贵乡公曹髦,乃文皇帝之孙;此人温恭克让,可以立之。卿等大臣,从长计议。"一人奏曰:"太后之言是也。便可立之。"众视之,乃司马师宗叔司马孚也。师遂遣使往元城召高贵乡公;请太后升太极殿,召芳责之曰:"汝荒淫无度,亵近娼优,不可承天下;当纳下玺绶,复齐王之爵,目下起程,非宣召不许入朝。"芳泣拜太后,纳了国宝,乘王车大哭而去。只有数员忠义之臣,含泪而送。后人有诗曰:

昔日曹瞒相汉时,欺他寡妇与孤儿。

谁知四十余年后,寡妇孤儿亦被欺。

却说高贵乡公曹髦,字彦士,乃文帝之孙,东海定王霖之子也。当日,司马师以太后命宣至,文武官僚备銮驾于西掖门外拜迎。髦慌忙答礼。太尉王肃曰:"主上不当答礼。"髦曰:"吾亦人臣也,安得不答礼乎?"文武

① 亵(xiè)近——亲近、狎近。

② 汉之昌邑——即昌邑王。汉昭帝刘弗陵死,无子,大将军霍光主持立昭帝侄邑王刘贺为帝。刘贺即位,一味胡闹;霍光又废除刘贺,立昭帝侄孙刘询为帝。

扶髦上辇入宫，髦辞曰："太后诏命，不知为何，吾安敢乘辇而入？"遂步行至太极东堂。司马师迎着，髦先下拜，师急扶起。问候已毕，引见太后。后曰："吾见汝年幼时，有帝王之相；汝今可为天下之主：务须恭俭节用，布德施仁，勿辱先帝也。"髦再三谦辞。师令文武请髦出太极殿，是日立为新君，改嘉平六年为正元元年，大赦天下，假大将军司马师黄钺，入朝不趋，奏事不名，带剑上殿。文武百官，各有封赐。

正元二年春正月，有细作飞报，说镇东将军毌丘俭、扬州刺史文钦，以废主为名，起兵前来。司马师大惊。正是：汉臣曾有勤王志，魏将还兴讨贼师。未知如何迎敌，且看下文分解。

# 第一百十回

## 文鸯单骑退雄兵　姜维背水破大敌

却说魏正元二年正月，扬州都督、镇东将军、领淮南军马毌丘俭，——字仲恭，河东闻喜人也。——闻司马师擅行废立之事，心中大怒。长子毌丘甸曰："父亲官居方面①，司马师专权废主，国家有累卵之危，安可宴然自守？"俭曰："吾儿之言是也。"遂请刺史文钦商议。钦乃曹爽门下客，当日闻俭相请，即来拜谒。俭邀入后堂，礼毕，说话间，俭流泪不止。钦问其故，俭曰："司马师专权废主，天地反覆，安得不伤心乎！"钦曰："都督镇守方面，若肯仗义讨贼，钦愿舍死相助。钦中子文淑，小字阿鸯，有万夫不当之勇，常欲杀司马师兄弟，与曹爽报仇，今可令为先锋。"俭大喜，即时酹酒为誓。二人诈称太后有密诏，令淮南大小官兵将士，皆入寿春城，立一坛于西，宰白马歃血为盟，宣言司马师大逆不道，今奉太后密诏，令尽起淮南军马，仗义讨贼。众皆悦服。俭提六万兵，屯于项城。文钦领兵二万在外为游兵，往来接应。俭移檄诸郡，令各起兵相助。

却说司马师左眼肉瘤，不时痛痒，乃命医官割之，以药封闭，连日在府养病；忽闻淮南告急，乃请太尉王肃商议。肃曰："昔关云长威震华夏，孙

---

① 官居方面——掌握一个地方的军政大权。

权令吕蒙袭取荆州，抚恤将士家属，因此关公军势瓦解。今淮南将士家属，皆在中原，可急抚恤，更以兵断其归路，必有土崩之势矣。”师曰：“公言极善。但吾新割目瘤，不能自往。——若使他人，心又不稳。”时中书侍郎钟会在侧，进言曰：“淮楚兵强，其锋甚锐；若遣人领兵去退，多是不利。倘有疏虞，则大事废矣。”师蹶然①起曰：“非吾自往，不可破贼！”遂留弟司马昭守洛阳，总摄朝政。师乘软舆，带病东行。令镇东将军诸葛诞，总督豫州诸军，从安风津取寿春；又令征东将军胡遵，领青州诸军，出谯、宋之地，绝其归路；又遣荆州刺史、监军王基，领前部兵，先取镇南之地。师领大军屯于襄阳，聚文武于帐下商议。光禄勋郑袤曰：“毌丘俭好谋而无断，文钦有勇而无智。今大军出其不意，江、淮之卒锐气正盛，不可轻敌；只宜深沟高垒，以挫其锐。——此亚夫之长策也。”监军王基曰：“不可。淮南之反，非军民思乱也；皆因毌丘俭势力所逼，不得已而从之。若大军一临，必然瓦解。”师曰：“此言甚妙。”遂进兵于滍水之上，中军屯于滍桥。基曰：“南顿极好屯兵，可提兵星夜取之。若迟则毌丘俭必先至矣。”师遂令王基前部兵来南顿城下寨。

却说毌丘俭在项城，闻知司马师自来，乃聚众商议。先锋葛雍曰：“南顿之地，依山傍水，极好屯兵；若魏兵先占，难以驱遣，可速取之。”俭然其言，起兵投南顿来。正行之间，前面流星马报说，南顿已有人马下寨。俭不信，自到军前视之，果然旌旗遍野，营寨齐整。俭回到军中，无计可施。忽哨马飞报：“东吴孙峻提兵渡江袭寿春来了。”俭大惊曰：“寿春若失，吾归何处！”是夜退兵于项城。

司马师见毌丘俭军退，聚多官商议。尚书傅嘏曰：“今俭兵退者，忧吴人袭寿春也。——必回项城分兵拒守。将军可令一军取乐嘉城，一军取项城，一军取寿春，则淮南之卒必退矣。兖州刺史邓艾，足智多谋；若领兵径取乐嘉，更以重兵应之，破贼不难也。”师从之，急遣使持檄文，教邓艾起兖州之兵破乐嘉城。师随后引兵到彼会合。

却说毌丘俭在项城，不时差人去乐嘉城哨探，只恐有兵来。请文钦到营共议，钦曰：“都督勿忧。我与拙子文鸯，只消五千兵，敢保乐嘉城。”俭大喜。钦父子引五千兵投乐嘉来。前军报说：“乐嘉城西，皆是魏兵，约有

① 蹶(jué)然——突然站起的样子。

万余。遥望中军，白旄黄钺，皂盖朱幡，簇拥虎帐，内竖一面锦绣帅字旗，必是司马师也。——安立营寨，尚未完备。”时文鸯悬鞭立于父侧，闻知此语，乃告父曰：“趁彼营寨未成，可分兵两路，左右击之，可全胜也。”钦曰：“何时可去？”鸯曰：“今夜黄昏，父引二千五百兵，从城南杀来；儿引二千五百兵，从城北杀来：三更时分，要在魏寨会合。”钦从之，当晚分兵两路。且说文鸯年方十八岁，身长八尺，全装惯甲，腰悬钢鞭，绰枪上马，遥望魏寨而进。

是夜，司马师兵到乐嘉，立下营寨，等邓艾未至。师为眼下新割肉瘤，疮口疼痛，卧于帐中，令数百甲士环立护卫。三更时分，忽然寨内喊声大震，人马大乱。师急问之，人报曰：“一军从寨北斩围直入，为首一将，勇不可当！”师大惊，心如火烈，眼珠从肉瘤疮口内迸出，血流遍地，疼痛难当；又恐有乱军心，只咬被头而忍，被皆咬烂。原来文鸯军马先到，一拥而进，在寨中左冲右突；所到之处，人不敢当，有相拒者，枪搠鞭打，无不被杀。鸯只望父到，以为外应，并不见来。数番杀到中军，皆被弓弩射回。鸯直杀到天明，只听得北边鼓角喧天。鸯回顾从者曰：“父亲不在南面为应，却从北至，何也？”鸯纵马看时，只见一军行如猛风，为首一将，乃邓艾也，跃马横刀，大呼曰：“反贼休走！”鸯大怒，挺枪迎之。战有五十合，不分胜败。正斗间，魏兵大进，前后夹攻。鸯部下兵各自逃散，只文鸯单人独马，冲开魏兵，望南而走。背后数百员魏将，抖擞精神，骤马追来；将至乐嘉桥边，看看赶上。鸯忽然勒回马大喝一声，直冲入魏将阵中来；钢鞭起处，纷纷落马，各各倒退。鸯复缓缓而行。魏将聚在一处，惊讶曰：“此人尚敢退我等之众耶！——可并力追之！”于是魏将百员，复来追赶。鸯勃然大怒曰：“鼠辈何不惜命也！”提鞭拨马，杀入魏将丛中，用鞭打死数人，复回马缓辔而行。魏将连追四五番，皆被文鸯一人杀退。后人有诗曰：

长坂当年独拒曹，子龙从此显英豪。
乐嘉城内争锋处，又见文鸯胆气高。

原来文钦被山路崎岖，迷入谷中，行了半夜，比及寻路而出，天色已晓；文鸯人马不知所向，只见魏兵大胜。钦不战而退。魏兵乘势追杀，钦引兵望寿春而走。

却说魏殿中校尉尹大目，乃曹爽心腹之人，因爽被司马懿谋杀，故事司马师，常有杀师报爽之心；又素与文钦交厚。今见师眼瘤突出，不能动止，乃入帐告曰："文钦本无反心，今被毌丘俭逼迫，以致如此。某去说之，必然来降。"师从之。大目顶盔惯甲，乘马来赶文钦。看看赶上，乃高声大叫曰："文刺史见尹大目么？"钦回头视之，大目除盔放于鞍鞒之前，以鞭指曰："文刺史何不忍耐数日也？"——此是大目知师将亡，故来留钦。钦不解其意，厉声大骂，便欲开弓射之。大目大哭而回。钦收聚人马奔寿春时，已被诸葛诞引兵取了；欲复回项城时，胡遵、王基、邓艾三路兵皆到。钦见势危，遂投东吴孙峻去了。

却说毌丘俭在项城内，听知寿春已失，文钦势败，城外三路兵到，俭遂尽撤城中之兵出战。正与邓艾相遇，俭令葛雍出马，与艾交锋，不一合，被艾一刀斩之，引兵杀过阵来。毌丘俭死战相拒。江淮兵大乱。胡遵、王基引兵四面夹攻。毌丘俭敌不住，引十余骑夺路而走。前至慎县城下，县令宋白开门接入，设席待之。俭大醉，被宋白令人杀了，将头献与魏兵。于是淮南平定。

司马师卧病不起，唤诸葛诞入帐，赐以印绶，加为镇东大将军，都督扬州诸路军马；一面班师回许昌。师目痛不止，每夜只见李丰、张缉、夏侯玄三人立于榻前。师心神恍惚，自料难保，遂令人往洛阳取司马昭到。昭哭拜于床下。师遗言曰："吾今权重，虽欲卸肩，不可得也。汝继我为之，大事切不可轻托他人，自取灭族之祸。"言讫，以印绶付之，泪流满面。昭急欲问时，师大叫一声，眼睛迸出而死。时正元二年二月也。于是司马昭发丧，申奏魏主曹髦。髦遣使持诏到许昌，即命暂留司马昭屯军许昌，以防东吴。昭心中犹豫未决。钟会曰："大将军新亡，人心未定，将军若留守于此，万一朝廷有变，悔之何及？"昭从之，即起兵还屯洛水之南。髦闻之大惊。太尉王肃奏曰："昭既继其兄掌大权，陛下可封爵以安之。"髦遂命王肃持诏，封司马昭为大将军、录尚书事。昭入朝谢恩毕。自此，中外大小事情，皆归于昭。

却说西蜀细作哨知此事，报入成都。姜维奏后主曰："司马师新亡，司马昭初握重权，必不敢擅离洛阳。臣请乘间伐魏，以复中原。"后主从之，遂命姜维兴师伐魏。维到汉中，整顿人马。征西大将军张翼曰："蜀地浅狭，钱粮鲜薄，不宜远征；不如据险守分，恤军爱民：此乃保国之计也。"维曰："不然。昔丞相未出茅庐，已定三分天下，然且六出祁山以图中原；不幸半途而丧，以致功业未成。今吾既受丞相遗命，当尽忠报国以继其志，虽死而无恨也。今魏有隙可乘，不就此时伐之，更待何时？”夏侯霸曰：“将军之言是也。可将轻骑先出枹罕①。若得洮西南安，则诸郡可定。”张翼曰：“向者不克而还，皆因军出甚迟也。兵法云：‘攻其无备，出其不意。’今若火速进兵，使魏人不能提防，必然全胜矣。”

于是姜维引兵五万，望枹罕进发。兵至洮水，守边军士报知雍州刺史王经、征西将军陈泰。王经先起马步兵七万来迎。姜维分付张翼如此如此，又分付夏侯霸如此如此：二人领计去了；维乃自引大军背洮水列阵。王经引数员牙将出而问曰：“魏与吴、蜀，已成鼎足之势；汝累次入寇，何也？”维曰：“司马师无故废主，邻邦理宜问罪，何况仇敌之国乎？”

经回顾张明、花永、刘达、朱芳四将曰：“蜀兵背水为阵，败则皆没于水矣。姜维骁勇，汝四将可战之。彼若退动，便可追击。”四将分左右而出，来战姜维。维略战数合，拨回马望本阵中便走。王经大驱士马，一齐赶来。维引兵望着洮水而走；将次近水，大呼将士曰：“事急矣！诸将何不努力！”众将一齐奋力杀回，魏兵大败。张翼、夏侯霸抄在魏兵之后，分两路杀来，把魏兵困在垓心。维奋武扬威，杀入魏军之中，左冲右突，魏兵大乱，自相践踏，死者大半，逼入洮水者无数，斩首万余，垒尸数里。王经引败兵百骑，奋力杀出，径往狄道城而走，奔入城中，闭门保守。姜维大获全功，犒军已毕，便欲进兵攻打狄道城。张翼谏曰：“将军功绩已成，威声大震，可以止矣。今若前进，倘不如意，正如画蛇添足也。”维曰：“不然。向者兵败，尚欲进取，纵横中原；今日洮水一战，魏人胆裂，吾料狄道唾手可得。——汝勿自堕其志也。”张翼再三劝谏，维不从，遂勒兵来取狄道城。

却说雍州征西将军陈泰，正欲起兵与王经报兵败之仇，忽兖州刺史邓艾引兵到。泰接着，礼毕，艾曰：“今奉大将军之命，特来助将军破敌。”泰问计于邓艾，艾曰：“洮水得胜，若招羌人之众，东争关陇，传檄四郡：此吾兵之大患也。——今彼不思如此，却图狄道城；其城垣坚固，急切难攻，空劳兵费力耳。吾今陈兵于项岭，然后进兵击之，蜀兵必败矣。”陈泰曰：“真妙论也！”遂先拨二十队兵，每队五十人，尽带旌旗、鼓角、烽火之类，日伏夜行，去狄道城东南高山深谷之中埋伏；只待兵来，一齐鸣鼓吹角为应，夜

---

① 枹（fú）罕——古县名，治理范围在今甘肃临更县东北。

则举火放炮以惊之。调度已毕，专候蜀兵到来。于是陈泰、邓艾，各引二万兵相继而进。

却说姜维围住狄道城，令兵八面攻之，连攻数日不下，心中郁闷，无计可施。是日黄昏时分，忽三五次流星马报说："有两路兵来，旗上明书大字：一路是征西将军陈泰，一路是兖州刺史邓艾。"维大惊，遂请夏侯霸商议。霸曰："吾向尝为将军言：邓艾自幼深明兵法，善晓地理。今领兵到，颇为劲敌。"维曰："彼军远来，我休容他住脚，便可击之。"乃留张翼攻城，命夏侯霸引兵迎陈泰。维自引兵来迎邓艾。行不到五里，忽然东南一声炮响，鼓角震地，火光冲天。维纵马看时，只见周围皆是魏兵旗号。维大惊曰："中邓艾之计矣！"遂传令教夏侯霸、张翼各弃狄道而退。于是蜀兵皆退于汉中。维自断后，只听得背后鼓声不绝，——维退入剑阁之时，方知火鼓二十余处，皆虚设也。——维收兵退屯于钟提。

且说后主因姜维有洮西之功，降诏封维为大将军。维受了职，上表谢恩毕，再议出师伐魏之策。正是：成功不必添蛇足，讨贼犹思奋虎威。不知此番北伐如何，且看下文分解。

# 第一百十一回

## 邓士载智败姜伯约　诸葛诞义讨司马昭

却说姜维退兵屯于钟提，魏兵屯于狄道城外。王经迎接陈泰、邓艾入城，拜谢解围之事，设宴相待，大赏三军。泰将邓艾之功，申奏魏主曹髦，髦封艾为安西将军，假节领护东羌校尉，同陈泰屯兵于雍、凉等处。邓艾上表谢恩毕，陈泰设席与邓艾作贺曰："姜维夜遁，其力已竭，不敢再出矣。"艾笑曰："吾料蜀兵必出有五。"泰问其故，艾曰："蜀兵虽退，终有乘胜之势；吾兵终有弱败之实：其必出一也。蜀兵皆是孔明教演，精锐之兵，容易调遣；吾将不时更换，军又训练不熟：其必出二也。蜀人多以船行，吾军皆在旱地，劳逸不同：其必出三也。狄道、陇西、南安、祁山四处皆是守战之地；蜀人或声东击西，指南攻北，吾兵必须分头守把；蜀兵合为一处而来，以一分当我四分：其必出四也。若蜀兵自南安、陇西，则可取羌人之谷为食；若出祁山，则有麦可就食：其必出五也。”陈泰叹服曰：“公料敌如神，蜀兵何足虑哉！”于是陈泰与邓艾结为忘年之交①。艾遂将雍、凉等处之兵，每日操练；各处隘口，皆立营寨，以防不测。

却说姜维在钟提大设筵宴，会集诸将，商议伐魏之事。令史樊建谏曰：“将军屡出，未获全功；今日洮西之捷，魏人已服威名，何故又欲出也？万一不利，前功尽弃。”维曰：“汝等只知魏国地宽人广，急不可得；却不知攻魏者有五可胜。”众问之，维答曰：“彼洮西一败，挫尽锐气，吾兵虽退，不曾损折：今若进兵，一可胜也。吾兵船载而进，不致劳困，彼兵皆从旱地来迎：二可胜也。吾兵久经训练之众，彼皆乌合之徒，不曾有法度：三可胜也。吾兵自出祁山，掠抄秋谷为食：四可胜也。彼兵须各守备，军力分开，吾兵一处而去，彼安能救：五可胜也。——不在此时伐魏，更待何日耶？”夏侯霸曰：“艾年虽幼，而机谋深远；近封为安西将军之职，必于各处准备，非同往日矣。”维厉声曰：“吾何畏彼哉！公等休长他人锐气，灭自己威风！吾意已决，必先取陇西。”众不敢谏。维自领前部，令众将随后而进。于是蜀兵尽离钟提，杀奔祁山来。哨马报说魏兵已先在祁山立下九个寨栅。维不信，引数骑凭高望之，果见祁山九寨势如长蛇，首尾相顾。维回顾左右曰：“夏侯霸之言，信不诬矣。此寨形势绝妙，止吾师诸葛丞相能之；今观邓艾所为，不在吾师之下。”遂回本寨，唤诸将曰：“魏人既有准备，必知吾来矣。吾料邓艾必在此间。汝等可虚张吾旗号，据此谷口下寨；每日令百余骑出哨，每出哨一回，换一番衣甲、旗号，按青、黄、赤、白、黑五方旗帜相换。吾却提大兵偷出董亭，径袭南安去也。”遂令鲍素屯兵于祁山谷口，维尽率大兵，望南安进发。

却说邓艾知蜀兵出祁山，早与陈泰下寨准备；见蜀兵连日不来搦战，一日五番哨马出寨，或十里或十五里而回。艾凭高望毕，慌入帐与陈泰曰：“姜维不在此间，必取董亭袭南安去了。出寨哨马只是这几匹，更换衣甲，往来哨探，其马皆困乏，主将必无能者。陈将军可引一军攻之，其寨可破也。破了寨栅，便引兵袭董亭之路，先断姜维之后。吾当先引一军救南安，径取武城山。若先占此山头，姜维必取上邽。上邽有一谷，名曰段谷，地狭山险，正好埋伏。彼来争武城山时，吾先伏两军于段谷，破维必矣。”

---

①　忘年之交——打破年龄上的差异，结为朋友。

泰曰："吾守陇西二三十年，未尝如此明察地理。公之所言，真神算也！公可速去，吾自攻此处寨栅。"于是邓艾引军星夜倍道而行，径到武城山；下寨已毕，蜀兵未到，即令子邓忠，与帐前校尉师纂，各引五千兵，先去段谷埋伏，如此如此而行。二人受计而去。艾令偃旗息鼓，以待蜀兵。

却说姜维从董亭望南安而来，至武城山前，谓夏侯霸曰："近南安有一山，名武城山；若先得了，可夺南安之势。只恐邓艾多谋，必先提防。"正疑虑间，忽然山上一声炮响，喊声大震，鼓角齐鸣，旌旗遍竖，皆是魏兵；中央风飘起一黄旗，大书"邓艾"字样。蜀兵大惊。山上数处精兵杀下，势不可当，前军大败。维急率中军人马去救时，魏兵已退。维直来武城山下搦邓艾战，山上魏兵并不下来。维令军士辱骂，至晚，方欲退军，山上鼓角齐鸣，却又不见魏兵下来。维欲上山冲杀，山上炮石甚严，不能得进。守至三更，欲回，山上鼓角又鸣。维移兵下山屯扎。比及令军搬运木石，方欲竖立为寨，山上鼓角又鸣，魏兵骤至。蜀兵大乱，自相践踏，退回旧寨。次日，姜维令军士运粮草车仗，至武城山，穿连排定，欲立起寨栅，以为屯兵之计。是夜二更，邓艾令五百人，各执火把，分两路下山，放火烧车仗。两兵混杀了一夜，营寨又立不成。维复引兵退，再与夏侯霸商议曰："南安未得，不如先取上邽。上邽乃南安屯粮之所；若得上邽，南安自危矣。"遂留霸屯于武城山，维尽引精兵猛将，径取上邽。行了一宿，将及天明，见山势狭峻，道路崎岖，乃问向导官曰："此处何名？"答曰："段谷。"维大惊曰："其名不美：'段谷'者，'断谷'也。倘有人断其谷口，如之奈何？"正踌躇未决，忽前军来报："山后尘头大起，必有伏兵。"维急令退兵。师纂、邓忠两军杀出，维且战且走，前面喊声大震，邓艾引兵杀到：三路夹攻，蜀兵大败。幸得夏侯霸引兵杀到，魏兵方退，救了姜维，欲再往祁山。霸曰："祁山寨已被陈泰打破，鲍素阵亡，全寨人马皆退回汉中去了。"维不敢取董亭，急投山僻小路而回。后面邓艾急追，维令诸军前进，自为断后。正行之际，忽然山中一军突出，乃魏将陈泰也。魏兵一声喊起，将姜维困在垓心。维人马困乏，左冲右突，不能得出。荡寇将军张嶷，闻姜维受困，引数百骑杀入重围。维因乘势杀出，嶷被魏兵乱箭射死。维得脱重围，复回汉中，因感张嶷忠勇，殁于王事，乃表赠其子孙。于是，蜀中将士多有阵亡者，皆归罪于姜维。维照武侯街亭旧例，乃上表自贬为后将军，行大将军事。

却说邓艾见蜀兵退尽，乃与陈泰设宴相贺，大赏三军。泰表邓艾之功，司马昭遣使持节，加艾官爵，赐印绶；并封其子邓忠为亭侯。

时魏主曹髦，改正元三年为甘露元年。司马昭自为天下兵马大都督，出入常令三千铁甲骁将前后簇拥，以为护卫；一应事务，不奏朝廷，就于相府裁处：自此常怀篡逆之心。有一心腹人，姓贾，名充，字公闾，乃故建威将军贾逵之子，为昭府下长史。充语昭曰："今主公掌握大柄，四方人心必然未安；且当暗访，然后徐图大事。"昭曰："吾正欲如此。汝可为我东行，只推慰劳出征军士为名，以探消息。"贾充领命，径到淮南，入见镇东大将军诸葛诞。诞字公休，乃琅琊南阳人，即武侯之族弟也；向事于魏，因武侯在蜀为相，因此不得重用；后武侯身亡，诞在魏历任重职，封高平侯，总摄两淮军马。当日，贾充托名劳军，至淮南见诸葛诞。诞设宴待之。酒至半酣，充以言挑诞曰："近来洛阳诸贤，皆以主上懦弱，不堪为君。司马大将军三辈辅国，功德弥天，可以禅代魏统。未审钧意若何？"诞大怒曰："汝乃贾豫州之子，世食魏禄，安敢出此乱言！"充谢曰："某以他人之言告公耳。"诞曰："朝廷有难，吾当以死报之。"充默然。

次日辞归，见司马昭细言其事。昭大怒曰："鼠辈安敢如此！"充曰："诞在淮南，深得人心，久必为患，可速除之。"昭遂暗发密书与扬州刺史乐綝，一面遣使赍诏征诞为司空。诞得了诏书，已知是贾充告变，遂捉来使拷问。使者曰："此事乐綝知之。"诞曰："他如何得知？"使者曰："司马将军已令人到扬州送密书与乐綝矣。"诞大怒，叱左右斩了来使，遂起部下兵千人，杀奔扬州来。将至南门，城门已闭，吊桥拽起。诞在城下叫门，城上并无一人回答。诞大怒曰："乐綝匹夫，安敢如此！"遂令将士打城。手下十余骁骑，下马渡壕，飞身上城，杀散军士，大开城门。于是诸葛诞引兵入城，乘风放火，杀至綝家。綝慌上楼避之。诞提剑上楼，大喝曰："汝父乐进，昔日受魏国大恩！不思报本，反欲顺司马昭耶！"綝未及回言，为诞所杀。一面具表数司马昭之罪，使人申奏洛阳；一面大聚两淮屯田户口十余万，并扬州新降兵四万余人，积草屯粮，准备进兵；又令长史吴纲，送子诸葛靓入吴为质求援，务要合兵诛讨司马昭。

此时东吴丞相孙峻病亡，从弟孙綝辅政。綝字子通，为人强暴，杀大司马滕胤、将军吕据、王惇等，因此权柄皆归于綝。吴主孙亮，虽然聪明，无可奈何。于是吴纲将诸葛靓至石头城，入拜孙綝。綝问其故，纲曰："诸葛诞乃蜀汉诸葛武侯之族弟也，向事魏国；今见司马昭欺君罔上，废主弄权，欲兴师讨之，而力不及，故特来归降。诚恐无凭，专送亲子诸葛靓为质。伏望发兵相助。”綝从其请，便遣大将全怿、全端为主将，于诠为合后，朱异、唐咨为先锋，文钦为向导，起兵七万，分三队而进。吴纲回寿春报知诸葛诞。诞大喜，遂陈兵准备。

却说诸葛诞表文到洛阳，司马昭见了大怒，欲自往讨之。贾充谏曰：“主公乘父兄之基业，恩德未及四海，今弃天子而去，若一朝有变，悔之何及？不如奏请太后及天子一同出征，可保无虞。”昭喜曰：“此言正合吾意。”遂入奏太后曰：“诸葛诞谋反，臣与文武官僚，计议停当：请太后同天子御驾亲征，以继先帝之遗意。”太后畏惧，只得从之。次日，昭请魏主曹髦起程。髦曰：“大将军都督天下军马，任从调遣，何必朕自行也？”昭曰：“不然。昔日武祖纵横四海，文帝、明帝有包括宇宙之志，并吞八荒之心，凡遇大敌，必须自行。陛下正宜追配先君，扫清故孽，何自畏也？”髦畏威权，只得从之。昭遂下诏，尽起两都之兵二十六万，命镇南将军王基为正先锋，安东将军陈骞为副先锋，监军石苞为左军，兖州刺史州泰为右军，保护车驾，浩浩荡荡，杀奔淮南而来。

东吴先锋朱异，引兵迎敌。两军对圆，魏军中王基出马，朱异来迎。战不三合，朱异败走；唐咨出马，战不三合，亦大败而走。王基驱兵掩杀，吴兵大败，退五十里下寨，报入寿春城中。诸葛诞自引本部锐兵，会合文钦并二子文鸯、文虎，雄兵数万，来敌司马昭。正是：方见吴兵锐气堕，又看魏将劲兵来。未知胜负如何，且看下文分解。

# 第一百十二回

## 救寿春于诠死节　取长城伯约鏖兵

却说司马昭闻诸葛诞会合吴兵前来决战，乃召散骑长史裴秀、黄门侍郎钟会，商议破敌之策。钟会曰：“吴兵之助诸葛诞，实为利也；以利诱之，则必胜矣。”昭从其言，遂令石苞、州泰先引两军于石头城埋伏，王基、陈骞领精兵在后，却令偏将成倅①引兵数万先去诱敌；又令陈俊引车仗牛马驴骡，装载赏军之物，四面聚集于阵中，如敌来则弃之。

是日，诸葛诞令吴将朱异在左，文钦在右，——见魏阵中人马不整，诞乃大驱士马径进。成倅退走，诞驱兵掩杀，见牛马驴骡，遍满郊野；南兵争取，无心恋战。忽然一声炮响，两路兵杀来：左有石苞，右有州泰。诞大惊，急欲退时，王基、陈骞精兵杀到。诞兵大败。司马昭又引兵接应。诞引败兵奔入寿春，闭门坚守。昭令兵四面围困，并力攻城。

时吴兵退屯安丰，魏主车驾驻于项城。钟会曰："今诸葛诞虽败，寿春城中粮草尚多，更有吴兵屯安丰以为掎角之势；今吾兵四面攻围，彼缓则坚守，急则死战；吴兵或乘势夹攻：吾军无益。不如三面攻之，留南门大路，容贼自走；走而击之，可全胜也。吴兵远来，粮必不继；我引轻骑抄在其后，可不战而自破矣。"昭抚会背曰："君真吾之子房也！"遂令王基撤退南门之兵。

却说吴兵屯于安丰，孙綝唤朱异责之曰："量一寿春城不能救，安可并吞中原？如再不胜必斩！"朱异乃回本寨商议。于诠曰："今寿春南门不围，某愿领一军从南门入去，助诸葛诞守城。将军与魏兵挑战，我却从城中杀出：两路夹攻，魏兵可破矣。"异然其言。于是全怿、全端、文钦等，皆愿入城。遂同于诠引兵一万，从南门而入城。魏兵不得将令，未敢轻敌，任吴兵入城，乃报知司马昭。昭曰："此欲与朱异内外夹攻，以破我军也。"乃召王基、陈骞分付曰："汝可引五千兵截断朱异来路，从背后击之。"二人领命而去。朱异正引兵来，忽背后喊声大震：左有王基，右有陈骞，两路军杀来。吴兵大败。朱异回见孙綝，綝大怒曰："累败之将，要汝何用！"叱武士推出斩之。又责全端子全祎曰："若退不得魏兵，汝父子休来见我！"于是孙綝自回建业去了。

钟会与昭曰："今孙綝退去，外无救兵，城可围矣。"昭从之，遂催军攻围。全祎引兵欲入寿春，见魏兵势大，寻思进退无路，遂降司马昭。昭加祎为偏将军。祎感昭恩德，乃修家书与父全端、叔全怿，言孙綝不仁，不若降魏，将书射入城中。怿得祎书，遂与端引数千人开门出降。诸葛诞在城中忧闷，谋士蒋班、焦彝进言曰："城中粮少兵多，不能久守，可率吴、楚之

---

① 成倅（cuì）——人名。

众，与魏兵决一死战。”诞大怒曰：“吾欲守，汝欲战，莫非有异心乎！再言必斩！”二人仰天长叹曰：“诞将亡矣！我等不如早降，免至一死！”是夜二更时分，蒋、焦二人逾城降魏，司马昭重用之。——因此城中虽有敢战之士，不敢言战。

诞在城中，见魏兵四下筑起土城以防淮水，只望水泛，冲倒土城，驱兵击之。不想自秋至冬，并无霖雨，淮水不泛。城中看看粮尽，文钦在小城内与二子坚守，见军士渐渐饿倒，只得来告诞曰：“粮皆尽绝，军士饿损，不如将北方之兵尽放出城，以省其食。”诞大怒曰：“汝教我尽去北军，欲谋我耶？”叱左右推出斩之。文鸯、文虎见父被杀，各拔短刀，立杀数十人，飞身上城，一跃而下，越壕赴魏寨投降。司马昭恨文鸯昔日单骑退兵之仇，欲斩之。钟会谏曰：“罪在文钦，今文钦已亡，二子势穷来归，若杀降将，是坚城内人之心也。”昭从之，遂召文鸯、文虎入帐，用好言抚慰，赐骏马锦衣，加为偏将军，封关内侯。二子拜谢，上马绕城大叫曰：“我二人蒙大将军赦罪赐爵，汝等何不早降！”城内人闻言，皆计议曰：“文鸯乃司马氏仇人，尚且重用，何况我等乎？”于是皆欲投降。诸葛诞闻之大怒，日夜自来巡城，以杀为威。

钟会知城中人心已变，乃入帐告昭曰：“可乘此时攻城矣。”昭大喜，遂激三军，四面云集，一齐攻打。守将曾宣献了北门，放魏兵入城。诞知魏兵已入，慌引麾下数百人，自城中小路突出；至吊桥边，正撞着胡奋，手起刀落，斩诞于马下，数百人皆被缚。王基引兵杀到西门，正遇吴将于诠。基大喝曰：“何不早降！”诠大怒曰：“受命而出，为人救难，既不能救，又降他人，义所不为也！”乃掷盔于地，大呼曰：“人生在世，得死于战场者，幸耳！”急挥刀死战三十余合，人困马乏，为乱军所杀。后人有诗赞曰：

司马当年围寿春，降兵无数拜车尘。

东吴虽有英雄士，谁及于诠肯杀身！

司马昭入寿春，将诸葛诞老小尽皆枭首，灭其三族。武士将所擒诸葛诞部卒数百人缚至。昭曰：“汝等降否？”众皆大叫曰：“愿与诸葛公同死，决不降汝！”昭大怒，叱武士尽缚于城外，逐一问曰：“降者免死。”并无一人言降。直至杀尽，终无一人降者。昭深加叹息不已，令皆埋之。后人有诗赞曰：

忠臣矢志不偷生，诸葛公休帐下兵。

《薤露》①歌声应未断，遗踪直欲继田横！

却说吴兵大半降魏，裴秀告司马昭曰："吴兵老小，尽在东南江、淮之地，今若留之，久必为变；不如坑②之。"钟会曰："不然。古之用兵者，全国为上③，戮其元恶而已。若尽坑之，是不仁也。不如放归江南，以显中国之宽大。"昭曰："此妙论也。"遂将吴兵尽皆放归本国。唐咨因惧孙綝，不敢回国，亦来降魏。昭皆重用，令分布三河之地。淮南已平。正欲退兵，忽报西蜀姜维引兵来取长城，邀截粮草。昭大惊，慌与多官计议退兵之策。

时蜀汉延熙二十年，改为景耀元年。姜维在汉中，选川将两员，每日操练人马：一是蒋舒，一是傅佥。二人颇有胆勇，维甚爱之。忽报淮南诸葛诞起兵讨司马昭，东吴孙綝助之，昭大起两都之兵，将魏太后并魏主一同出征去了。维大喜曰："吾今番大事济矣！"遂表奏后主，愿兴兵伐魏。中散大夫谯周听知，叹曰："近来朝廷溺于酒色，信任中贵黄皓，不理国事，只图欢乐；伯约累欲征伐，不恤军士：国将危矣！"乃作《仇国论》一篇，寄与姜维。维拆封视之。论曰：

或问：古往能以弱胜强者，其术何如？曰：处大国无患者，恒多慢④；处小国有忧者，恒思善。多慢则生乱，思善则生治，理之常也。故周文养民，以少取多；勾践恤众，以弱毙强。此其术也。

或曰：曩者楚强汉弱，约分鸿沟⑤，张良以为民志既定则难动也，率兵追羽，终毙项氏；岂必由文王、勾践之事乎？曰：商、周之际，王侯世尊，君臣久固。当此之时，虽有汉祖，安能仗剑取天下乎？及秦罢侯置守之后，民疲秦役，天下土崩，于是豪杰并争。今我与彼，皆传国易世矣，既非秦末鼎沸之时，实有六国并据之势，故可为文王，难为汉祖。时

---

① 《薤露》——乐府《相和曲》名，相传原是齐国东部歌谣，后来成了出殡时挽柩人所唱的挽歌。

② 坑——活埋。

③ 全国为上——完整地得到敌国的土地和人民，为上策。语出《孙子·谋攻篇》。

④ 处大国无患者，恒多慢——处在大国之中而不具忧患意识的人，经常容易产生懈怠之心。恒：经常，常常；慢：怠慢，懈怠。

⑤ 约分鸿沟——楚汉相争时曾划鸿沟为界：东面是楚，西面是汉。鸿沟：古运河名，汉以后改称"狼汤渠"。

可而后动，数合①而后举，故汤、武之师，不再战而克，诚重民劳而度时审也。如遂极武黩征②，不幸遇难，虽有智者，不能谋之矣。

姜维看毕，大怒曰："此腐儒之论也！"掷之于地。遂提川兵来取中原。乃问傅佥曰："以公度之，可出何地？"佥曰："魏屯粮草，皆在长城；今可径取骆谷，度沈岭，直到长城，先烧粮草，然后直取秦川，则中原指日可得矣。"维曰："公之见与吾计暗合也。"即提兵径取骆谷，度沈岭，望长城而来。

却说长城镇守将军司马望，乃司马昭之族兄也。城内粮草甚多，人马却少。望听知蜀兵到，急与王真、李鹏二将，引兵离城二十里下寨。次日，蜀兵来到，望引二将出阵。姜维出马，指望而言曰："今司马昭迁主于军中，必有李傕、郭汜之意也。吾今奉朝廷明命，前来问罪，汝当早降。若还愚迷，全家诛戮！"望大声而答曰："汝等无礼，数犯上国，如不早退，令汝片甲不归！"言未毕，望背后王真挺枪出马，蜀阵中傅佥出迎。战不十合，佥卖个破绽，王真便挺枪来刺；傅佥闪过，活捉真于马上，便回本阵。李鹏大怒，纵马轮刀来救。佥故意放慢，等李鹏将近，努力掷真于地，暗掣四楞铁简在手；鹏赶上举刀待砍，傅佥偷身回顾，向李鹏面门只一简，打得眼珠迸出，死于马下。王真被蜀军乱枪刺死。姜维驱兵大进。司马望弃寨入城，闭门不出。维下令曰："军士今夜且歇一宿，以养锐气。来日须要入城。"次日平明，蜀兵争先大进，一拥至城下，用火箭火炮打入城中。城上草屋一派烧着，魏兵自乱。维又令人取干柴堆满城下，一齐放火，烈焰冲天。城已将陷，魏兵在城内嚎啕痛哭，声闻四野。

正攻打之间，忽然背后喊声大震。维勒马回看，只见魏兵鼓噪摇旗，浩浩而来。维遂令后队为前队，自立于门旗下候之。只见魏阵中一小将，全装惯带，挺枪纵马而出，——约年二十余岁，面如傅粉，唇似抹朱，——厉声大叫曰："认得邓将军否！"维自思曰："此必是邓艾矣。"挺枪纵马来迎。二人抖擞精神，战到三四十合，不分胜负。那小将军枪法无半点放闲。维心中自思："不用此计，安得胜乎？"便拨马望左边山路中而走。那

---

① 数合——和前句"时可"同义：合乎时势。

② 极武黩(dú)征——过分推崇武力滥施征伐。

小将骤马追来，维挂住了钢枪，暗取雕弓羽箭射之。那小将眼乖①，早已见了，弓弦响处，把身望前一倒，放过羽箭。维回头看时，小将已到，挺枪来刺；维一闪，那枪从肋傍边过，被维挟住。那小将弃枪，望本阵而走。维嗟叹曰："可惜！可惜！"再拨马赶来。追至阵门前，一将提刀而出曰："姜维匹夫，勿赶吾儿！邓艾在此！"维大惊。——原来小将乃艾之子邓忠也。维暗暗称奇；欲战邓艾，又恐马乏，乃虚指艾曰："吾今日识汝父子也。各且收兵，来日决战。"艾见战场不利，亦勒马应曰："既如此，各自收兵。暗算者非丈夫也。"于是两军皆退。邓艾据渭水下寨，姜维跨两山安营。艾见了蜀兵地理，乃作书于司马望曰："我等切不可战，只宜固守。待关中兵至时，蜀兵粮草皆尽，三面攻之，无不胜也。今遣长子邓忠相助守城。"一面差人于司马昭处求救。

却说姜维令人于艾寨中下战书，约来日大战，艾佯应之。次日五更，维令三军造饭，平明布阵等候。艾营中偃旗息鼓，却如无人之状。维至晚方回。次日又令人下战书，责以失期之罪。艾以酒食待使，答曰："微躯小疾，有误相持，明日会战。"次日，维又引兵来，艾仍前不出。——如此五六番。傅佥谓维曰："此必有谋也，宜防之。"维曰："此必捱关中兵到，三面击我耳。吾今令人持书与东吴孙綝，使并力攻之。"忽探马报说："司马昭攻打寿春，杀了诸葛诞，吴兵皆降。昭班师回洛阳，便欲引兵来救长城。"维大惊曰："今番伐魏，又成画饼矣。——不如且回。"正是：已叹四番难奏绩，又嗟五度未成功。未知如何退兵，且看下文分解。

# 第一百十三回

## 丁奉定计斩孙綝　姜维斗阵破邓艾

却说姜维恐救兵到，先将军器车仗，一应军需，步兵先退，然后将马军断后。细作报知邓艾。艾笑曰："姜维知大将军兵到，故先退去。不必追之，追则中彼之计也。"乃令人哨探，回报果然骆谷道狭之处，堆积柴草，准

① 乖——机灵。

备要烧追兵。众皆称艾曰："将军真神算也!"遂遣使赍表奏闻。于是司马昭大喜,又加赏邓艾。

却说东吴大将军孙綝,听知全端、唐咨等降魏,勃然大怒,将各人家眷,尽皆斩之。吴主孙亮,时年方十六,见綝杀戮太过,心甚不然。一日出西苑,因食生梅,令黄门取蜜。须臾取至,见蜜内有鼠粪数块,召藏吏责之。藏吏叩首曰:"臣封闭甚严,安有鼠粪?"亮曰:"黄门曾向尔求蜜食否?"藏吏曰:"黄门于数日前曾求蜜食,臣实不敢与。"亮指黄门曰:"此必汝怒藏吏不与尔蜜,故置粪于蜜中,以陷之也。"黄门不服。亮曰:"此事易知耳。若粪久在蜜中,则内外皆湿;若新在蜜中,则外湿内燥。"命剖视之,果然内燥,黄门服罪。亮之聪明,大抵如此。——虽然聪明,却被孙綝把持,不能主张。綝令弟威远将军孙据入苍龙宿卫,武卫将军孙恩、偏将军孙干、长水校尉孙闿分屯诸营。

一日,吴主孙亮闷坐,黄门侍郎全纪在侧,纪乃国舅也。亮因泣告曰:"孙綝专权妄杀,欺朕太甚;今不图之,必为后患。"纪曰:"陛下但有用臣处,臣万死不辞。"亮曰:"卿可只今点起禁兵,与将军刘丞各把城门,朕自出杀孙綝。但此事切不可令卿母知之,卿母乃綝之姊也。倘若泄漏,误朕匪轻。"纪曰:"乞陛下草诏与臣。临行事之时,臣将诏示众,使綝手下人皆不敢妄动。"亮从之,即写密诏付纪。纪受诏归家,密告其父全尚。尚知此事,乃告妻曰:"三日内杀孙綝矣。"妻曰:"杀之是也。"口虽应之,却私令人持书报知孙綝。綝大怒,当夜便唤弟兄四人,点起精兵,先围大内①;一面将全尚、刘丞并其家小俱拿下。比及平明,吴主孙亮听得宫门外金鼓大震,内侍慌入奏曰:"孙綝引兵围了内苑。"亮大怒,指全后骂曰:"汝父兄误我大事矣!"乃拔剑欲出。全后与侍中近臣,皆牵其衣而哭,不放亮出。孙綝先将全尚、刘丞等杀讫,然后召文武于朝内,下令曰:"主上荒淫久病,昏乱无道,不可以奉宗庙,今当废之。汝诸文武,敢有不从者,以谋叛论!"众皆畏惧,应曰:"愿从将军之令。"尚书桓彝大怒,从班部中挺然而出,指孙綝大骂曰:"今上乃聪明之主,汝何敢出此乱言!吾宁死不从贼臣之命!"綝大怒,自拔剑斩之,即入内指吴主孙亮骂曰:"无道昏君!本当诛戮以谢天下!看先帝之面,废汝为会稽王,吾自选有德者立之!"叱中书郎李崇夺其

① 大内——皇宫内苑。

玺绶，令邓程收之。亮大哭而去。后人有诗叹曰：

乱贼诬伊尹，奸臣冒霍光。
可怜聪明主，不得莅朝堂。

孙綝遣宗正孙楷、中书郎董朝，往虎林迎请琅琊王孙休为君。休字子烈，乃孙权第六子也，在虎林夜梦乘龙上天，回顾不见龙尾，失惊而觉。次日，孙楷、董朝至，拜请回都。行至曲阿，有一老人，自称姓干，名休，叩头言曰："事久必变，愿殿下速行。"休谢之。行至布塞亭，孙恩将车驾来迎。休不敢乘辇，乃坐小车而入。百官拜迎道傍，休慌忙下车答礼。孙綝出令扶起，请入大殿，升御座即天子位。休再三谦让，方受玉玺。文官武将朝贺已毕，大赦天下，改元永安元年；封孙綝为丞相、荆州牧；多官各有封赏；又封兄之子孙皓为乌程侯。孙綝一门五侯，皆典禁兵，权倾人主。吴主孙休，恐其内变，阳示恩宠，内实防之。綝骄横愈甚。

冬十二月，綝奉牛酒入宫上寿①，吴主孙休不受。綝怒，乃以牛酒诣左将军张布府中共饮。酒酣，乃谓布曰："吾初废会稽王时，人皆劝吾为君。吾为今上贤，故立之。今我上寿而见拒，是将我等闲相待。吾早晚教你看！"布闻言，唯唯而已。次日，布入宫密奏孙休。休大惧，日夜不安。数日后，孙綝遣中书郎孟宗，拨与中营所管精兵一万五千，出屯武昌；又尽将武库内军器与之。于是，将军魏邈、武卫士施朔二人密奏孙休曰："綝调兵在外，又搬尽武库内军器，早晚必为变矣。"休大惊，急召张布计议。布奏曰："老将丁奉，计略过人，能断大事，可与议之。"休乃召奉入内，密告其事。奉奏曰："陛下无忧。臣有一计，为国除害。"休问何计，奉曰："来朝腊日②，只推大会群臣，召綝赴席，臣自有调遣。"休大喜。奉同魏邈、施朔掌外事，张布为内应。

是夜，狂风大作，飞沙走石，将老树连根拔起。天明风定，使者奉旨来请孙綝入宫赴会。孙綝方起床，平地如人推倒，心中不悦。使者十余人，簇拥入内。家人止之曰："一夜狂风不息，今早又无故惊倒，恐非吉兆，不可赴会。"綝曰："吾弟兄共典禁兵，谁敢近身！倘有变动，于府中放火为号。"嘱讫，升车入内。吴主孙休忙下御座迎之，请綝高坐。酒行数巡，众惊曰：

---

① 上寿——古代小辈向长辈或臣下向君主敬酒、献礼称"上寿"。

② 腊日——旧时腊祭的日子。

“宫外望有火起!”𬘭便欲起身。休止之曰:“丞相稳便。外兵自多,何足惧哉?”言未毕,左将军张布拔剑在手,引武士三十余人,抢上殿来,口中厉声而言曰:“有诏擒反贼孙𬘭!”𬘭急欲走时,早被武士擒下。𬘭叩头奏曰:“愿徙交州归田里。”休叱曰:“尔何不徙滕胤、吕据、王惇耶?”命推下斩之。于是张布牵孙𬘭下殿东斩讫。从者皆不敢动。布宣诏曰:“罪在孙𬘭一人,余皆不问。”众心乃安。布请孙休升五凤楼。丁奉、魏邈、施朔等,擒孙𬘭兄弟至,休命尽斩于市。宗党死者数百人,灭其三族,命军士掘开孙峻坟墓,戮其尸首。将被害诸葛恪、滕胤、吕据、王惇等家,重建坟墓,以表其忠。其牵累流远者①,皆赦还乡里。丁奉等重加封赏。

驰书报入成都。后主刘禅遣使回贺,吴使薛珝答礼。珝自蜀中归,吴主孙休问蜀中近日作何举动。珝奏曰:“近日中常侍黄皓用事,公卿多阿附之。入其朝,不闻直言;经其野,民有菜色。所谓燕雀处堂,不知大厦之将焚者也。”休叹曰:“若诸葛武侯在时,何至如此乎!”于是又写国书,教人赍入成都,说司马昭不日篡魏,必将侵吴、蜀以示威,彼此各宜准备。

姜维听得此信,忻然上表,再议出师伐魏。时蜀汉景耀元年冬,大将军姜维以廖化、张翼为先锋,王含、蒋斌为左军,蒋舒、傅佥为右军,胡济为合后,维与夏侯霸总中军,共起蜀兵二十万,拜辞后主,径到汉中。与夏侯霸商议,当先攻取何地。霸曰:“祁山乃用武之地,可以进兵,故丞相昔日六出祁山,因他处不可出也。”维从其言,遂令三军并望祁山进发,至谷口下寨。时邓艾正在祁山寨中,整点陇右之兵。忽流星马报到,说蜀兵现下三寨于谷口。艾听知,遂登高看了,回寨升帐,大喜曰:“不出吾之所料也!”原来邓艾先度了地脉,故留蜀兵下寨之地;地中自祁山寨直至蜀寨,早挖了地道,待蜀兵至时,于中取事。此时姜维至谷口分作三寨,地道正在左寨之中,乃王含、蒋斌下寨之处。邓艾唤子邓忠,与师纂各引一万兵,为左右冲击;却唤副将郑伦,引五百掘子军②,于当夜二更,径从地道直至左营,于帐后地下拥出。

却说王含、蒋斌因立寨未定,恐魏兵来劫寨,不敢解甲而寝。忽闻中军大乱,急绰兵器上的马时,寨外邓忠引兵杀到。内外夹攻,王、蒋二将奋

① 流远者——流放到远地的人。
② 掘子军——挖掘地道的工兵。

死抵敌不住，弃寨而走。姜维在帐中听得左寨中大喊，料道有内应外合之兵，遂急上马，立于中军帐前，传令曰："如有妄动者斩！便有敌兵到营边，休要问他，只管以弓弩射之！"一面传示右营，亦不许妄动。果然魏兵十余次冲击，皆被射回。只冲杀到天明，魏兵不敢杀入。邓艾收兵回寨，乃叹曰："姜维深得孔明之法！兵在夜而不惊，将闻变而不乱：真将才也！"次日，王含、蒋斌收聚败兵，伏于大寨前请罪。维曰："非汝等之罪，乃吾不明地脉之故也。"又拨军马，令二将安营讫。却将伤死身尸，填于地道之中，以土掩之。令人下战书单搦邓艾来日交锋。艾忻然应之。

次日，两军列于祁山之前。维按武侯八阵之法，依天、地、风、云、鸟、蛇、龙、虎之形，分布已定。邓艾出马，见维布成八卦，乃亦布之，左右前后，门户一般。维持枪纵马大叫曰："汝效吾排八阵，亦能变阵否？"艾笑曰："汝道此阵只汝能布耶？吾既会布阵，岂不知变阵！"艾便勒马入阵，令执法官把旗左右招飐，变成八八六十四个门户；复出阵前曰："吾变法若何？"维曰："虽然不差，汝敢与吾八阵相围么？"艾曰："有何不敢！"两军各依队伍而进。艾在中军调遣。两军冲突，阵法不曾错动。姜维到中间，把旗一招，忽然变成"长蛇卷地阵"，将邓艾困在垓心，四面喊声大震。艾不知其阵，心中大惊。蜀兵渐渐逼近，艾引众将冲突不出。只听得蜀兵齐叫曰："邓艾早降！"艾仰天长叹曰："我一时自逞其能，中姜维之计矣！"

忽然西北角上一彪军杀入，艾见是魏兵，遂乘势杀出。——救邓艾者，乃司马望也。比及救出邓艾时，祁山九寨，皆被蜀兵所夺。艾引败兵，退于渭水南下寨。艾谓望曰："公何以知此阵法而救出我也？"望曰："吾幼年游学于荆南，曾与崔州平、石广元为友，讲论此阵。今日姜维所变者，乃'长蛇卷地阵'也。若他处击之，必不可破。吾见其头在西北，故从西北击之，自破矣。"艾谢曰："我虽学得阵法，实不知变法。公既知此法，来日以此法复夺祁山寨栅，如何？"望曰："我之所学，恐瞒不过姜维。"艾曰："来日公在阵上与他斗阵法，我却引一军暗袭祁山之后。两下混战，可夺旧寨也。"于是令郑伦为先锋，艾自引军袭山后；一面令人下战书，搦姜维来日斗阵法。维批回去讫，乃谓众将曰："吾受武侯所传密书，此阵变法共三百六十五样，按周天之数。今搦吾斗阵法，乃班门弄斧耳！——但中间必有诈谋，公等知之乎？"廖化曰："此必赚我斗阵法，却引一军袭我后也。"维笑曰："正合我意。"即令张翼、廖化，引一万兵去山后埋伏。

次日,姜维尽拔九寨之兵,分布于祁山之前。司马望引兵离了渭南,径到祁山之前,出马与姜维答话。维曰:"汝请吾斗阵法,汝先布与吾看。"望布成了八卦。维笑曰:"此即吾所布八阵之法也,汝今盗袭,何足为奇!"望曰:"汝亦窃他人之法耳!"维曰:"此阵凡有几变?"望笑曰:"吾既能布,岂不会变?——此阵有九九八十一变。"维笑曰:"汝试变来。"望入阵变了数番,复出阵曰:"汝识吾变否?"维笑曰:"吾阵法按周天三百六十五变。——汝乃井底之蛙,安知玄奥乎!"望自知有此变法,实不曾学全,乃勉强折辩曰:"吾不信,汝试变来。"维曰:"汝教邓艾出来,吾当布与他看。"望曰:"邓将军自有良谋,不好阵法。"维大笑曰:"有何良谋!——不过教汝赚吾在此布阵,他却引兵袭吾山后耳!"望大惊,恰欲进兵混战,被维以鞭梢一指,两翼兵先出,杀的那魏兵弃甲抛戈,各逃性命。

却说邓艾催督先锋郑伦来袭山后。伦刚转过山角,忽然一声炮响,鼓角喧天,伏兵杀出:为首大将,乃廖化也。二人未及答话,两马交处,被廖化一刀,斩郑伦于马下。邓艾大惊,急勒兵退时,张翼引一军杀到。两下夹攻,魏兵大败。艾舍命突出,身被四箭。奔到渭南寨时,司马望亦到。二人商议退兵之策。望曰:"近日蜀主刘禅,宠幸中贵黄皓,日夜以酒色为乐。可用反间计召回姜维,此危可解。"艾问众谋士曰:"谁可入蜀交通黄皓?"言未毕,一人应声曰:"某愿往。"艾视之,乃襄阳党均也。艾大喜,即令党均赍金珠宝物,径到成都结连黄皓,布散流言,说姜维怨望天子,不久投魏。于是成都人人所说皆同。黄皓奏知后主,即遣人星夜宣姜维入朝。

却说姜维连日搦战,邓艾坚守不出。维心中甚疑。忽使命至,诏维入朝。维不知何事,只得班师回朝。邓艾、司马望知姜维中计,遂拔渭南之兵,随后掩杀。正是:乐毅伐齐遭间阻,岳飞破敌被谗回①。未知胜负如何,且看下文分解。

---

① 岳飞破敌被谗回——岳飞:南宋时大将,他抗金时,由于秦桧说了造谣中伤的话,宋高宗赵构便把他从战地召回。这里是说书人顺口举的例子。

# 第一百十四回

## 曹髦驱车死南阙　姜维弃粮胜魏兵

却说姜维传令退兵，廖化曰："'将在外，君命有所不受。'今虽有诏，未可动也。"张翼曰："蜀人为大将军连年动兵，皆有怨望；不如乘此得胜之时，收回人马，以安民心，再作良图。"维曰："善。"遂令各军依法而退。命廖化、张翼断后，以防魏兵追袭。

却说邓艾引兵追赶，只见前面蜀兵旗帜整齐，人马徐徐而退。艾叹曰："姜维深得武侯之法也！"因此不敢追赶，勒军回祁山寨去了。

且说姜维至成都，入见后主，问召回之故。后主曰："朕为卿在边庭，久不还师，恐劳军士，故诏卿回朝，别无他意。"维曰："臣已得祁山之寨，正欲收功，不期半途而废。此必中邓艾反间之计矣。"后主默然不语。姜维又奏曰："臣誓讨贼，以报国恩。陛下休听小人之言，致生疑虑。"后主良久乃曰："朕不疑卿；卿且回汉中，俟魏国有变，再伐之可也。"姜维叹息出朝，自投汉中去讫。

却说党均回到祁山寨中，报知此事。邓艾与司马望曰："君臣不和，必有内变。"就令党均入洛阳，报知司马昭。昭大喜，便有图蜀之心，乃问中护军贾充曰："吾今伐蜀，如何？"充曰："未可伐也。天子方疑主公，若一旦轻出，内难必作矣。旧年黄龙两见于宁陵井中，群臣表贺，以为祥瑞；天子曰：'非祥瑞也。龙者君象，乃上不在天，下不在田，屈于井中，是幽困之兆也。'遂作《潜龙诗》一首。诗中之意，明明道着主公。其诗曰：'伤哉龙受困，不能跃深渊。上不飞天汉，下不见于田。蟠居于井底，鳅鳝舞其前。藏牙伏爪甲，嗟我亦同然！'"

司马昭闻之大怒，谓贾充曰："此人欲效曹芳也！若不早图，彼必害我。"充曰："某愿为主公早晚图之。"时魏甘露五年夏四月，司马昭带剑上殿，髦起迎之。群臣皆奏曰："大将军功德巍巍，合为晋公，加九锡。"髦低头不答。昭厉声曰："吾父子兄弟三人有大功于魏，今为晋公，得毋不宜耶？"髦乃应曰："敢不如命？"昭曰："《潜龙》之诗，视吾等如鳅鳝，是何礼也?"髦不能答。昭冷笑下殿,众官凛然。髦归后宫,召侍中王沈、尚书王经、散骑常侍王业三人,入内计议。髦泣曰:"司马昭将怀篡逆,人所共知!朕不能坐受废辱,卿等可助朕讨之!"王经奏曰:"不可。昔鲁昭公不忍季氏,败走失国①;今重权已归司马氏久矣,内外公卿,不顾顺逆之理,阿附奸贼,非一人也。且陛下宿卫寡弱,无用命之人。陛下若不隐忍,祸莫大焉。且宜缓图,不可造次。"髦曰:"是可忍也,孰不可忍也! 朕意已决,便死何惧!"言讫,即入告太后。王沈、王业谓王经曰:"事已急矣。我等不可自取灭族之祸,当往司马公府下出首,以免一死。"经大怒曰:"主忧臣辱,主辱臣死,敢怀二心乎?"王沈、王业见经不从,径自往报司马昭去了。

少倾,魏主曹髦出内,令护卫焦伯,聚集殿中宿卫苍头官僮三百余人,鼓噪而出。髦仗剑升辇,叱左右径出南阙。王经伏于辇前,大哭而谏曰:"今陛下领数百人伐昭,是驱羊而入虎口耳,空死无益。臣非惜命,实见事不可行也!"髦曰:"吾军已行,卿无阻当。"遂望云龙门而来。

只见贾充戎服乘马,左有成倅,右有成济,引数千铁甲禁兵,呐喊杀来。髦仗剑大喝曰:"吾乃天子也! 汝等突入宫庭,欲弑君耶?"禁兵见了曹髦,皆不敢动。贾充呼成济曰:"司马公养你何用? ——正为今日之事也!"济乃绰戟在手,回顾充曰:"当杀耶? 当缚耶?"充曰:"司马公有令:只要死的。"成济拈戟直奔辇前。髦大喝曰:"匹夫敢无礼乎!"言未讫,被成济一戟刺中前胸,撞出辇来;再一戟,刃从背上透出,死于辇傍。焦伯挺枪来迎,被成济一戟刺死。众皆逃走。王经随后赶来,大骂贾充曰:"逆贼安敢弑君耶!"充大怒,叱左右缚定,报知司马昭。昭入内,见髦已死,乃佯作大惊之状,以头撞辇而哭,令人报知各大臣。

时太傅司马孚入内,见髦尸,首枕其股②而哭曰:"弑陛下者,臣之罪也!"遂将髦尸用棺椁盛贮,停于偏殿之西。昭入殿中,召群臣会议。群臣皆至,独有尚书仆射陈泰不至。昭令泰之舅尚书荀颉③召之。泰大哭曰:

---

① 鲁昭公不忍季氏,败走失国——春秋时鲁国大夫季孙氏掌握政权,鲁君空有虚名。鲁昭公心中不服,派兵攻打季氏,结果失败,只得逃亡齐国。

② 首枕其股——把死者的头枕在自己的腿上。这是古代臣下对横遭杀害的君主表示哀痛的做法。《晋书·宗室传》作"枕尸于股"。

③ 荀颉(yǐ)——人名。

"论者以泰比舅，今舅实不如泰也。"乃披麻带孝而入，哭拜于灵前。昭亦佯哭而问曰："今日之事，何法处之？"泰曰："独斩贾充，少可以谢天下耳。"昭沉吟良久，又问曰："再思其次？"泰曰："惟有进于此者，不知其次。"昭曰："成济大逆不道，可剐之，灭其三族。"济大骂昭曰："非我之罪，是贾充传汝之命！"昭令先割其舌。济至死叫屈不绝。弟成倅亦斩于市，尽灭三族。后人有诗叹曰：

司马当年命贾充，弑君南阙赭袍红。
却将成济诛三族，只道军民尽耳聋。

昭又使人收王经全家下狱。王经正在廷尉厅下，忽见缚其母至。经叩头大哭曰："不孝子累及慈母矣！"母大笑曰："人谁不死？正恐不得死所耳！以此弃命，何恨之有！"次日，王经全家皆押赴东市。王经母子含笑受刑。满城士庶，无不垂泪。后人有诗曰：

汉初夸伏剑，汉末见王经。真烈心无异，坚刚志更清。
节如泰华重，命似鸿毛轻。母子声名在，应同天地倾。

太傅司马孚请以王礼葬曹髦，昭许之。贾充等劝司马昭受魏禅，即天子位。昭曰："昔文王三分天下有其二，以服事殷，故圣人称为至德。魏武帝不肯受禅于汉，犹吾之不肯受禅于魏也。"贾充等闻言，已知司马昭留意于子司马炎矣，遂不复劝进。是年六月，司马昭立常道乡公曹璜为帝，改元景元元年。璜改名曹奂，字景明。——乃武帝曹操之孙，燕王曹宇之子也。——奂封昭为相国、晋公，赐钱十万、绢万匹。其文武多官，各有封赏。

早有细作报入蜀中。姜维闻司马昭弑了曹髦，立了曹奂，喜曰："吾今日伐魏，又有名矣。"遂发书入吴，令起兵问司马昭弑君之罪；一面奏准后主，起兵十五万，车乘数千辆，皆置板箱于上；令廖化、张翼为先锋：化取子午谷，翼取骆谷；维自取斜谷，皆要出祁山之前取齐。三路兵并起，杀奔祁山而来。

时邓艾在祁山寨中，训练人马，闻报蜀兵三路杀到，乃聚诸将计议。参军王瓘①曰："吾有一计，不可明言，现写在此，谨呈将军台览。"艾接来展看毕，笑曰："此计虽妙，只怕瞒不过姜维。"瓘曰："某愿舍命前去。"艾曰：

---

① 王瓘（guàn）——人名。

"公志若坚，必能成功。"遂拨五千兵与瓘。瓘连夜从斜谷迎来，正撞蜀兵前队哨马。瓘叫曰："我是魏国降兵，可报与主帅。"

哨军报知姜维，维令拦住余兵，只教为首的将来见。瓘拜伏于地曰："某乃王经之侄王瓘也。近见司马昭弑君，将叔父一门皆戮，某痛恨入骨。今幸将军兴师问罪，故特引本部兵五千来降。愿从调遣，剿除奸党，以报叔父之恨。"维大喜，谓瓘曰："汝既诚心来降，吾岂不诚心相待？吾军中所患者，不过粮耳。今有粮车数千，现在川口，汝可运赴祁山。吾只今去取祁山寨也。"瓘心中大喜，以为中计，忻然领诺。姜维曰："汝去运粮，不必用五千人，但引三千人去，留下二千人引路，以打祁山。"瓘恐维疑惑，乃引三千兵去了。维令傅佥引二千魏兵随征听用。忽报夏侯霸到。霸曰："都督何故准信王瓘之言也？吾在魏，虽不知备细，未闻王瓘是王经之侄：其中多诈，请将军察之。"维大笑曰："我已知王瓘之诈，故分其兵势，将计就计而行。"霸曰："公试言之。"维曰："司马昭奸雄比于曹操，既杀王经，灭其三族，安肯存亲侄于关外领兵？故知其诈也。仲权之见，与我暗合。"于是姜维不出斜谷，却令人于路暗伏，以防王瓘奸细。不旬日，果然伏兵捉得王瓘回报邓艾下书人来见。维问了情节，搜出私书，书中约于八月二十日，从小路运粮送归大寨，却教邓艾遣兵于墰山①谷中接应。维将下书人杀了，却将书中之意，改作八月十五日，约邓艾自率大兵，于墰山谷中接应。一面令人扮作魏军往魏营下书；一面令人将现有粮车数百辆卸了粮米，装载干柴茅草引火之物，用青布罩之，令傅佥引二千原降魏兵，执打运粮旗号。维却与夏侯霸各引一军，去山谷中埋伏。令蒋舒出斜谷，廖化、张翼俱各进兵，来取祁山。

却说邓艾得了王瓘书信，大喜，急写回书，令来人回报。至八月十五日，邓艾引五万精兵径往瓘山谷中来，远远使人凭高眺探，只见无数粮车，接连不断，从山凹中而行。艾勒马望之，果然皆是魏兵。左右曰："天已昏暮，可速接应王瓘出谷口。"艾曰："前面山势掩映，倘有伏兵，急难退步；只可在此等候。"正言间，忽两骑马骤至，报曰："王将军因将粮草过界，背后人马赶来，望早救应。"艾大惊，急催兵前进。时值初更，月明如昼。只听得山后呐喊，艾只道王瓘在山后厮杀。径奔过山后时，忽树林后一彪军撞

---

① 墰(tán)山——地名。

出，为首蜀将傅佥，纵马大叫曰："邓艾匹夫！已中吾主将之计，何不早早下马受死！"艾大惊，勒回马便走。车上火尽着，那火便是号火。两势下蜀兵尽出，杀得魏兵七断八续，但闻四下山上只叫："拿住邓艾的，赏千金，封万户侯！"唬得邓艾弃甲丢盔，撇了坐下马，杂在步军之中，爬山越岭而逃。——姜维、夏侯霸只望马上为首的径来擒捉，不想邓艾步行走脱。维领得胜兵去接王瓘粮车。

却说王瓘密约邓艾，先期将粮草车仗，整备停当，专候举事。忽有心腹人报："事已泄漏，邓将军大败，不知性命如何。"瓘大惊，令人哨探，回报三路兵围杀将来，背后又见尘头大起，四下无路。瓘叱左右令放火，尽烧粮草车辆。一霎时，火光突起，烈火烧空。瓘大叫曰："事已急矣！汝等宜死战！"乃提兵望西杀出。背后姜维三路追赶。维只道王瓘舍命撞回魏国，不想反杀入汉中而去。瓘因兵少，只恐追兵赶上，遂将栈道并各关隘尽皆烧毁。姜维恐汉中有失，遂不追邓艾，提兵连夜抄小路来追杀王瓘。瓘被四面蜀兵攻击，投黑龙江而死。余兵尽被姜维坑之。维虽然胜了邓艾，却折了许多粮车，又毁了栈道，乃引兵还汉中。邓艾引部下败兵，逃回祁山寨内，上表请罪，自贬其职。司马昭见艾数有大功，不忍贬之，复加厚赐。艾将原赐财物，尽分给被害将士之家。昭恐蜀兵又出，遂添兵五万，与艾守御。姜维连夜修了栈道，又议出师。正是：连修栈道兵连出，不伐中原死不休。未知胜负如何，且看下文分解。

# 第一百十五回

## 诏班师后主信谗　托屯田姜维避祸

却说蜀汉景耀五年，冬十月，大将军姜维，差人连夜修了栈道，整顿军粮兵器，又于汉中水路调拨船只。俱已完备，上表奏后主曰："臣累出战，虽未成大功，已挫动魏人心胆。今养兵日久，不战则懒，懒则致病。况今军思效死，将思用命。臣如不胜，当受死罪。"后主览表，犹豫未决。谯周出班奏曰："臣夜观天文，见西蜀分野，将星暗而不明。今大将军又欲出师，此行甚是不利。陛下可降诏止之。"后主曰："且看此行若何。果然有失，却当阻之。”谯周再三苦谏不从，乃归家叹息不已，遂推病不出。

却说姜维临兴兵，乃问廖化曰：“吾今出师，誓欲恢复中原，当先取何处？”化曰：“连年征伐，军民不宁；兼魏有邓艾，足智多谋，非等闲之辈：将军强欲行难为之事，此化所以未敢专也。”维勃然大怒曰：“昔丞相六出祁山，亦为国也。吾今八次伐魏，岂为一己之私哉？今当先取洮阳。如有逆吾者必斩！”遂留廖化守汉中，自同诸将提兵三十万，径取洮阳而来。早有川口人报入祁山寨中。时邓艾正与司马望谈兵，闻知此信，遂令人哨探。回报蜀兵尽从洮阳而出。司马望曰：“姜维多计，莫非虚取洮阳而实来取祁山乎？”邓艾曰：“今姜维实出洮阳也。”望曰：“公何以知之？”艾曰：“向者姜维累出吾有粮之地，今洮阳无粮，维必料吾只守祁山，不守洮阳，故径取洮阳；如得此城，屯粮积草，结连羌人，以图久计耳。”望曰：“若此，如之奈何？”艾曰：“可尽撤此处之兵，分为两路去救洮阳。离洮阳二十五里，有侯河小城，乃洮阳咽喉之地。公引一军伏于洮阳，偃旗息鼓，大开四门，如此如此而行；我却引一军伏侯河，必获大胜也。”筹画已定，各各依计而行。只留偏将师纂守祁山寨。

却说姜维令夏侯霸为前部，先引一军径取洮阳。霸提兵前进，将近洮阳，望见城上并无一杆旌旗，四门大开。霸心下疑惑，未敢入城，回顾诸将曰：“莫非诈乎？”诸将曰：“眼见得是空城，只有些小百姓，听知大将军兵到，尽弃城而走了。”霸未信，自纵马于城南视之，只见城后老小无数，皆望西北而逃。霸大喜曰：“果空城也。”遂当先杀入，余众随后而进。方到瓮城①边，忽然一声炮响，城上鼓角齐鸣，旌旗遍竖，拽起吊桥。霸大惊曰：“误中计矣！”慌欲退时，城上矢石如雨。可怜夏侯霸同五百军，皆死于城下。后人有诗叹曰：

大胆姜维妙算长，谁知邓艾暗提防。
可怜投汉夏侯霸，顷刻城边箭下亡。

司马望从城内杀出，蜀兵大败而逃。随后姜维引接应兵到，杀退司马望，就傍城下寨。维闻夏侯霸射死，嗟伤不已。是夜二更，邓艾自侯河城内，暗引一军潜地杀入蜀寨。蜀兵大乱，姜维禁止不住。城上鼓角喧天，司马望引兵杀出。两下夹攻，蜀兵大败。维左冲右突，死战得脱，退二十

---

① 瓮（wèng）城——围绕在城门外的小城。

余里下寨。蜀兵两番败走之后，心中摇动。维与众将曰："胜败乃兵家之常，今虽损兵折将，不足为忧。成败之事，在此一举，汝等始终勿改。如有言退者立斩。"张翼进言曰："魏兵皆在此处，祁山必然空虚。将军整兵与邓艾交锋，攻打洮阳、侯河；某引一军取祁山。取了祁山九寨，便驱兵向长安。此为上计。"

维从之，即令张翼引后军径取祁山，维自引兵到侯河搦邓艾交战。艾引军出迎。两军对圆，二人交锋数十余合，不分胜负，各收兵回寨。次日，姜维又引兵挑战，邓艾按兵不出。姜维令军辱骂。邓艾寻思曰："蜀人被吾大杀一阵，全然不退，连日反来搦战：必分兵去袭祁山寨也。守寨将师纂，兵少智寡，必然败矣。吾当亲往救之。"乃唤子邓忠分付曰："汝用心守把此处，任他搦战，切勿轻出。吾今夜引兵去祁山救应。"是夜二更，姜维正在寨中设计，忽听得寨外喊声震地，鼓角喧天，人报邓艾引三千精兵夜战。诸将欲出，维止之曰："勿得妄动。"原来邓艾引兵至蜀寨前哨探了一遍，乘势去救祁山，邓忠自入城去了。姜维唤诸将曰："邓艾虚作夜战之势，必然去救祁山寨矣。"乃唤傅佥分付曰："汝守此寨，勿轻与敌。"嘱毕，维自引三千兵来助张翼。

却说张翼正到祁山攻打，守寨将师纂兵少，支持不住。看看待破，忽然邓艾兵至，冲杀了一阵，蜀兵大败，把张翼隔在山后，绝了归路。正慌急之间，忽听的喊声大震，鼓角喧天，只见魏兵纷纷倒退。左右报曰："大将军姜伯约杀到！"翼乘势驱兵相应。两下夹攻，邓艾折了一阵，急退上祁山寨不出。姜维令兵四面攻围。

话分两头。却说后主在成都，听信宦官黄皓之言，又溺于酒色，不理朝政。时有大臣刘琰妻胡氏，极有颜色；因入宫朝见皇后，后留在宫中，一月方出。琰疑其妻与后主私通，乃唤帐下军士五百人，列于前，将妻绑缚，令军以履挞其面数十，几死复苏。后主闻之大怒，令有司议刘琰罪。有司议得："卒非挞妻之人，面非受刑之地：合当弃市。"遂斩刘琰。自此命妇①不许入朝。然一时官僚以后主荒淫，多有疑怨者。于是贤人渐退，小人日进。时右将军阎宇，身无寸功，只因阿附黄皓，遂得重爵；闻姜维统兵在祁山，乃说皓奏后主曰："姜维屡战无功，可命阎宇代之。"后主从其言，遣使

① 命妇——受过皇帝封号的妇人。

赍诏，召回姜维。维正在祁山攻打寨栅，忽一日三道诏至，宣维班师。维只得遵命，先令洮阳兵退，次后与张翼徐徐而退。邓艾在寨中，只听得一夜鼓角喧天，不知何意。至平明，人报蜀兵尽退，止留空寨。艾疑有计，不敢追袭。

姜维径到汉中，歇住人马，自与使命入成都见后主。后主一连十日不朝。维心中疑惑。是日至东华门，遇见秘书郎郤正。维问曰："天子召维班师，公知其故否？"正笑曰："大将军何尚不知？黄皓欲使阎宇立功，奏闻朝廷，发诏取回将军。——今闻邓艾善能用兵，因此寝①其事矣。"维大怒曰："我必杀此宦竖！"郤正止之曰："大将军继武侯之事，任大职重，岂可造次？倘若天子不容，反为不美矣。"维谢曰："先生之言是也。"次日，后主与黄皓在后园宴饮，维引数人径入。早有人报知黄皓，皓急避于湖山之侧。维至亭下，拜了后主，泣奏曰："臣困邓艾于祁山，陛下连降三诏，召臣回朝，未审圣意为何？"后主默然不语。维又奏曰："黄皓奸巧专权，乃灵帝时十常侍也。陛下近则鉴于张让，远则鉴于赵高②。早杀此人，朝廷自然清平，中原方可恢复。"后主笑曰："黄皓乃趋走小臣，纵使专权，亦无能为。昔者董允每切齿恨皓，朕甚怪之。卿何必介意？"维叩头奏曰："陛下今日不杀黄皓，祸不远也。"后主曰："'爱之欲其生，恶之欲其死。'卿何不容一宦官耶？"令近侍于湖山之侧，唤出黄皓至亭下，命拜姜维伏罪。皓哭拜维曰："某早晚趋侍圣上而已，并不干与国政。将军休听外人之言，欲杀某也。某命系于将军，惟将军怜之！"言罢，叩头流涕。

维忿忿而出，即往见郤正，备将此事告之。正曰："将军祸不远矣。——将军若危，国家随灭！"维曰："先生幸教我以保国安身之策。"正曰："陇西有一去处，名曰沓中；此地极其肥壮。将军何不效武侯屯田之事，奏知天子，前去沓中屯田？一者，得麦熟以助军实；二者，可以尽图陇右诸郡；三者，魏人不敢正视汉中；四者，将军在外掌握兵权，人不能图，可以避祸：此乃保国安身之策也，宜早行之。"维大喜，谢曰："先生金玉之言也。"次日，姜维表奏后主，求沓中屯田，效武侯之事。后主从之。维遂还汉中，聚诸将曰："某累出师，因粮不足，未能成功。今吾提兵八万，往沓中

---

① 寝——搁下、停止的意思。

② 赵高——秦朝宦官，秦二世时的权臣，他蒙蔽二世，后又杀死二世。

种麦屯田，徐图进取。汝等久战劳苦，今且敛兵聚谷，退守汉中；魏兵千里运粮，经涉山岭，自然疲乏；疲乏必退：那时乘虚追袭，无不胜矣。”遂令胡济守汉寿城，王含守乐城，蒋斌守汉城，蒋舒、傅佥同守关隘。分拨已毕，维自引兵八万，来沓中种麦，以为久计。

却说邓艾闻姜维在沓中屯田，于路下四十余营，连络不绝，如长蛇之势。艾遂令细作相了地形，画成图本，具表申奏。晋公司马昭见之，大怒曰：“姜维屡犯中原，不能剿除，是吾心腹之患也。”贾充曰：“姜维深得孔明传授，急难退之。须得一智勇之将，往刺杀之，可免动兵之劳。”从事中郎荀勖①曰：“不然。今蜀主刘禅溺于酒色，信用黄皓，大臣皆有避祸之心。姜维在沓中屯田，正避祸之计也。若令大将伐之，无有不胜，何必用刺客乎？”昭大笑曰：“此言最善，吾欲伐蜀，谁可为将？”荀勖曰：“邓艾乃世之良材，更得钟会为副将，大事成矣。”昭大喜曰：“此言正合吾意。”乃召钟会入而问曰：“吾欲令汝为大将，去伐东吴，可乎？”会曰：“主公之意，本不欲伐吴，实欲伐蜀也。”昭大笑曰：“子诚识吾心也。——但卿往伐蜀，当用何策？”会曰：“某料主公欲伐蜀，已画图本在此。”昭展开视之，图中细载一路安营下寨屯粮积草之处，从何而进，从何而退，一一皆有法度。昭看了大喜曰：“真良将也！卿与邓艾合兵取蜀，何如？”会曰：“蜀川道广，非一路可进；当使邓艾分兵各进，可也。”昭遂拜钟会为镇西将军，假节钺，都督关中人马，调遣青、徐、兖、豫、荆、扬等处；一面差人持节令邓艾为征西将军，都督关外陇上，使约期伐蜀。次日，司马昭于朝中计议此事，前将军邓敦曰：“姜维屡犯中原，我兵折伤甚多，只今守御，尚自未保；奈何深入山川危险之地，自取祸乱耶？”昭怒曰：“吾欲兴仁义之师，伐无道之主，汝安敢逆吾意！”叱武士推出斩之。须臾，呈邓敦首级于阶下。众皆失色。昭曰：“吾自征东以来，息歇六年，治兵缮甲，皆已完备，欲伐吴、蜀久矣。今先定西蜀，乘顺流之势，水陆并进，并吞东吴：此灭虢取虞之道也。吾料西蜀将士，守成都者八九万，守边境者不过四五万，姜维屯田者不过六七万。今吾已令邓艾引关外陇右之兵十余万，绊住姜维于沓中，使不得东顾；遣钟会引关中精兵二三十万，直抵骆谷，三路以袭汉中。蜀主刘禅昏暗，边城外破，士女内震，其亡可必矣。”众皆拜服。

---

① 荀勖（xù）——人名。

却说钟会受了镇西将军之印，起兵伐蜀。会恐机谋或泄，却以伐吴为名，令青、兖、豫、荆、扬等五处各造大船；又遣唐咨于登、莱等州傍海之处，拘集海船。司马昭不知其意，遂召钟会问之曰："子从旱路收川，何用造船耶？"会曰："蜀若闻我兵大进，必求救于东吴也。故先布声势，作伐吴之状，吴必不敢妄动。一年之内，蜀已破，船已成，而伐吴，岂不顺乎？"昭大喜，选日出师。时魏景元四年秋七月初三日，钟会出师。司马昭送之于城外十里方回。西曹掾邵悌密谓司马昭曰："今主公遣钟会领十万兵伐蜀，愚料会志大心高，不可使独掌大权。"昭笑曰："吾岂不知之？"悌曰："主公既知，何不使人同领其职？"昭言无数语，使邵悌疑心顿释。正是：方当士马驱驰日，早识将军跋扈心。未知其言若何，且看下文分解。

# 第一百十六回

## 钟会分兵汉中道　武侯显圣定军山

却说司马昭谓西曹掾邵悌曰："朝臣皆言蜀未可伐，是其心怯；若使强战，必败之道也。今钟会独建伐蜀之策，是其心不怯；心不怯，则破蜀必矣。蜀既破，则蜀人心胆已裂；'败军之将，不可以言勇；亡国之大夫，不可以图存。'会即有异志，蜀人安能助之乎？至若魏人得胜思归，必不从会而反，更不足虑耳。——此言乃吾与汝知之，切不可泄漏。"邵悌拜服。

却说钟会下寨已毕，升帐大集诸将听令。时有监军卫瓘，护军胡烈，大将田续、庞会、田章、爰彭①、丘建、夏侯咸、王买、皇甫闿、句安等八十余员。会曰："必须一大将为先锋，逢山开路，遇水叠桥。谁敢当之？"一人应声曰："某愿往。"会视之，乃虎将许褚之子许仪也。众皆曰："非此人不可为先锋。"会唤许仪曰："汝乃虎体猿班②之将，父子有名；今众将亦皆保汝。汝可挂先锋印，领五千马军、一千步军，径取汉中。兵分三路：汝领中路，

---

① 爰彭（jìng）——人名。

② 虎体猿班——应写作"虎体鹓班"，元明小说戏曲常用语。鹓班：也作鹓行、鸳行，指朝会的行列。许褚为勇将，得封侯爵，许仪袭其爵，故有此说。

出斜谷；左军出骆谷；右军出子午谷。此皆崎岖山险之地，当令军填平道路，修理桥梁，凿山破石，勿使阻碍。如违必按军法。”许仪受命，领兵而进。钟会随后提十万余众，星夜起程。

却说邓艾在陇西，既受伐蜀之诏，一面令司马望往遏羌人，又遣雍州刺史诸葛绪，天水太守王颀，陇西太守牵弘，金城太守杨欣，各调本部兵前来听令。比及军马云集，邓艾夜作一梦：梦见登高山，望汉中，忽于脚下迸出一泉，水势上涌。须臾惊觉，浑身汗流；遂坐而待旦，乃召护卫爰邵问之，邵素明《周易》。艾备言其梦，邵答曰：“《易》云：‘山上有水曰《蹇》。’《蹇卦》者：‘利西南，不利东北。’孔子云：‘《蹇》利西南，往有功也；不利东北，其道穷也。’将军此行，必然克蜀；但可惜蹇滞不能还。”艾闻言，愀然不乐。忽钟会檄文至，约艾起兵，于汉中取齐。艾遂遣雍州刺史诸葛绪，引兵一万五千，先断姜维归路；次遣天水太守王颀，引兵一万五千，从左攻沓中；陇西太守牵弘，引一万五千人，从右攻沓中；又遣金城太守杨欣，引一万五千人，于甘松邀姜维之后。艾自引兵三万，往来接应。

却说钟会出师之时，有百官送出城外，旌旗蔽日，铠甲凝霜，人强马壮，威风凛然。人皆称羡，惟有相国参军刘寔①，微笑不语。太尉王祥见寔冷笑，就马上握其手而问曰：“钟、邓二人，此去可平蜀乎？”寔曰：“破蜀必矣。——但恐皆不得还都耳。”王祥问其故，刘寔但笑而不答。祥遂不复问。

却说魏兵既发，早有细作入沓中报知姜维。维即具表申奏后主：“请降诏遣左车骑将军张翼领兵守护阳安关，右车骑将军廖化领兵守阴平桥：这二处最为要紧，若失二处，汉中不保矣。一面当遣使入吴求救。臣一面自起沓中之兵拒敌。”时后主改景耀六年为炎兴元年，日与宦官黄皓在宫中游乐。忽接姜维之表，即召黄皓问曰：“今魏国遣钟会、邓艾大起人马，分道而来，如之奈何？”皓奏曰：“此乃姜维欲立功名，故上此表。陛下宽心，勿生疑虑。臣闻城中有一师婆，供奉一神，能知吉凶，可召来问之。”后主从其言，于后殿陈设香花纸烛、享祭礼物，令黄皓用小车请入宫中，坐于龙床之上。后主焚香祝毕，师婆忽然披发跣足，就殿上跳跃数十遍，盘旋于案上。皓曰：“此神人降矣。陛下可退左右，亲祷之。”后主尽退侍臣，再

---

①　刘寔（shí）——人名。

拜祝之。师婆大叫曰："吾乃西川土神也。陛下欣乐太平，何为求问他事？数年之后，魏国疆土亦归陛下矣。陛下切勿忧虑。"言讫，昏倒于地，半晌方苏。后主大喜，重加赏赐。自此深信师婆之说，遂不听姜维之言，每日只在宫中饮宴欢乐。姜维累申告急表文，皆被黄皓隐匿，因此误了大事。

却说钟会大军，迤逦望汉中进发。前军先锋许仪，要立头功，先领兵至南郑关。仪谓部将曰："过此关即汉中矣。关上不多人马，我等便可奋力抢关。"众将领命，一齐并力向前。原来守关蜀将卢逊，早知魏兵将到，先于关前木桥左右，伏下军士，装起武侯所遗十矢连弩；比及许仪兵来抢关时，一声梆子响处，矢石如雨。仪急退时，早射倒数十骑。魏兵大败。仪回报钟会。会自提帐下甲士百余骑来看，果然箭弩一齐射下。会拨马便回，关上卢逊引五百军杀下来。会拍马过桥，桥上土塌，陷住马蹄，争些儿①掀下马来。马挣不起，会弃马步行；跑下桥时，卢逊赶上，一枪刺来，——却被魏兵中荀恺回身一箭，射卢逊落马。钟会麾众乘势抢关，关上军士因有蜀兵在关前，不敢放箭，被钟会杀散，夺了山关。即以荀恺为护军，以全副鞍马铠甲赐之。会唤许仪至帐下，责之曰："汝为先锋，理合逢山开路，遇水叠桥，专一修理桥梁道路，以便行军。吾方才到桥上，陷住马蹄，几乎堕桥；若非荀恺，吾已被杀矣！汝既违军令，当按军法！"叱左右推出斩之。诸将告曰："其父许褚有功于朝廷，望都督恕之。"会怒曰："军法不明，何以令众？"遂令斩首示众。诸将无不骇然。

时蜀将王含守乐城，蒋斌守汉城，见魏兵势大，不敢出战，只闭门自守。钟会下令曰："兵贵神速，不可少停。"乃令前军李辅围乐城，护军荀恺围汉城，自引大军取阳安关。守关蜀将傅佥与副将蒋舒商议战守之策。舒曰："魏兵甚众，势不可当，不如坚守为上。"佥曰："不然。魏兵远来，必然疲困，虽多不足惧。我等若不下关战时，汉、乐二城休矣。"蒋舒默然不答。忽报魏兵大队已至关前，蒋、傅二人至关上视之。钟会扬鞭大叫曰："吾今统十万之众到此，如早早出降，各依品级升用；如执迷不降，打破关隘，玉石俱焚！"傅佥大怒，令蒋舒把关，自引三千兵杀下关来。钟会便走，魏兵尽退。佥乘势追之，魏兵复合。佥欲退入关时，关上已竖起魏家旗号，只见蒋舒叫曰："吾已降了魏也！"佥大怒，厉声骂曰："忘恩背义之贼，

① 争些儿——也有写作"争些子"、"争些"，差一点儿、几乎的意思。

有何面目见天下人乎!”拨回马复与魏兵接战。魏兵四面合来,将傅佥围在垓心。佥左冲右突,往来死战,不能得脱;所领蜀兵,十伤八九。佥乃仰天叹曰:“吾生为蜀臣,死亦当为蜀鬼!”乃复拍马冲杀,身被数枪,血盈袍铠;坐下马倒,佥自刎而死。后人有诗叹曰:

一日抒忠愤,千秋仰义名。宁为傅佥死,不作蒋舒生。

钟会得了阳安关,关内所积粮草、军器极多,大喜,遂犒三军。是夜,魏兵宿于阳安城中,忽闻西南上喊声大震。钟会慌忙出帐视之,绝无动静。魏军一夜不敢睡。次夜三更,西南上喊声又起。钟会惊疑,向晓,使人探之。回报曰:“远哨十余里,并无一人。”会惊疑不定,乃自引数百骑,俱全装惯带,望西南巡哨。前至一山,只见杀气四面突起,愁云布合,雾锁山头。会勒住马,问向导官曰:“此何山也?”答曰:“此乃定军山,昔日夏侯渊殁于此处。”会闻之,怅然不乐,遂勒马而回。转过山坡,忽然狂风大作,背后数千骑突出,随风杀来。会大惊,引众纵马而走。诸将坠马者,不计其数。及奔到阳安关时,不曾折一人一骑,只跌损面目,失了头盔。皆言曰:“但见阴云中人马杀来,比及近身,却不伤人,只是一阵旋风而已。”会问降将蒋舒曰:“定军山有神庙乎?”舒曰:“并无神庙,惟有诸葛武侯之墓。”会惊曰:“此必武侯显圣也。吾当亲往祭之。”次日,钟会备祭礼,宰太牢,自到武侯墓前再拜致祭。祭毕,狂风顿息,愁云四散。忽然清风习习,细雨纷纷。一阵过后,天色晴朗。魏兵大喜,皆拜谢回营。是夜,钟会在帐中伏几而寝,忽然一阵清风过处,只见一人,纶巾羽扇,身衣鹤氅,素履皂绦,面如冠玉,唇若抹朱,眉清目朗,身长八尺,飘飘然有神仙之概。其人步入帐中,会起身迎之曰:“公何人也?”其人曰:“今早重承见顾①。吾有片言相告:虽汉祚已衰,天命难违,然两川生灵,横罹兵革,诚可怜悯。汝入境之后,万勿妄杀生灵。”言讫,拂袖而去。会欲挽留之,忽然惊醒,乃是一梦。会知是武侯之灵,不胜惊异。于是传令前军,立一白旗,上书“保国安民”四字;所到之处,如妄杀一人者偿命。于是汉中人民,尽皆出城拜迎。会一一抚慰,秋毫无犯。后人有诗赞曰:

数万阴兵绕定军,致令钟会拜灵神。
生能决策扶刘氏,死尚遗言保蜀民。

---

① 重承见顾——承蒙探望。

却说姜维在沓中，听知魏兵大至，传檄廖化、张翼、董厥提兵接应；一面自分兵列将以待之。忽报魏兵至，维引兵迎之。魏阵中为首大将乃天水太守王颀也。颀出马大呼曰："吾今大兵百万，上将千员，分二十路而进，已到成都。汝不思早降，犹欲抗拒，何不知天命耶！"维大怒，挺枪纵马，直取王颀。战不三合，颀大败而走。姜维驱兵追杀至二十里，只听得金鼓齐鸣，一枝兵摆开，旗上大书"陇西太守牵弘"字样。维笑曰："此等鼠辈，非吾敌手！"遂催兵追之。又赶到十里，却遇邓艾领兵杀到。两军混战。维抖擞精神，与艾战有十余合，不分胜负，后面锣鼓又鸣。维急退时，后军报说："甘松诸寨，尽被金城太守杨欣烧毁了。"维大惊，急令副将虚立旗号，与邓艾相拒。维自撤后军，星夜来救甘松，正遇杨欣。欣不敢交战，望山路而走。维随后赶来。将至山岩下，岩上木石如雨，维不能前进。比及回到半路，蜀兵已被邓艾杀败。魏兵大队而来，将姜维围住。维引众骑杀出重围，奔入大寨坚守，以待救兵。忽然流星马到，报说："钟会打破阳安关，守将蒋舒归降，傅佥战死，汉中已属魏矣。乐城守将王含，汉城守将蒋斌，知汉中已失，亦开门而降。胡济抵敌不住，逃回成都求援去了。"

维大惊，即传令拔寨。是夜兵至疆川口，前面一军摆开，为首魏将，乃是金城太守杨欣。维大怒，纵马交锋，只一合，杨欣败走，维拈弓射之，连射三箭皆不中。维转怒，自折其弓，挺枪赶来。战马前失，将维跌在地上。杨欣拨回马来杀姜维。维跃起身，一枪刺去，正中杨欣马脑。背后魏兵骤至，救欣去了。维骑上从马，欲待追时，忽报后面邓艾兵到。维首尾不能相顾，遂收兵要夺汉中。哨马报说："雍州刺史诸葛绪已断了归路。"维乃据山险下寨。魏兵屯于阴平桥头。维进退无路，长叹曰："天丧我也！"副将宁随曰："魏兵虽断阴平桥头，雍州必然兵少，将军若从孔函谷，径取雍州，诸葛绪必撤阴平之兵救雍州，将军却引兵奔剑阁守之，则汉中可复矣。"维从之，即发兵入孔函谷，诈取雍州。细作报知诸葛绪。绪大惊曰："雍州是吾合守之地，倘有疏失，朝廷必然问罪。"急撤大兵从南路去救雍州，只留一枝兵守桥头。姜维入北道，约行三十里，料知魏兵起行，乃勒回兵，后队作前队，径到桥头，果然魏兵大队已去，只有些小兵把桥；被维一阵杀散，尽烧其寨栅。诸葛绪听知桥头火起，复引兵回，姜维兵已过半日了，因此不敢追赶。

却说姜维引兵过了桥头，正行之间，前面一军来到，乃左将军张翼、右将军廖化也。维问之，翼曰："黄皓听信师巫之言，不肯发兵。翼闻汉中已危，自起兵来时，阳安关已被钟会所取。今闻将军受困，特来接应。"遂合兵一处，前赴白水关。化曰："今四面受敌，粮道不通，不如退守剑阁，再作良图。"维疑虑未决。忽报钟会、邓艾分兵十余路杀来。维欲与翼、化分兵迎之。化曰："白水地狭路多，非争战之所，不如且退去救剑阁可也；若剑阁一失，是绝路矣。"维从之，遂引兵来投剑阁。将近关前，忽然鼓角齐鸣，喊声大起，旌旗遍竖，一枝军把住关口。正是：汉中险峻已无有，剑阁风波又忽生。未知何处之兵，且看下文分解。

# 第一百十七回

## 邓士载偷度阴平　诸葛瞻战死绵竹

却说辅国大将军董厥，闻魏兵十余路入境，乃引二万兵守住剑阁；当日望尘头大起，疑是魏兵，急引军把住关口。董厥自临军前视之，乃姜维、廖化、张翼也。厥大喜，接入关上，礼毕，哭诉后主黄皓之事。维曰："公勿忧虑。若有维在，必不容魏来吞蜀也。且守剑阁，徐图退敌之计。"厥曰："此关虽然可守，争奈成都无人；倘为敌人所袭，大势瓦解矣。"维曰："成都山险地峻，非可易取，不必忧也。"正言间，忽报诸葛绪领兵杀至关下，维大怒，急引五千兵杀下关来，直撞入魏阵中，左冲右突，杀得诸葛绪大败而走，退数十里下寨，魏军死者无数。蜀兵抢了许多马匹器械，维收兵回关。

却说钟会离剑阁二十里下寨，诸葛绪自来伏罪。会怒曰："吾令汝守把阴平桥头，以断姜维归路，如何失了！今又不得吾令，擅自进兵，以致此败！"绪曰："维诡计多端，诈取雍州；绪恐雍州有失，引兵去救，维乘机走脱；绪因赶至关下，不想又为所败。"会大怒，叱令斩之。监军卫瓘曰："绪虽有罪，乃邓征西所督之人；不争将军杀之，恐伤和气。"会曰："吾奉天子明诏、晋公钧命，特来伐蜀。便是邓艾有罪，亦当斩之！"众皆力劝。会乃将诸葛绪用槛车载赴洛阳，任晋公发落；随将绪所领之兵，收在部下调遣。有人报与邓艾。艾大怒曰："吾与汝官品一般，吾久镇边疆，于国多劳，汝安敢妄自尊大耶！"子邓忠劝曰："小不忍则乱大谋，父亲若与他不睦，必误国家大事。望且容忍之。”艾从其言。——然毕竟心中怀怒，乃引十数骑来见钟会。会闻艾至，便问左右：“艾引多少军来？”左右答曰：“只有十数骑。”会乃令帐上帐下列武士数百人。艾下马入见。会接入帐礼毕。艾见军容甚肃，心中不安，乃以言挑之曰：“将军得了汉中，乃朝廷之大幸也，可定策早取剑阁。”会曰：“将军明见若何？”艾再三推称无能。会固问之。艾答曰：“以愚意度之，可引一军从阴平小路出汉中德阳亭，用奇兵径取成都，姜维必撤兵来救，将军乘虚就取剑阁，可获全功。”会大喜曰：“将军此计甚妙！可即引兵去。吾在此专候捷音！”二人饮酒相别。会回本帐与诸将曰：“人皆谓邓艾有能。今日观之，乃庸才耳！”众问其故。会曰：“阴平小路，皆高山峻岭，若蜀以百余人守其险要，断其归路，则邓艾之兵皆饿死矣。吾只以正道而行，何愁蜀地不破乎！”遂置云梯炮架，只打剑阁关。

却说邓艾出辕门上马，回顾从者曰：“钟会待吾若何？”从者曰：“观其辞色，甚不以将军之言为然，但以口强应而已。”艾笑曰：“彼料我不能取成都，我偏欲取之！”回到本寨，师纂、邓忠一班将士接问曰：“今日与钟镇西有何高论？”艾曰：“吾以实心告彼，彼以庸才视我。彼今得汉中，以为莫大之功；若非吾屯沓中绊住姜维，彼安能成功耶！吾今若取了成都，胜取汉中矣！”当夜下令，尽拔寨望阴平小路进兵，离剑阁七百里下寨。有人报钟会，说：“邓艾要去取成都了。”会笑艾不智。

却说邓艾一面修密书遣使驰报司马昭，一面聚诸将于帐下问曰：“吾今乘虚去取成都，与汝等立功名于不朽，汝等肯从乎？”诸将应曰：“愿遵军令，万死不辞！”艾乃先令子邓忠引五千精兵，不穿衣甲，各执斧凿器具，凡遇峻危之处，凿山开路，搭造桥阁，以便军行。艾选兵三万，各带干粮绳索进发。约行百余里，选下三千兵，就彼扎寨；又行百余里，又选三千兵下寨。是年十月自阴平进兵，至于巅崖峻谷之中，凡二十余日，行七百余里，皆是无人之地。魏兵沿途下了数寨，只剩下二千人马。前至一岭，名摩天岭，马不堪行，艾步行上岭，正见邓忠与开路壮士尽皆哭泣。艾问其故。忠告曰：“此岭西皆是峻壁巅崖，不能开凿，虚废前劳，因此哭泣。”艾曰：“吾军到此，已行了七百余里，过此便是江油，岂可复退？”乃唤诸军曰：“不入虎穴，焉得虎子？吾与汝等来到此地，若得成功，富贵共之。”众皆应曰：“愿从将军之命。”艾令先将军器撺将下去。艾取毡自裹其身，先滚下去。

副将有毡衫者裹身滚下，无毡衫者各用绳索束腰，攀木挂树，鱼贯①而进。邓艾、邓忠，并二千军，及开山壮士，皆度了摩天岭。方才整顿衣甲器械而行，忽见道傍有一石碣，上刻："丞相诸葛武侯题。"其文云："二火初兴，有人越此。二士争衡，不久自死。"艾观讫大惊，慌忙对碣再拜曰："武侯真神人也！艾不能以师事之，惜哉！"后人有诗曰：

阴平峻岭与天齐，玄鹤徘徊尚怯飞。

邓艾裹毡从此下，谁知诸葛有先几②。

却说邓艾暗度阴平，引兵行时，又见一个大空寨。左右告曰："闻武侯在日，曾拨一千兵守此险隘。今蜀主刘禅废之。"艾嗟呀不已，乃谓众人曰："吾等有来路而无归路矣！前江油城中，粮食足备：汝等前进可活，后退即死，须并力攻之。"众皆应曰："愿死战！"于是邓艾步行，引二千余人，星夜倍道来抢江油城。

却说江油城守将马邈，闻东川已失，虽为准备，只是提防大路；又仗着姜维全师守住剑阁关，遂将军情不以为重。当日操练人马回家，与妻李氏拥炉饮酒。其妻问曰："屡闻边情甚急，将军全无忧色，何也？"邈曰："大事自有姜伯约掌握，干我甚事？"其妻曰："虽然如此，将军所守城池，不为不重。"邈曰："天子听信黄皓，溺于酒色，吾料祸不远矣。魏兵若到，降之为上，何必虑哉？"其妻大怒，唾邈面曰："汝为男子，先怀不忠不义之心，枉受国家爵禄，吾有何面目与汝相见耶！"马邈羞惭无语。忽家人慌入报曰："魏将邓艾不知从何而来，引二千余人，一拥而入城矣！"邈大惊，慌出纳降，拜伏于公堂之下，泣告曰："某有心归降久矣。今愿招城中居民，及本部人马，尽降将军。"艾准其降。遂收江油军马于部下调遣，即用马邈为向导官。忽报马邈夫人自缢身死。艾问其故，邈以实告。艾感其贤，令厚礼葬之，亲往致祭。魏人闻者，无不嗟叹。后人有诗赞曰：

后主昏迷汉祚颠，天差邓艾取西川。

可怜巴蜀多名将，不及江油李氏贤。

邓艾取了江油，遂接阴平小路诸军，皆到江油取齐，径来攻涪城。部将田续曰："我军涉险而来，甚是劳顿，且当休养数日，然后进兵。"艾大怒

① 鱼贯——像游鱼一样一个挨着一个地接连着。

② 先几(jī)——先见之明。

曰："兵贵神速，汝敢乱我军心耶！"喝令左右推出斩之。众将苦告方免。艾自驱兵至涪城。城内官吏军民疑从天降，尽皆投降。

蜀人飞报入成都。后主闻知，慌召黄皓问之。皓奏曰："此诈传耳。神人必不肯误陛下也。"后主又宣师婆问时，却不知何处去了。此时远近告急表文，一似雪片，往来使者，联络不绝。后主设朝计议，多官面面相觑，并无一言。郤正出班奏曰："事已急矣！陛下可宣武侯之子商议退兵之策。"原来武侯之子诸葛瞻，字思远。其母黄氏，即黄承彦之女也。母貌甚陋，而有奇才：上通天文，下察地理；凡韬略遁甲诸书，无所不晓。武侯在南阳时，闻其贤，求以为室。武侯之学，夫人多所赞助焉。及武侯死后，夫人寻①逝，临终遗教，惟以忠孝勉其子瞻。瞻自幼聪敏，尚后主女，为驸马都尉。后袭父武乡侯之爵。景耀四年，迁行军护卫将军。时为黄皓用事，故托病不出。当下后主从郤正之言，即时连发三诏，召瞻至殿下。后主泣诉曰："邓艾兵已屯涪城，成都危矣。卿看先君之面，救朕之命！"瞻亦泣奏曰："臣父子蒙先帝厚恩、陛下殊遇，虽肝脑涂地，不能补报。愿陛下尽发成都之兵，与臣领去决一死战。"后主即拨成都兵将七万与瞻。瞻辞了后主，整顿军马，聚集诸将问曰："谁敢为先锋？"言未讫，一少年将出曰："父亲既掌大权，儿愿为先锋。"众视之，乃瞻长子诸葛尚也。尚时年一十九岁，博览兵书，多习武艺。瞻大喜，遂命尚为先锋。是日，大军离了成都，来迎魏兵。

却说邓艾得马邈献地理图一本，备写涪城至成都三百六十里山川道路，阔狭险峻，一一分明。艾看毕，大惊曰："若只守涪城，倘被蜀人据住前山，何能成功耶？如迁延日久，姜维兵到，我军危矣。"速唤师纂并子邓忠，分付曰："汝等可引一军，星夜径去绵竹，以拒蜀兵。吾随后便至。切不可怠缓。若纵他先据了险要，决斩汝首！"

师、邓二人引兵将至绵竹，早遇蜀兵。两军各布成阵。师、邓二人勒马于门旗下，只见蜀兵列成八阵。三鼕②鼓罢，门旗两分，数十员将簇拥一辆四轮车，车上端坐一人：纶巾羽扇，鹤氅方裾。车傍展开一面黄旗，上书"汉丞相诸葛武侯"。諕得师、邓二人汗流遍身，回顾军士曰："原来孔明尚

---

① 寻——随即、不久。

② 鼕(dōng)——象声词，形容敲鼓的声音。

在，我等休矣！”

急勒兵回时，蜀兵掩杀将来，魏兵大败而走。蜀兵掩杀二十余里，遇见邓艾援兵接应。两家各自收兵。艾升帐而坐，唤师纂、邓忠责之曰：“汝二人不战而退，何也？”忠曰：“但见蜀阵中诸葛孔明领兵，因此奔还。”艾怒曰：“纵使孔明更生，我何惧哉！汝等轻退，以致于败，宜速斩以正军法！”众皆苦劝，艾方息怒。令人哨探，回说孔明之子诸葛瞻为大将，瞻之子诸葛尚为先锋。——车上坐者乃木刻孔明遗像也。

艾闻之，谓师纂、邓忠曰：“成败之机，在此一举。汝二人再不取胜，必当斩首！”师、邓二人又引一万兵来战。诸葛尚匹马单枪，抖擞精神，战退二人。诸葛瞻指挥两掖兵冲出，直撞入魏阵中，左冲右突，往来杀有数十番，魏兵大败，死者不计其数。师纂、邓忠中伤而逃。瞻驱士马随后掩杀二十余里，扎营相拒。师纂、邓忠回见邓艾，艾见二人俱伤，未便加责，乃与众将商议曰：“蜀有诸葛瞻善继父志，两番杀吾万余人马，今若不速破，后必为祸。”监军丘本曰：“何不作一书以诱之？”艾从其言，遂作书一封，遣使送入蜀寨。守门将引至帐下，呈上其书。瞻拆封视之。书曰：

征西将军邓艾，致书于行军护卫将军诸葛思远麾下：切观近代贤才，未有如公之尊父也。昔自出茅庐，一言已分三国，扫平荆、益，遂成霸业，古今鲜有及者；后六出祁山，非其智力不足，乃天数耳。今后主昏弱，王气已终，艾奉天子之命，以重兵伐蜀，已皆得其地矣。成都危在旦夕，公何不应天顺人，仗义来归？艾当表公为琅琊王，以光耀祖宗，决不虚言。幸存照鉴。

瞻看毕，勃然大怒，扯碎其书，叱武士立斩来使，令从者持首级回魏营见邓艾。艾大怒，即欲出战。丘本谏曰：“将军不可轻出，当用奇兵胜之。”艾从其言，遂令天水太守王颀、陇西太守牵弘，伏两军于后，艾自引兵而来。此时诸葛瞻正欲搦战，忽报邓艾自引兵到。瞻大怒，即引兵出，径杀入魏阵中。邓艾败走，瞻随后掩杀将来。忽然两下伏兵杀出。蜀兵大败，退入绵竹。艾令围之。于是魏兵一齐呐喊，将绵竹围的铁桶相似。

诸葛瞻在城中，见事势已迫，乃令彭和赍书杀出，往东吴求救。和至东吴，见了吴主孙休，呈上告急之书。吴主看罢，与群臣计议曰：“既蜀中危急，孤岂可坐视不救。”即令老将丁奉为主帅，丁封、孙异为副将，率兵五万，前往救蜀。丁奉领旨出师，分拨丁封、孙异引兵二万向沔中而进，自率兵三万向寿春而进；分兵三路来援。

却说诸葛瞻见救兵不至，谓众将曰："久守非良图。"遂留子尚与尚书张遵守城，瞻自披挂上马，引三军大开三门杀出。邓艾见兵出，便撤兵退。瞻奋力追杀，忽然一声炮响，四面兵合，把瞻困在垓心。瞻引兵左冲右突，杀死数百人。艾令众军放箭射之，蜀兵四散。瞻中箭落马，乃大呼曰："吾力竭矣，当以一死报国！"遂拔剑自刎而死。其子诸葛尚在城上，见父死于军中，勃然大怒，遂披挂上马。张遵谏曰："小将军勿得轻出。"尚叹曰："吾父子祖孙，荷国厚恩，今父既死于敌，我何用生为！"遂策马杀出，死于阵中。后人有诗赞瞻、尚父子曰：

不是忠臣独少谋，苍天有意绝炎刘。
当年诸葛留嘉胤①，节义真堪继武侯。

邓艾怜其忠，将父子合葬。——乘虚攻打绵竹。张遵、黄崇、李球三人，各引一军杀出。蜀兵寡，魏兵众，三人亦皆战死。艾因此得了绵竹。劳军已毕，遂来取成都。正是：试观后主临危日，无异刘璋受逼时。未知成都如何守御，且看下文分解。

# 第一百十八回

## 哭祖庙一王死孝　入西川二士争功

却说后主在成都，闻邓艾取了绵竹，诸葛瞻父子已亡，大惊，急召文武商议。近臣奏曰："城外百姓，扶老携幼，哭声大震，各逃生命。"后主惊惶无措。忽哨马报到，说魏兵将近城下。多官议曰："兵微将寡，难以迎敌；不如早弃成都，奔南中七郡。其地险峻，可以自守，就借蛮兵，再来克复未迟。"光禄大夫谯周曰："不可。南蛮久反之人，平昔无惠；今若投之，必遭大祸。"多官又奏曰："蜀、吴既同盟，今事急矣，可以投之。"周又谏曰："自古以来，无寄他国为天子者。臣料魏能吞吴，吴不能吞魏。若称臣于吴，是一辱也；若吴被魏所吞，陛下再称臣于魏，是两番之辱矣。不如不投吴

① 嘉胤（yìn）——美好的后代。胤：后代。

而降魏。魏必裂土以封陛下，则上能自守宗庙，下可以保安黎民。愿陛下思之。”后主未决，退入宫中。

次日，众议纷然。谯周见事急，复上疏诤之。后主从谯周之言，正欲出降；忽屏风后转出一人，厉声而骂周曰：“偷生腐儒，岂可妄议社稷大事！自古安有降天子哉！”后主视之，乃第五子北地王刘谌①也。后主生七子：长子刘璿②，次子刘瑶，三子刘琮，四子刘瓒，五子即北地王刘谌，六子刘恂，七子刘璩③。七子中惟谌自幼聪明，英敏过人，余皆懦善。后主谓谌曰：“今大臣皆议当降，汝独仗血气之勇，欲令满城流血耶？”谌曰：“昔先帝在日，谯周未尝干预国政；今妄议大事，辄起乱言，甚非理也。臣切料成都之兵，尚有数万；姜维全师，皆在剑阁，若知魏兵犯阙，必来救应：内外攻击，可获大功。岂可听腐儒之言，轻废先帝之基业乎？”后主叱之曰：“汝小儿岂识天时！”谌叩头哭曰：“若势穷力极，祸败将及，便当父子君臣背城一战，同死社稷，以见先帝可也。奈何降乎！”后主不听。谌放声大哭曰：“先帝非容易创立基业，今一旦弃之，吾宁死不辱也！”后主令近臣推出宫门，遂令谯周作降书，遣私署侍中张绍、驸马都尉邓良同谯周赍玉玺来洛城请降。

时邓艾每日令数百铁骑来成都哨探。当日见立了降旗，艾大喜。不一时，张绍等至，艾令人迎入。三人拜伏于阶下，呈上降款玉玺。艾拆降书视之，大喜，受下玉玺，重待张绍、谯周、邓良等。艾作回书，付三人赍回成都，以安人心。三人拜辞邓艾，径还成都，入见后主，呈上回书，细言邓艾相待之善。后主拆封视之，大喜，即遣太仆蒋显赍敕令姜维早降；遣尚书郎李虎，送文簿与艾：共户二十八万，男女九十四万，带甲将士十万二千，官吏四万，仓粮四十余万，金银各二千斤，锦绮彩绢各二十万匹。余物在库，不及具数。择十二月初一日，君臣出降。

北地王刘谌闻知，怒气冲天，乃带剑入宫。其妻崔夫人问曰：“大王今日颜色异常，何也？”谌曰：“魏兵将近，父皇已纳降款，明日君臣出降，社稷从此殄灭。吾欲先死以见先帝于地下，不屈膝于他人也！”崔夫人曰：“贤

---

① 刘谌(chén)——人名。

② 刘璿(xuán)——人名。

③ 刘璩(qú)——人名。

哉！贤哉！得其死矣！妾请先死，王死未迟。”谌曰：“汝何死耶？”崔夫人曰：“王死父，妾死夫：其义同也。夫亡妻死，何必问焉！”言讫，触柱而死。谌乃自杀其三子，并割妻头，提至昭烈庙中，伏地哭曰：“臣羞见基业弃于他人，故先杀妻子，以绝挂念，后将一命报祖！祖如有灵，知孙之心！”大哭一场，眼中流血，自刎而死。蜀人闻知，无不哀痛。后人有诗赞曰：

君臣甘屈膝，一子独悲伤。去矣西川事，雄哉北地王！
捐身酬烈祖，搔首泣穹苍。凛凛人如在，谁云汉已亡？

后主听知北地王自刎，乃令人葬之。

次日，魏兵大至。后主率太子诸王，及群臣六十余人，面缚舆榇①，出北门十里而降。邓艾扶起后主，亲解其缚，焚其舆榇，并车入城。后人有诗叹曰：

魏兵数万入川来，后主偷生失自裁。
黄皓终存欺国意，姜维空负济时才。
全忠义士心何烈，守节王孙志可哀。
昭烈经营良不易，一朝功业顿成灰。

于是成都之人，皆具香花迎接。艾拜后主为骠骑将军，其余文武，各随高下拜官；请后主还宫，出榜安民，交割仓库。又令太常张峻、益州别驾张绍，招安各郡军民。又令人说姜维归降。一面遣人赴洛阳报捷。艾闻黄皓奸险，欲斩之。皓用金宝赂其左右，因此得免。自是汉亡。后人因汉之亡，有追思武侯诗曰：

鱼鸟犹疑畏简书，风云长为护储胥②。
徒令上将挥神笔，终见降王走传车③。
管乐有才真不忝④，关张无命欲何如！
他年锦里经祠庙，《梁父》吟成恨有余！

且说太仆蒋显到剑阁，入见姜维，传后主敕命，言归降之事。维大惊

---

① 面缚舆榇——古代君主战败投降的仪式。面缚：双手捆在身背后，面朝着胜利者；舆榇：车上载着棺材，这是表示放弃抵抗，自请受刑。

② 储胥——木栅之类，作守卫拒障之用。

③ 传(zhuàn)车——古代驿站的专用车辆。

④ 不忝——不愧。此句中的“管乐”指管仲、乐毅。

失语。帐下众将听知，一齐怨恨，咬牙怒目，须发倒竖，拔刀砍石大呼曰："吾等死战，何故先降耶！"号哭之声，闻数十里。维见人心思汉，乃以善言抚之曰："众将勿忧。吾有一计，可复汉室。"众皆求问。姜维与诸将附耳低言，说了计策。即于剑阁关遍竖降旗，先令人报入钟会寨中，说姜维引张翼、廖化、董厥等来降。会大喜，令人迎接维入帐。会曰："伯约来何迟也？"维正色流涕曰："国家全军在吾，今日至此，犹为速也。"会甚奇之，下座相拜，待为上宾。维说会曰："闻将军自淮南以来，算无遗策；司马氏之盛，皆将军之力，维故甘心俯首。如邓士载，当与决一死战，安肯降之乎？"会遂折箭为誓，与维结为兄弟，情爱甚密，仍令照旧领兵。维暗喜，遂令蒋显回成都去了。

却说邓艾封师纂为益州刺史，牵弘、王颀等各领州郡；又于绵竹筑台以彰战功，大会蜀中诸官饮宴。艾酒至半酣，乃指众官曰："汝等幸遇我，故有今日耳。若遇他将，必皆殄灭矣。"多官起身拜谢。忽蒋显至，说姜维自降钟镇西了。艾因此痛恨钟会。遂修书令人赍赴洛阳，致晋公司马昭。昭得书视之。书曰：

臣艾切谓兵有先声而后实者，今因平蜀之势以乘吴①，此席卷之时也。然大举之后，将士疲劳，不可便用；宜留陇右兵二万、蜀兵二万，煮盐兴冶，并造舟船，预备顺流之计；然后发使，告以利害，吴可不征而定也。今宜厚待刘禅，以致②孙休；若便送禅来京，吴人必疑，则于向化之心不劝③。且权留之于蜀，须来年冬月抵京。今即可封禅为扶风王，锡以资财，供其左右，爵其子为公侯，以显归命之宠：则吴人畏威怀德，望风而从矣。

司马昭览毕，深疑邓艾有自专之心，乃先发手书与卫瓘，随后降封艾诏曰：

征西将军邓艾：耀威奋武，深入敌境，使僭号之主，系颈归降；兵不逾时，战不终日，云彻席卷，荡定巴、蜀；虽白起破强楚，韩信克劲赵，不

① 乘吴——灭吴。乘：追逐。

② 以致——用以招致。

③ 于向化之心不劝——对(吴人)想要接受王化的心理不是一种勉励。劝：提倡、勉励。

足比勋也。其以艾为太尉，增邑二万户，封二子为亭侯，各食邑千户。

邓艾受诏毕，监军卫瓘取出司马昭手书与艾。书中说邓艾所言之事，须候奏报，不可辄行。艾曰："将在外，君命有所不受。吾既奉诏专征，如何阻当？"遂又作书，令来使赍赴洛阳。时朝中皆言邓艾必有反意，司马昭愈加疑忌。忽使命回，呈上邓艾之书。昭拆封视之。书曰：

艾衔命西征，元恶既服，当权宜行事，以安初附。若待国命，则往复道途，延引日月。《春秋》之义：大夫出疆，有可以安社稷、利国家，专之可也。今吴未宾，势与蜀连，不可拘常以失事机。兵法：进不求名，退不避罪。艾虽无古人之节，终不自嫌以损于国也。先此申状，见可施行。

司马昭看毕大惊，忙与贾充计议曰："邓艾恃功而骄，任意行事，反形露矣。——如之奈何？"贾充曰："主公何不封钟会以制之？"昭从其议，遣使赍诏封会为司徒，就令卫瓘监督两路军马，以手书付瓘，使与会伺察邓艾，以防其变。会接读诏书。诏曰：

镇西将军钟会：所向无敌，前无强梁，节制①众城，网罗迸逸②；蜀之豪帅，面缚归命；谋无遗策，举无废功。其以会为司徒，进封县侯，增邑万户，封子二人亭侯，邑各千户。

钟会既受封，即请姜维计议曰："邓艾功在吾之上，又封太尉之职；今司马公疑艾有反志，故令卫瓘为监军，诏吾制之。伯约有何高见？"维曰："愚闻邓艾出身微贱，幼为农家养犊，今侥幸自阴平斜径，攀木悬崖，成此大功；非出良谋，实赖国家洪福耳。若非将军与维相拒于剑阁，艾安能成此功耶？——今欲封蜀主为扶风王，乃大结蜀人之心，其反情不言可见矣。——晋公疑之是也。"会深喜其言。维又曰："请退左右，维有一事密告。"会令左右尽退。维袖中取一图与会，曰："昔日武侯出草庐时，以此图献先帝，且曰：'益州之地，沃野千里，民殷国富，可为霸业。'先帝因此遂创成都。今邓艾至此，安得不狂？"会大喜，指问山川形势。维一一言之。会又问曰："当以何策除艾？"维曰："乘晋公疑忌之际，当急上表，言艾反状；晋公必令将军讨之。——一举而可擒矣。"会依言，即遣人赍表进赴洛阳，

---

① 节制——指挥管辖，这里有"攻克"的意思。

② 迸逸——失散的人才。迸：奔散、走散；逸：隐逸之士。

言邓艾专权恣肆①结好蜀人，早晚必反矣。于是朝中文武皆惊。会又令人于中途截了邓艾表文，按艾笔法，改写傲慢之辞，以实②己之语。

司马昭见了邓艾表章，大怒，即遣人到钟会军前，令会收艾；又遣贾充引三万兵入斜谷，昭乃同魏主曹奂御驾亲征。西曹掾邵悌谏曰："钟会之兵，多艾六倍，当令会收艾足矣，何必明公自行耶？"昭笑曰："汝忘了旧日之言耶？——汝曾道会后必反。吾今此行，非为艾，实为会耳。"悌笑曰："某恐明公忘之，故以相问。今既有此意，切宜秘之，不可泄漏。"昭然其言，遂提大兵起程。时贾充亦疑钟会有变，密告司马昭。昭曰："如遣汝，亦疑汝耶？吾到长安，自有明白。"早有细作报知钟会，说昭已至长安。会慌请姜维商议收艾之策。正是：才看西蜀收降将，又见长安动大兵。不知姜维以何策破艾，且看下文分解。

# 第一百十九回

## 假投降巧计成虚话　再受禅依样画葫芦

却说钟会请姜维计议收邓艾之策。维曰："可先令监军卫瓘收艾。艾若杀瓘，反情实矣。将军却起兵讨之，可也。"会大喜，遂令卫瓘引数十人入成都，收邓艾父子。瓘手下人止之曰："此是钟司徒令邓征西杀将军，以正反情也。切不可行。"瓘曰："吾自有计。"遂先发檄文二三十道。其檄曰："奉诏收艾，其余各无所问。若早来归，爵赏如先；敢有不出者，灭三族。"随备槛车两乘，星夜望成都而来。

比及鸡鸣，艾部将见檄文者，皆来投拜于卫瓘马前。时邓艾在府中未起。瓘引数十人突入大呼曰："奉诏收邓艾父子！"艾大惊，滚下床来。瓘叱武士缚于车上。其子邓忠出问，亦被捉下，缚于车上。府中将吏大惊，欲待动手抢夺，早望见尘头大起，哨马报说钟司徒大兵到了。众各四散奔走。钟会与姜维下马入府，见邓艾父子已被缚。会以鞭挞邓艾之首而骂

---

① 恣肆——恣意放肆，指任意胡作非为。

② 实——这里是"证实"的意思。

曰："养犊小儿，何敢如此！"姜维亦骂曰："匹夫行险徼幸①，亦有今日耶！"艾亦大骂。会将艾父子送赴洛阳。会入成都，尽得邓艾军马，威声大震。乃谓姜维曰："吾今日方趁平生之愿矣！"维曰："昔韩信不听蒯通之说，而有未央宫之祸②；大夫种不从范蠡于五湖，卒伏剑而死③：斯二子者，其功名岂不赫然哉，徒以利害未明，而见几④之不早也。今公大勋已就，威震其主，何不泛舟绝迹，登峨嵋之岭，而从赤松子游⑤乎？"会笑曰："君言差矣。吾年未四旬，方思进取，岂能便效此退闲之事？"维曰："若不退闲，当早图良策。此则明公智力所能，无烦老夫之言矣。"会抚掌大笑曰："伯约知吾心也。"二人自此每日商议大事。维密与后主书曰："望陛下忍数日之辱，维将使社稷危而复安，日月幽而复明，必不使汉室终灭也。"

却说钟会正与姜维谋反，忽报司马昭有书到。会接书。书中言："吾恐司徒收艾不下，自屯兵于长安；相见在近，以此先报。"会大惊曰："吾兵多艾数倍，若但要我擒艾，晋公知吾独能办之。今日自引兵来，是疑我也！"遂与姜维计议。维曰："君疑臣则臣必死，岂不见邓艾乎？"会曰："吾意决矣！——事成则得天下，不成则退西蜀，亦不失作刘备也。"维曰："近闻郭太后新亡，可诈称太后有遗诏，教讨司马昭，以正弑君之罪。据明公之才，中原可席卷而定。"会曰："伯约当作先锋。成事之后，同享富贵。"维曰："愿效犬马微劳。——但恐诸将不服耳。"会曰："来日元宵佳节，于故宫大张灯火，请诸将饮宴。如不从者尽杀之。"维暗喜。次日，会、维二人请诸将饮宴。数巡后，会执杯大哭。诸将惊问其故，会曰："郭太后临崩有遗诏在此，为司马昭南阙弑君，大逆无道，早晚将篡魏，命吾讨之。汝等各自佥名，共成此事。"众皆大惊，面面相觑。会拔剑出鞘曰："违令者斩！"众

---

① 徼(jiǎo)幸——同"侥幸"。由于偶然的原因得到成功或免去不幸的事。

② 韩信不听蒯(kuǎi)通之说，而有未央宫之祸——韩信掌握兵权时，蒯通曾劝他起兵自立，背叛刘邦，韩信不听。后来刘邦用计把他逮住，刘邦的妻子吕后又把他骗到未央宫杀掉了。

③ 大夫种不从范蠡于五湖，卒伏剑而死——大夫种：即文种。他和范蠡同是越王勾践的谋臣，他们帮助勾践灭掉吴国后，范蠡看到了勾践"不可与共乐"，便悄悄离去了，文种不听范蠡的劝告，留了下来，后来果然被迫自杀。

④ 见几——见机，对事态发展的预见。

⑤ 从赤松子游——逍遥世外，当隐士。赤松子：传说中的仙人。

皆恐惧,只得相从。画字已毕,会乃困诸将于宫中,严兵禁守。维曰:“我见诸将不服,请坑之。”会曰:“吾已令宫中掘一坑,置大棒数千;如不从者,打死坑之。”

时有心腹将丘建在侧。——建乃护军胡烈部下旧人也,时胡烈亦被监在宫。——建乃密将钟会所言,报知胡烈。烈大惊,泣告曰:“吾儿胡渊领兵在外,安知会怀此心耶?汝可念向日之情,透一消息,虽死无恨。”建曰:“恩主勿忧,容某图之。”遂出告会曰:“主公软监诸将在内,水食不便,可令一人往来传递。”会素听丘建之言,遂令丘建监临。会分付曰:“吾以重事托汝,休得泄漏。”建曰:“主公放心,某自有紧严之法。”建暗令胡烈亲信人入内,烈以密书付其人。其人持书火速至胡渊营内,细言其事,呈上密书。渊大惊,遂遍示诸营知之。众将大怒,急来渊营商议曰:“我等虽死,岂肯从反臣耶?”渊曰:“正月十八日中,可骤入内,如此行之。”监军卫瓘深喜胡渊之谋,即整顿了人马,令丘建传与胡烈。烈报知诸将。

却说钟会请姜维问曰:“吾夜梦大蛇数千条咬吾,主何吉凶?”维曰:“梦龙蛇者,皆吉庆之兆也。”会喜,信其言,乃谓维曰:“器仗已备,放诸将出问之,若何?”维曰:“此辈皆有不服之心,久必为害,不如乘早戮之。”会从之,即命姜维领武士往杀众魏将。维领命,方欲行动,忽然一阵心疼,昏倒在地;左右扶起,半晌方苏。忽报宫外人声沸腾。会方令人探时,喊声大震,四面八方,无限兵到。维曰:“此必是诸将作恶,可先斩之。”忽报兵已入内。会令闭上殿门,使军士上殿屋以瓦击之,互相杀死数十人。宫外四面火起,外兵砍开殿门杀入。会自掣剑立杀数人,却被乱箭射倒。众将枭其首。维拔剑上殿,往来冲突,不幸心疼转加。维仰天大叫曰:“吾计不成,乃天命也!”遂自刎而死。时年五十九岁。宫中死者数百人。卫瓘曰:“众军各归营所,以待王命。”魏兵争欲报仇,共剖维腹,其胆大如鸡卵。众将又尽取姜维家属杀之。邓艾部下之人,见钟会、姜维已死,遂连夜去追劫邓艾。早有人报知卫瓘。瓘曰:“是我捉艾;今若留他,我无葬身之地矣。”护军田续曰:“昔邓艾取江油之时,欲杀续,得众官告免。今日当报此恨!”瓘大喜,遂遣田续引五百兵赶至绵竹,正遇邓艾父子放出槛车,欲还成都。艾只道是本部兵到,不作准备;欲待问时,被田续一刀斩之。邓忠亦死于乱军之中。后人有诗叹邓艾曰:

自幼能筹画,多谋善用兵。凝眸知地理,仰面识天文。

马到山根断，兵来石径分。功成身被害，魂绕汉江云。

又有诗叹钟会曰：

髫年①称早慧，曾作秘书郎。妙计倾司马，当时号子房。

寿春多赞画，剑阁显鹰扬。不学陶朱②隐，游魂悲故乡。

又有诗叹姜维曰：

天水夸英俊，凉州产异才。系③从尚父出，术奉武侯来。

大胆应无惧，雄心誓不回。成都身死日，汉将有余哀。

却说姜维、钟会、邓艾已死，张翼等亦死于乱军之中。太子刘璿、汉寿亭侯关彝，皆被魏兵所杀。军民大乱，互相践踏，死者不计其数。旬日后，贾充先至，出榜安民，方始宁靖。留卫瓘守成都，乃迁后主赴洛阳。止有尚书令樊建、侍中张绍、光禄大夫谯周、秘书郎郤正等数人跟随。廖化、董厥皆托病不起，后皆忧死。

时魏景元五年改为咸熙元年，春三月，吴将丁奉见蜀已亡，遂收兵还吴。中书丞华覈④奏吴主孙休曰："吴、蜀乃唇齿也，唇亡则齿寒，臣料司马昭伐吴在即，乞陛下深加防御。"休从其言，遂命陆逊子陆抗为镇东大将军，领荆州牧，守江口；左将军孙异守南徐诸处隘口；又沿江一带，屯兵数百营，老将丁奉总督之，以防魏兵。

建宁太守霍弋闻成都不守，素服望西大哭三日。诸将皆曰："既汉主失位，何不速降？"弋泣谓曰："道路隔绝，未知吾主安危若何。若魏主以礼待之，则举城而降，未为晚也；万一危辱吾主，则主辱臣死，何可降乎？"众然其言，乃使人到洛阳，探听后主消息去了。

且说后主至洛阳时，司马昭已自回朝。昭责后主曰："公荒淫无道，废贤失政，理宜诛戮。"后主面如土色，不知所为。文武皆奏曰："蜀主既失国纪，幸早归降，宜赦之。"昭乃封禅为安乐公，赐住宅，月给用度，赐绢万匹，僮婢百人。子刘瑶及群臣樊建、谯周、郤正等，皆封侯爵。后主谢恩出内。

---

① 髫(tiáo)年——童年。

② 陶朱——范蠡隐居江湖后改姓陶朱。

③ 系——世系。

④ 华覈(hé)——人名。

昭因黄皓蠹国①害民，令武士押出市曹，凌迟处死。时霍弋探听得后主受封，遂率部下军士来降。次日，后主亲诣司马昭府下拜谢。昭设宴款待，先以魏乐舞戏于前，蜀官感伤，独后主有喜色。昭令蜀人扮蜀乐于前，蜀官尽皆堕泪，后主嬉笑自若。酒至半酣，昭谓贾充曰："人之无情，乃至于此！虽使诸葛孔明在，亦不能辅之久全，何况姜维乎？"乃问后主曰："颇思蜀否？"后主曰："此间乐，不思蜀也。"须臾，后主起身更衣，郤正跟至厢下曰："陛下如何答应不思蜀也？倘彼再问，可泣而答曰：'先人坟墓，远在蜀地，乃心西悲，无日不思。'晋公必放陛下归蜀矣。"后主牢记入席。酒将微醉，昭又问曰："颇思蜀否？"后主如郤正之言以对，欲哭无泪，遂闭其目。昭曰："何乃似郤正语耶？"后主开目惊视曰："诚如尊命。"昭及左右皆笑之。昭因此深喜后主诚实，并不疑虑。后人有诗叹曰：

追欢作乐笑颜开，不念危亡半点哀。
快乐异乡忘故国，方知后主是庸才。

却说朝中大臣因昭收川有功，遂尊之为王，表奏魏主曹奂。时奂名为天子，实不能主张，政皆由司马氏，不敢不从，遂封晋公司马昭为晋王，谥父司马懿为宣王，兄司马师为景王。昭妻乃王肃之女，生二子：长曰司马炎，人物魁伟，立发垂地，两手过膝，聪明英武，胆量过人；次曰司马攸，情性温和，恭俭孝悌，昭甚爱之，因司马师无子，嗣攸以继其后。昭常曰："天下者，乃吾兄之天下也。"于是司马昭受封晋王，欲立攸为世子。山涛谏曰："废长立幼，违礼不祥。"贾充、何曾、裴秀亦谏曰："长子聪明神武，有超世之才；人望既茂，天表如此：非人臣之相也。"昭犹豫未决。太尉王祥、司空荀顗谏曰："前代立少，多致乱国。愿殿下思之。"昭遂立长子司马炎为世子。

大臣奏称："当年襄武县，天降一人，身长二丈余，脚迹长三尺二寸，白发苍髯，着黄单衣，裹黄巾，拄藜头杖，自称曰：'吾乃民王也。今来报汝：天下换主，立见太平。'如此在市游行三日，忽然不见。——此乃殿下之瑞也。殿下可戴十二旒冠冕，建天子旌旗，出警入跸，乘金根车②，备六马，进王妃为王后，立世子为太子。"昭心中暗喜；回到宫中，正欲饮食，忽中风不

① 蠹(dù)国——像蠹虫蚀物一样损害国家。

② 金根车——一种以金为饰、皇帝专用的车子。

语。次日,病危,太尉王祥、司徒何曾、司马荀顗及诸大臣入宫问安,昭不能言,以手指太子司马炎而死。时八月辛卯日也。何曾曰:"天下大事,皆在晋王;可立太子为晋王,然后祭葬。"是日,司马炎即晋王位,封何曾为晋丞相,司马望为司徒,石苞为骠骑将军,陈骞为车骑将军,谥父为文王。

安葬已毕,炎召贾充、裴秀入宫问曰:"曹操曾云:'若天命在吾,吾其为周文王乎!'果有此事否?"充曰:"操世受汉禄,恐人议论篡逆之名,故出此言。——乃明教曹丕为天子也。"炎曰:"孤父王比曹操何如?"充曰:"操虽功盖华夏,下民畏其威而不怀其德。子丕继业,差役甚重,东西驱驰,未有宁岁。后我宣王、景王,累建大功,布恩施德,天下归心久矣。文王并吞西蜀,功盖寰宇,又岂操之可比乎?"炎曰:"曹丕尚绍①汉统,孤岂不可绍魏统耶?"贾充、裴秀二人再拜而奏曰:"殿下正当法曹丕绍汉故事,复筑受禅坛,布告天下,以即大位。"

炎大喜,次日带剑入内。此时,魏主曹奂连日不曾设朝,心神恍惚,举止失措。炎直入后宫,奂慌下御榻而迎。炎坐毕,问曰:"魏之天下,谁之力也?"奂曰:"皆晋王父祖之赐耳。"炎笑曰:"吾观陛下,文不能论道,武不能经邦。何不让有才德者主之?"奂大惊,口噤②不能言。傍有黄门侍郎张节大喝曰:"晋王之言差矣!昔日魏武祖皇帝,东荡西除,南征北讨,非容易得此天下;今天子有德无罪,何故让与人耶?"炎大怒曰:"此社稷乃大汉之社稷也。曹操挟天子以令诸侯,自立魏王,篡夺汉室。吾祖父三世辅魏,得天下者,非曹氏之能,实司马氏之力也:四海咸知。吾今日岂不堪绍魏之天下乎?"节又曰:"欲行此事,是篡国之贼也!"炎大怒曰:"吾与汉家报仇,有何不可!"叱武士将张节乱瓜③打死于殿下。奂泣泪跪告。炎起身下殿而去。奂谓贾充、裴秀曰:"事已急矣。如之奈何?"充曰:"天数尽矣,陛下不可逆天,当照汉献帝故事,重修受禅坛,具大礼,禅位与晋王:上合天心,下顺民情,陛下可保无虞矣。"

奂从之,遂令贾充筑受禅坛。以十二月甲子日,奂亲捧传国玺,立于坛上,大会文武。后人有诗叹曰:

---

① 绍——继续、接续。

② 口噤——闭口不做声。

③ 瓜——一种充作仪仗的武器,长柄,上端如瓜形。

魏吞汉室晋吞曹，天运循环不可逃。

张节可怜忠国死，一拳怎障泰山高。

请晋王司马炎登坛，授与大礼。奂下坛，具公服立于班首。炎端坐于坛上。贾充、裴秀列于左右，执剑，令曹奂再拜伏地听命。充曰："自汉建安二十五年，魏受汉禅，已经四十五年矣；今天禄永终，天命在晋。司马氏功德弥隆，极天际地，可即皇帝正位，以绍魏统。——封汝为陈留王，出就金墉城居止；当时起程，非宣诏不许入京。"奂泣谢而去。太傅司马孚哭拜于奂前曰："臣身为魏臣，终不背魏也。"炎见孚如此，封孚为安平王。孚不受而退。是日，文武百官，再拜于坛下，山呼万岁。炎绍魏统，国号大晋，改元为泰始元年，大赦天下。魏遂亡。后人有诗叹曰：

晋国规模如魏王，陈留踪迹似山阳。

重行受禅台前事，回首当年止自伤。

晋帝司马炎，追谥司马懿为宣帝，伯父司马师为景帝，父司马昭为文帝，立七庙以光祖宗。那七庙？汉征西将军司马钧，钧生豫章太守司马量，量生颍川太守司马隽，隽生京兆尹司马防，防生宣帝司马懿，懿生景帝司马师、文帝司马昭：是为七庙也。大事已定，每日设朝计议伐吴之策。正是：汉家城郭已非旧，吴国江山将复更。未知怎生伐吴，且看下文分解。

# 第一百二十回

## 荐杜预老将献新谋　降孙皓三分归一统

却说吴主孙休，闻司马炎已篡魏，知其必将伐吴，忧虑成疾，卧床不起，乃召丞相濮阳兴入宫中，令太子孙𩅦①出拜。吴主把兴臂、手指𩅦而卒。兴出，与群臣商议，欲立太子孙𩅦为君。左典军万彧曰："𩅦幼不能专政，不若取乌程侯孙皓立之。"左将军张布亦曰："皓才识明断，堪为帝王。"丞相濮阳兴不能决，入奏朱太后。太后曰："吾寡妇人耳，安知社稷之事？卿等斟酌立之可也。"兴遂迎皓为君。

---

① 孙𩅦（wān）——人名。孙休为太子起名儿新造的字。

皓字元宗，大帝孙权太子孙和之子也。当年七月，即皇帝位，改元为元兴元年，封太子孙𩅦为豫章王，追谥父和为文皇帝，尊母何氏为太后，加丁奉为右大司马。次年改为甘露元年。皓凶暴日甚，酷溺酒色，宠幸中常侍岑昏。濮阳兴、张布谏之，皓怒，斩二人，灭其三族。由是廷臣缄口，不敢再谏。又改宝鼎元年，以陆凯、万彧为左右丞相。时皓居武昌，扬州百姓溯流供给，甚苦之；又奢侈无度，公私匮乏。陆凯上疏谏曰：

今无灾而民命尽，无为而国财空，臣窃痛之。昔汉室既衰，三家鼎立；今曹、刘失道，皆为晋有：此目前之明验也。臣愚但为陛下惜国家耳。武昌土地险瘠，非王者之都。且童谣云："宁饮建业水，不食武昌鱼；宁还建业死，不止武昌居！"此足明民心与天意也。今国无一年之蓄，有露根之渐；官吏为苛扰，莫之或恤。大帝时，后宫女不满百；景帝以来，乃有千数：此耗财之甚者也。又左右皆非其人，群党相挟，害忠隐贤，此皆蠹政病民者也。愿陛下省百役，罢苛扰，简出宫女，清选百官，则天悦民附而国安矣。

疏奏，皓不悦。又大兴土木，作昭明宫，令文武各官入山采木；又召术士尚广，令筮蓍问取天下之事。尚对曰："陛下筮得吉兆：庚子岁，青盖当入洛阳。"皓大喜，谓中书丞华覈曰："先帝纳卿之言，分头命将，沿江一带，屯数百营，命老将丁奉总之。朕欲兼并汉土，以为蜀主复仇，当取何地为先？"覈谏曰："今成都不守，社稷倾崩，司马炎必有吞吴之心。陛下宜修德以安吴民，乃为上计。若强动兵甲，正犹披麻救火，必致自焚也。愿陛下察之。"皓大怒曰："朕欲乘时恢复旧业，汝出此不利之言！若不看汝旧臣之面，斩首号令！"叱武士推出殿门。华覈出朝叹曰："可惜锦秀江山，不久属于他人矣！"遂隐居不出。于是皓令镇东将军陆抗部兵屯江口，以图襄阳。

早有消息报入洛阳，近臣奏知晋主司马炎。晋主闻陆抗寇襄阳，与众官商议。贾充出班奏曰："臣闻吴国孙皓，不修德政，专行无道。陛下可诏都督羊祜①率兵拒之，俟其国中有变，乘势攻取，东吴反掌可得也。"炎大喜，即降诏遣使到襄阳，宣谕羊祜。祜奉诏，整点军马，预备迎敌。自是羊祜镇守襄阳，甚得军民之心。吴人有降而欲去者，皆听之。减戍逻之卒，

---

① 羊祜（hù）——人名。

用以垦田八百余顷。其初到时，军无百日之粮；及至末年，军中有十年之积。祜在军，尝着轻裘，系宽带，不披铠甲，帐前侍卫者不过十余人。一日，部将入帐禀祜曰："哨马来报：吴兵皆懈怠。可乘其无备而袭之，必获大胜。"祜笑曰："汝众人小觑陆抗耶？此人足智多谋，日前吴主命之攻拔西陵，斩了步阐及其将士数十人，吾救之无及。此人为将，我等只可自守；候其内有变，方可图取。若不审时势而轻进，此取败之道也。"众将服其论，只自守疆界而已。

一日，羊祜引诸将打猎，正值陆抗亦出猎。羊祜下令："我军不许过界。"众将得令，止于晋地打围，不犯吴境。陆抗望见，叹曰："羊将军有纪律，不可犯也。"日晚各退。祜归至军中，察问所得禽兽，被吴人先射伤者皆送还。吴人皆悦，来报陆抗。抗召来人入，问曰："汝主帅能饮酒否？"来人答曰："必得佳酿，则饮之。"抗笑曰："吾有斗酒，藏之久矣。今付与汝持去，拜上都督：此酒陆某亲酿自饮者，特奉一勺，以表昨日出猎之情。"来人领诺，携酒而去。左右问抗曰："将军以酒与彼，有何主意？"抗曰："彼既施德于我，我岂得无以酬之？"众皆愕然。

却说来人回见羊祜，以抗所问并奉酒事，一一陈告。祜笑曰："彼亦知吾能饮乎！"遂命开壶取饮。部将陈元曰："其中恐有奸诈，都督且宜慢饮。"祜笑曰："抗非毒人者也，不必疑虑。"竟倾壶饮之。自是使人通问，常相往来。一日，抗遣人候①祜。祜问曰："陆将军安否？"来人曰："主帅卧病数日未出。"祜曰："料彼之病，与我相同。吾已合成熟药在此，可送与服之。"来人持药回见抗。众将曰："羊祜乃是吾敌也，此药必非良药。"抗曰："岂有鸩人羊叔子哉！汝众人勿疑。"遂服之。次日病愈，众将皆拜贺。抗曰："彼专以德，我专以暴，是彼将不战而服我也。今宜各保疆界而已，无求细利。"众将领命。

忽报吴主遣使来到，抗接入问之。使曰："天子传谕将军：作急进兵，勿使晋人先入。"抗曰："汝先回，吾随有疏章上奏。"使人辞去，抗即草疏遣人赍到建业。近臣呈上，皓拆观其疏，疏中备言晋未可伐之状，且劝吴主修德慎罚，以安内为念，不当以黩武为事。吴主览毕，大怒曰："朕闻抗在边境与敌人相通，今果然矣！"遂遣使罢其兵权，降为司马，却令左将军孙

---

①　候——问候。

冀代领其军。群臣皆不敢谏。吴主皓自改元建衡，至凤凰元年，恣意妄为，穷兵屯戍，上下无不嗟怨。丞相万彧、将军留平、大司农楼玄三人见皓无道，直言苦谏，皆被所杀。前后十余年，杀忠臣四十余人。皓出入常带铁骑五万。群臣恐怖，莫敢奈何。

却说羊祜闻陆抗罢兵，孙皓失德，见吴有可乘之机，乃作表遣人往洛阳请伐吴。其略曰：

夫期运虽天所授，而功业必因人而成。今江淮之险，不如剑阁；孙皓之暴，过于刘禅；吴人之困，甚于巴蜀；而大晋兵力，盛于往时：不于此际平一四海，而更阻兵相守，使天下困于征戍，经历盛衰，不可长久也。

司马炎观表，大喜，便令兴师。——贾充、荀勖、冯紞①三人，力言不可，炎因此不行。祜闻上不允其请，叹曰："天下不如意事，十常八九。今天与不取，岂不大可惜哉！"至咸宁四年，羊祜入朝，奏辞归乡养病。炎问曰："卿有何安邦之策，以教寡人？"祜曰："孙皓暴虐已甚，于今可不战而克。若皓不幸而殁，更立贤君，则吴非陛下所能得也。"炎大悟曰："卿今便提兵往伐，若何？"祜曰："臣年老多病，不堪当此任。陛下另选智勇之士，可也。"遂辞炎而归。是年十一月，羊祜病危，司马炎车驾亲临其家问安。炎至卧榻前，祜下泪曰："臣万死不能报陛下也！"炎亦泣曰："朕深恨不能用卿伐吴之策。——今日谁可继卿之志？"祜含泪而言曰："臣死矣，不敢不尽愚诚：右将军杜预可任；若伐吴，须当用之。"炎曰："举善荐贤，乃美事也；卿何荐人于朝，即自焚奏稿，不令人知耶？"祜曰："拜官公朝，谢恩私门，臣所不取也。"言讫而亡。炎大哭回宫，敕赠太傅、巨平侯。南州百姓闻羊祜死，罢市而哭。江南守边将士，亦皆哭泣。襄阳人思祜存日，常游于岘山，遂建庙立碑，四时祭之。往来人见其碑文者，无不流涕，故名为"堕泪碑"。后人有诗叹曰：

晓日登临感晋臣，古碑零落岘山春。
松间残露频频滴，疑是当年堕泪人。

晋主以羊祜之言，拜杜预为镇南大将军都督荆州事。杜预为人，老成练达，好学不倦，最喜读左丘明《春秋传》，坐卧常自携，每出入必使人持《左传》于马前，时人谓之"左传癖"。及奉晋主之命，在襄阳抚民养兵，准

---

① 冯紞（dǎn）——人名。

备伐吴。

此时吴国丁奉、陆抗皆死，吴主皓每宴群臣，皆令沉醉；又置黄门郎十人为纠弹官。宴罢之后，各奏过失，有犯者或剥其面，或凿其眼。由是国人大惧。晋益州刺史王濬上疏请伐吴。其疏曰：

孙皓荒淫凶逆，宜速征伐。若一旦皓死，更立贤主，则强敌也；臣造船七年，日有朽败；臣年七十，死亡无日：三者一乖，则难图矣。愿陛下无失事机。

晋主览疏，遂与群臣议曰："王公之论，与羊都督暗合。朕意决矣。"侍中王浑奏曰："臣闻孙皓欲北上，军伍已皆整备，声势正盛，难与争锋。更迟一年以待其疲，方可成功。"晋主依其奏，乃降诏止兵莫动，退入后宫，与秘书丞张华围棋消遣。近臣奏边庭有表到。晋主开视之，乃杜预表也。表略云：

往者，羊祜不博①谋于朝臣，而密与陛下计，故令朝臣多异同之议。凡事当以利害相校②。度此举之利，十有八九，而其害止于无功耳。自秋以来，讨贼之形颇露；今若中止，孙皓恐怖，徙都武昌，完修江南诸城，迁其居民，城不可攻，野无所掠，则明年之计亦无及矣。

晋主览表才罢，张华突然而起，推却棋枰，敛手奏曰："陛下圣武，国富民强；吴主淫虐，民忧国敝。今若讨之，可不劳而定。愿勿以为疑。"晋主曰："卿言洞见利害，朕复何疑。"即出升殿，命镇南大将军杜预为大都督，引兵十万出江陵；镇东大将军琅琊王司马伷③出涂中；安东大将军王浑出横江；建威将军王戎出武昌；平南将军胡奋出夏口：各引兵五万，皆听预调用。又遣龙骧将军王濬、广武将军唐彬，浮江东下：水陆兵二十余万，战船数万艘。又令冠军将军杨济出屯襄阳，节制诸路人马。

早有消息报入东吴。吴主皓大惊，急召丞相张悌、司徒何植、司空滕循，计议退兵之策。悌奏曰："可令车骑将军伍延为都督，进兵江陵，迎敌杜预；骠骑将军孙歆进兵拒夏口等处军马。臣敢为军师，领左将军沈莹、右将军诸葛靓，引兵十万，出兵牛渚，接应诸路军马。"皓从之，遂令张悌引

---

① 博——广泛。

② 校——比较。

③ 司马伷(zhòu)——人名。

兵去了。皓退入后宫，不安忧色。幸臣中常侍岑昏问其故。皓曰："晋兵大至，诸路已有兵迎之；争奈王濬率兵数万，战船齐备，顺流而下，其锋甚锐：朕因此忧也。"昏曰："臣有一计，令王濬之舟，皆为齑粉矣。"皓大喜，遂问其计。岑昏奏曰："江南多铁，可打连环索百余条，长数百丈，每环重二三十斤，于沿江紧要去处横截之。再造铁锥数万，长丈余，置于水中。若晋船乘风而来，逢锥则破，岂能渡江也？"皓大喜，传令拨匠工于江边连夜造成铁索、铁锥，设立停当。

却说晋都督杜预，兵出江陵，令牙将周旨：引水手八百人，乘小舟暗渡长江，夜袭乐乡，多立旌旗于山林之处，日则放炮擂鼓，夜则各处举火。旨领命，引众渡江，伏于巴山。次日，杜预领大军水陆并进。前哨报道："吴主遣伍延出陆路，陆景出水路，孙歆为先锋：三路来迎。"杜预引兵前进，孙歆船早到。两兵初交，杜预便退。歆引兵上岸，迤逦追时，不到二十里，一声炮响，四面晋兵大至。吴兵急回，杜预乘势掩杀，吴兵死者不计其数。孙歆奔到城边，周旨八百军混杂于中，就城上举火。歆大惊曰："北来诸军乃飞渡江也？"急欲退时，被周旨大喝一声，斩于马下。陆景在船上，望见江南岸上一片火起，巴山上风飘出一面大旗，上书："晋镇南大将军杜预。"陆景大惊，欲上岸逃命，被晋将张尚马到斩之。伍延见各军皆败，乃弃城走，被伏兵捉住，缚见杜预。预曰："留之无用！"叱令武士斩之。——遂得江陵。于是沅、湘一带，直抵广州诸郡，守令皆望风赍印而降。预令人持节安抚，秋毫无犯。遂进兵攻武昌，武昌亦降。杜预军威大振，遂大会诸将，共议取建业之策。胡奋曰："百年之寇，未可尽服。方今春水泛涨，难以久住。可俟来春，更为大举。"预曰："昔乐毅济西一战而并强齐；今兵威大振，如破竹之势，数节之后，皆迎刃而解，无复有着手处也。"遂驰檄约会诸将，一齐进兵，攻取建业。

时龙骧将军王濬率水兵顺流而下。前哨报说："吴人造铁索，沿江横截；又以铁锥置于水中为准备。"濬大笑，遂造大筏数十方，上缚草为人，披甲执杖，立于周围，顺水放下。吴兵见之，以为活人，望风先走。暗锥着筏，尽提而去。又于筏上作大炬，长十余丈，大十余围，以麻油灌之，但遇铁索，燃炬烧之，须臾皆断。两路从大江而来，所到之处，无不克胜。

却说东吴丞相张悌，令左将军沈莹、右将军诸葛靓，来迎晋兵。莹谓靓曰："上流诸军不作提防，吾料晋军必至此，宜尽力以敌之。若幸得胜，江南自安。今渡江与战，不幸而败，则大事去矣。”靓曰：“公言是也。”言未毕，人报晋兵顺流而下，势不可当。二人大惊，慌来见张悌商议。靓谓悌曰：“东吴危矣，何不遁去？”悌垂泣曰：“吴之将亡，贤愚共知；今若君臣皆降，无一人死于国难，不亦辱乎！”诸葛靓亦垂泣而去。张悌与沈莹挥兵抵敌，晋兵一齐围之。周旨首先杀入吴营。张悌独奋力搏战，死于乱军之中。沈莹被周旨所杀。吴兵四散败走。后人有诗赞张悌曰：

杜预巴山见大旗，江东张悌死忠时。

已拚王气南中尽，不忍偷生负所知。

却说晋兵克了牛渚，深入吴境。王濬遣人驰报捷音，晋主炎闻知大喜。贾充奏曰：“吾兵久劳于外，不服水土，必生疾病。宜召军还，再作后图。”张华曰：“今大兵已入其巢，吴人胆落，不出一月，孙皓必擒矣。若轻召还，前功尽废，诚可惜也。”晋主未及应，贾充叱华曰：“汝不省天时地利，欲妄邀功绩，困弊士卒，虽斩汝不足以谢天下！”炎曰：“此是朕意，华但与朕同耳，何必争辩！”忽报杜预驰表到。晋主视表，亦言宜急进兵之意。晋主遂不复疑，竟下征进之命。王濬等奉了晋主之命，水陆并进，风雷鼓动，吴人望旗而降。吴主皓闻之，大惊失色。诸臣告曰：“北兵日近，江南军民不战而降，将如之何？”皓曰：“何故不战？”众对曰：“今日之祸，皆岑昏之罪，请陛下诛之。臣等出城决一死战。”皓曰：“量一中贵，何能误国？”众大叫曰：“陛下岂不见蜀之黄皓乎！”遂不待吴主之命，一齐拥入宫中，碎割岑昏，生啖其肉。陶濬奏曰：“臣领战船皆小，愿得二万兵乘大船以战，自足破之。”皓从其言，遂拨御林诸军与陶濬上流迎敌。前将军张象，率水兵下江迎敌。二人部兵正行，不想西北风大起，吴兵旗帜，皆不能立，尽倒竖于舟中；兵卒不肯下船，四散奔走，只有张象数十军待敌。

却说晋将王濬，扬帆而行，过三山，舟师曰：“风波甚急，船不能行；且待风势少息行之。”濬大怒，拔剑叱之曰：“吾目下欲取石头城，何言住耶！”遂擂鼓大进。吴将张象引从军请降。濬曰：“若是真降，便为前部立功。”象回本船，直至石头城下，叫开城门，接入晋兵。孙皓闻晋兵已入城，欲自刎。中书令胡冲、光禄勋薛莹奏曰：“陛下何不效安乐公刘禅乎？”皓从之，亦舆榇自缚，率诸文武，诣王濬军前归降。濬释其缚，焚其榇，以王礼待之。唐人有诗叹曰；

西晋楼船下益州，金陵王气黯然收。

千寻①铁锁沉江底，一片降旗出石头。

人世几回伤往事，山形依旧枕寒流。

今逢四海为家日，故垒萧萧芦荻秋。

于是东吴四州，四十三郡，三百一十三县，户口五十二万三千，官吏三万二千，兵二十三万，男女老幼二百三十万，米谷二百八十万斛，舟船五千余艘，后宫五千余人，皆归大晋。大事已定，出榜安民，尽封府库仓廪。次日，陶濬兵不战自溃。琅琊王司马伷并王戎大兵皆至，见王濬成了大功，心中忻喜。次日，杜预亦至，大犒三军，开仓赈济吴民。于是吴民安堵。惟有建平太守吾彦，拒城不下；闻吴亡，乃降。王濬上表报捷。朝廷闻吴已平，君臣皆贺，上寿。晋主执杯流涕曰："此羊太傅之功也，惜其不亲见之耳！"骠骑将军孙秀退朝，向南而哭曰："昔讨逆壮年，以一校尉创立基业；今孙皓举江南而弃之！悠悠苍天，此何人哉！"

却说王濬班师，迁吴主皓赴洛阳面君。皓登殿稽首以见晋帝。帝赐坐曰："朕设此座以待卿久矣。"皓对曰："臣于南方，亦设此座以待陛下。"帝大笑。贾充问皓曰："闻君在南方，每凿人眼目，剥人面皮：此何等刑耶？"皓曰："人臣弑君及奸回不忠者，则加此刑耳。"充默然甚愧。帝封皓为归命侯，子孙封中郎，随降宰辅皆封列侯。丞相张悌阵亡，封其子孙。封王濬为辅国大将军。其余各加封赏。

自此三国归于晋帝司马炎，为一统之基矣。此所谓"天下大势，合久必分，分久必合"者也。后来后汉皇帝刘禅亡于晋泰始七年，魏主曹奂亡于太安元年，吴主孙皓亡于太康四年，皆善终。后人有古风一篇，以叙其事曰：

高祖提剑入咸阳，炎炎红日升扶桑；

光武龙兴成大统，金乌飞上天中央；

哀哉献帝绍海宇，红轮西坠咸池傍！

何进无谋中贵乱，凉州董卓居朝堂；

王允定计诛逆党，李傕郭汜兴刀枪；

四方盗贼如蚁聚，六合奸雄皆鹰扬：

孙坚孙策起江左，袁绍袁术兴河梁；

---

① 寻——古代的长度单位，八尺为一寻。

刘焉父子据巴蜀，刘表军旅屯荆襄；
张燕张鲁霸南郑，马腾韩遂守西凉；
陶谦张绣公孙瓒，各逞雄才占一方。
曹操专权居相府，牢笼英俊用文武；
威挟天子令诸侯，总领貔貅镇中土。
楼桑玄德本皇孙，义结关张愿扶主；
东西奔走恨无家，将寡兵微作羁旅；
南阳三顾情何深，卧龙一见分寰宇；
先取荆州后取川，霸业图王在天府；
呜呼三载逝升遐①，白帝托孤堪痛楚！
孔明六出祁山前，愿以只手将天补；
何期历数到此终，长星半夜落山坞！
姜维独凭气力高，九伐中原空劬劳；
钟会邓艾分兵进，汉室江山尽属曹。
丕睿芳髦才及奂，司马又将天下交；
受禅台前云雾起，石头城下无波涛；
陈留归命与安乐，王侯公爵从根苗：
纷纷世事无穷尽，天数茫茫不可逃；
鼎足三分已成梦，后人凭吊空牢骚。

① 升遐——古代称帝王死去为“升遐”。

**图书在版编目（CIP）数据**

三国演义/(明)罗贯中编次. --北京：华夏出版社，2013.4（2018.1 重印）
（中国古典文学名著丛书）
ISBN 978-7-5080-7495-5

Ⅰ.①三…　Ⅱ.①罗…　Ⅲ.①章回小说－中国－明代　Ⅳ.①I242.4

中国版本图书馆 CIP 数据核字（2013）第 041310 号

**三国演义**

---

**作　　者**　[明]罗贯中　著
**责任编辑**　韩　平　高　苏

**出版发行**　华夏出版社
**经　　销**　新华书店
**印　　刷**　三河市兴达印务有限公司
**装　　订**　三河市兴达印务有限公司
**版　　次**　2013 年 4 月北京第 1 版
2018 年 1 月北京第 5 次印刷
**开　　本**　880×1230　1/32
**印　　张**　22.25
**字　　数**　1000 千字
**定　　价**　16.00 元

---

**华夏出版社**　地址:北京市东直门外香河园北里 4 号　邮编:100028
网址:www.hxph.com.cn　电话:(010)64663331(转)